Ostsibirische See

NORILLAG

GORLAG

Igarka

DALSTROI

Magadan

Ochotskisches Meer

SIBLAG

Baikalsee

Wladiwostok

Anne Applebaum

# DER GULAG

Ludger Roedder
11/03
Chicago, IL

Anne Applebaum

# DER GULAG

Aus dem Englischen
von Frank Wolf

Siedler

Die Originalausgabe erschien 2003
unter dem Titel »Gulag: A History«
bei Doubleday, New York.

Die deutsche Ausgabe wurde mit Einverständnis
der Autorin gekürzt.



Lektorat: Andrea Böltken
Satz: Ditta Ahmadi, Berlin
Karten: Peter Palm, Berlin
Schutzumschlag: Rothfos + Gabler, Hamburg
Druck und Bindung: GGP Media, Pößneck
Printed in Germany 2003
ISBN 3-88680-642-1
Erste Auflage

# Inhalt

Einführung 9

ERSTER TEIL
Die Ursprünge des Gulags 1917-1939 41

Anfänge unter den Bolschewiken 43
Das erste Lager des Gulags 57
1929: Die große Wende 81
Der Weißmeer-Kanal 97
Die Lager breiten sich aus 111
Der Große Terror und die Folgen 131

ZWEITER TEIL
Leben und Arbeit in den Lagern 153

Verhaftung 155
Gefängnis 177
Transport, Ankunft, Selektion 189
Leben in den Lagern 211
Arbeit in den Lagern 243
Strafe und Belohnung 269
Die Wachen 285
Die Gefangenen 309
Frauen und Kinder 333
Die Sterbenden 361
Überlebensstrategien 373
Rebellion und Flucht 417

DRITTER TEIL
Aufstieg und Fall des Lager-Industrie-Komplexes 1940-1986 435

Der Krieg beginnt 437
Die Fremden 447
Amnestie und danach 471
Der Lager-Industrie-Komplex auf dem Zenit 485
Stalins Tod 501
Die Revolution der *Seks* 511
Tauwetter und Freilassung 533
Die Ära der Dissidenten 555
Die achtziger Jahre: stürzende Denkmäler 581

Epilog: Erinnerung 595

Anhang 611

Wie viele? 613
Danksagung 623
Anmerkungen 627
Bibliographie 691
Register 713
Abbildungen 734

Dieses Buch ist denen gewidmet,
die beschrieben haben, was geschehen ist

In den schrecklichen Jahren unter Jeschow habe ich siebzehn Monate schlangestehend vor den Gefängnissen von Leningrad verbracht. Einmal erkannte mich jemand irgendwie. Da erwachte die hinter mir stehende Frau mit blauen Lippen, die natürlich niemals meinen Namen gehört hatte, aus der uns allen eigenen Erstarrung und fragte mich leise (dort sprachen alle im Flüsterton):
»Und das können Sie beschreiben?«
Und ich sagte: »Ja.«
Da glitt etwas wie ein Lächeln über das, was einmal ihr Gesicht gewesen war.

ANNA ACHMATOWA,
*Requiem*

Das Schicksal stellte alle gleich
Jenseits der Grenzen des Gesetzes.
Ob Kulakensohn, ob roter Kommandeur,
Ob Priestersohn, ob Kommissar …

Alle Klassen gleichgestellt,
Alles Menschen, Brüder, Mitgefangene,
Jeder trug das Brandmal des Verräters …

ALEXANDER TWARDOWSKI,
*Das Recht auf Erinnerung*[1]

# Einführung

Dies ist eine Geschichte des Gulags – des riesigen Netzes von Arbeitslagern, das die Sowjetunion einst in ihrer ganzen endlosen Länge und Breite überzog: von den Inseln im Weißen Meer bis zu den Stränden des Schwarzen Meeres, vom Polarkreis bis zu den Ebenen Mittelasiens, von Murmansk und Workuta bis nach Kasachstan, vom Zentrum Moskaus bis zu den Vororten von Leningrad. Das Wort GULAG ist die russische Abkürzung für *Glawnoje Uprawlenie Lagerej* – Hauptverwaltung Lager. Nach und nach wurde dieser Begriff über die Verwaltung der Lager hinaus für das ganze Zwangsarbeitssystem in der Sowjetunion in all seinen Formen und Varianten verwendet: für Arbeitslager, Straflager, Lager mit kriminellen und politischen Häftlingen, Frauenlager, Kinderlager oder Transitlager. Schließlich umfasste »Gulag« das gesamte sowjetische Unterdrückungssystem und seine Verfahrensweise, die die Häftlinge den »Fleischwolf« nannten: die Verhaftungen, die Verhöre, die Transporte in ungeheizten Viehwagen, die Zwangsarbeit, die Zerstörung der Familien, die Jahre der Verbannung, den frühen, sinnlosen Tod.

Der Gulag hat seine Vorläufer im zaristischen Russland, in den Zwangsarbeitertrupps, die seit dem siebzehnten bis zum frühen zwanzigsten Jahrhundert in Sibirien schuften mussten. Seine heute bekannte Form nahm er im unmittelbaren Gefolge der russischen Revolution an. Bald wurde er zum festen Bestandteil des Sowjetsystems. Massenterror gegen wirkliche und vermeintliche Feinde gehörte von Anfang an zur Revolution. Schon im Sommer 1918 forderte ihr Führer Lenin, »unzuverlässige Elemente« in Konzentrationslagern außerhalb der Städte zu internieren.[2] Prompt wurden Adlige, Kaufleute und andere Personen festgesetzt, die man als potenzielle Feinde ansah. 1921 gab es bereits 48 Lager in 43 Gouvernements, die angeblich der »Rehabilitierung« dieser ersten »Volksfeinde« dienen sollten.

Ab 1929 erlangten die Lager eine neue Bedeutung. In jenem Jahr beschloss Stalin, Zwangsarbeiter einzusetzen, um die Industrialisierung der Sowjetunion voranzutreiben und die Bodenschätze im Hohen Norden des Landes zu erschließen, wo Menschen kaum leben konnten. Im selben Jahr begann die sowjetische Geheimpolizei, die Kontrolle über den Strafvollzug zu übernehmen, und entwand der Justiz ein Lager und ein Gefängnis nach dem anderen. Die Massenverhaftungen der Jahre 1937/38 ließen das Lagersystem rasch anwachsen: Ende der dreißiger Jahre hatte es sich über alle zwölf Zeitzonen des riesigen Landes ausgedehnt.

Entgegen der landläufigen Meinung expandierte der Gulag selbst während des Zweiten Weltkrieges und in der Nachkriegszeit. Seine größte Ausdehnung erreichte er nicht in den Dreißigern, sondern erst Anfang der fünfziger Jahre. Zu diesem Zeitpunkt waren die Lager aus der Sowjetwirtschaft nicht mehr wegzudenken. Sie förderten ein Drittel des Goldes, den größten Teil von Kohle und Holz, und produzierten beträchtliche Mengen von nahezu allem, was in der Sowjetunion überhaupt hergestellt wurde. Über die Jahre entstanden mindestens 476 Lagerkomplexe mit Tausenden Einzellagern, in denen von einigen hundert bis zu mehreren tausend Menschen lebten.[3] Die Häftlinge wurden in jedem erdenklichen Industriezweig eingesetzt – von Holzeinschlag, Bergbau, Hausbau und Fabrikarbeit über Landwirtschaft bis zur Entwicklung von Flugzeugen und Geschützen. Ihr Lebensraum war ein Staat im Staate, im Grunde eine andere Zivilisation. Der Gulag hatte seine eigenen Gesetze, seine eigenen Sitten, seine eigene Moral und sogar seine eigene Sprache. Er brachte eine eigene Literatur mit eigenen Schurken und Helden hervor. Er prägte alle, die mit ihm in Berührung kamen – ob nun Häftlinge oder Wachpersonal. Auch Jahre nach ihrer Entlassung erkannten ehemalige Insassen einander schon am Blick.

Solche Begegnungen kamen häufig vor, denn in den Lagern herrschte eine enorme Fluktuation. Es wurde viel verhaftet, aber auch viel entlassen. Häftlinge kamen frei, weil ihre Strafe abgelaufen war, weil die Rote Armee sie brauchte, weil sie Invaliden waren oder Frauen mit kleinen Kindern, weil man sie vom Häftling zum Aufseher beförderte. Im Schnitt saßen zwei Millionen Menschen in den Lagern ein. Die Gesamtzahl der Sowjetbürger, die als politische oder Strafgefangene mit den Lagern in Berührung kamen, liegt allerdings viel höher. Nach den glaubhaftesten Schätzungen haben von 1929, als der Gulag stark zu wachsen begann, bis zu Stalins Tod im Jahre 1953 insgesamt etwa achtzehn Millionen Menschen dieses riesige System durchlaufen. Weitere sechs Millionen wurden in die kasachische Wüste oder in die sibirische Taiga verbannt. Zwar lebten Letztere nicht hinter Stacheldraht, aber sie durften ihren Verbannungsort nicht verlassen und waren im Grunde ebenfalls Zwangsarbeiter.[4]

Als System mit Millionen Insassen verschwanden die Lager bei Stalins Tod. Während er lebenslang geglaubt hatte, der Gulag sei entscheidend für das Wirtschaftswachstum des Landes, erkannten seine politischen Erben, dass dieses System zu zahlreichen Fehlinvestitionen geführt und die Rückständigkeit der sowjetischen Wirtschaft geradezu konserviert hatte. Stalin war kaum einige Tage tot, als man es bereits zu demontieren begann. Drei große Revolten, dazu eine ganze Reihe kleinerer, aber nicht weniger gefährlicher Vorfälle beschleunigten diesen Prozess.

Ganz verschwanden die Lager allerdings nie. Sie veränderten sich nur äußerlich. In den siebziger und frühen achtziger Jahren wurden einige umgebaut und mit einer neuen Generation von Häftlingen gefüllt – Aktivisten der Demokratiebewegung, antisowjetischen Nationalisten und Kriminellen. Sowjetische Dissidenten und die internationale Menschenrechtsbewegung sorgten dafür, dass Informationen über diese poststalinistischen Lager regelmäßig in den Westen gelangten, und allmählich befasste sich auch die Diplomatie des Kalten Krieges mit diesem Thema. Noch in den achtziger Jahren sprachen der amerikanische Präsident Ronald Reagan und sein sowjetischer Partner Michail Gorbatschow darüber. Erst 1987 ließ

Gorbatschow, dessen Großvater selbst im Gulag gesessen hatte, die Straflager für politische Gefangene endgültig abschaffen.

Obwohl es so lange existierte wie die Sowjetunion selbst, obwohl viele Millionen Menschen dort festgehalten wurden, war die Geschichte des sowjetischen Lagersystems bis vor kurzem kaum bekannt. So ist es in gewissem Maße noch immer. Selbst die einfachsten Tatsachen, die heute jeder kennt, der sich im Westen mit sowjetischer Geschichte beschäftigt, sind dem breiten Publikum nicht geläufig. »Das Wissen der Menschen«, schrieb einst der französische Kommunismusforscher Pierre Rigoulot, »sammelt sich nicht an wie die Steine einer Mauer, die unter den Händen des Maurers ständig wächst. Ob es sich vermehrt, stagniert oder gar abnimmt, hängt vom sozialen, kulturellen und politischen Umfeld ab.«[5]

Man könnte sagen, dass das soziale, kulturelle und politische Umfeld für gründliche Kenntnisse über den Gulag bis heute fehlt.

Mir wurde das Problem zum ersten Mal vor einigen Jahren bewusst, als ich über die Karlsbrücke in Prag ging, den Touristenmagnet einer Stadt, in der gerade die Demokratie Einzug gehalten hatte. Da gab es Straßenmusikanten und Taschendiebe, und alle paar Meter wurde etwas verkauft, was man an einem solchen Ort erwartet. Es gab Bilder von besonders malerischen Winkeln der Stadt, es gab Souvenirs und billigen Schmuck. Zwischen all dem Krimskrams wurden auch Ausrüstungsstücke der Sowjetarmee feilgeboten – Uniformmützen, Abzeichen, Koppelschnallen, Lenin oder Breschnew als kleine Anstecker, wie sie sowjetische Kinder an ihrer Schulkleidung trugen.

Ich fand die Szene absurd. Vor allem Amerikaner und Westeuropäer kauften die Symbole der verblichenen Sowjetmacht. Auf die Idee, sich ein Hakenkreuz anzustecken, wäre wohl niemand gekommen. Aber Hammer und Sichel auf einem T-Shirt oder an der Mütze schienen okay. Das war nur eine Beobachtung am Rande, aber zuweilen zeigt sich gerade darin ein kultureller Trend. Die Botschaft konnte klarer nicht sein: Während uns das Symbol für den einen Massenmord mit Schrecken erfüllt, bringt uns das für den anderen zum Lachen.

Wenn den Touristen in Prag die Stalinherrschaft im Wesentlichen gleichgültig war, dann ist das zum Teil damit zu erklären, dass es in der westlichen Massenkultur an entsprechenden Bildern fehlt. Der Kalte Krieg hat James Bond, Thriller und karikaturhafte Darstellungen von Russen, wie sie in Rambo-Filmen auftreten, hervorgebracht, aber kein anspruchsvolles Werk wie *Schindlers Liste* oder *Sophies Entscheidung.* Steven Spielberg – wahrscheinlich Hollywoods führender Regisseur, ob man ihn nun mag oder nicht – hat Filme über japanische Konzentrationslager *(Das Reich der Sonne)* und nationalsozialistische KZs gedreht, aber keinen einzigen über Stalinsche Lager. Letztere haben Hollywood nie in gleicher Weise inspiriert.

Seriöse Kunst und Wissenschaft haben dem Thema kaum offener gegenübergestanden. So nahm der Ruf des deutschen Philosophen Martin Heidegger schweren Schaden, weil er den Nationalsozialismus kurze Zeit offen unterstützt hatte, und dies bevor Hitler seine großen Verbrechen beging. Dagegen litt der französische Philosoph Jean-Paul Sartre überhaupt nicht darunter, dass er in der Nachkriegszeit, als jeder, der sich dafür interessierte, bereits genügend über Stalins Grausamkeiten wissen konnte, die Sowjetunion lautstark verteidigte. »Da wir keine Parteimitglieder waren«, äußerte er einmal, »mussten wir nicht über die sowjetischen Arbeitslager schreiben; wir konnten uns aus dem Streit über das Wesen des Systems heraushalten, solange nichts von soziologischer Bedeutung geschah.«[6] Bei anderer Gelegenheit sagte er zu Albert Camus: »Ich finde wie Sie diese Lager unzulässig: doch ebenso unzulässig den Gebrauch, den die bürgerliche Presse täglich davon macht.«[7]

Seit dem Zusammenbruch der Sowjetunion hat sich einiges geändert. Im Jahre 2002 bewegte zum Beispiel das Thema Stalin und Stalinismus den britischen Romancier Martin Amis so stark, dass er ein Buch darüber schrieb. Das wiederum bewog andere Schriftsteller, sich die Frage zu stellen, warum die politische und literarische Linke diesen Gegenstand bisher so stiefmütterlich behandelt hatte.[8]

Anderes hat sich überhaupt nicht geändert. Bis heute kann ein amerikanischer Wissenschaftler in einem Buch behaupten, die Säuberungen der dreißiger Jahre seien nützlich gewesen, weil sie soziale Mobilität nach oben ermöglicht und damit die Voraussetzungen für die *Perestroika* geschaffen hätten.[9] Oder ein britischer Chefredakteur kann einen Artikel ablehnen, weil er ihm »zu antisowjetisch« ist.[10] Viel häufiger aber wird gelangweilt oder gleichgültig reagiert, wenn das Gespräch auf den Stalinschen Terror kommt. In einer Rezension eines Buches, das ich über die westlichen Republiken der ehemaligen Sowjetunion in den neunziger Jahren schrieb, kann man es so ausgedrückt lesen: »Hier kam es zu den Hungersnöten der dreißiger Jahre, mit denen Stalin mehr Ukrainer umbrachte, als Hitler Juden tötete. Aber wer im Westen erinnert sich schon daran? Schließlich war dieses Sterben so ... trist und völlig undramatisch.«[11]

All das sind Kleinigkeiten – der Kauf eines Souvenirs, der Ruf eines Philosophen, die Präsenz eines Themas in Hollywood. Aber zusammengenommen ergeben sie eine Tendenz. Amerikaner und Westeuropäer wissen, was in der Sowjetunion geschehen ist. Alexander Solschenizyns berühmter Lagerroman *Ein Tag im Leben des Iwan Denissowitsch* erschien 1962/63 im Westen in zahlreichen Sprachen. Seine Aufzeichnungen mündlicher Überlieferungen, *Der Archipel Gulag*, lösten bei ihrem Erscheinen 1973 lebhafte Diskussionen aus. In einigen Ländern wurde daraus eine mittlere intellektuelle Revolution, zum Beispiel in Frankreich, wo die Linken scharenweise zu einer antisowjetischen Haltung konvertierten. Weitere Enthüllungen über den Gulag folgten in den Jahren der *Glasnost* und wurden im Ausland ebenfalls breit publiziert.

Trotzdem rufen Stalins Verbrechen bei vielen Menschen nicht dieselbe instinktive Reaktion hervor wie die Hitlers. Ken Livingstone, ehemals Mitglied des britischen Unterhauses und heute Oberbürgermeister von London, hat mir einmal den Unterschied zu erklären versucht. Ja, die Nazis waren »böse«, meinte er. Die Sowjetunion dagegen war »deformiert«. Diesen Eindruck scheinen viele Menschen zu haben, auch solche, die keine altmodischen Linken sind: In der Sowjetunion ist etwas schief gelaufen, aber sie war nicht von Grund auf schlecht wie das nationalsozialistische Deutschland.

Bis vor kurzem konnte man den weit verbreiteten Mangel an Gefühl angesichts der Tragödie des europäischen Kommunismus als logische Folge bestimmter Umstände erklären. Einer ist der Lauf der Zeit. Die kommunistischen Regime lockerten sich in der Tat mit den Jahren. General Jaruzelski und selbst Leonid Breschnew flößten kaum jemandem Angst ein, obwohl sie beträchtlichen Schaden angerichtet haben. Der Mangel an gesicherten, dokumentarisch belegten Informationen spielt ebenfalls eine Rolle. Die geringe Zahl wissenschaftlicher Arbeiten zu diesem Thema war lange Zeit durch den Mangel an Quellenmaterial bedingt. Die Archive waren nicht allgemein zugänglich. Ehemalige Lager konnten nicht besucht werden. Keine Fernsehkameras haben je sowjetische Lager oder deren Opfer gefilmt, wie es in Deutschland am Ende des Zweiten Weltkrieges geschah. Keine Bilder bedeuten weniger Verständnis.

Aber unser Blick auf die Geschichte der Sowjetunion und Osteuropas war auch ideologisch verstellt.[12] Ein kleiner Teil der westlichen Linken versuchte seit den dreißiger Jahren die Lager und den dort ausgeübten Terror zu erklären oder gar zu entschuldigen. 1936, als Millionen sowjetischer Bauern bereits in Lagern schufteten oder in der Verbannung lebten, veröffentlichten die britischen Sozialisten Sidney und Beatrice Webb einen umfangreichen Bericht über die Sowjetunion, in dem unter anderem ausgeführt wurde, wie die »ehemals unterdrückte russische Bauernschaft allmählich zu begreifen beginnt, was politische Freiheit ist«.[13] Als Stalin in den Moskauer Schauprozessen Tausende unschuldiger Parteimitglieder in die Lager schickte, erklärte der Dramatiker Bertolt Brecht gegenüber dem Philosophen Sidney Hook: »Je unschuldiger sie sind, um so mehr haben sie den Tod verdient.«[14]

Selbst in den achtziger Jahren schrieben Wissenschaftler noch von den Vorzügen des ostdeutschen Gesundheitswesens oder polnischen Friedensinitiativen, fühlte sich mancher peinlich berührt, dass man um die Dissidenten in den osteuropäischen Lagern so viel Aufhebens machte. Vielleicht lag das daran, dass die ideologischen Väter der westlichen Linken, Marx und Engels, in der Sowjetunion ebenfalls verehrt wurden. Auch die Sprache war ähnlich – die Massen, der Kampf, das Proletariat, Ausbeuter und Ausgebeutete, das Eigentum an den Produktionsmitteln. Die Sowjetunion scharf zu kritisieren hätte bedeutet zu verurteilen, was auch Linken im Westen einst lieb und teuer war.

Doch nicht nur die äußerste Linke und nicht nur Kommunisten brachten Entschuldigungen für Stalins Verbrechen vor, die im Falle

Hitlers undenkbar gewesen wären. Die kommunistischen Ideale – soziale Gerechtigkeit, Gleichheit für alle – sind für die meisten Menschen im Westen viel attraktiver als der Rassismus oder das Recht des Stärkeren, die die Nationalsozialisten propagierten. Wenn die kommunistische Ideologie in der Praxis auch auf ganz andere Dinge hinauslief, fiel es den Nachfahren der amerikanischen und der französischen Revolution viel schwerer, ein System zu verurteilen, das zumindest so ähnlich klang wie ihr eigenes. Vielleicht ist auch damit zu erklären, dass Augenzeugenberichte über den Gulag von Anfang an von denselben Leuten häufig abgetan oder heruntergespielt wurden, denen es niemals in den Sinn gekommen wäre, Zeugnisse von Primo Levi oder Eli Wiesel über den Holocaust in Frage zu stellen. Seit der russischen Revolution waren für jeden, der es wissen wollte, bestätigte Informationen über die Lager in der Sowjetunion zu haben: Der berühmteste sowjetische Bericht über eines der ersten Lager, das am Weißmeer-Kanal, wurde sogar auf Englisch veröffentlicht. Dass westliche Intellektuelle dieses Thema mieden, ist allerdings nicht allein mit Ignoranz zu erklären.

Die Rechte im Westen gab sich alle Mühe, die Verbrechen der Sowjetunion zu verurteilen. Dabei griff sie jedoch manchmal zu Methoden, die ihrer Sache nur abträglich sein konnten. Der Mann, der der Auseinandersetzung mit dem Kommunismus den größten Schaden zugefügt hat, war zweifellos US-Senator Joe McCarthy. Zwar zeigen jüngst aufgefundene Dokumente, dass einige seiner Anschuldigungen durchaus zutrafen, aber das ändert nichts an der Wirkung seiner übereifrigen Verfolgung von Kommunisten im gesellschaftlichen Leben der USA: Seine öffentlichen »Prozesse« gegen Leute, die mit den Kommunisten sympathisierten, gaben der Sache des Antikommunismus einen Anstrich von Chauvinismus und Intoleranz.[15] Mit seinem Vorgehen leistete er der neutralen Geschichtsforschung keinen besseren Dienst als seine Gegner.

Unsere Haltung zur Sowjetunion hat aber nicht nur mit Ideologie zu tun. Oft ist sie von unseren mehr und mehr verblassenden Erinnerungen an den Zweiten Weltkrieg geprägt. Wir Amerikaner sind heute fest davon überzeugt, dass dies ein rundum gerechter Krieg war, und kaum einer ist bereit, diese Einstellung zu hinterfragen.

Wir erinnern uns an D-Day, an die Befreiung der Konzentrationslager, an Kinder, die amerikanische Soldaten jubelnd begrüßten. Niemand will wissen, dass es auch eine andere, eine dunkle Seite des Sieges der Alliierten gab, dass die Lager unseres Verbündeten Stalin in dem Maße anschwollen, wie die unseres Feindes Hitler befreit wurden. Unsere Erinnerung an diese Zeit wäre moralisch weniger eindeutig, müssten wir zugeben, dass Tausende von Russen mit der Repatriierung nach dem Krieg in den sicheren Tod geschickt wurden, dass die westlichen Alliierten mit ihrer Zustimmung zur Sowjetherrschaft über Millionen Menschen in Jalta zu Verbrechen gegen die Menschlichkeit beigetragen haben könnten. Niemand stellt sich gern vor, dass wir den einen Massenmörder mit der Hilfe eines anderen besiegt haben. Keiner will sich daran erinnern, wie gut sich jener Massenmörder mit westlichen Politikern verstand. »Ich mag Stalin wirklich«, sagte der britische Außenminister Anthony Eden einem Freund. »Er hat niemals sein Wort gebrochen.«[16] Auf zahllosen Fotos sind Stalin, Churchill und Roosevelt lächelnd und in trauter Dreisamkeit abgelichtet.

Schließlich hatte auch die sowjetische Propaganda ihre Wirkung. Nicht ohne Erfolg säte sie Zweifel an Solschenizyns Berichten, stellte deren Autor als Geistesgestörten, Antisemiten oder Trinker hin.[17] Sowjetischer Druck auf Wissenschaftler und Journalisten des Westens tat ein Übriges. Als ich in den achtziger Jahren in den USA russische Geschichte studierte, rieten mir Bekannte, das vorliegende Thema in meiner wissenschaftlichen Karriere nicht weiterzuverfolgen, weil ich damit Schwierigkeiten bekommen werde. Wer damals »wohlwollend« über die Sowjetunion schrieb, fand leichter Zugang zu den Archiven, erhielt mehr offizielle Informationen und längere Aufenthalte im Lande. Wer das nicht tat, riskierte Ausweisung und berufliche Probleme. Es versteht sich von selbst, dass Außenstehende damals kein Material über die Stalinschen Lager oder das System der Haftanstalten nach Stalins Tod zu sehen bekamen. Das Thema existierte einfach nicht, und wer zu hartnäckig bohrte, war bald wieder außer Landes.

Alle diese Erklärungen zusammengenommen ergaben früher durchaus einen Sinn. Als ich ernsthaft über dieses Thema nachzudenken begann – 1989 beim Zusammenbruch des Kommunismus –, verstand auch ich diese Logik: Es schien nur natürlich, dass ich wenig über Stalins Sowjetunion wusste, deren geheime Geschichte sie nur noch faszinierender machte. Heute, über ein Jahrzehnt später, sehe ich die Dinge ganz anders. Der Zweite Weltkrieg ist heute Sache einer früheren Generation. Der Kalte Krieg ist ebenfalls vorbei. Die internationalen Bündnisse und Fronten jener Zeit gehören für immer der Vergangenheit an. Linke und Rechte im Westen streiten mittlerweile über andere Themen. Zugleich macht das Auftauchen der neuen, terroristischen Bedrohung der westlichen Zivilisation die Beschäftigung mit der alten, kommunistischen Bedrohung umso notwendiger.

Mit anderen Worten, das soziale, kulturelle und politische Umfeld hat sich verändert. Dasselbe gilt für den Zugang zu Informationen über die Lager. Ende der achtziger Jahre wurde Michail Gorbatschows Sowjetunion mit Dokumenten über den Gulag regelrecht überschwemmt. Zum ersten Mal druckten Zeitungen Berichte über das Leben in sowjetischen Lagern. Zeitschriften mit neuen Enthüllungen waren rasch vergriffen. Der alte Streit über die Zahlen – wie viele Insassen, wie viele Tote – lebte wieder auf. Russische Historiker und ihre Organisationen, allen voran die Gesellschaft Memorial in Moskau, brachten Monographien, Darstellungen der Geschichte einzelner Lager und ihrer Insassen, Zahlen und Opferlisten heraus. Historiker der früheren Sowjetrepubliken und der ehemaligen Mitgliedstaaten des Warschauer Paktes, schließlich auch westliche Geschichtsforscher fielen in diesen Chor ein.

Die Erforschung der sowjetischen Vergangenheit hält in Russland trotz vieler Rückschläge bis heute an. Dabei werden im ersten Jahrzehnt des 21. Jahrhunderts bereits beträchtliche Unterschiede zu den letzten Dekaden des zwanzigsten Jahrhunderts sichtbar. Die Suche nach der Wahrheit hat im Diskurs der russischen Öffentlichkeit nicht mehr dieses Gewicht und hält auch viel weniger Sensationen bereit, als es einst schien. Russische und ausländische Wissenschaftler haben jetzt wahre Kärrnerarbeit zu leisten, Tausende von Dokumenten zu sichten, Stunden und Tage in kalten, zugigen Archiven zu verbringen, um nach Fakten und Zahlen zu forschen. Aber die Arbeit beginnt erste Früchte zu tragen. Langsam und geduldig hat Memorial das erste Handbuch mit den Namen und Orten aller bekannten Lager erarbeitet, dazu eine ganze Reihe bahnbrechender Geschichtswerke veröffentlicht und einen gewaltigen Bestand an mündlichen und schriftlichen Berichten von Überlebenden zusammengetragen. Gemeinsam mit anderen – dem Sacharow-Institut und dem Verlag Woswraschtschenie (Rückkehr) – wurden einige dieser Erinnerungen der breiten Öffentlichkeit zugänglich gemacht. Wissenschaftliche Zeitschriften und Organe einzelner Institutionen haben ebenfalls begonnen, Dokumentensammlungen und auf neuen Dokumenten beruhende Monographien zu veröffentlichen. Ähnliche Organisationen in anderen Ländern, vor allem die Gesellschaft Karta in Polen, Geschichtsmuseen in Litauen, Lettland, Estland, Rumänien und Ungarn leisten vergleichbare Arbeit. Eine Hand voll amerikanischer und westeuropäischer Wissenschaftler, die über genug Zeit und Kraft verfügen, in sowjetischen Archiven zu graben, hat sich angeschlossen.

Bei den Recherchen zu diesem Buch waren mir alle diese Arbeiten zugänglich. Dazu kamen zwei Arten von Quellen, die es vor zehn Jahren noch nicht gab. Die erste sind die zahlreichen neuen Memoiren, die in den achtziger Jahren in Russland, Amerika, Israel, Osteuropa und anderswo erschienen sind. Ich habe sie gründlich ausgewertet, was bisher nicht allgemein üblich ist. Wissenschaftler, die sich mit der Sowjetunion befassten, standen in der Vergangenheit Erinnerungen aus dem Gulag nicht sehr aufgeschlossen gegenüber. Aus ihrer Sicht hatten deren Verfasser politische Gründe, ihre Geschichten zuzuspitzen, Geschichten zumal, die sie häufig erst viele Jahre nach ihrer Entlassung aufschrieben und zuweilen von anderen übernahmen, wenn das eigene Gedächtnis versagte. Nachdem ich aber mehrere hundert derartige Geschichten gelesen und mit etwa zwei Dutzend Überlebenden gesprochen hatte, glaubte ich mich in der Lage, nicht plausibles, von anderen entlehntes oder stark politisiertes Material auszusondern. Was Namen, Daten und Zahlen betrifft, so sind Erinnerungen sicher nicht das zuverlässigste Material, aber sie liefern wertvolle Informationen anderer Art. Ohne sie wäre es unmöglich, bestimmte wichtige Seiten des Lagerlebens zu beschreiben: das Verhältnis der Häftlinge zueinander, Konflikte zwischen einzelnen Gruppen, das Verhalten der Wachen und der Lagerleitung, die Rolle der Bestechung, sogar Liebe und Leidenschaft. Einen Autor habe ich dabei in besonderem Maße herangezogen – Warlam Schalamow, dessen Romane über sein Lagerleben bekanntlich auf wahren Begebenheiten beruhen.

Die Erinnerungen habe ich, soweit möglich, bei gründlichen Recherchen in den Archiven nachgeprüft, was, so paradox das klingt, auch nicht jeder gern tut. Wie in der vorliegenden Arbeit deutlich werden wird, war die Propaganda in der Sowjetunion wiederholt im Stande, die Wahrnehmung der Wirklichkeit zu verändern. Aus diesem Grund vermieden es Historiker früher zu Recht, sich auf offiziell publizierte sowjetische Dokumente zu stützen, deren Zweck nicht selten darin bestand, die Wahrheit zu verschleiern. Dagegen hatten geheime Dokumente – die heute in den Archiven aufbewahrt werden – eine ganz andere Funktion. Um die Lager verwalten zu können, musste die Administration bestimmte Akten anlegen. Moskau musste wissen, was vor Ort geschah, die Basis erhielt Weisungen aus der Zentrale, Statistiken wurden geführt. Nicht einmal diese Akten sind absolut verlässlich – auch Bürokraten haben ihre Gründe, selbst die prosaischsten Tatsachen zu entstellen –, aber mit Bedacht benutzt, können sie Seiten des Lagerlebens erhellen, über die die Erinnerungsliteratur keinen Aufschluss gibt. Vor allem helfen sie zu erklären, warum die Lager überhaupt errichtet wurden, oder zumindest, was sich das stalinistische Regime von ihnen erhoffte.

Die Archive sind übrigens viel mannigfaltiger als erwartet und erzählen die Geschichte der Lager aus ganz verschiedenen Blickwinkeln. Ich hatte zum Beispiel Zugang zum Archiv der Zentrale des Gulags, wo Berichte von Inspektoren, Finanzabrechnungen, Briefe der Lagerchefs an ihre Vorgesetzten in Moskau, Berichte über Fluchtversuche oder Listen von Musikstücken, die in Lagertheatern aufgeführt wurden, zu finden sind. Dieses Material liegt im Russischen Staatsarchiv in Moskau. Ich habe auch Akten von Parteigremien eingesehen und Dokumente aus der »Osobaja papka«, Stalins Sonderarchiv. Mit Unterstützung russischer Historiker konnte ich Dokumente aus sowjetischen Militärarchiven und Archivbestände der Begleitmannschaften nutzen, wo ich zum Beispiel Auflistungen fand, welche Habseligkeiten die Häftlinge auf den Transport mitnehmen durften und welche nicht. Ich habe Archive in Petrosawodsk, Archangelsk, Syktywkar, Workuta und auf den Solowezki-Inseln aufgesucht, deren Akten vom Alltagsleben in den Lagern berichten. In Moskau studierte ich die Dokumente von Dmitlag, das den Moskwa-Wolga-Kanal baute, und konnte Bestellscheine ebenso einsehen wie Berichte von Häftlingen über das Lagerleben. Einmal wurden mir sogar Akten des Archivs von Kedrowy Schor, einem kleinen Außenlager des Bergwerks Inta nördlich des Polarkreises, zum Kauf angeboten.

Alle diese Quellen haben es mir ermöglicht, das Thema Gulag auf neue Weise zu behandeln. Ich hatte es nicht mehr nötig, die »Behauptungen« einiger weniger Dissidenten mit denen der Sowjetregierung zu vergleichen. Ich musste keinen Mittelweg zwischen den Berichten sowjetischer Flüchtlinge und denen sowjetischer Offizieller finden. Um zu schildern, was geschah, konnte ich die Sprache sehr verschiedener Menschen nutzen – von Aufsehern und Milizionären, von ganz verschiedenen Häftlingen, die ihre Strafen zu unterschiedlichen Zeiten absaßen. Die Emotionen und die Politik, die mit der Historiografie der sowjetischen Lager lange Zeit verquickt waren, stehen hier nicht im Mittelpunkt. Der ist den Erlebnissen der Opfer vorbehalten.

Dies ist eine Geschichte des Gulags. Das bedeutet, es ist eine Geschichte der sowjetischen Straflager: ihrer Ursprünge in der russischen Revolution, ihrer Entwicklung zu einem wichtigen Teil der Sowjetwirtschaft und ihrer Auflösung nach Stalins Tod. Es ist auch ein Buch über das Erbe des Gulags. Ohne Frage sind die Ordnungen und Verfahrensweisen in den sowjetischen Lagern für Kriminelle und politische Gefangene der siebziger und achtziger Jahre aus den Erfahrungen früherer Zeiten abgeleitet. Daher glaube ich, dass auch sie hierher gehören.

Zugleich ist dies ein Buch über das Leben im Gulag, das die Geschichte der Lager auf zweierlei Weise erzählt. Der erste und dritte Teil sind chronologisch aufgebaut. Sie berichten von der Entwicklung der Lager und ihrer Verwaltung. Im mittleren Teil ist das Leben in den Lagern dargestellt, wobei ich thematisch vorgehe. Zwar stammen hier die meisten Beispiele und Zitate aus den vierziger Jahren, als die Entwicklung der Lager ihren Höhepunkt erreichte, aber entgegen dem historischen Prinzip werden immer wieder Brücken zu früheren oder späteren Perioden geschlagen. Bestimmte Aspekte des Lebens in den Lagern haben sich über die Jahre entwickelt, und ich fand es wichtig, dies darzustellen.

Nachdem ich erklärt habe, was dieses Buch ist, möchte ich auch klar sagen, was es nicht ist: Es ist keine Geschichte der UdSSR, der Säuberungen oder der Repressalien insgesamt. Es ist keine Geschichte von Stalins Regime, seines Politbüros oder seiner Geheimpolizei, deren komplizierte Entwicklung ich mit Vorbedacht zu vereinfachen versucht habe. Zwar verwende ich Material sowjetischer Dissidenten, das häufig unter großem Druck und mit großem Mut geschrieben wurde, aber dieses Buch erzählt nicht die vollständige Geschichte der sowjetischen Menschenrechtsbewegung. Es kann auch den Erlebnissen der verschiedenen Nationen und Häftlingskategorien nicht voll gerecht werden – etwa den Polen, Balten, Ukrainern, Tschetschenen, den deutschen und japanischen Kriegsgefangenen –, die innerhalb und außerhalb der Lager unter dem sowjetischen Regime gelitten haben. Es kann die Massenmorde von 1937/38 nicht vollständig erfassen, die zumeist außerhalb der Lager stattfanden, auch nicht das Massaker an Tausenden polnischen Offizieren bei Katyn und anderenorts. Da dieses Buch sich an einen breiten Leserkreis wendet und kein Fachwissen über die sowjetische Geschichte voraussetzt, werden alle diese Ereignisse und Erscheinungen angesprochen. Es wäre aber vermessen, ihnen allen in einem einzigen Buch gerecht werden zu wollen.

Vor allem soll gesagt werden, dass dieses Buch der Geschichte der so genannten Sonderumsiedler nicht gerecht wird, jener Millionen Menschen, die häufig zur selben Zeit und aus denselben Gründen festgenommen wurden wie die Häftlinge des Gulags, dann aber nicht in Lagern, sondern an entlegenen Verbannungsorten endeten, wo viele Tausende an Hunger, Kälte und schwerer Arbeit starben. Manche wurden aus politischen Gründen in die Verbannung geschickt – so die Kulaken in den dreißiger Jahren –, andere wegen ihrer Volkszugehörigkeit – darunter Polen, Balten, Ukrainer, Wolgadeutsche und Tschetschenen in den vierziger Jahren. In Kasachstan, Mittelasien oder Sibirien erwarteten sie die vielfältigsten Schicksale, zu vielfältig, um sie in einem Bericht über das Lagersystem darstellen zu können. Ich erwähne sie nur dann, wenn ihre Erlebnisse mir besonders ähnlich den Erfahrungen der Gulaginsassen oder relevant dafür erscheinen. Obwohl beides eng miteinander verwoben ist, müsste über die Verbannten ein anderes Buch von gleichem Umfang geschrieben werden. Ich hoffe, dass dies bald geschieht.

Auch wenn dieses Buch sich auf die sowjetischen Lager konzentriert, so können sie doch nicht isoliert betrachtet werden. Der Gulag entstand und entwickelte sich zu einer bestimmten Zeit in einem bestimmten Raum und ist verknüpft mit anderen Geschehnissen. Dabei sind mir drei Zusammenhänge wichtig: Der Gulag gehört zum einen zur Geschichte der Sowjetunion, zum zweiten zur Geschichte von Gefängnis und Verbannung in Russland und in der ganzen Welt sowie drittens zu dem besonderen geistigen Klima Europas in der Mitte des zwanzigsten Jahrhunderts, das auch die nationalsozialistischen Konzentrationslager in Deutschland hervorgebracht hat.

Den Zusammenhang zur Geschichte der Sowjetunion sehe ich so: Der Gulag ist nicht fix und fertig vom Himmel gefallen, sondern spiegelte den allgemeinen Zustand der Gesellschaft wider, die ihn umgab. Wenn die Lager schmutzig, die Wärter brutal und die Arbeitsbrigaden schlampig waren, dann hat das auch damit zu tun, dass es solche Erscheinungen in anderen Bereichen des Lebens in der Sowjetunion ebenfalls gab. Wenn das Lagerleben schrecklich, unerträglich und unmenschlich war, wenn Menschen reihenweise starben, dann kann auch das kaum überraschen. Zu bestimmten Zeiten war das Leben in der Sowjetunion überhaupt schrecklich, unerträglich und unmenschlich, und hohe Sterberaten gab es auch außerhalb der Lager.

Es ist kein Zufall, dass die ersten Lager unmittelbar nach der blutigen, gewaltsamen und chaotischen russischen Revolution entstanden. Die Revolution selbst, der nachfolgende Terror und der Bürgerkrieg erweckten bei vielen in Russland den Eindruck, die Zivilisation sei für immer zu Ende. »Todesstrafen wurden willkürlich verhängt«, schreibt der Historiker Richard Pipes. »Menschen wurden ohne erkennbaren Grund erschossen und ebenso willkürlich aus dem Gefängnis entlassen.«[18] Nach 1917 wurde das Wertesystem einer ganzen Gesellschaft auf den Kopf gestellt. Reichtum und Erfahrungen, in einem Leben angesammelt, wurden zu Schuld erklärt, Raub als »Enteignung« gerühmt, Mord zum legitimen Mittel im Kampf um die Diktatur des Proletariats erhoben. In diesem Klima konnte es kaum verwundern, dass Lenin bald nach der Revolution Tausende Menschen einsperren ließ, nur weil sie Reichtümer besaßen oder Adelstitel trugen.

Die in bestimmten Jahren auffällig hohen Sterberaten in den Lagern reflektieren ebenfalls die Entwicklung im ganzen Land. Sie schossen Anfang der dreißiger Jahre in die Höhe, als in Russland der Hunger grassierte. Im Zweiten Weltkrieg stiegen sie erneut an: Der deutsche Überfall auf die Sowjetunion brachte nicht nur Millionen von Menschen auf den Schlachtfeldern den Tod, sondern löste auch Ruhr- und Typhusepidemien sowie Hungersnöte aus, die die Menschen innerhalb wie außerhalb der Lager betrafen. Als im Winter 1941/42 ein Viertel der Gulaginsassen verhungerte, teilten auch eine Million Bürger der Stadt Leningrad, die von den Deutschen belagert wurde, dieses Schicksal.[19] Die Chronistin der Blockade, Lidia Ginsburg, bezeichnete den Hunger jener Zeit als »etwas permanent Gegenwärtiges, das sich unaufhörlich bemerkbar macht. Am schlimmsten ist es, wenn sich das Essen mit entsetzlicher Geschwindigkeit seinem Ende nähert, ohne den Hunger zu stillen.«[20] Fast die gleichen Worte gebrauchten ehemalige Häftlinge, wie der Leser bald sehen wird.

Allerdings starben die Leningrader zu Hause, während der Gulag Schicksale zerbrach, Familien zerstörte, Kinder ihren Eltern entriss und Millionen zum Dahinvegetieren in entlegener Einöde, fern von ihren Familien, verurteilte. Und doch kann man ihre schrecklichen Erlebnisse durchaus mit den furchtbaren Erinnerungen »freier« Sowjetbürger vergleichen. Jelena Koschina, die im Februar 1942 aus Leningrad evakuiert wurde, musste beispielsweise auf dem Treck erleben, wie ihr Bruder, ihre Schwester und ihre Großmutter

Hungers starben. Als die Deutschen immer näher kamen, floh sie mit ihrer Mutter über die Steppe, wo sie »unaufhaltsame Zertrümmerung und [Szenen] des Chaos« erlebte: »Die zerfetzte Welt zerstob in tausend Splitter. Noch immer hingen Qualm und Brandgeruch in der Luft und machten die unermeßlich weite Steppe eng und stickig, als ob sie von einer schmutzigen, verbrannten Faust zusammengepreßt würde.« Koschina, die nie ein Lager erlebte, wusste schon, was Kälte, Hunger und Todesangst bedeuteten, als sie noch keine zehn Jahre alt war. Die Erinnerung daran ließ sie ihr Leben lang nicht mehr los. Nie, so schrieb sie, »werde ich vergessen, wie Wadiks Körper unter einem Laken fortgebracht wurde, wie Tanja sterbend nach Luft rang, wie Mama und ich, die letzten, die noch übrig waren, uns in Rauch und Kanonendonner durch die brennende Steppe schleppten«.[21]

Die Menschen im Gulag und die Bevölkerung hatten noch manches andere gemeinsam. Schlampig gearbeitet wurde hier wie dort, die stumpfsinnige Bürokratie, die Korruption, die Missachtung menschlichen Lebens gab es überall. Als ich für dieses Buch recherchierte, beschrieb ich einem polnischen Freund das von Häftlingen entwickelte System der *Tufta*, der Tricks, mit denen man die Erfüllung der Arbeitsnorm vortäuschte. Er lachte laut auf: »Sie glauben, das haben Häftlinge erfunden? Das gab es im ganzen Sowjetblock.« In Stalins Sowjetunion war der Unterschied zwischen dem Leben innerhalb und außerhalb des Stacheldrahtes nicht grundsätzlicher, sondern eher gradueller Natur. Vielleicht ist der Gulag deshalb oft als die Quintessenz des Sowjetsystems beschrieben worden. Die Welt außerhalb des Lagerzaunes hieß daher in der Häftlingssprache auch nicht »die Freiheit«, sondern die »Große Gefängniszone«, größer und weniger tödlich als die »Kleine Zone«, das Lager, aber nicht viel menschlicher oder gar menschenwürdiger.

Der Gulag ist also vom Leben in der Sowjetunion nicht zu trennen. Ebenso gilt aber auch, dass die Geschichte der sowjetischen Lager nicht losgelöst von der jahrhundertelangen, Nationen und Kulturen übergreifenden Geschichte von Gefängnis, Verbannung, Einkerkerung und Konzentrationslagern zu sehen ist. Die Verschickung von Gefangenen in ferne Gegenden, wo sie »ihre Schuld an der Gesellschaft sühnen«, sich nützlich machen können und andere nicht mit ihren Ideen oder Verbrechen anstecken, ist so alt wie die menschliche Zivilisation. Schon die Herrscher im antiken Griechenland oder Rom verbannten Andersdenkende in ferne Kolonien. Sokrates wählte den Freitod, weil er die Verbannung aus Athen nicht ertragen wollte. Der Dichter Ovid wurde in einen stinkenden Hafen am Schwarzen Meer deportiert. Das georgianische England sandte seine Räuber und Diebe nach Australien. Frankreich schickte seine Verbrecher im neunzehnten Jahrhundert nach Guyana. Portugal ließ unerwünschte Personen in Mosambik verschwinden.[22]

Die neue Führung der Sowjetunion musste nach 1917 nicht im fernen Portugal nach Vorbildern suchen. Russland hatte seit dem siebzehnten Jahrhundert sein eigenes Verbannungssystem. Ein entsprechendes Gesetz wurde erstmalig 1649 erwähnt. Die Verbannung galt damals als eine neue, humanere Form der Strafe, die der Hinrichtung, Brandmarkung oder Verstümmelung bei weitem vorzuziehen war. Sie wurde bei einer großen Zahl leichter, aber auch schwerer Vergehen verhängt, von Drogenkonsum über Wahrsagerei bis zu Mord.[23] Zahlreiche russische Schriftsteller und Intellektuelle, darunter Dostojewski und Puschkin, erfuhren am eigenen Leibe, was Verbannung heißt. Aber auch andere ließ dieses Phänomen nicht los: So überraschte Anton Tschechow auf der Höhe seines Ruhmes im Jahr 1890 alle seine Freunde und Bekannten damit, dass er sich auf den Weg machte, um die Strafkolonien auf der Insel Sachalin vor der russischen Pazifikküste zu besuchen. Vor seiner Abreise erklärte er dies seinem staunenden Verleger mit den folgenden Zeilen:

> »… wir [ließen] Millionen von Menschen in den Gefängnissen unnötig verfaulen […], ohne Überlegung, auf barbarische Art. Wir trieben die Menschen gefesselt in die Kälte, Zehntausende von Werst weit, wir steckten sie mit Syphilis an, demoralisierten sie, vermehrten das Verbrechertum […] aber uns kümmert das gar nicht, für uns ist das uninteressant …«[24]

Rückblickend kann man in der Geschichte des zaristischen Systems viele Praktiken entdecken, die später im Gulag angewandt wurden.

Wie dieser war zum Beispiel auch die Verbannung nach Sibirien niemals nur Verbrechern vorbehalten. Wenn ein Dorf zu dem Schluss kam, einer aus ihrer Mitte habe schlechten Einfluss auf die anderen, dann konnten die Ältesten nach einem Gesetz von 1736 das Eigentum des Unglücklichen aufteilen und ihn aus ihrer Mitte vertreiben. Fand er keine andere Zuflucht, war der Staat berechtigt, ihn in die Verbannung zu schicken.[25] Auf dieses Gesetz bezog sich Chruschtschow 1948, um (mit Erfolg) zu begründen, dass er Kolchosbauern mit Verbannung bestrafte, wenn sie angeblich nicht engagiert und fleißig genug arbeiteten.[26]

Menschen zu verbannen, die sich nicht einordneten, war im ganzen neunzehnten Jahrhundert gängige Praxis. In seinem Buch *Sibirien und das Verbannungssystem* beschreibt George Kennan, ein Onkel des bekannten amerikanischen Staatsmannes, das »administrative Verfahren«, das er 1891 in Russland kennen lernte:

> »Die auf diese Weise verbannte Persönlichkeit kann sehr wohl gar keines Verbrechen schuldig sein ... sobald nach der Meinung der Lokalbehörden der Aufenthalt irgend jemandes an einem bestimmten Orte ›der gesellschaftlichen Ordnung nachteilig‹ ist, kann er ohne besondern Haftbefehl festgenommen, mit Zustimmung des Ministers des Innern zwangsweise nach irgend einem andern Orte innerhalb der Grenzen des Reiches gebracht und dort auf eine Zeit von 5 Jahren unter Polizeiaufsicht gestellt werden.«[27]

Die Verbannung auf behördliche Anweisung, wofür weder Gerichtsverfahren noch Urteil nötig waren, galt als ideale Strafe für Störenfriede, aber auch für politische Gegner des Regimes. In den Anfangsjahren waren dies oft polnische Adlige, die sich der Besetzung ihrer Ländereien und der Beschlagnahme ihrer Vermögen widersetzten. Später kamen religiöse Abweichler und Mitglieder der verschiedensten revolutionären Gruppen und Geheimgesellschaften hinzu, darunter auch die Bolschewiken. Die berühmtesten »Sonderumsiedler« des neunzehnten Jahrhunderts waren allerdings politische Gefangene, die man vor Gericht gestellt und abgeurteilt hatte – die Dekabristen, eine Gruppe hoher Adliger, die 1825 eine schwache Revolte gegen Zar Nikolaus I. gewagt hatten. Mit einem Rachedurst, der das damalige Europa schockierte, verurteilte der Zar fünf der Dekabristen zum Tode. Die übrigen wurden ihrer Adelsränge beraubt und in Ketten nach Sibirien verbracht, einige begleitet von ihren ungewöhnlich couragierten Ehefrauen. Nur wenige lebten lang genug, um noch die Begnadigung durch Nikolaus' Nachfolger Alexander II. dreißig Jahre später zu erleben. Als müde alte Männer kehrten sie nach St. Petersburg zurück.[28] Ein anderer berühmter politischer Gefangener war Fjodor Dostojewski, der 1849 zu vier Jahren Zwangsarbeit verurteilt wurde. Nach seiner Rückkehr aus der sibirischen Verbannung schrieb er die *Aufzeichnungen aus einem Totenhaus*, den meistgelesenen Bericht über das Leben in den Haftanstalten des Zaren.

Wie der Gulag war die Verbannung zur Zarenzeit nicht nur als eine Form der Strafe gedacht. Auch die Herrscher Russlands brauchten ihre Gefangenen, gleich welcher Art, um ein ökonomisches Problem zu lösen, das seit Jahrhunderten besteht – die spärliche Besiedlung des Hohen Nordens und Fernen Ostens der riesigen Landmasse Russlands, die eine Ausbeutung der dort lagernden Naturschätze unmöglich machte. So begann der russische Staat bereits im achtzehnten Jahrhundert Straftäter zu Zwangsarbeit zu verurteilen. *Katorga* nannte man das, abgeleitet vom griechischen *kateirgon*, »zwingen«, und auch hier gab es eine Vorgeschichte. Peter der Große setzte zu Beginn des achtzehnten Jahrhunderts Sträflinge und Leibeigene beim Bau von Straßen, Festungen, Fabriken, Schiffen und der Stadt St. Petersburg ein. 1722 ging er in einem besonderen Erlass noch weiter und ordnete die Verbannung von Strafgefangenen samt Frauen und Kindern zu den Silberminen von Dauria in Ostsibirien an.[29]

Der Einsatz von Zwangsarbeitern galt zu Peters Zeiten als großer wirtschaftlicher und politischer Erfolg. Die Geschichte der Hunderttausenden von Leibeigenen, die St. Petersburg errichteten, hatte enormen Einfluss auf die folgenden Generationen. Obwohl während der Bauarbeiten viele Menschen ihr Leben ließen, wurde die Stadt zu einem Symbol des Fortschritts und der Öffnung Russlands nach Europa. Die Methoden waren unmenschlich, und doch profitierte die Nation davon. Peters Beispiel kann möglicherweise erklären, weshalb die Herrscher nach ihm die Katorga so bereitwillig übernahmen. Auch Stalin war bekanntlich ein großer Bewunderer von Peters Taten.

Trotzdem blieb die Katorga im neunzehnten Jahrhundert eine relativ seltene Strafe. Im Jahre 1906 gab es circa sechstausend Verurteilte, 1916, am Vorabend der Revolution, waren es 28 600.[30] Wesentlich größere wirtschaftliche Bedeutung kam den Sonderumsiedlern zu, die ihr ganzes Leben in der Verbannung verbringen mussten, aber nicht in einem Gefängnis, sondern in einer dünn besiedelten Gegend, die über großes wirtschaftliches Potenzial verfügte. Von 1824 bis 1889 wurden 720 000 Menschen zwangsweise nach Sibirien umgesiedelt. Viele nahmen ihre Familien mit. Sie, nicht die in Ketten arbeitenden Sträflinge, bevölkerten nach und nach Russlands menschenleere, aber an Bodenschätzen reiche Landstriche im Norden und Osten.[31]

Diese Art Strafe war nicht gerade milde, und einige der Ansiedler hielten ihr Schicksal für schlimmer als das der Katorga-Sträflinge. An die Einöde mit schlechtem Boden und nur ganz vereinzelten Nachbarn gefesselt, verhungerten viele in den langen Wintern oder tranken sich aus Trübsinn zu Tode. Es gab nur wenige Frauen – ihre Zahl überstieg niemals 15 Prozent –, noch weniger Bücher und keinerlei Zerstreuung.[32]

Auf seiner Reise durch Sibirien nach Sachalin begegnete Anton Tschechow einigen dieser Menschen: »Die Mehrzahl von ihnen ist arm, schwächlich, von schlechter Bildung und hat nichts aufzuweisen als die Handschrift, die oft zu nichts taugt. Die einen beginnen nach und nach ihre Hemden aus holländischem Leinen, ihre Bettlaken und Tücher zu verkaufen, und es endet damit, daß sie nach zwei bis drei Jahren in furchtbarer Armut sterben.«[33]

Aber nicht alle Verbannten waren arm und elend. Zwischen dem europäischen Teil Russlands und Sibirien lagen endlose Weiten. Im Osten waren die Beamten milder und Adlige viel dünner gesät. Wohlhabendere Verbannte und Ex-Sträflinge brachten zuweilen großen Grundbesitz zusammen. Solche mit höherer Bildung wurden Ärzte, Rechtsanwälte oder Schuldirektoren.[34] Die Frau des Dekabristen Sergej Wolkonski, Fürstin Maria Wolkonskaja, finanzierte den Bau eines Theaters und eines Konzertsaales in Irkutsk. Zwar hatte sie wie ihr Gatte ihren Titel verloren, aber die Einladungen zu ihren Soireen und Diners waren sehr gefragt und selbst noch im fernen Moskau und St. Petersburg Stadtgespräch.[35]

Anfang des zwanzigsten Jahrhunderts hatte das System etwas von seiner früheren Härte eingebüßt. Die Gefängnisreform, die sich im neunzehnten Jahrhundert in Europa wie eine Mode ausbreitete, erreichte schließlich auch Russland. Das Gefängnisregime wurde gelockert, die Bewachung entschärft.[36] Wenn man bedenkt, was danach kam, dann war der Marsch nach Sibirien für die kleine Gruppe von Männern, die später die russische Revolution anführen sollten, zwar auch kein Vergnügen, aber wohl kaum eine schwere Strafe. Die Bolschewiken galten als »politische« Gefangene, nicht als Kriminelle, und wurden daher durchaus bevorzugt behandelt, erhielten Bücher, Papier und Schreibgerät. So berichtete Ordschonikidse später, er habe in der Petersburger Festung Schlüsselberg Adam Smith, Ricardo, Plechanow, William James, Frederick W. Taylor, Dostojewski und Ibsen gelesen.[37] Gemessen an späteren Standards waren die Bolschewiken ordentlich ernährt und gekleidet, ja selbst einen annehmbaren Haarschnitt hatten sie. Auf einem Foto von Trotzki während seiner Haft in der Peter-Paul-Festung im Jahr 1906 trägt er eine Brille, einen Anzug, eine Krawatte und ein Hemd mit beeindruckend weißem Kragen. Nur das Guckloch in der Tür hinter ihm weist darauf hin, wo diese Aufnahme entstand.[38] Auf einem anderen Bild aus dem Jahr 1900, als er nach Ostsibirien verbannt war, ist er in Pelzmütze und dickem Mantel in der Gesellschaft weiterer Männer und Frauen zu sehen, die ebenfalls festes Schuhwerk und Pelzkleidung tragen.[39] All das wäre fünfzig Jahre später im Gulag der reine Luxus gewesen.

Und wenn das Leben in der zaristischen Verbannung nicht mehr auszuhalten war, dann blieb immer noch die Flucht. Stalin wurde vier Mal verhaftet und in die Verbannung geschickt. Drei Mal entkam er – einmal aus dem Gouvernement Irkutsk und zwei Mal aus Wologda, einer Region, die später von Lagern übersät sein sollte.[40] Sein Hohn über das Zarenregime wegen dessen »Zahnlosigkeit« kannte daher keine Grenzen. Sein Biograf Dmitri Wolkogonow gab

Stalins Meinung mit den Worten wieder: »Man konnte lesen, soviel es einem beliebte, man wurde nicht zum Arbeiten gezwungen, und man konnte sogar fliehen. Um aus der Verbannung zu fliehen, benötigte man nur eines: den Wunsch dazu.«[41]

Ihre eigene Erfahrung in Sibirien lieferte den Bolschewiken also ein Modell, auf das sie sich stützen konnten, und erteilte ihnen zugleich eine Lektion über die Notwendigkeit, Strafmaßnahmen mit besonderer Härte durchzusetzen.

So wie der Gulag fester Bestandteil der russischen und sowjetischen Geschichte ist, so kann er auch von der Geschichte Europas nicht getrennt werden. Die Sowjetunion war nicht der einzige Staat im Europa des zwanzigsten Jahrhunderts, der eine totalitäre Gesellschaftsordnung entwickelte und Konzentrationslager errichtete. Zwar sollen in diesem Buch die sowjetischen Lager nicht mit den nationalsozialistischen verglichen werden, aber völlig ignorieren kann man dieses Thema nicht. Beide Systeme entstanden nahezu zur selben Zeit auf demselben Kontinent. Hitler wusste von den sowjetischen Lagern, und Stalin vom Holocaust. Manche Häftlinge haben beide Arten von Lagern erlebt und beschrieben. Irgendwo in großer Tiefe gibt es Zusammenhänge.

Der erste besteht darin, dass der Nationalsozialismus und der sowjetische Kommunismus aus den barbarischen Erfahrungen des Ersten Weltkrieges und des darauf folgenden Bürgerkrieges in Russland erwuchsen. Die industriellen Methoden der Kriegführung, die in beiden Konflikten in hohem Maße zum Einsatz kamen, spiegeln sich in den Werken unzähliger Intellektueller und Künstler. Sie haben der Zeit ihren Stempel aufgedrückt. Weit weniger Beachtung schenkte man dagegen der verbreiteten Anwendung industrialisierter Haftmethoden. Seit 1914 baute man überall in Europa Internierungs- und Kriegsgefangenenlager. Im Jahr 1918 gab es allein in Russland 2,2 Millionen Kriegsgefangene. Neue Errungenschaften der Technik wie die Massenproduktion von Geschützen, Panzern und selbst von Stacheldraht machten diese und spätere Lager erst möglich. Und tatsächlich entstanden die ersten sowjetischen Lager an Standorten von Gefangenenlagern des Ersten Weltkrieges.[42]

Ein zweiter Zusammenhang besteht darin, dass beide in die Geschichte der Konzentrationslager einzuordnen sind, die bereits Ende des neunzehnten Jahrhunderts beginnt. Unter Konzentrationslagern verstehe ich Lager, wo Menschen nicht dafür festgehalten werden, was sie getan haben, sondern dafür, was sie sind. Anders als Einrichtungen für Straf- oder Kriegsgefangene wurden Konzentrationslager für einen bestimmten Typ nichtkrimineller ziviler Gefangener errichtet, für Mitglieder einer »feindlichen« Gruppe, einer Kategorie von Personen, die wegen ihrer Rasse oder ihrer politischen Einstellung als für die Gesellschaft gefährlich oder als nicht dazugehörig eingeordnet wurde.[43]

Folgt man dieser Definition, dann entstanden die ersten modernen Konzentrationslager nicht in Deutschland oder in Russland, sondern 1895 in der Kolonie Kuba. Um einer Reihe lokaler Aufstände ein Ende zu machen, griff das spanische Imperium in jenem Jahr zum Mittel der reconcentración: Die Bauern wurden von ihrem Land entfernt und in Lagern »neu konzentriert«; damit waren den Aufständischen Nahrung, Unterschlupf und Hilfe entzogen. Im Jahre 1900 war das spanische Wort reconcentración bereits ins Englische gewandert, wo es ein analoges Projekt der Briten beschrieb, das diese aus ganz ähnlichen Gründen im südafrikanischen Burenkrieg in Angriff genommen hatten: Burische Zivilisten wurden in Lagern »konzentriert«, um den kämpfenden Buren Unterkunft und Unterstützung zu nehmen.

Von dort breitete die Idee sich aus. So scheint der Begriff »konzlager« als Übersetzung des englischen »concentration camp« nach Russland gelangt zu sein, weil Trotzki die Geschichte des Burenkrieges gut kannte.[44] 1904 übernahmen die deutschen Kolonisten in Südwestafrika das britische Modell mit einem Unterschied. Statt die Ureinwohner vom Stamme der Herero lediglich wegzuschließen, zwangen sie diese, für sich zu arbeiten.

Zwischen den ersten deutschen Lagern in Afrika und jenen, die dreißig Jahre später im nationalsozialistischen Deutschland errichtet wurden, ist eine ganze Reihe merkwürdiger, schauriger Zusammenhänge festzustellen. Von den südafrikanischen Arbeitskolonien wanderte der Begriff Konzentrationslager im Jahre 1905 ins Deutsche. Der erste Reichskommissar für Deutsch-Südwestafrika war ein gewisser Dr. Heinrich Göring, der Vater jenes Hermann Göring, der 1933 die ersten NS-Konzentrationslager bauen ließ. In jenen Lagern in Afrika nahmen die Deutschen erstmals medizinische Experimente an Menschen vor: Theodor Mollison und Eugen Fischer, zwei Lehrer von Joseph Mengele, experimentierten dort an Hereros, Letzterer, weil er seine Theorien von der Überlegenheit der weißen Rasse beweisen wollte. Mit dieser Überzeugung stand er nicht allein. So heißt es in einem Bestseller, *Das deutsche Denken in der Welt*, der 1912 erschien:

> »Keine falsche Philanthropie oder Rassentheorie ist imstande, für vernünftige Menschen zu beweisen, daß die Erhaltung irgendwelcher viehzüchtender südafrikanischer Kaffern ... für die Zukunft der Menschheit wichtiger sei, als die Ausbreitung der großen europäischen Nationen und der weißen Rassen überhaupt ... Erst dadurch, daß der Eingeborene im Dienst der höheren Rasse , d. h. im Dienste ihres und seines eigenen Fortschritts, Werte schaffen lernt, gewinnt er ein sittliches Anrecht auf Selbstbehauptung.«[45]

Zwar werden derartige Theorien selten so klar ausgesprochen, aber ähnliche Gedanken lagen der praktischen Kolonialpolitik unterschwellig überall zu Grunde. Der Kolonialismus in verschiedenen Formen verstärkte den Mythos von der Überlegenheit der weißen Rasse, womit er die Anwendung von Gewalt gegen die Vertreter anderer Rassen zu legitimieren suchte. Daher kann durchaus argumentiert werden, dass die korrumpierenden Erfahrungen der europäischen Kolonialisten dazu beitrugen, dem europäischen Totalitarismus des zwanzigsten Jahrhunderts den Weg zu ebnen.[46] Und nicht nur dem europäischen: Indonesien etwa steht beispielhaft für einen postkolonialen Staat, dessen Herrscher ihre Kritiker ebenso in Konzentrationslager sperrten, wie es die Kolonialherren zuvor getan hatten.

Das Russische Reich, das seine Ureinwohner auf dem Marsch nach Osten bezwungen hatte, war da keine Ausnahme.[47] So verbreitet sich in Leo Tolstois *Anna Karenina* Annas Gatte, der als Beamter für die »Fremdvölker« zuständig ist, bei einer Dinnerparty darüber, dass höhere Kulturen die niederen absorbieren müssten.[48] Den Bolschewiken war wie allen gebildeten Russen natürlich bewusst, wie das Russische Reich mit Kirgisen, Burjaten, Tungusen, Tschuktschen und anderen Völkern umgesprungen war. Die Tatsache, dass sie, die sich sonst so vehement für das Schicksal der Unterdrückten einsetzten, das nicht besonders berührte, ist ein Hinweis darauf, wie sie wirklich dachten.

Und in der Tat war für die Entwicklung der Konzentrationslager in Europa keine Kenntnis der Geschichte Südafrikas oder Ostsibiriens erforderlich. Die Vorstellung, dass manche Menschen anderen überlegen seien, war zu Beginn des zwanzigsten Jahrhunderts auf dem alten Kontinent weit verbreitet. Und das ist es letztlich auch, was die Lager in der Sowjetunion und im nationalsozialistischen Deutschland im grundlegendsten Sinne miteinander verbindet: Beide Regime bezogen ihre Legitimation zum Teil daraus, dass sie sich Kategorien von »Feinden« oder »Untermenschen« schufen, die sie massenweise verfolgten und vernichteten.

Die Nationalsozialisten erprobten die Vernichtung zunächst an körperlich und geistig Behinderten und nahmen dann Sinti und Roma, Homosexuelle und vor allem die Juden ins Visier. In der UdSSR waren die ersten Opfer die »Ehemaligen«, angebliche Parteigänger des alten Regimes, später die »Volksfeinde«, ein verschwommener Begriff, der nicht nur vermeintliche politische Gegner des Regimes, sondern auch bestimmte nationale und ethnische Gruppen einschloss, wenn diese (aus ebenso verschwommenen Gründen) den Sowjetstaat oder Stalins Macht zu bedrohen schienen. So ließ Stalin mal Polen, mal Balten, Tschetschenen, Tataren und – kurz vor seinem Tode – auch Juden massenhaft einsperren.[49]

Obwohl diese Kategorien niemals völlig willkürlich gewählt waren, standen sie auch nicht für immer fest. Bereits ein halbes Jahrhundert zuvor hatte Hannah Arendt geschrieben, dass beide Regime gegen »objektive Gegner« vorgingen, deren Identität je nach den Umständen wechseln konnte; waren die einen liquidiert, konnte eine andere Gruppe ins Visier geraten. Die Aufgabe der Polizei im totalitären Staat sei daher auch nicht mehr die Verbrechensbekämpfung, sondern die Verhaftung bestimmter Bevölkerungsgruppen, wenn das Regime sich dazu entschied.[50] Noch einmal: Die Menschen wurden nicht dafür festgesetzt, was sie getan hatten, sondern dafür, was sie waren.

In beiden Gesellschaften ist die Errichtung der Lager nur als das letzte Stadium eines langen Prozesses anzusehen, in dem diesen objektiven Gegnern alles Menschliche abgesprochen wurde. Das begann zunächst rhetorisch. In *Mein Kampf* schreibt Hitler, wie ihm plötzlich aufgegangen sei, dass die Juden an Deutschlands Problemen schuld wären: »Gab es denn da einen Unrat, eine Schamlosigkeit in irgendeiner Form, vor allem des kulturellen Lebens, an der nicht wenigstens ein Jude beteiligt gewesen wäre? Sowie man nur vorsichtig in eine solche Geschwulst hineinschnitt, fand man, wie die Made im faulenden Leibe, oft ganz geblendet vom plötzlichen Lichte, ein Jüdlein.«[51]

Auch Lenin und Stalin machten zunächst »Feinde« für die zahllosen wirtschaftlichen Fehlschläge der Sowjetunion verantwortlich. Das waren »Schädlinge«, »Saboteure« oder Agenten ausländischer Mächte. Als in der zweiten Hälfte der dreißiger Jahre die Verhaftungen immer mehr zunahmen, verschärfte Stalin auch seine Wortwahl. Die »Volksfeinde« waren nun Ungeziefer, Abschaum oder »Giftkräuter«. Seine Gegner bezeichnete er als »Schmutz«, der ständig beseitigt werden müsse, so wie die NS-Propaganda Bilder entwarf, die Juden mit Ungeziefer, Parasiten oder ansteckenden Krankheiten in Verbindung brachten.[52]

War der Feind einmal verteufelt, konnte man ernsthaft gegen ihn vorgehen und ihn auf juristischem Wege isolieren. Bevor die Juden zusammengetrieben und in Lager deportiert wurden, nahm man ihnen die deutsche Staatsbürgerschaft, das Recht, als Beamte, Anwälte oder Richter zu arbeiten, Arier zu heiraten, arische Schulen zu besuchen und die deutsche Fahne zu zeigen. Sie mussten den gelben Davidstern tragen, man durfte sie auf offener Straße demütigen und schlagen.[53] Bevor man in der Sowjetunion unter Stalin »Feinde« verhaftete, wurden auch sie auf öffentlichen Versammlungen erniedrigt, von ihrem Arbeitsplatz vertrieben, aus der Kommunistischen Partei ausgeschlossen, ließen sich ihre entrüsteten Ehepartner von ihnen scheiden, sagten sich ihre Kinder empört von ihnen los.

Dieser Prozess der Entmenschlichung setzte sich in den Lagern fort. So wurden die Opfer eingeschüchtert und die Täter in ihrem Glauben bestärkt, das Rechte zu tun. In ihren Gesprächen mit Franz Stangl, dem Kommandanten des KZ Treblinka, stellte Gitta Sereny die Frage, warum die Lagerinsassen geschlagen, gedemütigt und sogar nackt ausgezogen wurden, bevor man sie tötete. Stangl antwortete: »Um die, die diese ›Maßnahmen‹ ausführen mußten, vorzubereiten; um sie zu ›konditionieren‹ ... Um es ihnen zu ermöglichen, das zu tun, was sie dann taten.«[54] Der deutsche Soziologe Wolfgang Sofsky zeigt in seinem Buch *Die Ordnung des Terrors: Das Konzentrationslager,* wie die Entmenschlichung der Häftlinge methodisch das ganze Lagerleben durchdrang, angefangen mit der abgerissenen Häftlingskleidung über die Verweigerung jeglicher Intimsphäre und die harten Strafen bis hin zur ständigen Erwartung des Todes.

Auch im sowjetischen System begann die Entmenschlichung bereits mit der Festnahme: Den Häftlingen wurden ihre Kleider und ihre Identität genommen, sie hatten keinen Kontakt zur Außenwelt mehr, wurden gefoltert, verhört und in lächerlichen Prozessen abgeurteilt, wenn es überhaupt einen Prozess gab. Als sowjetische Besonderheit dieses Vorgangs wurden die Gefangenen aus der Sowjetgesellschaft ausgestoßen; es war ihnen verboten, die übliche Anrede »Genosse« zu gebrauchen, und ab 1937 blieb ihnen auch der begehrte Titel »Stoßarbeiter« versagt, wie gut sie sich auch führten und wie fleißig sie auch arbeiteten. In Lagern und Gefängnissen gab es nach den Berichten vieler Insassen außerdem so gut wie keine Stalinbilder, die sonst in Wohnungen und öffentlichen Räumen quer durch die UdSSR allgegenwärtig waren.

Damit will ich jedoch auf keinen Fall behaupten, dass die Lager in der Sowjetunion und im nationalsozialistischen Deutschland identisch gewesen wären. Wie jeder Leser, der auch nur ein wenig über den Holocaust informiert ist, in diesem Buch feststellen wird, unterschied sich das Leben in den sowjetischen Lagern in vieler Hinsicht, im Großen wie im Kleinen, von den Zuständen in den NS-Lagern. Es gab Unterschiede in Tagesablauf und Arbeit, in Bewachung und Bestrafung, in der Propaganda. Der Gulag währte länger und kannte sowohl relativ grausame als auch relativ humane Phasen. Die

Geschichte der nationalsozialistischen KZs ist kürzer und einheitlicher: Sie wurden schlicht immer grausamer, bis die zurückweichenden Deutschen sie liquidierten oder die vorrückenden Alliierten sie befreiten. Der Gulag bestand aus sehr verschiedenen Einrichtungen – von den tödlichen Goldminen an der Kolyma im Hohen Norden bis zu den nahezu luxuriös erscheinenden geheimen Instituten bei Moskau, wo gefangene Wissenschaftler Waffen für die Rote Armee entwickelten. Zwar gab es auch bei den Nationalsozialisten verschiedene Arten von Lagern, aber das Spektrum war weitaus enger.

Vor allem zwei Unterschiede aber halte ich für fundamental. Erstens war die Definition des »Feindes« in der Sowjetunion stets viel verschwommener als die des Juden in NS-Deutschland. Von ganz wenigen Ausnahmen abgesehen, konnte kein Jude in Deutschland damals etwas an seinem Status ändern, konnte kein Jude, der einmal im Lager saß, hoffen, dem Tod zu entrinnen, und allen Juden war das stets gegenwärtig. Zwar mussten Millionen sowjetischer Häftlinge um ihr Leben bangen – und Millionen starben tatsächlich –, aber es gab keine Häftlingskategorie, deren Tod absolut feststand. Das Schicksal mancher Gefangener wurde zuweilen erleichtert, weil man sie als Ingenieure oder Geologen unter relativ günstigen Umständen arbeiten ließ. In jedem Lager gab es eine Gefangenenhierarchie, in der manche auf Kosten anderer oder mit Hilfe anderer aufsteigen konnten. Wenn der Gulag mit Frauen, Kindern oder Alten überfüllt war oder wenn man Soldaten an der Front brauchte, wurden Häftlinge in großer Zahl amnestiert und entlassen. Der Status des »Feindes« konnte außerdem unerwartet wechseln. So ließ Stalin zu Beginn des Zweiten Weltkrieges 1939 Hunderttausende Polen festsetzen. 1941 gab er sie ebenso plötzlich wieder frei, weil Polen und die UdSSR inzwischen zeitweilige Verbündete geworden waren. Das Gegenteil gab es auch: In der Sowjetunion konnten Täter unvermittelt zu Opfern werden. Aufseher oder Lagerverwalter, ja sogar hohe Offiziere der Geheimpolizei wurden verhaftet und ins Lager geschickt. Nicht jedes »Giftkraut« blieb für immer giftig. Keine Kategorie sowjetischer Häftlinge lebte also in ständiger Erwartung des Todes.[55]

Zum Zweiten – und auch das wird in diesem Buch deutlich – war der ursprüngliche Anlass für die Errichtung des Gulags sowohl nach Aussagen von Häftlingen als auch der offiziellen Propaganda seiner Begründer zufolge ökonomischer Natur. Das bedeutet nicht, dass die sowjetischen Lager deshalb humaner waren. In diesem System wurden die Häftlinge wie Arbeitstiere oder wie leblose Gegenstände behandelt. Die Wachmannschaften sprangen mit ihnen um, wie es ihnen gefiel, trieben sie in Viehwagen hinein und wieder heraus, wogen und maßen sie, gaben ihnen zu essen, wenn es ihnen erforderlich schien, oder ließen sie hungern, wenn nicht. Sie wurden, um die marxistische Terminologie zu benutzen, ausgebeutet, vergegenständlicht und zur Ware degradiert. Wenn sie nicht produzierten, hatte ihr Leben keinen Wert.

Trotzdem unterschieden sich ihre Erlebnisse von denen der jüdischen und anderen Häftlinge, die die Nationalsozialisten in eine besondere Kategorie von Lagern sperrten: die so genannten Vernichtungslager. Dem Sinn und Zweck nach waren das Todesfabriken, auch wenn in einigen Zwangsarbeit geleistet wurde. Vier Vernichtungslager gab es: Belzec, Chelmno, Sobibor und Treblinka. Majdanek und Auschwitz waren Arbeits- und Todeslager zugleich. Kamen die Gefangenen dort an, wurden sie »selektiert«. Nur wenige wurden ausgesucht, um noch einige Wochen Zwangsarbeit zu leisten. Der größte Teil wurde sofort in die Gaskammern geschickt, dort getötet und unmittelbar danach verbrannt.

Soweit ich feststellen konnte, gab es in der Sowjetunion nichts, was mit der besonderen Form der Tötung vergleichbar war, wie sie auf dem Höhepunkt des Holocaust praktiziert wurde. Dort fand man andere Möglichkeiten, um Hunderttausende Bürger zu vernichten. In der Regel brachte man sie nachts in einen Wald, ließ sie Aufstellung nehmen, schoss sie in den Hinterkopf und verscharrte sie in Massengräbern, ohne sie erst in einem Konzentrationslager festzuhalten – eine Form der Tötung, die nicht weniger »industrialisiert« und anonym war wie die der Nationalsozialisten. Im Übrigen wurde auch berichtet, dass die sowjetische Geheimpolizei Auspuffgase benutzte, um Gefangene umzubringen, ähnlich wie es die Nationalsozialisten in den Anfangsjahren taten.[56] Im Gulag starben sowjetische Häftlinge aber in der Regel nicht an der Effizienz ihrer

Peiniger, sondern eher an Ineffizienz und Vernachlässigung.[57] In manchen sowjetischen Lagern erwartete zu bestimmten Zeiten diejenigen der sichere Tod, die im Winter zum Holzfällen in den Wald geschickt wurden oder in den schlimmsten Goldbergwerken an der Kolyma arbeiten mussten. Man schloss Häftlinge auch in den Karzer ein, bis sie an Kälte und Hunger starben, ließ sie unbehandelt auf kalten Krankenstationen liegen oder erschoss sie wegen »Fluchtversuchs«. Trotz alledem war das sowjetische Lagersystem insgesamt nicht mit der Absicht eingerichtet, Leichenberge zu produzieren, auch wenn das zuweilen geschah.

Das sind feine Unterschiede, aber sie fallen ins Gewicht. Wenn der Gulag und Auschwitz auch in die gleiche geistige und historische Tradition gehören, sind sie doch zu unterscheiden und zu trennen – sowohl voneinander als auch von Lagersystemen, die andere Regime errichteten. Das Prinzip des Konzentrationslagers mag so allgemein sein, dass man es in vielen verschiedenen Kulturen und Situationen antreffen kann. Aber auch eine oberflächliche Betrachtung der Geschichte zeigt, dass die jeweilige Ausprägung – wie das Lagerleben organisiert war, wie sich die Lager über die Jahre entwickelten, wie streng oder milde es dort zuging, ob sie grausam blieben oder liberalisiert wurden – vom konkreten Land, seiner Kultur und seinem politischen Regime abhingen.[58] Für jene, die hinter dem Stacheldraht schmachteten, waren diese Unterschiede entscheidend für ihr Leben, ihre Gesundheit und das Überleben.

Wenn man die Berichte von Menschen liest, die beide Typen von Lagern überlebt haben, dann springen eher die unterschiedlichen Erlebnisse der Opfer als die Unterschiede zwischen beiden Lagersystemen ins Auge. Jeder Bericht ist unwiederholbar, jedes Lager hielt Schrecken verschiedener Art für Menschen unterschiedlichen Charakters bereit. In Deutschland konnte man an der Grausamkeit, in Russland an der eigenen Verzweiflung sterben. In Auschwitz konnte man in der Gaskammer zu Tode kommen, an der Kolyma im Schnee erfrieren. Der Mensch konnte in einem deutschen Wald oder in der sibirischen Tundra, bei einem Unfall im Bergwerk oder in einem Viehwagen sein Leben lassen. Am Ende aber erzählt jedes Menschenleben seine eigene Geschichte.

ERSTER TEIL

# Die Ursprünge des Gulags 1917–1939

Ich möchte den Mythos zerstören, dass die schlimmsten Repressalien erst 1936/37 begannen. Ich glaube, die Statistiken werden eines Tages beweisen, dass die Welle von Verhaftungen, Verurteilungen und Verbannung bereits Anfang 1918 einsetzte, noch bevor im Herbst jenes Jahres der Rote Terror ausgerufen wurde. Von dem Zeitpunkt an bis zu Stalins Tod stieg die Welle immer höher und höher …

DMITRI LICHATSCHOW,
*Wospominania*[1]

# Anfänge unter den Bolschewiken

1917 rollten zwei revolutionäre Wellen über Russland hinweg und ließen die zaristische Gesellschaft wie ein Kartenhaus in sich zusammenstürzen. Zar Nikolaus II. dankte im Februar ab, und danach vermochte kaum noch jemand die Ereignisse aufzuhalten oder zu kontrollieren. Alexander Kerenski, der die erste Provisorische Regierung nach der Februarrevolution anführte, schrieb später, dass ihm zu dem damaligen Zeitpunkt »die verschiedenen politischen Taktiken, Programme und Pläne, so kühn und gut überlegt sie waren, hilflos und nutzlos in der Luft zu hängen« schienen.[2]

Doch obwohl die Provisorische Regierung schwach war, das Volk unzufrieden und voller Zorn über das Blutbad, das der Erste Weltkrieg angerichtet hatte, rechneten nur wenige damit, dass die Macht den Bolschewiken in die Hände fallen würde, einer von mehreren radikal-sozialistischen Parteien, die für rasche Veränderungen agitierten. Im Ausland hatte kaum jemand von ihnen gehört. Noch rätselhafter war ihr Anführer Wladimir Iljitsch Uljanow, den die Welt bald unter seinem Parteinamen »Lenin« kennen lernen sollte. In langen Jahren des Exils hatte er sich wegen seiner Brillanz ebenso Anerkennung erworben, wie wegen seines aufbrausenden Temperaments und seines Fraktionsgeistes unbeliebt gemacht.

In den Monaten nach der Februarrevolution war Lenin selbst in der eigenen Partei weit davon entfernt, unumschränkte Autorität zu genießen. Noch Mitte Oktober 1917 hielten mehrere führende Bolschewiken nichts von seinem Plan, einen Umsturz gegen die Provisorische Regierung herbeizuführen, da die Partei auf die Machtergreifung noch nicht vorbereitet sei und nicht genügend Unterstützung im Volk genieße. Aber Lenin setzte sich durch. Von ihm angestachelt, besetzte eine Menschenmenge am 25. Oktober 1917 das Winterpalais. Die Bolschewiken nahmen die Minister der Provisorischen Regierung fest. Stunden später stand Lenin an der Spitze eines Staates, den er Sowjetrussland nannte.

Zwar war der Griff nach der Macht gelungen, aber Lenins Kritiker in den Reihen der Bolschewiken hatten nicht ganz Unrecht. Sie kamen in der Tat völlig unvorbereitet zur Macht. Ihr Rückhalt in der Bevölkerung war gering, und so stürzten sie sich fast augenblicklich in einen blutigen Bürgerkrieg, um an der Macht zu bleiben. Von 1918 an, als die Weiße Armee des alten Regimes sich umgruppiert hatte, um gegen die neu geschaffene, von Trotzki geführte Rote Armee den Kampf aufzunehmen, wütete der Bürgerkrieg in ganz Russland mit einer Heftigkeit, wie man es in Europa bisher selten erlebt hatte. Aber nicht nur auf dem Schlachtfeld tobte die Gewalt. Die Bolschewiken unternahmen alles, um intellektuelle und politische Gegnerschaft in jeglicher Form zu unterdrücken. Zielscheibe waren nicht nur die Repräsentanten des alten Regimes, sondern auch andere Sozialisten: Menschewiken, Anarchisten und Sozialrevolutionäre. Erst 1921 zog in dem neu geschaffenen Sowjetstaat relative Ruhe ein.[3]

In diesem Klima aus Improvisation und Gewalt entstanden die ersten sowjetischen Arbeitslager. Lenins Vorstellung davon als einer besonderen Form von Strafe für eine besondere Art bourgeoiser »Feinde« passte zu seinen Ideen von Verbrechen und Verbrechern. Einerseits hatte der erste sowjetische Führer seine Zweifel, was das Einsperren und Bestrafen von Kriminellen – Dieben, Räubern und Mördern – betraf, die für ihn potenzielle Verbündete waren. Als Hauptursache der Übertretung gesellschaftlicher Regeln (wie er das Verbrechen nannte) sah er die Ausbeutung der Massen. War diese beseitigt, musste auch die Übertretung verschwinden. Daher brauchte man Kriminelle nicht besonders zu bestrafen. Mit der Zeit würde die Revolution selbst zur Überwindung des Verbrechens führen.

Andererseits erwartete Lenin wie die bolschewistischen Rechtstheoretiker, die seinen Ideen folgen sollten, dass mit der Errichtung des Sowjetstaates eine neue Kategorie von Verbrechern auftauchte: der »Klassenfeind«. Der Klassenfeind war gegen die Revolution und arbeitete offen, häufiger vermutlich aber verdeckt daran, sie zum Scheitern zu bringen. Er war schwerer aufzuspüren als ein gewöhnlicher Verbrecher und viel schwerer zu ändern. Er musste daher härter bestraft werden als jeder Dieb oder Mörder. So hieß es im ersten »Dekret über Bestechung« vom Mai 1918: »Wenn eine Person, die Bestechung anbietet oder annimmt, den vermögenden Klassen angehört und mit der Bestechung Vermögensvorrechte bewahren oder erwerben will, dann soll sie zur härtesten und unangenehmsten Form von Zwangsarbeit verurteilt und ihr gesamtes Vermögen eingezogen werden.«[4]

Leider machte sich niemand die Mühe, eindeutig zu beschreiben, was unter einem Klassenfeind zu verstehen sei. Daher kam es im Gefolge des bolschewistischen Umsturzes zu einem dramatischen Anstieg von wahllosen Verhaftungen. Bankiers, Marktfrauen, »Spekulanten« – das konnte jeder sein, der einer selbstständigen wirtschaftlichen Tätigkeit nachging –, Gefängniswärter aus der Zarenzeit und viele andere, die irgendwie verdächtig erschienen, wurden willkürlich zu Freiheitsentzug, Zwangsarbeit, ja sogar zum Tode verurteilt.[5]

Wer als Feind eingestuft wurde, war von Ort zu Ort verschieden. Zuweilen gab es Überschneidungen mit der Kategorie der Kriegsgefangenen. Wenn Trotzkis Rote Armee eine Stadt besetzte, nahm sie häufig wohlhabende Bourgeois als Geiseln, die erschossen werden konnten, falls die Weiße Armee zurückkehrte, was bei den häufig wechselnden Fronten immer wieder vorkam. In der Zwischenzeit zwang man die Leute, für die Rote Armee zu arbeiten, ließ sie Schützengräben ausheben oder Hindernisse errichten.[6] Zwischen politischen Gefangenen und gewöhnlichen Kriminellen wurde genauso willkürlich unterschieden. Die ungebildeten Mitglieder der Zeitweiligen Kommissionen und Revolutionstribunale konnten zum Beispiel zu dem Schluss kommen, jemand, der ohne zu bezahlen mit der Straßenbahn gefahren war, habe sich gegen die Gesellschaft vergangen und müsse deshalb für ein politisches Delikt bestraft werden.[7] Häufig genug wurden derartige Entscheidungen dem Polizisten oder Soldaten überlassen, der die Verhaftung vornahm. Feliks Dzierzynski, der Gründer der Tscheka – Lenins Geheimpolizei, die Vorläuferin des KGB –, trug stets ein schwarzes Notizbuch bei sich, in das er wahllos Namen und Adressen von Feinden kritzelte, denen er bei seiner Tätigkeit begegnete.[8]

Die Definition des Feindes sollte bis zum Zusammenbruch der Sowjetunion achtzig Jahre später so vage bleiben. Gleichwohl hatte die Vorstellung, dass es zwei Kategorien von Häftlingen – politische und kriminelle – gab, maßgeblichen Einfluss auf die weitere Entwicklung des sowjetischen Strafvollzugs. In den ersten Tagen der Revolution fielen alle Häftlinge in die Zuständigkeit der »traditionellen« Justizorgane, zunächst des Volkskommissariats für Justiz, später des Volkskommissariats für Innere Angelegenheiten, und wurden in »gewöhnlichen« Haftanstalten untergebracht. Damit waren die Überreste des Strafvollzugs aus der Zarenzeit gemeint, zumeist schmutzige, düstere Gemäuer, die es im Zentrum jeder größeren Stadt gab. Doch als die Bolschewiken die Macht übernahmen, waren die wenigen noch intakten Gefängnisse hoffnungslos überfüllt. Nur Wochen nach der Revolution forderte Lenin »Sondermaßnahmen für die unverzügliche Verbesserung der Verpflegung in den Petrograder Gefängnissen«.[9] Einige Monate später besuchte ein Mitglied der Moskauer Tscheka das Taganskaja-Gefängnis in der Hauptstadt. Er berichtete von »schrecklicher Kälte und Schmutz«, von Hunger und Typhus. Die meisten Häftlinge konnten die ihnen auferlegte Zwangsarbeit gar nicht leisten, weil sie nichts anzuziehen hatten. Eine Zeitung beklagte, die Roten Garden verhafteten »Tag für Tag wahllos Hunderte Personen und wissen dann nicht, was sie mit ihnen anfangen sollen«.[10]

Die Überfüllung der Haftanstalten brachte »kreative« Lösungen hervor. In Ermangelung von etwas Besserem sperrten die neuen Behörden Häftlinge in Kellern, auf Dachböden, in verlassenen Palästen oder alten Kirchen ein. Im Dezember 1917 beriet eine Kommission der Tscheka über das Schicksal von 56 Gefangenen – Dieben, Trunkenbolden und einigen Politischen –, die im Keller des Smolny, damals Lenins Hauptquartier in Petrograd, festgehalten wurden.[11] Nicht jeder litt unter dem Chaos. Robert Bruce Lockhart, ein britischer Diplomat, dem man (zu Recht, wie sich später herausstellte) Spionage vorwarf, wurde 1918 in einem Raum des Kreml festgehalten. Dort vertrieb er sich die Zeit damit, dass er Patiencen legte, Thukydides und Carlyle las. Von Zeit zu Zeit brachte ihm ein ehemaliger Diener des Zarenhofes Zeitungen und heißen Tee.[12]

Aber auch in den traditionellen Gefängnissen waren die Verhältnisse regellos und das Personal unerfahren. Ein Oberst der Weißen Armee berichtet, dass die Häftlinge im Gefängnis von Petrograd im Dezember 1917 kommen und gehen konnten, wann sie wollten. In den Zellen nächtigten Obdachlose. Auf diese Zeit zurückblickend, meinte ein sowjetischer Funktionär: »Wer damals nicht weglief, war einfach zu faul dazu.«[13]

Das Durcheinander zwang die Tscheka, sich etwas Neues einfallen zu lassen. Schließlich konnten die Bolschewiken ihre »wahren« Feinde nicht in diesem regulären Strafvollzug belassen. Chaotische Gefängnisse und nachlässige Wärter mochten für Taschendiebe und jugendliche Delinquenten angemessen sein, nicht aber für Saboteure, »Parasiten«, Spekulanten, Offiziere der Weißen Armee, Geistliche, bourgeoise Kapitalisten und andere, von denen aus Sicht der Bolschewiken große Gefahr drohte.

Bereits am 4. Juni 1918 forderte Trotzki, eine Gruppe aufsässiger tschechischer Kriegsgefangener ruhig zu stellen, zu entwaffnen und in einem Konzentrationslager unterzubringen.

Im August benutzte auch Lenin diesen Begriff. In einem Telegramm an die Kommissare von Pensa, wo gerade eine Revolte gegen die Bolschewiken stattgefunden hatte, forderte er: »Übt massiven Terror gegen Kulaken [reiche Bauern, d. Verf.], Popen und weiße Garden. Sperrt die Unsicheren in ein Konzentrationslager.«[14] Die Einrichtungen dafür gab es bereits. Nach dem Frieden von Brest-Litowsk vom Sommer 1918, mit dem Russlands Beteiligung am Ersten Weltkrieg endete, ließ die Regierung zwei Millionen Kriegsgefangene frei. Die Lager wurden sofort der Tscheka übergeben.[15]

Damals schien kein Organ besser für die Aufgabe geeignet zu sein, die Unterbringung von »Feinden« in Sonderlagern zu übernehmen. Völlig neu geschaffen, galt die Tscheka als »Schild und

Schwert« der Partei; sie stand in keinerlei Beziehung zur Sowjetregierung und deren Ministerien, war an keine Rechtstradition gebunden und nicht verpflichtet, sich mit der Polizei, den Gerichten oder dem Volkskommissar für Justiz abzustimmen. Ihr Sonderstatus kam schon in ihrem Namen zum Ausdruck: Allrussische Außerordentliche Kommission zur Bekämpfung von Konterrevolution und Sabotage, russische Abkürzung Tsch-K, gesprochen Tscheka. Sie war außerordentlich, weil sie außerhalb des »ordentlichen« Rechtssystems stand.

Kaum gegründet, bekam sie bereits einen außergewöhnlichen Auftrag. Am 5. September 1918 erhielt Dzierzynski den Befehl, Lenins Politik des Roten Terrors durchzusetzen. Als Reaktion auf einen Mordanschlag gegen Lenin entstanden, war diese Terrorwelle aus Verhaftung, Einkerkerung und Mord straffer organisiert als der spontane Terror der vorangegangenen Monate. Im Grunde tobte hier der Bürgerkrieg gegen jene, die man verdächtigte, für die Vereitelung der Revolution an der »Heimatfront« tätig zu sein. In der »Krassnaja gaseta«, dem Organ der Roten Armee, las sich das so: »Wir werden unsere Gegner zu Hunderten töten, ohne Gnade und ohne Erbarmen. Mögen es Tausende sein, mögen sie in ihrem eigenen Blut ersaufen!«[16]

Der Rote Terror war entscheidend für Lenins Kampf um die Macht. Konzentrationslager, so genannte Sonderlager, waren entscheidend für den Roten Terror. Zwar gibt es aus dieser Zeit keine verlässlichen Angaben über die Zahl der Häftlinge, aber Ende 1919 sind für Russland 21 Lager verzeichnet. Ende 1920 waren es bereits 107 – fünf Mal so viele.[17]

In diesem Stadium erscheint der Zweck der Lager noch recht unklar. Die Häftlinge sollten Arbeit leisten, aber mit welchem Ziel? Sollte die Arbeit sie umerziehen? Sie demütigen? Oder sollte sie ein Beitrag zum Aufbau des neuen Sowjetstaates sein? Verschiedene sowjetische Repräsentanten und Organe gaben auf diese Fragen verschiedene Antworten. Im Februar 1919 hielt Dzierzynski eine flammende Rede auf die Lager als Instrument zur ideologischen Umerziehung der Bourgeoisie. Sie sollten

»die Häftlinge zu nützlicher Arbeit einsetzen, jene Herren, die keiner Beschäftigung nachgehen, und diejenigen, die nicht ohne einen gewissen Zwang arbeiten können. Wir schlagen vor, auf diese Weise eine Schule der Arbeit zu schaffen.«[18]

Als allerdings im Frühjahr 1919 die ersten offiziellen Dokumente über die Sonderlager erschienen, hatten sich die Prioritäten bereits etwas verschoben.[19] In den Dekreten, die eine erstaunlich lange Liste von Bestimmungen und Empfehlungen darstellen, wurde den Hauptstädten jedes Gouvernements vorgeschlagen, ein Lager für mindestens dreihundert Personen – »am Rande der Stadt oder in Objekten der Umgebung wie Klöstern, Gütern, Bauerngehöften usw.« – einzurichten. Dort sollte der Achtstundentag gelten, Überstunden und Nachtarbeit waren nur »im Rahmen des Arbeitsrechts« gestattet. Lebensmittelpakete durften nicht empfangen werden. Besuche naher Verwandter waren gestattet, aber nur an Sonn- und Feiertagen. Häftlinge, die zu fliehen versuchten, sollten die zehnfache Frist absitzen. Bei Wiederholung drohte ihnen sogar die Todesstrafe. In den Dekreten hieß es nun eindeutig, dass die Arbeit der Gefangenen nicht ihrer Erziehung, sondern der Aufrechterhaltung der Lager diente.[20]

Da staatliche Mittel nur sehr unregelmäßig flossen, mussten die Lagerverwaltungen sich schon früh über ihre Finanzierung Gedanken machen und darüber, wie sie den größten Nutzen aus ihren Häftlingen ziehen konnten. In einem Geheimbericht vom September 1919, der Dzierzynski vorgelegt wurde, beklagte man die sanitären Bedingungen in einem Transitlager als »unter aller Kritik«, vor allem deshalb, weil viele Häftlinge zu krank seien, um arbeiten zu können: »Bei dem nasskalten Herbstwetter ist dies kein Ort, wo Menschen gesammelt und zur Arbeit eingesetzt werden, sondern eine Brutstätte für Krankheiten und Seuchen.« Der Verfasser schlug vor, die Arbeitsunfähigen anderswo unterzubringen, damit sie die Effizienz des Lagers nicht beeinträchtigten. Die Gulagleitung sollte später noch häufig auf diese Taktik zurückgreifen. Aber schon damals bereiteten Krankheit und Hunger den Lagerverantwortlichen nur deshalb Sorge, weil kranke und hungrige Häftlinge ihnen nichts nützten.[21] Anderen waren solche Erwägungen jedoch egal. Sie hatten vor allem die Demütigung der Häftlinge im Auge, den Wunsch, die ehemals Wohlhabenden spüren zu lassen, wie einfache Arbeiter lebten.

Als der Bürgerkrieg in seine entscheidende Phase trat, schoben die dringenden Erfordernisse der Roten Armee und des Sowjetstaates jedoch alles andere – ob Umerziehung, Vergeltung oder Bestrafung – beiseite. Im Oktober 1918 bat beispielsweise der Befehlshaber der Nordfront die Petrograder Militärkommission dringend um achthundert Arbeitskräfte, die Gräben ausheben und Straßen anlegen sollten. Unverzüglich wurde »... eine Anzahl Bürger aus ehemaligen Händlerkreisen aufgefordert, sich im Stadtsowjet einzufinden, wo sie angeblich für einen späteren Arbeitseinsatz registriert werden sollten. Als diese Bürger erschienen, nahm man sie fest und brachte sie in die Semjonowski-Kaserne, von wo sie an die Front abtransportiert wurden.« Aber es waren nicht genug, und so ließ der Stadtsowjet kurzerhand einen Teil des Newski-Prospekts, der größten Petrograder Einkaufsstraße, absperren und jeden festnehmen, der nicht ein Parteibuch oder den Ausweis einer staatlichen Behörde vorweisen konnte. Die Verhafteten wurden in eine nahe gelegene Kaserne gebracht. Später ließ man die Frauen wieder frei, aber die Männer wurden sämtlich nach Norden in Marsch gesetzt.[22]

Die verhafteten Passanten waren natürlich schockiert. Petrograder Arbeiter hätten daran nichts Besonderes gefunden. Denn in diesem frühen Stadium der sowjetischen Geschichte war der Unterschied zwischen Zwangsarbeit und normaler Arbeit noch reichlich verschwommen. Arbeiter waren gezwungen, sich beim Zentralen Arbeitsamt zu melden, das sie je nach Bedarf an jeden beliebigen Ort im Land schicken konnte. Es wurden eigens Dekrete erlassen, die es bestimmten Berufsgruppen wie zum Beispiel Bergleuten verboten, ihren Arbeitsplatz zu verlassen. Auch die Lebensbedingungen von Arbeitern in Freiheit und Gefangenen unterschieden sich in dieser Zeit des revolutionären Chaos nicht wesentlich. Von außen gesehen konnte man Arbeitsstätten in Freiheit und Lager oft kaum auseinander halten.[23]

Das war jedoch erst der Anfang. Wie man »Lager«, »Gefängnis«

oder »Zwangsarbeit« definieren sollte, blieb auch in den zwanziger Jahren im Grunde ungeklärt. Die Kontrolle über den Strafvollzug wechselte häufig. Die zuständigen Behörden wurden endlos umbenannt und neu organisiert, da immer wieder andere Kommissare und Bürokraten versuchten, das System in die Hand zu bekommen.[24]

Der Rahmen war jedoch am Ende des Bürgerkrieges gesetzt. In Sowjetrussland hatten sich zwei getrennte Systeme von Haftanstalten mit eigenen Regeln, Traditionen und Ideologien herausgebildet. Das Volkskommissariat für Justiz und später das Volkskommissariat für Innere Angelegenheiten leitete das »reguläre« System von Strafanstalten, wo im Wesentlichen Menschen einsaßen, die das Sowjetregime als »Kriminelle« bezeichnete. Die Häftlinge waren in traditionellen Gefängnissen untergebracht, und die Ziele, die deren Verwaltungen sich einer internen Denkschrift zufolge setzten, waren auch für »bürgerliche« Staaten durchaus akzeptabel: Der Strafgefangene sollte durch Arbeit gebessert – »die Häftlinge sollen Fertigkeiten erlernen, die es ihnen ermöglichen, später ein ehrliches Leben zu führen« – und von neuen Straftaten abgehalten werden.[25]

Das zweite System von Strafanstalten, zunächst als »Speziallager« oder »Sonderlager« bekannt, leitete die Tscheka, aus der später die GPU, dann die OGPU, das NKWD und schließlich der KGB hervorgingen. Zwar benutzte auch die Tscheka Begriffe wie »Umerziehung« oder »Besserung«, aber diese Lager hatten mit normalen Strafvollzugsanstalten wenig gemein. Andere Behörden hatten auf sie keinerlei Zugriff. Sie waren dem Blick der Öffentlichkeit weitgehend entzogen. In diesen Lagern galten besondere Regeln, härtere Strafen für Fluchtversuche und ein strengeres Regime. Die Insassen waren nicht unbedingt von ordentlichen Gerichten verurteilt, wenn sie überhaupt je einen Richter zu Gesicht bekommen hatten. Zunächst als Notmaßnahme gedacht, nahmen sie an Umfang und Bedeutung zu, je mehr man die Definition der »Feinde« ausweitete und je mehr die Tscheka ihre Macht ausdehnte. Als die beiden Systeme des Strafvollzugs – das ordentliche und das außerordentliche – schließlich zusammengeführt wurden, geschah das nach den Regeln des Letzteren. Die Tscheka schluckte ihre Konkurrenten.

Das System der Sonderlager war von Anfang an für besondere Häftlinge gedacht – die Gegner der neuen Ordnung. Dabei interessierten sich die Behörden vor allem für eine politische Kategorie: die Mitglieder revolutionärer sozialistischer Parteien abseits der Bolschewiken. Das waren zumeist Anarchisten, linke und rechte Sozialrevolutionäre, Menschewiken und andere, die für die Revolution gekämpft, sich aber nicht rechtzeitig Lenins Fraktion angeschlossen und daher am Umsturz von 1917 nicht teilgenommen hatten. Als ehemalige Verbündete im Kampf gegen das Zarenregime verdienten sie besondere Behandlung. Das Zentralkomitee der Kommunistischen Partei beriet bis Ende der dreißiger Jahre immer wieder über ihr Schicksal. Zu dem Zeitpunkt waren die meisten allerdings bereits verhaftet oder erschossen.[26]

Lenins großes Interesse an diesen Häftlingen rührte zum einen daher, dass ihm – wie dem Führer jeder exklusiven Sekte – Abtrünnige besonders verhasst waren. So bezeichnete er in einer für ihn typischen Polemik einen seiner sozialistischen Kritiker als »Schurken«, als »blinden Grünschnabel«, als »Handlanger einer Bande von Blutsaugern und Spießbürger«, der »niederträchtige Lügen« aus »der Müllgrube der Renegaten« verbreite.[27] Zum anderen aber waren die »Politischen« wesentlich schwerer zu kontrollieren als andere Häftlinge. Viele hatten Jahre in zaristischen Gefängnissen verbracht und waren erfahren darin, wie man Hungerstreiks organisiert, das Wachpersonal unter Druck setzt, zwischen den Zellen Kontakt hält, Nachrichten austauscht und gemeinsame Protestaktionen durchführt. Wichtiger noch, sie wussten auch, wie man Kontakt zur Außenwelt herstellte und wen man anzusprechen hatte. Die meisten sozialistischen Parteien Russlands unterhielten Organisationen im Ausland, die häufig in Berlin oder Paris saßen und dem internationalen Ansehen der Bolschewiken großen Schaden zufügen konnten. Auf dem 3. Kongress der Kommunistischen Internationale 1921 verlasen Vertreter der Auslandsorganisation der Sozialrevolutionäre, der Partei, die den Bolschewiken ideologisch am nächsten stand (und sogar für kurze Zeit eine Koalition mit ihnen eingegangen war), einen Brief ihrer in Russland eingekerkerten Kampfgefährten. Das Schreiben löste vor allem deshalb einen Skandal aus, weil darin behauptet wurde, die Bedingungen in den Gefängnissen des revolutionären Russlands seien schlimmer als unter dem Zaren. »Unsere Genossen sind halb verhungert«, hieß es dort. »Viele von ihnen sitzen Monate lang ein, ohne ihre Verwandten sehen, Briefe empfangen oder sich körperlich betätigen zu dürfen.«[28]

Die Sozialisten im Exil hatten – schon vor der Revolution – Möglichkeiten, sich für die Gefangenen einzusetzen, und sie nutzten sie. Unmittelbar nach dem bolschewistischen Umsturz beteiligten sich so berühmte Revolutionäre wie Vera Figner, die über das Leben in zaristischen Kerkern geschrieben hatte, und Jekaterina Peschkowa, die Ehefrau Maxim Gorkis, daran, das Politische Rote Kreuz wieder aufzubauen, eine Hilfsorganisation für Gefangene, die vor der Februarrevolution im Untergrund gearbeitet hatte.

Die Tscheka suchte das Problem der schlechten Presse dadurch zu lösen, dass sie die lästigen Sozialisten räumlich von ihren Kontaktleuten trennte. Einige wurden auf behördliche Anweisung in ferne Gegenden verbannt, wie es schon unter dem Zaren üblich war. Trotzdem fanden selbst Verbannte aus den entferntesten Gegenden immer wieder Wege, sich mitzuteilen. So schaffte es etwa eine kleine Gruppe politischer Gefangener in einem winzigen Lager am Fluss Narym im hintersten Winkel von Sibirien, einer sozialistischen Zeitung im Ausland einen Brief zukommen zu lassen: »Wir sind so hermetisch von der Außenwelt abgeriegelt, dass nur Briefe, in denen es um die Gesundheit von Verwandten oder um unsere eigene geht, Aussicht haben, ihre Empfänger zu erreichen. Jede andere Nachricht … geht verloren.«[29]

Verbannung in ferne Gegenden bedeutete auch nicht, dass die Kerkermeister nun ihre Ruhe hatten. Sozialistische Gefangene, die aus den Haftanstalten der Zarenzeit Vorzugsbehandlung gewohnt waren, forderten überall Zeitungen, Bücher, Spaziergänge und das uneingeschränkte Recht auf Korrespondenz. Vor allem aber bestanden sie darauf, ihre Sprecher zu wählen, die sie bei den Behörden vertraten. Wenn die Tscheka-Offiziere vor Ort ihnen dies verweigerten, weil sie häufig einen Anarchisten nicht von einem Brandstifter unterscheiden konnten, protestierten die Sozialisten – mitunter auch mit gewaltsamen Aktionen.

Die Lagerkommandanten führten ihrerseits Klage. In einem Brief an Dzierzynski schrieb einer, dass sich in seinem Lager »Weißgardisten, die sich für politische Gefangene halten«, zu einer »verschworenen Gemeinschaft« organisiert hätten, die dem Wachpersonal jede normale Arbeit unmöglich mache: »Sie verleumden die Lagerverwaltung, schwärzen sie an ... und ziehen den ehrlichen Namen des sowjetischen Arbeiters in den Dreck.«[30] Zuweilen nahmen die Aufseher die Sache selbst in die Hand. Als eine Gruppe Häftlinge im April 1921 in Petrominsk die Arbeit verweigerte und besseres Essen verlangte, ordneten die Behörden des Gebietes Archangelsk, die die Insubordination satt hatten, für die 540 Beteiligten kurzerhand die Todesstrafe an. Sie wurden alle erschossen.[31]

Anderenorts suchten die Verantwortlichen die Ruhe aufrechtzuerhalten, indem sie den Sozialisten jede Forderung erfüllten. So erinnert sich die Sozialrevolutionärin Berta Babina an ihre Ankunft im »Sozialistenflügel« des Moskauer Butyrka-Gefängnisses als ein freudiges Wiedersehen mit Freunden, Leuten »aus dem Petersburger Untergrund, aus meiner Studentenzeit, aus den vielen Städten und Ortschaften, wo ich während meiner Wanderjahre gelebt hatte«. Innerhalb des Gefängnisses durften sich die Insassen frei bewegen. Sie organisierten Morgengymnastik, gründeten einen Chor und ein Orchester, richteten einen Klub ein, wo es ausländische Zeitungen und eine gute Bibliothek gab. Wie vor der Revolution ließ jeder Gefangene seine persönlichen Bücher zurück, wenn er entlassen wurde. Ein Häftlingsrat wies die Neuankömmlinge in die Zellen ein, von denen einige sogar mit Boden- und Wandteppichen ausgestattet waren. Babina kam dieses Leben im Gefängnis geradezu unwirklich vor: »Können die uns nicht mal richtig einsperren?«[32]

Die gleiche Frage stellte sich auch die Führung der Tscheka. In einem Bericht an Dzierzynski vom Januar 1921 führte ein Gefängnisinspektor zornige Klage darüber, dass in der Butyrka »Männer und Frauen miteinander umherziehen und an den Zellenwänden Spruchbänder mit anarchistischen und konterrevolutionären Losungen hängen«.[33] Dzierzynski empfahl ein strengeres Regime. Kaum war das eingeführt, gab es neue Proteste.

Die Idylle in der Butyrka hatte allerdings bald ein Ende. Laut einem Brief, den eine Gruppe Sozialrevolutionäre an die Behörden schrieb, drang im April 1921 »eine Gruppe Bewaffneter zwischen drei und vier Uhr morgens in die Zellen ein und ging gegen die Häftlinge vor ... Frauen wurden an Armen, Beinen und bei den Haaren aus den Zellen gezerrt, andere geschlagen.« In einem eigenen Bericht bezeichnete die Tscheka diesen »Zwischenfall« später als eine Revolte, die außer Kontrolle geraten sei. Es wurde beschlossen, nicht mehr so viele politische Gefangene in Moskau zu konzentrieren.[34] Im Februar 1922 war der »Sozialistenflügel« im Butyrka-Gefängnis aufgelöst.

Weder Repressalien noch Zugeständnisse hatten gefruchtet. Selbst in den Sonderlagern bekam die Tscheka die Politischen nicht in den Griff. Noch konnte sie verhindern, dass immer wieder Nachrichten von ihnen zur Außenwelt durchsickerten. Man brauchte dringend eine andere Lösung für sie und alle anderen aufmüpfigen Konterrevolutionäre, die im System der Sondergefängnisse untergebracht waren. Im Frühjahr 1923 hatte man sie gefunden: die Solowezki-Inseln.

Sie sind Mönche und Priester,
Prostituierte und Diebe.
Hier sind Fürsten und Barone,
Aber sie haben keine Krone.
Auf dieser Insel besitzen die Reichen kein Haus,
Keine Schlösser und Paläste …

Gedicht eines anonymen Gefangenen,
geschrieben 1926 auf den Solowezki-Inseln[1]

# Das erste Lager des Gulags

Wenn man vom Glockenturm am fernen Ende des alten Solowezker Klosters herabschaut, sind die Umrisse des Lagers auch heute noch deutlich zu erkennen. Eine dicke Steinmauer umgibt den Solowezker Kreml, die zentrale Anlage der Klostergebäude und Kirchen, die im fünfzehnten Jahrhundert erbaut wurden. Hier waren die Hauptverwaltung und die zentralen Einrichtungen des Lagers untergebracht. Westlich davon liegt die Anlegestelle, wo heute ein paar Fischerboote vertäut sind. Einst wimmelte es hier von Häftlingen, die in der kurzen Schifffahrtsaison des Nordens wöchentlich, manchmal sogar täglich angelandet wurden. Dahinter sieht man die flachen Buchten des Weißen Meeres. Von hier nach Kem, dem wichtigsten Transitlager auf dem Festland, wo die Gefangenen an Bord gingen, brauchte das Schiff mehrere Stunden. Eine Fahrt nach Archangelsk, Hauptstadt der Region und größter Hafen am Weißen Meer, dauerte länger als 24 Stunden.

Im Norden sind die schwachen Umrisse der Sekirka, der Kirche auf der Anhöhe, zu erkennen, wo sich früher die Strafzellen des Lagers befanden. Im Osten ragt das Kraftwerk auf, das die Häftlinge bauten und das noch heute in Betrieb ist. Dahinter liegt der Streifen Land, wo sich der Botanische Garten befand. In den Anfangsjahren züchteten Gefangene hier verschiedene Pflanzen, um herauszufinden, welche im Hohen Norden nutzbringend zur Reife gebracht werden konnten.

Hinter dem Botanischen Garten kommen die anderen Inseln des Archipels in Sicht. Im Weißen Meer verstreut liegen Bolschaja Muk-

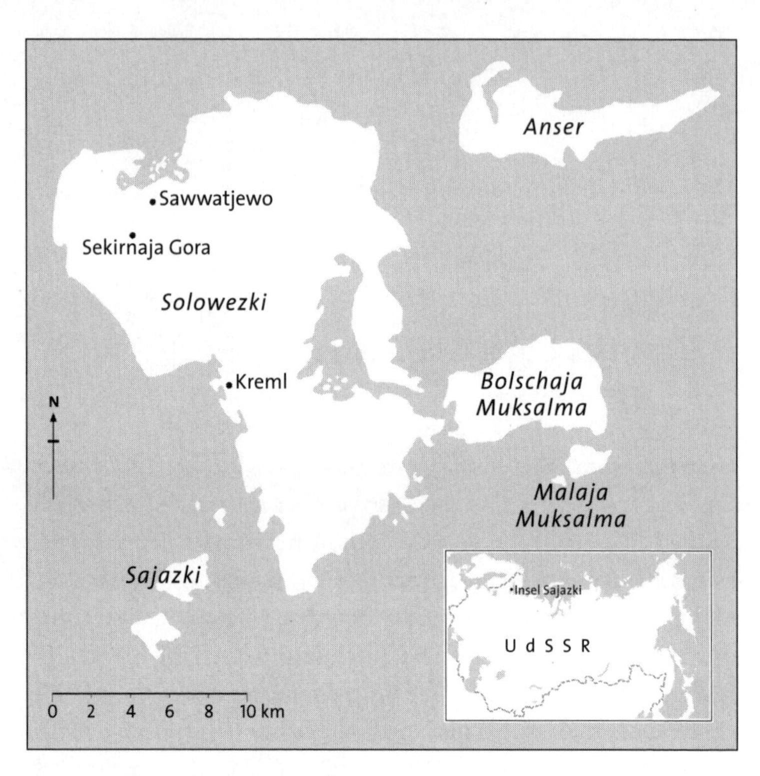


Die Solowezki-Inseln im Weißen Meer

salma, wo die Häftlinge einst Silberfüchse wegen ihres Pelzes züchteten, Anser, wo Invaliden, Frauen mit Kleinkindern und ehemalige Mönche untergebracht waren, schließlich Sajazki, die Insel, die das Frauenlager beherbergte.[2] Solschenizyn hat nicht zufällig das Bild vom Archipel gewählt, um das sowjetische Lagersystem zu beschreiben. Solowezki, das erste Lager, das als dauerhafte Einrichtung geplant und angelegt wurde, entwickelte sich in der Tat auf einem Archipel. Es wuchs von Insel zu Insel, wobei es Kirchen und Gebäude einer uralten Klostergemeinde in sich aufnahm. Das Kloster hatte übrigens auch früher schon als Gefängnis gedient. Die Solowezker Mönche, treue Diener des Zaren, waren ihm seit dem sechzehnten Jahrhundert dabei behilflich, politische Gegner, darunter aufsässige Priester und rebellische Adlige, wegzuschließen.[3]

Offenbar konnte Dzierzynski persönlich die Sowjetregierung

davon überzeugen, der Tscheka, die damals bereits OGPU (Vereinte Staatliche Politische Verwaltung) hieß, am 13. Oktober 1923 den beschlagnahmten Klosterbesitz zusammen mit den Klöstern Petrominsk und Cholmogory zu übergeben. Alle zusammen wurden »Lager zur besonderen Verwendung« getauft.[4] Später nannte man sie »nördliche Lager zur besonderen Verwendung«, russisch abgekürzt SLON für *Sewernyje lagerja osobogo nasnatschenia. Slon* bedeutet auf Russisch außerdem »Elefant«, eine Koinzidenz, die zu vielen Witzen Anlass gab, die Menschen aber auch erschaudern ließ.

Zwar haben Forscher in der letzten Zeit darauf hingewiesen, dass damals bereits weitere Lager und Gefängnisse existierten, aber Solowezki nahm zweifellos eine Sonderstellung ein. Und das nicht nur in den Erinnerungen der Überlebenden, sondern auch in der Geschichte der sowjetischen Geheimpolizei.[5] Solowezki mag nicht das einzige Gefängnis in der Sowjetunion der zwanziger Jahre gewesen sein, aber es war das Gefängnis der OGPU und dasjenige, wo die Geheimpolizei lernte, Arbeitssklaven gewinnbringend einzusetzen.

Eine der beiden Häftlingskategorien auf den Inseln arbeitete zunächst allerdings nicht. Gemeint sind die etwa dreihundert politischen Gefangenen – Sozialisten –, die ab Juni 1923 vom Lager Petrominsk, aus der Butyrka sowie aus anderen Gefängnissen von Moskau und Petrograd dorthin verlegt wurden. Nach ihrer Ankunft wurden sie sofort in das kleine Kloster Sawwatjewo gebracht, einige Kilometer nördlich vom Hauptkomplex gelegen, damit sie nicht mit den anderen Häftlingen in Berührung kamen und diese nicht zu Hungerstreiks oder anderen Protesten verleiten konnten.

Anfangs gewährte man den Sozialisten die Privilegien politischer Gefangener, die sie so lange gefordert hatten: Bücher, Zeitungen, Bewegungsfreiheit innerhalb des Stacheldrahtzauns und Freistellung von körperlicher Arbeit. Jede der bedeutenderen politischen Parteien – linke Sozialrevolutionäre, rechte Sozialrevolutionäre, Anarchisten, Sozialdemokraten und später die Sozialistischen Zionisten – wählte einen Anführer und belegte Räume in einem jeweils eigenen Flügel des alten Klosters.[6]

Elinor Olizkaja, eine junge linke Sozialrevolutionärin, die 1924 verhaftet wurde, empfand Sawwatjewo zuerst gar nicht als Gefängnis. Nach der düsteren Moskauer Lubjanka wirkte es auf sie wie ein Schock. Ihre Behausung, eine ehemalige Mönchszelle, die nun in der Frauenabteilung des »sozialrevolutionären« Flügels lag, war

> »hell, sauber, blank gescheuert und hatte zwei große offene Fenster: Licht und Luft im Überfluss. Die Fenster waren auch nicht vergittert. In der Mitte der Zelle stand ein kleiner Tisch mit weißem Tischtuch. An den Wänden vier sauber bezogene Betten, neben jedem ein Nachttisch. Darauf lagen Bücher, Notizblöcke und Stifte.«[7]

Olizkaja musste bald erfahren, dass es hier auch Tuberkulose und andere Krankheiten gab und dass man von dem Essen kaum satt wurde. Aber die Solowezker politischen Gefangenen waren bemerkenswert gut organisiert. Der oder die Zellenälteste jeder Partei war für die Lagerung, Zubereitung und Verteilung der Lebensmittel zuständig. Auf Grund ihres Sonderstatus durften die politischen Gefangenen Pakete von Verwandten und selbst vom Politischen Roten Kreuz empfangen. Zwar hatte auch diese Organisation mit Schwierigkeiten zu kämpfen – bereits 1922 waren ihre Büros durchsucht und ihr Vermögen beschlagnahmt worden –, aber die Leiterin Jekaterina Peschkowa, die über ausgezeichnete Verbindungen verfügte, durfte den politischen Gefangenen nach wie vor persönlich Hilfsgüter schicken. 1923 sandte sie einen ganzen Waggon mit Lebensmitteln nach Sawwatjewo. Im Oktober jenes Jahres folgte eine Wagenladung Kleidung.[8]

So also versuchte man zunächst die negative PR zu entkräften: Man gab den Politischen mehr oder weniger, was sie verlangten, isolierte sie aber von allen anderen, soweit dies möglich war. Doch diese Lösung sollte nicht von Dauer sein. Das Sowjetsystem duldete keine Ausnahmen.

Weit weniger Umstände machte man mit Gefangenen, deren Status nicht so abgesichert war und die bald die Hauptgebäude des Solowezker Kremls füllten. Von einigen hundert im Jahr 1923 war ihre Zahl zwei Jahre später bereits auf sechstausend angeschwollen.[9] Offiziere und Sympathisanten der Weißen Armee, so genannte Speku-

Das Kloster Solowezki heute

lanten, ehemalige Adlige, Matrosen, die an der Kronstädter Revolte teilgenommen hatten, mischten sich mit gewöhnlichen Kriminellen. Der ehemalige Häftling Boris Schirjajew erinnert sich, wie der erste Lagerkommandant der Solowezki-Inseln, A.P. Nogtew, sie am ersten Abend »ironisch« mit folgenden Worten begrüßte: »Ich heiße euch willkommen. Wie ihr wisst, gibt es hier keine sowjetische, sondern nur die Solowezker Obrigkeit. Alle Rechte, die ihr bisher hattet, könnt ihr vergessen. Wir haben hier unsere eigenen Gesetze.«[10]

In den folgenden Tagen und Wochen sollten die meisten Häftlinge erfahren, was das Regime der Solowezker Obrigkeit bedeutete: eine Kombination aus verbrecherischer Vernachlässigung und willkürlicher Brutalität. In den umfunktionierten Kirchen und Mönchszellen herrschten äußerst primitive Lebensbedingungen, gegen die kaum etwas unternommen wurde. Die erste Nacht verbrachte der Schriftsteller Oleg Wolkow auf einer blanken Pritsche, einem Brettergestell (von dem noch die Rede sein wird), wo mehrere Männer nebeneinander aufgereiht schliefen. Kaum hatte er sich hingelegt, fielen Wanzen auf ihn herab, »in endloser Folge, als seien es Ameisen.

An Schlaf war nicht zu denken.« Er trat vor die Tür, aber dort umschwärmte ihn augenblicklich eine Wolke Mücken. »Voller Neid blickte ich auf die, die fest schliefen, obwohl sie über und über von Parasiten bedeckt waren.«[11]

Außerhalb des Hauptlagers war es kaum besser. Offiziell unterhielt SLON neun Lager auf der Inselgruppe, die in Bataillone unterteilt waren. Manche Gefangene vegetierten unter noch primitiveren Umständen im Wald in der Nähe der Holzeinschläge.[12] Auf den entfernteren Inseln wurde das Verhalten des Wachpersonals und der Lagerchefs von der zentralen Lagerleitung kaum noch kontrolliert. Die verheerenden hygienischen Bedingungen, die zermürbende körperliche Arbeit und die schlechte Ernährung führten natürlich zu Krankheiten, vor allem Typhus. Bei einer besonders schweren Epidemie im Winter 1925/26 starb etwa ein Viertel der circa sechstausend Häftlinge, die SLON damals in Verwahrung hatte.[13]

Für einige Gefangene hielten die Solowezki-Inseln noch Schlimmeres bereit als Beschwerlichkeit und Krankheit. Sie waren dort einem Sadismus und sinnlosen Folterungen ausgesetzt, wie sie im Gulag später nur noch selten vorkamen, als nach Solschenizyn »die Antreiberei zum durchdachten *System«* geworden war.[14] Zwar werden diese Quälereien und Schikanen in vielen Erinnerungen beschrieben, aber die umfassendste Aufstellung findet sich im Bericht einer Untersuchungskommission, die Moskau Ende der zwanziger Jahre auf die Insel sandte. Bei dieser Inspektion stellten die Moskauer Beamten entsetzt fest, dass das Wachpersonal Gefangene regelmäßig im Winter unbekleidet in den ungeheizten Glockentürmen der Kathedrale stehen ließ, Hände und Füße auf dem Rücken mit einem einzigen Strick gefesselt. Oder sie zwangen Gefangene, bis zu achtzehn Stunden lang bewegungslos auf Pfählen zu sitzen, wobei ihnen manchmal sogar Gewichte an die Beine gebunden wurden, was ihnen zwangsläufig schwere Verletzungen zufügte. Häftlinge mussten bei Frost und Kälte bis zu zwei Kilometer nackt zum Badehaus marschieren. Oder man gab ihnen absichtlich verdorbenes Fleisch zu essen und verweigerte ihnen medizinische Behandlung. Auch völlig sinn- und nutzlose Arbeiten waren an der Tagesordnung. So mussten die Gefangenen große Mengen Schnee von einem Ort zum anderen bewegen oder von einer Brücke in den Fluss springen, wenn ein Wachmann »Delphin!« rief.[15]

Sowohl in Archivdokumenten als auch in Memoiren wird eine weitere Art der Folter erwähnt, die es nur auf den Inseln gab: Häftlinge wurden »den Mücken zum Fraß« vorgeworfen. Ein weißgardistischer Offizier namens Klinger, dem später als einem der wenigen die Flucht von den Solowezki-Inseln gelang, berichtet, wie ein Häftling diese Tortur erleiden musste, weil er sich darüber beschwerte, dass ein Paket von zu Hause eingezogen worden war. Die wütenden Aufseher befahlen dem Mann, sich nackt auszuziehen, und banden ihn dann an einen Pfahl im Wald, wo es im Polarsommer von Mückenschwärmen wimmelt. »Nach kaum einer halben Stunde war der Unglückliche von den Stichen am ganzen Körper rot angeschwollen«, schrieb Klinger. Schließlich habe er vor Schmerzen und Blutverlust das Bewusstsein verloren.[16]

Auch Massenexekutionen scheint es immer wieder gegeben zu haben, denn viele Häftlinge erinnern sich, ständig im Schrecken vor einer willkürlichen Hinrichtung gelebt zu haben. Fast ebenso schlimm war es, in die Sekirka geschickt zu werden, die Kirche, in deren Kellern die Strafzellen lagen. Zwar kursieren viele Geschichten darüber, was dort vorging, aber so wenige Gefangene kehrten von dort lebend zurück, dass man über die realen Bedingungen kaum etwas Verlässliches weiß.

Eine Solowezker Legende besagt, dass die lange Treppe mit 365 hölzernen Stufen, die den steilen Abhang von der Kirche hinab führte, ebenfalls ein Ort massenhafter Tötungen gewesen sein soll. Als die Lagerleitung es den Wachen schließlich verbot, die in die Sekirka eingelieferten Häftlinge zu erschießen, organisierten diese »Zwischenfälle«, bei denen die Häftlinge die Stufen hinabstürzten.[17] In den letzten Jahren haben Nachkommen von Häftlingen am unteren Ende der Treppe, an der Stelle, wo die Gefangenen vermutlich starben, ein Holzkreuz errichtet. Heute ist das ein friedlicher, fast lieblicher Ort – so schön, dass das Museum für Solowezker Heimatgeschichte Ende der neunziger Jahre die Sekirka, die Treppe und das Kreuz als Motiv für eine Weihnachtskarte verwandte.

Während die Anfang der zwanziger Jahre in den SLON-Lagern herrschende Irrationalität und Unberechenbarkeit für Tausende den Tod bedeutete, ermöglichten sie es anderen, nicht nur zu überleben, sondern buchstäblich zu singen und zu tanzen. 1923 gründete eine Hand voll Gefangener das erste Lagertheater. Anfangs hatten die Darsteller, von denen viele nach einem Zehnstundentag beim Holzfällen im Wald zur Probe kamen, keinen geschriebenen Text, so dass sie die Klassiker aus dem Gedächtnis rezitieren mussten. Einen großen Fortschritt machte das Theater, als 1924 eine ganze Gruppe von Berufsschauspielern eintraf, die man allesamt als Mitglieder einer »konterrevolutionären« Bewegung verurteilt hatte. In jenem Jahr gab man Tschechows *Onkel Wanja* und Gorkis *Kinder der Sonne.*[18] Später kamen im Solowezker Theater auch Opern und Operetten zur Aufführung, traten Akrobaten auf, wurden Filme gezeigt.

Das Theater war nicht die einzige Form von Kultur im Lager. In Solowezki gab es eine Bibliothek, die am Ende 30 000 Bände umfasste, außerdem den Botanischen Garten, wo die Häftlinge mit arktischen Pflanzen experimentierten. Die Lagerinsassen, unter ihnen viele Wissenschaftler aus St. Petersburg, bauten ein Museum mit Sammlungen zur lokalen Flora, Fauna, Kunst und Geschichte auf.[19] Einige privilegierte Gefangene hatten Zugang zu einem »Klub«, der – zumindest auf Fotos – recht bürgerlich wirkt. Man erkennt ein Klavier, Parkettfußboden und an den Wänden Bilder von Marx, Lenin und Lunatscharski, dem ersten Kulturminister der Sowjetunion. Das Ganze macht einen sehr gemütlichen Eindruck.[20]

Mit alten lithografischen Geräten der Mönche stellten die Häftlinge Monatsschriften und Zeitungen her, in denen Karikaturen, Gedichte voller Heimweh und überraschend freimütige Erzählungen zu finden sind. So enthält die Dezemberausgabe der Zeitschrift »Solowezkie ostrowa« [Die Solowezki-Inseln] von 1925 eine Kurzgeschichte über eine ehemalige Schauspielerin, die im Lager als Wäscherin arbeiten musste und sich nicht an ihr neues Leben gewöhnen konnte. Sie endet mit dem Satz: »Auf Solowezki lastet ein Fluch.«

Die Publikationen enthielten auch anspruchsvollere Artikel, so Lichatschows Analyse der Spieler-Ehre von Kriminellen oder eine Beschreibung von Kunst und Architektur der verfallenden Kirchen auf den Inseln. In den Jahren 1926 bis 1929 brachte der Verlag SLON 29 Ausgaben der Schriftenreihe der Gesellschaft für Solowezker Heimatgeschichte heraus, einer Organisation, die Flora und Fauna der Inseln vor allem im Hinblick auf spezifische Arten – das Rentier und nur dort vorkommende Pflanzen – erforschte und Artikel über Ziegelherstellung, Windströmungen, nützliche Mineralien oder Pelztierhaltung veröffentlichte. Ihre Studie über die geologische Struktur der Inseln benutzt die Direktorin des Museums für Heimatgeschichte noch heute.[21]

Häftlinge, die gewisse Privilegien genossen, durften sogar an den neuen sowjetischen Riten und Feiern wie dem 1. Mai teilnehmen. Spätere Gefangenengenerationen waren davon ausdrücklich ausgeschlossen. Noch erstaunlicher ist aus der Sicht der späteren Jahre, dass sich religiöse Feiern noch lange auf den Inseln hielten. Exhäftling W. A. Kasatschkow erinnert sich an den »grandiosen« Ostergottesdienst von 1926:

> »Als das Fest näherrückte, forderte der neue Divisionschef, dass diejenigen sich melden sollten, die zur Kirche gehen wollten. Zunächst tat das fast niemand, weil man die Folgen fürchtete. Aber unmittelbar vor Ostern gab es dann eine große Zahl solcher Meldungen ... Eine gewaltige Prozession bewegte sich auf der Straße zur Onufrijewskaja-Kirche, der Friedhofskapelle. Die Menschen gingen in mehreren Reihen. Natürlich fanden wir nicht alle in der Kapelle Platz. Viele standen draußen, und wer zu spät kam, konnte gar nichts von dem Gottesdienst hören.«[22]

Selbst die Ausgabe der offiziellen Zeitschrift »Solowezki Lager« vom Mai 1924 bezeichnete in einem Leitartikel Ostern vorsichtig, aber positiv als »ein uraltes Fest zur Begrüßung des Frühlings«, das »unter dem roten Banner durchaus begangen werden kann«.[23]

Zur Verwunderung vieler Gefangener überlebte mit den religiösen Festen auch eine Hand voll Mönche bis in die zweite Hälfte der zwanziger Jahre. Sie waren als »Instrukteure« tätig, die den Häftlingen die nötigen Kenntnisse vermittelten, um den einstmals prosperierenden Ackerbau und das Fischereigewerbe weiter zu betreiben.

Immerhin hatte Solowezker Hering einst selbst die Tafel des Zaren geziert. Außerdem weihten die Mönche die Gefangenen in die Geheimnisse des komplizierten Kanalsystems ein, das die Kirchen seit Jahrhunderten miteinander verband. Nach und nach kamen Dutzende sowjetischer Priester und Angehörige der Hierarchien sowohl der russisch-orthodoxen als auch der katholischen Kirche hinzu, die sich der Beschlagnahme von Kirchengütern widersetzt oder das »Dekret über die Trennung von Kirche und Staat« verletzt hatten. Wie die politischen Gefangenen durften auch die Geistlichen bis in die Jahre 1930/31 in einem besonderen Gebäude des Kremls getrennt für sich leben und in der ehemaligen Friedhofskapelle Gottesdienste abhalten.

Privilegien konnte man sich außerdem erkaufen. Wer Geld hatte, konnte sich von der Arbeit im Wald loskaufen, gegen Folter und Tod absichern. Im Lager gab es ein Restaurant, das auch Gefangene (illegal) bediente. Wer Bestechungsgelder zahlen konnte, durfte sich Lebensmittel von außerhalb beschaffen.[24] Eine Zeit lang unterhielt die Lagerverwaltung auf den Inseln sogar »Läden«, wo Gefangene Kleidung zum doppelten Preis erwerben konnten.[25] Ein »Graf Violaro« soll sich angeblich sogar freigekauft haben – eine schillernde Figur, deren Name in unterschiedlicher Schreibweise in mehreren Memoiren auftaucht. Der Graf, der gewöhnlich als »Botschafter Mexikos in Ägypten« beschrieben wird, beging nach der Revolution den Fehler, zusammen mit seiner Frau deren Familie in Sowjet-Georgien zu besuchen. Beide wurden verhaftet und in den Hohen Norden gebracht. Obwohl sie zunächst ins Lager kamen, wo die Gräfin als Wäscherin arbeiten musste, ging die Legende um, der Graf habe für 5000 Rubel beiden das Recht erkauft, in einem separaten Haus mit Pferd und Diener leben zu dürfen.[26]

Beispiele wie diese, dass wohlhabende Häftlinge gut lebten und früher freikamen, fielen so ins Auge, dass eine Gruppe weniger privilegierter Gefangener 1926 einen Brief an das Präsidium des Zentralkomitees der Kommunistischen Partei schrieb, um »das Chaos und die Gewalt [anzuprangern], die im Solowezker Konzentrationslager herrschen«. In einer Sprache, die auf die kommunistische Führung Eindruck machen sollte, beklagten sie, dass »diejenigen, die Geld

Frauen 1928 beim Torfstechen auf den Solowezki-Inseln

haben, dieses zur Bestechung nutzen, wodurch alle Lasten auf die Schultern der Arbeiter und Bauern abgewälzt werden, die kein Geld haben«. Während die Reichen sich leichtere Arbeit erkauften, »müssen die Armen 14 bis 16 Stunden am Tag arbeiten«.[27] Wie sich herausstellte, waren sie nicht die Einzigen, denen die willkürlichen Praktiken der Lagerchefs auf den Solowezki-Inseln nicht passten.

Während sich die Gefangenen gegen Gewalt und unfaire Behandlung wandten, plagten die oberen Etagen der sowjetischen Hierarchie andere Sorgen. Mitte der zwanziger Jahre wurde klar, dass die Lager von SLON wie auch das System der »regulären« Gefängnisse ihr wichtigstes Ziel, sich finanziell selbst zu tragen, nicht erreichten.[28] Die sowjetischen Konzentrationslager, besondere und reguläre gleichermaßen, warfen keinen Gewinn ab. Im Gegenteil, die Kommandanten verlangten immer mehr Geld.

In dieser Hinsicht glich das Lager Solowezki den anderen sowjetischen Haftanstalten jener Zeit. Zwar mag auf den Inseln der Kontrast zwischen Grausamkeit und Komfort wegen der besonderen Art von Gefangenen und Wachmannschaften größer gewesen sein als anderswo, aber die beschriebenen Unregelmäßigkeiten kamen in allen Lagern und Gefängnissen vor. Theoretisch bestand auch das reguläre Gefängnissystem aus »Arbeitskolonien«, die Landwirtschaftsbetrieben, Werkstätten und Fabriken angeschlossen waren, schlecht funktionierten und kaum Gewinne erzielten.[29] Im Bericht eines Inspektors aus dem Jahr 1928 über ein solches Lager im ländlichen Karelien – 59 Gefangene, dazu sieben Pferde, zwei Schweine und 21 Rinder – wird beanstandet, dass nur die Hälfte der Gefangenen Decken hatte, die Pferde in schlechtem Zustand waren und eines gar ohne Genehmigung an einen Zigeuner verkauft wurde. Ein Häftling, der im Lager als Schmied gearbeitet hatte, ließ bei seiner Freilassung das gesamte Werkzeug mitgehen. Der Lagerchef verbrachte drei, vier Tage in der Woche außerhalb des Lagers und ließ häufig Gefangene ohne Genehmigung vorzeitig frei. Er »weigerte sich beharrlich«, den Gefangenen etwas über Landwirtschaft beizubringen, und erklärte unumwunden, es sei »sinnlos«, Häftlingen eine Ausbildung zu geben. Einige der Insassen lebten mit ihren Frauen zusammen. Unter den Wachen kam es immer wieder zu »Saufereien und Streit«.[30] Es nimmt nicht wunder, dass die übergeordneten Behörden der karelischen Regierung 1929 vorwarfen, diese begreife offenbar »die Bedeutung der Zwangsarbeit als gesellschaftliche Schutzmaßnahme und ihre Vorteile für Staat und Gesellschaft« nicht.[31]

Da die Lager so unprofitabel arbeiteten, wurden von Zeit zu Zeit Amnestien verkündet, um den Strafvollzug zu entlasten. Eine der umfangreichsten erfolgte im Herbst 1927 aus Anlass des zehnten Jahrestages der Oktoberrevolution. Über 50 000 Insassen des regulären Gefängnissystems kamen frei, weil man das Problem der Überfüllung lösen und Geld sparen wollte.[32]

Am 10. November 1925 war die Notwendigkeit, »aus den Gefangenen mehr Nutzen zu ziehen«, auch auf höchster Ebene anerkannt worden. An jenem Tag schrieb Georgi Pjatakow, der später noch viele wichtige Funktionen in der Wirtschaftsführung bekleiden sollte, an Dzierzynski einen Brief. »Mein Studium geografischer Faktoren, die industrielle Probleme berühren, hat mich davon überzeugt«, heißt es darin, »dass, um elementare Bedingungen für eine Arbeitskultur zu schaffen, in einigen Regionen Zwangsarbeitssiedlungen eingerichtet werden müssen. Wahrscheinlich können solche Siedlungen die Überbelegung in Haftorte [sic!] entlasten. Die GPU sollte beauftragt werden, diese Probleme zu erforschen.« Er nannte vier Regionen, die dringend der Erschließung harrten. An allen genannten Orten – auf der Insel Sachalin im Fernen Osten, an der Mündung des Jenissei im Hohen Norden, in der kasachischen Steppe und in der Gegend um die sibirische Stadt Nertschinsk – entstanden später Lager. Dzierzynski notierte seine Zustimmung und gab den Brief an zwei Kollegen zur Bearbeitung weiter.[33]

Zunächst passierte nichts, was vielleicht daran lag, dass Dzierzynski bald darauf verstarb. Aber Pjatakows Brief war ein Vorbote wichtiger Veränderungen. Am Ende dieses Jahrzehnts sollte das Chaos in den postrevolutionären sowjetischen Gefängnissen beseitigt und einem neuen System gewichen sein. Solowezki wurde nicht nur zu einem durchorganisierten Wirtschaftsunternehmen, sondern zu einem regelrechten Musterlager, nach dessen Vorbild Tausende weitere in allen Gegenden der UdSSR geklont wurden.

Einige der Veränderungen gingen von der obersten Staatsführung aus, wie der Brief an Dzierzynski zeigt. Die Strukturen des neuen Systems – die neuen Methoden, wie man die Lager leitete, die Häftlinge organisierte und zur Arbeit einsetzte – wurden jedoch auf den Inseln entwickelt. Mochte Mitte der zwanziger Jahre im Lager von Solowezki noch das Chaos geherrscht haben, so war es doch der Nährboden, aus dem das künftige Gulagsystem erwuchs.

Zumindest ein Teil der Erklärung, warum und wie SLON sich veränderte, rankt sich um die Person von Naftali Aronowitsch Frenkel, einen Gefangenen, der sich beharrlich nach oben arbeitete, bis er schließlich zu einem der einflussreichsten Lagerkommandanten auf den Solowezki-Inseln wurde. Solschenizyn behauptet im *Archipel Gulag*, Frenkel persönlich habe die Methode entwickelt, den Häftlingen die Verpflegung nach der Menge der geleisteten Arbeit zuzuteilen. Dieses menschenverachtende System, das schwächeren Gefangenen in wenigen Wochen den Tod brachte, sollte später zahllose Opfer fordern. Viele russische und westliche Historiker bestreiten hingegen Frenkels Rolle und tun die zahllosen Geschichten über dessen Allmacht als reine Legenden ab.[34]

Dokumente aus kürzlich geöffneten Archiven, vor allem aus regionalen Sammlungen in Karelien, der Sowjetrepublik, zu der Solowezki damals gehörte, stellen seine Bedeutung nun eindeutig klar. Wenn Frenkel auch nicht alle Aspekte des Systems zugeschrieben werden können, so war er es doch, der das Lager zu einem offenbar Gewinn bringenden Wirtschaftsunternehmen umgestaltete. Er tat dies zu einer Zeit, an einem Ort und in einer Weise, dass er damit durchaus Stalins Aufmerksamkeit erregt haben kann.

Die Konfusion um Frenkels Person ist nicht überraschend. Sein Name taucht in vielen Memoiren über die Frühzeit des Lagersystems auf, und schon damals, zu seinen Lebzeiten, war er offenbar eine fast mythische Figur. Offizielle Fotos zeigen einen düster und berechnend dreinblickenden Mann in Ledermütze mit sorgfältig getrimmtem Schnurbart. Ein Häftling behauptet, er habe sich »wie ein Dandy gekleidet«.[35] Einer seiner OGPU-Kollegen, der ihn sehr bewunderte, schwärmte von Frenkels phänomenalem Gedächtnis, er habe alles im Kopf gerechnet.[36] Die sowjetische Propaganda lobte später ebenfalls sein »unglaubliches Gedächtnis«, »seine exzellente Kenntnis der Holz- und Forstwirtschaft im Allgemeinen«, der Landwirtschaft und des Maschinenbaus im Besonderen sowie seine hervorragende Allgemeinbildung.[37]

Bei anderen war er verhasst und gefürchtet. In mehreren Sondersitzungen der Parteizelle von Solowezki im Jahre 1928 warfen Frenkels Kollegen ihm vor, er habe ein eigenes Spitzelnetz aufgebaut, »so dass er alles über jeden als Erster erfährt«.[38] 1927 war von ihm bereits in Paris die Rede. In einem seiner ersten Bücher über Solowezki schrieb ein französischer Antikommunist über Frenkel: »Dank seines schrecklich gefühllosen Vorgehens werden Millionen unglücklicher Menschen entsetzliche Arbeiten und grausame Leiden auferlegt.«[39]

Frenkels Herkunft war auch für seine Zeitgenossen ein Rätsel. Solschenizyn hielt ihn für einen türkischen Juden, der »in Konstanti-

Naftali Frenkel

nopel geboren« worden sei,[40] ein anderer für einen »Fabrikanten aus Ungarn«.[41] Schirjajew behauptete, Frenkel stamme aus Odessa, andere meinten, aus Österreich oder Palästina. Es hieß auch, er habe in einem amerikanischen Ford-Werk gearbeitet.[42] Klarheit bringt seine Häftlingskarte, auf der eindeutig vermerkt ist, dass er 1883 in Haifa geboren wurde, das damals noch zum Osmanischen Reich gehörte. Von dort kam er (entweder über Odessa oder über Österreich-Ungarn) in die Sowjetunion, wo er sich selbst als »Kaufmann« bezeichnete.[43] 1923 wurde er wegen »illegalen Grenzübertritts« verhaftet. Das konnte bedeuten, dass er entweder mit Schmuggel zu tun hatte oder als Händler einfach zu erfolgreich für die Sowjetunion war. Man verurteilte ihn zu zehn Jahren Zwangsarbeit auf den Solowezki-Inseln.[44]

Die Legende behauptet nun, er sei bei seiner Ankunft im Lager über die schlechte Organisation, die Verschwendung von Geld und Arbeit so schockiert gewesen, dass er sich hingesetzt und einen langen Brief verfasst habe, der im Detail beschrieb, wo das Problem bei jedem einzelnen Gewerbe des Lagers lag – der Forstwirtschaft, der Landwirtschaft und der Ziegelbrennerei. Er warf ihn in den Beschwerdekasten für Häftlinge, wo er einem Beamten der Lagerverwaltung auffiel. Dieser wiederum sandte ihn als Kuriosität an Genrich Jagoda, der damals rasch Karriere machte und bald an der Spitze der Geheimpolizei stehen sollte. Angeblich verlangte Jagoda sofort den Verfasser des Briefes zu sprechen. Einem Zeitgenossen (und auch Solschenizyn, der allerdings keine Quelle nennt) zufolge behauptete Frenkel, er sei schließlich nach Moskau gerufen worden, wo er seine Vorstellungen mit Stalin und dessen Gefolgsmann Kaganowitsch erörtert habe.[45]

Für diese Geschichten sprechen einige indirekte Hinweise. So stieg Naftali Frenkel zum Beispiel selbst angesichts der chaotischen Verhältnisse in SLON in überraschend kurzer Zeit vom Häftling zum Wachmann auf. Wir wissen auch, dass er die *Ekonomitscheski-kommertscheskaja Tschast*, die Wirtschafts- und Handelsabteilung von SLON, aufbaute und später leitete. Dabei war er bestrebt, die Lager auf den Solowezki-Inseln nicht nur rentabel zu machen, wie es die Dekrete der Regierung forderten, sondern zu wirklich gewinnbringenden Unternehmen zu entwickeln, die sogar anderen Betrieben Aufträge wegschnappten. Zwar handelte es sich durchweg um staatliche und nicht um private Unternehmen, aber in den zwanziger Jahren gab es in der Sowjetwirtschaft noch Elemente von Konkurrenz, die Frenkel für sich nutzte. Im September 1925, als er bereits an der Spitze der Wirtschaftsabteilung stand, erhielt SLON den Auftrag, in Karelien 130 000 Kubikmeter Holz zu schlagen, womit eigentlich ein ziviler Forstbetrieb beauftragt werden sollte. Außerdem war SLON inzwischen Aktionär der karelischen Kommunalbank geworden und bemühte sich um die Genehmigung, eine Straße von Kem zur weit im Norden liegenden Stadt Uchta zu bauen.[46]

Den Behörden der Republik Karelien waren all diese Aktivitäten ein Dorn im Auge. Sie hatten sich der Einrichtung des Lagers von Anfang an widersetzt.[47] Jetzt wurden die Klagen lauter. Auf einer Sitzung, bei der eine Erweiterung von SLON erörtert wurde, beschwerten sich die örtlichen Behörden, das Lager setze auf unfaire Weise billige Arbeitskräfte ein und raube damit den Forstarbeitern der Gegend die Arbeit. Die Sache spitzte sich zu, und bald wurden

Gefangene treffen in Kem ein, dem Transitlager zu den Solowezki-Inseln.

noch schwerer wiegende Einwände vorgebracht. So beschuldigten örtliche Funktionäre SLON auf einer Sitzung des karelischen Rates der Volkskommissare – der Regierung der Karelischen Republik – im Februar 1926, es fordere zu hohe Preise für den Bau der Straße von Kem nach Uchta. »Es ist deutlich geworden«, fasste Genosse Juschnew ärgerlich zusammen, dass »SLON ein Unternehmer mit großen, raffgierigen Händen ist, der nur nach Profit strebt.«[48]

Der Streit darum, ob es rentabel, effizient und fair sei, Gefangene zur Arbeit einzusetzen, sollte ein Vierteljahrhundert lang andauern (und wird in diesem Buch noch eingehender behandelt werden). Mitte der zwanziger Jahre konnten die karelischen Behörden ihn nicht gewinnen. In seinen Berichten über den wirtschaftlichen Zustand des Solowezker Lagers aus dem Jahr 1925 rühmte Genosse Fjodor Eichmann, damals Stellvertreter von Lagerchef Nogtew und später selbst Kommandant des Lagers, die wirtschaftlichen Leistungen von SLON. Er behauptete, die Ziegelei, die zuvor in einem »traurigen

Zustand« war, sei nun eine florierende Fabrik, die Holzfällerkolonnen übererfüllten den Jahresplan, man habe den Bau des Kraftwerkes abgeschlossen und die Fischproduktion verdoppelt.[49]

Diese Erfolge wurden bald zum Hauptargument für den Umbau des gesamten Strafvollzugs der Sowjetunion. Wenn sie nur durch schlechtere Verpflegung und noch bescheidenere Lebensbedingungen für die Gefangenen zu erreichen waren, dann störte das kaum jemanden.[50] Wenn darunter das Verhältnis zu den Behörden vor Ort litt, interessierte das noch weniger.

Im Lager selbst gab es kaum Zweifel, wer für diesen angeblichen Erfolg verantwortlich war. Für die Kommerzialisierung des Lagers stand eindeutig Frenkel, und viele hassten ihn dafür. Auf einer Versammlung der Solowezker Parteiorganisation 1928 – wo es in heftigen Debatten so hoch herging, dass ein Teil des Protokolls als zu geheim galt, um ihn im Archiv zu belassen, weshalb er gänzlich verschwunden ist – führte ein Lagerkommandant, Genosse Jaschenko, Klage darüber, dass die Wirtschafts- und Handelsabteilung von SLON viel zu großen Einfluss erlangt habe: »Sie ist für alles zuständig.« Frenkel sei zu wichtig geworden, erklärte Jaschenko (dessen Wortwahl im Übrigen deutlich antisemitisch gefärbt war): »Als das Gerücht aufkam, er könnte uns verlassen, hieß es überall: ›Ohne ihn geht es doch nicht.‹«

Andere stellten die Frage, wieso Frenkel, ein früherer Häftling, in den SLON-Läden billiger einkaufen könne und bevorzugt bedient werde, als ob er der Besitzer wäre. Wieder andere kritisierten, SLON sei so kommerzialisiert, dass alle anderen Aufgaben in Vergessenheit gerieten: Die Erziehungsarbeit im Lager sei völlig eingeschlafen, und den Häftlingen würden unfaire Arbeitsbedingungen aufgezwungen.[51]

Aber so wie SLON den Streit gegen die karelischen Behörden gewann, so gewann auch Frenkel – vielleicht dank seiner guten Kontakte nach Moskau – die SLON-interne Auseinandersetzung darüber, in welche Richtung sich das Lager auf den Solowezki-Inseln entwickeln sollte, wie die Häftlinge arbeiten und wie sie behandelt werden sollten.

Zwar hat Frenkel wie erwähnt das berüchtigte System wahrscheinlich nicht erfunden, das die Essensrationen der Häftlinge nach ihrer Arbeitsleistung bestimmte. Aber er trug zu einer Zeit Verantwortung, als sich aus einer chaotischen Situation, da die Arbeit nur gelegentlich mit einer Zusatzration »belohnt« wurde, eine exakte, regulär angewandte Methode der Essenzuteilung und Arbeitsorganisation der Häftlinge entwickelte.

Frenkels System hatte durchaus seine Logik. Er teilte die Häftlinge nach ihrem körperlichen Zustand in drei Gruppen ein: für Schwerarbeit, für leichte Arbeit und Invaliden. Jede Gruppe erhielt eigene Aufgaben und Arbeitsnormen. Danach wurde die Verpflegung eingeteilt, wobei die Unterschiede recht drastisch waren. Die niedrigste Kategorie bekam nur halb so viel zu essen wie die höchste.[52]

In der Praxis lief das darauf hinaus, dass nur zwei Häftlingskategorien übrig blieben: die mit und die ohne Überlebenschance. Die körperlich kräftigen Gefangenen, die relativ gut versorgt wurden, gewannen noch an Kraft. Die schwachen dagegen wurden bei der schlechten Ernährung immer schwächer, erkrankten und starben bald. Der ganze Vorgang beschleunigte sich dadurch, dass die Arbeitsnormen sehr hoch waren – zu hoch für viele Häftlinge, insbesondere für Stadtbewohner, die noch nie im Leben Torf gestochen oder Bäume gefällt hatten.

Unter Frenkels Leitung veränderte sich außerdem der Charakter der Arbeit. An exotischen Spielereien wie Pelztierzucht oder Experimenten mit arktischen Pflanzen war er nicht interessiert. Stattdessen schickte er die Häftlinge zum Straßenbau und zum Holzfällen.[53] Frenkel kümmerte es auch nicht, ob die Häftlinge in Gefängnissen oder hinter Stacheldraht gehalten wurden. Er sandte seine Zwangsarbeiter-Trupps dorthin, wo sie gebraucht wurden, an jeden Ort der Karelischen Republik und des Gebietes Archangelsk auf dem russischen Festland, Tausende Kilometer von den Inseln entfernt.[54]

Wie ein Unternehmensberater, der einen bankrotten Betrieb übernimmt, »rationalisierte« Frenkel die verschiedensten Aspekte des Lagerlebens und merzte nach und nach alles aus, was nicht zur ökonomischen Produktivität beitrug. Unter seiner Führung wurde die Kategorie des »politischen Gefangenen« endgültig abgeschafft. Als im Herbst 1925 Kriminelle und wegen konterrevolutionärer Vergehen Verurteilte gemeinsam in die großen Holzeinschläge und Sägewerke auf dem karelischen Festland geschickt wurden, war es mit den künstlichen Unterschieden zwischen beiden Kategorien von Häftlingen vorbei. SLON erkannte privilegierte Gefangene nicht mehr an, sondern betrachtete alle Lagerinsassen in erster Linie als potenzielle Arbeitskräfte.[55]

Die Sozialisten in der Kaserne von Sawwatjewo stellten ein größeres Problem dar. Sozialistische Politiker passten in keine Vorstellung von wirtschaftlicher Effizienz, denn sie weigerten sich grundsätzlich, irgendeine Form von Zwangsarbeit zu leisten. Sie schlugen nicht einmal ihr eigenes Feuerholz. »Wir sind auf behördliche Anweisung in der Verbannung«, erklärte einer, »daher müssen uns die Behörden mit allem Notwendigen versorgen.«[56] Diese Haltung löste bei der Lagerleitung natürlich bald Unmut aus. Zwar hatte Nogtew im Frühjahr 1923 persönlich mit den politischen Gefangenen in Petrominsk verhandelt und ihnen auf den Solowezki-Inseln ein freizügigeres Regime versprochen, wenn sie freiwillig dorthin umzogen, aber auch ihm gingen ihre endlosen Forderungen schließlich auf die Nerven. Er stritt mit den Politischen über ihre Bewegungsfreiheit, den Zugang zu Ärzten und das Recht auf brieflichen Kontakt mit der Außenwelt. Bei einem besonders heftigen Streit über den Zeitpunkt der Nachtruhe am 19. Dezember 1923 eröffneten die Wachen der Kaserne von Sawwatjewo schließlich das Feuer auf eine Gruppe politischer Häftlinge und töteten sechs von ihnen.

Der Zwischenfall löste im Ausland einen Sturm der Empörung aus. Das Politische Rote Kreuz ließ Berichte über die Schießerei durchsickern. Sie erschienen in der Westpresse, noch bevor sie in Russland bekannt wurden. Zwischen den Inseln und der Führung der Kommunistischen Partei in Moskau glühten die Drähte. Zunächst verteidigte die Lagerleitung ihr Vorgehen mit der Behauptung, die Häftlinge hätten die Sperrstunde verletzt und die Soldaten zunächst drei Warnschüsse abgegeben.

Im April 1924 legte die Lagerleitung eine genauere Untersuchung des Vorfalls vor, gestand aber nicht ausdrücklich ein, dass keinerlei Warnschüsse gefallen waren, wie die Gefangenen behaupteten. Die politischen Häftlinge, so hieß es dort, seien von einer »anderen Klasse« als die Soldaten, die sie bewachten. Die Gefangenen läsen den ganzen Tag Bücher und Zeitungen, die Soldaten hätten keinerlei Bücher und Zeitungen. Die Gefangenen erhielten Weißbrot, Butter und Milch, die Soldaten nichts von alledem. Das sei eine »anomale Situation«. Ganz natürlich hätten sich zwischen Arbeitern und Nichtarbeitern Spannungen aufgebaut, und als die Gefangenen die Sperrstunde missachteten, musste es zum Blutvergießen kommen.[57]

Empört trat das Zentralkomitee in Aktion. Eine Kommission unter Leitung des Verantwortlichen der OGPU für die Lager, Gleb Boki, besuchte die Solowezki-Inseln und das Transitgefängnis in Kem. Im Oktober 1924 folgten mehrere Artikel in der Zeitung »Iswestija«. Darin pries N. Krassikow zunächst die Erfolge von Industrie und Landwirtschaft im Lager Solowezki und beschrieb dann, wie es bei den Sozialisten in der Sawwatjewo-Kaserne zuging:

> »Das Leben dort kann als anarcho-intellektuell mit allen negativen Aspekten dieser Existenzform beschrieben werden. Ständiger Müßiggang führt zu politischem Streit, Familiengezänk und Zwistigkeiten zwischen einzelnen Gruppen, vor allem aber zu einer aggressiven und feindlichen Haltung gegenüber der Regierung im Allgemeinen sowie der Lagerführung und den Wachen von der Roten Armee im Besonderen ...«[58]

In einer anderen Zeitschrift behaupteten die sowjetischen Behörden, die Sozialisten unter den Gefangenen seien besser verpflegt als die Soldaten der Roten Armee. Sie erhielten Besuch von ihren Verwandten – wie sonst könnten sie Informationen aus dem Lager schmuggeln? – und verfügten über mehr Ärzte als eine durchschnittliche Arbeitersiedlung.[59]

Das war der Anfang vom Ende. Nach mehreren Beratungen, bei denen das Zentralkomitee unter anderem den Gedanken erwog, die Politischen ins Ausland abziehen zu lassen, und schließlich verwarf (man fürchtete ihren Einfluss auf die Sozialisten im Westen, aus bestimmten Gründen besonders auf die britische Labour Party), kam man zu einem Entschluss.[60] Am 17. Juni 1925 umstellten Soldaten im Morgengrauen das Kloster Sawwatjewo. Die Häftlinge erhielten zwei Stunden Zeit zum Packen. Dann marschierten sie zum Hafen, wo man sie auf Schiffe verlud und in geschlossene Gefängnisse nach Tobolsk in Westsibirien und nach Werchneuralsk im Ural verlegte, wo es ihnen wesentlich schlechter ergehen sollte.[61]

Zwar kämpften sie weiter für ihre Rechte, schickten Briefe ins Ausland, verständigten sich durch Klopfzeichen und traten auch weiter in den Hungerstreik, aber die bolschewistische Propaganda übertönte ihre Proteste. Den Hilfsorganisationen in Berlin, Paris und New York fiel es immer schwerer, Geld aufzubringen.[62]

Ende der zwanziger Jahre war der Sonderstatus für die Sozialisten unter den politischen Gefangenen aufgehoben. Sie teilten ihre Zellen nun mit Bolschewiken, Trotzkisten und gewöhnlichen Kriminellen. Mit der Zeit sank der Status dieser »Konterrevolutionäre« immer mehr ab, bis sie schließlich in der Lagerhierarchie noch nach den Kriminellen rangierten. Sie waren nur noch als Arbeitskräfte interessant. Und nur wenn sie körperliche Arbeit leisten konnten, erhielten sie genug zu essen, um am Leben zu bleiben.

Als die Bolschewiken zur Macht kamen, waren sie sanft und umgänglich zu ihren Feinden … Das war unser erster Fehler. Nachsicht gegenüber einer solchen Kraft war ein Verbrechen an der Arbeiterklasse. Das wurde bald offenbar …

JOSSIF STALIN[1]

# 1929: die Große Wende

Am 20. Juni 1929 legte der Dampfer *Gleb Boki* in dem kleinen Hafen unterhalb des Solowezker Kremls an. Statt erschöpfter Gefangener, die dieses Schiff gewöhnlich brachte, schritt eine Gruppe gesunder, kräftiger Männer, unter ihnen eine Frau, in lebhafter Unterhaltung an Land. Auf den Fotos, die damals gemacht wurden, scheinen alle Uniform zu tragen. Es handelte sich um mehrere führende Tschekisten, darunter Gleb Boki persönlich. Einer mit einem dicken Schnurrbart ragte aus der Gruppe heraus. Er kam in einem leichten Sommermantel, auf dem Kopf eine flache Arbeitermütze. Es war kein Geringerer als der Schriftsteller Maxim Gorki.

Für die Bolschewiken galt er zu dieser Zeit als der viel gepriesene verlorene Sohn, der nach Hause zurückgefunden hatte. Gorki, ein überzeugter Sozialist, hatte Lenin sehr nahe gestanden. Trotzdem wandte er sich 1917 gegen den Aufstand der Bolschewiken. Auch danach verurteilte er in Reden und Artikeln dieses Ereignis und den darauf folgenden Terror ganz entschieden. Lenins Politik sei »Wahnsinn«, er habe aus Petrograd eine »Jauchegrube« gemacht, erklärte er. Schließlich zog sich er 1921 ins süditalienische Sorrent zurück, wo er zunächst weiterhin kritische Artikel verfasste und Freunden in Russland zornige Briefe schrieb.

Nach und nach mäßigte er jedoch seinen Ton, und 1928 entschloss er sich aus Gründen, die nicht ganz klar sind, zur Rückkehr. Solschenizyn behauptet ziemlich abfällig, er sei im Westen nicht so berühmt geworden, wie er gehofft hatte, und ihm sei einfach das Geld ausgegangen. Orlando Figes bemerkt, er habe sich im Exil todunglücklich gefühlt und die Gesellschaft anderer russischer Emigranten nicht ertragen können, die zum großen Teil viel schärfer antikommunistisch eingestellt waren als er.[2] Was immer sein Motiv gewesen sein mag – als er sich einmal zur Rückkehr entschlossen hatte, wollte er offenbar dem Sowjetregime so viel wie möglich helfen. Bald nach seiner Heimkehr unternahm er eine Reihe triumphaler Reisen durch das Land und fuhr bewusst auch zu den Solowezki-Inseln. Gefängnisse hatten ihn immer interessiert; schließlich hatte er bereits als Jugendlicher mit ihnen Bekanntschaft gemacht.

Gorkis Besuch auf den Solowezki-Inseln wird in zahlreichen Memoiren erwähnt. Alle stimmen darin überein, dass dieses Ereignis sorgfältig vorbereitet wurde. Einige erinnern sich, dass aus diesem Anlass die Vorschriften geändert wurden und Ehefrauen ihre Männer besuchen durften – wahrscheinlich, um die Stimmung der Gefangenen zu heben.[3] Lichatschow schreibt, dass im Arbeitslager überall ausgewachsene Bäume gesetzt wurden, damit es weniger öde aussah. Häftlinge wurden verlegt, damit die Unterkünfte nicht so überfüllt wirkten. Lichatschow zufolge durchschaute Gorki alle diese Manöver. Als man ihm die Krankenstation zeigte, wo alle Mitarbeiter neu eingekleidet waren, soll er die Nase gerümpft und mit den Worten »Paraden mag ich nicht« sofort wieder gegangen sein. Lichatschow berichtet, im Arbeitslager habe Gorki sich nur ganze zehn Minuten aufgehalten und dann mit einem vierzehn Jahre alten Jungen zurückgezogen, um von ihm »die Wahrheit« zu erfahren. Nach vierzig Minuten sei er mit Tränen in den Augen wieder aufgetaucht.[4]

Dagegen behauptet Oleg Wolkow, der zu dieser Zeit ebenfalls in Solowezki einsaß, der Schriftsteller habe »nur das angeschaut, was er sollte«.[5] Bei anderen heißt es, alle Häftlinge, die Gorki ansprechen wollten, seien abgedrängt worden.[6] W. E. Kanen, ein in Ungnade gefallener Agent der OGPU und inzwischen Lagerhäftling, behauptet sogar, Gorki habe die Strafzellen in der Sekirka besichtigt und sich im Gästebuch des Lagers verewigt. Einer der OGPU-Verantwortlichen aus Moskau, der Gorki begleitete, trug dort ein: »Beim Besuch in der Sekirka fand ich alles in bester Ordnung.« Laut Kanen soll Gorki hinzugefügt haben: »Ich möchte sagen: Es ist ausgezeichnet.«[7]

Maxim Gorki (Mitte) 1929 in Mütze, Mantel und Krawatte mit Sohn, Schwiegertochter und Lagerkommandanten zu Besuch auf den Solowezki-Inseln. Im Hintergrund die Sekirka mit den Strafzellen.

Wenn wir auch nicht wissen, was Gorki auf den Inseln wirklich gesehen oder getan hat, können wir seinen danach geschriebenen Essay lesen, den er in Form eines Reiseberichtes veröffentlichte. Darin rühmt Gorki die Naturschönheiten der Insel, beschreibt pittoreske Gebäude und eigenwillige Bewohner.[8]

Voller Bewunderung schildert Gorki die Lebensbedingungen, womit er offenbar dem Leser sagen will, dass ein Arbeitslager in der

Sowjetunion nicht das Gleiche sei wie im Kapitalismus (oder unter dem Zaren), sondern eine völlig neue Einrichtung. In einigen Räumen sah er »vier oder sechs Betten, mit ›Eigenem‹ bezogen ... auf den Fensterbrettern Blumen ... Nichts erinnert hier an ein Gefängnis. Aber es scheint, als wohnten in diesen Zimmern die Passagiere eines gesunkenen Schiffes.«

Draußen bei der Arbeit trifft er auf »gesunde Burschen« in Leinenhemden und festem Schuhwerk. Er begegnet nur wenigen politischen Gefangenen und wenn, dann tut er sie als »Konterrevolutionäre, Gefühlsmenschen und Monarchisten« ab. Als sie ihm sagen, sie seien zu Unrecht im Lager, unterstellt er ihnen Lügen.

Aber nicht nur die Lebensbedingungen machten Solowezki in Gorkis Augen zu einem Lager neuen Typs. Die Insassen, die »geretteten Passagiere«, waren nicht nur glücklich und gesund, sondern spielten auch eine wichtige Rolle in einem großartigen Experiment: der Umerziehung krimineller, asozialer Charaktere zu nützlichen Sowjetbürgern. Gorki kam auf Dzierzynskis Idee zurück, die Lager seien keine reinen Strafanstalten, sondern »Schulen der Arbeit«, in denen man jene Art von Werktätigen schmieden wollte, die das neue Sowjetsystem brauchte. In Gorkis Augen war das Endziel dieses Experiments die »Abschaffung der Gefängnisse«, und es schien Erfolg zu haben. »Wenn irgendein ›europäischer Kulturstaat‹ einen Versuch, wie diese Kolonie ihn darstellt, wagen würde und die gleichen Ergebnisse wie bei uns erbringen könnte, er würde alle Trommeln rühren und alle Posaunen blasen, um seine Errungenschaften zu verkünden.« Nur die »Bescheidenheit« der sowjetischen Führer hindere diese daran, ebenso zu handeln.

Später soll Gorki behauptet haben: »Das einzige, was der Redakteur nicht mit seinem Rotstift berührte, war meine Unterschrift, alles andere hat er ins Gegenteil verkehrt.« In der Tat wissen wir nicht, ob er aus Naivität, vielleicht auch aus Berechnung so schrieb oder ob die Zensoren ihn dazu gezwungen haben.[9] Auf jeden Fall wurde Gorkis Essay von 1929 zu einem wichtigen Instrument der Meinungsbildung in Öffentlichkeit und Behörden über das neue und viel weiter gehende Lagersystem, das in jenem Jahr Gestalt annahm.

Später sollte man sich an das Jahr 1929 wegen ganz anderer Dinge als Gorkis Essay erinnern. Die Revolution hatte die Kinderkrankheiten hinter sich gelassen. Der Bürgerkrieg lag fast ein Jahrzehnt zurück. Lenin war lange tot. Man hatte wirtschaftliche Experimente verschiedener Art – die Neue Ökonomische Politik oder den Kriegskommunismus – erprobt und wieder verworfen. Die Revolution hatte 1929 auch einen ganz anderen Führer bekommen.

Jossif Stalin war es mit bemerkenswertem Geschick gelungen, seinen Hauptrivalen im Kampf um die Macht, Leo Trotzki, loszuwerden. Zuerst diskreditierte er ihn, dann ließ er ihn 1929 auf eine Insel vor der türkischen Küste deportieren, schließlich benutzte er ihn, um ein Exempel zu statuieren: Als Jakow Bljumkin, der für die OGPU arbeitete, zugleich aber ein glühender Anhänger Trotzkis war, seinen Helden im türkischen Exil besuchte und mit einer Botschaft für dessen Gefolgschaft zurückkehrte, ließ Stalin ihn vor Gericht stellen und hinrichten. Der Staat, so die Botschaft, war von nun an entschlossen, die ganze Macht seiner Unterdrückungsorgane nicht nur gegen Mitglieder anderer sozialistischer Parteien und Vertreter des alten Regimes einzusetzen, sondern auch gegen Abweichler in der bolschewistischen Partei selbst.[10]

1929 war Stalin allerdings noch nicht der Diktator, der er zehn Jahre später sein sollte. Exakter ist wohl die Feststellung, dass er in jenem Jahr die Politik auf den Weg brachte, die schließlich seine Macht begründete und zugleich die sowjetische Wirtschaft und Gesellschaft bis zur Unkenntlichkeit veränderte. Westliche Historiker haben diese Zeit die »Revolution von oben« oder die »stalinistische Revolution« genannt. Stalin selbst sprach von der »Großen Wende«.

Kernstück dieser Revolution war das neue Programm einer Industrialisierung in überstürztem, fast hysterischem Tempo. Zu dieser Zeit hatte sich die materielle Situation der meisten Menschen noch nicht spürbar verbessert. Im Gegenteil, die Jahre von Revolution, Bürgerkrieg und wirtschaftlichen Experimenten hatten die Armut noch verschärft. Stalin, der offenbar ein Gespür für die wachsende Unzufriedenheit der Bevölkerung mit der Revolution hatte, machte sich daran, die Lebensbedingungen der einfachen Menschen zu verändern – und zwar radikal.

1929 beschloss die Sowjetregierung den neuen Fünfjahresplan, ein Wirtschaftsprogramm, das eine jährliche Steigerung der Industrieproduktion um zwanzig Prozent vorsah. Die Lebensmittelrationierung wurde wieder eingeführt. Für eine bestimmte Zeit wurde die Sieben-Tage-Woche – fünf Tage Arbeit und zwei Tage Ruhe – abgeschafft. Stattdessen gab es den freien Tag jetzt umschichtig, damit die Fabriken ohne Pause produzieren konnten. Der Zeitgeist, der von oben vorgegeben und von unten begeistert aufgenommen wurde, war eine Art permanenter Wettbewerb, bei dem Fabrikbesitzer und Bürokraten, Arbeiter und Angestellte sich gegenseitig dabei auszustechen suchten, den Plan zu erfüllen und zu übererfüllen, zumindest aber neue und schnellere Wege für seine Übererfüllung vorzuschlagen. Dabei war es niemandem gestattet, die Richtigkeit des Planes in Frage zu stellen. Das galt selbst für die höchsten Ebenen. Parteiführer, die an diesem Tempo der Industrialisierung Zweifel äußerten, blieben nicht lange auf ihrem Posten. Vor allem aber galt es für die Niederungen der Gesellschaft. Ein Zeitgenosse erinnert sich, dass er als Knirps durch seinen Kindergarten marschierte, dabei ein Fähnchen schwenkte und sang:

»Fünf in Vier,
Fünf in Vier,
Fünf in Vier
*Und nicht in Fünf!*«

Die Bedeutung dieses Satzes, dass der Fünfjahresplan in vier Jahren erfüllt werden sollte, entging ihm damals völlig.[11]

Wie alle wichtigen Initiativen in der Sowjetunion brachte auch die Massenindustrialisierung ganz neue Kategorien von Verbrechern hervor. Es war abzusehen, dass man das geplante Tempo der Veränderung nicht erreichen konnte. Primitive Technologie, die überstürzt angewandt wurde, führte zu Pannen. Schuldige mussten gefunden werden – daher die Verhaftung von »Schädlingen« und »Saboteuren«, die angeblich die böse Absicht hatten, die Sowjetwirtschaft an der Erfüllung der propagierten Aufgaben zu hindern. Die ersten Schauprozesse – der Schachty-Prozess von 1928 und das Verfahren gegen die Industriepartei von 1930 – richteten sich im Grunde gegen Ingenieure und andere Vertreter der technischen Intelligenz.

Außerdem beschleunigte das Sowjetregime 1929 die Zwangskollektivierung auf dem Lande. In gewisser Weise bedeutete dies eine noch größere Umwälzung als die russische Revolution selbst. In unglaublich kurzer Zeit zwangen Kommissare Millionen von Bauern, ihre kleinen Parzellen aufzugeben und den Kollektivwirtschaften beizutreten, ein Umwandlungsprozess, der die sowjetische Landwirtschaft dauerhaft schwächte und die schrecklichen Hungersnöte der Jahre 1932 bis 1934 in der Ukraine und Südrussland verursachte, die sechs bis sieben Millionen Menschen dahinrafften.[12] Die Kollektivierung schnitt das russische Dorf für immer von seiner Vergangenheit ab.

Wer sich dieser Kampagne widersetzte, wurde als *Kulak* oder reicher Bauer abgestempelt. Die Definition war (ähnlich wie die des »Saboteurs«) so verschwommen, dass sie nahezu auf jeden passte. Der Besitz einer zusätzlichen Kuh oder eines zusätzlichen Schlafzimmers reichten aus, um eindeutig arme Bauern als Kulaken zu brandmarken. Ein neidischer Nachbar musste nur Anzeige erstatten. Um den Widerstand der Kulaken zu brechen, griff das Regime auf die zaristische Tradition der Deportation auf behördliche Anweisung zurück. Von einem Tag zum anderen wurden ganze Familien auf Lastwagen und Waggons verladen und abtransportiert. Von 1930 bis 1933 wurden über zwei Millionen Kulaken nach Sibirien, Kasachstan und in andere dünn besiedelte Gegenden der Sowjetunion verbannt, wo sie den Rest ihres Lebens als Zwangsumsiedler verbrachten, die ihren neuen Aufenthaltsort nicht verlassen durften. Weitere 100 000 wurden verhaftet und endeten im Gulag.[13]

Als die Hungersnot einsetzte, verschärft noch durch ausbleibenden Regen, folgten weitere Verhaftungen. Das in den Dörfern noch vorhandene Getreide wurde eingezogen und den Kulaken bewusst vorenthalten. Ein Gesetz vom 7. August 1932 forderte die Todesstrafe oder schwere Lagerhaft für »Vergehen gegen das Staatseigentum«. Zehn Jahre Freiheitsentzug konnte man schon bekommen, wenn man ein Pfund Kartoffeln oder eine Hand voll Äpfel entwendete.[14] Diese Gesetze erklären, weshalb die ganzen dreißiger Jahre hindurch

Bauern die große Mehrheit der Häftlinge in den sowjetischen Lagern stellten und noch bis Stalins Tod einen wesentlichen Teil der Lagerinsassen ausmachen sollten.

Die Massenverhaftungen hatten enorme Auswirkungen auf die Lager. Als die neuen Gesetze in Kraft traten, forderten die Lagerführungen augenblicklich eine schnelle und gründliche Überprüfung des gesamten Systems. Der »reguläre« Strafvollzug, der noch dem Innenministerium unterstand (und viel größer war als das von der OGPU geführte Lager auf den Solowezki-Inseln) war bereits seit zehn Jahren überfüllt, unterfinanziert und desorganisiert. Landesweit war die Lage so desolat, dass das Innenministerium schon dazu übergegangen war, Menschen verstärkt zu »Zwangsarbeit ohne Freiheitsentzug« zu verurteilen. Man verpflichtete sie auf einen Arbeitsplatz, sperrte sie aber nicht ein, um die Lager zu entlasten.[15]

Da das Politbüro der Kommunistischen Partei wusste, dass das System des Strafvollzugs dem ständigen Zustrom von Häftlingen nicht standhalten konnte, setzte es 1928 eine Kommission aus Vertretern der Volkskommissariate für Inneres und Justiz sowie der OGPU ein. An ihrer Spitze stand der Volkskommissar für Justiz, Genosse Janson. Die scheinbar unparteiische Kommission hatte den Auftrag, »ein System von Konzentrationslagern zu schaffen, das nach dem Vorbild der OGPU-Lager organisiert« war. Ihren Beratungen war jedoch ein klarer Rahmen gesetzt. Ungeachtet der lyrischen Ergüsse Maxim Gorkis über den Wert der Arbeit für die Besserung des Kriminellen dachten und sprachen alle Kommissionsmitglieder ausschließlich in ökonomischen Begriffen. Am unverhülltesten formulierte der OGPU-Vertreter in der Kommission, Genrich Jagoda, die wahren Interessen des Regimes:

> »Es ist bereits möglich und absolut notwendig, zehntausend Gefangene aus Haftanstalten in der Russischen Republik zu verlegen, damit ihre Arbeitskraft besser organisiert und eingesetzt werden kann ... Die sowjetische Politik läuft eindeutig nicht darauf hinaus, neue Gefängnisse zu bauen. Dafür wird niemand Mittel bereitstellen. Anders sieht es mit der Errichtung großer Lager aus, wo Ar-

beitskräfte rational eingesetzt werden können. Wir haben große Schwierigkeiten, Arbeiter für den Norden anzuwerben. Wenn wir Tausende Häftlinge dorthin schicken, können wir die Ressourcen des Nordens erschließen ... Die Erfahrungen von Solowezki zeigen, was in dieser Hinsicht möglich ist.«

Jagoda erläuterte weiter, dass er an eine permanente Ansiedlung denke: »Wir können entlassene Gefangene mit den verschiedensten Maßnahmen administrativer und ökonomischer Art zwingen, im Norden zu bleiben und diese fernen Regionen zu besiedeln.«[16]

Die Idee, Gefangene nach Verbüßung der Haft als Kolonisten anzusiedeln, war dem Verfahren der Zarenzeit nachempfunden. Um Stalins Fünfjahresplan zu erfüllen, wurden riesige Mengen Kohle, Gas, Öl und Holz gebraucht, die vor allem in Sibirien, Kasachstan und im Hohen Norden vorhanden waren. Außerdem benötigte das Land Gold, um im Ausland moderne Maschinen kaufen zu können. Geologen hatten kurz zuvor Goldvorkommen an der Kolyma im fernen Nordosten Sibiriens entdeckt. Obwohl dort bittere Kälte herrschte, diese Gegenden kaum erschlossen und die Lebensbedingungen primitiv waren, mussten die Ressourcen in halsbrecherischem Tempo abgebaut werden.

Am 13. April 1929 schlug die Kommission den Aufbau eines neuen einheitlichen Lagersystems vor, in dem der Unterschied zwischen »regulären« Lagern und »Sonderlagern« aufgehoben sein sollte. Was aber noch wichtiger war: Die Kommission legte die gesamte Kontrolle über das neue einheitliche System in die Hände der OGPU.[17]

Diese übernahm mit bestürzender Geschwindigkeit die Kontrolle über alle Häftlinge der Sowjetunion. Im Dezember 1927 unterstanden 30 000 Gefangene der Sonderabteilung der OGPU. Das entsprach etwa zehn Prozent aller Häftlinge, die zumeist in den Lagern auf den Solowezki-Inseln untergebracht waren. Im außerordentlichen Strafvollzug waren etwa eintausend Personen beschäftigt, das Budget belief sich auf kaum mehr als 0,05 Prozent der Staatsausgaben. Dagegen saßen in dem vom Volkskommissariat für Inneres überwachten Strafvollzug etwa 150 000 Menschen ein, und das entsprechende Budget entsprach 0,25 Prozent der Staatsausgaben. Zwischen 1928 und 1930 kehrte sich das Verhältnis jedoch um. Während andere Regierungsstellen ihre Häftlinge, ihre Gefängnisse und Lager sowie die daran angeschlossenen Industriebetriebe nach und nach abgaben, schwoll die Zahl der Gefangenen unter Aufsicht der OGPU von 30000 auf 300000 an.[18] 1931 übernahm die Geheimpolizei auch die Kontrolle über die Millionen Zwangsumsiedler, zumeist deportierte Kulaken, die im Grunde Zwangsarbeiter waren, weil sie unter Androhung von Verhaftung und Tod die ihnen zugewiesenen Wohn- und Arbeitsorte nicht verlassen durften.[19] Mitte der dreißiger Jahre hatte die OGPU das riesige Arbeitskräftereservoir aus den Haftanstalten der gesamten Sowjetunion unter ihrer Ägide.

Um die neuen Aufgaben zu bewältigen, organisierte die OGPU ihre Sonderabteilung Lager um und nannte sie Hauptverwaltung Besserungsarbeitslager und Arbeitskolonien. Aus diesem sperrigen Titel wurde schließlich die Hauptverwaltung Lager, russische Abkürzung GULAG, der Name, unter dem die Behörde und letztlich das gesamte System in der Welt bekannt geworden sind.[20]

Seitdem die sowjetischen Lager zu einer landesweiten Einrichtung wurden, streiten ehemalige Insassen und Chronisten über die Motive, die deren Errichtung zugrunde lagen. Der Historiker James Harris meint, nicht die Bürokraten in Moskau, sondern örtliche Funktionäre hätten auf die Einrichtung neuer Lager im Uralgebiet gedrängt. Unter dem Druck, die unrealistischen Aufgaben des Fünfjahresplans erfüllen zu müssen, wofür ihnen die Arbeitskräfte fehlten, seien die Behörden im Ural auf den Gedanken verfallen, das Tempo der Kollektivierung mit aller Härte voranzutreiben, um so die Quadratur des Kreises zu lösen: Mit jedem Kulaken, den sie von seinem Land vertrieben, gewannen sie einen Zwangsarbeiter.[21]

Es wäre nicht überraschend, wenn der Gulag tatsächlich auf diese eher zufällige Weise entstanden wäre. In den frühen dreißiger Jahren wechselten die sowjetische Führung im Allgemeinen und Stalin im Besonderen ständig ihren Kurs, starteten Initiativen und steuerten bald wieder um, gaben öffentliche Erklärungen ab, um zu verschleiern, was wirklich geschah. Wenn man die Geschichte jener Zeit liest, ist es nicht einfach, einen teuflischen Gesamtplan herauszufiltern, dem Stalin oder andere folgten.[22] Stalin selbst setzte die Kollektivierung in Gang, schien es sich aber bereits im März 1930 wieder anders überlegt zu haben, als er übereifrige Funktionäre auf dem Lande beschuldigte, der Erfolg habe sie schwindelig gemacht. Was er damit auch immer bezweckt haben mag, es zeigte wenig Wirkung. Die Angriffe gegen die Kulaken wurden noch jahrelang fortgesetzt.

Auch die Bürokraten der OGPU, die den Ausbau des Gulags planten, waren sich anfangs über ihr Endziel offenbar nicht im Klaren. So wurden im Laufe der dreißiger Jahre immer wieder Amnestien verkündet, um der Überfüllung von Gefängnissen und Lagern Herr zu werden. Ihnen folgten regelmäßig neue Verhaftungswellen, worauf neue Lager gebaut werden mussten. Es war, als seien Stalin und seine Gefolgsleute sich nicht sicher, ob sie das System erweitern wollten oder nicht. Zuweilen hatte es den Anschein, als hätten verschiedene Leute zu verschiedenen Zeiten ganz unterschiedliche Richtlinien ausgegeben.

Heute stimmen die Fachleute gleichwohl zunehmend darin überein, dass Stalin persönlich vielleicht keinen detailliert ausgearbeiteten Plan hatte, aber doch fest an die enormen Vorteile von Zwangsarbeit glaubte und an dieser Überzeugung auch bis zu seinem Lebensende festhielt. Warum?

Einige wie Iwan Tschuchin, ein ehemaliger Angehöriger der Geheimpolizei, der die frühe Geschichte des Gulags aufgezeichnet hat, spekulieren, Stalin habe die ersten Großbauten des Gulags angeordnet, um sein eigenes Prestige zu stärken. Zu jener Zeit hatte er sich nach langem, erbittertem Machtkampf gerade erst als der Führer des Landes durchgesetzt. Er mag geglaubt haben, neue industrielle Großprojekte, die er von Zwangsarbeitern errichten lassen wollte, könnten seine Machtstellung festigen.[23]

Vielleicht ließ sich Stalin aber auch von einem historischen Vorbild inspirieren. So hat unter anderen Robert Tucker Stalins geradezu obsessives Interesse an Peter dem Großen ausführlich beschrieben, einem Herrscher Russlands, der ebenfalls die Arbeit von Leibeigenen und Gefangenen einsetzte, um grandiose Bauvorhaben zu bewältigen.[24] In der russischen Geschichtsschreibung gilt Peter als großer und grausamer Führer zugleich, was nicht als Widerspruch aufgefasst wird. Schließlich denkt heute niemand mehr daran, wie viele Leibeigene beim Bau von St. Petersburg ihr Leben lassen mussten, sondern jeder bewundert die Schönheit der Stadt. Diesem Beispiel kann Stalin durchaus nachgeeifert haben.

Sein Interesse an den Lagern muss auch nicht unbedingt rational begründet sein. Man kann seine Besessenheit von gewaltigen Bauprojekten und ganzen Armeen von Zwangsarbeitern auch als eine besondere Form seines Größenwahns betrachten.

Doch ganz gleich, ob Stalin sich von politischen, historischen oder psychologischen Motiven leiten ließ, unbestritten ist, dass er seit den ersten Tagen des Gulags großes persönliches Interesse daran zeigte und enormen Einfluss auf dessen Entwicklung nahm. Der entscheidende Beschluss, alle Lager und Gefängnisse der Sowjetunion aus dem Justizsystem auszugliedern und der OGPU zu überstellen, geht, das ist fast sicher, auf Stalin zurück. Damit legte er den zukünftigen Charakter des Systems fest. Es wurde der regulären Aufsicht der Justiz entzogen und geriet in die Hände einer Polizeibürokratie, deren Ursprünge in der mysteriösen, gesetzlosen Welt der Tscheka lagen.

Wenn es auch nicht klar nachgewiesen werden kann, so ist es doch möglich, dass das ständige Drängen, »Lager vom Solowezki-Typ« zu bauen, ebenfalls von Stalin ausging. Wir haben bereits erwähnt, dass Solowezki weder 1929 noch später eine gewinnbringende Einrichtung war. Im Arbeitsjahr Juni 1928 bis Juni 1929 erhielt SLON 1,6 Millionen Rubel Subventionen aus dem Staatshaushalt.[25] Zwar kann SLON einen erfolgreicheren Eindruck als andere lokale Betriebe gemacht haben, aber wer etwas von Wirtschaft verstand, wusste, dass zwischen den Unternehmen kein fairer Wettbewerb herrschte. Holzfällerlager, die Gefangene einsetzten, konnten immer produktiver wirken als normale Forstwirtschaftsbetriebe. Das lag einfach daran, dass Letztere im Wesentlichen Bauern beschäftigten, die nur im Winter arbeiten konnten, wenn es auf den Feldern nichts zu tun gab.[26]

Die Lager auf den Solowezki-Inseln wurden jedoch als rentabel wahrgenommen, zumindest wollte Stalin sie so sehen. Sie mussten einfach rentabel sein, weil Frenkel so »rationale« Methoden wie die Verpflegung nach der Arbeitsleistung eingeführt und überflüssige »Extras« abgeschafft hatte. Dass Frenkels System ganz oben tatsächlich überzeugte, bestätigen die Tatsachen: Es wurde sehr rasch im ganzen Land eingeführt und Frenkel selbst zum Chef der Bauarbeiten am Ostsee-Weißmeer-Kanal ernannt, dem ersten Großprojekt des Gulags in der Stalin-Ära. Das war für einen ehemaligen Gefangenen ein unerhörter Aufstieg.[27]

In welchem Maße Stalin Zwangsarbeit gegenüber normaler Arbeit den Vorzug gab, ist auch daran zu erkennen, dass er stets großes Interesse für die Verwaltung der Lager bis in die kleinsten Einzelheiten zeigte. Sein Leben lang forderte er regelmäßig Berichte über die »Produktivität der Insassen« in den Lagern an. Die verlangten Statistiken mussten detailliert ausweisen, wie viel Kohle und Erdöl sie produziert hatten, wie viele Häftlinge bei einem bestimmten Projekt beschäftigt und mit wie viel Medaillen ihre Chefs ausgezeichnet worden waren.[28] Um sicherzustellen, dass seine Weisungen noch in den entferntesten Lagern befolgt wurden, schickte Stalin Inspektorengruppen herum und zitierte einzelne Lagerkommandanten auch häufig nach Moskau.[29]

Wenn ihn ein Projekt besonders interessierte, befasste Stalin sich noch eingehender damit. Kanäle beispielsweise faszinierten ihn; am liebsten hätte er sie wohl überall bauen lassen. Jagoda musste einmal schriftlich Stalins unrealistischem Wunsch vorsichtig widersprechen, mitten in Moskau von Zwangsarbeitern einen Kanal graben zu lassen.[30]

Stalins Interesse war nicht nur theoretischer Natur. Er erkundigte sich eingehend nach den Menschen, die in den Lagern schufteten: wer dort einsaß, wo er oder sie verurteilt worden war und wie sich ihr weiteres Schicksal gestaltete. Er las persönlich und kommentierte zuweilen auch die Entlassungsgesuche, die ihm von Häftlingen oder deren Frauen gesandt wurden. Häufig schrieb er ein, zwei Worte darauf (»soll weiterarbeiten« oder »freilassen«).[31] Später forderte er regelmäßig Berichte über einzelne Gefangene oder ganze Gruppen an, zum Beispiel über die Nationalisten aus der Westukraine.[32]

Dabei war sein Interesse an einzelnen Gefangenen nicht nur rein politisch oder durch persönliche Feindschaft begründet. Noch bevor er seine Macht konsolidiert hatte, hatte er 1931 im Politbüro eine Resolution durchgesetzt, die ihm enormen Einfluss auf die Festnahme bestimmter technischer Fachleute eröffnete.[33] Nicht zufällig lassen die Verhaftungen von Ingenieuren und Technikern in dieser frühen Phase eine gewisse Steuerung von höherer Stelle erkennen: In der allerersten Gruppe von Häftlingen, die man in die Lager bei den Goldminen an der Kolyma schickte, befanden sich sieben bekannte Bergbaufachleute, zwei Experten für Arbeitsorganisation und ein erfahrener Hydraulikingenieur.[34]

Und schließlich gibt es in den Archiven ein paar verstreute, aber trotz allem interessante Hinweise darauf, dass die Massenverhaftungen Ende der dreißiger und Ende der vierziger Jahre in gewissem Maße auch das Ziel gehabt haben können, Stalins Forderung nach Zwangsarbeitern zu befriedigen und nicht, wie dies bisher allgemein gesehen wird, angenommene oder wirkliche Gegner zu bestrafen. So schrieb etwa Jagoda 1934 einen Brief an seine Untergebenen in der Ukraine, in dem er 15 000 bis 20 000 Häftlinge anforderte, die alle »arbeitstauglich« sein sollten. Er brauche sie dringend, um den Moskwa-Wolga-Kanal fertig zu stellen. Mit Datum vom 17. März forderte Jagoda hier von den GPU-Chefs in den Provinzen, »Sondermaßnahmen zu ergreifen«, um sicherzustellen, dass die Gefangenen bis zum 1. April eintrafen. Wo diese 15 000 bis 20 000 Personen herkommen sollten, wurde nicht gesagt.[35]

Wenn die Verhaftungen tatsächlich dafür gedacht waren, die Lager zu füllen, dann geschah das auf nahezu lächerlich ineffiziente Weise. Der Historiker Terry Martin und andere haben darauf hingewiesen, dass jede neue Massenverhaftungswelle die Lagerkommandanten völlig überrascht zu haben scheint. Immer wieder hatten sie Schwierigkeiten, auch nur den Anschein eines ökonomisch wirksamen Einsatzes der Häftlinge zu erwecken. Zudem scheint die Auswahl der Gefangenen absolut willkürlich gewesen zu sein: Statt sich auf gesunde junge Männer zu beschränken, die im Hohen Norden am besten arbeiten konnten, wurden auch Frauen, Kinder und Greise in großer Zahl festgenommen.[36] Diese ins Auge springende Unlogik der Massenverhaftungen scheint gegen die Vorstellung zu sprechen, dass die Zwangsarbeiterbataillone planmäßig zusammengestellt wurden. Viele sind heute der Meinung, dass man vor allem Verhaftungen vornahm, um Stalins vermeintliche Gegner kaltzustellen, und erst in zweiter Linie, um die Lager zu füllen.

Am Ende schließen die verschiedenen Erklärungen einander nicht aus. Stalin kann durchaus die Absicht gehabt haben, Gegner aus dem Weg zu räumen und zugleich Zwangsarbeiter zu gewinnen, angetrieben sowohl durch seine Paranoia als auch durch den dringenden Bedarf an Arbeitskräften vor Ort.

Wo bemooste Felsen am Wasser schlummern,
werden kräftige Hände
Fabriken errichten.
Werden Städte wachsen.
Schornsteine werden
in den nördlichen Himmel ragen.
Häuser werden mit hellen Fenstern locken:
Bibliotheken, Theater, Klubs.

MEDWEDKOW, Häftling und Bauarbeiter
am Weißmeer-Kanal, 1934[1]

# Der Weißmeer-Kanal

Entgegen einer weit verbreiteten Annahme haben Ausländer in den zwanziger Jahren die sowjetischen Lager relativ häufig beschrieben. Umfangreiche Artikel über sowjetische Lager erschienen in der deutschen, französischen, britischen und amerikanischen Presse, insbesondere in linken Blättern, die enge Kontakte zu eingekerkerten russischen Sozialisten unterhielten.[2] 1927 veröffentlichte der französische Schriftsteller Raymond Duguet ein erstaunlich exaktes Buch über die Solowezki-Inseln. Unter dem Titel *Un Bagne en Russie Rouge* [Ein Gefängnis im roten Russland] beschrieb er alles, von der Persönlichkeit des Naftali Frenkel bis zu den Schrecken der Mückenfolter. S. A. Malsagow, ein weißgardistischer Offizier aus Georgien, dem die Flucht von Solowezki und aus Sowjetrussland gelang, veröffentlichte seinen Bericht 1926 in London unter dem Titel *An Island Hell.*

Als sich die Lager in den Jahren 1929/30 ausweiteten, verschob sich das Interesse des Auslands jedoch immer mehr vom Schicksal der sozialistischen Häftlinge hin zu der möglichen Bedrohung, die die Lager für die Geschäftsinteressen des Westens bedeuten konnten. Die betroffenen Unternehmen und ihre Gewerkschaften begannen sich zu organisieren. Vor allem in Großbritannien und den USA wuchs der Druck, sowjetische Billigwaren zu boykottieren, die angeblich von Zwangsarbeitern hergestellt waren. Aus Sicht der westlichen Linken vernebelte die Boykottbewegung paradoxerweise das Problem, denn vor allem die Linke in Westeuropa unterstützte nach wie vor die russische Revolution, wenn auch manchen das Schicksal ihrer sozialistischen Brüder unangenehm war. Die britische Labour Party sprach sich beispielsweise gegen ein Importverbot für sowjetische Waren aus, weil ihr die Motive der Unternehmen, die dieses forderten, suspekt waren.[3]

In den USA hingegen traten die Gewerkschaften, besonders die American Federation of Labor (AFL), für den Boykott ein. Kurzzeitig hatte dieser auch Erfolg. Im amerikanischen Zollgesetz von 1930 heißt es, dass »alle Waren ... aus Bergwerken oder in Fabriken erzeugte ... sei es durch Häftlingsarbeit oder durch Zwangsarbeit ... die Grenzen der Vereinigten Staaten nicht überschreiten und in deren Häfen nicht eindringen dürfen«.[4] Auf dieser Grundlage untersagte das US-Finanzministerium den Import von sowjetischem Rohholz und Streichhölzern. Zwar wandte sich das Außenministerium gegen dieses Verbot, das ohnehin nur eine Woche galt, aber das Thema war nun in aller Munde.[5]

Die Sowjetregierung nahm die Boykottdrohungen sehr ernst. Sie ergriff eine Reihe von Maßnahmen, um zu verhindern, dass diese den Devisenstrom aus dem Ausland zum Versiegen brachten. Einige waren rein kosmetischer Natur. So strich die Janson-Kommission das Wort »Konzentrationslager« aus allen öffentlichen Erklärungen. Seit dem 7. April 1930 wurde in offiziellen Dokumenten nur noch von »Besserungsarbeitslagern« (russische Abkürzung ITL für *isprawitelno-trudowyje lagerja*) gesprochen. Bei dieser Sprachregelung blieb es übrigens bis zur endgültigen Auflösung der Lager.[6]

Vor allem in der Holzwirtschaft nahmen die Lagerleitungen weitere kosmetische Korrekturen vor. 12 090 Gefangene wurden formal aus den Lagern der OGPU ausgegliedert. Zwar blieben sie an ihrem Arbeitsplatz, aber ihre Anwesenheit ging im bürokratischen Wust einfach unter.[7] Anderenorts ersetzte man Häftlinge beim Holzeinschlag durch freie Arbeiter, häufiger aber durch Zwangsumsiedler – Kulaken, die wie die Gefangenen keine andere Wahl hatten.[8] Zeitzeugen erinnern sich, dass der Wechsel manchmal buchstäblich über Nacht erfolgte. Georg Kitchin, ein finnischer Geschäftsmann, der vier Jahre in einem OGPU-Lager saß, bevor er mit Hilfe der finnischen Regierung freikam, beschreibt, was vor dem Eintreffen einer ausländischen Delegation geschah:

»... ein streng geheimes und chiffriertes Telegramm [traf] aus Moskau ein, in welchem befohlen wurde, innerhalb einer Frist von drei Tagen die Lager vorübergehend zu liquidieren und dieselben in einen solchen Zustand zu versetzen, daß niemand merken könne, daß dort einst ein Lager gewesen sei ... Kuriere wurden nach allen Arbeitsplätzen mit dem Befehl abgeschickt, die einzelnen Punkte in 24 Stunden zu liquidieren und die Gefangenen zur sofortigen Abbeförderung bereitzuhalten. Stacheldrahtzäune wurden Hals über Kopf entfernt, Schilder und alles, was irgendwie auf ein Konzentrationslager hindeuten konnte. Die Leute von der OGPU zogen Zivil an, Karabiner wurden gesammelt und fortgeschafft.«[9]

Im März 1931 war Molotow, der damals im Rat der Volkskommissare den Vorsitz führte, sich sicher, dass in der sowjetischen Forstwirtschaft keine Gefangenen mehr beschäftigt waren – zumindest nicht sichtbar –, und er forderte alle interessierten Ausländer auf, sich selbst davon zu überzeugen.[10]

Zwar brach der Druck, einen Boykott zu erklären, 1931 wieder zusammen, aber die Kampagne gegen Häftlingsarbeit war nicht völlig wirkungslos geblieben. Die Sowjetunion unter Stalin achtete von nun an sehr sorgfältig darauf, welches Bild sie im Ausland abgab. Einige, darunter der Historiker Michael Jakobson, vermuten mittlerweile, dass die Boykottdrohung Anlass für einen anderen, bedeutenderen Politikwechsel gewesen sein könnte. Der Holzeinschlag, wo man viele ungelernte Arbeiter brauchte, war bisher ideal für den Einsatz von Gefangenen gewesen. Aber der Holzexport stellte zugleich eine der wichtigsten Devisenquellen der Sowjetunion dar, die man nicht noch einmal der Gefahr des Boykotts aussetzen wollte. Gefangene mussten also anderswo eingesetzt werden, am besten dort, wo man sie nicht zu verstecken brauchte, sondern sogar noch feiern konnte. Der Möglichkeiten gab es viele, aber eine begeisterte Stalin sofort: der Bau eines gewaltigen Kanals von der Ostsee zum Weißen Meer durch eine Landschaft, die beinahe aus purem Granit bestand.

Der Ostsee-Weißmeer-Kanal, auf Russisch Belomorkanal oder kurz Belomor, war kein gewöhnliches Bauvorhaben. Zu jener Zeit hatte die Sowjetunion bereits mehrere ähnlich große und arbeitsintensive

Der Weißmeer-Kanal im Norden Russlands 1932/33

Projekte in Angriff genommen, darunter das größte Stahlwerk der Welt bei Magnitogorsk, riesige Traktoren- und Autofabriken, neue »sozialistische Städte«, die inmitten von Sümpfen emporwuchsen. Aber selbst unter diesen Beispielen für die Gigantomanie der dreißiger Jahre stach der Weißmeer-Kanal hervor.

Vor allem war er für viele Russen die Erfüllung eines uralten Traums. Die ersten Pläne gehen bis ins achtzehnte Jahrhundert zurück, als die Kaufleute der Zarenzeit nach einem Weg suchten, ihre mit Holz und Erzen beladenen Schiffe aus dem kalten Weißen Meer zu den Handelshäfen der Ostsee zu bringen, ohne die lange Fahrt durch das Nordpolarmeer längs der norwegischen Küste auf sich nehmen zu müssen.[11]

Zugleich war dies ein extrem ehrgeiziges, ja verwegenes Projekt, was vielleicht der Grund dafür ist, dass man es noch nie ernsthaft in Angriff genommen hatte. Der Wasserweg musste 227 Kilometer Land überbrücken. Fünf Dämme und 19 Schleusen waren zu bauen. Die sowjetischen Planer wollten den Kanal mit einfachsten technischen Mitteln durch eine von der Industrie völlig unberührte Landschaft im Hohen Norden treiben, die man noch niemals gründlich vermessen hatte und die nach Maxim Gorki »hydrologisch eine terra incognita« war.[12] Aber gerade das mag Stalin an dem Projekt gereizt haben. Er wollte einen Triumph der Technik, der dem Zarenregime nie gelungen war, und das so schnell wie möglich. Er verlangte nicht nur, den Kanal zu bauen, sondern das in zwanzig Monaten zu tun. Dann sollte er seinen Namen tragen.

Stalin war der Hauptinitiator des Weißmeer-Kanals, und er bestand auch darauf, ihn von Häftlingen bauen zu lassen. Sein Einfluss zeigt sich schon darin, wie rasch die Arbeiten begannen. Der Beschluss wurde im Februar 1931 gefasst. Nach kaum sieben Monaten Vermessungs- und Erschließungsarbeiten wurde im September mit dem Bau begonnen.

Administrativ, praktisch und selbst psychologisch erwuchsen die ersten Lager am Weißmeer-Kanal aus SLON. Sie waren nach dem Vorbild von SLON organisiert, benutzten dessen Technik und dessen Personal. Viele Häftlinge wurden aus SLON-Lagern auf dem Festland und auf den Solowezki-Inseln zu dem neuen Projekt verlegt. Eine Zeit lang mögen die SLON-Führung und die neue Kanalbürokratie sogar um die Leitung des Projekts miteinander gerungen haben, aber der Kanal setzte sich durch. SLON verschwand schließlich als selbstständige Struktur von der Bildfläche. Der Solowezker Kreml wurde zu einem Hochsicherheitsgefängnis, und die Lager auf den anderen Inseln in das Besserungsarbeitslager Weißmeer-Ostsee [Belomor-Baltiski] eingegliedert, das bald nur noch unter der Abkürzung Belbaltlag bekannt war. Auch ein Teil des Wachpersonals und der OGPU-Verwaltung zog von SLON an den Kanal um. Unter ihnen war Naftali Frenkel, der die Bauarbeiten am Kanal vom November 1931 bis zum Abschluss leitete.[13]

In der Erinnerung von Überlebenden nimmt das Chaos, von dem die Bauarbeiten begleitet waren, geradezu fantastische Züge an. Um Geld zu sparen, mussten die Gefangenen mit Holz, Sand und Felsgestein statt mit Metall und Zement arbeiten. Überall wurde gekürzt. Nach langen Debatten erhielt der Kanal eine Tiefe von nur vier Metern, was für seegängige Schiffe kaum ausreichte. Da moderne Technik zu teuer oder nicht verfügbar war, setzten die Planer in riesigem Umfang ungelernte Arbeitskräfte ein. Die etwa 170 000 Häftlinge und Zwangsumsiedler, die 21 Monate lang an dem Projekt schufteten, gruben das Kanalbett und errichteten die riesigen Dämme und Schleusen mit Holzspaten, Handsägen, Spitzhacken und Schubkarren.[14]

Alles – von der Schubkarre bis zum Baugerüst – musste von Hand gefertigt werden. Ein Beteiligter erinnert sich, dass »es überhaupt keine Technik gab. Selbst gewöhnliche LKWs waren eine Seltenheit.«[15] Die sowjetische Propaganda brüstete sich noch damit, dass die Steine mit einem so genannten Belomor-Ford transportiert wurden – »einem schweren Gefährt auf vier kleinen Holzrädern, die man aus Baumstümpfen gefertigt hatte«.[16]

Ebenso primitiv waren die Lebensbedingungen, obwohl Genrich Jagoda, der OGPU-Chef, der die politische Verantwortung für das Projekt trug, hier beträchtliche Anstrengungen unternahm. Er war offenbar aufrichtig überzeugt, dass die Häftlinge vernünftig untergebracht werden mussten, wenn sie die Bauarbeiten rechtzeitig abschließen sollten. Immer wieder mahnte er die Lagerkommandanten, die Gefangenen gut zu behandeln, »sehr darauf zu sehen, dass sie ordentlich mit Verpflegung, Kleidung und Schuhwerk versorgt werden«. Die Lagerkommandanten taten es ihm nach, so der Chef der Solowezker Einheit des Bauvorhabens im Jahre 1933. Er wies seine Untergebenen zum Beispiel an, darauf zu achten, dass die Häftlinge sich nicht nach Essen anstellen mussten, dass Lebensmittel nicht unterschlagen wurden und der Zählappell am Abend nicht länger als eine Stunde dauerte.[17]

Nichtsdestoweniger verursachten das überstürzte Tempo und die mangelhafte Planung zwangsläufig großes Leid. Mit dem Fortschreiten der Arbeiten mussten immer wieder neue Lager eingerichtet werden. Jedes Mal wurden Häftlinge und Zwangsumsiedler an völlig unberührte Orte gebracht. Bevor sie überhaupt mit der Arbeit

Gefangene mit selbst gefertigtem Werkzeug bei der Arbeit

beginnen konnten, hatten sie ihre Unterkünfte – primitive Holzbaracken – zu bauen und die Versorgung zu organisieren. Im klirrenden Frost des karelischen Winters erfroren viele, bevor das geschafft war. Das gesamte Projekt soll 25 000 Häftlinge das Leben gekostet haben, nicht eingerechnet jene, die wegen Krankheit oder Unfällen von dem Projekt abgezogen wurden und bald darauf starben.[18]

Damals wie später fanden einige dieser Probleme auch in offizielle Berichte Eingang. Auf einer Versammlung der Parteiorganisation von Belbaltlag im August 1932 wurde etwa über die schlechte Organisation der Verpflegung, über schmutzige Küchen und zunehmende Fälle von Skorbut Klage geführt, was den Parteisekretär zu der pessimistischen Einschätzung verleitete: »Für mich gibt es keinen Zweifel, dass der Kanal nicht rechtzeitig fertig wird ...«[19]

Die meisten durften sich jedoch keinerlei Zweifel erlauben. Dabei klingen in den Briefen und Berichten der Verantwortlichen des Bauprojektes immer wieder panische Töne an. Stalin hatte angewiesen, den Kanal in zwanzig Monaten zu bauen, und ihnen war klar, dass ihre weitere Karriere, vielleicht sogar ihr Leben von der Einhaltung dieses Zeitplans abhing. Um die Arbeiten zu beschleunigen, verfielen sie auf Methoden, die in der »freien« Arbeitswelt bereits gang und gäbe waren. So wurde zwischen Arbeitsbrigaden der »sozialistische Wettbewerb« darüber ausgerufen, wer die Norm besser erfüllte, mehr Steine abtransportierte oder das Kanalbett schneller ausschachtete. Dazu kamen »Stoßschichten«, in denen »freiwillig« 24 oder gar 48 Stunden ohne Pause gearbeitet wurde.[20]

Zum Wettbewerb kam der Kult um den *Udarnik*, den »Stoßarbeiter«. Später wurde dafür zu Ehren von Alexej Stachanow, einem Bergmann, der alle Normen gebrochen haben soll, der Ehrentitel »Stachanow-Arbeiter« eingeführt. Stoßarbeiter und Stachanow-Arbeiter waren Häftlinge, die die Norm übererfüllten, wofür sie Sonderverpflegung und bestimmte Vorrechte erhielten, zum Beispiel jedes Jahr einen neuen Anzug und alle sechs Monate neue Arbeitskleidung – aus der Perspektive späterer Jahre ein unvorstellbarer Luxus.[21] Wer Spitzenleistungen erbrachte, wurde außerdem wesentlich besser verpflegt. Solche Häftlinge aßen an getrennten Tischen, über denen geschrieben stand: »Für die besten Arbeiter das beste Essen«. Wer

Stalin und Jagoda besuchen den Weißmeer-Kanal aus Anlass seiner Vollendung.

weniger leistete, musste sein karges Mahl unter der Losung einnehmen: »Hier essen Verweigerer, Müßiggänger und Faulpelze«.[22]

Spitzenkräfte konnten überdies mit vorzeitiger Entlassung rechnen. Für drei Tage mit hundertprozentiger Normerfüllung wurde ein Tag Haftzeit gestrichen. Als der Kanal im August 1933 termingemäß fertig war, kamen 12 484 Häftlinge frei. Zahlreiche weitere erhielten Medaillen und Auszeichnungen.[23]

Der Bau des Ostsee-Weißmeer-Kanals war in mehrerer Hinsicht bemerkenswert: wegen des riesigen Chaos, wegen des extremen Tempos der Bauarbeiten und wegen seiner großen Bedeutung für Stalin. Wirklich einzigartig aber war die Aufmerksamkeit, die er genoss. Der Weißmeer-Kanal war das erste, letzte und einzige Projekt des Gulags, das die Sowjetpropaganda für das In- und Ausland ins volle Scheinwerferlicht rückte. Und der Mann, den man erwählte, dieses Vorhaben der Sowjetunion und der Welt zu erklären, nahe zu bringen und zu rechtfertigen, war kein Geringerer als Maxim Gorki.

Diese Wahl kann nicht überraschen. Der Gorki jener Zeit ist

zweifellos als Teil der Stalinschen Hierarchie anzusehen. Nach Stalins triumphaler Dampferfahrt durch den fertigen Kanal im August 1933 unternahm Gorki mit 120 sowjetischen Schriftstellern eine ähnliche Fahrt. Die Teilnehmer gerieten dabei so in Verzückung (zumindest behaupten das viele), dass sie kaum Notizen machen konnten, weil ihnen »vor Staunen die Hände zitterten«.[24] Wer ein Buch über den Kanalbau schreiben wollte, wurde dazu auch materiell ermutigt und unter anderem mit einem »exzellenten Essen im Astoria«, einem der pompösen Leningrader Hotels aus der Zarenzeit, belohnt, wo die Teilnahme an dem Projekt gefeiert wurde.[25]

Selbst gemessen an den niedrigen Standards des sozialistischen Realismus ist das Buch, das nach dieser Reise entstand – *Belomor – Kanal imeni Stalina* [Der Stalin-Kanal] –, ein eindrucksvolles Zeugnis dafür, wie totalitäre Gesellschaften Schriftsteller und Intellektuelle korrumpieren können. Wie schon Gorkis Bericht über Solowezki rechtfertigt auch *Belomor*, was nicht gerechtfertigt werden kann. Mit dieser Arbeit sollte nicht nur der geistige Wandel von Gefangenen zu strahlenden Musterexemplaren des Homo sovieticus dokumentiert, sondern auch ein neuer Typ von Literatur geschaffen werden. Zwar schrieb Gorki für das Buch ein Vor- und Nachwort, aber den eigentlichen Text schuf nicht das Individuum, sondern ein Kollektiv von 36 Autoren. Mit blumenreicher Sprache, Übertreibungen und sanfter Bearbeitung der Tatsachen suchten sie gemeinschaftlich den Geist der neuen Zeit einzufangen.

Wer das Genre nicht kennt, wird manche Aspekte des sozialistisch-realistischen *Belomor* überraschend finden. Zum Beispiel wird überhaupt nicht versucht, die Wahrheit zu verschleiern. Die Probleme, die sich aus dem Fehlen von Technik und ausgebildeten Fachleuten ergaben, werden detailliert beschrieben. Die Botschaft ist klar: Die materiellen Bedingungen waren schwierig, das Menschenmaterial ungeschliffen, aber die allwissende, unfehlbare politische Polizei der Sowjetunion führte das Unternehmen trotz aller Widrigkeiten zum Erfolg.

Einen großen Teil des Buches füllen herzerwärmende, fast religiös wirkende Geschichten von Häftlingen, die durch die Arbeit am Kanal zu neuen Menschen wurden. Viele der Beispiele sind Kriminelle, aber nicht alle. Im Unterschied zu Gorkis Essay über Solowezki, wo die Anwesenheit politischer Gefangener ignoriert oder heruntergespielt wird, kommen in *Belomor* einige wichtige politisch Bekehrte vor. Im Banne »der Voreingenommenheit seiner Kaste suchte Ingenieur Maslow, ein früherer ›Saboteur‹, den tiefgehenden, unterschwelligen Prozess des Wiedererwachens seines Gewissens hinter eiserner Gleichmut zu verbergen«. Ingenieur Subrik wiederum, ein ehemaliger Saboteur aus der Arbeiterschaft, »hat sich ehrlich das Recht verdient, wieder in den Schoß seiner Klasse zurückzukehren«.[26]

Aber dieser Sammelband über den Stalin-Kanal war bei weitem nicht das einzige literarische Werk jener Zeit, das die Lager als Kraft der Umgestaltung pries. Nikolai Pogodins Schauspiel *Aristokraten,* eine Komödie über den Ostsee-Weißmeer-Kanal, nimmt ein früheres Thema der Bolschewiken wieder auf – den »Charme« der Diebe. Im Dezember 1934 uraufgeführt, wurde Pogodins Stück später unter dem Titel *Die Gefangenen* sogar verfilmt. Kulaken und Politische, die die Masse der Erbauer des Kanals darstellen, werden dort ignoriert. Stattdessen beschreibt der Autor die neckischen Scherze der Kriminellen in den Lagern, die er in mildem Rotwelsch als »Aristokraten« tituliert. Diese bekennen im Laufe der Handlung ihre früheren Missetaten, blicken nach vorn und stürzen sich begeistert in die Arbeit. Ein Lied erklingt:

»Ich war ein grausamer Bandit, na klar,
Ich hab geraubt und winzig meine Arbeitsliebe war.
Schwarz wie die Nacht schien mir mein Leben – eine Qual
Und endete, na klar, dann eben am Kanal.
Doch was gewesen, wurde wie ein schwerer Traum,
Ich kam nochmals zur Welt, ich glaub es selber kaum.
Jetzt ist das Leben, Arbeit und Gesang mein Ziel ...«[27]

Außerhalb der Lager hatte derartige Literatur eine doppelte Funktion zu erfüllen. Zum einen war sie Teil der Propagandakampagne, mit der der rasche Ausbau des Lagersystems vor der skeptischen Öffentlichkeit des Auslands gerechtfertigt werden sollte. Zum anderen wollte man damit offenbar die Sowjetbürger beruhigen, die über das brutale Schrittmaß von Kollektivierung und Industrialisierung besorgt waren. Man versprach ihnen, alles werde ein gutes Ende nehmen, selbst die Opfer von Stalins Revolution erhielten eine Chance, in den Arbeitslagern ein neues Leben anzufangen.

Es klappte. Nach einer Aufführung der *Aristokraten* bat der polnische Sozialist Jerzy Gliksman um die Erlaubnis, ein Arbeitslager besuchen zu dürfen. Zu seiner Überraschung brachte man ihn bald zum Musterlager Bolschewo in der Nähe von Moskau. Danach erinnerte er sich an »weiß bezogene Betten und schöne Waschräume. Alles strahlte in fleckenloser Sauberkeit.« Eine Gruppe junger Häftlinge wurde ihm vorgestellt, die ihm die gleichen erhebenden Geschichten erzählten, wie Pogodin und Gorki sie beschrieben hatten. Ein ehemaliger Dieb absolvierte gerade ein Ingenieurstudium. Ein früherer Schläger hatte seine Vergehen eingesehen und leitete jetzt das Vorratslager. »Wie schön die Welt sein könnte!«, flüsterte ein französischer Filmregisseur Gliksman ins Ohr. Pech für Gliksman, dass er sich fünf Jahre später in einem mit Menschen voll gestopften Güterwagen wiederfand, der ihn in ein Lager brachte, das mit dem Vorzeigeobjekt von Bolschewo nichts zu tun hatte. Auch seine Mithäftlinge waren völlig andere Typen als in Pogodins Stück.[28]

Ähnliche Propaganda gab es natürlich auch in den Lagern. Die dort kursierenden Publikationen und »Wandzeitungen« – Blätter, die man zum Lesen für die Gefangenen an Wandbretter pinnte – enthielten die gleichen Geschichten und Gedichte, wie sie auch draußen verbreitet wurden. Nur die Akzente waren etwas anders gesetzt. Typisch dafür ist die Zeitung »Perekowka« [Umerziehung], die am Moskwa-Wolga-Kanal, einem auf der Woge des »Erfolgs« des Weißmeer-Kanals in Angriff genommenen Projekt, von Häftlingen geschrieben und hergestellt wurde. Dieses Blatt lobte vor allem die Stoßarbeiter und beschrieb ausführlich deren Privilegien: »Sie müssen sich nicht nach Essen anstellen, sondern werden von Kellnerinnen an Tischen bedient!« »Perekowka« verwandte weniger Zeit und Raum als die Verfasser von *Belomor* für Hymnen auf die geistige Wandlung des Menschen, sondern suchte den Häftlingen nahe zu bringen, dass sie Vorteile davon hatten, wenn sie besser arbeiteten.

Bemerkenswert ist auch die offene und völlig realistische Beschwerdeseite der Zeitung. Gefangene schrieben darüber, dass einerseits in den Frauenbaracken ständig »gezankt und geflucht« werde und man andererseits Hymnen absinge. Sie klagten, dass die Normen unerfüllbar seien, es an Schuhen oder sauberer Unterwäsche fehle, dass Zugtiere unnötig geschlagen wurden, dass in Dmitrow, dem Zentrum des Lagers, der Schwarzmarkt blühe oder dass Maschinen durch falschen Einsatz unbrauchbar gemacht wurden (»Es gibt keine schlechten Maschinen, nur schlechte Bediener«). Diese offene Debatte über Lagerprobleme wurde später unterbunden und tauchte nur noch in internen Berichten von Inspektoren an ihre Vorgesetzten auf. Anfang der dreißiger Jahre war derartige *Glasnost* sowohl außer- als auch innerhalb der Lager durchaus nichts Ungewöhnliches. Sie gehörte zu den hektischen Versuchen, die Lebensbedingungen und damit die Arbeitsleistung zu verbessern, um den drängenden Forderungen der Stalinschen Führung nachzukommen.[29]

Wenn man heute den Weißmeer-Kanal entlang wandert, kann man sich die nahezu hysterische Atmosphäre jener Zeit kaum vorstellen. In Begleitung mehrerer Historiker aus der Gegend besuchte ich den Kanal an einem schwülen Augusttag im Jahr 1999. Wir hielten kurz in Powenez, um uns ein kleines Denkmal für die Opfer des Kanals anzuschauen. Es trägt die Inschrift: »Den Unschuldigen, die beim Bau des Weißmeer-Kanals 1931–1933 ums Leben kamen«. Während wir dort standen, zündete sich einer meiner Begleiter symbolisch eine Zigarette Marke »Belomor« an. Er erklärte mir, diese Zigarettensorte, früher eine der populärsten in der Sowjetunion, sei jahrzehntelang das einzige Denkmal für die Erbauer des Kanals gewesen.

Am Ufer badeten Kinder und ließen Steine über das Wasser hüpfen. In der trüben, flachen Brühe wateten Kühe, und aus den Rissen im Beton wuchs Gras. An einer der Schleusen berichtete uns die einsame Wärterin in ihrem Häuschen, das mit rosa Vorhängen und den unvermeidlichen Säulen der Stalinzeit geschmückt war, es kämen höchstens noch sieben Schiffe am Tag vorbei, meist aber nur drei oder vier.

Der Wasserweg von der Ostsee zum Weißen Meer war offenbar doch nicht so dringend nötig, wie es einst schien.

Wir schreiten vorwärts, und uns folgt
Fröhlichen Schritts die ganze Brigade.
Unsere Stachanow-Arbeiter gehen voran.
Ihre Siege bahnen uns den Weg …

Den alten Weg kennen wir nicht mehr.
Aus unseren Kerkern sind wir dem Ruf gefolgt,
Den Weg der Erfolge Stachanows zu gehen
Im festen Glauben an ein Leben in Freiheit …

Aus der Zeitung »Kusniza«,
gedruckt in Sazlag 1936[1]

# Die Lager breiten sich aus

Politisch gesehen, war der Ostsee-Weißmeer-Kanal das wichtigste Bauvorhaben des Gulags in jener Zeit. Allerdings konnte er nicht als typisch für die neuen Projekte des Lagersystems gelten, deren er weder das erste noch das größte war. Bevor die Bauarbeiten am Kanal begannen, hatte die OGPU bereits ohne viel Aufsehen und Propaganda überall im Lande Zwangsarbeiter eingesetzt. Mitte der dreißiger Jahre standen dem System 300 000 Häftlinge zur Verfügung, die sich auf etwa ein Dutzend große Komplexe und einige kleinere Lager verteilten.

Mit dem Charakter dieser Objekte veränderte sich auch die OGPU selbst. Wie bisher überwachte die Geheimpolizei weiterhin die Gegner des Regimes, verhörte Personen, die sie als Abweichler verdächtigte, deckte »Verschwörungen« und »Komplotte« auf. Ab 1929 musste sie aber auch einen Teil der Verantwortung für die wirtschaftliche Entwicklung der Sowjetunion tragen. Im folgenden Jahrzehnt sollte sie sogar eine Art Pionierrolle übernehmen, weil sie die Erkundung und Ausbeutung der sowjetischen Naturschätze organisierte. Sie plante und entsandte geologische Expeditionen, die unter dem Permafrostboden der arktischen und subarktischen Tundra im Hohen Norden der Sowjetunion nach Kohle, Öl, Gold, Nickel und anderen Bodenschätzen suchten. Die OGPU entschied, welche der riesigen Holzbestände als nächste eingeschlagen und exportiert werden sollten. Um diese Ressourcen zu den Großstädten und Industriezentren der Sowjetunion zu bringen, legte sie ein riesiges Straßen- und Eisenbahnnetz an, wobei Tausende Kilometer unberührter und unbewohnter Wildnis überwunden werden mussten. Zuweilen nahmen Angehörige der OGPU selbst an solchen Unternehmungen teil, stapften in schweren Pelzen und Stiefeln durch die Tundra, funkten ihre Entdeckungen nach Moskau.

Dabei schlüpften Häftlinge in neue Rollen an der Seite ihrer Bewacher. Zwar schuftete ein Teil auch weiterhin hinter Stacheldraht, hob Gräben aus oder förderte Kohle. Aber in der ersten Hälfte der dreißiger Jahre befuhren Häftlinge auch die Flüsse nördlich des Polarkreises, transportierten Ausrüstungen der Geologen, erschlossen neue Kohlengruben und Ölquellen. Sie bauten Baracken, errichteten die Stacheldrahtzäune und die Wachtürme für neue Lager. Unter ihren Händen entstanden die Raffinerien, die die Bodenschätze verarbeiteten, sie legten Eisenbahnschwellen und betonierten Straßen. Am Ende ließen sie sich in den neu erschlossenen Gegenden nieder und bevölkerten die bislang unberührte Wildnis.

Sowjetische Historiker sollten diese Episode in der Geschichte des Landes später lyrisch die »Erschließung des Hohen Nordens« nennen. Daran ist richtig, dass dies ein wirklicher Bruch mit der Vergangenheit war. Selbst in den letzten Jahrzehnten der Zarenherrschaft, da die industrielle Revolution in Russland verspätet, dafür aber umso heftiger einsetzte, hatte niemand versucht, die entfernten Nordregionen des Landes mit solcher Konsequenz nutzbar zu machen und zu besiedeln.

Der Anbruch der neuen Ära war von vielen Tragödien begleitet. Erst kürzlich ist ein besonders schrecklicher Zwischenfall, der bisher nur in der Fantasie Überlebender zu existieren schien, durch ein Dokument bestätigt worden, das man in den Archiven von Nowosibirsk fand. Es handelt sich um den Bericht eines Instrukteurs des Parteikomitees von Narym in Westsibirien vom Mai 1933 an Stalin persönlich. Darin wird die Ankunft einer Gruppe deportierter Bauern, dort »deklassierte Elemente« genannt, auf der Insel Nasino im Fluss Ob exakt beschrieben. Es handelte sich um Verbannte, die offenbar auf der Insel angesiedelt werden sollten, um Landwirtschaft zu betreiben:

»Mit dem ersten Zug kamen 5070 und mit dem zweiten 1044 Personen, insgesamt also 6114. Die Transportbedingungen waren grauenhaft: die Nahrung war schlecht und unzureichend, nicht genügend Luft und Platz (...)Folge: Eine Sterblichkeitsrate von 35 bis 40 Menschen pro Tag. Doch diese Lebensbedingungen waren noch der reinste Luxus, gemessen an dem, was die Deportierten auf der Insel Nasino erwartete (...). Auf der Insel Nasino gibt es keinerlei Zivilisation und nicht die geringste Wohnmöglichkeit. ... kein Werkzeug, kein Saatgut, keine Nahrung ... Das neue Leben begann. Am 19. Mai, einen Tag nach der Ankunft des ersten Zuges, fing es an zu schneien, und es kam Wind auf. Ausgehungert, abgemagert, ohne Dach und Werkzeug ... befanden sich die Deportierten in einer ausweglosen Situation. Sie konnten [nicht einmal] Feuer anmachen, [um] sich vor der Kälte zu schützen. Die ersten Menschen starben. ... Am ersten Tag wurden 295 Leichen begraben. ... Erst am vierten oder fünften Tag nach der Ankunft der Deportierten auf der Insel schickten die Behörden per Schiff ein bißchen Mehl, ein paar hundert Gramm pro Person.«

Drei Monate später, heißt es in dem Bericht weiter, waren fast viertausend der ursprünglich 6114 »Siedler« tot. Die restlichen lebten nur deshalb noch, weil sie die Toten gegessen hatten. Einem Häftling aus dem Gefängnis Tomsk zufolge, der dort einigen der Überlebenden begegnete, sahen sie aus »wie wandelnde Leichen« und standen sämtlich unter Arrest – wegen Kannibalismus.[2]

Wenn die Todesrate auch nicht immer so schrecklich war, so konnten die Lebensbedingungen bei vielen der bekanntesten frühen Bauprojekte des Gulags ähnlich unerträglich sein. Bamlag, das Lager, das für den Bau einer Bahnlinie vom Baikal bis zum Amur im Fernen Osten Russlands als Teil der Transsibirischen Eisenbahn errichtet wurde, war ein eklatantes Beispiel dafür, wie sehr eine Sache misslingen kann, wenn es an der notwendigen Planung fehlt. Wie bereits der Weißmeer-Kanal wurde auch dieses Projekt übereilt und ohne vorbereitende Arbeiten in Angriff genommen. Die Erkundung des Geländes, die Projektierung der Strecke und die Bauarbeiten liefen im Grunde genommen parallel. Man begann mit dem Bau, bevor die Gegend vollständig erkundet war. Das Kartenmaterial war schlecht, so dass kostspielige Fehler passierten. Ein Überlebender berichtete, dass »zwei Bautrupps, die an verschiedenen Streckenabschnitten arbeiteten, nicht zusammen kommen und ihre Abschnitte vereinen konnten, weil die beiden Flüsse, an deren Ufern sie die Strecke vorantrieben, nur auf der Karte zusammenflossen, während in der Wirklichkeit eine beträchtliche Entfernung zwischen ihnen lag«.[3]

Letztlich waren alle zu Beginn der dreißiger Jahre gegründeten Lagerkomplexe anfangs desorganisiert und schlecht vorbereitet. Vor allem erwiesen sie sich als ungeeignet, die ausgezehrten Häftlinge aufzunehmen, die aus den Hungergebieten eintrafen. Aber nicht überall hielt der Tod so reiche Ernte. Wenn die notwendigen Voraussetzungen gegeben waren – relativ günstige natürliche Bedingungen und starke Unterstützung aus Moskau –, konnten sich einige relativ rasch konsolidieren. In überraschendem Tempo entstanden dort stabilere Verwaltungsstrukturen, wurden dauerhafte Gebäude errichtet, entwickelte sich sogar eine lokale NKWD-Oberschicht. Manche Lager beherrschten bald riesige Territorien und verwandelten ganze Regionen in riesige Gefängnisse. Zwei aus jener Zeit – die Uchta-Expedition und der Dalstroi-»Konzern« – erlangten die Größe und den Status von Industrie-Imperien. Ihre Ursprünge sollen eingehender in Augenschein genommen werden.

Dem nichts ahnenden Reisenden bietet eine Autofahrt auf der zerfallenden Betonpiste von Syktywkar, dem Verwaltungszentrum der Republik der Komi, nach Uchta, einem der großen Industriezentren der Gegend, wenig Interessantes. Die 200 Kilometer lange Strecke führt durch endlose Kiefernwälder und sumpfige Felder. Zwar kreuzt die Straße einige Flüsse, aber im Grunde fährt man durch die Taiga, eine monotone subarktische Landschaft, die für das Komi-Gebiet und ganz Nordrussland so typisch ist.

Obwohl die Gegend dem Auge nichts Spektakuläres bietet, ist bei genauerem Hinsehen dennoch einiges Ungewöhnliches zu entdecken. Wenn man weiß, wonach man sucht, erkennt man an bestimmten Stellen am Straßenrand merkwürdige Vertiefungen. Mehr ist von dem Lager, das sich einst längs der ganzen Straße hinzog, und den Häftlingskolonnen, die sie gebaut haben, nicht übrig geblieben.

Vor einer Erdhütte in der Verbannung

Da die Baustellen wanderten, brachte man die Gefangenen häufig nicht in Baracken, sondern in Erdhütten unter. Daher die Spuren im Boden.

An einem Straßenabschnitt stößt man auf die Überreste eines größeren Lagers, das zu einem kleinen Erdölfeld gehörte. Heute ist alles von Gras und Buschwerk überwuchert, aber darunter findet man Stücke von Stacheldraht und verrottete Holzplanken, die vielleicht das Öl, das direkt aus dem Boden quillt, vor dem endgültigen Zerfall bewahrt hat. Kein Gedenkstein erinnert an diesen Ort. Allerdings findet man einen in Bograsdino, einem Transitlager an der Straße, wo einst 25 000 Menschen hausten. Von dem Lager selbst keine Spur. An einer anderen Stelle kann man hinter einer modernen Tankstelle von Lukoil, einer der heutigen russischen Ölgesellschaften, einen alten hölzernen Wachturm sehen, umgeben von verrosteten Eisenteilen und etwas Stacheldraht.

Wenn auch nicht leicht zu entdecken, so finden sich überall im Komi-Gebiet, der endlosen Taiga und Tundra, die sich nordöstlich von St. Petersburg bis zum Nordural erstreckt, Spuren des Gulags. Alle wichtigen Städte der Gegend wurden von Häftlingen geplant und aus dem Boden gestampft – nicht nur Uchta, sondern auch Syktywkar, Petschora, Workuta und Inta. Gefangene bauten Eisenbahnen, Straßen und auch die ersten Industriebetriebe der Gegend. Die Einheimischen bezeichnen viele Dörfer noch immer mit den Namen aus der Stalinzeit: »Chinatown« etwa, wo eine Gruppe chinesischer Gefangener untergebracht war, oder »Berlin«, wo einst deutsche Kriegsgefangene einsaßen.

Ursprung dieses riesigen Lagersystems war eines der ersten Großunternehmen der OGPU, die Uchta-Expedition, die 1929 in Marsch gesetzt wurde, um einen damals völlig unbewohnten Landstrich zu erkunden. Für sowjetische Verhältnisse war dieses Unternehmen relativ gut vorbereitet. Fachleute gab es im Überfluss. Zum großen Teil saßen sie bereits auf den Solowezki-Inseln fest, denn allein im Jahre 1928 hatte man in der Kampagne gegen »Schädlinge« und »Saboteure«, die angeblich die Industrialisierung der Sowjetunion aufzuhalten suchten, 68 Bergbauingenieure dorthin verbannt.[4]

Im November 1928 – genau zur rechten Zeit – verhaftete die OGPU außerdem den bekannten Geologen N. Tichonowitsch. Im Moskauer Butyrka-Gefängnis, wohin man ihn zunächst brachte, fand aber nicht das übliche Verhör statt. Stattdessen brachte man ihn zu einer vorbereiteten Zusammenkunft. Ohne jede Vorrede, so erinnerte sich Tichonowitsch später, stellten ihm acht Personen, die er nicht kannte, die Frage, wie eine Expedition ins Komi-Gebiet vorzubereiten sei. Welche Kleidung würde er auswählen, wenn er sie unternehmen müsste? Wie viel Lebensmittelvorräte? Welches Werkzeug? Welche Transportmittel würde er benutzen? Tichonowitsch, der im Jahr 1900 erstmals in der Gegend gewesen war, empfahl eine Route und riet, die Wasserwege zu benutzen, weil Boote Ausrüstung von größerem Gewicht transportieren konnten. Auf seine Empfehlung hin startete die Expedition von See aus. Tichonowitsch, nun Häftling, wurde ihr Chefgeologe.

Man verschwendete weder Zeit, noch sparte man Mittel, denn für die sowjetische Führung hatte dieses Unternehmen hohe Priorität. Gleichwohl hatte die schwimmende Expedition viele Hindernisse zu bewältigen. Unterwegs gelang immer wieder kleinen Gruppen von Häftlingen die Flucht. Als man schließlich die Mündung des Flusses Petschora erreicht hatte, waren keine ortskundigen Führer zu finden. Auch für gutes Geld wollten die hier lebenden Komi nichts mit der Geheimpolizei oder mit Häftlingen zu tun haben und weigerten sich, das Schiff stromaufwärts zu lotsen. Nach sieben Wochen hatte die Expedition ihr Ziel dennoch erreicht. Am 21. August wurde mit dem Bau des Basislagers im Dorf Tschibju begonnen, woraus später die Stadt Uchta entstand.

Sofort nach der Ankunft begannen die Gefangenen in Zwölf-Stunden-Schichten zu arbeiten, um Wohn- und Arbeitsstätten zu errichten. Die Geologen zogen aus, um die günstigsten Plätze für Ölbohrungen ausfindig zu machen. Im Herbst stießen weitere Fachleute hinzu. Auch neue Häftlingstrupps rückten während der ganzen »Sommersaison« des Jahres 1930 an – zunächst monatlich, später wöchentlich. Am Ende des ersten Jahres der Expedition war die Zahl der Häftlinge von ursprünglich 139 auf fast 1000 gewachsen.

Obwohl es in diesem Falle eine gute Vorarbeit gab, waren die Bedingungen anfangs für Häftlinge und Verbannte auch hier so erbärmlich wie überall. Die meisten mussten in Zelten schlafen, denn Baracken gab es noch nicht. Es fehlte an Winterkleidung, Schuhwerk und Lebensmitteln. Mehl und Fleisch kamen nicht in der bestellten Menge an, dasselbe galt für Medikamente. Die Zahl der kranken und schwachen Gefangenen wuchs, wie die Leitung der Expedition in einem Bericht schrieb. Ebenso schwer war die Abgeschiedenheit zu ertragen. Die neuen Lager waren so unvorstellbar weit von jeder Zivilisation, von Straßen oder gar Eisenbahnen entfernt, dass bis 1937 in dieser Gegend nicht einmal Stacheldrahtzäune gebraucht wurden. Flucht wäre absolut sinnlos gewesen.

Aber Häftlinge trafen auch weiterhin ein, und bald zogen vom Basislager Uchta neue Expeditionen aus. Waren sie erfolgreich, gründeten sie ein weiteres Basislager, einen *Lagpunkt*. Zum Teil lagen diese in absoluter Einöde, mehrere Tages- oder Wochenmärsche von Uchta entfernt. Und auch dort entstanden Nebenlager, wurden Straßen gebaut und Kolchosen gegründet, um die Grundbedürfnisse der Häftlinge zu befriedigen. So breiteten sich die Lager wie wucherndes Unkraut in den menschenleeren Wäldern der Komi-Region aus.

Im Jahr 1931 machte sich ein Team aus 23 Personen mit Booten

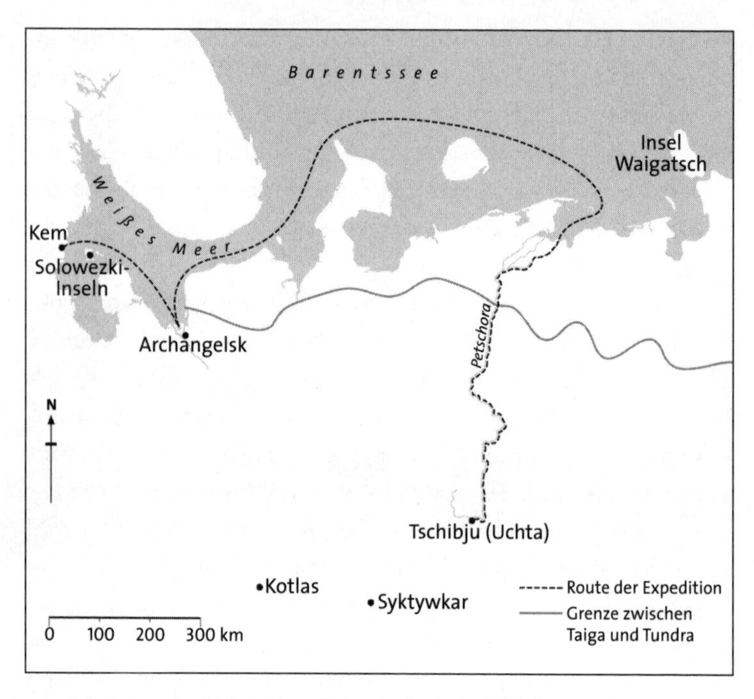


Die Route der Uchta-Expedition in der Republik der Komi 1929

von Uchta auf dem Wasserweg nach Norden auf, um die Ausbeutung einer enormen Kohlelagerstätte, des Kohlebeckens von Workuta, in Angriff zu nehmen, das man ein Jahr zuvor in der arktischen Tundra im nördlichen Teil des Komi-Gebietes entdeckt hatte. Wie bei all diesen Expeditionen wiesen Geologen den Weg, waren die Boote mit Gefangenen bemannt, kommandierte eine geringe Zahl von OGPU-Offizieren die kleine Gemeinschaft, die sich per Boot und zu Fuß durch die Insektenschwärme kämpfte, die die Tundra in den Sommermonaten bevölkern. Zuerst mussten sie unter freiem Himmel nächtigen, dann bauten sie unter großer Mühe ein Lager, überstanden den Winter und errichteten im darauf folgenden Frühjahr den ersten primitiven Schacht: *Rudnik* [Bergwerk] Nr. 1. Mit Spitzhacken, Schaufeln und Holzwagen, ohne jegliche Maschinen, begannen die Gefangenen Kohle zu fördern. In nur sechs Jahren wurde aus Rudnik Nr. 1 die Stadt Workuta und das Zentrum von Workutlag, einem der größten und härtesten Lager im ganzen Gulag. 1938 lebten in Workutlag bereits 15 000 Häftlinge, die inzwischen 188 206 Tonnen Kohle gefördert hatten.[5]

Formal gesehen, waren nicht alle Einwohner der Komi-Region Gefangene. Bereits seit 1929 schickten die Behörden auch Sonderumsiedler in diese Gegend. Zunächst handelte es sich fast ausschließlich um Kulaken, die mit Frauen und Kindern ankamen, um sich hier anzusiedeln und den Boden zu bearbeiten. Jagoda persönlich hatte erklärt, man werde diesen Umgesiedelten »freie Zeit« zugestehen, in der sie Gärten anlegen, Schweine züchten, fischen und sich Häuser bauen konnten. »Zunächst sollen sie Lagerrationen erhalten, bis sie sich selbst versorgen können.«[6] Das klingt ganz annehmbar, in Wirklichkeit aber trafen im Laufe des Jahres 1930 fast fünftausend solcher Familien, insgesamt 16 000 Menschen, ein und wurden wie üblich auf dem nackten Boden ausgesetzt. Im November jenes Jahres standen 268 Baracken, obwohl etwa 700 gebraucht wurden. Man pferchte drei, vier Familien in einem Raum zusammen. Es fehlte an Kleidung, festen Schuhen und Lebensmitteln. Die Dörfer der Verbannten hatten weder Badehäuser noch Straßen, Post- oder Telefonverbindung.[7]

Zwar starben einige der Sonderumsiedler und viele versuchten zu fliehen – bis Ende Juli 344 Personen –, aber nach und nach wurden sie zu einem permanenten Anhängsel des Lagersystems in der Komi-Region. Sie lebten nicht hinter Stacheldraht, verrichteten aber die gleichen Arbeiten wie die Gefangenen, zuweilen sogar am selben Ort. Viele von ihnen erhielten schließlich Arbeit als Wachpersonal oder in der Lagerverwaltung.[8]

Die geografische Ausdehnung des Lagers schlug sich bald auch im Namen nieder. 1931 wurde die Uchta-Expedition in Besserungsarbeitslager Uchta-Petschora, kurz Uchtpetschlag umbenannt. In den folgenden zwanzig Jahren sollte sein Name noch mehrfach wechseln, denn es wurde wieder und wieder umorganisiert und weiter aufgeteilt. Die unterschiedlichen Bezeichnungen spiegeln die wechselnde Geografie, die Ausdehnung des Systems und seiner Bürokratie wider. Am Ende des Jahrzehnts war Uchtpetschlag bereits kein einzelnes Lager mehr. Es war zu einem ganzen Netzwerk gewuchert, dem zwölf Einzellager angehörten, darunter Uchtpetschlag

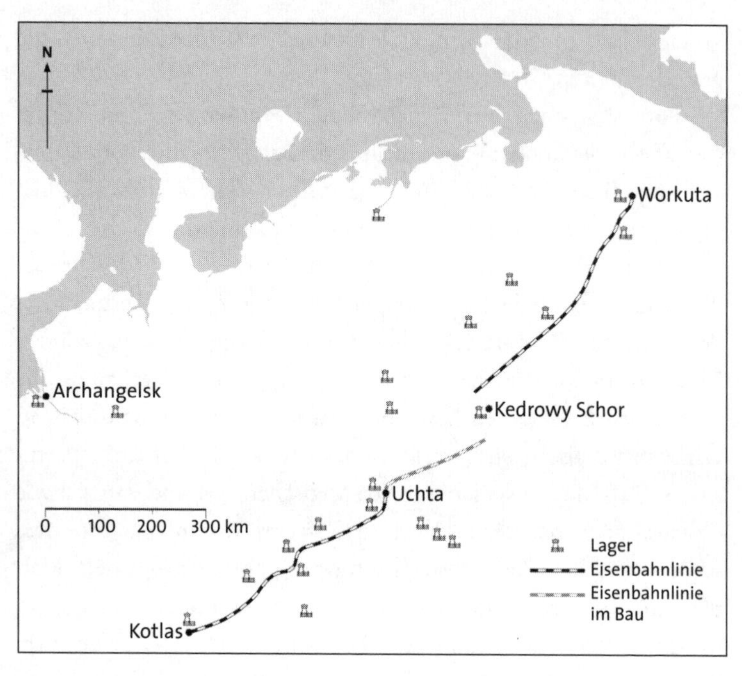


Der Lagerkomplex Uchtpetschlag in der Republik der Komi 1937

und Uchtischemlag (Öl und Kohle), Ustwymlag (Holz), Workuta und Inta (Kohle) sowie Sewscheldorlag (Eisenbahnbau).[9]

In den folgenden Jahren wurden Uchtpetschlag und seine Ableger immer weiter ausgebaut. Die neuen Institutionen für die ständig wachsenden Aufgaben erforderten auch neue Gebäude. Lagerverwaltungen errichteten eigene Krankenhäuser, organisierten die Ausbildung von Häftlingen zu Apothekern und Pflegepersonal. Um sich zu versorgen, gründeten sie eigene Kolchose, eigene Geschäfte und Vertriebssysteme. Um Strom zu haben, bauten sie eigene Kraftwerke. Auch das Baumaterial – vorwiegend Ziegel – stellten sie selbst her.

Um das Fachpersonal mussten sie sich ebenfalls selber kümmern. Viele der ehemaligen Kulaken waren Analphabeten oder konnten nur wenig lesen und schreiben. Das bereitete enorme Probleme, wenn es um Projekte mit bestimmten technischen Anforderungen ging. Die Lagerverwaltungen richteten daher technische Ausbildungsstätten ein, die wiederum neue Gebäude und weiteres

Personal erforderten – Lehrer für Mathematik und Physik, aber auch Politinstrukteure, um diese zu überwachen.[10] In den vierziger Jahren besaß Workuta, eine Stadt im Permafrost, wo die Straßen jedes Jahr neu asphaltiert und die Rohrleitungen jährlich repariert werden müssen, bereits ein geologisches Institut, eine Universität, Theater, ein Puppentheater, Hallenbäder und Kindergärten.

Zwar wurde um die räumliche Expansion von Uchtpetschlag öffentlich nicht viel Aufhebens gemacht, dennoch vollzog sie sich durchaus nicht aufs Geratewohl. Das Schicksal des Lagers war Gesprächsthema in den höchsten Gremien. So widmete das Politbüro im November 1932 in Anwesenheit Stalins fast eine ganze Sitzung der Debatte über Zustand und zukünftige Aussichten von Uchtpetschlag, wobei dessen Entwicklungsperspektiven und die dafür notwendigen Leistungen erstaunlich detailliert erörtert wurden. Nach dem Protokoll zu urteilen, scheint das Politbüro alle Entscheidungen getroffen oder zumindest alles, was auch nur entfernt von Bedeutung war, genehmigt zu haben: welche Bergwerke angelegt und welche Eisenbahnstrecken gebaut werden sollten, wie viele Traktoren, LKWs und Boote erforderlich waren, wie viele Familien von Verbannten es aufnehmen konnte. Das Politbüro bewilligte auch die Mittel für den Bau des Lagers – über 26 Millionen Rubel.[11]

Es ist kein Zufall, dass sich die Zahl der Häftlinge in den drei Jahren nach diesem Beschluss fast vervierfachte. Waren es Mitte 1932 noch 4797, so saßen dort Mitte 1935 bereits 17852 ein.[12] Irgendwer ganz oben in der sowjetischen Hierarchie wollte, dass Uchtpetschlag rasch wuchs. In Anbetracht der dafür nötigen Befugnisse konnte das nur Stalin sein.

»Die Kolyma«, schreibt der Historiker John Stephan, »ist ein Fluss, eine Bergkette, eine Region und eine Metapher.«[13] Obwohl reich an Erzen, vor allem an Gold, ist die riesige Region an der Kolyma in der entferntesten Ecke Nordostsibiriens am Pazifik die wohl unwirtlichste Region ganz Russlands. Dort wird es noch kälter als im Komi-Gebiet. Im Winter sinkt die Temperatur in der Regel bis auf minus 45 Grad Celsius und manchmal noch darunter.[14] Um die Lager der

Kolyma zu erreichen, wurden die Häftlinge zunächst mit der Eisenbahn durch die ganze UdSSR bis nach Wladiwostok transportiert. Das konnte drei Monate dauern. Der Rest der Strecke wurde per Schiff zurückgelegt, nach Norden an Japan vorbei durch das Ochotskische Meer bis zum Hafen von Magadan, dem Tor zum Einzugsgebiet der Kolyma.

Der erste Kommandant war Eduard Bersin, eine der schillerndsten Figuren in der Geschichte des Gulags. Bereits 1926 erteilte Stalin ihm den Auftrag, Wischlag, eines der ersten großen Lager in der Region, zu organisieren. Die OGPU baute Wischlag zeitgleich mit dem Weißmeer-Kanal. Bersin scheint Gorkis Vorstellungen über die Umerziehung der Gefangenen sehr begrüßt (oder zumindest begeisterte Lippenbekenntnisse dafür abgelegt) zu haben. Von paternalistischem gutem Willen erfüllt, ließ Bersin für seine Häftlinge Kinos und Diskussionsklubs, Bibliotheken und Speiseräume einrichten, die »Restaurants« nahe kamen. Er ließ Gärten mit Springbrunnen und einen kleinen Tierpark anlegen. Er zahlte den Gefangenen sogar regelmäßig Lohn und führte nach dem Beispiel der Lager am Weißmeer-Kanal das Prinzip »Haftverkürzung für gute Arbeit« ein. Diese Annehmlichkeiten kamen allerdings nicht allen zugute. Häftlinge, die als schlechte Arbeiter galten oder einfach Pech hatten, konnten in eines der vielen Nebenlager in der Taiga geraten, wo die Bedingungen schlecht und die Sterberaten höher waren, wo Häftlinge insgeheim gequält und sogar ermordet wurden.[15]

Bersin hatte zumindest die Absicht, sein Lager als respektable Einrichtung erscheinen zu lassen. Daher war er auf den ersten Blick ein merkwürdiger Kandidat für den ersten Chef der Bauverwaltung Fernost – Dalstroi –, jenes Pseudo-Unternehmens, das zur Erschließung des Kolyma-Gebietes gegründet wurde. Denn an dieser Gründung war nichts romantisch oder idealistisch. Stalin interessierte sich bereits seit 1926 für die Region. Damals hatte er einen Ingenieur zum Studium der dortigen Bergbau-Methoden in die USA geschickt.[16] Zwischen dem 20. August 1931 und dem 16. März 1932 beriet das Politbüro nicht weniger als elf Mal über Geologie und Geografie des Kolyma-Gebiets, wobei Stalin häufig selbst das Wort ergriff. Wie bereits im Falle der Janson-Kommission über den Aufbau des Gulags

Landschaft an der Kolyma

wurden auch diese Debatten nach Einschätzung des Historikers David Nordlander »nicht im Propagandaton des sozialistischen Aufbaus geführt, sondern in der praxisorientierten Sprache von Investition und Gewinn«. In Stalins späterem Briefwechsel mit Bersin war von Umerziehung nicht die Rede, dafür umso mehr von der Leistung der Häftlinge, von Produktionszielen und -ergebnissen.[17]

Bersins Begabung, nach außen einen angenehmen Eindruck zu erwecken, mag jedoch genau das gewesen sein, was die sowjetische Führung zu jener Zeit brauchte. Zwar wurde der von Bersin geleitete »Konzern« Dalstroi später direkt der Verwaltung des Gulags unterstellt, anfangs behandelte man ihn in der Öffentlichkeit jedoch so, als sei er eine Art Firmenkonglomerat, das mit dem Gulag nichts zu tun hatte. In aller Stille wurde daneben Sewwostlag gegründet, das von Anfang an dem Gulag angehörte und Dalstroi Häftlinge als Arbeitskräfte zur Verfügung stellte. In der Praxis waren beide Einrichtungen nie Konkurrenten füreinander. Dem Chef von Dalstroi unterstand auch Sewwostlag, und niemand hatte daran je einen Zweifel. Auf dem Papier waren es jedoch getrennte Unternehmen, und dieses Bild wurde auch für die Öffentlichkeit aufrechterhalten.[18]

Dieses Arrangement hatte durchaus seine Logik. Zum einen

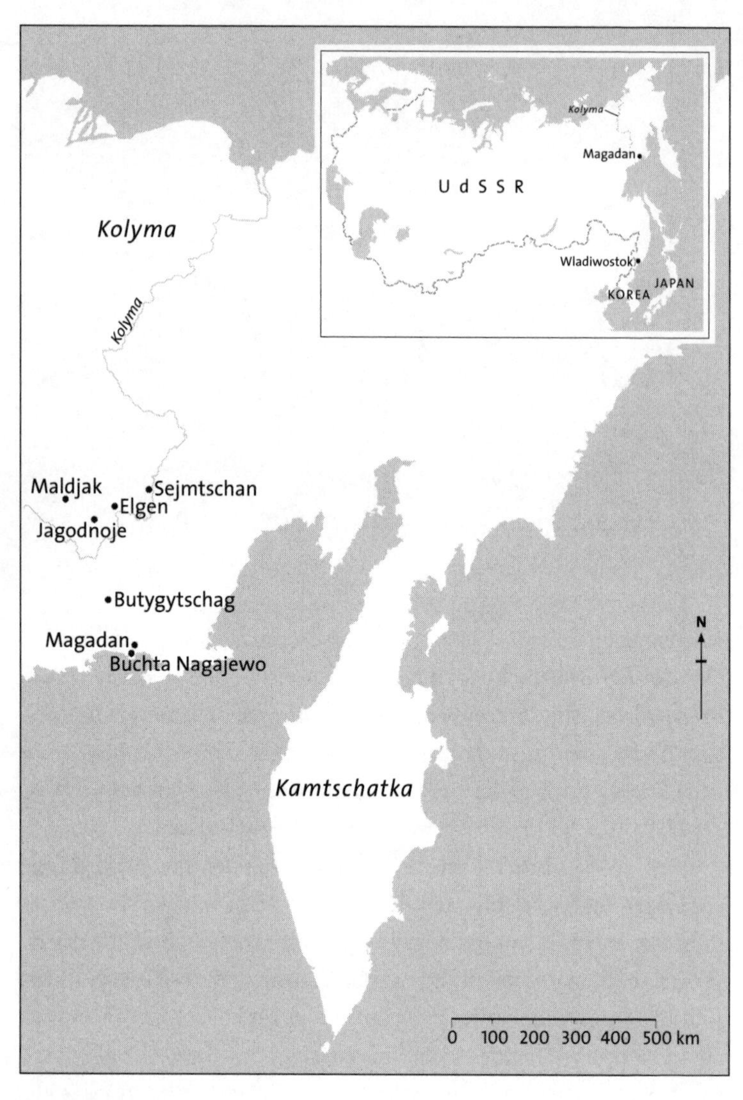


Kolyma 1937

brauchte Dalstroi dringend Freiwillige, vor allem Ingenieure und heiratsfähige Frauen. Beide Kategorien waren an der Kolyma stets dünn gesät. Bersin tat viel dafür, um freie Arbeitskräfte zur Umsiedlung in die Region zu bewegen. Zu diesem Zweck eröffnete er sogar

Büros in Moskau, Leningrad, Odessa, Rostow und Nowosibirsk.[19] Schon deshalb wollten Stalin und Bersin offenbar die Kolyma nicht zu eng mit dem Gulag verbinden: Potenzielle Interessenten sollten nicht abgeschreckt werden. Außerdem war das Manöver – obwohl es keinen direkten Nachweis dafür gibt – wahrscheinlich auch für das Ausland gedacht. Wie sowjetisches Holz sollte auch das Gold von der Kolyma direkt in den Westen verkauft werden, damit dort wiederum dringend benötigte Technik und Maschinen erworben werden konnten. Die sowjetische Führung musste die Goldminen an der Kolyma unbedingt als ganz normale wirtschaftliche Unternehmen erscheinen lassen. Ein Boykott gegen sowjetisches Gold hätte die Sowjetunion viel härter getroffen als ein Holzboykott.

Jedenfalls nahm Stalin von Anfang an großen persönlichen Anteil an der Entwicklung der Kolyma-Region. 1932 forderte er täglich Berichte über den Fortgang des Goldbergbaus an. Er interessierte sich bis in die Einzelheiten für die Erkundungsprojekte von Dalstroi und den Stand der Planerfüllung. Er schickte Inspektoren in die Lager und zitierte die führenden Männer von Dalstroi häufig nach Moskau. Wenn das Politbüro dem Unternehmen Mittel bewilligte, dann nie ohne exakte Weisungen, wie diese zu verwenden seien. So praktizierte man es bereits bei Uchtpetschlag.[20]

Allerdings war die »Selbstständigkeit« von Dalstroi nicht nur Fiktion. Zwar ging Bersin auf Stalins Forderungen ein, es gelang ihm aber, sein Unternehmen auf eigene Weise zu prägen, so dass die »Ära Bersin« später gewisse nostalgische Gefühle auslöste. Er scheint seine Aufgabe sehr direkt verstanden zu haben: Er hatte seine Gefangenen dazu zu bringen, so viel Gold wie möglich zu fördern. Sie zu bestrafen, hungern zu lassen oder gar zu töten lag nicht in seinem Interesse. Für ihn zählten allein die Produktionsergebnisse. Daher waren die Bedingungen unter dem ersten Chef von Dalstroi bei weitem nicht so hart, wie sie es später wurden, und die Häftlinge bei weitem nicht so hungrig. Dies trug sicher dazu bei, dass die Goldausbeute an der Kolyma in den ersten zwei Jahren der Existenz von Dalstroi auf das Achtfache stieg.[21]

Gleichwohl gab es in den ersten Jahren auch hier dasselbe Chaos und dieselbe Desorganisation wie in den anderen Lagern. Schließlich wurde an der Kolyma ein noch schärferes Tempo angeschlagen als in Uchtpetschlag. 1932 waren in der Region fast zehntausend Häftlinge im Einsatz, darunter die Gruppe von Ingenieuren und Technikern, deren Kenntnisse so nahtlos zu der gestellten Aufgabe passten. Dazu kamen über dreitausend »freie Arbeiter« außerhalb der Lager.[22] Diesen hohen Zahlen entsprachen hohe Todesraten. Von den sechzehntausend Gefangenen, die in Bersins erstem Jahr zur Kolyma transportiert wurden, erreichten nur 9928 Magadan lebend.[23] Sie wurden, schlecht gekleidet und kaum vor der Kälte geschützt, in die Schneestürme gejagt. Überlebende des ersten Jahres berichteten später, dass von den Angekommenen nur die Hälfte den ersten Winter überstand.[24]

Als das anfängliche Chaos überwunden war, normalisierte sich die Lage allmählich. Bersin gab sich große Mühe, die Lebensbedingungen zu verbessern, denn er glaubte nicht zu Unrecht, dass die Gefangenen warm wohnen und gut essen mussten, wenn sie viel Gold fördern sollten. Warlam Schalamow, ein Überlebender der Kolyma, dessen Erzählungen unter dem Titel *Kolyma Tales* [Geschichten aus Kolyma] zu den erschütterndsten der ganzen Lagerliteratur gehören, beschrieb die Ära Bersin als eine Zeit,

> »da es ausgezeichnete Verpflegung gab, im Winter vier bis sechs Stunden und im Sommer zehn Stunden täglich gearbeitet wurde, die Gefangenen kolossale Löhne erhielten, was es ihnen ermöglichte, als wohlhabende Leute ins Leben zurückzukehren, wenn ihre Strafe abgelaufen war … Aus jener Zeit gibt es so wenige Friedhöfe, dass die frühen Bewohner der Kolyma denen, die später kamen, als unsterblich gegolten haben müssen.«[25]

Die Lebensbedingungen waren besser, und die Lagerleitungen behandelten die Gefangenen humaner als später. Zu jener Zeit verwischten sich die Grenzen zwischen Freien und Häftlingen. Die zwei Gruppen pflegten normalen Umgang miteinander. Manchen Häftlingen wurde es gestattet, in die Dörfer der freien Arbeitskräfte umzusiedeln; einige stiegen sogar zu Aufsehern, Geologen und Ingenieuren auf.[26]

Wie in Uchtpetschlag wurde auch die Infrastruktur der Kolyma bald komplizierter. In den dreißiger Jahren bauten Gefangene nicht nur Bergwerke, sondern auch die Docks und Wellenbrecher für den Hafen von Magadan sowie die Kolyma-Straße, den einzigen bedeutenden Verkehrsweg zu Lande, der von Magadan nach Norden führt. Auch die Stadt selbst wurde von Häftlingen errichtet. 1936 zählte sie fünfzehntausend Einwohner und sollte ständig weiter wachsen. Als Jewgenia Ginsburg 1947 nach sieben Jahren in abgelegenen Lagern nach Magadan zurückkam, meinte sie »vor Staunen und Begeisterung [zu vergehen] … Erst nach einigen Wochen merke ich, daß diese Häuser an den Fingern abzuzählen waren. Doch im Moment ist dies für mich eine richtige Hauptstadt.«[27]

Ginsburg war eine der wenigen Gefangenen, der ein merkwürdiges Paradox auffiel: Der Gulag brachte Schritt für Schritt »Zivilisation« – wenn man das überhaupt so nennen kann – in die abgelegene Wildnis der Kolyma wie des Komi-Gebiets. Straßen wurden gebaut, wo vorher nur Wälder standen. Auf Marschland wuchsen Siedlungen empor. Die Ureinwohner mussten Städten, Fabriken und Eisenbahnen Platz machen:

»Wie rätselvoll ist doch das menschliche Herz! Aus tiefster Seele verfluche ich den, der auf den Gedanken kam, hier eine Stadt errichten zu lassen, auf diesem ewig gefrorenen Boden, den erst das Blut und später die Tränen völlig schuldloser Menschen ein wenig tauen ließen. Und gleichzeitig fühle ich einen völlig blödsinnigen Stolz … Wie ist unser Magadan, seit ich es vor sieben Jahren zuletzt sah, doch gewachsen und schöner geworden! Kaum wiederzuerkennen. Ich bewundere jede Laterne, jedes Fleckchen Asphalt und sogar das Plakat, das eine Aufführung der Operette ›Die Dollarprinzessin‹ im Haus der Kultur ankündigt. Wahrscheinlich deshalb, weil uns jedes Stück unseres Lebens kostbar ist, selbst das bitterste.«[28]

Bis 1934 breitete sich der Gulag nach dem Vorbild der Solowezki-Inseln an der Kolyma, im Komi-Gebiet, in Sibirien, in Kasachstan und in anderen Regionen der UdSSR aus. Überall forderten anfangs Schlampigkeit, Chaos und Unordnung viele unnötige Opfer. Und wenn es nicht bewusster Sadismus war, dann brachte die gedankenlose Brutalität der Aufseher, die die Gefangenen wie Arbeitstiere behandelten, viel Leid über die Menschen.

Mit der Zeit zog jedoch eine gewisse Ordnung ein. Die Todesraten, die im Hungerjahr 1933 ihren Höhepunkt erreichten, gingen in dem Maße zurück, wie die Organisation sich verbesserte. Nach der offiziellen Statistik lag die Sterberate 1934 im Durchschnitt bei 4 Prozent.[29] In Uchtpetschlag wurde Öl gefördert, an der Kolyma nach Gold geschürft und in den Lagern des Archangelsker Gebiets Holz gefällt. Neue Straßen durchzogen Sibirien. Überall kam es zu Pannen und Havarien, aber das galt für die ganze UdSSR. Das Tempo der Industrialisierung, fehlende Planung und der Mangel an gut ausgebildeten Fachleuten mussten zu Unfällen und unnötigen Kosten führen, was den Chefs der Großprojekte durchaus bekannt war.

Trotz aller dieser Rückschläge wurde die OGPU bald zum wichtigsten Wirtschaftsfaktor des Landes. 1934 setzte Dmitlag, das Lager, das den Moskwa-Wolga-Kanal errichtete, fast 200 000 Gefangene ein, eine noch größere Zahl, als am Weißmeer-Kanal gearbeitet hatten.[30] Auch Siblag in Sibirien war weiter gewachsen und konnte 1934 stolz auf 63 000 Häftlinge verweisen. Dallag im Fernen Osten hatte sich in den vier Jahren seit seiner Gründung mehr als verdreifacht und setzte 1934 fünfzigtausend Häftlinge ein. Überall in der Sowjetunion waren neue Lager entstanden: Sazlag in Usbekistan, wo die Gefangenen in Kolchosen arbeiteten, Swirlag bei Leningrad, wo sie Bäume fällten und das Holz für die Stadt verarbeiteten, Karlag in Kasachstan, das Häftlinge zur Arbeit in die Landwirtschaft, in Fabriken und Fischereibetriebe schickte.[31]

1934 wurde die OGPU ein weiteres Mal reorganisiert und umbenannt, um ihren neuen Status und ihre gewachsene Verantwortung zu betonen. Aus der Geheimpolizei wurde offiziell das Volkskommissariat für Innere Angelegenheiten, das bald unter der Abkürzung NKWD weltbekannt werden sollte. Diese Einrichtung kontrollierte nun das Schicksal von über einer Million Häftlingen.[32] Die relative Ruhe sollte jedoch nicht von langer Dauer sein. Unvermittelt wurde das System von einer neuen Revolution in seinen Grundfesten erschüttert, die Herren und Sklaven gleichermaßen traf.

Dies war, als
Nur ein Toter lächelte, dessen Ruhe begann.
Und zu unnötigem Beiwerk
An seinen Kerkern Leningrad verkam.
Und als, fast besinnungslos vor Qual,
Schon Kolonnen Verurteilter gingen,
Und ein kurzes Lied zum Abschied
Die Dampfsirenen sangen.
Über uns die Sterne des Todes.
Und schuldlos wand sich die Rus
Unter Stiefeln, blutverschmiert,
Unter den Schienen der schwarzen Marus'.

ANNA ACHMATOWA,
*Requiem*[1]

## Der Große Terror und die Folgen

Objektiv gesehen, waren die Jahre 1937 und 1938, die als die Jahre des Großen Terrors in Erinnerung geblieben sind, nicht die mörderischsten in der Geschichte der Lager. Auch die Ausdehnung des Gulags war hier nicht am größten. Die Zahl der Gefangenen stieg im folgenden Jahrzehnt weiter und erreichte den höchsten Stand viel später, als allgemein angenommen wird: im Jahr 1952. Obwohl die vorliegenden Statistiken unvollständig sind, lagen die Todesraten zur Zeit der Hungersnot von 1932/33 und in der schwersten Phase des Zweiten Weltkrieges, in den Jahren 1942/43, als in Zwangsarbeitslagern, Gefängnissen und Kriegsgefangenenlagern etwa vier Millionen Menschen einsaßen, wesentlich höher.[2]

Immerhin gingen dem Großen Terror zwei Jahrzehnte der Unterdrückung voraus. Bereits seit 1918 hatte es regelmäßig Massenverhaftungen und Deportationen gegeben. Anfang der zwanziger Jahre betrafen sie Oppositionspolitiker, am Ende des Jahrzehnts »Saboteure« und Anfang der dreißiger Jahre Kulaken. Hinzu kamen regelmäßige Razzien gegen Menschen, die man für »Unruhe in der Gesellschaft« verantwortlich machte. Auch nach dem Großen Terror wurden missliebige Personen verhaftet und deportiert – Polen, Ukrainer und Balten aus den 1939 besetzten Gebieten, »Verräter« der Roten Armee, die der Gegner gefangen genommen hatte, einfache Menschen, die durch den Einmarsch der Deutschen 1941 auf die falsche Seite der Front gerieten. 1948 waren ehemalige Lagerhäftlinge erneut an der Reihe, und kurz vor Stalins Tod die Juden.

Die Opfer von 1937 und 1938 waren vielleicht bekannter, und

die öffentlichen Schauprozesse jener Jahre mit Sicherheit die spektakulärsten in der ganzen sowjetischen Geschichte. Am ausführlichsten untersucht und beschrieben werden die Jahre des Großen Terrors jedoch weniger als Höhepunkt der Repressalien, sondern eher, weil es eine ungewöhnliche Welle der Unterdrückung war, die da unter Stalins Herrschaft über das Land rollte: Sie traf in breiterem Umfang als ihre Vorgängerinnen die Elite – alte Bolschewiken sowie führende Vertreter von Partei und Armee –, erfasste insgesamt ein breites gesellschaftliches Spektrum und endete mit einer ungewöhnlich hohen Zahl von Hinrichtungen. Und für den Gulag markiert das Jahr 1937 tatsächlich eine Wasserscheide. In diesem Jahr wurden aus nachlässig verwalteten Haftanstalten, wo Menschen eher per Zufall starben, vorübergehend wahre Todeslager, in denen man die Häftlinge bewusst durch Arbeit ums Leben brachte oder einfach ermordete, und das in wesentlich größerer Zahl als zuvor.

Wie im ganzen Land waren auch in den Lagern erste Signale des heraufziehenden Terrors zu erkennen. Nach dem bis heute ungeklärten Mord an dem beliebten Leningrader Parteisekretär Sergej Kirow im Dezember 1934 setzte Stalin eine Reihe von Dekreten durch, die dem NKWD wesentlich größere Vollmachten gaben, »Volksfeinde« verhaften, foltern und hinrichten zu dürfen. Die ersten Opfer waren zwei führende Bolschewiken, Sinowjew und Kamenew, beide ehemalige Gegner Stalins. Sie wurden nur Wochen später zusammen mit Tausenden wirklicher und vermeintlicher Anhänger, darunter viele aus Leningrad, verhaftet.

Das Ganze wuchs sich nach und nach zu einer blutigen Säuberungskampagne aus. Im Frühjahr und Sommer 1936 bearbeiteten Stalins Vernehmungsoffiziere Sinowjew und Kamenew sowie eine Gruppe ehemaliger Bewunderer Leo Trotzkis, um ihnen »Geständnisse« für einen großen öffentlichen Schauprozess abzuringen, der im August über die Bühne ging. Sie alle wurden später hingerichtet, mit ihnen zahlreiche Verwandte. Weitere Prozesse gegen führende Bolschewiken folgten, darunter gegen den charismatischen Nikolai Bucharin.

Erst in der Parteihierarchie, dann in der ganzen Gesellschaft breitete sich eine regelrechte Verhaftungs- und Hinrichtungspsychose aus, kräftig angeheizt von Stalin, der auf diesem Weg seine Gegner beseitigen, eine neue Klasse ihm treu ergebener Führungskader schaffen, die Bevölkerung terrorisieren und seine Lager füllen wollte. 1937 begann er damit, den regionalen NKWD-Chefs Quoten für Verhaftungen (ohne konkreten Grund) vorzugeben. Ein Teil der Betroffenen war zur Strafe »ersten Grades« – zum Tode – und ein weiterer zu einer Strafe »zweiten Grades« – acht bis zehn Jahre Lagerhaft – zu verurteilen.

Die Dokumente lesen sich wie Weisungen eines Bürokraten, der die neueste Version des Fünfjahresplans verschickt. Hier ist beispielsweise die Auflistung vom 30. Juli 1937:

| Region | Strafe | | |
|---|---|---|---|
| | 1. Grades | 2. Grades | Gesamt |
| Aserbaidschanische SSR | 1 500 | 3 750 | 5 250 |
| Armenische SSR | 500 | 1 000 | 1 500 |
| Belorussische SSR | 2 000 | 10 000 | 12 000 |
| Georgische SSR | 2 000 | 3 000 | 5 000 |
| Kirgisische SSR | 250 | 500 | 750 |
| Tadschikische SSR | 500 | 1 300 | 1 800 |
| Turkmenische SSR | 500 | 1 500 | 2 000 |
| Usbekische SSR | 750 | 4 000 | 4 750 |
| Baschkirische ASSR | 500 | 1 500 | 2 000 |
| Burjat-Mongolische ASSR | 350 | 1 500 | 1 850 |
| Dagestanische ASSR | 500 | 2 500 | 3 000 |
| Karelische ASSR | 300 | 700 | 1 000 |
| Kabardino-Balkarische ASSR | 300 | 700 | 1 000 |
| ASSR der Krim | 300 | 1 200 | 1 500 |
| ASSR der Komi | 100 | 300 | 400 |
| Kalmykische ASSR | 100 | 300 | 400 |
| ASSR der Mari | 300 | 1 500 | 1 800 |

Usw.[3]

Diese Säuberungswelle war natürlich alles andere als spontan; man hatte sogar im Voraus neue Lager errichtet. Sie stieß auch kaum auf Widerstand. Das NKWD in Moskau erwartete von seinen Dienststellen in der Provinz den entsprechenden Eifer bei der Durchsetzung, und es wurde nicht enttäuscht. »Wir bitten um die Genehmigung, zusätzlich 700 Personen – Bandenmitglieder der Daschnaken und andere antisowjetische Elemente – erschießen zu dürfen«, wandte sich das armenische NKWD im September 1937 an Moskau.[4]

Im Gulag machte sich die Säuberung zuerst bei den Lagerkommandanten bemerkbar: Viele von ihnen wurden liquidiert. Während das Jahr 1937 im ganzen Land vor allem als das Jahr in Erinnerung geblieben ist, da die Revolution ihre Kinder fraß, war es in den Lagern das Jahr, da der Gulag seine Gründer verschlang. Das begann ganz oben: Genrich Jagoda, der Chef der Geheimpolizei, der für die Erweiterung des Lagersystems an höchster Stelle verantwortlich war, wurde 1938 zum Tode verurteilt und erschossen. Zuvor hatte er in einem Brief an den Obersten Sowjet um sein Leben gefleht: »Es ist schwer zu sterben«, schrieb der Mann, der so viele Menschen in den Tod geschickt hatte. »Ich falle vor Volk und Partei auf die Knie und bitte darum, mir zu vergeben, mein Leben zu schonen.«[5]

Viele der Lagerchefs und -verwalter, die Jagoda ausgewählt und gefördert hatte, teilten sein Schicksal. Zusammen mit Hunderttausenden Sowjetbürgern warf man ihnen die Beteiligung an riesigen Verschwörungen vor. Sie wurden festgenommen und für Großprozesse verhört, die zuweilen mehrere hundert Personen betrafen. Einer der bekanntesten Fälle wurde um Matwej Berman konstruiert, dem der Gulag von 1932 bis 1937 unterstand. Dass er bereits seit 1917 Parteimitglied war, half ihm nichts. Im Dezember 1938 klagte das NKWD Berman an, eine »rechtstrotzkistische Terroristen- und Sabotageorganisation« angeführt zu haben, die für die Häftlinge in den Lagern »Vorzugsbedingungen« geschaffen, die »militärische und politische Ausbildung« des Wachpersonals bewusst geschwächt (daher die große Zahl erfolgreicher Ausbruchsversuche) und die Bauprojekte des Gulags sabotiert habe (daher deren langsame Fortschritte).

Berman stürzte nicht allein. Überall in der Sowjetunion wurden Lagerkommandanten und -verwalter derselben »rechtstrotzkistischen Organisation« für schuldig befunden und auf einen Schlag abgeurteilt. So lautete zum Beispiel die Begründung für das Urteil gegen Alexander Israiljew, den stellvertretenden Chef von Uchtpetschlag, er habe »die Steigerung des Kohleabbaus verhindert«. Alexander Polisonow, ein Oberst, der in der Abteilung Wachschutz des Gulags tätig war, wurde angeklagt, »unmögliche Bedingungen« für das Wachpersonal geschaffen zu haben. Michail Goskin, der die Abteilung Eisenbahnbau des Gulags leitete, hatte angeblich »unrealistische Pläne« für die Eisenbahnlinie Wolotschajewka-Komsomolsk aufgestellt. Isaak Ginsburg, der der medizinischen Abteilung des Gulags vorstand, wurde für die hohen Todesraten unter den Häftlingen verantwortlich gemacht. Außerdem sollte er konterrevolutionären Gefangenen Sonderbedingungen gewährt und ihre vorzeitige Entlassung aus gesundheitlichen Gründen erwirkt haben. Die meisten Gulag-Chefs erhielten die Todesstrafe. In einigen Fällen wurde das Urteil später in Gefängnis- oder Lagerhaft umgewandelt. Nur eine Hand voll überlebte und wurde 1955 rehabilitiert.[6]

Erstaunlich viele Gründerväter des Gulags ereilte dasselbe Schicksal. Fjodor Eichmanns, zunächst Chef von SLON, später Leiter der Sonderabteilung der OGPU, wurde 1938 erschossen. Lasar Kogan, den zweiten Chef des Gulags, traf die Kugel 1939. Bermans Nachfolger an der Spitze des Gulags, Israil Pliner, hielt sich nur ein Jahr auf seinem Posten und fiel ebenfalls 1939 der Kugel zum Opfer.[7] Es war, als ob das System eine Erklärung dafür brauchte, weshalb es so schlecht funktionierte. Vielleicht führt der Begriff »System« aber auch in die Irre: Möglicherweise suchte Stalin selbst eine Begründung, weshalb seine so wunderbar erdachten Zwangsarbeiter-Projekte so langsam vorankamen und so widersprüchliche Ergebnisse brachten.

Die vielleicht dramatischste Geschichte, die einem Lagerchef im Jahr 1937 zustieß, spielte sich am Ende jenes Jahres in Magadan ab und begann mit der Verhaftung des Direktors von Dalstroi, Eduard Bersin. Da dieser Jagoda direkt unterstand, musste er damit rechnen, dass seine Laufbahn früher oder später zu Ende ging. Er hätte auch Verdacht schöpfen müssen, als ihm das NKWD im Dezember eine ganze Gruppe neuer »Stellvertreter« schickte, darunter einen Major Pawlow, der im Rang höher stand als er selbst. Obwohl es Stalins Art war, einen zum Abschuss freigegebenen Funktionär auf diese Weise mit seinem Nachfolger bekannt zu machen, schöpfte Bersin offenbar keinen Verdacht. Als der Dampfer, der auch noch den ominösen Namen *Nikolai Jeschow* trug, mit dem neuen Team an Bord in die Nagajewo-Bucht einlief, begrüßte Bersin die Ankömmlinge mit Blasmusik. Dann führte er seine neuen »Mitarbeiter« mehrere Tage lang überall herum – wobei diese ihn deutlich ignorierten –, bevor er selbst die *Nikolai Jeschow* bestieg.

In Wladiwostok nahm er wie üblich einen Zug der Transsibirischen Eisenbahn nach Moskau. Er verließ die Stadt als Passagier der ersten Klasse; als er in Moskau ankam, war er bereits Gefangener. Auf der Station Alexandrow, siebzig Kilometer vor der Hauptstadt, hatte der Zug plötzlich gehalten. Mitten in der Nacht des 19. Dezember 1937 war Bersin auf dem Bahnsteig festgenommen worden – man wollte in der Hauptstadt kein Aufsehen erregen. Man brachte ihn zum Verhör in die Lubjanka, das Moskauer Zentralgefängnis, und klagte ihn bald darauf »konterrevolutionärer Sabotage- und Schädlingstätigkeit« an. Das NKWD warf ihm vor, er habe »an der Kolyma eine trotzkistische Spionage- und Diversionsorganisation« aufgebaut, die Gold an die japanische Regierung verschoben und die Übernahme des russischen Fernen Ostens durch Japan vorbereitet habe. Außerdem sei er angeblich ein Spion Englands und Deutschlands gewesen. Der Chef von Dalstroi muss ein viel beschäftigter Mann gewesen sein. Er wurde im August 1938 im Keller der Lubjanka erschossen.

Die Absurdität der Anschuldigungen änderte nichts daran, dass der Fall zügig abgeschlossen wurde. Bereits Ende Dezember hatte Pawlow die meisten Untergebenen Bersins festgenommen.

In größerem Zusammenhang gesehen, war die Elite an der Kolyma nicht das einzige mächtige Netzwerk, das 1937/38 ausgeschaltet wurde. Am Ende jenes Jahres trafen Stalins Säuberungen die Rote Armee. Ein ganzes Heer angesehener Militärs fiel den Liquidierungen zum Opfer, darunter der stellvertretende Volkskommissar für Verteidigung, Marschall Tuchatschewski. Ihre Frauen und Kinder wurden meist ebenfalls erschossen, einige endeten in den Lagern.[8] Selbst die Partei entging den Säuberungen nicht, die sich von potenziellen Gegnern Stalins in der Parteiführung über die Führungen der Unionsrepubliken sowie die Vorsitzenden lokaler und regionaler Staatsorgane bis hinunter zu den Direktoren wichtiger Großunternehmen und Einrichtungen fraßen.

An bestimmten Orten und in einer bestimmten sozialen Schicht war die Verhaftungswelle so umfassend, dass – wie Jelena Sidorkina, die selbst im November 1937 festgenommen wurde, schreibt – »niemand wusste, was der nächste Tag bringen mochte. Die Menschen hatten Angst, miteinander zu sprechen oder sich zu treffen. Das galt besonders für Familien, wo Vater oder Mutter bereits ›isoliert‹ waren. Die wenigen Personen, die den Mut hatten, sich für die Verhafteten einzusetzen, gerieten selbst automatisch auf die Liste der zur ›Isolation‹ Vorgesehenen.«[9]

Aber nicht alle starben, und nicht alle Lager wurden leer gefegt. Dabei kamen nachlässige Lagerchefs zuweilen besser davon als durchschnittliche NKWD-Offiziere, wie der Fall von W. A. Barabanow zeigt. Barabanow, damals einer von Jagodas Schützlingen, war 1935 als stellvertretender Chef von Dmitlag zusammen mit einem Kollegen verhaftet worden, weil er das Lager »in trunkenem Zustand« betreten hatte. Er verlor seinen Posten und erhielt eine milde Gefängnisstrafe. Als Jagodas Gefolgsleute 1938 massenweise festgenommen wurden, arbeitete er in einem abgelegenen Lager im Hohen Norden. In dem Durcheinander wurde er schlicht übersehen. 1954 war sein Hang zum Alkohol längst vergeben und er zum stellvertretenden Chef des ganzen Gulags aufgestiegen.[10]

Den Insassen der Lager ist 1937 nicht nur als das Jahr des Großen Terrors im Gedächtnis geblieben. Zu jener Zeit wurde auch der letzte Rest von Propaganda über die erfolgreiche Umerziehung der Häftlinge eingestellt. Nicht einmal Lippenbekenntnisse zu diesem Ideal waren mehr zu hören. Das kann daran liegen, dass die Leute, die diese Kampagne vor allem betrieben hatten, inzwischen sämtlich verhaftet oder tot waren. Maxim Gorki starb unerwartet im Juni 1936. Leopold Awerbach, der gemeinsam mit Gorki den Sammelband *Belomor* herausgegeben und selbst ein Buch über den Moskwa-Wolga-Kanal verfasst hatte *(Vom Verbrechen zur Arbeit)*, wurde im April 1937 als Trotzkist festgenommen. Viele Autoren, die sich in Gorkis Sammelband verewigt hatten, ereilte das gleiche Schicksal.[11]

Es gab allerdings auch noch tiefere Ursachen. Da der Politjargon immer radikaler und die Jagd auf Politverbrecher immer aggressiver wurde, musste auch der Status der Lager, wo diese gefährlichen Elemente einsaßen, sich verändern. In einem Land, das von Verfolgungswahn und Spionomanie erfasst war, wurde allein schon die Existenz von Lagern für »Feinde« und »Saboteure« zu einem Tabu-Thema. Geheim halten konnte man sie zwar nicht, da Häftlinge, die Straßen und Wohnhäuser bauten, in den vierziger Jahren in vielen Großstädten nicht zu übersehen waren. Aber man sprach öffentlich nicht darüber. Aus Gründen, die nicht ganz klar sind, geriet Gorkis *Belomor* auf den Index. Vielleicht konnten die neuen Chefs des NKWD die schwülstige Lobpreisung Jagodas nicht ertragen. Oder die euphorische Schilderung, wie »Feinde« erfolgreich umerzogen wurden, war in einer Zeit sinnlos geworden, da ständig neue Feinde auftauchten, die man zu Hunderttausenden hinrichtete, statt neue Menschen aus ihnen zu machen.

Um in ihrem Eifer, die Feinde des Regimes zu isolieren, nicht lax zu erscheinen, gaben die Gulag-Chefs in Moskau neue interne Geheimhaltungsvorschriften heraus, die hohe zusätzliche Kosten verursachten. Der gesamte Postverkehr musste nun über Sonderkurier abgewickelt werden. Allein im Jahr 1940 beförderten Kuriere des NKWD 25 Millionen geheime Postsendungen. Wer einen Brief in ein Lager schicken wollte, musste ein Postfach benutzen, denn die Standorte der Lager waren geheim. Sie verschwanden von sämtlichen Landkarten. Selbst in internen NKWD-Dokumenten hießen sie nur noch »Sonderobjekte« oder »Nebenstellen«.[12]

Auch der Sprachgebrauch in den Lagern veränderte sich. Bis zum Herbst 1937 wurde ein Häftling in offiziellen Dokumenten und Briefen meist nach seiner Tätigkeit bezeichnet, zum Beispiel als »Holzfäller«. Von 1940 an war er kein Holzfäller mehr, sondern nur noch ein Gefangener, ein *Sakljutschonny*, abgekürzt *S/K*, ausgesprochen *Sek.*[13] Eine Gruppe von Häftlingen war ein *Kontingent*, ein bürokratischer, völlig entpersonalisierter Begriff. Gefangene, die besonders gut arbeiteten, waren als »wie Stoßarbeiter arbeitende Gefangene« oder »nach der Stachanow-Methode arbeitende Gefangene« zu bezeichnen, nicht mehr jedoch als »Stachanow-Arbeiter«, wie aus einer empörten Anweisung eines Lagerchefs hervorgeht.

Der Begriff des »Politischen« wurde fast in sein Gegenteil verkehrt. Er galt jetzt für jeden, der nach dem berüchtigten Artikel 58 des Strafgesetzbuches verurteilt war: Der umfasste »konterrevolutionäre« Verbrechen aller Art, die natürlich durchgängig negativ besetzt waren. Auf die Politischen – die man manchmal »KR« (Konterrevolutionäre), *Kontras* oder *Kontriks* nannte – wurde jetzt immer häufiger als »Volksfeinde« Bezug genommen.[14]

Diesen Begriff aus der Sprache der Jakobiner benutzte Lenin erstmals im Jahr 1917. Stalin verwendete ihn 1927 für Trotzki und dessen Gefolgsleute. Seine Bedeutung wurde enorm erweitert, als das Zentralkomitee 1936 einen geheimen Brief – aus Stalins Feder, wie sein russischer Biograf Dmitri Wolkogonow meint – an die Parteiorganisationen der Gebiete und Unionsrepubliken sandte. Darin hieß es, obwohl ein Volksfeind »zahm und harmlos aussehe«, tue er doch alles, um sich »allmählich in den Sozialismus zu schleichen«, dabei »akzeptiere er den Sozialismus nicht«. Mit anderen Worten, Feinde konnten nicht mehr allein nach ihrer öffentlich geäußerten Meinung beurteilt werden. Lawrenti Beria, der später an der Spitze des NKWD stand, zitierte gern Stalin mit den Worten: »Ein Volksfeind ist nicht nur der, der sabotiert, sondern auch der, der an der Richtigkeit der Parteilinie zweifelt.«[15]

»Volksfeind« wurde nun zum gebräuchlichen Terminus in offiziellen Dokumenten. Frauen wurden als »Ehepartnerinnen von Volksfeinden« verhaftet, nachdem das NKWD dies per Dekret von 1937 möglich machte; dasselbe galt für Kinder. Wenn sie vom Gefängnispersonal nach ihrem Urteil gefragt wurden, dann mussten sie antworten: »TschSWR«, was bedeutete: »Familiemitglied eines Feindes der Revolution«.[16]

Die Propaganda stufte »Feinde« noch niedriger ein als Tiere. Ende der dreißiger Jahre bezeichnete Stalin »Volksfeinde« öffentlich als »Ungeziefer«, als »Verunreinigung« und »Schmutz«, manchmal auch einfach als »Unkraut«, das ausgerissen werden müsse.[17] Die Bot-

»Ein Feind wird am Arbeitsplatz festgenommen«, sowjetisches Gemälde von 1937.

schaft war klar: Die *Seks* galten nicht mehr als Bürger der Sowjetunion, wenn man sie überhaupt noch als Menschen betrachtete. Wie ein Häftling bemerkte, waren sie »gewissermaßen exkommuniziert, d. h. sie durften nicht mehr am politischen Leben mit all seinen feierlichen Riten und Liturgien teilnehmen«.[18] Nach 1937 sprach kein Wachmann einen Häftling mehr als *Towarischtsch* – »Genosse« – an, was damals in der Sowjetunion allgemein üblich war. Wenn der Häftling es seinerseits wagte, seinen Aufseher so anzusprechen, musste er Prügel gewärtigen. Für ihn war dieser nur noch ein *Graschdanin*, ein »Bürger«. Fotos von Stalin oder anderen führenden Persönlichkeiten hatten in Lagern und Gefängnissen nichts mehr zu suchen. Ein Anblick, der Mitte der dreißiger Jahre noch durchaus üblich war – ein Zug mit Gefangenen, geschmückt mit Stalin-Bildern und Fahnen, weil dort Stachanow-Arbeiter fuhren –, war nach 1937 unvorstellbar.

Die Entmenschlichung der politischen Gefangenen zog eine deutliche, mancherorts drastische Verschlechterung ihrer Lebensbedingungen nach sich. In den Lagern wurden sie aus Planungs- und Ingenieursstäben entfernt und wieder zu körperlicher Arbeit in die

Minen oder in den Wald geschickt. »Feinde« durften nicht länger eine Position von Bedeutung einnehmen, denn dort konnten sie ja Sabotage betreiben. In einem Bericht vom Februar 1939 meldete der Kommandant von Belbaltlag, er habe »alle Mitarbeiter hinausgejagt, die kein politisches Vertrauen verdienen«, insbesondere alle ehemaligen Häftlinge, die wegen konterrevolutionärer Verbrechen einsaßen. Von nun an, so versicherte er, seien administrative und technische Funktionen nur noch »Mitgliedern von Partei und Kommunistischem Jugendverband sowie vertrauenswürdigen Fachleuten« vorbehalten.[19] Wirtschaftliche Produktivität hatte für die Lager keinen Vorrang mehr.

Das Lagerregime wurde für alle härter, auch für die Kriminellen. Anfang der dreißiger Jahre betrug die Brotration für »gewöhnliche Arbeit« in der Regel ein Kilogramm pro Tag. Das erhielten sogar diejenigen, die die Norm nicht zu hundert Prozent erfüllten. Stachanow-Arbeiter bekamen zwei Kilogramm.[20] Zum Ende des Jahrzehnts hatte sich die Zuteilung halbiert. Es gab nur noch 400-450 Gramm. Wer die Norm voll erfüllte, konnte mit 200 Gramm Brot mehr rechnen. Die Strafration sank auf 300 Gramm.[21]

Die Bedingungen verschlechterten sich auch deswegen, weil die Zahl der Gefangenen mancherorts in atemberaubendem Tempo stieg. Das Politbüro hatte zur Vorbereitung auf die Verhaftungswelle den Gulag bereits 1937 angewiesen, mit dem Bau von fünf neuen Holzfällerlagern im Komi-Gebiet und von weiteren Objekten »in abgelegenen Gegenden von Kasachstan« zu beginnen. Um den Gang der Dinge zu beschleunigen, hatte der Gulag dafür sogar einen Vorschuss von zehn Millionen Rubel erhalten. Zugleich war an die Volkskommissariate für Verteidigung, Gesundheitswesen und Forstwirtschaft Order ergangen, 240 Kommandanten und Politoffiziere, 150 Ärzte, 400 Krankenpfleger, 10 hervorragende Forstwirtschaftler und »50 Absolventen der Leningrader Akademie für Forsttechnologie« unverzüglich für die Arbeit im Gulag bereitzustellen.[22]

Trotz alledem waren die bestehenden Lager bald wieder hoffnungslos überfüllt. Die Zustände von Anfang der dreißiger Jahre wiederholten sich. In einer Außenstelle von Siblag – einem Netz von Holzfällerlagern, das Sibirien überzog –, angelegt für 250 bis

Tor zu einem Lagpunkt in Workuta. Das Schild darüber trägt die Aufschrift: »Arbeit in der UdSSR ist eine Sache des Ruhmes und der Ehre«.

300 Menschen, waren 1937 nach Schätzung eines Augenzeugen mehr als 17000 Häftlinge zusammengepfercht. Selbst wenn es in Wirklichkeit nur ein Viertel dessen waren, zeigt allein die Überschätzung, wie eng es dort zugegangen sein muss. Da es an Baracken fehlte, gruben die Gefangenen Erdhütten. Aber auch dort drängten sich so viele Menschen, dass es »unmöglich war, sich zu bewegen, ohne jemandem auf die Hand zu treten«. Häftlinge weigerten sich, die Hütten zu verlassen, weil sie befürchteten, nicht wieder hineinzukommen. Es fehlte an Schüsseln und Löffeln. Bei der Essenausgabe bildeten sich endlose Schlangen. Bald brach eine Ruhrepidemie aus, die die Gefangenen rasch dahinraffte.

Auf einer späteren Beratung der Partei erinnerten die Verantwortlichen von Siblag mit finsterer Miene an die »schrecklichen Lehren von 1938«, an die »vielen Arbeitstage«, die in dieser Krise verloren gingen.[23] Im ganzen Lagersystem verdoppelte sich von 1937 bis 1938 die Zahl der Todesfälle. Nicht aus allen Lagern gibt es Statistiken, aber die Sterberaten scheinen in den Lagern im Norden – an der

Kolyma, in Workuta und Norilsk – am höchsten gewesen zu sein. Dorthin wurden vor allem politische Gefangene in großer Zahl geschickt.[24]

Aber die Häftlinge starben nicht nur an Hunger und schwerer Arbeit. In dem neuen Klima schien es bald nicht mehr auszureichen, Volksfeinden nur die Freiheit zu rauben. Am besten hörten sie gleich auf zu existieren. Am 25. August 1937 unterzeichnete Jeschow den Befehl, die Insassen in den Hochsicherheitsgefängnissen für Politische zu exekutieren. Das NKWD, so hieß es dort, müsse »die Operation zur Unterdrückung aktiver konterrevolutionärer Elemente ..., die wegen Spionage, Diversion, Terrorismus, konterrevolutionärer Tätigkeit und Banditentum sowie als Mitglieder antisowjetischer Parteien verurteilt sind, binnen zwei Monaten beenden«.[25]

Zu den Politischen fügte Jeschow die »Banditen und kriminellen Elemente« im Solowezker Kreml gleich noch hinzu, der inzwischen ebenfalls in ein Hochsicherheitsgefängnis für Politische umgewandelt worden war. Die Quote für Solowezki wurde vorgegeben: 1200 Häftlinge waren zu erschießen. Ein Zeuge erinnert sich an den Tag, als eine große Gruppe abgeholt wurde:

> »Unerwartet rief man alle, die in den offenen Zellen des Kremls lagen, zum Zählappell. Dort verlas man eine endlos lange Liste von Namen – mehrere hundert –, die auf Transport zu gehen hatten. Sie bekamen zwei Stunden, um sich fertig zu machen, und sollten sich dann wieder auf dem zentralen Platz einfinden. Eine furchtbare Verwirrung hob an. Einige rannten los, um ihre Sachen zu packen, andere, um sich von Freunden zu verabschieden. Nach zwei Stunden standen die meisten der Aufgerufenen an ihrem Platz ... Kolonnen von Häftlingen mit Koffern und Rucksäcken marschierten aus dem Lager ...«[26]

Einige hatten offenbar Messer bei sich, die sie später benutzten, um diejenigen anzugreifen und schwer zu verletzen, die sie beim Dorf Sandormoch in Nordkarelien zu erschießen versuchten. Nach diesem Zwischenfall zwang das NKWD die Gefangenen, sich bis auf die Unterwäsche auszuziehen, bevor sie exekutiert wurden. Der NKWD-Mann, der die Operation befehligte, wurde laut Archivdokumenten mit einem »Wertgegenstand« für seine Tapferkeit ausgezeichnet. Einige Monate später erschoss man auch ihn.[27]

In Solowezki scheint man die Häftlinge für die Erschießungen willkürlich ausgewählt zu haben. Einige Lagerleitungen nutzten jedoch die Gelegenheit, besonders schwierige Gefangene loszuwerden. Das war mit Sicherheit in Workuta der Fall, wo ein großer Teil der Todgeweihten ehemalige Trotzkisten waren, die im Lager Streiks und Revolten organisiert hatten. Ein Augenzeuge berichtet, dass die Lagerleitung von Workuta zu Beginn des Winters 1937/38 etwa 1200 Gefangene, zumeist die Trotzkisten und andere Politische sowie einige wenige Kriminelle, in einer verlassenen Ziegelei und einer Reihe völlig überfüllter Zelte zusammenpferchte. Die Häftlinge erhielten kein warmes Essen: »Als Tagesration gab es ganze 400 Gramm halb vertrocknetes Brot.«[28] Hier blieben sie, bis Ende März eine Gruppe NKWD-Offiziere aus Moskau eintraf. Diese bildeten eine »Sonderkommission« und riefen die Gefangenen in Gruppen zu je vierzig auf. Man erklärte ihnen, sie gingen auf Transport. Jeder erhielt einen Kanten Brot. Die Häftlinge in den Zelten hörten, wie sie abmarschierten »und dann Schüsse ertönten«.

In den Zelten brach die Hölle los. Ein Bauer, der wegen »Spekulation« einsaß – er hatte ein Ferkel, das ihm gehörte, auf dem Markt verkauft –, lag mit aufgerissenen Augen wie gelähmt auf seiner Pritsche. »Was habe ich mit euch Politischen zu tun?«, stöhnte er immer wieder. »Ihr habt um Stellung und Macht gekämpft, aber ich wollte doch nur leben.« Einer beging Selbstmord, berichtet der Augenzeuge. Zwei verloren den Verstand. Als schließlich nur noch hundert Häftlinge übrig waren, wurde das Schießen so plötzlich und ohne jede Erklärung beendet, wie es angefangen hatte. Die NKWD-Bosse kehrten nach Moskau zurück. Die Überlebenden wurden zurück zum Bergwerk gebracht. Im ganzen Lager hatte man etwa zweitausend Gefangene getötet.

Nicht immer schickten Stalin und Jeschow für derartige Aufträge Leute aus Moskau. Um das Verfahren landesweit zu beschleunigen, organisierte das NKWD »Troikas« – Dreiergruppen –, die inner- und außerhalb der Lager operierten. Die Troikas bestanden in der Regel aus dem regionalen NKWD-Chef, dem Parteisekretär des

»Vernichtet die Spione und Diversanten, die trotzkistisch-bucharinschen Agenten des Faschismus!«, steht auf diesem NKWD-Plakat von 1937.

Gebiets und einem Vertreter der örtlichen Staatsanwaltschaft. Gemeinsam hatten sie das Recht, einen Häftling auch in Abwesenheit zu verurteilen – ganz ohne Richter, Geschworene, Anwälte und Prozess.[29]

Die Hysterie war nicht von Dauer. Im November 1938 wurden die Massenerschießungen in den Lagern und im ganzen Land abrupt eingestellt. Vielleicht war die Säuberung selbst für Stalins Geschmack zu weit gegangen. Vielleicht hatte er einfach erreicht, was er wollte. Möglicherweise war aber auch der Schaden für die nach wie vor schwache Wirtschaft zu groß. Was auch immer der Grund gewesen sein mag: Stalin erklärte jedenfalls auf dem 18. Parteitag der KPdSU im März 1939, die Säuberungen seien mit »mehr Fehlern, als man erwarten konnte«, verbunden worden.[30]

Niemand entschuldigte sich oder bereute, und fast niemand wurde je bestraft. Nur Monate zuvor hatte Stalin in einem Rundschreiben alle NKWD-Chefs dafür gelobt, dass sie einen »vernichtenden Schlag gegen die subversiven Agenten ausländischer Geheimdienste geführt« und »das Land von subversiven, aufrührerischen Elementen und Spionen gereinigt« hätten. Erst danach hatte er auf einige »Mängel« bei der Ausführung der Operation hingewiesen, zum Beispiel »vereinfachte Ermittlungsverfahren« oder das Fehlen von Zeugen und Beweisen.[31]

Tatsächlich waren die Säuberungen des NKWD noch nicht ganz vorüber. In Nikolai Jeschow fand Stalin den angeblich Schuldigen für all die genannten »Fehler«, löste ihn im November 1938 ab und ließ ihn zum Tode verurteilen. Jeschows Hinrichtung fand 1940 statt, nachdem auch er wie schon Jagoda vor ihm um sein Leben gefleht hatte: »Sagt Stalin, dass ich mit seinem Namen auf den Lippen sterben werde.«[32]

Die Produktivität des Lagersystems ging immer weiter zurück. In Uchtpetschlag führten die Massenerschießungen, die große Zahl schwacher und kranker Häftlinge und der Verlust an Fachpersonal dazu, dass die Produktion 1937 gegenüber dem Vorjahr jäh abstürzte. Im Juli 1938 wurde eine Sonderkommission eingesetzt, um das massive Defizit von Uchtpetschlag zu erörtern.[33] Auch die Ausbeute der Goldminen an der Kolyma nahm ab. Obwohl die Lager dort durch eine große Zahl neuer Häftlinge »aufgefrischt« wurden, stieg der Ertrag der Schächte nicht mehr auf das Niveau, das man schon einmal erreicht hatte.[34]

Inzwischen betonte selbst der Kommandeur von Belbaltlag, der sich seiner erfolgreichen Säuberung der Lagerverwaltungen von Politischen gerühmt hatte, den »dringenden Bedarf an Verwaltungskräften und Technikern«. Die Kampagne habe sicher das technische Personal politisch »gesünder« gemacht, schrieb er vorsichtig, aber zugleich hätten die »Mängel zugenommen«. Im Lager Nr. 14 saßen zum Beispiel 12 500 Häftlinge, von denen nur 657 nicht aus politischen Gründen verurteilt waren. Diese aber hatten zumeist schwere Straftaten begangen, was sie als Fachleute und Verwaltungsangestellte ebenfalls untauglich machte. 184 von ihnen waren Analphabeten, so dass ganze siebzig übrig blieben, die man als Schreiber oder Ingenieure einsetzen konnte.[35]

Der Umsatz aller Einrichtungen des NKWD fiel im Jahr 1937 nach offiziellen Angaben von 3,5 Milliarden Rubeln im Jahr 1936 auf 2 Milliarden. Der Wert der industriellen Bruttoproduktion sank von 1,1 Milliarden auf 945 Millionen Rubel.[36]

Die niedrige Rentabilität und verbreitete Desorganisation in den meisten Lagern, die wachsende Zahl kranker und sterbender Häftlinge konnten in Moskau nicht unbemerkt bleiben. Die Parteiorganisation der Gulag-Zentrale erörterte diese Fragen wiederholt mit erstaunlicher Offenheit. Ein Bürokrat prangerte beispielsweise im April 1938 »Chaos und Unordnung« in den Lagern des Komi-Gebiets an. Den Kommandanten der Lager um Norilsk warf er vor, eine »fürchterlich desorganisiert[e]« Nickelhütte gebaut und dabei viel Geld verschwendet zu haben.

Bis April 1939 wurden die Klagen immer gravierender. Aus den Lagern im Norden wurde eine »äußerst kritisch[e]« Verpflegungssituation gemeldet. Dadurch sei »die Arbeitskraft ernsthaft gefährdet und eine weit verbreitete Arbeitsunfähigkeit, hohe Sterblichkeit, Krankheit und so weiter verursacht« worden.[37] In jenem Jahr gestand der Rat der Volkskommissare, die sowjetische Regierung, ein, dass bis zu sechzig Prozent der Lagerhäftlinge an Pellagra oder anderen Mangelkrankheiten litten.[38]

Natürlich konnte für all diese Probleme nicht allein der Große Terror verantwortlich gemacht werden. Wie bereits erwähnt, waren selbst Frenkels Holzfällerlager, die Stalin so bewunderte, niemals wirklich rentabel.[39] Häftlinge arbeiten unter allen Umständen unproduktiver als freie Menschen. Von dieser Erkenntnis war man damals jedoch weit entfernt. Nach Jeschows Absetzung im November 1938 ging Lawrenti Beria, sein Nachfolger als Chef des NKWD, sofort daran, das Lagerregime zu verändern, neue Bestimmungen zu erlassen und die Verfahren zu straffen. All das diente nur einem einzigen Zweck: die Lager wieder dorthin zu führen, wo Stalin sie haben wollte – ins Zentrum der sowjetischen Wirtschaft.

Um eines klarzustellen: Beria ließ weder damals noch später ungerecht verurteilte Gefangene in großer Zahl frei (allerdings entließ das NKWD einige wenige aus Gefängnissen). Die Lager hatten auch unter seiner Ägide kein humaneres Gesicht. »Feinden« alles Menschliche zu nehmen, blieb ein Grundsatz des Wachpersonals und der Lagerführungen bis zu Stalins Tod. Beria veränderte lediglich einen Aspekt: Er befahl den Kommandanten, mehr Häftlinge am Leben zu erhalten und sie besser auszubeuten.

Zwar wurde das nie offiziell ausgesprochen, aber in der Praxis wurde das Verbot wieder aufgehoben, politische Gefangene mit wissenschaftlichen oder technischen Kenntnissen ihrer Qualifikation entsprechend einzusetzen. Beria konnte damit das Dilemma nicht lösen, aber da er das NKWD um jeden Preis wieder zu einem produktiven Teil der sowjetischen Wirtschaft machen wollte, konnte er nicht zulassen, dass die besten Wissenschaftler und Ingenieure des Gulags sich *allesamt* im Hohen Norden die Gliedmaßen abfroren. Im September 1938 begann er besondere Werkstätten und Laboratorien für gefangene Wissenschaftler einzurichten, die die Häftlinge *Scharaschki* nannten [Rotwelsch für einen Ort, wo Pfuscharbeit geleistet wird]. Solschenizyn, der selbst in einer *Scharaschka* eingesetzt war, beschreibt ein solches »geheimes Forschungsinstitut ..., das aus Sicherheitsgründen mit einer Nummer versehen war«, in seinem Roman *Im ersten Kreis:*

> »Aus Lagern hatte man fünfzehn Gefangene in das alte, bei Moskau gelegene, herrschaftliche Gutsgebäude gebracht, das dafür extra mit Stacheldraht umzäunt worden war ... Damals wußte die Scharaschka noch nicht, was sie wissenschaftlich erforschen sollte. Man war mit dem Auspacken vieler Kisten beschäftigt, die von zwei Güterzügen gebracht worden waren. Sie versorgte sich mit bequemen Stühlen und Tischen; sie sortierte veraltete und als Bruch angekommene Apparaturen für Telefone, Ultrakurzwellen und Akustik aus.«[40]

Anfangs hießen die Scharaschki »Sonderkonstruktionsbüros«. Später wurden sie als »Vierte Sonderabteilung« des NKWD zusammengefasst. Zeitweilig waren bis zu tausend Wissenschaftler dort tätig. In manchen Fällen machte Beria persönlich begabte Forscher ausfindig und ließ sie nach Moskau bringen. Beim NKWD wurden sie gebadet, erhielten einen Haarschnitt, wurden rasiert, durften sich längere Zeit erholen und wurden dann in einem geschlossenen Laboratorium eingesetzt. Unter Berias bedeutendsten »Funden« war der Flugzeugbauer Tupolew, der mit einem Kanten Brot und einigen Stückchen Zucker in seinem Beutel in der Scharaschka eintraf. Er wollte sie nicht hergeben, auch als man ihm erklärte, hier werde er wesentlich besser verpflegt.

Tupolew forderte über Beria eine ganze Reihe weiterer Spezialisten an, darunter Valentin Gluschko, den führenden sowjetischen Entwickler von Raketenantrieben, und Sergej Koroljow, der später zum Vater des *Sputnik*, des ersten Erdsatelliten, und schließlich des ganzen sowjetischen Weltraumprogramms werden sollte. Nach siebzehn Monaten in Kolyma kehrte Koroljow in die Lubjanka zurück – nach Aussage eines Mitgefangenen »verhungert und erschöpft«. Außerdem hatte er viele Zähne durch Skorbut verloren.[41] Nichtsdestoweniger listete Beria in einem Bericht vom August 1944 zwanzig wichtige Erfindungen der Militärtechnologie auf, die in seinen Scharaschki entstanden waren. Er beschrieb ausführlich die Rolle, die sie in der Verteidigungsindustrie des Zweiten Weltkrieges spielten.[42]

In gewisser Hinsicht sollte Berias Regime sich auch auf die Lage der gewöhnlichen *Seks* positiv auswirken. Zumindest verbesserte sich das Essen ein wenig. Beria forderte, die Verpflegungsrationen wieder zu erhöhen, damit die »körperlichen Möglichkeiten der Arbeitskräfte in allen industriellen Bereichen maximal genutzt werden können«.[43] Gleichwohl ging der Abstieg der Häftlinge von menschlichen Wesen zu reinen Arbeitskräften weiter. Nach wie vor konnten sie zum Tod im Lager verurteilt werden, wenn auch nicht mehr allein wegen »konterrevolutionärer« Einstellung. Wer die Arbeit verweigerte oder absichtlich durcheinanderbrachte, wurde einem strengeren Regime unterworfen, mit »Strafzelle, schlechterer Verpflegung und anderen Disziplinarmaßnahmen« bestraft. »Drückeberger« konnten zum zweiten Mal verurteilt werden, und das bis zur Todesstrafe.[44] Im Oktober 1939 wurden beispielsweise drei weibliche Häftlinge, offenbar orthodoxe Nonnen, angeklagt, die Arbeit verweigert und im Lager konterrevolutionäre Hymnen gesungen zu haben. Zwei wurden erschossen, die dritte erhielt eine Verlängerung ihrer Freiheitsstrafe.[45]

Die Jahre des Großen Terrors hinterließen auch in anderer Beziehung Spuren: Nie wieder würde der Gulag Häftlinge so behandeln, als könnten sie ihre Strafe tatsächlich abbüßen. Das System vorzeitiger Entlassung bei guter Führung wurde abgeschafft. Stalin setzte selbst dem in seiner einzigen öffentlichen Äußerung zum Lagerregime mit der Begründung ein Ende, dass andernfalls die wirtschaftliche Tätigkeit der Lager beeinträchtigt werde. Von einer Präsidiumssitzung des Obersten Sowjets im Jahr 1938 ist eine Frage überliefert: »Kann man sie nicht in anderer Form für ihre Arbeit auszeichnen – vielleicht mit Medaillen? Wir handeln falsch, wir behindern die Arbeit der Lager.«[46] Ein entsprechendes Dekret wurde im Juni 1939 erlassen. Wenige Monate später erklärte ein weiteres Dekret auch die »bedingte vorzeitige Entlassung« bei Invalidität für verboten. Prompt stieg der Krankenstand.[47]

Einige dieser Initiativen widersprachen dem geltenden Recht und stießen auf Widerstand. Sowohl der Generalstaatsanwalt der UdSSR, Wyschinski, als auch der Volkskommissar für Justiz, Rytschkow, wandten sich gegen die Abschaffung der Haftverkürzung und auch gegen die Todesstrafe für »Desorganisation des Lagerlebens«. Aber Beria wurde – wie bereits Jagoda vor ihm – von Stalin unterstützt und setzte sich daher durch. Am 1. Januar 1940 erhielt das NKWD sogar die Erlaubnis, 130 000 Gefangene rechtmäßig zurückzunehmen, die es an andere Ministerien »ausgeliehen« hatte. Beria war entschlossen, den Gulag wieder rentabel zu machen.[48]

Berias Neuerungen zeigten überraschend schnell Wirkung. In den letzten Monaten vor dem Ausbruch des Zweiten Weltkriegs machte das NKWD wirtschaftlich wieder Fortschritte. 1939 verzeichneten seine Wirtschaftsunternehmen 4,2 Milliarden Rubel Umsatz, 1940 waren es 4,5 Milliarden. In den Kriegsjahren, als sich die Lager mit neuen Gefangenen füllten, sollten diese Kennziffern noch rascher anwachsen.[49] Laut offizieller Statistik halbierte sich gleichzeitig die Todesrate in den Lagern von fünf Prozent 1938 auf drei Prozent 1939, obwohl die Zahl der Gefangenen rapide zunahm.[50]

Inzwischen gab es außerdem wesentlich mehr Lager, und sie waren weitaus größer als am Anfang des Jahrzehnts. Die Zahl der Häftlinge hatte sich vom 1. Januar 1935 bis zum 1. Januar 1938 von 950 000 auf 1,8 Millionen verdoppelt. Eine weitere Million Menschen wurde in dieser Zeit in die Verbannung geschickt.[51] Lager, die einst nur aus einigen Hütten und etwas Stacheldraht bestanden hatten, waren inzwischen zu wahrhaften Industriegiganten angewachsen. In Sewwostlag, dem Hauptlager von Dalstroi, hielten sich 1940 fast 200 000 Gefangene auf.[52] Workutlag, der Lagerkomplex, der sich aus dem Bergwerk Nr. 1 von Uchtpetschlag entwickelt hatte, zählte 1938 rund 15 000 Häftlinge. 1951 sollten es über 70 000 sein.

Neue Standorte wurden erschlossen. Das schlimmste Lager der neuen Generation war sicher Norillag, meist Norilsk genannt. Wie Workuta und die Kolyma nördlich des Polarkreises gelegen, saß Norilsk auf einem riesigen Nickelvorkommen, vielleicht dem größten der Welt. Die Gefangenen förderten hier nicht nur das Nickelerz, sondern bauten neben den Gruben auch eine Nickelhütte und die nötigen Kraftwerke. Dann errichteten sie die Stadt Norilsk, wo die NKWD-Angehörigen wohnten, die die Bergwerke und Fabriken leiteten. Wie seine Vorgänger wuchs auch Norilsk sehr schnell. 1935 schufteten dort 1200 Gefangene. 1940 waren es schon 19 500. Seine größte Ausdehnung erreichte es im Jahr 1952 mit 68 849 Häftlingen.[53]

Lager wurden so häufig eröffnet, geschlossen und mit anderen zusammengelegt, dass es schwer fällt, für bestimmte Jahre exakte Zahlen anzugeben. Einige waren klein und bedienten einen einzelnen Industriebetrieb oder ein Bauvorhaben. Andere bestanden nur zeitweilig, etwa für den Bau einer Eisenbahnlinie, und wurden nach der Fertigstellung des Objekts wieder aufgelöst. Um mit den riesigen Zahlen und den komplizierten Problemen fertig zu werden, schuf die Gulagleitung Unterabteilungen: eine Hauptverwaltung Industrielager, eine Hauptverwaltung Straßenbau, eine Hauptverwaltung Forstwirtschaft et cetera.

Man kann durchaus sagen, dass die sowjetischen Lager am Ende des Jahrzehnts ihre dauerhafte Form gefunden hatten. Es gab sie inzwischen in fast allen Regionen des Landes, in allen zwölf Zeitzonen und in den meisten Unionsrepubliken. Vor allem aber hatten sie eine bedeutende Entwicklung genommen. Aus einem Sammelsurium ganz unterschiedlicher Produktionsstätten war ein voll ausgebildeter »Lager-Industrie-Komplex« mit eigenen Regeln und Verfahren, eigenem Vertriebssystem und eigener Hierarchie geworden.[54] Eine riesige Bürokratie, die ebenfalls Eigenheiten ausgeprägt hatte, leitete das gewaltige Imperium von Moskau aus. Ununterbrochen gingen Weisungen an die Lager im ganzen Land hinaus, die alles – von der großen Politik bis zum kleinsten Detail – regelten. Zwar hielt man sich vor Ort nicht immer an den Buchstaben des Gesetzes (oder konnte es nicht tun), aber die Zeit der spontanen Entschlüsse, die die Frühzeit des Gulags gekennzeichnet hatten, kam niemals wieder.

Das Schicksal der Häftlinge folgte in seinem Auf und Ab der politischen und wirtschaftlichen Entwicklung der Sowjetunion, vor allem aber dem Verlauf des Zweiten Weltkrieges. Die Zeit der Prozesse und Experimente war allerdings vorbei. Das System hatte sich etabliert. Das Verfahren, das die Häftlinge den »Fleischwolf« nannten – Verhaftung, Verhör, Transport, Verpflegung und Arbeit –, stand Anfang der vierziger Jahre wie in Stein gemeißelt. Bis zu Stalins Tod sollte sich daran nur wenig ändern.

ZWEITER TEIL

# Leben und Arbeit in den Lagern

Wenn wir von einer neuen Verhaftung hörten, fragten wir nie: »Wofür ist er verhaftet worden?« Aber wir waren die Ausnahme. Die meisten Menschen, fast wahnsinnig vor Angst, stellten diese Frage, um sich selbst ein wenig Hoffnung zu machen: Wenn es bei anderen einen Grund gab, dann konnte ihnen nichts passieren, denn sie hatten ja nichts getan.
»Wofür?«, schrie Anna Achmatowa empört auf, wenn tatsächlich jemand aus unserem Kreis sich von der drückenden Atmosphäre anstecken ließ und diese Frage stellte.
»Was soll das heißen – wofür? Begreift doch endlich, dass hier Menschen verhaftet werden – für nichts!«

NADESCHDA MANDELSTAM,
*Hope Against Hope*[1]

# Verhaftung

Anna Achmatowa, die Dichterin, die hier von der Witwe eines Dichters zitiert wird, hatte Recht und Unrecht zugleich. Seit das Repressionssystem Mitte der zwanziger Jahre aufgebaut war, holten die Sowjetbehörden Menschen nicht mehr ohne jeden Grund und ohne jede Erklärung von der Straße und warfen sie ins Gefängnis. Es gab Verhaftungen, Verhöre, Prozesse und Urteile. Andererseits waren die »Verbrechen«, für die man die Menschen verhaftete, verhörte und aburteilte, unsinnig, die Verfahren absurd, zum Teil geradezu surreal.

Im Rückblick ist dies eines der einzigartigen Aspekte des sowjetischen Lagersystems: Seine Insassen wurden zum größten Teil von der Justiz dort eingeliefert. Die Mehrheit war verhört worden (wie flüchtig auch immer), hatte ihren Prozess gehabt (wie farcehaft auch immer) und war schuldig gesprochen worden (was in vielen Fällen kaum eine Minute in Anspruch nahm). Zweifellos war die Überzeugung, im Rahmen des Rechts zu handeln, eines der Motive für jene, die in den Sicherheitsorganen tätig waren, ebenso wie für das Wach- und Verwaltungspersonal, das später das Leben der Gefangenen in den Lagern bestimmte.

Aber ich wiederhole: Die Tatsache, dass das Repressionssystem legal war, bedeutet nicht, dass es auch logisch war. Im Gegenteil, 1947 war es nicht leichter als 1917 vorauszusagen, wen die Verhaftung treffen würde. Ahnen konnte man es allerdings schon. Besonders während der großen Terrorwellen wurden die Opfer zumeist ausgewählt, weil sie einer Bevölkerungsgruppe angehörten, die gerade unter Verdacht stand.

Einige dieser Gruppen waren klar abgegrenzt – Ingenieure und Techniker Ende der zwanziger Jahre, Kulaken 1931 oder Polen und Balten in den im Zweiten Weltkrieg besetzten Gebieten –, andere blieben äußerst vage. So wurden beispielsweise während der ganzen dreißiger und vierziger Jahre »Ausländer« misstrauisch beäugt. Damit meine ich Bürger anderer Staaten oder Menschen, die in einer wirklichen oder auch nur angenommenen Beziehung zu einem anderen Land standen. Was immer sie taten, man hatte sie im Visier, insbesondere solche, die in irgendeiner Hinsicht auffielen. Robert Robinson, einer der wenigen schwarzen amerikanischen Kommunisten, die in den dreißiger Jahren nach Moskau gingen, schrieb später: »Jeder Schwarze aus meiner Bekanntschaft, der Anfang der dreißiger Jahre Sowjetbürger wurde, verschwand binnen sieben Jahren aus Moskau.«[2]

Häufig wurden Kommunisten aus dem Ausland zur Zielscheibe der Verdächtigungen. Im Februar 1937 erklärte Stalin Georgi Dimitroff, dem Generalsekretär der Kommunistischen Internationale, der Organisation, die die Weltrevolution schüren sollte, drohend: »Ihr alle dort in der Komintern arbeitet dem Feind in die Hände.« Von den 394 Mitgliedern, die im Januar 1936 dem Exekutivkomitee der Kommunistischen Internationale (EKKI) angehörten, blieben im April 1938 noch 171 übrig. Die anderen waren entweder erschossen worden oder saßen im Lager – Deutsche, Österreicher, Jugoslawen, Italiener, Bulgaren, Finnen, Balten, Briten und Franzosen. Besonders hart traf es Juden. Am Ende hatte Stalin mehr Mitglieder des Politbüros der Kommunistischen Partei Deutschlands aus der Zeit von vor 1933 umgebracht als Hitler. Von den 68 führenden deutschen Kommunisten, die nach der nationalsozialistischen Machtergreifung in die Sowjetunion flüchteten, starben 41 – durch Hinrichtung oder im Lager.[3]

Man musste aber nicht unbedingt Mitglied einer ausländischen kommunistischen Partei sein, um in Verdacht zu geraten: Stalin nahm auch ausländische Mitläufer ins Visier, darunter als mit Sicherheit größte Gruppe die 25 000 »amerikanischen Finnen«. Diese Finnen von Nationalität waren entweder nach Amerika ausgewandert oder bereits dort geboren. Sie kamen während der Großen Depression in den USA Anfang der dreißiger Jahre in die Sowjetunion. Meist handelte es sich um Fabrikarbeiter, die in Amerika arbeitslos geworden waren. Sowjetische Werber zogen durch ihre Gemeinschaften und schwärmten ihnen von den wundervollen Lebensbedingungen und Arbeitsmöglichkeiten in der UdSSR vor. Sie folgten diesem Ruf und ließen sich in der Finnisch sprechenden Karelischen ASSR nieder. Den Behörden dort bereiteten sie von Anfang an Probleme. Schnell stellte sich heraus, dass Karelien den USA überhaupt nicht ähnlich war. Viele sagten das laut zu jedem, der es hören wollte, und versuchten dann, nach Amerika zurückzukommen. Stattdessen landeten sie Ende der dreißiger Jahre im Gulag.[4]

Nicht weniger verdächtig waren Sowjetbürger mit Verbindungen ins Ausland. Als erste gerieten die »Nationalitäten in der Diaspora« ins Visier: Polen, Deutsche und Karelo-Finnen, die Verwandte jenseits der sowjetischen Grenzen hatten, ebenso Balten, Griechen, Iraner, Koreaner, Afghanen, Chinesen und Rumänen, die überall in der UdSSR verstreut lebten. Den Akten des NKWD zufolge wurden von Juli 1937 bis November 1938 in »national« gefärbten Operationen 335 513 Personen abgeurteilt.[5]

Dabei musste man nicht einmal eine Fremdsprache sprechen, um in Verdacht zu geraten. Jeder, der irgendwann mit dem Ausland in Berührung gekommen war, konnte ein Spion sein, ob er nun Briefmarken sammelte, sich für Esperanto interessierte, einen Brieffreund oder Verwandte im Ausland hatte. Das NKWD verhaftete auch alle Sowjetbürger, die an der Ostchinesischen Eisenbahn gearbeitet hatten, einer Bahnlinie durch die Mandschurei, die aus der Zarenzeit stammte. Ihnen warf man Spionage für Japan vor. In den Lagern waren sie als die »Harbiner« bekannt, da viele in dieser Stadt in Nordostchina gelebt hatten.[6]

Allerdings bekam es nicht jeder Ausländer mit der Polizei zu tun. Und nicht jeder, dem man Verbindungen ins Ausland vorwarf, hatte diese tatsächlich. Es kam vor, dass hinter der Festnahme ganz andere Gründe standen.[7] Die Frage »Wofür?«, die Anna Achmatowa so heftig ablehnte, konnte also eine erstaunlich breite Palette vorgeschobener Gründe ans Licht bringen.

Nadeschda Mandelstams Ehemann, der Dichter Ossip Mandelstam, wurde zum Beispiel verhaftet, weil er Stalin in einem Epigramm angegriffen hatte:

»Und wir leben, doch die Füße, sie spüren keinen Grund,
Auf zehn Schritt nicht mehr hörbar, was er
Spricht, unser Mund,
Doch wenn's reicht für ein Wörtchen, ein kleines –
Jenen Bergmenschen im Kreml, ihn meint es …

Seine Finger wie Maden so fett und so grau,
Seine Worte wie Zentnergewichte genau.

Lacht sein Schnurrbart dann – wie Küchenschaben,
Und sein Stiefelschaft glänzt hocherhaben.

Um ihn her – seine Führer, die schmalhalsige Brut,
Mit den Diensten von Halbmenschen spielt er, mit Blut.«[8]

Für die Verhaftung von Tatjana Okunewskaja, eine der damals beliebtesten Filmschauspielerinnen des Landes, wurden offiziell andere Gründe angegeben, aber sie ist überzeugt, dass dies geschah, weil sie es ablehnte, mit Viktor Abakumow zu schlafen, dem sowjetischen Abwehrchef der Kriegszeit. Damit sie auch begriff, dass das der eigentliche Grund war, wurde ihr (wie sie behauptet) der Haftbefehl mit seiner Unterschrift vorgelegt.[9] Die vier Gebrüder Starostin, allesamt hervorragende Fußballspieler, wurden 1942 festgenommen. Nach ihrer festen Überzeugung mussten sie dafür büßen, dass ihre Mannschaft »Spartak« Lawrenti Berias Lieblingsteam »Dynamo« etwas zu klar besiegt hatte.[10]

Aber dieses Schicksal traf nicht nur Prominente. Ljudmila Chatschaturjan wurde verhaftet, weil sie einen Ausländer, einen jugoslawischen Soldaten, heiratete. Lew Rasgon erzählt die Geschichte eines Bauern, Serjogin, der auf die Nachricht, man habe Kirow umgebracht, antwortete: »Zum Kuckuck mit ihm.« Er hatte noch nie von Kirow gehört und glaubte, es sei von einer Schlägerei im Nachbardorf die Rede. Für diesen Irrtum bekam er zehn Jahre.[11] 1939 genügte es, einen Witz über Stalin zu erzählen oder auch nur dabei zuzuhören, zu spät zur Arbeit zu kommen, von einem verängstigten

Freund oder einem missgünstigen Nachbarn als »Mitverschwörer« in einem nicht existierenden »Komplott« denunziert zu werden, in einem Dorf vier Kühe zu besitzen, wo die meisten nur eine hatten, ein Paar Schuhe zu stehlen oder der Cousin von Stalins Frau zu sein, um, wenn die Umstände passten, ins Lager geschickt zu werden. Nach einem Gesetz aus dem Jahr 1940 waren die Verwandten einer Person zu verhaften, die versucht hatte, illegal die sowjetische Grenze zu überschreiten, gleichgültig, ob sie von dem Fluchtversuch wussten oder nicht.[12]

Wie die Gründe so variierten auch die Methoden der Verhaftung. Manche erhielten vorher mehrere Warnungen. Galina Serebrjakowa, die Verfasserin des Buches *Der junge Marx* und Ehefrau eines hohen Funktionärs, wurde Abend für Abend in die Lubjanka »vorgeladen«, wo man sie bis drei Uhr morgens warten ließ, verhörte und gegen fünf wieder nach Hause brachte. Das Gebäude, in dem sie wohnte, war von Spitzeln umstellt, und eine schwarze Limousine folgte ihr, wohin sie auch ging. Sie war so überzeugt von ihrer baldigen Verhaftung, dass sie ihrem Leben ein Ende setzen wollte. Monatelang ertrug sie diese Schikanen, bis man sie schließlich tatsächlich festnahm.[13]

Als die Massenverhaftungen einsetzten, wussten viele, dass sie bald an der Reihe waren, weil es all ihren Bekannten ebenso erging. Elinor Lipper, eine holländische Kommunistin, die in den dreißiger Jahren nach Moskau kam, wohnte 1937 im Hotel Lux, das ausländischen Revolutionären vorbehalten war: »Aus dem Hotel ... verschwanden allnächtlich ein paar Menschen. Am Morgen klebte ein großes, rotes Siegel außen an der Tür.«[14]

Andere waren bei ihrer Festnahme völlig ahnungslos. Der polnische Schriftsteller Aleksander Wat, der damals im besetzten Lwow lebte, erhielt mit einer ganzen Gruppe weiterer Autoren eine Einladung zu einer Party in einem Restaurant. Er fragte den Gastgeber, was der Anlass sei. »Du wirst schon sehen«, bekam er zur Antwort. Es gab ein großes Gelage, an dessen Ende er verhaftet wurde.[15]

Solschenizyn gibt die möglicherweise zweifelhafte Geschichte einer Frau wieder, die ihr Freund, ein Untersuchungsrichter, zunächst ins Bolschoi Theater ausführte, um sie von dort direkt in die

Lubjanka zu bringen.[16] Die ehemalige Gefangene Nina Gagen-Torn berichtet in ihren Memoiren von einer Frau, die verhaftet wurde, als sie auf dem Hof ihres Leningrader Wohnhauses die Wäsche von der Leine nahm. Sie trug nur einen Bademantel, und ihr Baby war allein in der Wohnung. Sie flehte, es holen zu dürfen, aber vergeblich.[17]

Offenbar gingen die Behörden bewusst sehr unterschiedlich vor. Manche Menschen wurden in den eigenen vier Wänden verhaftet, andere am Arbeitsplatz, einige auf offener Straße oder im Zug. In einem Bericht an Stalin vom 17. Juli 1947 erläuterte Viktor Abakumow, das Überraschungsmoment spiele immer eine Rolle, um die zu verhaftende Person daran zu hindern zu fliehen, Widerstand zu leisten oder andere konterrevolutionäre »Mitverschworene« zu warnen. In manchen Fällen, so hieß es dort, »wird unauffällig auf der Straße verhaftet«.[18]

Die typische Festnahme erfolgte jedoch in der Wohnung, und das zumeist in tiefer Nacht. Als die Massenverhaftungen rollten, war die Furcht vor dem Klopfen an der Tür um Mitternacht weit verbreitet. In einem sehr alten sowjetischen Witz heißt es, Iwan und seine Frau Mascha seien zu Tode erschrocken, als es nachts an ihrer Tür klopfte. Zu ihrer Erleichterung war es nur der Nachbar, der ihnen sagte, ihr Haus stehe in Flammen. Und eine sowjetische Spruchweisheit lautet: »Diebe, Prostituierte und das NKWD arbeiten meistens nachts.«[19]

Die Massenfestnahmen unter bestimmten Nationalitäten, wie sie beispielsweise in Ostpolen und den baltischen Staaten nach deren Besetzung durch die Rote Armee in den Jahren 1939 bis 1941 stattfanden, trugen noch willkürlicheren Charakter. Janusz Bardach, ein jüdischer Jugendlicher in der polnischen Stadt Wlodzimierz-Wolynski, wurde bei einer solchen Aktion gezwungen, als ziviler »Zeuge« zu agieren. Er musste eine Gruppe betrunkener NKWD-Schläger begleiten, die in der Nacht des 5. Dezember 1939 von Haus zu Haus zogen und Menschen mitnahmen, die entweder verhaftet oder deportiert werden sollten. Manchmal waren das wohlhabende Bürger mit guten Verbindungen, die auf einer Liste standen, manchmal fielen sie auch einfach über »Flüchtlinge« her, gewöhnlich Juden, die aus dem von den Nationalsozialisten besetzten Westpolen in den Ostteil des Landes geflohen waren, den nun die Sowjetunion besetzt hielt. Man nahm sie mit, ohne auch nur ihre Namen zu notieren. In einem Haus wehrten sich Flüchtlinge mit dem Argument, sie seien Mitglieder des Bundes, der jüdischen sozialistischen Bewegung. Als aber Gennadi, der Anführer der Gruppe, hörte, dass sie aus Lublin kämen, das von den Deutschen besetzt war, begann er zu brüllen:

> »›Ihr dreckigen Flüchtlinge! Nazi-Spione!‹ Die Kinder begannen zu weinen, was Gennadi noch mehr in Wut brachte. ›Stopft ihnen das Maul! Oder soll ich das machen?‹
> Die Mutter zog die Kinder an sich, aber sie hörten nicht auf zu weinen. Da packte Gennadi einen kleinen Jungen am Arm, riss ihn der Mutter weg und warf ihn zu Boden. ›Maul halten, habe ich gesagt!‹ Die Mutter schrie auf. Der Vater wollte dazwischengehen, schnappte aber nur hilflos nach Luft. Gennadi ergriff den Jungen, hob ihn hoch, blickte ihm starr ins Gesicht und schmetterte ihn dann mit voller Kraft gegen die Wand …«

Die Männer, die solche Operationen durchführten, gehörten meist zu den Begleitmannschaften, die die Deportierten zu bewachen hatten. Sie waren weit schlechter ausgebildet als die NKWD-Angehörigen, die »normale« Verhaftungen »normaler« Krimineller vornahmen. Gewalt mag nicht offiziell angeordnet worden sein, aber da hier Sowjetsoldaten »Kapitalisten im reichen Westen« festnahmen, wurden Alkohol, Ausschreitungen und selbst Vergewaltigungen offenbar geduldet, wie es auch später der Fall war, als die Rote Armee durch Polen und Deutschland zog.[20]

Bestimmte Verhaltensweisen gehen aber eindeutig auf Weisung von oben zurück. Bis November 1940 wurde den Soldaten befohlen, den Verhafteten nicht zu sagen, wohin es ging und wie lange sie festgehalten würden. In der Regel hieß es: »Wozu machen Sie sich Sorgen? Sie brauchen überhaupt nichts mitzunehmen. Es geht nur um ein kurzes Gespräch.« Manchmal wurde den zu Deportierenden auch gesagt, man bringe sie lediglich »zu ihrem eigenen Schutz« in eine andere Gegend weiter weg von der Grenze.[21] Man wollte die Betroffenen nicht erschrecken, damit sie sich nicht wehrten oder zu fliehen versuchten. Damit raubte man den Menschen aber die Möglichkeit, das Nötigste mitzunehmen, um in einem harten, ungewohnten Klima zu überleben.

Polnischen Bauern, die zum ersten Mal mit dem Sowjetregime in Kontakt kamen, konnte man sicher nachsehen, dass sie solche Lügen glaubten. Aber sie funktionierten auch bei Moskauer oder Leningrader Intellektuellen und Parteifunktionären, die fest von ihrer Unschuld überzeugt waren. Als Jewgenia Ginsburg, damals Parteifunktionärin in Kasan, verhaftet wurde, sagte man ihr, sie werde »vielleicht vierzig Minuten, vielleicht eine Stunde« fort sein. Sie verabschiedete sich nicht einmal von ihren Kindern.[22]

Sofja Alexandrowa, die frühere Frau des Tschekisten Gleb Boki, sollte nicht einmal einen Sommermantel mitnehmen, als das NKWD sie holte. »Der Abend ist warm, und wir sind spätestens in einer Stunde zurück«, hieß es. Ihr Schwiegersohn, der Schriftsteller Lew Rasgon, konnte diese merkwürdige Grausamkeit des Systems nicht begreifen: »Warum gestattete man einer nicht mehr jungen kränkelnden Frau bei der Inhaftierung nicht einmal, Wäsche und Toilettenutensilien mitzunehmen, die bei sich zu führen immer gestattet war seit den Zeiten der Pharaonen.«[23]

Die Frau des Schauspielers Georgi Schenow hatte die Geistesgegenwart, für ihren Mann einige Sachen zusammenzupacken. Als man ihr sagte, er komme bald wieder, gab sie zurück: »Wer in eure Hände fällt, kommt so bald nicht wieder.«[24] Sie war der Wahrheit sehr nahe. Wenn ein Verhafteter einmal hinter den schweren Eisentoren eines sowjetischen Gefängnisses verschwunden war, dauerte es meist viele Jahre, bis er seine Lieben wiedersah.

Waren die Verhaftungsmethoden in der Sowjetunion zeitweise völlig unberechenbar, so blieben die Rituale, die der Verhaftung folgten, seit den vierziger Jahren nahezu konstant. Hatte ein Verhafteter einmal das Gefängnistor passiert, war der weitere Ablauf programmiert. In der Regel wurde er zunächst registriert, fotografiert, wurden seine Fingerabdrücke genommen, bevor man ihm überhaupt sagte, weshalb er festgenommen sei und was mit ihm weiter geschehen werde. In den ersten Stunden, zuweilen auch Tagen kam er nur mit gewöhnlichen Wärtern in Berührung, die seinem Schicksal absolut gleichgültig gegenüberstanden, keine Ahnung hatten, welches Vergehen man ihm vorwarf, und auf alle Fragen nur mit einem stummen Achselzucken antworteten.

Viele ehemalige Häftlinge glauben, diese ersten Stunden seien dafür gedacht gewesen, sie zu schockieren und davon abzuhalten, auch nur einen klaren Gedanken zu fassen. Inna Schichejewa-Gaister, die man als »Tochter eines Volksfeindes« festnahm, notierte folgende Eindrücke von ihren ersten Stunden in der Lubjanka:

> »Hier in der Lubjanka bist du kein Mensch mehr. Du bist auch nicht von Menschen umgeben. Völlig mechanisch führen sie dich den Korridor entlang, fotografieren dich, entkleiden und durchsuchen dich. All das geschieht absolut unpersönlich. Du suchst nach einem menschlichen Blick – von einer menschlichen Stimme gar nicht zu reden –, nur einem Blick, aber du findest keinen. Du stehst völlig aufgelöst vor dem Fotografen, versuchst irgendwie deine Kleidung zu ordnen. Man zeigt dir mit dem Finger, wo du zu sitzen hast, und eine hohle Stimme sagt ›von vorn‹ und ›von der Seite‹. Sie sehen dich nicht als Menschen an! Du bist zur Sache geworden ...«[25]

Die Leibesvisitation war schlimmer. In seinem Roman *Im ersten Kreis* beschreibt Alexander Solschenizyn, wie Innokenti, ein sowjetischer Diplomat, verhaftet wird. Nur Stunden nach seinem Eintreffen in der Lubjanka kontrollierte ein Wärter jede Öffnung seines Körpers:

> »Wie beim Kauf eines Pferdes zog Innokenti mit unsauberen Händen zuerst die eine Backe und dann die andere zur Seite, darauf ein Augenlid und dann das andere herunter, um festzustellen, ob nicht unter der Zunge, in den Backentaschen oder in den Augen irgend etwas versteckt sei. Anschließend bog der Wächter mit hartem Griff den Kopf Innokentis so zurück, daß etwas Licht in die Nasenlöcher fiel, überprüfte beide Ohren, indem er die Muscheln hart anzog, befahl ihm, die Finger zu spreizen und, als er dort nichts finden

konnte, mit den Armen zu wedeln, um sicher zu sein, daß in den Achselhöhlen ebenfalls nichts verborgen sei. Dann befahl er mit derselben maschinell-unbeugsamen Stimme:
›Nehmen Sie Ihren Penis in die Hand! Ziehen Sie die Vorhaut zurück! Noch weiter! Das genügt. Heben Sie den Penis nach rechts oben, jetzt nach links oben! Gut. Lassen sie ihn runter! Drehen Sie sich um! Spreizen Sie die Beine! Breiter! Beugen Sie sich nach vorn zum Fußboden! Die Beine noch breiter! Ziehen Sie die Gesäßbacken auseinander! So! Gut. Jetzt hocken Sie sich nieder! Schnell! Noch einmal!‹
Wenn sich Innokenti früher eine Verhaftung ausgemalt hatte, stand ihm immer ein unbändiger geistiger Zweikampf vor Augen. Er war innerlich angespannt und bereit zu einer hochfliegenden Verteidigung seines Schicksals und seiner Überzeugungen. Nie hatte er sich aber vorgestellt, daß alles so einfach, so stumpf und so unabänderlich sein könnte. Den Leuten, die er hier in der Lubjanka traf, beschränkt und untergeordnet, waren seine Individualität sowie das Vergehen, das ihn ins Gefängnis gebracht hatte, völlig gleichgültig.«[26]

Solche Untersuchungen waren für Frauen eine besondere Tortur. Während der zwölf Monate, da die Schriftstellerin T. Miljutina im Zentralgefängnis Alexandrowski einsaß, wurde sie mehrfach untersucht. In ihren Memoiren beschreibt sie, wie die Frauen aus ihrer Zelle jeweils zu fünft in ein ungeheiztes Treppenhaus geführt wurden. Dort mussten sie sich völlig nackt ausziehen, ihre Kleidung auf den Boden legen und die Arme heben. Hände fuhren »in unsere Haare, in unsere Ohren, unter die Zunge und auch zwischen unsere Beine« – im Stehen und im Sitzen. Nach der ersten derartigen Prozedur »brachen viele in Tränen aus, andere bekamen hysterische Anfälle ...«[27]

Nach der Durchsuchung wurden manche Verhaftete isoliert. »Der zerstörerische Sinn der ersten Gefängnisstunden liegt darin«, fährt Solschenizyn fort, »den Eingelieferten so von allen anderen Häftlingen zu isolieren, dass keiner ihn aufmuntern kann und dass sich das System mit seinem weitverzweigten, vieltausendköpfigen Apparat in seiner vollen Schwere auf ihn legt«.[28]

»Ein Mann betritt zum ersten Mal eine Gefängniszelle«,
Zeichnung von Thomas Sgovio, angefertigt nach seiner Entlassung.

Es war durchaus üblich, dass man wie Alexander Dolgun, ein Angestellter der amerikanischen Botschaft, in den ersten Stunden in eine *Box* gesteckt wurde, eine Zelle, »1,20 × 3 m groß, in der nur eine Bank stand«. Dort konnte man mehrere Stunden, aber auch mehrere Tage festgehalten werden.[29] Ljubow Berschadskaja, eine Überlebende der Lager, die später in Workuta einen Häftlingsstreik mit organisierte, saß während der ganzen Zeit, da sie verhört wurde, in Einzelhaft – insgesamt neun Monate. Sie schreibt, dass sie sich am Ende nach dem Verhör sehnte, um wenigstens mit jemandem reden zu können.[30]

Für einen Neuankömmling konnte eine überfüllte Gefängniszelle aber ein noch schrecklicherer Ort sein. Olga Adamowa-Sljosbergs Beschreibung ihrer ersten Unterkunft in der Butyrka liest sich wie eine Szene von Hieronymus Bosch: »Die Zelle war riesig. Von der gewölbten Decke tropfte es. An den Wänden zogen sich niedrige, durchgehende Bretterpodeste entlang, auf denen sich Körper drängten. Dazwischen blieb nur ein schmaler Durchgang frei. An Leinen über den Köpfen trockneten zerschlissene Lumpen. Die Luft war zum Schneiden dick vom stinkenden Rauch billigen Tabaks und erfüllt von Gezänk, Schreien und Schluchzen.«[31]

Aino Kuusinen, finnischer Nationalität und Frau des bekannten Komintern-Funktionärs Otto Kuusinen, glaubte, man habe sie in der ersten Nacht absichtlich so untergebracht, dass sie die Befragung von Gefangenen mit anhören konnte:

> »... noch heute, nach fast dreißig Jahren, ist es mir kaum möglich, das in Worte zu fassen. Die Zelle war so beschaffen, daß alle Geräusche von außen zu mir hereindrangen. Wie ich später entdeckte, befand sich unterhalb meiner Zelle ein niedriges Gebäude, das euphemistisch die ›Verhörabteilung‹ genannt wurde. Es war die Folterkammer ... Kaum menschenähnliche gellende Schreie – begleitet vom unaufhörlichen Knallen von Peitschen ... Könnte ein gequältes Tier in höchster Not so grauenvoll brüllen wie diese Männer, die stundenlang Peitschenhieben, Drohungen und wilden Flüchen ausgesetzt waren?«[32]

Aber wo immer ein Verhafteter sich in der ersten Nacht auch wiederfand – in einem alten Zarengefängnis, einem Bahnhof, einer entweihten Kirche oder einem Kloster –, jeder musste sich zuerst der Aufgabe stellen, den Schock zu überwinden, sich auf die Regeln des Gefängnislebens einzulassen und die Verhöre zu überstehen. Wie rasch ihm das gelang, sollte darüber entscheiden, wie gut oder wie schlecht er das Verfahren bewältigte und wie er später im Lager zurechtkam.

Die »Ermittlungen«, die die sowjetische Geheimpolizei führte, waren einzigartig, wenn nicht wegen ihrer Methoden, dann wegen ihres Massencharakters. Zu manchen Zeiten wurden Hunderte Personen, die man überall in der Sowjetunion festgenommen hatte, willkürlich in einen »Fall« eingebunden. Typisch dafür ist ein Bericht der Gebietsbehörde Orenburg des NKWD »über die operationellen Maßnahmen zur Liquidierung der trotzkistischen und bucharinischen Geheimorganisationen sowie der anderen konterrevolutionären Gruppen in der Zeit vom 1. April bis zum 18. September 1937«. Danach hatte das Orenburger NKWD 420 Mitglieder einer »Trotzkisten«-Verschwörung und 120 »Rechtsabweichler«, dazu über zweitausend Mitglieder einer »rechtsgerichteten, militaristisch-japanischen Kosakenorganisation«, mehr als 1500 Offiziere und Beamte der Zarenzeit, die 1935 aus St. Petersburg verbannt worden waren, 250 Personen, die in einen Fall gegen »polnische Spione« verwickelt waren, 95 Personen, die bei der ostchinesischen Eisenbahn in Harbin gearbeitet hatten und als japanische Spione galten, 3290 ehemalige Kulaken und 1399 »kriminelle Elemente« festgenommen.

Damit hatte allein dieses Organ in kaum fünf Monaten über 7500 Personen verhaftet. Da blieb nicht viel Zeit für die sorgfältige Prüfung von Beweisen. Die spielten auch kaum eine Rolle, denn die Ermittlungen in all diesen Fällen von konterrevolutionärer Verschwörung waren von Moskau in Gang gesetzt worden. Das örtliche NKWD tat nur seine Pflicht, indem es die Quoten erfüllte, die ihm von oben vorgegeben wurden.[33]

Wegen der riesigen Zahl von Verhaftungen mussten Sonderverfahren eingeführt werden. Das bedeutete nicht immer besondere Grausamkeit. Im Gegenteil, angesichts der Masse von Häftlingen reduzierte das NKWD die Ermittlungen zuweilen auf ein Minimum. Der Angeklagte wurde kurz verhört und dann im Eilverfahren abgeurteilt. General Gorbatow erinnert sich, dass sein Prozess ganze »vier bis fünf Minuten« dauerte. Er bestand aus der Feststellung seiner Personalien und einer einzigen Frage: »Warum haben Sie in der Untersuchung Ihre Verbrechen nicht zugegeben?« Dann erhielt er fünfzehn Jahre Lagerhaft.[34]

Andere hatten überhaupt keinen Prozess. Sie wurden entweder von einer »Sonderkommission« oder von einer Troika aus drei Beamten anstelle eines Gerichts in Abwesenheit verurteilt. Wieder andere erlebten oberflächliche Ermittlungen, die so gut wie keine Beweise erbrachten. Da in Verdacht zu geraten bereits als Zeichen von Schuld galt, wurden Gefangene auch kaum entlassen, ohne zumindest einen Teil der Strafe abgesessen zu haben. So hatte Lew Finkelstein, ein russischer Jude, der Ende der vierziger Jahre verhaftet wurde, den Eindruck, dass er, obwohl niemand sich die Mühe machte, ihm eine einigermaßen plausible Schuld nachzuweisen, eine kurze Lagerhaft erhielt, um zu demonstrieren, dass die Organe, die die Verhaftungen vornahmen, sich niemals irrten.[35]

Wenn allerdings das NKWD – meist offenbar Stalin persönlich – stärker interessiert war, konnte die Haltung der Vernehmungsoffiziere gegenüber Opfern von Massenverhaftungen rasch von Gleichgültigkeit in Feindseligkeit umschlagen. Unter gewissen Umständen forderte das NKWD sogar, dass die Untersuchungsrichter massenhaft Beweise fabrizierten, so zum Beispiel 1937 bei den Ermittlungen in einem Fall, den Jeschow als das »größte und vielleicht bedeutendste Diversions- und Spionagenetz des polnischen Geheimdienstes in der UdSSR« bezeichnete.[36] Das Vorgehen gegen diesen angeblichen polnischen Spionage- und Sabotagering war eindeutig davon bestimmt, von den Opfern falsche Geständnisse zu erzwingen.

Die Aktion begann mit dem NKWD-Befehl Nr. 00485, ein Befehl, der späteren Massenverhaftungen als Muster diente. Der NKWD-Befehl listet genau auf, welche Personengruppen zu verhaften waren: alle verbliebenen polnischen Kriegsgefangenen aus dem Krieg gegen Polen 1920/21, alle polnischen Flüchtlinge und Emigranten in der Sowjetunion, jeder, der einmal einer polnischen politischen Partei angehört hatte, sowie jeder, der in den polnischsprachigen Regionen der Sowjetunion durch »antisowjetische Aktivitäten« aufgefallen war.[37] In der Praxis bedeutete dies, dass jede Person mit einem polnischen Hintergrund, die in der Sowjetunion lebte, unter Verdacht stand – und davon gab es viele in den Grenzgebieten der Ukraine und Belorusslands.

Die Verhaftungen waren aber nur der Anfang. Da man nicht jedem, der einen polnischen Namen trug, etwas anhängen konnte, drängte Befehl 00485 die regionalen NKWD-Chefs, »die Verhöre gleichzeitig mit den Verhaftungen durchzuführen. Das Hauptziel der Ermittlungen ist die vollständige Entlarvung der Organisatoren und führenden Köpfe der Diversionsgruppe und danach die Aufdeckung des ganzen Netzes ...«[38]

Wie in vielen anderen Fällen hieß das auch hier, dass man die Beweise, aus denen man den Fall konstruieren wollte, den Verhafteten selbst abpressen musste. Das System war recht einfach: Zunächst fragte man die Polen nach der Mitgliedschaft in dem Spionagering. Wenn sie angaben, nichts davon zu wissen, wurden sie geschlagen oder auf andere Weise gefoltert, bis ihnen das Nötige »einfiel«. Hatten sie einmal gestanden, forderte man von ihnen, »Mitverschwörer« zu nennen. Dann begann das Ganze von vorn, wodurch das »Spionagenetz« sich immer weiter ausbreitete.

Nach zwei Jahren hatten die »polnischen Ermittlungen« zur Festnahme von über 140 000 Personen geführt, was nach bestimmten Berechnungen etwa zehn Prozent all derer entsprach, die dem Großen Terror zum Opfer fielen. Die polnische Operation war wegen der erzwungenen falschen Geständnisse so berüchtigt, dass das NKWD 1939, während des kurzen Gegenschlags gegen die Massenverhaftungen, eine Untersuchung der dort vorgekommenen »Fehler« durchführte.

Geständnisse waren für die Vernehmungsoffiziere immer wichtig. Sie halfen ihnen, das eigene Vorgehen zu rechtfertigen. Der Wahnsinn der willkürlichen Massenverhaftungen erschien so weniger inhuman, erhielt einen Hauch von Legalität. Da das politische und wirtschaftliche System der Sowjetunion insgesamt auf Ergebnisse ausgerichtet war – der Plan musste realisiert, die Norm erfüllt werden –, galten Geständnisse als konkreter »Beweis« für erfolgreiche Vernehmungstaktik. Wie Robert Conquest schreibt, hatte sich der »Grundsatz, ein Geständnis sei das beste aller erreichbaren Ergebnisse ... durchgesetzt. Diejenigen, die Geständnisse erzielen konnten, galten als tüchtige Mitarbeiter, und ein schlechter NKWD-Beamter hatte nur eine geringe Lebenserwartung.«[39]

Aus welchen Gründen das NKWD auch immer auf das Geständnis fixiert gewesen sein mag, in der Praxis teilten sich die Vernehmungsoffiziere nicht in verbissene und gleichgültige. Meist begegneten sie ihren Opfern mit einer Mischung aus beidem. Einerseits forderte das NKWD, dass die Verdächtigen gestanden, sich selbst und andere belasteten, andererseits schien es an dem konkreten Ergebnis nicht sonderlich interessiert zu sein.

Dieses surrealistisch anmutende System herrschte bereits in den zwanziger Jahren, lange vor dem Großen Terror, und sollte diesen auch überdauern. So hatte der Offizier, der Wladimir Tschernjawin – einen im Jahr 1931 der »Schädlingstätigkeit« und Sabotage angeklagten Wissenschaftler – verhörte, diesem mit der Todesstrafe gedroht, wenn er nicht gestehe. Dann wieder versprach er ihm »leichtere« Lagerhaft, wenn er geständig sei. Schließlich flehte er Tschernjawin regelrecht an, ein falsches Geständnis abzulegen. »Auch wir Vernehmungsoffiziere müssen oft lügen; auch wir sagen Dinge, die wir nicht ins Protokoll aufnehmen und nie unterschreiben würden«, erklärte er ihm, um Verständnis bittend.[40]

Wenn das Ergebnis wichtiger war, wurde die Folter angewandt. Bis 1937 waren Schläge offenbar verboten. Ein ehemaliger Gulagmitarbeiter bestätigt, dass sie zumindest in der ersten Hälfte der dreißiger Jahre einen Verstoß gegen die Vorschriften bedeuteten.[41] Als der Druck jedoch wuchs, auch von führenden Persönlichkeiten der Partei Geständnisse zu erzwingen, kam die physische Folter in Gebrauch. Der Zeitraum ist offenbar zwischen 1937 und 1939 anzusetzen.

In dieser Zeit wurde sie so breit angewandt, aber auch so häufig in Frage gestellt, dass Stalin persönlich Anfang 1939 ein Schreiben an die NKWD-Chefs der Regionen sandte, in dem er bestätigte, dass »die Ausübung körperlichen Drucks [auf Gefangene] in der Praxis des NKWD durch das Zentralkomitee seit 1937 gestattet ist«. Das gelte

> »... nur gegenüber solchen offenen Feinden des Volkes, die humane Verhörmethoden ausnutzen, um sich schamlos zu weigern, Verschwörer zu nennen, die monatelang die Aussage verweigern und damit die Entlarvung der Verschwörer zu behindern trachten, die noch in Freiheit sind«.

Er halte das, führte er aus, für eine »absolut korrekte und humane Methode«, räumte allerdings ein, sie könnte gelegentlich auch gegenüber »zufällig verhafteten ehrlichen Menschen« angewandt worden sein. Dieses berüchtigte Schreiben zeigt, dass Stalin wusste, welche Methoden bei den Verhören angewandt wurden, und diese persönlich billigte.[42]

Zahllose Gefangene berichten aus dieser Zeit, dass sie geschlagen und getreten, ihre Gesichter verunstaltet und ihnen die Gliedmaßen gebrochen wurden. Jewgeni Gnedin berichtet, dass ihn zwei Männer von links und rechts abwechselnd auf den Kopf schlugen. Danach wurde er mit dem Gummiknüppel bearbeitet. Als Sohn von Revolutionären »behandelte« man ihn in Berias Büro im Suchanowka-Gefängnis in Anwesenheit des NKWD-Chefs.[43]

Einer der schlimmsten Berichte über körperliche Folter stammt aus der Feder des Theaterregisseurs Wsewolod Meyerhold, dessen offizieller Beschwerdebrief in seiner Akte gefunden wurde:

> »Die Ermittlungsbeamten setzten mir mit physischen Mitteln zu. Ich, ein kranker fünfundsechzigjähriger Mann, wurde geschlagen. Man legte mich mit dem Gesicht nach unten auf den Boden und hieb mir mit einem Gummiknüppel auf die Fersen und auf den Rücken. Dann setzte man mich auf einen Stuhl und schlug mir mit demselben Instrument sehr kräftig auf die Beine. In den folgenden Tagen, als diese Stellen durch umfangreiche innere Blutergüsse angeschwollen waren, schlug man mir von neuem mit dem Gummiknüppel auf diese roten, blauen und gelben Flecken. Der Schmerz war so stark, als hätte man kochendes Wasser über die empfindlichsten Stellen meiner Beine gegossen. Ich schrie und weinte in meiner Qual. Man prügelte weiterhin mit dem Knüppel auf meinen Rücken ein und schlug mir mit voller Wucht ins Gesicht …
> Ich wurde so sehr von nervösen Zuckungen geschüttelt, daß mich ein Wärter, der mich nach einem solchen Verhör in meine Zelle brachte, einmal fragte: ›Hast Du Malaria?‹ Als ich mich auf die Pritsche gelegt hatte und eingeschlafen war – nach einem achtzehnstündigen Verhör, das eine Stunde später fortgesetzt werden sollte –, wurde ich von meinem eigenen Stöhnen geweckt: Ich warf mich so heftig auf der Pritsche hin und her wie ein Kranker im Fieberdelirium.«[44]

Zwar wurde diese Art Folter 1939 verboten, aber das bedeutete nicht notwendigerweise, dass die Verhöre davon humaner wurden. In den zwanziger, dreißiger und vierziger Jahren wurden Hunderttausende Häftlinge zwar nicht geschlagen, aber psychisch gequält. Wer fest blieb und kein Geständnis ablegte, konnte zum Beispiel nach und nach auch die letzten Annehmlichkeiten verlieren – zuerst die Spaziergänge im Freien, dann Päckchen oder Bücher, schließlich auch das Essen. Aber man steckte sie in Strafzellen, die entweder sehr heiß oder sehr kalt waren.

Anderen wurden »Zeugen« gegenübergestellt. Jewgenia Ginsburg etwa musste sich anhören, wie ihre Kindheitsfreundin Nalja »fließend vor[trägt], als habe sie es auswendig gelernt«, dass sie, Jewgenia Ginsburg, Beziehungen zur trotzkistischen Untergrundorganisation gehabt habe.[45] Anderen drohte man mit Vergeltung an Familienmitgliedern. Nach langer Isolationshaft verlegte man sie in eine Zelle mit einem Informanten, dem sie nur zu gern ihr Herz ausschütteten. Frauen wurden vergewaltigt, oder man drohte ihnen damit. Eine polnische Gefangene berichtet:

> »Plötzlich fing mein Vernehmungsoffizier ohne jeden Grund an, mit mir zu flirten. Er stand von seinem Tisch auf und setze sich neben mich auf das Sofa. Ich erhob mich, um etwas Wasser zu trinken. Er folgte mir und stellte sich hinter mich. Ich wich ihm aus und kehrte auf das Sofa zurück. Wieder war er an meiner Seite. Ich stand noch einmal auf und nahm mir ein Glas Wasser. Dieses Hin und Her dauerte einige Stunden. Ich fühlte mich erniedrigt und hilflos …«[46]

Es gab andere Formen der körperlichen Folter, die nicht so grob waren wie brutale Schläge, aber seit den zwanziger Jahren ebenfalls regelmäßig angewandt wurden. Am häufigsten raubte man den Opfern den Schlaf. Dieses trügerisch einfache Verfahren, das keiner besonderen Genehmigung und keinem Verbot unterlag, hieß bei den Gefangenen das »Fließband«. Es konnte Tage oder Wochen dauern. Die Methode war simpel: Häftlinge wurden die ganze Nacht verhört und bei Tage am Schlafen gehindert. Die Wärter weckten sie immer wieder auf und drohten ihnen mit dem Karzer oder Schlimmerem, wenn sie nicht wach blieben. Einer der eindrucksvollsten Berichte über das »Fließband« und seine Wirkung stammt von dem amerikanischen Gulag-Häftling Alexander Dolgun. Im ersten Monat, den er im Lefortowo-Gefängnis verbrachte, raubte man ihm den Schlaf fast völlig, pro Tag blieb dafür vielleicht eine Stunde. »Wenn ich zurückdenke, scheint eine Stunde noch zu viel zu sein, in manchen Nächten kam ich nur auf wenige Minuten.« Die Folge war, dass sein Gehirn ihm Streiche zu spielen begann:

> »Es gab Zeiten, da wurde mir plötzlich bewusst, dass ich vergessen hatte, was vor wenigen Minuten geschehen war. Ein absoluter Blackout. Völliger Gedächtnisverlust …
> Später versuchte ich im Sitzen zu schlafen. Ich wollte sehen, ob ich meinen Körper dazu bringen konnte, sich aufrecht zu halten. Ich dachte, wenn das funktionierte, könnte ich der Entdeckung für einige Minuten entgehen. Der Wärter am Guckloch würde glauben, ich sei wach, wenn ich gerade dasaß.
> So stahl ich ein paar Minuten hier, eine halbe Stunde dort, manchmal auch etwas länger, wenn Sidorow vor sechs Uhr morgens Schluss machte und die Wärter mich bis zum Wecksignal in Ruhe ließen. Aber es war immer zu wenig. Ich spürte, wie meine Selbstdisziplin jeden Tag schwächer wurde. Ich begann zu fürchten, ich könnte den Verstand verlieren, was fast schlimmer, nein, bestimmt schlimmer war als sterben …«

Dolgun legte monatelang kein Geständnis ab. Dieser Stolz hielt ihn im Gefängnis aufrecht. Als er aber später aus seinem Lager in Dscheskasgan wieder nach Moskau geholt und erneut geschlagen wurde, unterschrieb er ein Geständnis und dachte dabei: »Was soll's. Sie haben mich doch sowieso. Ich hätte es längst tun sollen. Vielleicht wären mir dann all die Qualen erspart geblieben.«[47]

Warum auch nicht? Diese Frage stellten sich viele. Die Antworten waren allerdings sehr verschieden. Manche hielten durch – entweder aus Prinzip oder weil sie irrtümlich annahmen, sie würden dann nicht verurteilt. Davon zeugen viele Memoiren. »Ich würde lieber sterben, als mich selbst bezichtigen«, erklärte General Gorbatow seinem Vernehmungsoffizier, obwohl er gefoltert wurde. (Was er erdulden musste, schreibt er nicht.)

Am Ende war die Hauptwirkung der Verhöre, dass die Häftlinge sie psychisch gezeichnet verließen. Noch bevor sie auf Transport gingen und schließlich im ersten Lager ankamen, waren sie auf das neue Leben als Arbeitssklaven »vorbereitet«. Sie wussten nun, dass normale Menschenrechte für sie nicht galten, dass sie kein Recht auf einen fairen Prozess oder auch nur eine faire Anhörung hatten. Sie hatten erkannt, dass das NKWD allmächtig war und mit ihnen umspringen konnte, wie es wollte. Wenn sie ein fiktives Verbrechen zugegeben hatten, dann dachten sie noch schlechter von sich selbst. Aber auch wenn nicht, hatte man ihnen jede Hoffnung genommen, jeden Glauben daran, dass ihre Verhaftung ein Irrtum sei, der bald korrigiert werden könnte.

Eine Zigeunerin liest die Karten: ein weiter Weg,
Ein weiter Weg und ein Gefängnis.
Vielleicht das alte Zentralgefängnis
Erwartet mich jungen Mann schon wieder …

Altes russisches Gefangenenlied

# Gefängnis

Verhaftung und Verhör zermürbten die Gefangenen, zwangen sie zur Unterwerfung, verwirrten und desorientierten sie. Aber auch das sowjetische Gefängnissystem, in denen die Verhafteten vor, während und oft auch noch lange nach den Verhören bleiben mussten, übte starken Einfluss auf ihren geistigen und seelischen Zustand aus.

Die offizielle Haltung zu den Gefangenen spiegelte die wechselnden Prioritäten der Verantwortlichen wider. So gab Jagoda im August 1935, als die Verhaftung politischer Gegner gerade in Gang kam, einen Befehl aus, der klar besagte, dass das Wichtigste an einer Verhaftung das Geständnis war. Damit legte Jagoda nicht nur bestimmte »Privilegien« des Gefangenen, sondern dessen elementare Lebensbedingungen direkt in die Hand des NKWD-Offiziers, der in dem Fall ermittelte. Zeigte sich der Häftling kooperativ, was in der Regel ein Geständnis bedeutete, wurden ihm Briefe, Lebensmittelpäckchen, Zeitungen und Bücher, ein monatlicher Besuch von Verwandten und ein täglicher Spaziergang von einer Stunde gestattet. Wenn nicht, konnte man ihm das alles streichen, und das Essen noch dazu.[1]

Nachdem Beria – der gelobt hatte, den Gulag zu einem effizienten Wirtschaftsapparat zu machen – das Heft übernommen hatte, veränderten sich 1942 Moskaus Prioritäten. Die Lager waren jetzt ein wichtiger Faktor der Kriegsproduktion, und von den Kommandanten kamen Klagen über die vielen Häftlinge, die ganz und gar arbeitsunfähig bei ihnen eintrafen. Wenn man sie im Gefängnis hungern und im Dreck liegen ließ, wenn man ihnen jede körperliche Betätigung untersagte, dann konnten sie später bei der Kohleförderung oder beim Holzeinschlag nicht die geforderte Norm erzielen. Also erließ Beria im Mai 1942 neue Bestimmungen für die Zeit der Verhöre. Von den Gefängnisdirektoren wurde nun gefordert, für »elementare hygienische Bedingungen« zu sorgen und die Kontrolle der Vernehmungsoffiziere über das tägliche Leben der Gefangenen einzuschränken.

Nach diesem neuen Befehl musste Häftlingen nun ein täglicher Spaziergang von »mindestens einer Stunde« gewährt werden. Ausgenommen waren Anwärter auf die Todesstrafe, deren Gesundheitszustand für die Produktionsziffern des NKWD keine Rolle spielte. Die Gefängnisverwaltungen hatten auch dafür zu sorgen, dass es einen besonderen Hof für den Ausgang gab: »Kein einzelner Häftling darf in dieser Zeit in der Zelle bleiben ... Schwachen und Alten ist von Mithäftlingen zu helfen.« Das Aufsichtspersonal wurde angewiesen, darauf zu achten, dass die Insassen (außer denen, die unmittelbar verhört wurden) acht Stunden Schlaf hatten, dass an Durchfall Erkrankte Vitamine und besseres Essen bekamen, dass die Kübel, die als Toiletten dienten, repariert wurden, wenn sie ausliefen.

Trotz dieser sehr detaillierten Vorgaben blieben enorme Unterschiede zwischen den einzelnen Gefängnissen. Das hatte schon mit dem Standort zu tun. In der Regel waren Gefängnisse in der Provinz schmutziger, aber weniger streng als jene in Moskau, die zwar sauberer waren, dafür aber mörderischer. Doch selbst die drei Hauptgefängnisse der Hauptstadt hatten ihre Eigenheiten. In die berüchtigte Lubjanka, die noch heute einen großen Platz mitten in Moskau beherrscht und das Hauptquartier des FSB, der Nachfolgeorganisation des KGB, beherbergt, wurden die prominentesten politischen Häftlinge zum Verhör eingeliefert. Es hatte relativ wenig Zellen – in einem Dokument von 1956 ist von 118 die Rede, darunter 94 sehr kleine für ein bis vier Häftlinge.[2] Da dort einst eine Versicherungsgesellschaft gesessen hatte, gab es in einigen Zellen sogar Parkett, das die Insassen jeden Tag wischen mussten. A. M. Garassewa, eine Anarchistin, die später Solschenizyns Sekretärin wurde, saß 1926 in der Lubjanka ein. Sie erinnert sich, dass damals das Essen noch von Kellnerinnen in Uniform gebracht wurde.[3]

Im Unterschied dazu war Lefortowo, das ebenfalls für Verhöre diente, ein Militärgefängnis aus dem neunzehnten Jahrhundert. Die Zellen hier, die nie für eine große Zahl von Häftlingen gedacht waren, waren dunkler, schmutziger und beengter. Lefortowo ist geformt wie der Buchstabe K, und in seinem Zentrum, erinnert sich Dmitri Panin in seinen Memoiren, stand »ein Wärter mit einer Flagge und steuert den Strom der Häftlinge, die zum Verhör und zurück geführt werden«.[4] Ende der dreißiger Jahre war Lefortowo so überfüllt, dass das NKWD eine »Nebenstelle« im Suchanowski-Kloster außerhalb von Moskau eröffnete. Offiziell »Objekt 110« genannt, unter den Gefangenen aber nur als »Suchanowka« bekannt, stand diese bald in dem üblen Ruf, eine Folterhölle zu sein. Beria unterhielt dort ein Büro und wohnte manchen Folterungen persönlich bei.[5]

Das Butyrka-Gefängnis, das älteste von allen, stammt aus dem achtzehnten Jahrhundert. Ursprünglich als Palast gebaut, wurde es schon bald zum Gefängnis umfunktioniert. In die Butyrka kamen in der Regel Häftlinge, die das Verhör bereits hinter sich hatten und auf den Transport warteten. Die Butyrka war ebenfalls überfüllt und schmutzig, aber es ging etwas lockerer zu. Garassewa berichtet, dass die Wärter in der Lubjanka die Gefangenen zwangen, in einem engen Kreis zu gehen, während man »in der Butyrka beim Hofgang tun konnte, was man wollte«.[6]

Die Verhältnisse in den Haftanstalten unterlagen außerdem dem Wandel der Zeiten. Anfang der dreißiger Jahre wurden Häftlinge in großer Zahl zu monate-, ja sogar jahrelanger Einzelhaft verurteilt. Boris Tschetwerikow musste das sechzehn Monate lang erdulden. Er verlor nur deshalb nicht den Verstand, weil er sich ununterbrochen beschäftigte – er wusch seine Kleider, wischte Fußboden und Wände ab und sang dabei alle Opernarien und Lieder, die er kannte.[7] Jewgenia Ginsburg saß fast zwei Jahre lang im Isolationsgefängnis von Jaroslawl in Zentralrussland, einen großen Teil davon in absoluter Einzelhaft: »Noch heute sehe ich, wenn ich die Augen schließe, jede Erhebung, jeden Kratzer an diesen Wänden vor mir, die bis zur Hälfte blutrot gestrichen waren, in der bevorzugten Farbe aller Gefängnisse, und oben schmutzig weiß.[8]

Als in den vierziger Jahren wie am Fließband verhaftet wurde, konnten die Gefängnisse selbst Neuzugänge kaum auch nur für einige Stunden isolieren. Lew Finkelstein gelangte 1947 zunächst in den »Bahnhof« des Gefängnisses, »eine riesige Gemeinschaftszelle ohne jede Einrichtungen, in die jeder Verhaftete erst einmal geworfen wird. Von dort wird langsam aussortiert, man kommt ins Bad und dann in die eigentliche Zelle.«[9] Für viele wurde dabei eher die überfüllte Gemeinschaftszelle als die Einsamkeit der Isolierung zur prägenden Erinnerung. So saßen im Hauptgefängnis der Stadt Archangelsk, ausgelegt für 740 Häftlinge, 1941 zwischen 1661 und 2380 Menschen ein.[10]

An der Peripherie des Landes ging es noch schlimmer zu. So musste das Gefängnis von Stanislawow im neu besetzten Ostpolen 1940 sage und schreibe 1709 Häftlinge aufnehmen. Es war aber nur für 472 eingerichtet und besaß nur 150 Bettlaken.[11] Im Februar 1941 saßen 6353 Personen in der Tatarischen Autonomen Sowjetrepublik in Gefängnissen ein, die nicht mehr als 2710 Häftlinge verkraften konnten.[12] Die Situation war für die Gefangenen besonders hart, die gerade verhört wurden. Jede Nacht unterzog man sie quälenden Befragungen, und den Tag mussten sie in der überfüllten Gemeinschaftszelle verbringen. Ein Häftling beschreibt die Wirkung so:

> »Der Verfall der Persönlichkeit fand vor aller Augen statt. Man konnte sich nirgendwohin zurückziehen; selbst seine Notdurft musste man auf der offenen Toilette verrichten, die mitten im Raum stand. Wer weinen wollte, musste das vor allen tun, und die Scham darüber steigerte noch die Qual. Wer sich umbringen wollte, indem er sich nachts unter der Decke die Venen aufbiss, wurde von irgendeinem, der gerade nicht schlafen konnte, bald entdeckt und daran gehindert, sein Werk zu vollenden.«[13]

In Anbetracht der Überfüllung taten die Gefängnisleitungen alles, um jede Andeutung von Solidarität unter den Gefangenen zu unterbinden. Jagoda verbot in einem Befehl von 1935 den Gefangenen, miteinander zu sprechen, sich etwas zuzurufen, zu singen, an die Zellenwände zu schreiben oder andere Zeichen oder Hinweise zu hinterlassen, am Zellenfenster zu stehen oder mit Häftlingen in anderen Zellen Kontakt aufzunehmen.[14] Erzwungenes Schweigen wird in Erinnerungen aus den dreißiger Jahren häufig erwähnt: »Keine sprach ein lautes Wort, viele verständigten sich durch Zeichen«, schrieb Margarete Buber-Neumann über das Gefängnis Butyrka, wo »manche Leiber« durch das fehlende Tageslicht »bläulich blaß« waren.[15]

In manchen Gefängnissen musste bis ins folgende Jahrzehnt absolutes Schweigen bewahrt werden, in anderen nicht. Ein ehemaliger Häftling berichtet zum Beispiel von »absoluter Stille« 1949 in der Lubjanka. Im Vergleich damit »wirkte die Zelle Nr. 106 in der Butyrka, wie wenn man von einem kleinen Geschäft plötzlich auf einen riesigen Basar gerät«.[16] Aus einem Gefängnis in der mittelrussischen Stadt Kasan wird berichtet: Wenn die Insassen auch nur miteinander flüsterten, »flog die Essenklappe in der Tür auf und jemand zischte: ›Schsch!‹«[17]

In dem erzwungenen Schweigen war selbst der Gang zum Verhör eine Nervenprobe. Alexander Dolgun erinnert sich, wie man ihn über die mit Teppich belegten Korridore der Lubjanka führte: »Ein Geräusch gab es nur, wenn der Wärter mit der Zunge schnalzte ... Alle diese Eisentüren, die sich auf den Gängen endlos wiederholten, waren im Grau von Kriegsschiffen gestrichen; die Stille, das düstere Licht, die grauen Türen und die Schatten verschmolzen miteinander – es war bedrückend und entmutigend.«[18]

Um die Gefangenen in einer Zelle daran zu hindern, die Namen der Insassen anderer Zellen zu erfahren, wurden sie zum Verhör oder zum Transport nicht beim Nachnamen, sondern nur bei dessen Anfangsbuchstaben aufgerufen. Wenn der Wärter beispielsweise »G« rief, mussten alle betroffenen Häftlinge aufstehen, ihren Vor- und Vatersnamen nennen.[19]

Die Ordnung wurde durch die strenge Reglementierung des Tagesablaufs aufrechterhalten. Sajara Wesjolaja, die Tochter eines berühmten russischen Schriftstellers und »Volksfeindes«, beschreibt in ihren Memoiren einen normalen Tag in der Lubjanka. Er begann mit dem Gang zur Toilette:

»›Fertig machen zur Toilette!‹, rief die Wärterin, und die Frauen stellten sich schweigend paarweise an. Dort gab man ihnen zehn Minuten – nicht nur, um ihre Notdurft zu verrichten, sondern auch, um sich und ein paar Kleidungsstücke zu waschen. Dann folgte das Frühstück: heißes Wasser, manchmal mit etwas darin, das entfernt an Tee oder Kaffee erinnern sollte, dazu die tägliche Brotration und zwei, drei Stückchen Zucker. Danach die Kontrolle durch die Wärter, wo man um einen Arztbesuch bitten konnte. Schließlich die ›Hauptaktion des Tages‹, ein Gang von zwanzig Minuten in einem ›winzigen geschlossenen Hof, einzeln hintereinander immer an der Mauer entlang‹.«

Nur einmal wurde dieser Ablauf unterbrochen. Eines Abends brachte man Wesjolaja, ohne ihr zu erklären, warum, nach Beginn der Nachtruhe auf das Dach des Lubjanka-Gebäudes, das mitten in Moskau liegt. Die Stadt konnte sie nicht sehen, aber zumindest ihre Lichter. Sie kamen ihr vor wie von einem anderen Stern.[20]

Normalerweise bestand der Rest des Tages jedoch nur aus Wiederholungen: Mittagessen – die übliche Gefängnissuppe aus Innereien oder Graupen und verrottetem Kohl – und das Gleiche noch einmal am Abend. Dann ein weiterer Gang zur Toilette. Dazwischen flüsterten die Gefangenen miteinander, saßen auf ihren Pritschen, manche lasen Bücher. Wesjolaja erinnert sich, dass sie ein Buch in der Woche zugeteilt bekam. Das wurde in Abhängigkeit von der Qualität der Gefängnisbibliotheken unterschiedlich gehandhabt; zuweilen waren diese ausgezeichnet. Es gab auch Gefängnisse, wo die Insassen sich im »Kommissionsgeschäft« etwas Essbares kaufen durften, wenn ihre Verwandten ihnen Geld schickten.

Aber die Gefangenen litten nicht nur unter der Langeweile und dem schlechten Essen. Allen war es strikt verboten, am Tag zu schlafen, nicht nur denen, die gerade verhört wurden. Die Wärter spähten ständig durch das »Judasloch« in die Zelle, um sicherzugehen, dass das Verbot auch eingehalten wurde. Ljubow Berschadskaja erinnert sich: »Zwar wurden wir um sechs Uhr morgens geweckt, durften aber bis elf Uhr abends nicht einmal auf dem Bett sitzen. Man konnte also nur umhergehen oder auf dem Hocker sitzen, ohne sich an die Wand zu lehnen.«[21]

Nachts war es auch nicht besser. Schlafen war schwierig oder ganz unmöglich, da das grelle Licht in den Zellen nie ausgeschaltet wurde und es den Häftlingen verboten war, ihre Arme unter die Bettdecke zu stecken. Wesjolaja versuchte anfangs, damit fertig zu werden: »Es war schrecklich unbequem, und ich konnte nicht einschlafen ... Wenn ich eindämmerte, zog ich die Decke automatisch bis zum Kinn hoch. Sofort knirschte der Schlüssel im Schloss, und die Wärterin rüttelte an meinem Bett: ›Arme raus!‹«[22]

Das beste Mittel, zu verhindern, dass sich die Häftlinge in dieser Umgebung zu wohl fühlten, waren indes die Informanten, die es in allen Lebensbereichen gab. Sie sollten auch in den Lagern eine wichtige Rolle spielen, doch dort konnte man sie leichter meiden. Im Gefängnis lebte man mit ihnen auf engstem Raum und war daher gezwungen, jedes Wort sorgfältig abzuwägen. Buber-Neumann erinnert sich, dass sie, abgesehen von einer Ausnahme, »während der ganzen Zeit in der Butyrka von keinem russischen Mitgefangenen ein Wort der Kritik an der Sowjetregierung gehört« hat.[23]

Die Häftlinge gingen davon aus, dass es in jeder Zelle mindestens einen Informanten gab. Wenn man nur zu zweit einsaß, verdächtigte einer den anderen. In größeren Zellen war der Informant bald erkannt und wurde von den anderen Häftlingen gemieden. Als Olga Adamowa-Sljosberg zum ersten Mal in die Butyrka kam, entdeckte sie einen freien Platz am Fenster. Du kannst ruhig dort schlafen, sagte man ihr, »aber du wirst nicht gerade die beste Nachbarin haben«. Die Frau, die man so mied, war offenbar eine Informantin, die ständig »Berichte über jeden in der Zelle schreibt. Niemand spricht mehr mit ihr.«

Nicht immer war es so leicht, einen Informanten zu erkennen. Dann breitete sich eine paranoide Atmosphäre aus, in der jedes ungewöhnliche Verhalten zu feindseligen Reaktionen führen konnte.[24] Der Schriftsteller Warlam Schalamow beschreibt die Verlegung von einer Zelle in eine andere als »nicht sehr angenehmes Erlebnis. Die Mitgefangenen sind stets auf der Hut, weil sie annehmen, der Neue sei ein Informant.«[25]

Zweifellos war das System starr, unflexibel und unmenschlich. Aber es gab immer Gefangene, die sich gegen die Langeweile, die ständigen kleinen Demütigungen oder die Versuche zur Wehr setzten, sie gegeneinander auszuspielen und in die Isolierung zu treiben. Viele haben darüber geschrieben, dass die Solidarität in den Gefängnissen stärker war als später in den Lagern. In Letzteren konnten die Lagerverwaltungen leichter nach dem Teile-und-herrsche-Prinzip vorgehen. Um einen Keil zwischen die Häftlinge zu treiben, versprach man Einzelnen Beförderung in der Lagerhierarchie, besseres Essen oder leichtere Arbeit.

Im Gefängnis dagegen waren alle mehr oder weniger gleich. Zwar gab es auch hier die Verlockung zur Kollaboration, aber die war wesentlich geringer. Für viele Gefangene waren die Tage oder Monate im Gefängnis vor der Deportation eine Art Grundkurs in Überlebenstaktik. Trotz aller gegenteiligen Bemühungen der Behörden sammelten sie auch erste Erfahrungen, wie man sich gemeinsam gegen sie zur Wehr setzen konnte.

Manche lernten von ihren Mitgefangenen, wie man elementare Hygiene aufrechterhielt und seine Würde bewahrte. In ihrer Gefängniszelle erfuhr Inna Schichejewa-Gaister zum Beispiel, wie man Knöpfe aus gekautem Brot herstellt, um die Kleider zusammenzuhalten, oder wie man Fischgräten zu Nadeln umfunktioniert.[26] Dmitri Bystroletow, ein ehemaliger sowjetischer Spion im Westen, lernte, wie man aus alten Socken »Garn« gewann. Die Socken wurden aufgetrennt und die Enden der Fäden mit Seife gehärtet. Das Garn wie auch die Nadeln, die er aus Streichhölzern herstellte, konnte man im Lager gegen Essen tauschen.[27]

Eine gewisse Kontrolle über ihr Leben konnten die Gefangenen über den *Starosta*, den Zellenältesten, behalten. Einerseits war dieser im Gefängnis, auf dem Transport oder im Lager eine offiziell anerkannte Figur, deren Funktionen selbst in amtlichen Dokumenten festgehalten sind. Andererseits erforderten es die vielen Pflichten des Ältesten, vom Sauberhalten der Zelle bis zum geordneten Gang zur Toilette, dass alle seine Autorität akzeptieren mussten.[28] Daher waren Informanten und andere Favoriten des Wachpersonals nicht unbedingt die besten Kandidaten. Alexander Weissberg-Cybulski schreibt, dass in den größeren Zellen, die mit zweihundert oder mehr Gefangenen belegt sein konnten, »ohne den *Starosta* und seine Gehilfen das normale Leben der Gefangenen einfach unmöglich« war. Da die Geheimpolizei aber eine Selbstorganisation der Häftlinge in keiner Form duldete (»eine Organisation von Konterrevolutionären ist eine konterrevolutionäre Organisation«), fand man laut Weissberg-Cybulski eine typisch sowjetische Lösung: »Der *Starosta* wurde geheim von der ganzen Zelle gewählt. Der Gefängnisdirektor oder der Blockkommandant erfuhr es über seine Spitzel in der Zelle. Dann ging er hin und ernannte den Gewählten zum Zellenältesten.«[29]

In den total überfüllten Zellen war es die Hauptaufgabe des Ältesten, Neuankömmlinge in Empfang zu nehmen und dafür zu sorgen, dass jeder einen Schlafplatz hatte. Fast überall mussten die Neuen zunächst dicht bei der *Parascha*, dem Toilettenkübel, schlafen und rückten dann allmählich in Richtung Fenster vor, wenn sie in der Zellenhierarchie aufstiegen, »wobei ... weder für Kranke noch Alte eine Ausnahme gemacht wird«, wie Elinor Lipper notierte.[30] Der Älteste schlichtete Streitigkeiten und sorgte für Ordnung in der Zelle, eine alles andere als leichte Aufgabe.

Den größten Ideenreichtum entwickelten die Gefangenen zweifellos, wenn es darum ging, die härteste Vorschrift – das strikte Verbot jeglicher Verbindung zwischen den Zellen und zur Außenwelt – zu umgehen. Die höchste Form dieser Kommunikation war wahrscheinlich das interne Morsealphabet, das an die Zellenwand oder an ein Wasserrohr geklopft wurde. Es stammt aus der Zarenzeit; Warlam Schalamow schreibt es einem Dekabristen zu.[31] Elinor Olizkaja kannte es schon von ihren Genossen bei den Sozialrevolutionären, lange bevor sie 1924 zum ersten Mal ins Gefängnis kam.[32] Die russische Revolutionärin Vera Figner hat es in ihren Memoiren beschrieben, wo Jewgenia Ginsburg zum ersten Mal darauf stieß. Als sie dann verhört wurde, wusste sie noch so viel davon, dass sie sich mit der Nachbarzelle verständigen konnte.[33]Das Morsealphabet hat seine eigene einfache Logik. Die Buchstaben des russischen Alphabets sind in fünf Sechserreihen angeordnet:

| А | Б | В | Г | Д | Е (Ё) |
|---|---|---|---|---|---|
| Ж | З | И | К | Л | М |
| Н | О | П | Р | С | Т |
| У | Ф | Х | Ц | Ч | Ш |
| Щ | Ъ | Ы | Э | Ю | Я |

Jeder Buchstabe wird in Klopfzeichen umgesetzt, wobei das erste jeweils die Reihe und das zweite den Platz in der Reihe markiert.

| 1,1 | 1,2 | 1,3 | 1,4 | 1,5 | 1,6 |
|---|---|---|---|---|---|
| 2,1 | 2,2 | 2,3 | 2,4 | 2,5 | 2,6 |
| 3,1 | 3,2 | 3,3 | 3,4 | 3,5 | 3,6 |
| 4,1 | 4,2 | 4,3 | 4,4 | 4,5 | 4,6 |
| 5,1 | 5,2 | 5,3 | 5,4 | 5,5 | 5,6 |

Wer noch nie von diesem Alphabet gehört hatte, lernte es von seinen Mithäftlingen. Manche kamen von selbst darauf, denn es gab eine feststehende Lehrmethode. Wer es kannte, klopfte zunächst immer wieder nur das Alphabet. Später hängte er ein, zwei einfache Fragen an und hoffte darauf, dass der unsichtbare Empfänger die Sache begriff. So lernte Alexander Dolgun das Alphabet im Moskauer Lefortowo-Gefängnis. Streichhölzer dienten ihm als Gedächtnisstütze, und als er endlich so weit war, mit dem Mann in der Nebenzelle »sprechen« zu können, begriff er, dass dieser ihm die einfache Frage sendete: »Wer bist du?« »Eine Welle der Liebe für den Mann durchflutete mich, der mich drei Monate lang gefragt hatte, wer ich sei.«[34]

Je nach Ort und Zeit entwickelte sich die Selbstorganisation der Gefangenen zu höheren Formen. Eine beschreibt Warlam Schalamow in seiner Kurzgeschichte »Das Armutskomitee«. Auch andere erwähnen sie.[35] Ihr Ursprung liegt in einer als zutiefst ungerecht empfundenen Vorschrift. Irgendwann Ende der dreißiger Jahre entschieden die Behörden, Gefangene dürften während der Zeit ihres Verhörs keinerlei Paketsendungen von ihren Angehörigen mehr empfangen. Die Begründung lautete, dass »selbst zwei Brötchen, fünf Äpfel und eine alte Hose geeignet sind, eine Nachricht ins Gefängnis zu schmuggeln«. Nur Geld durfte noch geschickt werden, und auch nur runde Summen, damit die Zahl nicht als Geheimcode benutzt werden konnte. Aber nicht jede Familie war in der Lage, Geld zu überweisen. Entweder war sie zu arm, lebte zu weit weg oder hatte ihren Verwandten gar selber denunziert. So hatten also einige Zugang zum »Kommissionsgeschäft« der Haftanstalt – zu Butter, Käse, Tabak, Weißbrot und Zigaretten –, während andere mit der schmalen Gefängniskost vorlieb nehmen mussten. Vor allem aber waren sie vom allgemeinen Festtag im Gefängnis, dem »Tag des Kommissionsgeschäfts«, ausgeschlossen.

Um das Problem zu lösen, entsannen sich Häftlinge in der Butyrka einer Losung aus der Frühzeit der Revolution und organisierten »Armutskomitees«. Jeder Gefangene spendete dem Komitee zehn Prozent seines Geldes. Damit kaufte dieses für diejenigen ein, die kein Geld bekamen. Das System hatte jahrelang Bestand, bis die Behörden Gefangene mit verschiedenen Vergünstigungen lockten, wenn sie sich nicht daran beteiligten. Die Zellen wehrten sich, indem sie die Abtrünnigen mit Missachtung straften. Dazu Schalamow: »Wer wollte schon riskieren, die ganze Gruppe gegen sich zu haben, mit der man rund um die Uhr zusammen war, wo man nur im Schlaf den feindseligen Blicken der anderen entfliehen konnte?«

Diese Kurzgeschichte ist eine der wenigen in Schalamows umfangreichem Werk, die mit einem positiven Satz endet: »Anders als in der ›freien‹ Welt ›draußen‹ oder im Lager ist die Gesellschaft im Gefängnis sich stets einig. In den Komitees fand diese Gesellschaft eine Möglichkeit, das Recht jedes Menschen zu bekräftigen, sein eigenes Leben zu leben.«[36]

Dieser sonst so pessimistische Autor hatte in der organisierten Form von Häftlingssolidarität ein Fünkchen Hoffnung entdeckt. Das Trauma des Transports und der Schrecken der ersten schockierenden Tage im Lager sollten es bald wieder zerstören.

Der Hafen Wanino fällt mir ein
Und der Lärm auf dem düsteren Schiff.
Wir gingen über die Gangway
In das kalte, dunkle Verlies.

Den Seks wurde vom Schaukeln schlecht.
Rundum nur brüllende See,
Und vor ihnen lag Magadan,
Die Hauptstadt der Kolyma.

Kein Schrei, nur klägliches Stöhnen
Ertönte aus jeder Brust.
Sie sagten Ade dem Festland,
Und das Schiff stampfte hinaus …

Sowjetisches Gefangenenlied

# Transport, Ankunft, Selektion

Im Jahr 1827 ließ Fürstin Maria Wolkonskaja, die Gattin des Dekabristen Sergej Wolkonski, Familie, Kind und gesichertes Leben in St. Petersburg zurück und folgte ihrem Mann in die sibirische Verbannung. Ihre Biografin beschreibt die Reise, die zu jener Zeit als eine nahezu unerträgliche Strapaze galt:

> »Tag für Tag jagte der Schlitten auf den endlosen Horizont zu. Maria fühlte sich wie außerhalb jeder Zeit; sie befand sich in einem Zustand fiebriger Erregung. Die ganze Reise hatte etwas Unwirkliches: sie war übermüdet, weil sie zu wenig schlief und zu wenig aß. Sie hielt nur gelegentlich, um ein Glas heißen Zitronentee aus dem immer bereiten Messing-Samowar zu trinken. Die berauschende Geschwindigkeit des Schlittens, der von drei vorwärtsjagenden Pferden gezogen wurde, verschlang die leeren Weiten im Galopp. ›*Poidi!* Weiter! Voran!‹ riefen die Kutscher, und die Wolken von Schnee stoben unter den Hufen der Pferde auf, und die Glöckchen am Geschirr klingelten unermüdlich Warnungen vor dem dahinrasenden Gefährt.«[1]

Im zwanzigsten Jahrhundert zogen keine Pferde in »rasendem Tempo« Schlitten über den sibirischen Schnee. An den Haltepunkten gab es keinen heißen Tee mit Zitrone aus dem Samowar. Fürstin Wolkonskaja mag auf ihrer Reise geweint haben, aber die Häftlinge, die nach ihr kamen, konnten das Wort *Etappe,* wie der Transport unter ihnen hieß, nicht hören, ohne dass sie kaltes Entsetzen oder gar Panik erfasste. Jede Fahrt dieser Art war ein schmerzhafter Sprung ins Ungewisse, fort von bekannten Zellengenossen und Arrangements, wie dürftig diese auch gewesen sein mochten.

Für jene, die diesen Albtraum zu ersten Mal erlebten, hatte er etwas finster Symbolisches. Mit Verhaftung und Verhör wurden die Gefangenen in das System eingeführt, aber die Zugfahrt durch Russland bedeutete für sie auch geografisch einen Schlussstrich unter ihr bisheriges Leben. Die Emotionen schlugen hoch, wenn ein Zug aus Moskau oder Leningrad in nördlicher oder östlicher Richtung abfuhr. Thomas Sgovio, der Amerikaner, dem sein Pass abhanden gekommen war, erinnert sich, was geschah, als er in Richtung Kolyma startete: »Unser Zug verließ Moskau am Abend des 24. Juni. Es war der Anfang einer Reise nach Osten, die einen ganzen Monat dauern sollte. Den Augenblick werde ich nie vergessen. Siebzig Männer … fingen an zu weinen.«[2]

Lange Transporte vollzogen sich meist in Etappen. Kamen die Häftlinge aus einem großen Stadtgefängnis, dann brachte man sie in LKWs zum Zug, deren Bauweise bereits davon sprach, wie wichtig dem NKWD Geheimhaltung war. Von außen sahen diese »schwarzen Raben« wie normale Schwerlasttransporter aus. In den dreißiger Jahren trugen sie auf beiden Seiten oft die Aufschrift »Brot«. Innen waren sie manchmal nach Aufzeichnungen einer Gefangenen »unterteilt in winzige, vollkommen dunkle Käfige«.[3]

Die Kulaken und nach ihnen Balten und Polen, die als Erste den Massendeportationen aus den besetzten Gebieten zum Opfer fielen, traf es besonders hart. Man lud sie häufig »wie Sardinen« auf ganz gewöhnliche LKWs, wie ein älterer Litauer mir erzählte: Der erste Häftling musste sich auf den Boden setzen und die Beine breit machen, der nächste wurde dazwischen gesetzt und spreizte seinerseits die Beine, dann wieder der Nächste, bis der Wagen voll war.[4] Diese Art des Transports war besonders unangenehm, wenn viele Menschen eingesammelt werden mussten, und die Fahrt zum Zug konnte einen ganzen Tag dauern. Bei den Deportationen aus den ehemals polnischen Gebieten im Februar 1940 froren sich Kinder zu Tode, bevor sie überhaupt die Bahn erreichten. Erwachsene holten sich schwere Erfrierungen an Armen und Beinen, die sie nie wieder loswurden.[5]

In Provinzstädten nahm man es mit der Geheimhaltung nicht so genau. Manchmal marschierten die Häftlinge dort quer durch die Stadt zum Bahnhof. Dabei konnten sie einen letzten Blick auf das zivile Leben werfen, und die Zivilbevölkerung hatte die seltene Gelegenheit, Gefangene zu sehen. Janusz Bardach beschreibt die Reaktion von Passanten in Petropawlowsk, als diese einer Kolonne von Häftlingen ansichtig wurden:

> »Die meisten waren Frauen, in Schals und lange schwere Filzmäntel gehüllt. Zu meinem Erstaunen schrieen sie die Begleitmannschaften an: ›Faschisten ... Mörder ... Warum kämpft ihr nicht an der Front ...?‹ Sie bewarfen sie mit Schneebällen. Die Wachen schossen in die Luft, worauf die Frauen einige Schritte zurückwichen. Aber schreiend und fluchend begleiteten sie uns weiter. Sie steckten den Gefangenen Päckchen mit Brot, Kartoffeln und in Tücher eingewickelten Schinken zu. Eine Frau nahm Schal und Wintermantel ab und gab sie einem Mann in dünner Kleidung. Ich bekam ein Paar wollene Fausthandschuhe ab.«[6]

Ob nun zu Fuß oder per LKW – schließlich kamen die Häftlinge auf dem Bahnhof an. Manchmal fuhren sie von einem normalen Bahnsteig ab, manchmal auch von einem besonderen Haltepunkt, einem Stück Gelände, das mit Stacheldraht abgezäunt war, wie Lew Finkelstein sich erinnert.[7]

Den Eisenbahnwaggons sah man von außen nicht an, dass sie Gefangene transportierten. Sie waren nur besser abgesichert. Edward Buca, den man in Polen verhaftet hatte, schaute sich seinen Waggon mit dem Blick eines Mannes an, der sich noch mit Fluchtgedanken trug. Er erinnert sich, dass »jeder Wagen mit mehreren Lagen Stacheldraht umwickelt war. Außen gab es hölzerne Plattformen für die Wachen. An Dach und Boden waren Lampen installiert und die kleinen Fenster mit dicken Eisenstäben vergittert.« Buca prüfte selbst den Wagenboden. Auch der war vergittert.[8]

Es gab im Wesentlichen zwei Arten von Zügen. Da waren zunächst die *Stolypinki* (Stolypin-Waggons), ironischerweise nach dem reformorientierten Ministerpräsidenten des Zaren Anfang des zwanzigsten Jahrhunderts benannt, der sie eingeführt haben soll. *Stolypinki* waren normale Güterwaggons, die man für den Transport von Häftlingen etwas hergerichtet hatte. Sie konnten zu langen Zügen zusammengestellt oder ein, zwei von ihnen an normale Züge angekoppelt werden. Ein Gefangener, der darin transportiert wurde, beschreibt sie so:

> »Eine *Stolypinka* erinnert an einen gewöhnlichen russischen Liegewagen 3. Klasse, nur hat er zahlreiche Eisenstäbe und Gitter. Die Fenster sind natürlich versperrt. Zwischen den Abteilen sind anstelle von Wänden Stahlnetze angebracht, so dass sie wie Käfige wirken. Ein langes Eisengitter trennt die Abteile vom Gang.«[9]

Die Waggons waren total überfüllt, aber sie hatten noch einen weiteren wichtigen Nachteil. Die Wärter konnten die Gefangenen rund um die Uhr im Auge behalten, sehen, was sie aßen, ihre Gespräche mithören und danach entscheiden, wann diese sich zu erleichtern hatten. In nahezu allen Memoiren werden die Schrecken der kleinen und großen Notdurft beschrieben. Manchmal gar nicht, manchmal ein oder zwei Mal am Tag wurden die Gefangenen zur Toilette geführt oder bei einem kurzen Halt einfach aus dem Wagen gelassen, damit sie ihr Geschäft im Freien verrichten konnten. Besonders schwer hatten es dabei Häftlinge mit Magenbeschwerden oder anderen gesundheitlichen Problemen: »Gefangene, die nichts mehr halten konnten, machten sich wimmernd in die Hosen und beschmutzten oft auch den Nebenmann. Obwohl alle zu leiden hatten, fiel es manchem schwer, einen solchen Unglücklichen nicht zu hassen.«[10]

Aus diesem Grunde zogen es einige Gefangene vor, in Viehwagen transportiert zu werden. Das waren leere Waggons, nicht unbedingt für den Transport von Menschen eingerichtet, manchmal mit einem kleinen Öfchen in der Mitte, zuweilen auch mit Schlafkojen. Sie waren zwar primitiver als die Stolypin-Wagen, aber ohne Abteile, so dass die Gefangenen etwas mehr Bewegungsfreiheit hatten. Es gab sogar »Toiletten« – einfache Löcher im Boden –, die die Häftlinge von der Notlage befreiten, entweder die Wärter um einen Toilettengang anzuflehen oder sich selbst zu beschmutzen.[11]

Am meisten litten die Gefangenen jedoch nicht an der Überfüllung, den fehlenden Toiletten und den damit verbundenen Peinlichkeiten, sondern daran, dass Essen und vor allem Wasser äußerst knapp waren. Gewöhnlich erhielt ein Häftling eine Brotration als Reiseproviant, die entweder in kleinen Portionen von 300 Gramm pro Tag oder auch als Zwei-Kilo-Laib verteilt wurde – der musste dann allerdings für eine Fahrt von 34 Tagen reichen.

Dazu gab es gewöhnlich gesalzenen Fisch, der die Häftlinge durstig machen sollte.[12] Trotzdem erhielten sie selten mehr als einen Becher Wasser am Tag, und das selbst im Sommer. So üblich war diese Praxis, dass Geschichten von dem schrecklichen Durst, den die Häftlinge auf dem Transport erdulden mussten, immer wieder auftauchen. »Einmal erhielten wir drei Tage lang kein Wasser. Am Silvesterabend von 1939 leckten wir irgendwo in der Nähe des Baikalsees an den schwarzen Eiszapfen, die vom Wagendach herabhingen«, schrieb ein ehemaliger *Sek.*[13]

Aber selbst jene, die einen Becher Wasser am Tag erhielten, litten schwer. Jewgenia Ginsburg erinnert sich, welch quälender Entschluss es war, den ganzen Becher am Morgen hinunterzustürzen oder etwas für den Tag aufzuheben. »Diejenigen, die ihr Wasser schlückchenweise über den ganzen Tag verteilten, hatten nicht einen Moment lang Ruhe. Mit Argusaugen bewachten sie von morgens bis abends ihren Becher.«[14]

An noch Schlimmeres erinnert sich Nina Gagen-Torn. Sie saß in einem Transport, der in der Nähe von Nowosibirsk mitten im Sommer drei Tage stehen blieb, weil das Transitgefängnis der Stadt überfüllt war: »Wir hatten Juli. Es war sehr heiß. Die Dächer der Stolypin-Waggons begannen zu glühen, und wir lagen auf unseren Pritschen wie die Brötchen im Backofen.« Ihre Wagenbesatzung beschloss, in den Hungerstreik zu treten, obwohl die Wachen ihnen dafür längere Haftstrafen androhten. »Wir wollen nicht die Ruhr kriegen«, riefen die Frauen ihnen zu: »Vier Tage lang liegen wir jetzt schon in unserer eigenen Scheiße.« Widerwillig gestattete ihnen das Wachpersonal schließlich, etwas zu trinken und sich zu waschen.[15]

Am meisten litten die Jüngsten und die Ältesten. Barbara Armonas, eine Litauerin, die einen Amerikaner geheiratet hatte, wurde zusammen mit einer großen Gruppe Litauer – Männer, Frauen und Kinder – deportiert. Darunter war eine gelähmte 83-Jährige, die man nicht mehr sauber halten konnte. »Bald stank alles in ihrer Umgebung, und sie war von offenen Wunden bedeckt.« In dem Waggon fuhren auch drei Babys mit:

> »Ihre Eltern hatten große Schwierigkeiten mit den Windeln, da es unmöglich war, sie regelmäßig zu waschen. Wenn der Zug manchmal nach einem Regen hielt, sprangen die Mütter hinaus, um die Windeln in den Gräben zu waschen. Um diese Wassergräben entbrannten Kämpfe, weil einige Teller, andere das Gesicht, wieder andere die schmutzigen Windeln reinigen wollten, und alle gleichzeitig ...«[16]

Für verhaftete »Feinde« wurden im Unterschied zu gewöhnlichen Deportierten zuweilen Sondermaßnahmen getroffen. Das machte die Sache aber nicht besser. Maria Sandrazkaja wurde verhaftet, als ihr Baby zwei Monate alt war. Sie ging gemeinsam mit zahlreichen stillenden Müttern auf Transport. Achtzehn Tage lang fuhren 65 Frauen mit 65 Babys in zwei praktisch ungeheizten Viehwaggons, denn in jedem stand nur ein kleines, stark rauchendes Öfchen. Es gab keine Sonderrationen, kein warmes Wasser, um die Kinder zu baden oder die Windeln zu waschen, die bald »grün vor Schmutz« waren. Zwei der Frauen nahmen sich das Leben, indem sie sich mit einer Glasscherbe die Kehle durchschnitten. Eine verlor den Verstand. Ihre drei Babys wurden von den anderen Müttern betreut. Sandrazkaja selbst »adoptierte« eines. Bis zum Ende ihres Lebens blieb sie überzeugt, dass nur die Muttermilch ihr eigenes Baby gerettet hatte, das an Lungenentzündung erkrankte. Medikamente gab es natürlich nicht.[17]

Alle Transportzüge hielten von Zeit zu Zeit, was den Häftlingen aber nicht unbedingt Erleichterung verschaffte. Sie wurden aus den Waggons auf LKWs geladen und in Transitgefängnisse gebracht. Das Regime dort erinnerte an die Untersuchungsgefängnisse, nur hatten die Wärter hier noch weniger Interesse daran, wie es den Insassen ging, denn die sahen sie niemals wieder. Daher waren die Bedingungen dort völlig unvorhersehbar.

Die primitivsten Transitgefängnisse waren wahrscheinlich jene an der Pazifikküste, wo die Gefangenen einen Zwischenstopp einlegten, bevor sie das Schiff zur Kolyma bestiegen. In den dreißiger Jahren gab es davon nur eines: Wtoraja Retschka bei Wladiwostok. Es war aber bald so überfüllt, dass 1938 zwei Transitlager errichtet werden mussten – Nachodka-Bucht und Wanino –, doch selbst dort reichten die Baracken für die Tausenden von Gefangenen nicht aus, die auf die Überfahrt warteten.[18] Ein Gefangener kam Ende Juli 1947 in die Nachodka-Bucht: »Unter freiem Himmel kampierten hier zwanzigtausend Menschen. Von Gebäuden keine Rede: Man saß, lag und lebte auf dem nackten Boden.«[19]

Auch die Wasserversorgung war hier kaum besser als im Zug, obwohl die Gefangenen im Hochsommer nach wie vor Salzfisch zu essen bekamen: »Überall standen Schilder mit der Aufschrift: ›Trinke kein unabgekochtes Wasser.‹ Im Lager gingen zwei Seuchen um – Typhus und Ruhr. Die Häftlinge kümmerten sich nicht um die Schilder und tranken jeden Tropfen, der hier und da aus dem Boden sickerte ... Daran kann man sehen, wie begierig wir auf Wasser waren, um unseren Durst zu stillen.«[20]

Für Gefangene, die man viele Wochen lang transportiert hatte – manche erinnern sich an Zugfahrten von 47 Tagen bis zur Nachodka-Bucht[21] –, waren die Bedingungen in den Transitlagern an der Pazifikküste nahezu unerträglich. Einer berichtete, dass siebzig Prozent seiner Kameraden an Nachtblindheit, einem Symptom für Skorbut, und an Durchfall litten, als sein Transport endlich am Zielort eintraf.[22] Medizinische Versorgung gab es im Grunde nicht. Da er nicht behandelt wurde und auch keine Medikamente bekam, starb der russische Dichter Ossip Mandelstam im Oktober 1938 in Wtoraja Retschka in geistiger Umnachtung.[23]

Wer noch nicht völlig entkräftet war, konnte sich im Transitlager eine kleine Extraration Brot verdienen, indem er Betonkübel schleppte, Güterwaggons entlud und Latrinengruben aushob.[24] Einige erinnern sich an Nachodka-Bucht als das »einzige Lager, wo die Häftlinge um Arbeit bettelten«. Eine Polin berichtete: »Zu essen bekommt nur, wer arbeitet. Da aber mehr Häftlinge da sind als Arbeit, sterben einige vor Hunger ... Die Prostitution blüht wie die Iris auf sibirischen Wiesen.«[25]

Laut Thomas Sgovio lebten manche auch vom Tauschhandel:

> »Im Lager gab es einen großen, freien Platz, den alle nur den Basar nannten. Dort kamen die Gefangenen zusammen, um zu feilschen ... Geld hatte keinen Wert. Am meisten gefragt waren Brot, Tabak und Zeitungspapier, das wir zum Zigarettendrehen verwendeten. Einige nicht Politische hielten das Geschäft in Gang. Sie gaben Brot und Tabak für die Kleider von Neuankömmlingen her. Dann verkauften sie diese an Bürger außerhalb des Lagers für Rubel, um Geld für das Leben nach der Lagerhaft anzusparen. Tagsüber war der Basar der belebteste Ort im Lager. In diesem kommunistischen Höllenloch konnte ich das freie Unternehmertum in seiner brutalsten Form studieren.«[26]

Mit den Zügen und Transitlagern waren die Schrecken des Transports noch nicht zu Ende. Bis zur Kolyma stand den Häftlingen noch eine Schiffsreise bevor. Die Schiffe selbst waren nichts Besonderes: alte Frachter aus Holland, Schweden, England und Amerika, bei deren Bau niemand daran gedacht hatte, Fahrgäste zu befördern. Für die neue Bestimmung hatte man sie etwas umgerüstet, aber das waren meist Veränderungen kosmetischer Art. Am Schornstein trugen sie die Buchstaben D. S. (für Dalstroi), auf den Decks waren Maschinengewehrstellungen aufgebaut, im Laderaum hatte man rohe Holzpritschen aufgestellt, die gruppenweise durch Stahlgitter voneinander getrennt waren. Das größte Schiff der Dalstroi-Flotte, ein ehemaliger Kabeltransporter, trug zunächst den Namen *Nikolai Jeschow*. Als der NKWD-Chef in Ungnade fiel, wurde es auf *Feliks Dzierzynski* umgetauft, was beim internationalen Schiffsregister beträchtliche Kosten verursachte.[27]

Es gab nur wenige Zugeständnisse an die menschliche Fracht, die auf dem ersten Teil der Reise, wenn die Schiffe der japanischen Küste relativ nahe kamen, permanent unter Deck ausharren musste. In diesen Tagen blieben alle Luken auf Deck fest verschlossen, weil ab und zu japanische Fischfangschiffe in Sicht kamen.[28] Die Fahrten unterlagen absoluter Geheimhaltung. Als die *Indigirka*, ein Dalstroi-Schiff mit 1500 Passagieren an Bord, überwiegend Häftlinge, die aufs Festland zurückkehrten, 1939 vor der japanischen Insel Hokkaido auf ein Riff lief, ließ die Mannschaft den größten Teil der Menschen lieber sterben, als Hilfe herbeizuholen. Natürlich gab es keine Rettungsboote an Bord. Fremde Schiffe, obwohl in der Nähe, wurden nicht gerufen, damit nicht herauskam, was für eine Ladung das »Frachtschiff« wirklich beförderte. Japanische Fischerboote eilten auf eigene Initiative herbei, aber zu spät. Über tausend Häftlinge versanken in den Fluten.[29]

Doch auch ohne Schiffbruch litten die Gefangenen unter der Geheimhaltung, weil sie hermetische Abriegelung bedeutete. Die Wachmannschaften warfen das Essen einfach durch die Luke, und unten spielten sich dann heftige Kämpfe ab. Das Wasser wurde in Eimern herabgelassen. Essen und Wasser waren stets äußerst knapp, ebenso Luft. Jewgenia Ginsburg war schon übel, bevor sie in den Laderaum hinabsteigen musste: »Mir scheint, ich halte mich nur deshalb auf den Beinen, weil kein Platz zum Hinfallen da ist ... Die Beine schliefen ein. Vor Hunger und von der ungewohnten Seeluft drehte sich alles vor den Augen. Eine leichte Übelkeit ließ die ganze Zeit nicht nach.« Im Laderaum selbst war die Situation natürlich nicht besser: »Wir sind viele, sehr viele. Es ist so eng, daß man sich kaum rühren kann. Wir sitzen und liegen fast übereinander, direkt auf dem schmutzigen Boden.«[30]

Wenn die japanische Küste am Horizont verschwunden war, ließ man die Häftlinge manchmal an Deck, damit sie die wenigen Toiletten des Schiffes benutzen konnten, die für Tausende Menschen natürlich nicht ausreichten. Thomas Sgovio hat sie beschrieben:

> »Eine merkwürdige kastenförmige Bretterkonstruktion war außenbords am Schiff angebracht ... Es war ein ziemlich waghalsiges Unterfangen, auf dem schaukelndem Schiff von Deck über die Reling hinweg dort hineinzusteigen. Ältere Gefangene oder solche, die noch nie zur See gefahren waren, trauten sich nicht. Ein Stoß von einem Wachmann und die Not, sich erleichtern zu müssen, halfen

ihnen schließlich, die Angst zu überwinden. Während der ganzen Reise riss die Schlange an der Treppe nie ab. Nur zwei Mann wurden gleichzeitig in den Kasten gelassen.«[31]

Die körperlichen Leiden auf der Überfahrt wurden aber noch von den Qualen übertroffen, die sich die Häftlinge selbst ausdachten, genauer gesagt, die Kriminellen unter ihnen. Das war besonders Ende der dreißiger und Anfang der vierziger Jahre der Fall, als deren Einfluss im Lagersystem ihren Höhepunkt erreichte, weil Politische und Kriminelle bedenkenlos miteinander vermischt wurden. Elinor Lipper, die Ende der dreißiger Jahre zur Kolyma fuhr, beschreibt, wie die Politischen »zusammengepfercht auf dem teerbeschmierten Boden des Laderaums [lagen], während sich die Kriminellen auf den Brettern breitmachten. Wenn wir es nur wagten, den Kopf herauszustrecken, hagelte es von oben Heringsköpfe und Eingeweide. Die Seekranken erbrachen sich von oben herunter.«[32]

Besonders ins Visier gerieten Häftlinge aus Polen und dem Baltikum, die besser gekleidet waren und wertvollere Sachen hatten als ihre Mitgefangenen aus der Sowjetunion. Einmal schalteten die Kriminellen das Licht aus und überfielen eine Gruppe Polen. Sie raubten sie völlig aus und brachte einige von ihnen sogar um.[33]

Noch schlimmer waren die Konsequenzen, wenn Männer und Frauen zusammen befördert wurden. Eigentlich war das verboten, auf den Schiffen herrschte strenge Geschlechtertrennung. In der Praxis ließen die Wachen Männer gegen Bestechung in die Frauenabteilung – mit schrecklichen Folgen. Die »Kolyma-Tram«, wie die Gruppenvergewaltigungen auf den Schiffen zur Kolyma umschrieben wurden, war Gesprächsthema im ganzen Gulag. Jelena Glink hat sie so erlebt:

»Die Vergewaltigung begann auf Kommando des ›Schaffners‹ … Auf den Ruf ›Schluss mit lustig‹ zog sich der Kerl widerwillig zurück und machte Platz für den nächsten, der schon in voller Bereitschaft dastand … Tote Frauen wurden an den Beinen zur Tür geschleift und über die Schwelle geworfen. Wer das Bewusstsein verlor, wurde mit einem Schwall Wasser wieder zu sich gebracht. Und die Reihe rückte weiter vor. Im Mai 1951 wurden auf der *Minsk* [die überall auf der Kolyma für ihre ›große Tram‹ berüchtigt war] die toten Frauen kurzerhand über Bord geworfen. Die Wärter notierten nicht einmal die Namen der Verstorbenen …«[34]

Soweit Glink weiß, wurde auf den Schiffen nie jemand für Vergewaltigung bestraft. Das bestätigt auch Janusz Bardach, ein junger Pole, der 1942 per Schiff zur Kolyma fuhr. Er erlebte, wie eine Gruppe Krimineller einen Überfall auf die Frauenabteilung plante und dann ein Loch in den Maschendraht schnitt, der die Geschlechter voneinander trennte.

»Sobald sie die erste Frau durch das Loch gezerrt hatten, rissen sich die Männer die Kleider vom Leib. Dann warfen sich gleich mehrere auf sie. Ich sah, wie die weißen Körper der Opfer zuckten, wie sie mit den Beinen schlugen und ihre Fingernägel in die Gesichter der Männer krallten. Die Frauen bissen, schrien und jammerten. Die Angreifer schlugen zurück. Wenn keine Frauen mehr zu greifen waren, suchten sich die stärkeren Kerle junge Männer. Auch sie wurden gnadenlos zugerichtet, lagen aber meist ruhig auf dem Bauch, bluteten und weinten still vor sich hin.«

Keiner der Mitgefangenen versuchte die Bande aufzuhalten: »Hunderte Männer hingen von den Pritschen und sahen zu, aber nicht ein Einziger griff ein.« Die Sache war erst zu Ende, so schreibt Bardach, als die Wärter von oben Wasser auf die Menge gossen. Anschließend wurden mehrere tote und schwer verletzte Frauen hinausgezerrt. Strafen gab es nicht.[35]

»Jeder«, schrieb ein Überlebender, »der Dantes Hölle erlebt hat, wird sagen, dass sie nichts war im Vergleich zu dem, was auf diesem Schiff passierte.«[36]

Vom Transport werden viele Geschichten erzählt, manche so tragisch, dass man sie kaum wiedergeben mag. Natürlich gibt es keine Belege dafür, dass das Begleitpersonal angewiesen war, die Häftlinge unterwegs zu quälen. Im Gegenteil: Es hatte detaillierte Anweisungen, wie Gefangenentransporte zu schützen waren. Dass die Instruktionen häufig gebrochen wurden, erzeugte bei den zentralen Behörden viel Unmut. In einem Dekret vom Dezember 1941 »Über die Verbesserung der Organisation des Gefangenentransports« wurden »Verantwortungslosigkeit« und »kriminelles« Verhalten einiger Angehöriger des Begleitpersonals und der Lagerverwaltungen scharf gerügt: »Dadurch kommen Gefangene halb verhungert am Bestimmungsort an und können für eine gewisse Zeit nicht zur Arbeit eingesetzt werden.«[37]

In einem offiziellen Dokument vom 25. Februar 1940 wird voller Empörung kritisiert, dass nicht nur kranke und behinderte Gefangene in Züge zu den Lagern im Norden verladen wurden – was verboten war –, sondern auch, dass viele keine Verpflegung oder Wasser erhielten, dass man sie nicht entsprechend der Jahreszeit eingekleidet hatte und nicht einmal ihre Personalakten mitschickte, die dadurch verloren gingen. Das bedeutet, in den Lagern trafen Gefangene ein, von denen keiner wusste, wofür man sie verurteilt hatte und welche Strafe sie im Lager absitzen sollten.

Im November 1939 transportierte man zum Beispiel 272 Häftlinge ohne Wintermäntel über fünfhundert Kilometer auf offenen Lastwagen. Viele erkrankten, einige starben. Über solche Vorkommnisse wurde mit Empörung berichtet, und die fahrlässigen Wachen wurden bestraft.[38]

Auch die Zustände in den Transitgefängnissen waren durch zahlreiche Vorschriften geregelt. Am 26. Juli 1940 erschien beispielsweise eine Weisung über Transitgefängnisse, die die Kommandanten aufforderte, Bäder, Desinfektionsstellen und funktionierende Küchen einzurichten.[39] Nicht weniger wichtig nahm man die Sicherheit bei der Dalstroi-Flotte. Als es im Dezember 1947 auf zwei Schiffen, die im Hafen von Magadan lagen, zu Explosionen kam, wobei 97 Häftlinge starben und 224 schwer verletzt wurden, warf Moskau dem Hafen »verbrecherische Schlamperei« vor. Die Verantwortlichen wurden vor Gericht gestellt und erhielten Freiheitsstrafen.[40]

Aber trotz all des Getöses veränderte sich das Transportsystem über die Jahre nur wenig. Weisungen wurden erteilt, Beschwerden eingereicht. Aber am 24. Dezember 1944 traf wieder ein Transport auf dem Bahnhof der Stadt Komsomolsk am Amur in einem Zustand ein, den selbst der stellvertretende Staatsanwalt des Gulags als entsetzlich bezeichnete. Sein offizieller Bericht über das Schicksal von »Zug SK 950«, der aus 51 Waggons bestand, beschreibt wohl einen der Tiefpunkte in der Schreckensgeschichte der Gulagtransporte:

> »Die Häftlinge kamen in ungeheizten Waggons an, die nicht für den Gefangenentransport eingerichtet waren. Jeder enthielt zehn bis zwölf Pritschen, auf denen nicht mehr als achtzehn Personen Platz hatten. Die Wagen waren aber mit 48 Personen belegt. Sie waren nicht ausreichend mit Wasserkanistern ausgestattet, weshalb die Wasserversorgung manchmal ganze Tage und Nächte zusammenbrach. Die Häftlinge erhielten gefrorenes Brot. Zehn Tage lang bekamen sie überhaupt nichts zu essen. Sie trafen in Sommerkleidung, völlig verschmutzt und verlaust, mit eindeutigen Anzeichen von Erfrierungen ein ... Kranke Häftlinge ließ man ohne jede medizinische Hilfe auf dem Waggonboden liegen, wo sie verstarben. Die Leichen wurden lange nicht aus den Wagen entfernt ...«

Von den 1402 Personen, mit denen »Zug SK 950« beladen war, kamen 1291 lebend an. 53 waren unterwegs gestorben, 66 hatte man in Krankenhäusern zurücklassen müssen. Bei der Ankunft wurden weitere 335 mit Erfrierungen dritten oder vierten Grades, Lungenentzündung und anderen Erkrankungen ins Krankenhaus gebracht. Der Transport war circa 60 Tage unterwegs gewesen, 24 davon hatte er »wegen schlechter Organisation« auf Nebengleisen gestanden. Der Kommandant des Zuges, ein gewisser Genosse Chabarow, erhielt lediglich eine »Rüge mit Verwarnung«.[41]

Viele, die solche Transporte überlebten, haben die groteske Misshandlung der Häftlinge durch die meist jungen und unerfahrenen Begleitsoldaten zu erklären versucht, die ja durchaus nicht die geübten Killer waren, wie man sie in den Gefängnissen antreffen konnte. Nina Gagen-Torn vermutet, dass »bei den Begleitmannschaften nicht Bosheit, sondern absolute Gleichgültigkeit im Spiel war. Für sie waren wir keine Menschen, sondern lebende Fracht.«[42] Auch Antoni Ekart, ein Pole, der nach dem sowjetischen Einmarsch von 1939 verhaftet wurde, ist dieser Meinung:

»… Dass es so wenig Wasser gab, lag nicht daran, dass die Wachen uns quälen wollten; es hätte sie einfach zusätzliche Mühe gekostet, mehr Wasser heranzuschaffen. Das aber taten sie nicht ohne Befehl. Den Transportkommandanten interessierte das schlicht nicht, und die Wachen dachten nicht daran, die Häftlinge auf den Haltestationen mehrmals täglich zu Wasserstellen zu führen und dabei Fluchtversuche zu riskieren.«[43]

Manche schildern allerdings nicht nur Gleichgültigkeit: »Morgens kam der Zugkommandant in den Gang … Er drehte uns den Rücken zu, schaute zum Fenster hinaus und fluchte: ›Wie satt ich euch habe!‹«[44]

Überdruss, gemischt mit Ärger darüber, einen so miserablen Job machen zu müssen, war auch Solschenizyns Erklärung für dieses ansonsten schwer verständliche Phänomen. Er versuchte sogar, sich in die Psyche der Wachmannschaften hineinzuversetzen. Da waren sie, gestresst und unterbesetzt, und »das Wasser in Eimern von weit her zu schleppen, ist nicht nur beschwerlich, auch kränkend: Warum soll sich ein sowjetischer Krieger für die Feinde des Volkes wie ein Maulesel abrackern?«[45]

Was immer die Motive gewesen sein mögen – Gleichgültigkeit, Widerwille, Ärger oder verletzter Stolz –, die Folgen für die Gefangenen waren verheerend. In der Regel kamen sie nicht nur durch Gefängnis und Verhör verwirrt und erniedrigt, sondern auch noch körperlich ausgezehrt an ihrem Bestimmungsort an. Damit waren sie reif für die nächste Etappe ihrer Reise zum Gulag: die Aufnahme ins Lager.

Wenn das Licht es erlaubte, wenn die Häftlinge nicht krank und noch interessiert genug waren, um den Kopf zu heben, dann erblickten sie als erstes das Lagertor. Oft trug es eine Losung. Über dem Eingang eines der Lager an der Kolyma »war ein Regenbogen aus Sperrholz angebracht, und ein Spruchband verkündete: ›In der UdSSR bedeutet Arbeit Ruhm, Ehre, Mut und Heldentum!‹«[46] Barbara Armonas wurde bei Irkutsk mit dem Transparent empfangen: »Nur durch Arbeit werde ich meinem Vaterland meine Schuld abzahlen«.[47] Ein anderer Häftling sah 1933 bei seiner Ankunft auf den Solowezki-Inseln – inzwischen hatte man dort ein Hochsicherheitsgefängnis eingerichtet – die Aufschrift: »Mit eiserner Faust führen wir die Menschheit ins Glück!«[48] Auch Juri Tschirkow, den man bereits mit vierzehn Jahren verhaftete, wurde auf den Solowezki-Inseln mit einem Spruchband begrüßt, das lautete: »Freiheit durch Arbeit!« Näher kann man der Devise von Auschwitz – »Arbeit macht frei« – kaum kommen.[49]

Auch die Ankunft im Lager war von Ritualen begleitet: Menschen, die bisher nur Gefängnishaft kannten, mussten zu *Seks* – Arbeitssklaven – erzogen werden. »Beim Eintreffen im Lager«, erinnert sich Karol Colonna-Czosnowski, ein polnischer Gefangener,

> »wurden wir erst einmal lange Zeit gezählt ... Der Abend wollte kein Ende nehmen. Unzählige Male mussten wir uns in Fünferreihen aufstellen und dann als ganze Reihe jeweils drei Schritt vortreten. Mehrere besorgt dreinschauende NKWD-Beamte zählten laut: ›*Odin, dwa, tri ...*‹ Jede Zahl wurde sorgfältig in den großen Notizblock geschrieben. Offenbar ergab die Anzahl derer, die lebend eingetroffen waren, addiert mit denen, die sie unterwegs erschossen hatten, nicht die erwartete Summe.«[50]

Nach dem Zählappell wurden Männer und Frauen ins Bad geführt und dort am ganzen Körper rasiert. Diese Prozedur, die auf zentralen Befehl und, wie die Betroffenen zu Recht annahmen, aus hygienischen Gründen vorgenommen wurde[51] – schließlich waren Häftlinge, die aus sowjetischen Gefängnissen eintrafen, meist völlig verlaust –, hatte zugleich auch eine wichtige rituelle Funktion. Frauen beschreiben sie mit besonderem Abscheu und Schrecken. Oft mussten sie sich splitternackt ausziehen und dann unter den Blicken männlicher Soldaten lange auf das Rasieren warten. Olga Adamowa-Sljosberg war bereits in einem Transitgefängnis durch diesen Albtraum gegangen:

> »Wir hatten uns bereits ausgezogen, unsere Kleider abgegeben und wollten gerade nach oben in den Waschraum gehen, als wir sahen, dass auf der ganzen Treppe Wachposten aufgereiht standen. Wir

liefen vor Scham rot an, senkten die Köpfe und drängten uns zusammen. Als ich aufschaute, begegnete mein Blick dem des kommandierenden Offiziers. Er schaute mich verdrossen an. ›Los, los!‹, rief er. ›Bewegt euch!‹

Mir war etwas leichter, ja fast kam mir die Situation komisch vor. Zum Teufel mit ihnen, dachte ich. Die bedeuten mir als Männer auch nicht mehr als der Bulle Waska, vor dem ich Angst hatte, als ich ein Kind war.«[52]

Nachdem die Gefangenen gewaschen und rasiert waren, kam der zweite Schritt, um aus Männern und Frauen anonyme *Seks* zu machen: das Verteilen der Kleidung. Ob die Gefangenen ihre eigenen Sachen tragen durften oder nicht, war von Ort zu Ort und von Lager zu Lager verschieden. Häufig spielte es gar keine Rolle, denn bis sie dort angekommen waren, trugen sie ohnehin nur noch Fetzen auf dem Leib, wenn man ihnen nicht schon alles gestohlen hatte.

Wer nichts Eigenes hatte, musste die Lagerkleidung tragen, die stets alt, verschlissen, schlecht genäht war und nicht passte. Vor allem den Frauen kam es oft so vor, dass man ihnen solche Lumpen gab, um sie bewusst zu demütigen. Anna Andrejewa, die Ehefrau des Autors und Spiritualisten Daniil Andrejew, saß zunächst in einem Lager, wo die Häftlinge ihre eigene Kleidung tragen durften. 1948 wurde sie an einen anderen Ort verlegt, wo das nicht erlaubt war. Sie empfand diese Veränderung als sehr erniedrigend: »Sie hatten uns alles genommen, unseren Namen, jeden Hinweis auf die Persönlichkeit, und nun steckten sie uns in unbeschreibliche, völlig formlose Sachen …«[53]

Mit ähnlichem Abscheu beschreibt eine andere Gefangene die »Lagermode«: Wir erhielten »kurze, geflickte Mäntel, geflickte Strümpfe bis zum Knie und Schuhe aus Birkenrinde. Wir sahen aus wie Monster. Von unserem Eigenen war uns fast nichts geblieben. Wir hatten bereits alles an die Kriminellen verkauft, genauer gesagt, für Brot eingetauscht. Strümpfe und Tücher aus Seide erregten solche Bewunderung, dass wir sie einfach verkaufen mussten. Sich zu weigern wäre zu gefährlich gewesen.«[54]

Da die zerlumpten Sachen den Häftlingen die Würde rauben

sollten, gaben sich viele große Mühe, sie etwas zu verschönern. Eine Gefangene erinnert sich, dass ihr die »alten, verschlissenen« Sachen, die man ihr gab, anfangs völlig gleichgültig waren. Später begann sie jedoch die Löcher zu stopfen, Taschen einzunähen und alle möglichen Verbesserungen anzubringen »wie andere Frauen auch«, um nicht völlig abgerissen herumzulaufen.[55] Warlam Schalamow verstand durchaus, welche Bedeutung diese kleinen Veränderungen hatten:

> »Im Lager gibt es ›individuelle‹ und ›allgemeine‹ Unterwäsche. Dies sind Perlen des bürokratischen Sprachgebrauchs. Die ›individuelle‹ Unterwäsche ist neuer und etwas besser; sie ist für Kalfakter, Häftlingsvorarbeiter und andere Privilegierte reserviert ... Die ›allgemeine‹ Unterwäsche gehört allen gemeinsam. Sie wird im Badehaus sofort nach dem Waschen gegen schmutzige Unterwäsche ausgehändigt, die man vorher sammelt und zählt. Niemand hat Gelegenheit, sich etwas nach seiner Größe auszusuchen. Saubere Unterwäsche wird wie nach einem Lotteriesystem verteilt, und ich spürte einen tiefen Schmerz, wenn ich erwachsene Männer sah, die vor Wut weinten, weil man ihre schmutzige derbe Unterwäsche gegen saubere durchlöcherte eintauschte. Nichts kann den Menschen von den Unannehmlichkeiten ablenken, die auch zum Leben gehören.«[56]

Der Schock, gewaschen, rasiert und als *Seks* eingekleidet zu werden, war aber nur der erste Schritt einer langen Initiation. Bald darauf mussten sich die Neuankömmlinge dem kritischsten Verfahren unterziehen – der Selektion und Einteilung in die verschiedenen Kategorien von Arbeitskräften. Diese Auswahl bestimmte alles Weitere im Lagerleben – den Status des Häftlings, die Art der Unterkunft und der Arbeit, die ihm zugeteilt wurden – Dinge, die über Leben und Tod entschieden.

Geschwächte Gefangene erhielten eine »Quarantänezeit«, um einerseits sicherzustellen, dass sie keine Krankheiten einschleppten, und ihnen andererseits Gelegenheit zu geben, nach Monaten der Entbehrungen im Gefängnis und auf dem Transport wieder etwas zu Kräften zu kommen. Dieses Erfordernis scheinen die Lagerkommandanten ernst genommen zu haben, was Gefangene bestätigen.[57]

Alexander Weißberg erhielt gutes Essen und durfte sich erholen, bevor man ihn ins Bergwerk schickte.[58] In Jewgenia Ginsburgs Erinnerung waren die ersten Tage in Magadan, der Hauptstadt der Kolyma-Region, »ein dichtes Knäuel von Bewußtlosigkeit, Schmerz, der Dunkelheit des Nichtseins«. Sie war, wie andere auch, von der *Dschurma* direkt ins Krankenhaus eingeliefert worden. Hier genas sie nach zwei Monaten. Einige waren skeptisch. »Ein Opferkalb«, meinte Lisa Scheweljowa, eine andere Gefangene: »Wozu diese Aufpäppelung? Wenn man hier entlassen wird, kommt man sofort wieder zur Arbeit. Innerhalb einer Woche sind Sie wieder eine Leiche, wie auf der ›Dschurma‹«[59]

Hatten sie sich wieder erholt, wenn man ihnen das überhaupt zugestand, und waren sie eingekleidet, wenn man ihnen neue Kleider genehmigte, dann wurde es Ernst mit Selektion und Einstufung. Im Prinzip war es ein genau festgelegtes Verfahren. Bereits 1930 hatte die Zentrale des Gulags strenge und recht komplizierte Weisungen für die Einteilung der Gefangenen erlassen. Theoretisch musste diese nach zwei Arten von Kriterien erfolgen: Unter Berücksichtigung ihrer »sozialen Herkunft« und ihrer Strafe sowie ihres Gesundheitszustands. In jenen frühen Tagen wurden die Gefangenen in drei Kategorien eingeteilt: »aus der Arbeiterklasse Stammende«, die nicht wegen konterrevolutionärer Vergehen verurteilt waren und höchstens fünf Jahre abzusitzen hatten; »aus der Arbeiterklasse Stammende«, die nicht wegen konterrevolutionärer Vergehen verurteilt waren, aber mehr als fünf Jahre Freiheitsstrafe erhalten hatten; schließlich jene, denen konterrevolutionäre Vergehen zur Last gelegt wurden.

Den drei Kategorien wurden nun verschiedene Haftarten zugeordnet: das privilegierte, das leichte oder das schwere Lagerregime. Danach mussten die Gefangenen einer Ärztekommission vorgestellt werden, die entschied, ob sie für schwere oder leichte Arbeit tauglich waren. Wenn alle diese Angaben vorlagen, wies die Lagerführung jedem Häftling eine Arbeit zu. Je nachdem, wie gut er dort seine Norm erfüllte, erhielt er eine der vier Verpflegungsrationen: für die Grundversorgung, für Arbeiter, für Schwerarbeiter oder für Straffällige.[60] Die Kategorien wurden immer wieder verändert. Nach Berias Befehl von 1939 teilte man die Häftlinge zum Beispiel in »für schwere Arbeit tauglich«, »für leichte Arbeit tauglich« und »Invaliden« ein (auch Gruppe A, B oder C genannt). Die entsprechenden Zahlen wurden von der Gulag-Zentrale in Moskau sorgfältig überwacht. Lager, die zu viele Invaliden unter ihren Gefangenen hatten, mussten mit harter Kritik rechnen.[61]

In der Praxis lief das Verfahren jedoch selten nach diesen Regeln ab. Es hatte seine offiziellen Aspekte, die von den Lagerkommandanten festgelegt wurden. Daneben aber gab es die informelle Seite, Korrekturen, die die Gefangenen untereinander aushandelten.

Jerzy Gliksman beschreibt, wie die Einteilung der Häftlinge in Kotlas, dem Transitlager für alle Lager nördlich von Archangelsk, vor sich ging. Dort rissen die Wärter die Gefangenen mitten in der Nacht aus dem Schlaf und befahlen ihnen, am Morgen mit ihrem kümmerlichen Hab und Gut anzutreten. Alle hatten zu erscheinen, selbst die Schwerkranken. Dann marschierten sie aus dem Lager in den Wald. Nach einer Stunde erreichten sie eine große Lichtung, wo sie in Sechzehnerreihen antreten mussten:

> »Den ganzen Tag lang liefen nun unbekannte Beamte in Uniform und in Zivil zwischen den Häftlingen umher, befahlen einigen, ihre *Fufaikas* [Wattejacken] auszuziehen, betasteten ihre Arme und Beine, ließen sich die Handflächen zeigen oder verlangten, dass sie sich nach vorn beugten. Manchmal ließen sie einen Häftling den Mund aufmachen und besahen sich seine Zähne wie Pferdehändler auf dem Jahrmarkt ... Einige suchten Ingenieure, erfahrene Schlosser oder Dreher, wieder andere fragten nach Zimmerleuten. Aber alle wollten körperlich starke Männer zum Holzfällen, für die Landwirtschaft, für die Kohlengruben und die Erdölfelder.«[62]

Von Anfang an war auch klar, dass Regeln da waren, um gebrochen zu werden. Nina Gagen-Torn musste 1947 im Lager Temnikowski eine besonders demütigende Selektion über sich ergehen lassen, die sich aber für sie zum Guten wendete. Ihre Kolonne wurde sofort nach ihrem Eintreffen im Lager zum Duschen geschickt, während man ihre Kleidung desinfizierte. Tropfnass führte man die nackten Frauen in einen Raum zur »Gesundheitskontrolle«. »Ärzte« sollten sie untersuchen. Das taten sie auch – zusammen mit dem Produktionsleiter des Lagers und den Wärtern:

> »Der Major ging die Reihe entlang und prüfte die Statur der angetretenen Frauen. Die knappen Befehle kamen wie aus der Pistole geschossen: In die Näherei! In den Kolchos! In die Zone! Ins Krankenhaus! Der Produktionsleiter schrieb die Namen auf.
> Als er ihren Namen hörte, blickte der Major auf und fragte: ›In welchem Verhältnis stehen Sie zu Professor Gagen-Torn?‹
> ›Ich bin seine Tochter.‹
> ›Steckt sie ins Hospital, sie hat die Krätze, das sieht man an den roten Flecken auf ihrem Bauch.‹«

Da sie keine roten Flecken auf dem Bauch hatte, nahm sie an – zu Recht, wie sich später herausstellte, der Mann müsse ihren Vater gekannt und bewundert haben und wollte ihr jetzt – zumindest zeitweilig – schwere Arbeit ersparen.[63]

Wie sich die Häftlinge in den ersten Tagen ihres Lagerlebens während und nach der Selektion verhielten, konnte sich entscheidend auf ihr weiteres Schicksal auswirken. Der polnische Romancier Gustaw Herling-Grudzinski nutzte die ersten drei Ruhetage nach seiner Ankunft in Kargopollag. »Ich verkaufte meine hohen Offiziersstiefel für den angemessenen Preis von 900 g Brot an einen *Urka* [einen Kriminellen], der bei der Eisenbahnbrigade arbeitete.« Als Gegenleistung verschaffte der Häftling über seine Verbindungen zur Lagerverwaltung Herling einen Job als Träger bei der Nahrungsmittelzentrale. Das sei schwere Arbeit, erklärte er Herling, aber er komme an Sonderrationen heran, was dann auch der Fall war.[64]

Handel und Wandel gab es in verschiedener Form. Als Gliksman in Uchtischemlag eintraf, war ihm sofort klar, dass die Berufsbezeichnung »Fachmann«, die man ihm im Transitlager Kotlas verliehen hatte – er war ausgebildeter Ökonom –, in diesem Lager ohne Bedeutung war. Zugleich beobachtete er schon in den ersten Tagen, dass seine cleveren russischen Bekannten sich nicht lange mit Formalitäten aufhielten:

»Die meisten ›Fachleute‹ nutzten die ersten drei freien Tage, um alle Büros und Dienststellen des Lagers abzuklappern, wo sie nach Bekannten forschten oder mit einigen Angestellten verdächtige Unterredungen führten. Alle waren damit voll beschäftigt. Jeder hatte seine Geheimnisse und achtete darauf, dass kein anderer ihm den besseren Job vor der Nase wegschnappte. Im Handumdrehen wussten alle diese Leute, an wen sie sich zu wenden, an welche Tür sie zu klopfen und was sie dort vorzubringen hatten.«

So kam es, dass man einen hoch qualifizierten polnischen Arzt zum Holzfällen in den Wald schickte, während ein ehemaliger Zuhälter als Buchhalter eingestellt wurde, »obwohl er nicht die geringste Ahnung von dieser Tätigkeit hatte und zudem fast Analphabet war«.[65]

Häftlinge, denen es auf diese Weise gelang, körperliche Arbeit zu umgehen, hatten damit den ersten Schritt zu ihrem Überleben getan. Aber das war erst der Anfang. Jetzt mussten sie sich mit den Regeln vertraut machen, nach denen der Lageralltag ablief.

Der Klang einer fernen Glocke
Dringt in die Zelle beim Frühlicht.
Ich höre sie rufen:
»Wo bist du? Wo bist du?«
»Hier bin ich!« …
Dann Tränen des Wiedersehens.
Die trostlosen Tränen des Kerkers.
Nicht um dich, Gott,
Nein, um dich, Russland.

SIMEON WILENSKI 1948[1]

# Leben in den Lagern

Nach den exaktesten bisher vorliegenden Berechnungen bestand der Gulag zwischen 1929 und 1953 aus 476 Lagerkomplexen.[2] Aber diese Zahl ist irreführend. Jeder dieser Komplexe setzte sich nämlich aus Dutzenden, zuweilen Hunderten kleinerer Lagereinheiten zusammen. Diese – Lagpunkte genannt – sind nie gezählt worden und werden wohl auch nie gezählt werden, denn einige bestanden nur zeitweilig, andere über längere Perioden, wieder andere gehörten formal in verschiedenen Etappen zu unterschiedlichen Lagern. Auch über die Zustände in den Lagpunkten kann kaum etwas gesagt werden, das für alle gilt. Denn selbst während Berias Herrschaft, die von 1939 bis zu Stalins Tod 1953 dauerte, gab es enorme Unterschiede in den Lebens- und Arbeitsbedingungen des Gulags, die von Jahr zu Jahr und von Ort zu Ort schwankten – und zwar selbst in einem einzigen Lagerkomplex.

»Jedes Lager war eine eigene Welt, eine eigene Stadt in einem eigenen Land«, schrieb die sowjetische Schauspielerin Tatjana Okunewskaja, »und jedes Lager hatte seinen eigenen Charakter.«[3] Das Leben in einem der riesigen Industrielager im Hohen Norden war völlig anders als in einem ländlichen Kolchos-Lager in Südrussland. Die Zustände während der schlimmsten Phase des Zweiten Weltkrieges, als in allen Lagern jährlich ein Viertel der Häftlinge starb, unterschieden sich gewaltig von denen Anfang der fünfziger Jahre, als die Todesraten mit denen im ganzen Lande vergleichbar waren. Unter einem relativ liberalen Lagerchef konnte das Klima ganz anders sein als unter einem Sadisten. Außerdem variierte die Zahl der

Häftlinge zwischen den einzelnen Lagpunkten gewaltig: Das reichte von einigen Dutzend bis zu einigen tausend.

Dennoch waren am Vorabend des Krieges Leben und Arbeiten in gewissen Hinsichten in fast allen Lagern gleich. Das große Auf und Ab in der Politik, das für die dreißiger Jahre so typisch war, gab es nicht mehr. Stattdessen drückte eine träge Bürokratie, die inzwischen nahezu jeden Aspekt des Lebens in der Sowjetunion beherrschte, auch dem Gulag mehr und mehr ihren Stempel auf.

Als Erstes fällt der Unterschied zwischen den wenigen und ziemlich vagen Bestimmungen der dreißiger Jahre und den viel detaillierteren Vorschriften für die Führung der Lager ins Auge, die seit 1939 unter Beria erlassen wurden. Hier scheint sich das gewandelte Verhältnis zwischen den Moskauer Führungsorganen des Gulags und den Lagerchefs in den Regionen widerzuspiegeln. Im ersten Jahrzehnt des Systems, als noch experimentiert wurde, schrieb man offenbar nicht vor, wie die Lager auszusehen hatten. Für den Umgang mit den Häftlingen gab es kaum Regeln. Erkennbar ist nur ein allgemeiner Rahmen, dessen konkrete Ausgestaltung dem Gutdünken der einzelnen Kommandanten überlassen blieb.

Nunmehr ergingen sehr genaue Weisungen, die nach der neuen Zweckbestimmung des Gulags jeden Aspekt des Lagerlebens bis in alle Einzelheiten vorgaben – von der Bauweise der Baracken bis zum Tagesablauf der Gefangenen.[4] Denn unter Berias Herrschaft rückte – offenbar mit Stalins Unterstützung – seit 1939 für Moskau der wirtschaftliche Aspekt anscheinend wieder in den Vordergrund: Der Große Terror, in dessen Gefolge die Lager sich zeitweise in Todeslager verwandelt hatten, war vorbei. Nun hatten die Häftlinge im Interesse des Produktionsplanes zu funktionieren wie die Zahnräder einer Maschine.

Daher sahen die von Moskau ausgehenden Weisungen eine strenge Kontrolle und Überwachung der Lebensbedingungen der Gefangenen vor. Im Prinzip wurde jeder Einzelne, wie bereits erwähnt, nach Strafmaß, Beruf und Arbeitsfähigkeit klassifiziert. Im Prinzip wies das Lager jedem *Sek* eine Aufgabe und eine Norm zu, die er zu erfüllen hatte. Im Prinzip hing die Art und Weise, wie der *Sek* seine Grundbedürfnisse – Nahrung, Kleidung, Unterkunft und

Lebensraum – befriedigen konnte, davon ab, wie gut oder schlecht er seine Norm erfüllte. Im Prinzip war jeder Aspekt des Lagerlebens darauf ausgerichtet, die Produktionsergebnisse zu verbessern. Selbst »Kultur- und Erziehungseinrichtungen« gab es vor allem, weil die Lagerchefs glaubten, sie könnten damit ihre Häftlinge zu noch höheren Arbeitsleistungen bewegen. Inspektionen fanden im Prinzip statt, um sicherzustellen, dass alle Aspekte des Lagerlebens in diesem Sinne harmonisch ineinander griffen. Im Prinzip hatte daher auch jeder *Sek* das Recht, sich beim Lagerchef, in Moskau und sogar bei Stalin zu beschweren, wenn das Lager nicht nach diesen Regeln funktionierte.

In der Praxis sah es natürlich ganz anders aus. Menschen sind keine Maschinen. Die Lager waren keine sauberen, reibungslos laufenden Fabriken. Das System hat nie so funktioniert, wie es die Bestimmungen vorsahen. Die Wachmannschaften waren korrupt, die Lagerchefs arbeiteten in die eigene Tasche, und die Häftlinge fanden Wege, Befehle zu unterlaufen oder zu umgehen. Sie bauten eigene Hierarchien auf, die mit den von der Lagerführung gewollten übereinstimmten oder auch nicht. Obwohl regelmäßig Inspektoren aus Moskau auftauchten, denen dann Ermahnungen und zornige Briefe der Zentrale folgten, entsprachen nur wenige Lager dem vorgegebenen Modell. Zwar wurden Beschwerden der Häftlinge offenbar ernst genommen – ganze Kommissionen beschäftigten sich damit –, aber sie änderten kaum etwas.[5]

Dieser Widerspruch zwischen den Vorstellungen Moskaus und der Realität, zwischen den Bestimmungen auf dem Papier und ihrer Umsetzung in der Praxis verlieh dem Gulag seine ganz eigenen, zuweilen surrealen Züge. In der Theorie diktierte Moskau das Leben der Häftlinge bis in die kleinsten Einzelheiten. In der Praxis spielte das Verhältnis der Gefangenen zu ihren Wärtern und untereinander ebenso eine Rolle.

## Die *Zone:* hinter dem Stacheldraht

Das wichtigste Instrument in der Hand der Lagerführung war die Kontrolle über den Lebensraum der Häftlinge – die Zone. Nach den Vorschriften musste sie quadratisch oder rechtwinklig angelegt sein. »Im Sinne einer besseren Überwachung« waren andere Formen nicht erlaubt.[6] Innerhalb dieses Quadrats oder Rechtecks gab es wenig Bemerkenswertes zu sehen. Die Bauten eines typischen Lagpunktes sahen größtenteils gleich aus. Auf Fotografien, die in Workuta aufgenommen sind und in Moskauer Archiven aufbewahrt werden, ist eine Ansammlung primitiver Holzhäuser zu sehen, die sich nur dadurch voneinander unterscheiden, dass sie Aufschriften wie »Strafzelle« oder »Speisesaal« tragen.[7] Meist öffnete sich im Zentrum des Lagers nahe dem Tor ein weiter Platz, wo die Häftlinge zweimal täglich zum Zählappell anzutreten hatten. Draußen vor dem Haupttor standen in der Regel die Baracken für die Wachmannschaften und die Wohnblocks der Lagerführung, ebenfalls aus Holz.

Was die Zone von jeder anderen Arbeitsstätte unterschied, war der Zaun, der sie umgab. In seinem Gulag-Handbuch schreibt Jacques Rossi, dass dieser

> »... gewöhnlich aus Holzpfosten besteht, die bis zu einem Drittel in den Boden gerammt werden. Die Höhe beträgt je nach den örtlichen Bedingungen 2,5 bis 6 Meter. Zwischen den Pfosten, die etwa 6 Meter auseinander stehen, sind sieben bis 15 Reihen Stacheldraht gespannt. Darüber laufen diagonal zwei weitere Reihen.«[8]

Befand sich das Lager oder die Arbeitskolonie in der Nähe oder innerhalb einer Stadt, dann war es nicht von Stacheldraht, sondern von einer Ziegelmauer oder einem hölzernen Plankenzaun umgeben, damit niemand hineinsehen konnte.

Wer hinein oder heraus wollte – gleich, ob Häftlinge oder Wärter –, musste durch die *Wachta,* das Torhaus. Tagsüber kontrollierten dort Posten jeden, der das Lager betreten oder verlassen wollte. Freie Arbeiter und die Begleitmannschaften, die die Gefangenen hinaus- oder hineinbrachten, mussten ihren Ausweis zeigen. Im Lager

Perm-36, das im Originalzustand wiederhergestellt worden ist, besteht die *Wachta* aus einer Schleuse mit zwei Toren. In dem engen Raum dazwischen wurden die Häftlinge kontrolliert und durchsucht.

Aber Stacheldraht und Mauern genügten in der Regel nicht. In den meisten Lagern wurden die Häftlinge von bewaffneten Posten auf hohen hölzernen Türmen bewacht. Mancherorts gab es Hunde an der Außenseite des Zaunes, deren Kette an einem Metalldraht lief, der den gesamten Zaun umspannte. Sie wurden von Hundeführern betreut und waren darauf abgerichtet anzuschlagen, wenn ein Häftling sich näherte, sowie seine Spur zu verfolgen, sollte er einen Fluchtversuch unternehmen. Er wurde also gesehen, gerochen oder gehört, selbst wenn es ihm gelang, Mauer und Stacheldraht zu überwinden.

In seinen Vorschriften von 1939 wies Beria die Lagerkommandanten an, vor dem Lagerzaun ein Niemandsland von mindestens fünf Metern Breite anzulegen.[9] Dieser Streifen nackten Bodens wurde im Sommer regelmäßig geharkt und die Schneedecke darauf im Winter unberührt gelassen, damit bei einem Fluchtversuch Fußspuren deutlicher zu sehen waren.

Und doch waren Zäune und Mauern, Hunde und Hindernisse, die die Lagpunkte umgaben, nicht vollkommen unüberwindlich. Zum einen wurden die Häftlinge in der Sowjetunion in »bewachte« und »unbewachte« eingeteilt. Die kleine Minderheit der »Unbewachten« durfte ohne Begleitung im Lager aus und ein gehen, führte Botengänge für das Wachpersonal aus, arbeitete am Tage bei der Eisenbahn und durfte zum Teil sogar privat außerhalb der Zone wohnen. Dieses Privileg hatte sich unter den chaotischen Umständen Anfang der dreißiger Jahre eingebürgert.[10] Zwar wurde es später mehrfach verboten, konnte aber nicht völlig ausgerottet werden, auch wenn es zum Beispiel in einer Weisung von 1939 hieß: »Den Häftlingen ist es ausnahmslos untersagt, außerhalb der Zone in Dörfern, Privatunterkünften oder zum Lager gehörenden Gebäuden zu wohnen.«[11]

Die Vorschrift wurde regelmäßig missachtet, wie die Akten deutlich machen. Das Büro des Generalstaatsanwalts in Moskau warf etwa den Kommandanten eines Lagers bei der fernöstlichen Stadt Komsomolsk schriftlich vor, sie hätten nicht weniger als 1763 Häftlingen den »unbewachten« Status gewährt. Daher, so hieß es in dem Brief zornig, »begegnet man in der Stadt, in jeder Einrichtung und sogar in Privatwohnungen auf Schritt und Tritt Gefangenen«.[12] Ein anderes Lager wurde beschuldigt, es habe 150 Häftlinge in Privathäusern untergebracht, eine Verletzung der Vorschriften, die bereits zu »Fällen von Trinkgelagen, Schlägereien und Diebstählen bei der örtlichen Bevölkerung« geführt habe.[13]

Zum anderen konnte man den Gefangenen nicht jede Bewegungsfreiheit nehmen. Das ist gerade eine der Eigenarten des Lagers, die es von einem Gefängnis unterscheidet: Wenn die Häftlinge nicht arbeiteten und nicht schliefen, durften sie in der Regel in ihren Baracken frei ein und aus gehen. Innerhalb bestimmter Grenzen konnten sie selbst entscheiden, wie sie ihre freie Zeit verbrachten.

Häftlinge, die aus den engen sowjetischen Gefängnissen ins Lager kamen, waren angesichts dieser Veränderung häufig überrascht und erleichtert. So erklärte ein *Sek* bei der Ankunft in Uchtpetschlag: »Wir waren in Hochstimmung, weil wir endlich an die frische Luft kamen.«[14] Olga Adamowa-Sljosberg erinnert sich, dass die Gefangenen bei der Ankunft in Magadan »vom Morgen bis zum Abend über die Vorzüge des Lagerlebens gegenüber dem Gefängnis redeten«:

> »Die Zahl der Insassen (etwa eintausend Frauen) kam uns gewaltig vor: so viele Menschen, so viele Gespräche, so viele mögliche Freunde! Und dann die Natur. Auf dem Lagergelände, das von Stacheldraht umgeben war, konnten wir uns frei bewegen, den Himmel und die Berge in der Ferne betrachten, zu den kümmerlichen Bäumen gehen und sie mit der Hand berühren. Wir sogen die feuchte Seeluft ein, spürten den Nieselregen des August auf dem Gesicht, setzten uns ins nasse Gras und ließen die Erde durch die Finger rieseln. Vier Jahre lang hatten wir ohne all das leben müssen. Jetzt entdeckten wir, wie wichtig es für uns war: Ohne das konnte man sich nicht als normaler Mensch fühlen.«[15]

Mit der Zeit verlor diese vermeintliche »Freiheit« des Lagerlebens allerdings ihren Reiz. Solange man im Gefängnis saß, schrieb Kazimierz Zarod, ein polnischer Häftling, konnte man noch glauben, das Ganze sei ein Irrtum und man werde bald wieder frei sein. Schließlich »waren wir immer noch von den Symbolen der Zivilisation umgeben, denn das Gefängnis lag in einer großen Stadt«. Im Lager dagegen irrte er ziellos »in einer merkwürdigen Menge umher ... Ich verlor jedes Gefühl für Normalität. Mit jedem Tag wuchs meine Panik, die langsam in Verzweiflung überging. Zwar versuchte ich diesen Gedanken tief in mein Unterbewusstsein zu verdrängen, aber mir wurde immer klarer, dass ich Opfer einer zynischen Ungerechtigkeit geworden war, aus der es offenbar kein Entrinnen gab ...«[16]

Die neu gewonnene Bewegungsfreiheit konnte leicht in Anarchie umschlagen. Am Tage waren Wärter und Lagerpersonal im Lagpunkt stets in großer Zahl präsent, bei Nacht dagegen verschwanden sie fast völlig von der Bildfläche. Ein oder zwei hatten Dienst am Tor, aber alle anderen zogen sich nach draußen zurück. Nur wenn ein Häftling um sein Leben fürchtete, wandte er sich manchmal an die Wachen am Tor. Ein Überlebender schreibt in seinen Erinnerungen, dass nach einer wüsten Schlägerei zwischen Politischen und Kriminellen, wie sie in der Nachkriegszeit häufig vorkamen, die Kriminellen, denen die Niederlage drohte, »zum Tor rannten« und um Hilfe riefen. Schon am nächsten Tag gingen sie auf Transport in ein anderes Lager. Der Kommandant wollte verhindern, das sich die Häftlinge gegenseitig totschlugen.[17] Eine Frau, die fürchtete, von einem Kriminellen vergewaltigt und vielleicht sogar ermordet zu werden, »fand sich am Tor ein« und bat darum, zu ihrem Schutz die Nacht in der Strafzelle verbringen zu dürfen.[18]

Aber auch im Torhaus war es nicht sicher. Die Posten, die dort Wache standen, mussten auf die Bitte eines Häftlings nicht unbedingt eingehen. Aus offiziellen Dokumenten wie aus Memoiren geht hervor, dass die bewaffneten Wachmänner Gefangene häufig abwiesen oder auslachten, selbst wenn es um Mord, Folter oder Vergewaltigung ging. Gustaw Herling-Grudzinski beschreibt eine Massenvergewaltigung, die eines Nachts in einem Lagpunkt von Kargopollag geschah: »Erst als der vierte die Frau gleichfalls zu vergewaltigen versuchte, gelang es ihr kurz, ihren Kopf zu befreien, und ein kurzer, erstickter Schrei hallte durch die eisige Stille. Eine verschlafene Stimme rief vom nächsten Wachturm: ›Aber, Männer, was macht ihr denn da? Schämt ihr euch nicht?‹ Die acht zogen die Frau darauf von der Bank und zerrten sie wie eine Stoffpuppe um die Baracke herum zur Latrine.«[19]

In der Theorie waren die Vorschriften eindeutig: Die Gefangenen hatten innerhalb der Zone zu bleiben. In der Praxis wurden sie oft gebrochen. Und ein Verhalten, das die Regeln formal nicht verletzte, wie gewalttätig und folgenschwer es auch sein mochte, wurde nicht unbedingt bestraft.

## Das *Regime:* die Regeln für den Alltag

Die Zone definierte den Raum, in dem die Gefangenen sich bewegen durften.[20] Das Regime – die Regeln und Verfahren, nach denen das Lager funktionierte – kontrollierte ihre Zeit.

Das Regime war von Lagpunkt zu Lagpunkt strenger oder milder, je nachdem, welche Prioritäten gerade herrschten und was für Gefangene im jeweiligen Lager einsaßen. Es gab Lager mit leichtem Regime für Invaliden, Lager mit normalem Regime, mit Sonderregime und Strafregime. In den Grundzügen war es allerdings überall das Gleiche. Das Regime bestimmte, wann und wie der Gefangene geweckt wurde, wie er zur Arbeit gelangte, wann und wie er verpflegt wurde, wann und wie lange er schlafen durfte.

In den meisten Lagern begann der Tag mit dem Antreten der Häftlinge nach Brigaden und dem Marsch zur Arbeit. Zuvor wurden sie von einer Sirene oder einem anderen Signal geweckt. Wenn die Sirene zum zweiten Mal heulte, musste das Frühstück beendet werden, und die Arbeitszeit begann. Die Häftlinge traten auf dem Platz hinter dem Lagertor zum Morgenappell an.

Moskau hatte festgelegt, dass dieser nicht länger als fünfzehn Minuten dauern durfte.[21] Wie Kazimierz Zarod schreibt, zog er sich aber häufig länger hin, auch wenn das Wetter schlecht war:

»Morgens um 3.30 Uhr hatten wir uns in Fünferreihen mitten auf dem Platz zur Zählung anzustellen. Die Wärter verzählten sich oft und mussten immer wieder von vorn anfangen. Eines Morgens schneite es, sie fanden und fanden kein Ende. Wenn das Personal ausgeschlafen und konzentriert war, nahm das Zählen etwa dreißig Minuten in Anspruch. Wenn es sich irrte, konnten wir auch über eine Stunde auf dem Platz stehen.«[22]

In einigen Lagern suchte man nach Wegen, um »die Stimmung der Gefangenen zu heben«. Auch Kazimierz Zarod berichtet von der merkwürdigen Einrichtung einer Morgenkapelle, die aus Häftlingen – Berufsmusikern und Laien – bestand:

»Jeden Morgen spielte die ›Kapelle‹ am Tor Militärmärsche, damit wir ›stark und glücklich‹ zu unserem Tagewerk ausrückten. Wenn das Ende der Kolonne das Tor passiert hatte, setzten die Musiker ihre Instrumente ab, reihten sich ein und zogen mit allen anderen in den Wald.«[23]

Vor dem Gang zur Arbeit ertönte die tägliche Warnung: »Ein Schritt nach rechts oder links gilt als Fluchtversuch! Die Wachen schießen ohne Warnung! Marsch!« Und los ging's in Fünferreihen zum Einsatzort. Lag dieser weit entfernt, führten die Wachmänner Hunde mit. Am Abend ging es in derselben Marschordnung zurück. Eine Stunde wurde den Häftlingen für das Abendbrot eingeräumt, dann hieß es wieder: Zählappell – kurz, wenn die Gefangenen Glück hatten, und endlos, wenn nicht. Die Moskauer Bestimmungen sahen für den Abendappell etwas mehr Zeit vor, dreißig bis vierzig Minuten. Wahrscheinlich ging man davon aus, dass Fluchtversuche vor allem während der Arbeit vorkamen.[24] Sobald die Sirene ertönte, war Schlafenszeit.

Diese Abläufe waren nicht unveränderlich. Im Gegenteil: Das Regime wechselte, wurde aber in der Tendenz immer härter. Jacques Rossi ist der Meinung, dass »der wichtigste Charakterzug des sowjetischen Strafregimes seine systematische Verschärfung, das allmähliche Einsickern eines willkürlichen Sadismus in das Recht« sei. Dem kann kaum widersprochen werden.[25] In den vierziger Jahren wurden das Lagerregime immer strenger, der Arbeitstag länger und die Ruhezeit kürzer. 1931 arbeiteten die Häftlinge der Waigatsch-Expedition, einem Teil der Uchta-Expedition, sechs Stunden täglich in drei Schichten. Auch an der Kolyma gab es Anfang der dreißiger Jahre noch normale Arbeitszeiten, die im Winter kürzer und im Sommer länger waren.[26] Im Laufe der dreißiger Jahre wurde die Schicht auf das Doppelte ausgedehnt. Ende der dreißiger Jahre arbeiteten Frauen in einer Näherei, wie Elinor Olizkaja berichtet, »zwölf Stunden in einer ungelüfteten Halle«. Auch an der Kolyma wurde inzwischen zwölf Stunden am Stück gearbeitet.[27] Später war Olizkaja einer Baubrigade zugeteilt, die vierzehn bis sechzehn Stunden täglich schuften musste. Lediglich um 10.00 Uhr und 16.00 Uhr gab es fünf Minuten Pause, außerdem eine Stunde für das Mittagessen.[28]

Das waren keine Einzelfälle. Im Jahr 1940 wurde der Arbeitstag im Gulag offiziell auf elf Stunden verlängert.[29] Im März 1942 erhielten alle Lagerkommandanten einen wütenden Brief aus der Moskauer Zentrale, der sie daran erinnerte, dass »Häftlinge mindestens acht Stunden Schlaf haben müssen«. Viele Lagerchefs hätten diese Regel ignoriert, hieß es in dem Schreiben, und ihren Häftlingen nur noch vier oder fünf Stunden Schlaf gegönnt. Dadurch, so beschwerte sich die Zentrale, »verlieren die Häftlinge an Arbeitskraft, bringen schlechte Leistungen und werden schließlich zu Invaliden«.[30]

Als die Produktionsziele in den Kriegsjahren nach oben schnellten, hielt sich überhaupt niemand mehr an diese Regel. Nach dem Einmarsch der Deutschen verlängerte die Gulag-Zentrale im September 1942 den Arbeitstag für Häftlinge, die Flugplätze bauten, auf zwölf Stunden mit einer einstündigen Mittagspause. Das war in der ganzen Sowjetunion gang und gäbe. Für Wjatlag wurden während des Krieges Sechzehn-Stunden-Tage verzeichnet.[31] Sergej Bondarewski, der während des Krieges als Gefangener in einer Scharaschka tätig war, erinnert sich, dass man auch in diesen geheimen Labors mit kurzen Pausen bis zu elf Stunden täglich arbeitete.[32] Ein *Sek*, der einer Brigade von Goldwäschern an der Kolyma angehörte, hatte in einer Schicht 150 Schubkarrenladungen Sand zu waschen. Wer das bis zum Ende des Arbeitstages nicht schaffte, musste länger bleiben, bis die Arbeit getan war. Darüber konnte es Mitternacht werden. Dann ging es ins Lager zurück, zu einer dünnen Suppe. Die nächste Schicht begann am nächsten Morgen um 5.00 Uhr.[33]

Auch während des Arbeitstages waren die Pausen kurz, wie ein Gefangener berichtet, der zur Kriegszeit in einer Textilfabrik eingesetzt war:

> »Um sechs Uhr morgens mussten wir in der Fabrik sein. Um zehn gab es fünf Minuten Pause, gerade genug, um eine Zigarette zu rauchen. Dafür musste man aber zu einem Keller in knapp 200 Meter Entfernung laufen, dem einzigen Ort in der ganzen Fabrik, wo das gestattet war. Wer die Regel verletzte, konnte mit zwei Jahren Haftverlängerung rechnen. Gegen ein Uhr folgte eine halbe Stunde Mittagspause. Mit einer kleinen irdenen Schüssel in der Hand musste man zur Kantine stürzen, in einer langen Reihe stehen, ein paar Sojabohnen fassen, die den meisten zuwider waren, und um jeden Preis wieder in der Fabrik sein, wenn die Maschinen eingeschaltet wurden. Dort ging die Arbeit ohne Pause bis sieben Uhr abends weiter.«[34]

Die Zahl der freien Tage war ebenfalls per Gesetz festgelegt. Gewöhnliche Häftlinge erhielten einen Tag wöchentlich, die mit verschärftem Regime zwei Tage im Monat. Aber auch diese Regel variierte in der Praxis. Bereits 1933 hatte die Moskauer Gulag-Zentrale eine Weisung verschickt, die die Lagerkommandanten daran erinnerte, wie wichtig freie Tage, die man in der Hektik der Planerfüllung weitgehend abgeschafft hatte, für die Häftlinge seien.[35] Zehn Jahre später hatte sich daran kaum etwas geändert. Gustaw Herling-Grudzinski erinnert sich:

> »Nach den Bestimmungen stand den Gefangenen nach zehn Arbeitstagen ein Ruhetag zu. Aber die Praxis zeigte, dass selbst nur bei einem Ruhetag im Monat das Produktionssoll sich kaum erfüllen ließ; darum war es üblich geworden, dem Lager erst, wenn es seinen vorgeschriebenen Vierteljahresproduktionsplan übererfüllt hatte, zum Lohn einen Ruhetag zuzubilligen ... Natürlich war uns jeder Einblick in die Berechnungen der Arbeitsleistung und den Produk-

tionsplan versagt; dadurch konnte man uns täuschen, und wir waren so einzig und allein der Gnade der Lagerverwaltung preisgegeben.«[36]

Aber auch an den seltenen freien Tagen kam es manchmal vor, dass die Häftlinge zu Aufräumarbeiten im Lager gezwungen wurden, die Baracken und die Toiletten reinigen oder im Winter Schnee schippen mussten.[37] Vor diesem Hintergrund ist die folgende Weisung des Kommandanten von Dmitlag, Kogan, besonders bitter. »Die wachsende Zahl von Krankheiten und Zusammenbrüchen bei Pferden hat mehrere Ursachen«, hieß es da, »die Überlastung der Zugtiere, die schlechten Wege und das Fehlen von Ruhetagen, an denen die Pferde Kräfte sammeln können.« Dem folgte die Weisung:

> »1. Der Arbeitstag der Lagerpferde darf zehn Stunden nicht überschreiten, die obligatorische zweistündige Pause zum Fressen und Erholen nicht mitgerechnet.
> 2. Pferde dürfen im Durchschnitt nicht mehr als 32 Kilometer täglich laufen.
> 3. Den Pferden ist regelmäßig alle acht Tage ein Tag zur Erholung zu gewähren, an dem vollkommene Ruhe herrschen muss.«[38]

Dass auch die Gefangenen nach acht Tagen regelmäßig einen Ruhetag brauchten – davon war keine Rede.

## Die *Baracken:* der Lebensraum

In den meisten Lagern waren die Häftlinge in Baracken untergebracht. Nur selten kam es vor, dass diese bereits standen, wenn die Gefangenen eintrafen. Jene, die das Pech hatten, als Baubrigade eingesetzt zu werden, mussten zunächst mit Zelten vorlieb nehmen oder hatten gar kein Dach über dem Kopf.

Janusz Sieminski, ein polnischer Häftling, der in der Nachkriegszeit an der Kolyma einsaß, wurde einmal einem Trupp zugeteilt, der mitten im Winter auf blanker Erde einen neuen Lagpunkt zu errich-

»In der Baracke«: Gefangene lauschen einem Lagermusikanten, Zeichnung von Benjamin Mkrtschjan, Iwdel 1953.

ten hatte. Viele der dort eingesetzten Häftlinge starben, besonders jene, die den Kampf um einen Schlafplatz nahe beim Lagerfeuer verloren.[39]

Wenn die Häftlinge Baracken aufstellten, dann waren das stets sehr primitive Holzbauten. Da ihre Konstruktion von Moskau vorgegeben war, gleichen alle Beschreibungen von Gefangenen einander. Es waren lange, rechteckige Holzhütten mit unverputzten Wänden, die Risse mit Schlamm verschmiert. Drinnen standen primitive Holzpritschen in endlosen Reihen. Manchmal gab es einen unbehauenen Tisch, manchmal nicht. Einige der Baracken hatten Bänke zum Sitzen, andere nicht.[40] An der Kolyma und in anderen Gegenden, wo Holz knapp war, bauten die Häftlinge einfachste Baracken aus Stein.

Andere waren in Erdhütten untergebracht. A. P. Jewstonitschew lebte Anfang der vierziger Jahre in Karelien in einem solchen Unterstand:

»Eine Erdhütte war ein vom Schnee gesäuberter Fleck, wo man die oberste Erdschicht entfernt hatte. Wände und Dach wurden aus rohen runden Baumstämmen gefertigt. Auf diese Konstruktion kam die vorher entfernte Schicht Erde und Schnee. Der Zugang zu dieser Grube wurde mit einer Zeltplane geschlossen … In einer Ecke stand ein Fass Wasser, in der Mitte ein kleiner eiserner Ofen, dessen Metallrohr durch das Dach führte, daneben ein Fass Petroleum.«[41]

In den Behelfs-Lagpunkten, die für den Bau von Straßen und Eisenbahnstrecken eingerichtet wurden, waren Erdhütten die übliche Unterkunft. Manchmal lebten die Häftlinge auch in Zelten. Einer beschreibt in seinen Erinnerungen aus der Anfangszeit von Workutlag, wie in drei Tagen »fünfzehn Zelte mit Dreifachstockbetten« für je hundert Gefangene aufgebaut wurden, dazu eine Zone mit Stacheldrahtzaun und vier Wachtürmen.[42]

Aber auch echte Baracken erreichten nur selten die niedrigen Standards, die von Moskau vorgegeben wurden. Meist waren sie hoffnungslos überfüllt, selbst als sich das Chaos der späten dreißiger Jahre langsam legte. Von einer Inspektionsreise durch 23 Lager aus dem Jahr 1948 wird berichtet, dass in den meisten »den Gefangenen nicht mehr als eineinhalb Quadratmeter Lebensraum pro Person zur Verfügung steht«. Selbst dieser war in unhygienischem Zustand: »Die Häftlinge haben keinen eigenen Schlafplatz, keine eigenen Decken und Laken.«[43]

Gewöhnliche Gefangene hatten Anspruch auf eine Liegestatt, die denen in Schlafwagen dritter Klasse ähnelte, weshalb man sie *Wagonki* nannte: Doppelstockbetten, in denen auf jeder Ebene zwei Häftlinge schliefen. In vielen Lagern musste man aber mit Einfacherem vorlieb nehmen. Am häufigsten vertreten war das lange, hölzerne Brettergestell, das nicht einmal in einzelne Schlafplätze unterteilt war. Die Häftlinge legten sich in einer langen Reihe nebeneinander darauf nieder. Da diese Massenschlafplätze als unhygienisch galten, wurden sie bei Lagerinspektionen immer wieder beanstandet. 1948 ordnete die Gulag-Zentrale an, alle diese Schlafstellen durch *Wagonki* zu ersetzen.[44] Trotzdem schlief Anna Andrejewa, die Ende der vierziger und Anfang der fünfziger Jahre in Mordowien im Lager saß, auf einem solchen Gestell. Sie erinnert sich, dass viele Häftlinge sogar auf dem nackten Boden schlafen mussten.[45]

Auch Bettwäsche war durchaus nicht der Normalfall. Obwohl Moskau diesbezüglich ebenfalls strikte (und ziemlich bescheidene) Vorschriften erlassen hatte, war die Situation von Lager zu Lager verschieden. Die Bestimmung lautete, dass jedem Häftling pro Jahr ein neues Handtuch, alle vier Jahre ein neuer Kissenbezug, alle zwei Jahre neue Bettlaken und alle fünf Jahre eine neue Bettdecke zustanden.[46] In der Praxis, so schreibt Elinor Lipper, gehörte »zum Bett eines jeden Gefangenen ... ein sogenannter Strohsack«:

> In diesem gab es allerdings »kein Stroh ..., was es dort nicht gibt, auch selten Heu, weil es nicht einmal für das Vieh ausreicht, sondern zum Beispiel Hobelspäne oder irgend welche privaten Kleidungsstücke, falls man solche noch besitzt. Außerdem eine wollene Decke und ein Kissenüberzug, in den man ebenfalls hineintun kann, was man will, denn Kissen gibt es keine.«[47]

Die Baracken waren stets von »schrecklichem Gestank« erfüllt, weil überall, wo sich die Gelegenheit dazu bot – an Bettgestellen, Tischen und Bänken –, Unmengen schmutziger, schimmelnder Kleidungsstücke zum Trocknen aufgehängt waren. In den Baracken der Sonderlager, wo man nachts Türen und Fenster verbarrikadierte, »blieb kaum noch Luft zum Atmen«.[48]

Dass es keine richtigen Toiletten gab, machte die Sache noch schlimmer. In den Lagern, wo die Häftlinge nachts in den Baracken eingeschlossen wurden, mussten sie wie im Gefängnis ihre Notdurft auf der *Parascha*, dem Kübel, verrichten. Eine Gefangene schreibt, dass es am Morgen »unmöglich war, die *Parascha* hinauszutragen, weshalb sie über den glitschigen Boden gezerrt wurde. Dabei schwappte sie unweigerlich über.«[49]

Schmutz und Überfüllung der Unterkünfte waren aber nicht

Herausgeputzte Baracke

nur ein ästhetisches Problem. Das Gedränge in den Baracken konnte tödliche Folgen haben, besonders in Lagern, in denen rund um die Uhr gearbeitet wurde. Ein Häftling schreibt in seinen Erinnerungen über ein Lager, in dem Tag und Nacht der Drei-Schicht-Betrieb lief: »Zu jeder Tageszeit versuchte jemand in der Baracke zu schlafen. Auseinandersetzungen darum waren Kämpfe auf Leben und Tod. In Streitereien wegen Schlaf verfluchten sich die Leute gegenseitig, prügelten sich und brachten sich sogar gegenseitig um. Die ganze Zeit über lief der Lautsprecher in der Baracke in voller Lautstärke, weshalb er bei allen verhasst war.«[50]

Da die Frage, wo man einen Schlafplatz fand, so entscheidend war, galten die Schlafbedingungen stets als wichtiges Instrument zur Kontrolle der Häftlinge, und die Lagerleitungen machten auch bewusst davon Gebrauch. Im Zentralarchiv des Gulags in Moskau liegen Fotografien von verschiedenen Barackentypen, die für unterschiedliche Arten von Häftlingen gedacht waren. Die Baracken der »Stoßarbeiter« hatten Einzelbetten mit Matratzen und Decken, Holzdielen und Bilder an den Wänden. Die Häftlinge auf den Fotos sehen zwar nicht gerade lächelnd in die Kamera, lesen aber zumindest Zeitung und sehen gut genährt aus. In den Strafbaracken für schlechte oder widerspenstige Arbeiter stehen anstelle von Betten Holzgestelle und rohe Pritschen. Selbst auf den Fotos, die man für Propagandazwecke aufnahm, sind keine Matratzen zu sehen, und mehrere Häftlinge müssen sich eine Decke teilen.[51]

In manchen Lagern entwickelte sich eine regelrechte Schlafetikette. Raum war so wichtig, dass dieser und ein wenig Privatsphäre als hohe Privilegien galten, die nur der Lageraristokratie gewährt wurden. Hochrangige Häftlinge – Brigadeführer, Normer und andere – durften häufig in kleineren Baracken mit geringer Belegung schlafen. Solschenizyn, der bei seinem Eintreffen in einem Lager bei Moskau zunächst als »Vorarbeiter« eingestuft wurde, erhielt seinen Schlafplatz in einer Baracke, in der

> »richtige Betten standen darin statt der Bretterliegen und Nachttische, je einer für zwei Mann, nicht gleich für die ganze Brigade; tagsüber wurde die Tür versperrt, man konnte seine Habe zu Hause lassen; schließlich gab es eine halblegale Elektrokochplatte, man sparte sich das Gedränge um den großen gemeinsamen Herd im Hof«.[52]

Das alles galt als seltener Luxus. Häftlinge mit gesuchten Berufen – Zimmerleute oder Werkzeugschlosser – erhielten zuweilen die Sondererlaubnis, in ihrer Werkstatt nächtigen zu dürfen. Ärzte unter den Gefangenen konnten in fast jedem Lager allein schlafen, ein Privileg, das ihren Sonderstatus kenntlich machte. Der Chirurg Isaac Vogelfanger fühlte sich bevorzugt, weil er auf einer Pritsche »in einem kleinen Raum neben der Aufnahme« seiner Krankenstation schlafen durfte: »Der Mond lächelte mir zu, wenn ich mich zur Ruhe legte.«[53]

In den Baracken schufen sich die Gefangenen oft eine eigene Hackordnung. Die schwierige Entscheidung, wer wo schlafen durfte, fällten in der Regel die Häftlingsgruppen, die am stärksten und am einigsten waren. Bevor Ende der vierziger Jahre die großen nationalen Landsmannschaften von Ukrainern, Balten, Tschetschenen oder Polen in den Lagern eintrafen, waren die Kriminellen am besten organisiert, wie wir noch sehen werden. Daher schliefen sie meist oben in den Stockbetten, wo mehr Platz war. Wer sich dagegen wehrte, wurde beiseite gedrängt. Auf den unteren Etagen schliefen die Häftlinge von geringerer Stellung. Am meisten litten jene, die nur noch einen Platz auf dem Fußboden fanden, wie ein Häftling berichtet:

> »Diese Ebene hieß nur der ›Kolchos‹. Dorthin zwangen die Kriminellen die *Kolchosniki:* betagte Intellektuelle und Geistliche sowie einige aus ihren eigenen Reihen, die gegen ihre Ganovenmoral verstoßen hatten. Auf sie wurden nicht nur alle möglichen Dinge von den oberen und unteren Bettstellen geworfen, sondern man goss auch Wasser oder die Suppe vom vergangenen Tag über ihnen aus. Die *Kolchosbauern* mussten das alles ertragen, denn wenn sie Widerworte gaben, wurde es nur schlimmer ... Die Menschen wurden krank, rangen nach Luft, verloren das Bewusstsein, wurden wahnsinnig, starben an Ruhr oder Typhus, wenn sie sich nicht selbst das Leben nahmen.«[54]

## Die *Banja:* das Badehaus

In den vierziger Jahren hatten die Herren des Gulags erkannt, welch tödliche Gefahr von Typhus ausging. Da Läuse die Krankheit übertrugen, wurde ein ständiger Kampf gegen diese Parasiten geführt. Ein Bad alle zehn Tage war Pflicht. Die Desinfektion der Kleider bei der Ankunft im Lager war obligatorisch und sollte in regelmäßigen Abständen wiederholt werden, um das Ungeziefer auszurotten.[55] Wie bereits erwähnt, wurden Männer und Frauen beim Eintritt ins Lager am ganzen Körper rasiert und ihnen immer wieder der Kopf kahl geschoren. Seife sollte, wenn auch in winzigen Stückchen, regelmäßig an die Häftlinge ausgegeben werden. 1944 betrug die Zuteilung zum Beispiel 200 Gramm pro Monat. Das musste für Körperpflege und Wäsche ausreichen.[56]

Aber nicht jeder war davon überzeugt, dass die Entlausung im Lager wirklich funktionierte. Warlam Schalamow schreibt dazu: »In dieser Kammer werden keine Läuse getötet. Es handelt sich um

»Jeder nahm sich einen hölzernen Trog, bekam eine Kelle heißes und eine Kelle kaltes Wasser, dazu ein Stückchen schwarzer, übelriechender Seife …«

eine Formalität, durch die man die Häftlinge noch mehr quälen kann.«[57]

Sachlich hatte Schalamow Unrecht. Die Einrichtung war nicht geschaffen worden, um die Häftlinge zu quälen. Die Zentrale des Gulags in Moskau wies die Lagerkommandanten tatsächlich streng an, das Ungeziefer zu bekämpfen. In unzähligen Inspektionsberichten wurden ihnen Vorhaltungen gemacht, wenn sie dabei versagten. Ein Untersuchungsbericht über mehrere Lager im Norden enthält zornige Sätze über »Läuse in den Baracken und Betten, die die Erholung der Häftlinge beeinträchtigen«. Aus einem Besserungsarbeitslager in Nowosibirsk wurde gemeldet, dass »die Häftlinge zu hundert Prozent verlaust sind … Wegen der schlechten sanitären Verhältnisse leiden viele an Hautkrankheiten und Magenbeschwerden … Das bedeutet, dass die schlechte Hygiene im Lager ausgesprochen kostspielig ist.«

In einem anderen Lagpunkt war bereits zwei Mal Typhus ausgebrochen, woanders fand man die Häftlinge »schwarz vor Schmutz«, wie die Inspektoren entrüstet schrieben.[58] Klagen über Läuse und ärgerliche Anweisungen, ihnen endlich den Garaus zu machen, finden sich jahraus, jahrein in den Inspektionsberichten, die die Staatsanwälte des Gulags vorlegten.[59] Nach einer Typhusepidemie im Jahr 1937 in Temlag wurden sowohl der Chef des Lagpunktes als auch der stellvertretende Leiter des medizinischen Dienstes entlassen, »verbrecherischer Nachlässigkeit und Tatenlosigkeit« angeklagt und vor Gericht gestellt.[60] Belohnung gab es auch: 1933 erhielten die Häftlinge einer Baracke in Dmitlag zusätzliche freie Tage, weil sie die Wanzen aus ihren Betten vertrieben hatten.[61]

Aber völlig Unrecht hatte Schalamow mit seiner zynischen Beschreibung der Hygienevorschriften dennoch nicht. Denn selbst wenn die Lagerverwaltungen die Bestimmungen über das Baden ausführten, dann häufig als leeres Ritual ohne wirkliches Interesse am Ergebnis. Entweder war nicht genug Kohle da, damit der Desinfektionsapparat heiß genug wurde. Oder man hatte monatelang keine Seife ausgegeben, weil sie gestohlen worden war.

Häufig hatten die Wärter einfach keine Lust, viel Zeit für das Baden aufzuwenden. Sie gaben den Häftlingen nur wenige Minuten, um die Sache abhaken zu können.[62] In einem Lagpunkt von Siblag stellte ein Inspektor 1941 empört fest, dass »die Häftlinge zwei Monate lang nicht ins Bad geführt wurden«, weil das Personal schlicht kein Interesse daran hatte.[63] In den schlimmsten Lagern, wo man sich offen weigerte, die Gefangenen als Menschen zu betrachten, wurde das Bad zu einer wahren Tortur. Viele beschreiben sie, aber keiner so eindringlich wie Schalamow, der den Schrecken des Badens an der Kolyma eine ganze Kurzgeschichte widmet. Obwohl sie völlig erschöpft waren, mussten die Häftlinge stundenlang warten, bis sie an die Reihe kamen: »Der Gang ins Badehaus … findet entweder vor oder nach der Arbeit statt. Nach vielen Arbeitsstunden in der Kälte (und auch im Sommer ist es nicht leichter), wenn sich alle Gedanken und Hoffnungen darauf richten, so schnell wie möglich die Pritsche zu erreichen, etwas zu essen und zu schlafen, ist die Verzögerung durch das Bad fast unerträglich.«

Zunächst hatten die *Seks* draußen in der Kälte anzustehen. Dann jagte man sie in Umkleideräume, die für zehn bis fünfzehn Menschen vorgesehen waren, wo sich aber Hunderte drängten. In der

Zwischenzeit wurde ihre Wohnbaracke gesäubert und durchsucht, wobei ihre wenigen Habseligkeiten, zusätzliche Fußlappen oder Geschirr, regelmäßig verschwanden:

> »Es ist typisch für den Menschen, sei er ein Bettler oder ein Nobelpreisträger, dass er rasch Kleinigkeiten ansammelt ... Das gilt auch für den Häftling. Er ist schließlich Arbeiter und benötigt eine Nadel und Stoff für Flicken und vielleicht eine zweite Schüssel. Das alles wird beim Gang ins Badehaus fortgeworfen und danach wieder angesammelt, wenn man es vorher nicht irgendwo im Schnee verborgen hat.«

Im Bad selbst war das Wasser oft so knapp, dass man sich damit nicht sauber waschen konnte: »Jeder bekommt einen Holzkübel mit nicht sehr heißem Wasser ... Zusätzliches Wasser ist nicht da und kann auch nicht gekauft werden ... Meistens ist es im Badehaus einfach zu kalt. Dieses Gefühl wird durch die Zugluft verstärkt, die unter den Türen und aus tausend Spalten hervordringt ... Es herrscht ein ständiges Durcheinander, begleitet von Dampf, Geschrei und Gedränge (es gibt sogar eine entsprechende Redewendung: ›Brüllen wie im Badehaus‹).«[64]

Nach dem Bad folgte die Zuteilung sauberer Unterwäsche, für die Häftlinge ein lebenswichtiger Vorgang: »Lange vor der Ausgabe versammeln sich die Männer, die sich gewaschen haben, vor dem bewußten Fenster. Sie diskutieren in allen Einzelheiten, welche Unterwäsche sie beim letzten Mal bekommen haben, welche Unterwäsche vor fünf Jahren in anderen Lagern ausgegeben wurde.«[65]

Auch das Recht auf ein Bad wurde bald als Privileg genutzt. In Temlag hatten zum Beispiel Häftlinge, die besondere Arbeiten ausführten, das Recht, häufiger zu baden.[66] Im Badehaus selbst zu arbeiten, was bedeutete, stets sauberes Wasser zur Verfügung zu haben und dieses Recht anderen gewähren oder verweigern zu können, galt als Traumjob. Am Ende war auch diese Annehmlichkeit für die Gefangenen, waren ihre Hygiene und Gesundheit trotz strenger und drastischer Weisungen aus Moskau völlig von den lokalen Umständen abhängig.

So wurde ein weiterer Aspekt des normalen Lebens auf den Kopf gestellt. Aus purem Vergnügen wurde, wie Schalamow es nennt, »ein negatives Ereignis für den Gefangenen, eine Belastung seines Lebens ... eine Verschiebung der Werte, die das Lager den Insassen auferlegt«.[67]

## Die *Stolowaja:* der Speisesaal

Die umfangreiche Literatur über den Gulag hält viele verschiedene Beschreibungen der Lager bereit und spiegelt die Erfahrungen ganz unterschiedlicher Persönlichkeiten wider. Ein Aspekt bleibt jedoch von Lager zu Lager, von Jahr zu Jahr und in der Erinnerung ganz unterschiedlicher Menschen immer gleich: die Beschreibung der *Balanda,* der Suppe, die den Häftlingen ein oder zwei Mal täglich vorgesetzt wurde.

Alle sind sich darin einig, dass der Geschmack dieses halben Liters Suppe einfach widerwärtig war; sie war wässrig, und verdächtige Dinge schwammen darin. Galina Lewinson meint, es seien »verfaulter Kohl und Kartoffeln gewesen, manchmal ein Stückchen Schweinefett, manchmal Heringsköpfe«.[68] Es gab, berichtet Barbara Armonas in ihrer Erinnerung, Suppe mit »Fisch oder Lunge und einige Kartoffeln«.[69]

Ein anderer Häftling erinnert sich, dass die Suppe aus Hundefleisch gekocht wurde, was einer seiner Mithäftlinge, ein Franzose, nicht herunterbekam: »Ein Mensch aus einem westlichen Land kann gewisse psychologische Hürden nicht überwinden, selbst wenn er hungert«, war seine Schlussfolgerung.[70] Sogar Lasar Kogan, der Chef von Dmitlag, musste einmal eingestehen: »Manche Köche arbeiten so, als kochten sie kein sowjetisches Essen, sondern Schweinefutter.«[71]

Aber Hunger war auch hier der beste Koch. Eine Suppe, die unter normalen Umständen ungenießbar gewesen wäre, wurde von den Häftlingen, die immer Hunger hatten, mit Genuss geschlürft. Der Hunger war kein Zufall: Man gab den Häftlingen bewusst wenig zu essen, denn neben der Zeit und dem Lebensraum über das Essen der

Häftlinge zu bestimmen, war eines der wirksamsten Mittel, mit denen die Lagerführung sie unter Kontrolle hielt.

Aus diesem Grund entwickelte sich die Essenausgabe zu einer wahren Wissenschaft. Moskau setzte für alle Kategorien von Gefangenen und Beschäftigten in den Lagern exakte Rationen fest, die noch dazu häufig wechselten. Die Lagerleitungen betrieben ausgeklügelte Feinabstimmung bei der Berechnung, welches Minimum an Nahrung notwendig war, damit die Häftlinge ihre Arbeit verrichten konnten. Immer wieder trafen bei den Lagerchefs neue Weisungen ein. Es waren lange, komplizierte Dokumente in einer öden Bürokratensprache.

Ein typisches Beispiel ist eine Order der Gulag-Zentrale vom 30. Oktober 1944. Dort waren als »garantierte« Grundrationen für die Gefangenen 550 Gramm Brot, 8 Gramm Zucker und eine Reihe weiterer Lebensmittel vorgesehen, woraus theoretisch die *Balanda* zu Mittag sowie die *Kascha,* der »Brei«, zum Frühstück und Abendbrot zubereitet werden sollten: 75 Gramm Buchweizen oder Nudeln, 15 Gramm Fleisch oder Fleischprodukte, 55 Gramm Fisch oder Fischprodukte, 10 Gramm Fett, 500 Gramm Kartoffeln oder Gemüse, 15 Gramm Salz und 2 Gramm »Tee-Ersatz«.

Dieser Aufstellung von Lebensmitteln folgten einige Anmerkungen. Die Lagerführungen wurden angewiesen, für Häftlinge, die die Norm nur zu 75 Prozent erfüllten, die Brotration um 50 Gramm zu kürzen. Wer die Norm nur zur Hälfte erfüllte, sollte auf 100 Gramm Brot verzichten müssen. Die Häftlinge, die den Plan übererfüllten, waren unter anderem mit zusätzlichen 50 Gramm Buchweizen, 25 Gramm Fleisch und 25 Gramm Fisch zu belohnen.[72]

Im Vergleich dazu erhielt das Wachpersonal im Jahre 1942, einem ausgesprochenen Hungerjahr, 700 Gramm Brot, etwa ein Kilogramm frisches Gemüse und 75 Gramm Fleisch. Für Beschäftigte in Lagern hoch über dem Meeresspiegel gab es noch etwas mehr.[73] Häftlinge, die während der Kriegszeit in den Scharaschki arbeiteten, wurden generell besser verpflegt. Theoretisch standen ihnen 800 Gramm Brot und 50 Gramm Fleisch zu. Zum Vergleich: Gewöhnliche Häftlinge erhielten 15 Gramm. Außerdem gab es für sie täglich fünfzehn Zigaretten und Streichhölzer.[74] Schwangeren

Frauen, Jugendlichen, Kriegsgefangenen, freien Arbeitern und Kindern in den Kindereinrichtungen der Lager gewährte man im Allgemeinen etwas höhere Rationen.[75]

Man kann sich vorstellen, dass die Zuteilung der richtigen Mengen, die noch dazu fast täglich wechselten, einen bürokratischen Aufwand erforderte, den viele Lager einfach nicht leisten konnten. Sie mussten dicke Akten führen, in denen genau verzeichnet war, welche Häftlingskategorie in welcher Situation was zu erhalten hatte. Selbst im kleinsten Lagpunkt wurde akribisch Buch darüber geführt, wie jeder einzelne Gefangene täglich die Norm erfüllte und was ihm dafür zustand. In dem kleinen Lagpunkt Kedrowy Schor, einem Kolchos, der zu Intlag gehörte, gab es 1943 mindestens dreizehn verschiedene Essenrationen. Dem Buchhalter, wahrscheinlich selbst ein Häftling, oblag es festzulegen, welche Ration jeder Einzelne der tausend Häftlinge zu erhalten hatte. Auf langen Bogen Papier zog er zunächst mit dem Bleistift Linien, wo er dann mit Tinte jeden Namen, jede Häftlingsnummer und Seite für Seite seine Berechnungen eintrug.[76]

In größeren Lagern war es noch schlimmer. Ein ehemaliger Hauptbuchhalter des Gulags, A. S. Narinski, hat beschrieben, wie der Verwalter eines Lagers, das eine Eisenbahnlinie im Hohen Norden baute, auf die Idee kam, Essenmarken an die Häftlinge auszugeben, um so sicherzustellen, dass sie jeden Tag die richtige Ration erhielten. Angesichts des chronischen Papiermangels war die Realisierung jedoch schwierig. In Ermangelung von etwas Besserem entschied er, Busfahrscheine zu benutzen, deren Beschaffung jeweils drei Tage dauerte, was »das ganze Verteilungssystem durcheinander zu bringen drohte«.[77]

Schon der Transport von Lebensmitteln zu entfernten Lagpunkten konnte im Winter zu einem Problem werden, vor allem für Lager, die keine eigene Bäckerei besaßen. »Selbst Brot, das noch warm war«, schreibt Narinski, »gefror während des Transports per LKW über 400 Kilometer bei 50 Grad Frost so hart, dass es nicht mehr zum Essen taugte, ja nicht einmal als Brennmaterial.«[78]

Da es an frischen Lebensmitteln fehlte, litten die Häftlinge nahezu permanent an Vitaminmangel, selbst wenn sie nicht hun-

»In der Lagerküche«: Gefangene stehen nach Suppe an. Zeichnung von Iwan Sychanow, Temirtau 1935 bis 1937.

gerten – ein Problem, das die Lagerführungen mehr oder weniger ernst nahmen. An Vitamintabletten war nicht zu denken, daher zwang man die Häftlinge zuweilen, *Chwoja* zu trinken, ein faulig schmeckendes Gebräu aus Kiefernnadeln mit zweifelhafter Wirkung.[79] Zum Vergleich sei gesagt, dass für »Offiziere der Streitkräfte« ausdrücklich Vitamin C und Trockenfrüchte vorgeschrieben waren, um den Vitaminmangel in der täglichen Nahrung auszugleichen. Generale und Admirale erhielten zusätzlich Käse, Kaviar, Dosenfisch und Eier.[80]

Selbst die Ausgabe der Suppe, ob nun mit oder ohne Vitamine, konnte in der Kälte des nordischen Winters schwierig sein, vor allem wenn das mittags am Einsatzort geschah. 1939 beschwerte sich ein Arzt von der Kolyma offiziell beim Lagerkommandanten darüber, dass man die Gefangenen zwang, ihre Mahlzeit unter freiem Himmel einzunehmen, wo sie noch während des Essens gefror.[81]

Die Lebensmittelversorgung brach auch aus Gründen ab, die außerhalb der Verantwortung der Lager lagen: Während des Zweiten

Weltkrieges passierte das häufiger. Die schlimmsten Jahre waren 1942 und 1943, als deutsche Truppen einen großen Teil der sowjetischen Westgebiete besetzt hielten und der Rest des Landes gegen sie kämpfte. Überall in der Sowjetunion wurde damals gehungert, und der Gulag genoss keinerlei Priorität. Wladimir Petrow, ein Gefangener an der Kolyma, erinnert sich, dass fünf Tage lang überhaupt keine Lebensmittel im Lager eintrafen: »Im Bergwerk wurde gehungert. Fünftausend Männer hatten nicht einmal einen Kanten Brot.«[82]

Geschirr und Besteck waren ebenfalls ständig Mangelware. Eine Gefangene ist überzeugt, sie habe nur deswegen überlebt, weil sie »eine Halbliter-Emailleschüssel für Brot eintauschte«: »Wenn du deine eigene Schüssel hast, bekommst du eine der ersten Portionen, und das Fett schwimmt immer oben. Die anderen müssen warten, bis deine Schüssel frei wird. Du isst, gibst sie weiter, und so geht es immer fort …«[83]

Manche Häftlinge schnitzten sich Schüsseln und Löffel aus Holz. Das kleine Museum im Haus der Gesellschaft Memorial in Moskau zeigt mehrere solcher selbst gefertigter Gegenstände, anrührende Dinge.[84] Wie immer wusste man in der Hauptstadt genau, woran es in den Lagern fehlte, und versuchte gelegentlich, etwas daran zu ändern. Ein Lager wurde dafür gelobt, dass es leere Konservenbüchsen geschickt für diesen Zweck umfunktionierte.[85]

Aus all diesen Gründen sind die zentral angeordneten Normen für die Essenrationen, die bereits als Überlebensminimum kalkuliert waren, nicht verlässlich, wenn man wissen will, was die Häftlinge wirklich zu essen bekamen. Man braucht auch nicht in deren Erinnerungen zu blättern, um zu wissen, dass sie permanent Hunger litten. Die Lager wurden regelmäßig inspiziert, und in den Berichten ist akribisch festgehalten, wie weit Theorie und Praxis auseinander klafften. Die kaum begreifliche Lücke zwischen den in Moskau erstellten Listen und den Ergebnissen der Inspektionen ist erschütternd.

So wird in einem Bericht über ein Lager von Wolgostroi im Jahr 1942 festgestellt, dass der Inspektor dort auf achtzig Fälle von Pellagra, einer Mangelerkrankung, traf: »Die Menschen sterben vor Hunger«, heißt es klipp und klar. In Siblag, dem großen Lagerkom-

»Wenn du deine eigene Schüssel hast, bekommst du eine der ersten Portionen.«

plex in Westsibirien, fand ein stellvertretender Generalstaatsanwalt heraus, dass die Verpflegungsnormen im ersten Quartal 1941 »regelmäßig unterlaufen werden: Fleisch, Fisch und Fett werden äußerst selten ausgegeben ... Zucker überhaupt nicht.«[86]

Manche Gefangene bekamen nichts zu essen, weil das Lager nicht korrekt beliefert wurde. Das war ein ständiges Problem. In Kedrowy Schor stellten die Buchhalter eine Liste von Dingen zusammen, durch die ausbleibende Lebensmittel ersetzt werden konnten: trockene Kekse anstelle von Brot, Waldpilze statt Fleisch und wild wachsende Beeren statt Zucker.[87] Es kann kaum überraschen, dass die Häftlinge etwas ganz anderes zu essen bekamen, als in den Papieren aus Moskau stand. In einem Inspektionsbericht über Birlag aus dem Jahre 1940 heißt es: »Das ganze Mittagessen eines arbeitenden *Seks* besteht aus Wasser plus 130 Gramm Getreidekörnern, dazu 100 Gramm Schwarzbrot. Zum Frühstück und Abendbrot wird die gleiche Suppe aufgewärmt.« Im Gespräch mit dem Lagerkoch erfuhr der Inspektor, dass »die theoretischen Normen nie erfüllt werden«, dass das Lager weder Fisch und Fleisch noch Gemüse oder Fette erhielt. Das Lager selbst, so schließt der Report, »hat kein Geld, um Lebensmittel oder Kleidung zu kaufen ... Aber ohne Geld will keine Versorgungseinrichtung mit ihm kooperieren.« Als Folge stellte der Inspektor über fünfhundert Fälle von Skorbut fest.[88]

Ebenso häufig kam es vor, dass im Lager eintreffende Lebensmittel sofort unterschlagen wurden. Das geschah auf allen Ebenen, vor allem aber in der Küche oder im Vorratslager. Jobs, die den Gefangenen Kontakt zu Essen ermöglichten – Kochen, Geschirrspülen oder das Verladen von Waren –, waren äußerst begehrt, weil man dabei zusätzlich etwas für sich ergattern konnte. Jewgenia Ginsburg beschreibt, dass das Tellerwaschen im Speisesaal der Männer ihre »Rettung« war. Nun konnte sie »echte Fleischsuppe« essen »und die berühmten in Sonnenblumenöl gebackenen Pfannkuchen«. Zudem stellte sie fest, dass andere Gefangene ihr geradezu mit Ehrfurcht begegneten. Einer sprach sie an, und »seine Stimme zitterte plötzlich vor glühendem Neid, gemischt mit demütiger Bewunderung gegenüber denen, die es verstanden hatten, sich eine solche Schlüsselposition im Leben zu schaffen. In der Küche!«[89]

Später in ihrem Lagerleben hatte Ginsburg die Hühner zu versorgen, die auf dem Tisch der Lagerchefs landeten. Diese Situation nutzten sie und ihre Mitgefangene natürlich voll aus: »Wir gossen Lebertran, den wir von der Hühnerration genommen hatten, in den Lagerbrei. Wir kochten Hafergrütze aus dem für das Geflügel bestimmten Hafer. Schließlich aßen wir täglich drei Eier: Eines schlugen wir in die Suppe, und dann aß jede noch ein rohes Ei als Leckerbissen. (Mehr wollten wir nicht nehmen, damit die Legeleistung nicht zu sehr absank, denn danach wurde unsere Arbeit bewertet.)«[90]

Es kam auch zu größeren Unterschlagungen, besonders in den Lagerstädten im Hohen Norden, wo die allgemeine Lebensmittelknappheit die Diebstähle auch für freie Arbeiter und das Lagerpersonal zu einem lohnenden Geschäft machte. So sind zum Beispiel im Bericht eines Staatsanwalts aus dem Jahr 1947 zahlreiche Fälle von Diebstahl aufgelistet, darunter einer aus Wjatlag, wo zwölf Personen, unter anderem der Chef des Vorratslagers, Lebensmittel und Gemüse im Wert von 170 000 Rubel entwendet hatten. In einem anderen Bericht wird geschätzt, dass allein im zweiten Quartal 1946 in 34 kontrollierten Lagern insgesamt 70 000 Kilogramm Brot, 132 000 Kilogramm Kartoffeln und 17 000 Kilogramm Fleisch verschwunden waren. Dazu der Kommentar des Inspektors: »Das komplizierte System der Häftlingsversorgung schafft die Voraussetzungen dafür, dass Brot und andere Lebensmittel leicht gestohlen werden können.« Mitverantwortlich seien außerdem das »System der Verpflegung der freien Arbeitskräfte auf Rationierungskarten« und die Inspektoren im Lager selbst, die er als durch und durch korrupt einschätzte.[91]

Es mussten also nicht alle hungern. Und wenn die meisten Lebensmittel auch verschwanden, bevor sie in der Suppe landeten, war eines in der Regel vorhanden: Brot. In den am schlechtesten versorgten Lagern und in den Hungerjahren wurde Brot geradezu ein geheiligter Gegenstand. Konnten Lagerdiebe fast alles entwenden, ohne dafür bestraft zu werden, so galt Brot zu stehlen als besonders heimtückisches und unverzeihliches Vergehen. Wladimir Petrow stellte auf seiner langen Zugfahrt zur Kolyma fest, dass »Diebstahl erlaubt war und man fast alles nehmen durfte, was man mit etwas Glück an sich bringen konnte. Es gab nur eine Ausnahme – Brot. Brot war heilig und unantastbar, wie die Wagenbesatzung auch immer beschaffen sein mochte.« Als gewählter Ältester des Waggons musste Petrow einen Dieb mit Schlägen bestrafen, der Brot gestohlen hatte. Diese Pflicht erfüllte er gewissenhaft.[92] Thomas Sgovio bestätigt, dass es selbst für die Kriminellen an der Kolyma ungeschriebenes Gesetz war: »Stiehl alles außer der heiligen Brotration.« Mehr als einmal erlebte er, dass »ein Gefangener, der gegen diese Tradition verstoßen hatte, zu Tode geprügelt wurde«.[93]

Bei Panin wie bei vielen anderen, die die Hungerjahre des Krieges überlebten, findet sich eine eindrucksvolle Beschreibung der Rituale, mit denen manche Häftlinge ihr Brot verzehrten. Wenn sie täglich nur eine Portion am Morgen erhielten, dann standen sie vor der schweren Entscheidung, sofort alles aufzuessen oder etwas für die zweite Tageshälfte aufzuheben. Letzteres barg das Risiko, dass der kostbare Kanten gestohlen werden konnte. Andererseits hatte man dann etwas, worauf man sich den ganzen Tag freuen konnte.

Panin warnt davor, und seine Erläuterung kann als einzigartiges Zeugnis dafür gelten, welchen Erfindungsreichtum der Mensch gegen den Hunger entwickeln kann:

»Wenn du deine Ration erhältst, wird der Wunsch übermächtig, den Genuss des Essens so lange wie möglich hinzuziehen. Du schneidest dein Brot sorgfältig in gleiche Stückchen, rollst die Krümel zu Kügelchen zusammen. Aus Stöckchen und Fäden hast du dir eine kleine Waage gebastelt, mit der du jedes Stück abwiegst. So könntest du das Essen auf drei Stunden oder noch länger ausdehnen. Aber diese Prozedur grenzt an Selbstmord!
Nimm dir nie mehr als eine halbe Stunde Zeit, um deine Ration zu essen. Kaue jedes Stückchen sorgfältig, damit der Magen es so leicht wie möglich verdaut und maximale Energie an den Körper abgibt ... Wenn du deine Ration regelmäßig einteilst und etwas für den Abend aufhebst, ist das dein Ende. Iss sie in einem Zug. Wenn du sie aber zu schnell hinunterschlingst, wie es ein Hungriger unter normalen Umständen tut, dann wirst du auch damit dein Leben verkürzen ...«[94]

Die *Seks* waren nicht die einzigen Bewohner der Sowjetunion, die sich so intensiv mit Brot und dessen Verzehr beschäftigten. Susanna Petschora, die in den fünfziger Jahren in Minlag einsaß, lauschte dort einer Unterhaltung zweier russischer Bauersfrauen, die wussten, wie es außerhalb des Lagers aussah:

»Eine hielt ein Stück Brot in der Hand und streichelte es. ›Ach du mein liebes Brot‹, murmelte sie dankbar, ›sie geben dich uns jeden Tag.‹ Die Andere meinte: ›Wir könnten es trocknen und den Kindern schicken, die sind sicher auch hungrig. Aber ich glaube nicht, dass wir das dürfen ...‹«[95]

Danach, so erklärte mir Petschora, überlegte sie es sich zwei Mal, bevor sie sich über das karge Essen im Lager beklagte.

Die Kranken taugen nichts,
Zu schwach für den Schacht.
Die schickt man nur
Ins letzte Lager
Zum Holzfällen an die Kolyma.
Das klingt sehr einfach auf Papier.
Aber mir bleibt unvergesslich:
Die Kette der Schlitten im Schnee
Und die Menschen im Geschirr.
Mit eingesunkener Brust
Ziehen sie das Gefährt.
Vor Erschöpfung stocken sie
Oder stürzen an dem steilen Anstieg …
Die schwere Last rollt zurück.
Und jeden Augenblick
Wird sie sie niederwalzen …

Wer sah nicht schon ein Pferd, das strauchelte?
Doch wir, wir sahen Menschen im Geschirr …

JELENA WLADIMIROWA,
»Kolyma«[1]

# Arbeit in den Lagern

## *Rabotschaja Zona:* der Arbeitsplatz

Arbeit war die Hauptfunktion der meisten Lager in der Sowjetunion. Sie war die Hauptbeschäftigung der Häftlinge und die Hauptsorge der Lagerführungen. Die Arbeit bestimmte den Tagesablauf, und die Häftlinge wurden danach behandelt, welche Leistung sie erbrachten. Was Arbeit im Lager bedeutete, lässt sich dennoch nicht leicht verallgemeinern: Der Häftling im Schneesturm, der mit der Spitzhacke nach Gold oder Kohle gräbt, ist nur eines von vielen Klischees. Solche Gefangenen gab es zu Millionen, wie die Zahlen für die Lager an der Kolyma oder in Workuta zeigen. Aber mittlerweile wissen wir auch, dass es Lager mitten in Moskau gab, wo Häftlinge Flugzeuge konstruierten, oder Lager in Mittelrussland, wo sie Atomkraftwerke errichteten und bedienten, Lager für Fischfang an der Pazifikküste oder Kolchoslager im Süden Usbekistans.[2]

Die Wirtschaftstätigkeit im Gulag war so mannigfaltig wie in der ganzen UdSSR. Wenn man das *Handbuch zum System der Besserungsarbeitslager in der UdSSR*, die bisher umfassendste Aufstellung der Lager, durchblättert, dann stößt man auf Lager in der Umgebung von Goldminen, Kohlengruben und Nickelbergwerken, von Straßen- und Eisenbahnbaustellen, von Rüstungs-, Chemie- und Metallbetrieben, von Kraftwerken, bei Baustellen für Flugplätze, Wohnhäuser und Abwassersysteme, bei Torfstechereien, großen Holzvorkommen und Fischfabriken.[3] Die Gulag-Zentrale hat ein Fotoalbum allein mit den Produkten angelegt, die die Häftlinge herstellten: Minen, Raketen und andere Militärtechnik; Autoteile, Türschlösser und Knöpfe; Baumstämme, die flussabwärts geflößt werden; Holzmöbel, darunter Stühle und Schränke; Telefonzellen und Fässer; Schuhe, Körbe und Textilien (mit zahlreichen Mustern); Teppiche, Lederwaren, Pelzmützen und Ledermäntel; Gläser, Lampen und Krüge; Seife und Kerzen, sogar Spielzeug – hölzerne Panzer, kleine Windmühlen und Aufzieh-Hasen, die die Trommel schlagen.[4]

Arbeit innerhalb eines Lagers und in verschiedenen Lagern konnte sehr unterschiedlich sein. Sicher taten viele Häftlinge nichts als Bäume fällen. Gefangene mit einer Haftdauer unter drei Jahren waren meist in »Besserungsarbeitskolonien« beschäftigt, Lagern mit mildem Regime, die zu einer einzelnen Fabrik oder einem Gewerbe gehörten. Große Lagerkomplexe umfassten dagegen oft mehrere Industriezweige: ein Bergwerk, eine Ziegelei und ein Kraftwerk oder auch Straßen- und Wohnungsbaustellen. In solchen Lagern luden Häftlinge Güterwagen aus, steuerten LKWs, ernteten Gemüse, arbeiteten in Küchen, Krankenhäusern und Kindereinrichtungen. Inoffiziell setzte man sie auch als Kellner, Kinderfrauen oder Schneider für die Lagerkommandanten, das Wachpersonal und deren Angehörige ein.

Gefangene mit langen Haftstrafen haben in der Regel viele Tätigkeiten verrichtet, die immer wieder wechselten. Jewgenia Ginsburg musste in den fast zwanzig Jahren, die sie im Lager verbrachte, Bäume fällen, Gräben ausheben, das Gästehaus des Lagers sauber halten, Geschirr spülen, Hühner versorgen, den Frauen der Lagerchefs die Wäsche waschen oder die Kinder von Gefangenen beaufsichtigen. Am Ende arbeitete sie als Krankenschwester.[5]

Doch obwohl die Arbeit im Lager so abwechslungsreich sein konnte wie in der Außenwelt, wurden die Häftlinge in der Regel in zwei Hauptkategorien eingeteilt: jene, die »allgemeine Arbeit« zu verrichten hatten, und jene, die man als »Vertrauenspersonen« bezeichnen könnte. Letztere bildeten eine eigene Kaste, wie wir noch sehen werden. »Allgemeine Arbeit«, das Schicksal der meisten Häftlinge, hielt genau das, was das Wort versprach: Es war unqualifizierte, schwere körperliche Arbeit, mit einem Wort, die reine Schinderei.

»Ein Grab wird ausgehoben«: Zeichnung von Benjamin Mkrtschjan, Iwdel 1953.

Mit Ausnahme derer, die bereits in der ersten Runde Glück hatten – meist Bauingenieure oder Vertreter anderer für das Lager nützlicher Berufe, oder solche, die sich von Anfang an als Informanten anboten –, wurde die Mehrzahl der *Seks* innerhalb einer Woche nach Beendigung der Quarantäne zur allgemeinen Arbeit eingeteilt. Sie wurden Brigaden zugeteilt, die zwischen vier und vierhundert Personen umfassen konnten. Eine Brigade arbeitete nicht nur gemeinsam, sondern nahm auch die Mahlzeiten zusammen ein und schlief meist in einer Baracke. Jede dieser Gruppen wurde von einem Brigadier geführt, einem vertrauenswürdigen Häftling von hohem Rang, in dessen Verantwortung es lag, die Arbeit zu verteilen und zu beaufsichtigen, vor allem aber sicherzustellen, dass die Norm erfüllt wurde.

Die Bedeutung des Brigadiers, der irgendwo zwischen den Häftlingen und dem Aufsichtspersonal anzusiedeln ist, war der Lagerführung durchaus bewusst. 1933 schickte der Chef von Dmitlag eine Weisung mit der Aufforderung an all seine Untergebenen, »unter unseren Stoßarbeitern die fähigen Leute zu finden, die für unsere Arbeit so notwendig sind«. »Der Brigadier«, so hieß es dort, »ist die wichtigste und bedeutendste Figur auf der ganzen Baustelle.«[6]

Für den einzelnen Häftling hatte das Verhältnis zum Brigadier ebenfalls höchste Priorität, wie ein Gefangener sehr anschaulich beschreibt:

»Das Leben eines Menschen hängt in hohem Maße von seiner Brigade und seinem Brigadier ab, denn er muss Tag und Nacht in ihrer Gesellschaft verbringen. Bei der Arbeit, im Speisesaal und auf der Pritsche – immer dieselben Gesichter. Die Mitglieder der Brigade arbeiten alle gemeinsam, in kleineren Gruppen oder allein. Sie können dazu beitragen, dass du überlebst oder vernichtet wirst. Entweder Sympathie und Hilfe oder Feindschaft und Gleichgültigkeit. Nicht weniger wichtig ist, welche Rolle der Brigadier spielt. Es kommt darauf an, wer er ist, wie er seine Aufgaben und Pflichten versteht – auf deine Kosten und zu seinem eigenen Nutzen den Chefs zu dienen, seine Brigademitglieder als seine Handlanger, Diener und Lakaien zu betrachten oder ihr Leidensgenosse zu sein und alles zu tun, um den Mitgliedern seiner Brigade das Leben zu erleichtern.«[7]

Manche Brigadiere bedrohten ihre Arbeiter tatsächlich und schüchterten sie ein. Am ersten Tag in der Kohlengrube von Karaganda sackte Alexander Weißberg vor Hunger und Erschöpfung zusammen: »Wie ein wild gewordener Bulle stürzte sich der Brigadier mit dem ganzen Gewicht seiner mächtigen Gestalt auf mich, versetzte mir Fußtritte und Faustschläge, wobei er mich so hart am Kopf traf, dass ich halb ohnmächtig zu Boden fiel, voller blauer Flecke und mit blutüberströmtem Gesicht …«[8]

In anderen Fällen ließ der Brigadier die Brigade selbst als organisierte Gruppe von Gleichgesinnten auftreten und auf andere Gefangene Druck ausüben, noch besser zu arbeiten. Vernon Kress, der die Lager an der Kolyma erlebt hat, wurde von seinen Mithäftlingen zum Beispiel geschlagen und angeschrieen, weil er nicht mit ihnen Schritt halten konnte. Schließlich zwangen sie ihn in eine »schwache« Brigade, wo niemand je die volle Essenration erhielt.[9]

Wenn man das Pech hatte, in eine »schlechte« Brigade zu geraten, und keine Möglichkeit fand, sich durch Bestechung oder sonstwie herauszuwinden, dann war man übel dran. M.B. Mindlin, der später die Gesellschaft Memorial mitbegründete, geriet an der Kolyma einmal in eine Brigade von Georgiern, die auch von einem Georgier angeführt wurde. Mindlin begriff schnell, dass die Mitglieder der Brigade ihren Anführer nicht weniger fürchteten als das

Wachpersonal. Er als einziger Jude unter ihnen hatte erst recht nichts Gutes zu erwarten. Eines Tages strengte er sich besonders an, um einmal die höchste Brotration von 1200 Gramm zu erhalten. Der Brigadier erkannte sein Arbeitsergebnis jedoch nicht an und gestand ihm nur 700 Gramm zu. Durch Bestechung gelang es Mindlin schließlich, in eine andere Brigade zu wechseln. Hier erlebte er ein völlig neues Klima. Der Brigadier, der sich um seine Untergebenen sorgte, schob ihm in den ersten Tagen sogar leichtere Arbeit zu, damit er wieder zu Kräften kam: »Wer bei ihm arbeitete, konnte sich glücklich schätzen. Er wurde geradezu vor dem Tod gerettet.«[10]

Die Haltung des Brigadiers war wichtig, weil allgemeine Arbeit durchaus ihre Bedeutung hatte. Ausnahmen von der Regel kamen natürlich vor. Zuweilen stellten dumme oder sadistische Aufseher den Häftlingen sinnlose Aufgaben. Susanna Petschora erinnert sich, dass sie mit Lehm gefüllte Eimer hin und her tragen musste, eine »völlig sinnlose Arbeit«. Einer der »Bosse« der Baustelle sagte zu ihr: »Mir geht es nicht darum, dass du arbeitest, sondern dass du leidest.« Häftlingen, die in den zwanziger Jahren auf den Solowezki-Inseln einsaßen, wären diese Worte sicher bekannt vorgekommen.[11]

Meistens sollten die Häftlinge aber nicht unbedingt leiden, genauer gesagt, es kümmerte niemanden, ob sie litten oder nicht. Viel wichtiger war, dass sie sich in den Produktionsplan des Lagers einfügten und ihre Arbeitsnorm erfüllten. Das konnte alles Mögliche sein: so und so viel Kubikmeter Holz zu schneiden, Gräben auszuheben oder Kohle zu fördern. Die Norm war tödlicher Ernst. Überall im Lager mahnten Plakate zur Normerfüllung. Im Speisesaal oder auf dem Appellplatz waren in manchen Lagern riesige Tafeln aufgebaut, auf denen die Normerfüllung jeder einzelnen Brigade täglich eingetragen wurde, ebenso, wann sie das letzte Mal die Norm nicht erfüllt hatte.[12]

Die Normen wurden mit großer Sorgfalt und nach wissenschaftlichen Kriterien von Normern aufgestellt, bei denen man umfangreiche Kenntnisse voraussetzte. Jacques Rossi berichtet beispielsweise, dass es beim Schneeschippen ganz verschiedene Normen gab, je nachdem, ob der Schnee frisch gefallen, leicht, wenig verdichtet oder stark verdichtet war (den man nur mit großem

Kraftaufwand schaufeln konnte), oder ob er gar gefroren war, so dass man ihn mit der Spitzhacke auflockern musste. Außerdem gab es »Koeffizienten dafür, wie weit der Schnee zu transportieren und wie hoch er aufzutürmen war et cetera«.[13]

Theoretisch ein rein wissenschaftlicher Vorgang, waren sowohl bei der Festlegung der Normen als auch bei der Feststellung, wer sie erfüllt hatte und wer nicht, Korruption, Betrug und Willkür im Spiel. Zunächst einmal erhielten Gefangene in der Regel die gleichen Normen wie freie Arbeitskräfte. Sie sollten also eben solche Ergebnisse erreichen wie ausgebildete Forstarbeiter oder Bergleute. Das waren sie aber meistens nicht, ja, sie hatten oft kaum eine Vorstellung, was man da eigentlich von ihnen verlangte. Außerdem waren sie nach langem Gefängnisaufenthalt und zermürbender Fahrt in ungeheizten Viehwagen in miserablem körperlichem Zustand.

Je unerfahrener und erschöpfter der Häftling war, desto mehr hatte er zu leiden. Jewgenia Ginsburg beschreibt den klassischen Fall zweier Frauen, die, beide Intellektuelle und keinerlei körperliche Arbeit gewohnt, beide von der Gefängnishaft geschwächt, nun Bäume fällen sollten:

> »Drei Tage lang versuchten Galja und ich Unmögliches möglich zu machen. Die armen Bäume! Wie haben sie wohl gelitten, als sie von unseren ungeschickten Händen gefällt wurden! Wie sollten wir, unerfahren und halbtot, eine solche Arbeit bewältigen? Die Axt rutschte ab, feine Späne flogen uns ins Gesicht. Wir sägten krampfhaft, ungleichmäßig und beschuldigten uns im stillen gegenseitig der Ungeschicklichkeit, sprachen es aber niemals aus, weil wir wußten, daß Streit ein Luxus war, den wir uns nicht leisten konnten. Die Säge fraß sich immer wieder fest. Am schlimmsten war der Augenblick, wenn der verunstaltete Baum sich schließlich neigte, wir aber noch nicht wußten, nach welcher Seite er fallen würde. Einmal wurde Galja dabei von einem Ast am Kopf gestreift, aber unser Feldscher weigerte sich, die Wunde auch nur mit Jod zu bepinseln. Er meinte nur: ›Alter Trick! Sie wollen gleich am ersten Tag krank geschrieben werden, was?‹«

Forstarbeiten

Als die Schicht vorüber war, erklärte der Brigadier, Jewgenia und Galja hätten 18 Prozent der Norm geschafft. Dafür erhielten sie nun den gebührenden »Lohn«: »Nachdem wir die kleine Scheibe Brot, die unserer Leistung entsprach, in Empfang genommen hatten, marschierten wir am nächsten Tag in den Wald zurück und fielen buchstäblich vor Schwäche um, ehe wir unseren Arbeitsplatz erreichten.« Der Brigadier wiederholte währenddessen stur, er sei »nicht bereit, das Brot, das dem Volk gehöre, an Staatsfeinde und Saboteure zu verschwenden, die ihr Soll nicht erfüllen wollten«.[14]

Kohleförderung

In den Lagern im Hohen Norden, vor allem an der Kolyma, in Workuta und Norilsk, alle jenseits des Polarkreises, machten das Klima und das Gelände die Arbeit noch schwerer. Dabei ist – was kaum jemand weiß – der Sommer in diesen Breiten nicht leichter zu ertragen als der Winter. Die Temperatur schießt in kürzester Zeit auf über 30 Grad Celsius empor. Wenn der Schnee schmilzt, verwandelt sich die Tundra in eine Schlammwüste, in der der Mensch nur mühsam vorwärts kommt. Riesige graue Mückenschwärme tauchen auf, die so laut summen, dass fast kein anderes Geräusch mehr zu hören ist. Eine Gefangene erinnert sich:

> »Die Mücken krochen in unsere Ärmel und Hosenbeine. Das Gesicht schwoll von den Stichen an. Wenn wir bei der Arbeit aßen, konnte es geschehen, dass die Suppe vor lauter Mücken aussah wie Buchweizengrütze. Sie krochen in Augen, Nase und Mund; sie schmeckten süß wie Blut. Je heftiger man sie zu verscheuchen suchte, desto aggressiver wurden sie. Am besten ignorierte man sie einfach, zog sich möglichst leicht an und trug statt einer Kopfbedeckung lieber einen Kranz aus Gras oder Birkenrinde.«[15]

Holztransport

Im Winter war es bitterkalt. Die Temperaturen sanken auf 30, 40 oder gar 50 Grad minus. Dichter, Romanciers und Memoirenschreiber haben versucht, in Worte zu fassen, wie es ist, bei solchem Frost arbeiten zu müssen. In den Erinnerungen eines Häftlings heißt es: »Am gefährlichsten war es, sich nicht zu bewegen. Selbst beim Zählappell sprangen und liefen wir auf der Stelle, schlugen ständig die Arme um den Körper, um warm zu bleiben. Meine Zehen und Finger waren ständig in Bewegung ... Berührte man Metall mit der bloßen Hand, blieb sofort die Haut daran kleben.«[16]

Manche allgemeine Arbeit war, was das Wetter betraf, schlimmer als andere. Isaak Filschtinski erwischte in Kargopollag eine der unangenehmsten Winterarbeiten: Er musste Holzstämme vor der Verarbeitung sortieren. Das bedeutete, den ganzen Tag im Wasser zu stehen. Das war zwar warm, denn es kam aus einem Kraftwerk, aber die Luft war eiskalt:

> »Da im Winter im Gebiet Archangelsk Dauerfrost von 40 bis 45 Grad herrscht, hing über dem Sortierbecken ständig eine dicke Dunstglocke. Es war sehr feucht und zugleich sehr kalt ... Die Arbeit war

> nicht besonders schwierig, aber nach dreißig, vierzig Minuten war der ganze Körper vom Dampf regelrecht durchdrungen. Auf Kinn, Lippen und Augenlidern lag Reif. Wegen der jämmerlichen Lagerkleidung drang der Frost durch bis auf die Knochen.«[17]

Am schlimmsten war im Winter jedoch die Waldarbeit. Denn in der Taiga war es nicht nur kalt, sondern dort konnte jeden Augenblick ein schwerer Schneesturm – *Buran* oder *Purga* genannt – losbrechen. Dmitri Bystroletow beschreibt eine solche Situation, die er in Siblag erlebte:

> »Der Wind heulte plötzlich wild auf und zwang uns zu Boden. Schnee fegte durch die Luft, und alles verschwand – die Lichter des Lagers, die Sterne, das Nordlicht. Wir waren ganz allein in weißen Nebel gehüllt. Mit ausgebreiteten Armen, stolpernd, rutschend und fallend, einander stützend, suchten wir so schnell wie möglich den Weg zurück zu finden. Plötzlich ertönte ein Donnerschlag über unseren Köpfen. Ich konnte mich gerade noch an meinen Nebenmann klammern, als ein heftiger Schwall von Eis, Schnee und Steinen auf uns niederging. In den rasenden Schneeschauern konnte man nichts sehen, ja kaum noch atmen ...«[18]

Janusz Bardach erlebte einen *Buran* an der Kolyma bei der Arbeit im Steinbruch. Gemeinsam mit den Wachen ließen sich die Häftlinge von den Hunden zum Lager zurückführen, wobei sie sich alle an einem einzigen Seil festhielten:

> »Hinter Juris Rücken konnte ich nichts sehen und klammerte mich an das Seil wie an einen Rettungsring ... Da man von der vertrauten Umgebung nichts erkennen konnte, hatte ich keine Ahnung, wie weit es noch bis zum Lager war. Ich glaubte, wir würden es nie erreichen. Plötzlich trat mein Fuß auf etwas Weiches. Es war ein Häftling, der das Seil losgelassen hatte. ›Anhalten!‹, schrie ich. Aber niemand blieb stehen. Keiner hörte mich. Ich beugte mich herunter und klemmte ihm das Seil unter die Achsel. ›Hier!‹ Ich versuchte seine Hand um das Seil zu legen. ›Halt fest!‹ Es hatte keinen Zweck. Als ich losließ, fiel der Arm des Mannes wieder leblos zu Boden. Juri befahl mir barsch, weiterzugehen ...«

Erdarbeiten am Fergana-Kanal

Als Bardachs Brigade endlich das Lager erreicht hatte, fehlten drei Mann. »Die Leichen der Gefangenen, die verloren gingen, wurden erst im Frühling gefunden, manche kaum hundert Meter vom rettenden Lager entfernt.«[19]

Die Kleidung, die die Gefangenen erhielten, schützte kaum vor diesem Wetter. 1943 ordnete die Gulag-Zentrale an, dass die Häftlinge unter anderem eine wattierte Winterjacke (musste zwei Jahre halten), wattierte Winterhosen (achtzehn Monate), ein Paar Filzstiefel (zwei Jahre) und Unterwäsche (neun Monate) bekommen sollten.[20] In der Praxis waren selbst diese armseligen Sachen nie in ausreichender Menge vorhanden. Im Bericht einer Inspektionsreise durch 23 Lager im Jahr 1948 wird die Versorgung mit »Kleidung, Unterwäsche und Schuhen als unbefriedigend« bezeichnet. Das war offenbar eine Untertreibung. In Norilsk im Hohen Norden hatten nur 75 Prozent der Häftlinge warme Schuhe und nur 86 Prozent Winterkleidung. In Workuta besaßen ganze 25 bis 30 Prozent der Häftlinge Unterwäsche und nur 48 Prozent warme Schuhe.[21]

Wenn sie keine Schuhe hatten, mussten die Gefangenen improvisieren. Sie fertigten sich Schuhwerk aus Birkenrinde, Stofffetzen oder alten Gummireifen an. In diesen Dingern konnte man kaum gehen, besonders im tiefen Schnee. Vor allem aber waren sie undicht, was fast immer Erfrierungen bedeutete.[22]

Bei extremer Kälte mussten die Lagerführungen Zugeständnisse machen. Nach der Vorschrift standen Häftlingen in bestimmten Lagern des Nordens Sonderrationen zu; einem Dokument aus dem Jahr 1944 zufolge konnten damit 50 Gramm Brot mehr am Tag gemeint sein. Mit diesen kärglichen Bissen war gegen die schlimme Kälte wohl kaum etwas auszurichten.[23] Theoretisch musste die Arbeit ausfallen, wenn es zu kalt war oder sich ein Schneesturm ankündigte. Wladimir Petrow berichtet, dass die Häftlinge an der Kolyma zu Bersins Zeiten die Arbeit einstellten, wenn die Temperatur 50 Grad Frost erreichte. Im Winter 1938/39, als Bersin bereits abgesetzt war, mussten es 60 Grad Frost werden, bevor man die Häftlinge ins Lager zurückholte. Selbst diese Regel wurde nicht immer eingehalten, schreibt Petrow, denn das einzige Thermometer auf dem ganzen Goldfeld befand sich beim Lagerkommandanten.[24]

Aber nicht nur das Wetter hinderte die Häftlinge daran, ihre Norm zu erfüllen. In vielen Lagern wurde sie viel zu hoch angesetzt. Das war zum Teil eine Nebenwirkung der planwirtschaftlichen Logik, die vorschrieb, dass die Unternehmen ihre Produktion jedes Jahr zu steigern hatten. Elinor Olizkaja erinnert sich, wie ihre Mithäftlinge die Normen in der Näherei zu erfüllen versuchten, weil sie die Arbeit im warmen Haus behalten wollten. Wenn sie sie aber erfüllten, erhöhte die Lagerleitung die Normen sofort und machte sie damit unerfüllbar.[25]

Zum Teil wurden die Normen auch deshalb unablässig hochgesetzt, weil sowohl Häftlinge als auch Normer betrogen und bewusst überschätzten, wie viel Arbeit bereits getan war und überhaupt getan werden konnte. So kamen mit der Zeit astronomische Werte zustande. Alexander Weißberg stellt im Rückblick fest, dass selbst bei Arbeiten, die als leicht galten, die Normen kaum zu erfüllen waren: »Allen wurden nahezu unmögliche Aufgaben gestellt. Die beiden Männer in der Wäscherei sollten in zehn Tagen die Kleidung von 800 Personen waschen.«[26]

Unter solchen Bedingungen – lange Arbeitszeiten, wenig freie Tage und kaum Pausen während der Schicht – waren Unfälle an der

Tagesordnung. Die Erschöpfung und das Wetter erwiesen sich oft als tödliche Kombination, wie Alexander Dolgun bezeugt:

> »Die kalten, tauben Finger konnten Griffe und Hebel, Balken oder Körbe nicht halten, so dass es häufig zu Unglücken kam, oft mit tödlichem Ausgang. Ein Mann wurde erschlagen, als wir Stämme von einem flachen Wagen abluden und dabei zwei von ihnen als Rampe benutzten. Als zwanzig oder mehr Stämme plötzlich herunter rollten, war er nicht schnell genug und wurde unter ihnen begraben.«[27]

Moskau führte genau Buch über solche Vorkommnisse, über die Lagerkommandanten und Inspektoren zuweilen in heftigen Streit gerieten. Eine solche Aufstellung für das Jahr 1945 nennt 7124 Unfälle allein für die Kohlengruben von Workuta, davon 482 mit Schwerverletzten und 137 mit tödlichem Ausgang. Die Inspektoren machten dafür den Mangel an Grubenlampen, Kurzschlüsse in der Elektrik, fehlende Erfahrung der Arbeiter und den hohen Grad an Fluktuation verantwortlich. Äußerst kritisch wurde berechnet, dass dadurch 61 492 Arbeitstage verloren gingen.[28]

Schlechte Organisation und schlampige Betriebsführung behinderten ebenfalls die Arbeit. Zwar wurden auch normale sowjetische Unternehmen schlecht geführt, aber im Gulag war die Situation noch schlimmer, weil Leben und Gesundheit der Arbeitskräfte nichts galten und die Lieferung von Ersatzteilen wegen des Wetters und der großen Entfernungen häufig stockte. Die Holzfäller hatten »keine Kettensägen, keine Zugmaschinen und keine Verladetechnik«.[29] In den Textilfabriken waren die »Gerätschaften nicht ausreichend oder unzweckmäßig«. Das bedeutete nach Aussage einer Gefangenen, dass »alle Nähte mit einem bleischweren Bügeleisen von über zwei Kilo Gewicht geplättet werden mussten. Wenn man damit 426 Hosen in einer Schicht gebügelt hatte, war der Arm taub, waren die Beine geschwollen und schmerzten.«[30]

Auch dass vorhandene Maschinen dauernd stehen blieben, fand bei der Festlegung der Normen offenbar keine Beachtung. In der genannten Textilfabrik »mussten ständig die Schlosser gerufen werden. Auch das waren meist weibliche Häftlinge. Eine Reparatur dauerte Stunden, weil die Frauen nicht die nötige Ausbildung hatten. Wir konnten die vorgeschriebene Arbeit unmöglich leisten. Dafür wurde uns dann die Brotration gekürzt.«[31]

Das Thema der versagenden Technik taucht in den Annalen der Zentralbehörde des Gulags immer wieder auf. In einem Brief an den zuständigen stellvertretenden Innenminister von 1938 wird beispielsweise daraufhingewiesen, dass »40 bis 50 Prozent der Traktoren still stehen«. Aber auch einfachere Arbeitsmittel verweigerten oft den Dienst. So heißt es in einem Brief aus dem Jahr zuvor, dass von den 3649 Pferden, die der Gulag besaß, 25 Prozent nicht arbeitsfähig seien.[32]

Der Mangel an Ingenieuren und Verwaltungspersonal machte sich ebenfalls empfindlich bemerkbar. Nur wenige ausgebildete Techniker arbeiteten freiwillig im Gulag. Die sich meldeten, hatten meist nicht die nötige Qualifikation. Jahrelang wurde viel getan, um freie Arbeitskräfte für die Lager zu werben. Die Anreize waren enorm. Bereits Mitte der dreißiger Jahre zogen Werber von Dalstroi durch das Land und boten jedem, der einen Arbeitsvertrag für zwei Jahre unterschrieb, besondere Privilegien an: Zwanzig Prozent mehr Lohn als im sowjetischen Durchschnitt in den ersten beiden Jahren und weitere zehn Prozent mehr in der Folgezeit, bezahlter Urlaub, Sonderzuteilungen bei Lebensmitteln und Industriewaren sowie eine großzügige Rente.[33] Auch die sowjetische Presse versuchte mit großem Enthusiasmus, Fachleuten die Lager im Norden schmackhaft zu machen. Aber die Wirkung war gering. Der Gulag musste sich mehr oder weniger mit denen begnügen, die sich zufällig unter den Häftlingen fanden.

Ganze Großprojekte, mit Tausenden Menschen und enormen Ressourcen in Gang gesetzt, erwiesen sich als kostspielige Fehlplanungen. Das berühmteste Beispiel ist sicher der Versuch, eine Eisenbahnlinie von Workuta zur Mündung des Flusses Ob zu bauen. Im April 1947 von der sowjetischen Regierung beschlossen, wurden Erkundung, Planung und Bauarbeiten für das Projekt bereits einen Monat später in Angriff genommen. Häftlinge begannen außerdem schon mit den Arbeiten für einen neuen Seehafen am Kap Kamenny, der Trichtermündung des Ob.

Gegen Ende des Jahres stellte die Erkundungsexpedition fest, dass Kap Kamenny sich kaum als Standort für den Hafen eignete: Das Wasser war für große Schiffe nicht tief genug und der Untergrund zu Lande für schwere Industriebauten zu instabil. Im Januar 1949 hielt Stalin eine seiner Mitternachtssitzungen ab, und die sowjetische Führung entschied, den Verlauf der Eisenbahnstrecke zu ändern. Letztere sollte jetzt den Ob nicht mit Workuta im Westen, sondern mit dem Jenissej im Osten verbinden. Wieder baute man zwei neue Lager – die Baustellen Nr. 501 und 503. Sie begannen von zwei Seiten mit der Verlegung der Eisenbahnstrecke und sollten sich in der Mitte treffen. Zwischen ihnen lagen etwa 1300 Kilometer.

Die Arbeiten schritten voran. In der Hochphase waren dort laut einer Quelle 80 000, einer anderen zufolge 120 000 Menschen beschäftigt. Das Projekt wurde unter dem Namen »Todesstrecke« bekannt. In der arktischen Tundra war das Bauen nahezu unmöglich. Wenn sich der winterliche Dauerfrostboden im Sommer für kurze Zeit in Schlamm verwandelte, musste sehr aufwendig dafür gesorgt werden, dass die Gleise nicht wegsackten oder völlig versanken. Trotz aller Anstrengungen entgleisten immer wieder Züge. Wegen Nachschubproblemen benutzten die Häftlinge beim Eisenbahnbau Holz statt Stahl, womit das Scheitern des Projektes programmiert war. Als Stalin 1953 starb, war man von dem einen Ausgangspunkt 500 Kilometer und vom anderen 200 Kilometer vorangekommen. Der Hafen existierte nur auf dem Papier. Wenige Wochen nach Stalins Begräbnis wurde das Projekt, das inzwischen 40 Milliarden Rubel und Zehntausende Menschenleben verschlungen hatte, endgültig aufgegeben.[34]

In kleineren Dimensionen kamen solche Geschichten im Gulag alle Tage vor. Aber trotz schwieriger Wetterverhältnisse, Mangel an Erfahrung und schlechter Organisation blieb der Druck auf die Lagerleitungen unverändert. Diese gaben ihn prompt an die Häftlinge weiter. Ständig hatten die Chefs mit Inspektionen und Überprüfungen zu kämpfen, permanent verlangte man von ihnen höhere Leistungen. Wie fiktiv sie auch waren, die Ergebnisse zählten. Wie lächerlich diese den Häftlingen, die genau wussten, wie schlecht die Arbeit getan war, auch häufig vorkommen mochten, das Spiel, das hier lief, war todernst. Viele sollten es nicht überleben.

## *KWT:* die Abteilung Kultur und Erziehung

Wäre da nicht der deutlich sichtbare Stempel des NKWD, könnte der uneingeweihte Beobachter denken, auf den Fotos von Bogoslawlag, die in einem sorgfältig gestalteten Album von 1945 präsentiert werden, sei gar kein Lager zu sehen. Sie zeigen gepflegte Gärten, Blumen, Sträucher, einen Springbrunnen und sogar einen Aussichtspavillon, in dem die Häftlinge sitzen und die Gegend betrachten können. Über dem Lagertor prangt ein roter Stern mit der Losung: »All unsere Kraft für die künftige Größe des Vaterlandes!« Auch die Aufnahmen von Häftlingen, die ein weiteres Album zieren, passen überhaupt nicht zur landläufigen Vorstellung vom Gulag. Da ist ein strahlender Mann mit einem Kürbis zu sehen, Kühe ziehen einen Pflug, ein lächelnder Lagerkommandant pflückt sich einen Apfel. Neben den Bildern Diagramme. Auf einem ist der Produktionsplan und auf dem anderen der Erfüllungsstand festgehalten.[35]

All diese so sorgfältig geklebten und beschrifteten Alben wurden von ein und derselben Institution erstellt: der Abteilung Kultur und Erziehung des Gulags, russisch *Kulturno-Wospitatelnaja Tschast,* den Häftlingen nur unter der Abkürzung KWT bekannt. Die Propagandaabteilung KWT beziehungsweise ihre Vorläuferin gab es so lange wie den Gulag. Zweck der Propaganda im Lager waren zumeist bessere Produktionsergebnisse. Das galt selbst beim Bau des Weißmeer-Kanals, als, wie wir gesehen haben, die »Umerziehungs«-Propaganda am lautesten und vielleicht auch am aufrichtigsten war und der Kult um die Stoßarbeiter landesweit seinen Höhepunkt erreichte. Lagerkünstler malten Porträts von den Bestarbeitern des Kanals, Lagerschauspieler und Musiker arrangierten für sie Kulturprogramme. Die Stoßarbeiter wurden zu Großveranstaltungen mit Gesang und Reden eingeladen. Auf eine solche Zusammenkunft am 21. April 1933 folgte ein zweitägiger »Arbeitssturm«: 48 Stunden lang verließ keiner der 30 000 Stoßarbeiter seinen Arbeitsplatz.[36]

Ende der dreißiger Jahre, als Häftlinge zu »Feinden« wurden, die keine »Stoßarbeiter« mehr sein durften, wurden solche Veranstaltungen abrupt eingestellt. Mit Berias Kontrolle über die Lager seit 1939 kehrte die Propaganda langsam wieder zurück. Zwar würde es

»Die besten Stoßarbeiter von Lagpunkt Nr. 1«: Wandzeitung.

nie wieder ein Gulag-Bauvorhaben wie den Weißmeer-Kanal geben, dessen »Erfolge« in die Welt hinausposaunt wurden, aber die Sprache der Umerziehung tauchte wieder auf. In den vierziger Jahren hatte jedes Lager theoretisch mindestens einen KWT-Instrukteur, eine kleine Bibliothek und einen »Klub«, wo Theatervorstellungen und Konzerte, politische Vorträge und Diskussionen stattfanden. Thomas Sgovio beschreibt eine solche Einrichtung: »Der größte Raum, der etwa 30 Personen fasste, hatte grellbunt gestrichene Holzwände. Einige Tische standen darin, wahrscheinlich, um daran lesen zu können. Aber es gab keinerlei Bücher, Zeitungen oder Zeitschriften. Woher auch? Zeitungspapier wurden mit Gold aufgewogen. Wir benutzten es zum Rauchen.«[37]

Auf den ersten Blick propagierten die Instrukteure für Kultur- und Erziehungsarbeit in den Lagern den Wert der Arbeit in gleicher Weise, wie es die Funktionäre der Kommunistischen Partei draußen im Lande taten. In größeren Lagern gab die KWT eine eigene Zeitung mit Berichten und langen Artikeln über die Erfolge des Lagers sowie »Selbstkritik« – Kommentare zu dem, was im eigenen Umfeld vorging – heraus. Nach diesem Muster war jede sowjetische Zeitung gestrickt. Mit Ausnahme einer kurzen Phase zu Beginn der dreißiger Jahre waren diese Zeitungen allerdings in der Hauptsache für die freien Arbeiter und das Lagerpersonal gedacht.[38] Für die Gefangenen gab es wegen des allgemeinen Papiermangels »Wandzeitungen«, die an besonderen Aushangtafeln angeschlagen wurden. Diese für die Sowjetunion so typische Erscheinung beschrieb ein Gefangener mit den Worten: »Keiner las sie, aber sie erschien regelmäßig.«[39]

Die Gulag-Zentrale in Moskau nahm die Wandzeitungen sehr ernst. Laut einer Direktive sollten sie »Beispiele guter Arbeit herausstellen, die Stoßarbeiter populär machen und die Drückeberger an den Pranger stellen«; Stalinbilder hingegen waren nicht gestattet. Schließlich saßen hier Verbrecher ein, nicht »Genossen«. Nach wie vor vom sowjetischen Leben ausgeschlossen, war es den Gulaghäftlingen untersagt, den Führer der Sowjetunion auch nur anzublicken.[40]

Die Abteilung Kultur und Erziehung sorgte außerdem für Filmvorführungen. Gustaw Herling-Grudzinski erinnert sich an ein amerikanisches Musical mit Frauen in eng anliegenden Blusen und Männern in knappen Jacketts mit schrillen Krawatten sowie an einen Propagandafilm, der mit dem »Triumph der Rechtschaffenheit« endete: »Der tolpatschige Student wurde bei dem sozialistischen Arbeitswettbewerb der Gruppe Erster und hielt mit glänzenden Augen eine Lobrede auf den Staat, der der Handarbeit den höchsten Ehrenplatz eingeräumt hat.«[41]

Die KWT organisierte Fußballspiele, Schachwettbewerbe, Konzerte und Veranstaltungen, die feierlich als »künstlerische Selbstbetätigung« bezeichnet wurden. Ein Gesangs- und Tanzensemble des NKWD tourte beispielsweise mit durch die Lager:

11. Hymne über Stalin
12. Kosaken denken an Stalin
13. Berias Lied
14. Lied des Vaterlandes
15. Kampf fürs Vaterland
16. Alles fürs Vaterland
17. Lied der NKWD-Kämpfer
18. Lied der Tschekisten
19. Lied des fernen Grenzpostens
10. Marsch der Grenzposten.[42]

Auch einige Stücke von Tschechow kamen zur Aufführung. Insgesamt sollte die Kunst, zumindest in der Theorie, der Aufklärung der Häftlinge, nicht ihrer Unterhaltung dienen. In einer Weisung aus Moskau vom Jahr 1940 heißt es: »Jede Vorstellung muss die Häftlinge erziehen, ihr Arbeitsethos stärken.«[43] Wie wir noch sehen werden, zogen die Häftlinge aus diesen Vorstellungen für ihr Überleben ebenfalls Nutzen.

Aber »künstlerische Selbstbetätigung« war nicht das einzige Anliegen der Abteilung für Kultur und Erziehung, noch war sie für die Häftlinge die einzige Möglichkeit, an leichtere Arbeit zu kommen. Der KWT oblag es unter anderem, Vorschläge zur Verbesserung oder »Rationalisierung« der Häftlingsarbeit zu sammeln. Diese Aufgabe nahm sie sehr ernst. In einem Halbjahresbericht nach Moskau behauptete ein Lager in Nischne-Amursk ohne jede Ironie, dort seien 302 Rationalisierungsvorschläge eingegangen, von denen man 157 umgesetzt und dadurch 812 332 Rubel eingespart habe.[44]

Isaak Filschtinski schildert mit großem Vergnügen, wie einige Häftlinge es bald lernten, aus dieser Politik Vorteil zu schlagen. So behauptete ein ehemaliger Chauffeur, er sei in der Lage, einen Mechanismus zu bauen, mit dessen Hilfe Autos mit reinem Sauerstoff betrieben werden könnten. Von der Aussicht fasziniert, eine wirklich bedeutende »Rationalisierung« zu bewerkstelligen, gaben ihm die Lagerchefs ein Laboratorium, wo er an seiner Idee arbeiten durfte: »Ich kann nicht sagen, ob sie ihm wirklich geglaubt haben oder nicht. Sie handelten einfach, wie Moskau ihnen geheißen hatte. In jedem Lager sollte es Erfinder und Rationalisierer geben ... Wer weiß, vielleicht erfand Wdowin ja wirklich etwas, wofür sie dann alle den Stalin-Preis bekämen!«[45]

Wie in der Freiheit, so gab es auch in den Lagern weiterhin den »sozialistischen Wettbewerb« um bessere Produktionsergebnisse. Man ehrte die Stoßarbeiter, die angeblich die Norm zu 300 und 400 Prozent übererfüllten. Im vierten Kapitel habe ich eine solche Kampagne aus den frühen dreißiger Jahren beschrieben. In den Vierzigern gab es so etwas auch noch, allerdings mit wesentlich weniger Enthusiasmus und noch absurderen Propagandalosungen. Wer sich an einem solchen Wettbewerb beteiligte, konnte viele verschiedene

Preise gewinnen, darunter höhere Rationen oder bessere Lebensbedingungen. Andere Belohnungen waren weniger greifbar. 1942 etwa konnte man durch gute Ergebnisse in den Besitz eines *Büchleins des ausgezeichneten Arbeiters* gelangen: ein kleiner Kalender, in den man die tägliche Normerfüllung eintragen konnte, ergänzt durch freie Seiten für »Rationalisierungsvorschläge«, eine Aufstellung der Rechte des Inhabers (den besten Platz in der Baracke zu erhalten, die beste Kleidung, die Erlaubnis für den uneingeschränkten Empfang von Paketen et cetera) und das Stalin-Wort: »Ein Mensch, der hart arbeitet, fühlt sich als freier Bürger seines Staates, als Aktivist seiner Gesellschaft. Wenn er durch seine Arbeit der Gesellschaft gibt, was er vermag, ist er ein Held der Arbeit.«[46]

Die KWT-Instrukteure waren schließlich auch dafür verantwortlich, »Verweigerer« davon zu überzeugen, dass es für sie besser sei zu arbeiten, als in der Strafzelle zu sitzen oder mit der Minimalration auskommen zu wollen. Natürlich nahm ihre Vorhaltungen kaum jemand ernst – es gab genügend andere Möglichkeiten, Häftlinge zum Arbeiten zu bewegen –, aber bei manch einem funktionierte es doch. Die Gulag-Zentrale in Moskau hörte dies mit Freude und veranstaltete regelmäßig Konferenzen für die KWT-Instrukteure, wo Fragen diskutiert wurden wie: »Was sind die Hauptmotive derer, die nicht arbeiten wollen?« oder »Wie wirkt sich die Abschaffung des freien Tages der Häftlinge in der Praxis aus?«

Auf einer dieser Tagungen, mitten im Zweiten Weltkrieg, tauschten die Anwesenden Erfahrungen aus. Einer räumte ein, manche »Drückeberger« könnten gar nicht arbeiten, weil sie von den kümmerlichen Rationen zu geschwächt seien. Aber selbst Hungernde könne man motivieren: Er habe einem Drückeberger gesagt, sein Verhalten sei ein »Dolchstoß in den Rücken seines Bruders, der an der Front kämpft«. Das habe genügt, um den Mann zu überzeugen, trotz seines Hungers noch härter zu arbeiten. Ein anderer berichtete, in seinem Lager gestatte man den besten Brigaden, ihre Baracken zu schmücken. Die besten Arbeiter dürften auf einem kleinen Stück eigenen Bodens Blumen pflanzen. Im Protokoll der Versammlung, das im Archiv aufbewahrt wird, ist der Ausruf eines begeisterten Zuhörers vermerkt: »Ausgezeichnet!«[47]

Dieser Erfahrungsaustausch wurde für so wichtig erachtet, dass die zentrale Abteilung für Kultur und Erziehung in Moskau sich die Mühe machte, darüber eine Broschüre mit dem religiös anmutenden Titel *Rückkehr ins Leben* zu verfassen. Der Verfasser, ein Genosse Loginow, beschreibt verschiedene Begegnungen mit »Drückebergern« in den Lagern. Psychologisch geschickt überzeugte er sie alle vom Wert fleißiger Arbeit. Die Geschichten laufen ab, wie man es sich vorstellt. In einer erklärt Loginow zum Beispiel Jekaterina Sch., der gebildeten Frau eines Mannes, der 1937 wegen »Spionage« zum Tode verurteilt wurde, ihr ruiniertes Leben könne in der Kommunistischen Partei wieder einen Sinn erhalten. Einem anderen Gefangenen, Samuel Goldstein, erzählt Loginow von Hitlers Rassentheorien und erklärt ihm, was dessen »Neuordnung Europas« für ihn bedeuten würde. Goldstein ist von diesem Appell an sein Judentum (in der UdSSR) so angetan, dass er sofort an die Front gehen will. Loginow erklärt ihm, dass »seine Waffe gegenwärtig die Arbeit« sei, und überzeugt ihn, sich hier mehr anzustrengen.[48]

Genosse Loginow war zweifellos stolz auf seine Arbeit, die er mit Hingabe verrichtete. Seine Begeisterung war echt, die seiner Vorgesetzten auch: W. G. Nasedkin, damals Chef des ganzen Gulags, erließ Order, die Flugschrift allen Lagern zuzusenden. Loginow erhielt eine Prämie von 1000 Rubel. Ob Loginow und seine Drückeberger wirklich an das glaubten, was er erzählte, ist weniger greifbar. Wir wissen nicht, ob Loginow klar war, dass viele der Menschen, die er »ins Leben zurückholen« wollte, keinerlei Verbrechen begangen hatten. Wir können auch nicht sagen, ob Menschen wie Jekaterina Sch. (wenn es sie überhaupt gab) wirklich zu den sowjetischen Werten bekehrt wurde oder ob sie nur begriff, dass sie besseres Essen, bessere Behandlung und eine leichtere Arbeit erwarten konnte, wenn sie tat, was man von ihr verlangte. Beide Varianten müssen sich nicht einmal ausschließen. Menschen, die der tiefe Sturz vom nützlichen Bürger zum verachteten Gefangenen schockiert und desorientiert hatte, kann dieses Erlebnis vom »Licht am Ende des Tunnels«, kann die Aussicht, wieder in die sowjetische Gesellschaft aufgenommen zu werden, geholfen haben, sich psychisch aufzurichten, während sie gleichzeitig ihre Umstände verbesserten und damit ihr Leben retteten.

Die Frage, ob sie tatsächlich an das, was sie taten, glaubten, ist eigentlich nur Teil des viel größeren Problems, das direkt an das Wesen der Sowjetunion rührt: Haben deren Führer je an das geglaubt, was sie verkündeten? Zwischen Propaganda und Wirklichkeit herrschte in der Sowjetunion stets ein merkwürdiges Verhältnis: Die Fabriken funktionierten kaum, in den Läden gab es nichts zu kaufen, alte Frauen konnten es sich nicht leisten, die Wohnung ordentlich zu heizen, aber auf der Straße verkündeten Spruchbänder den »Sieg des Sozialismus« und die »heroischen Errungenschaften des sowjetischen Vaterlandes«.

In den Lagern wurde diesen Paradoxien lediglich noch eine weitere hinzugefügt. Obwohl man im Gulag die Gefangenen permanent als »Feinde« ansprach, ihnen verbot, das Wort »Genosse« zu gebrauchen und ein Stalin-Bild auch nur anzublicken, erwartete man ernsthaft von ihnen, für den Ruhm des sozialistischen Vaterlandes zu arbeiten, als seien sie freie Menschen, sich an »künstlerischer Selbstbetätigung« zu beteiligen, als täten sie das aus reiner Liebe zur Kunst. Dabei wussten alle, wie absurd das war. Anna Andrejewa wurde irgendwann in ihrer Lagerkarriere »Lagerkünstlerin«, was bedeutete, dass sie die genannten Losungen zu malen hatte. Diese Tätigkeit, für Lagerverhältnisse eine sehr leichte, rettete ihr die Gesundheit und vielleicht sogar das Leben. Aber Jahre später konnte sie sich nicht einmal mehr an den Wortlaut der Losungen erinnern. Sie meint, dass »die Lagerchefs sie sich ausgedacht haben. Es waren Sachen wie ›All unsere Kraft für die Arbeit‹ oder so ähnlich … Ich habe sie sehr schnell und technisch sehr gut hergestellt, aber ich habe absolut vergessen, was ich da schrieb. Es war eine Art Schutzmechanismus.«[49]

Auch Leonid Trus, der Anfang der fünfziger Jahre im Lager saß, war von der Sinnlosigkeit der Losungen überrascht, die überall an den Baracken prangten und ohne Unterlass aus den Lautsprechern tönten:

> »Im Lager gab es ein Netz von Lautsprechern, die regelmäßig über unsere Arbeitserfolge berichteten und diejenigen anprangerten, die schlecht arbeiteten. Das war sehr plumpe Propaganda, aber sie erin-

nerte mich an Sendungen, die ich in Freiheit gehört hatte. Ich stellte fest, dass es kaum einen Unterschied gab, außer dass draußen offenbar begabtere Leute am Werke waren, die die Dinge gefälliger darbieten konnten …«[50]

Ausländern, die nicht an Losungen und Spruchbänder gewöhnt waren, kam die Tätigkeit der »Umerzieher« noch merkwürdiger vor. Der Pole Viktor Ekart beschreibt eine typische Zusammenkunft zur politischen Indoktrinierung:

»Man ging folgendermaßen vor: Ein Vertreter der KWT, ein Berufsagitator mit der Mentalität eines Sechsjährigen, verbreitete sich vor den Gefangenen darüber, wie ehrenhaft es sei, alle Kraft in die Arbeit zu stecken. Er behauptete, alle guten Menschen seien Patrioten, alle Patrioten liebten Sowjetrussland, das beste Land auf der Welt für die arbeitenden Menschen, die Sowjetbürger seien stolz, in diesem Lande zu leben, et cetera et cetera. So ging das zwei Stunden lang vor Häftlingen, die der lebende Beweis für die Absurdität und Heuchelei derartiger Aussagen waren. Aber den Redner stört die kühle Reaktion auf seine Worte nicht, er redet weiter und weiter. Schließlich verspricht er allen ›Stoßarbeitern‹ bessere Bezahlung, höhere Rationen und günstigere Lebensbedingungen. Wie das auf Menschen wirkte, die vor allem der Hunger disziplinierte, kann man sich vorstellen.«[51]

Gustaw Herling-Grudzinski, ein anderer Pole, bezeichnet die Kulturarbeit in seinem Lager als »ein Überbleibsel der bei Einrichtung der Lager von Moskau erlassenen Bestimmungen: damals sah man sie nämlich noch wirklich teilweise als Besserungs- und Erziehungsanstalten an. Dieser blinde Gehorsam bei der Aufrechterhaltung einer offiziellen Fiktion, die der gesamten Lagerpraxis widersprach, erinnerte ein wenig an Gogol – an die Erziehung von ›toten Seelen‹.«[52]

Das ist keine Einzelmeinung. Sie kommt in zahlreichen Memoiren immer wieder vor, obwohl die KWT dort kaum erwähnt oder höchstens mit Spott bedacht wird. Daher ist es schwierig festzustellen, welche Bedeutung die Propaganda für die Gulag-Zentrale wirklich hatte. Einerseits kann durchaus argumentiert werden (was viele auch tun), dass die Propaganda im Lager wie in der ganzen Sowjetunion eine reine Farce war, an die ohnehin niemand glaubte, dass sie von den Lagerleitungen lediglich betrieben wurde, weil sie die Häftlinge – allerdings auf ziemlich unbedarfte und durchsichtige Weise – zum Narren halten wollten. Wenn aber die Propaganda, die Plakate und die Versammlungen zur politischen Indoktrinierung tatsächlich nur eine Farce waren, an die niemand glaubte, weshalb wurde dann so viel Zeit und Geld darauf verwendet? In den Akten der Gulag-Zentrale finden sich Hunderte von Dokumenten, die bezeugen, wie angestrengt dieses Feld beackert wurde.

Die Kulturinstrukteure der Lager mussten viertel- oder halbjährlich über ihre Arbeit Bericht erstatten, und sie taten das oft in großer Ausführlichkeit. Der KWT-Instrukteur von Wosturallag, wo damals 13 000 Häftlinge einsaßen, schickte 1943 einen 21 Seiten langen Bericht nach Moskau, der mit dem Bekenntnis beginnt, dass der Plan der Industrieproduktion im ersten Halbjahr 1943 »nicht erfüllt« wurde. Im zweiten Halbjahr ergriff man daher entsprechende Maßnahmen: Die Abteilung für Kultur und Erziehung trug dazu bei, die Häftlinge »zur Erfüllung und Übererfüllung der von Genosse Stalin gestellten Produktionsaufgaben zu mobilisieren«, »die Gefangenen gesünder zu machen, auf den Winter vorzubereiten« und »Unzulänglichkeiten in der Kultur- und Erziehungsarbeit zu beseitigen«.[53] Die KWT, listet der Verantwortliche großartig auf, hielt im zweiten Halbjahr 762 politische Reden vor 70 000 Zuhörern (wahrscheinlich hatten manche Häftlinge mehrfach teilgenommen), führte 444 politische Informationsveranstaltungen durch, bei denen 82 400 Gefangene anwesend waren, gab 5046 »Wandzeitungen« heraus, die 350 000 Häftlinge lasen, organisierte 232 Konzerte und Theateraufführungen sowie 69 Filmvorstellungen und stellte 38 Theatergruppen zusammen. Eine dieser Schöpfungen schrieb sogar selbst ein Lied, das in dem Bericht stolz zitiert wird:

»Unsere Brigade ist freundlich,
Uns ruft die Pflicht,
Unsere Baustelle wartet,
Die Front braucht unsere Arbeit.«[54]

Es gibt mehrere Möglichkeiten, diese gewaltigen Anstrengungen zu erklären. Vielleicht spielten die Abteilungen für Kultur- und Erziehungsarbeit in der Gulag-Bürokratie die Rolle des bequemen Sündenbocks? Wenn der Plan nicht erfüllt wurde, lag das nicht an schlechter Organisation und Unterernährung, nicht an der stumpfsinnigen, grausamen Arbeitsverteilung oder an fehlenden Filzstiefeln, sondern an ungenügender Propaganda. Vielleicht ist auch nur die starre Disziplin dieser Bürokratie daran schuld: Da die zentrale Führung entschieden hatte, dass Propaganda sein musste, versuchte jeder die Weisung auszuführen, ohne sich darüber Gedanken zu machen, wie absurd sie eigentlich war. Vielleicht hatte aber auch die Führung in Moskau so wenig Kontakt zu den Lagern, dass sie wirklich glaubte, 444 Informationsveranstaltungen und 762 politische Reden könnten hungernde Menschen veranlassen, mehr zu arbeiten. Wenn sie allerdings die vorliegenden Inspektionsberichte zur Kenntnis nahm, dann ist das kaum vorstellbar.

Vielleicht gibt es gar keine plausible Erklärung. Wladimir Bukowski, der sowjetische Dissident, der später selbst Häftling wurde, zuckte nur mit den Achseln, als ich ihm diese Frage stellte. Dieses Paradox, so meinte er, habe den Gulag so einzigartig gemacht: »In unseren Lagern sollte man nicht nur Zwangsarbeiter sein, sondern auch noch bei der Arbeit singen und lachen. Sie wollten uns nicht einfach unterdrücken, sie wollten, dass wir ihnen dafür auch noch Dank sagen.«[55]

Wer nicht dort war, kommt noch an die Reihe.
Wer dort war, vergisst es nie.

Sowjetisches Gefangenen-Sprichwort[1]

# Strafe und Belohnung

## SCHISO: die Strafzellen

Nur wenige sowjetische Lager sind bis heute erhalten geblieben, und sei es in halb verfallenem Zustand. Bemerkenswert ist allerdings, dass eine ganze Zahl von *schtrafnye isoljatory*, »Strafisolatoren«, auf Russisch unter der unvermeidlichen Abkürzung SCHISO bekannt, immer noch existieren. Nichts erinnert mehr an Lagpunkt Nr. 7 von Uchtpetschlag außer dem Block mit den Strafzellen, der heute die Autowerkstatt eines Armeniers beherbergt. Die Gitter vor den Fenstern hat er nicht entfernt, weil er hofft, wie er sagt, dass »Solschenizyn mir dieses Gebäude abkaufen wird«. Nichts ist auch von dem landwirtschaftlichen Lagpunkt bei Aischerom, dem Loktschimlag, geblieben, außer dem Strafblock, in dem heute mehrere Familien wohnen. Eine ältere Frau, der ich dort begegne, lobt die stabilen Türen. Eine hat immer noch ein großes »Judasloch« in der Mitte, durch das die Wärter einst die Gefangenen beobachteten oder ihnen die Brotration reichten.

Dass die Gebäude mit den Strafzellen so lange überlebt haben, zeigt, wie solide sie gebaut sind. Oft das einzige Steinhaus in einem Lager aus lauter Holzhütten, war der Isolator eine Zone in der Zone. In seinen Mauern herrschte ein Regime im Regime.

In den vierziger Jahren erließ Moskau genaue Instruktionen darüber, wie die Strafblöcke zu bauen waren und nach welchen Regeln ihre Insassen zu leben hatten. Jeder Lagpunkt oder – wenn es sehr kleine waren – mehrere zusammen hatten einen Strafblock. Dieser lag meist außerhalb der Zone. Befand er sich auf dem Lagergelände, dann in einiger Entfernung von den anderen Bauten, und »Stacheldrahtzaun zog sich ringsherum, damit man auch gleich wußte, daß dies ein Gefängnis im Gefängnis war ... Die Gefangenen machten gewöhnlich einen großen Bogen um diesen Bau und blickten nicht einmal zu den grauen Steinmauern hin, von denen einen ein kalter Hauch anwehte.«[2]

Jeder der großen Lagerkomplexe musste außerdem einen zentralen Strafblock in der Nähe seines Hauptquartiers haben, ob nun in Magadan, Workuta oder Norilsk. Der zentrale Block war oft ein riesiges Gefängnis mit Gemeinschafts- und Einzelzellen; letztere waren »besonders heimtückischen Elementen« vorbehalten. Gefangene, die in Isolationshaft saßen, durften nicht zur Arbeit gehen, man verwehrte ihnen jegliche Bewegung, Tabak, Papier und Streichhölzer. Das kam zu den »normalen« Restriktionen hinzu, die für Häftlinge in Gemeinschaftszellen galten: keine Post, keine Päckchen und keine Verwandtenbesuche.[3]

Auf den ersten Blick scheint die Existenz dieser Strafzellen den wirtschaftlichen Grundsätzen zu widersprechen, auf denen der Gulag beruhte. Diese getrennt liegenden Gebäude und eigene Wachen dafür zu unterhalten war teuer. Gefangene von der Arbeit fern zu halten bedeutete Verschwendung. Aus Sicht der Lagerleitungen waren die Strafzellen allerdings keine Form zusätzlicher Quälerei der Gefangenen, sondern Bestandteil der enormen Anstrengungen, die Häftlinge zu höheren Arbeitsleistungen zu bewegen. Zusammen mit geringeren Essenrationen sollte das in den Strafzellen herrschende harte Regime Arbeitsverweigerern Angst einjagen; der Bestrafung diente es nur im Falle von Häftlingen, die im Lager Verbrechen wie Mord begingen oder einen Fluchtversuch unternahmen.

Da diese zwei Arten von Vergehen in der Regel von unterschiedlichen Häftlingstypen begangen wurden, herrschte in den Strafzellen einiger Lager eine ganz merkwürdige Atmosphäre. Einerseits waren sie voll von Berufsverbrechern, die meist wegen Mordes oder Fluchtversuchs dort saßen. Andererseits kamen mit der Zeit immer mehr Häftlinge einer anderen Kategorie hinzu: männliche religiöse Gefangene oder auch »Nonnen«, die sich aus Prinzip weigerten, für

Der Strafblock

den sowjetischen Satan zu arbeiten. Aino Kuusinen begegnete ihnen im Lagpunkt Potma, dessen Kommandant eine besondere Strafbaracke für eine Gruppe tief religiöser Frauen bauen ließ, die »sich weigerten, Feldarbeit zu verrichten, und statt dessen ihre Zeit mit lauten Gebeten und dem Gesang von Kirchenliedern verbrachten«. Die Frauen durften nicht mit den anderen Gefangenen zusammen essen, sondern erhielten in ihrer eigenen Unterkunft die Strafration. Bewaffnete Wächter begleiteten sie zweimal täglich zur Latrine: »Gelegentlich besuchte der Kommandant die ›Nonnen‹ mit einer Peitsche in der Hand, und dann gellten Schmerzensschreie durch die Baracke. Meist wurden diese Frauen auf ihre nackten Körper geschlagen, doch die Peiniger erreichten damit nichts, die Frauen fuhren fort, zu beten und zu fasten.«[4]

Auch andere hartnäckige Arbeitsverweigerer landeten in den Strafzellen. Tatsächlich stellte die schiere Existenz dieser Zellen die Häftlinge vor die Wahl. Sie konnten entweder zur Arbeit gehen oder einige Tage in einer solchen Zelle verbringen, sich mit dem kümmerlichen Essen, der Kälte und der Unbequemlichkeit abfinden, mussten aber nicht im Wald die letzten Kräfte lassen. Lew Rasgon schildert die Geschichte des Grafen Tyszkiewicz, eines polnischen Adligen, den man in ein Holzfällerlager in Sibirien schickte. Er erkannte bald, dass er bei der kümmerlichen Verpflegung nicht überleben würde, und weigerte sich daher zu arbeiten. So hoffte er seine Kräfte besser erhalten zu können, selbst wenn er nur die Strafration zu sich nahm.

»Jeden Morgen, wenn die Kolonnen der *Seks* auf dem Hof antraten, bevor sie aus dem Lager zur Arbeit marschierten, holten zwei Wärter Tyszkiewicz aus der Strafzelle. Sein Gesicht und der kahl geschorene Kopf waren von grauen Stoppeln bedeckt, er trug die Reste eines alten Mantels und Gamaschen. Der Sicherheitsoffizier des Lagers begann seine tägliche Erziehungsübung: ›Also, du besch…er Graf, du elender Blödmann, gehst du nun zur Arbeit oder nicht?‹
›Nein, ich kann nicht arbeiten‹, antwortete der Graf beinhart.
›Du kannst also nicht, du Stück Scheiße?‹ Der Sicherheitsoffizier erklärte dem Grafen in aller Öffentlichkeit, was er von ihm, seinen nahen und fernen Verwandten hielt und was er bald mit ihm machen werde. Dieses Schauspiel wurde von den anderen Insassen des Lagers mit allgemeiner Befriedigung aufgenommen.«[5]

Bei Rasgon klingt die Geschichte beinahe lustig, aber das war eine äußerst riskante Strategie; das Strafregime war nicht als angenehme Einrichtung gedacht. Für die meisten Häftlinge waren das Unangenehmste daran nicht die körperliche Härte, die Isolation oder das schlechte Essen, sondern die zusätzlichen Schikanen, die die Lagerführungen sich ausdachten. Janusz Bardach wurde in eine Strafzelle geworfen, auf deren Boden das Wasser stand. Die feuchten Wände waren voller Schimmel:

»Meine Unterwäsche und mein Hemd waren immer feucht, und ich zitterte. Nacken und Schultern wurden steif und verkrampft. Das durchweichte rohe Holz faulte bereits, besonders an den Rändern der Pritsche … Diese war so schmal, dass ich nicht auf dem Rücken liegen konnte. Wenn ich mich seitwärts darauf legte, hingen meine Beine über den Rand. Ich konnte sie nie ausstrecken. Es war eine schwierige Entscheidung, auf welche Seite ich mich legen sollte. Auf der einen berührte mein Gesicht fast die glitschige Wand, auf der anderen wurde mein Rücken nass.«[6]

Die Feuchtigkeit war allgegenwärtig, ebenso die Kälte. Laut Vorschrift sollte die Temperatur in den Strafzellen nicht unter 16 Grad Celsius sinken, aber das Heizen wurde oft vernachlässigt. Gustaw Herling-Grudzinski erinnert sich, dass in seiner Strafzelle »die Fenster in den Zellen keine Scheiben hatten, ja nicht einmal ein Brett war davor, so daß die Temperatur in ihnen kaum höher war als die Außentemperatur«.[7]

Die Lagerkommandanten konnten auch entscheiden, ob sie es einem Häftling überhaupt erlaubten, in der Strafzelle Oberkleidung zu tragen – viele mussten dort in der Unterwäsche sitzen –, oder ob der Sträfling zur Arbeit geschickt wurde. Wenn er nicht arbeitete, ließ man ihn den ganzen Tag ohne körperliche Bewegung in der Kälte sitzen. Wenn er arbeitete, litt er großen Hunger. Da das Strafregime oft mit überraschenden Wendungen aufwartete, fürchteten die Häftlinge diese Zellen. »Manche weinten wie die Kinder und gelobten alles zu tun, was man von ihnen verlangte, wenn man sie nur herausließe«, schreibt Herling-Grudzinski.[8]

In den größeren Lagerkomplexen gab es nicht nur Strafzellen, sondern Strafbaracken und sogar ganze Lagpunkte, in die man zur Strafe geschickt werden konnte. Das Straflager von Dalstroi, das Ende der dreißiger Jahre entstand, war im ganzen Gulag berüchtigt: Serpantinnaja oder Serpantinka lag am Nordhang der Berge direkt über der Stadt Magadan. Sorgfältig an einem besonders kalten, düsteren Ort mit noch weniger Sonnenlicht als die Lager im Tal angelegt (die die meiste Zeit des Jahres ebenfalls kalt und dunkel waren), hatte man das Straflager stärker befestigt als normalerweise üblich. 1937/38 diente es außerdem als Hinrichtungsstätte. Schon der Name jagte den Häftlingen Schauer über den Rücken, denn nach Serpantinka geschickt zu werden kam einem Todesurteil gleich.[9]

Wie es in diesem Lager zuging, ist weitgehend unbekannt, da kaum einer von dort lebend zurückkehrte. Noch weniger weiß man über die Straflager anderer Komplexe, etwa über Iskitim, die Strafkolonie von Siblag, die um einen Kalksteinbruch herum angelegt wurde. Dort mussten die Häftlinge den Kalkstein ohne Maschinen und anderes Werkzeug mit den bloßen Händen brechen. Früher oder später brachte der Staub sie um, der in Lunge und Atemwege eindrang.[10] Von den meisten Häftlingen – und Toten – von Iskitim weiß man nicht einmal den Namen.[11]

Ganz vergessen sind sie jedoch nicht. So stark hat das Leiden der Gefangenen die Fantasie der Bevölkerung von Iskitim bewegt, dass das Auftauchen einer neuen Frischwasserquelle an einem Berghang dicht bei dem früheren Lager Jahrzehnte später als ein Wunder begrüßt wurde. Da in der Schlucht unterhalb der Quelle – so heißt es – Massenexekutionen stattfanden, glaubt man, dies sei geheiligtes Wasser, mit dem Gott an die getöteten Menschen erinnern wolle.

## *Potschtowy Jaschtschik:* der Briefkasten

Der SCHISO war die höchste Strafe, die ein Häftling erhalten konnte. Im Gulag gab es aber auch die Belohnung – zur Peitsche das Zuckerbrot. Neben der Ernährung, dem Schlaf und dem Lebensraum kontrollierte das Lager auch die Verbindung des Gefangenen zur Außenwelt. Jahraus, jahrein kamen aus der Moskauer Gulag-Zentrale genaue Weisungen, wie viele Briefe, Päckchen und Geldüberweisungen ein Häftling erhalten durfte, wann und wie man ihn besuchen konnte. Insgesamt wurde der Kontakt nach außen mit der Zeit immer mehr eingeschränkt. In den Vorschriften zum Regime von 1930 hieß es lediglich, dass es den Gefangenen erlaubt sei, zu schreiben und eine nicht näher bezeichnete Anzahl von Briefen und Päckchen zu empfangen. Auch für Verwandtenbesuche gab es keine besonderen Einschränkungen. Allerdings hing deren Häufigkeit – was nicht in den Bestimmungen stand – davon ab, wie sich der Häftling führte.[12]

1939 galten bereits wesentlich detailliertere Regeln. Nun war ausdrücklich festgelegt, dass nur Gefangene, die die Norm erfüllten, Verwandtenbesuche empfangen durften, und auch das nur alle sechs Monate. Wer die Norm übererfüllte, konnte jeden Monat Besuch erhalten. Die Zahl der Päckchen wurde ebenfalls begrenzt: Erlaubt war eines pro Monat, wer eine Strafe wegen konterrevolutionärer Verbrechen verbüßte, bekam nur alle drei Monate eines.[13]

Für das Senden und Empfangen von Briefen hatte man mittlerweile ein ganzes Regelwerk aufgestellt. Zensoren verboten den Häftlingen ausdrücklich, bestimmte Themen zu berühren: Sie durften die Zahl der Häftlinge in ihrem Lager nicht nennen, den Tagesablauf nicht beschreiben, das Wachpersonal nicht erwähnen, keine Angaben über die Arbeit im Lager machen. Briefe, in denen solche Dinge vorkamen, wurden von den Lagerzensoren nicht nur eingezogen, sondern auch in die Häftlingsakte aufgenommen – vermutlich als Beweis für »Spionage«.[14]

Die Vorschriften wurden immer wieder verändert, ergänzt und den Umständen angepasst. In den Kriegsjahren fielen alle Einschränkungen für Lebensmittelsendungen weg. Offenbar hofften die Behörden, dass die Verwandten so zur Verpflegung der Häftlinge beitragen würden. Das NKWD sah sich dazu kaum mehr in der Lage.

Da die Bestimmungen so kompliziert waren und sich ständig änderten, blieb der Kontakt zur Außenwelt in der Praxis fast völlig dem Gutdünken der Lagerkommandanten überlassen. Briefe und Päckchen erreichten den Häftling nie, wenn er in einer Strafzelle, Strafbaracke oder in einem Straflager saß. Sie erreichten auch einen Gefangenen nicht, den die Lagerbehörden aus irgendeinem Grunde nicht mochten. Es gab Lager, die so abgelegen waren, dass dort keine Post hinkam.[15] In anderen wurde sie nicht verteilt, so chaotisch ging es dort zu. Ein empörter Inspektor des NKWD bemängelte, dass »Päckchen, Briefe und Geldüberweisungen den Häftlingen nicht ausgehändigt werden, sondern zu Tausenden in den Magazinen der Außenstellen liegen«.[16] Ob eine Sendung gestohlen wurde oder verloren ging, konnte niemand sagen. Andererseits gelangten Briefe entgegen allen Bemühungen der Lagerführungen zuweilen zu Gefangenen, denen dies strikt verboten war.[17]

Es gab auch Lagerzensoren, die Briefe ungeöffnet durchgehen ließen. Dmitri Bystroletow erinnert sich an eine junge Komsomolzin, ein Mitglied des Kommunistischen Jugendverbandes, die dies tat: »Damit riskierte sie nicht nur ihr täglich Brot, sondern ihre Freiheit, denn darauf standen zehn Jahre Lager.«[18]

Natürlich gab es Wege, die Zensur und die Postbeschränkungen zu umgehen. Anna Rosina erhielt einen Brief von ihrem Ehemann, der in einem Kuchen eingebacken war. Als er bei ihr eintraf, hatte man den Absender bereits hingerichtet.[19]

General Gorbatow beschreibt, wie er aus dem Transportzug einen unzensierten Brief an seine Frau schickte. Diese Methode wird auch bei anderen erwähnt. Zunächst musste er sich von einem Kriminellen einen Bleistiftstummel beschaffen:

> »... ich gab dem Kriminellen den Tabak und nahm dafür den Bleistift, mit dem ich auf dünnen Blättchen einen langen Brief schrieb. Die Seiten numerierte ich durch, machte aus dem Papier, in das der Tabak eingewickelt gewesen war, einen Umschlag und klebte ihn mit Brot zu. Damit der Wind den Brief nicht forttrug, beschwerte ich ihn mit einem Stück Brotrinde und befestigte es mit Fäden, die ich aus dem Handtuch gezogen hatte. Zwischen die Brotrinde und den Brief klemmte ich einen Rubel und vier Zigarettenblättchen, auf die ich schrieb: ›Ich bitte denjenigen, der den Umschlag findet, eine Marke auf den Brief zu kleben und ihn in den Briefkasten zu werfen!‹ Nach einer größeren Station stellte ich mich ans Waggonfenster und warf den Brief aus dem Zug ...«[20]

Wenig später erreichte der Brief die Empfängerin.

Manche Einschränkungen des Postverkehrs sind in den Vorschriften nicht erwähnt. Es war zwar schön und gut, schreiben zu dürfen, aber nicht immer fand der Häftling etwas, womit oder worauf er schreiben konnte, wie sich Bystroletow erinnert: »Papier ist im Lager eine Kostbarkeit, denn jeder Häftling braucht es, aber wo soll er es hernehmen? Was bedeutet schon der Ruf: ›Posttag! Briefe abgeben!‹, wenn man nichts hat, worauf man schreiben kann? Wenn nur wenige Glückliche eifrig kritzeln und der Rest deprimiert auf der Pritsche liegt?«[21]

Ein Häftling berichtet, wie er Brot gegen zwei Seiten tauschte, die jemand aus Stalins Buch *Fragen des Leninismus* gerissen hatte. Den Brief an seine Familie schrieb er zwischen die Zeilen.[22] Selbst die Verwaltungen kleinerer Lagpunkte mussten sich etwas einfallen lassen. Der Buchhalter von Kedrowy Schor verwendete für offizielle Berichte gebrauchte Tapete.[23]

Für Päckchen galten noch kompliziertere Regeln. Die Lagerkommandanten hatten die strikte Anweisung, dass diese nur in Anwesenheit des Wachpersonals geöffnet werden durften, damit eventuell verbotene Dinge sofort eingezogen werden konnten.[24] Der Empfang eines Päckchens war ohnehin eine regelrechte Zeremonie. Zunächst wurde der Häftling über sein Glück benachrichtigt. Dann führte man ihn ins Magazin, wo seine persönlichen Habseligkeiten aufbewahrt wurden. Hatte er die Sendung geöffnet, beäugten die Wärter jeden Gegenstand oder schnitten ihn auf, sei es nun eine Zwiebel oder eine Wurst. Damit sollte sichergestellt werden, dass keine Kassiber, als Waffen taugliche Gegenstände oder Geld darin versteckt waren. Gab es nichts zu beanstanden, durfte der Häftling etwas aus dem Päckchen mitnehmen. Der Rest blieb im Magazin, bis er das nächste Mal eine Genehmigung erhielt.

Das Verfahren war aber nicht überall gleich. Dmitri Bystroletow saß in einem Lagpunkt, wo es gar kein Magazin gab. Daher musste er sich etwas einfallen lassen:

> »Ich arbeitete damals auf der Baustelle einer Fabrik in der Tundra und wohnte in einer Baracke, in der man nichts zurücklassen konnte. Aber etwas zur Arbeit mitzunehmen war genauso unmöglich, denn die Wachen am Lagertor nahmen einem alles weg, was sie finden konnten, und aßen es selbst. Was man zurückließ, wurde sofort von den Häftlingen, die die Unterkünfte reinigten, gestohlen und verspeist. Man musste also alles Essbare sofort verbrauchen. Ich zog einen Nagel aus der Pritsche und stach damit zwei Löcher in eine Büchse Kondensmilch. Dann versuchte ich sie unter der Decke auszusaugen. Ich war aber so erschöpft, dass ich darüber einschlief. Die kostbare Flüssigkeit tropfte nutzlos in den schmutzigen Strohsack.«[25]

Da nicht jeder Päckchen bekam, stellte sich stets auch die moralische Frage: Sollte man mit den anderen teilen oder nicht? Mancher gab jedem etwas ab, weil er nett war oder die anderen für sich einnehmen wollte. Andere bedachten nur wenige gute Freunde. »Es kam aber auch vor, dass eine ihre Kekse nachts im Bett aß, weil es ihr vor den anderen unangenehm war«, erinnert sich eine Gefangene.[26]

In den schlimmsten Kriegsjahren und in den härtesten Lagern

im Norden konnten Päckchen über Leben und Tod entscheiden. Der Filmregisseur Georgi Schenow ist der Meinung, dass ihm zwei solche Sendungen das Leben gerettet haben. Seine Mutter schickte sie 1940 in Leningrad ab. Sie erreichten ihn drei Jahre später »im kritischsten Augenblick, als ich hungerte, schon alle Hoffnung aufgegeben hatte und langsam an Skorbut einging …« Schenow arbeitete damals im Badehaus eines Lagpunktes an der Kolyma, weil er zum Holzfällen zu schwach war. Als er hörte, er habe zwei Päckchen bekommen, wollte er es zuerst nicht glauben. Da man es aber bestätigte, bat er seinen Vorgesetzten um die Erlaubnis, die zehn Kilometer zum Hauptlager zu gehen, wo sich das Magazin befand. Nach zweieinhalb Stunden Marsch wollte er umkehren: »Ich hatte mit Mühe einen Kilometer geschafft.« Da kamen einige Lagerchefs auf einem Schlitten angefahren. »Eine fantastische Idee schoss mir durch den Kopf: Vielleicht sollte ich sie bitten, mich mitzunehmen?« Sie sagten ja, und was dann geschah, war »wie ein Traum«. Schenow stieg auf, fuhr die zehn Kilometer mit, die Chefs halfen ihm beim Absteigen, er schaffte es zum Magazin, empfing seine drei Jahre alten Päckchen und öffnete sie:

> »Der gesamte Inhalt – Zucker, Wurst, Schmalz, Bonbons, Zwiebeln, Knoblauch, Kekse, Zigaretten, Schokolade – samt der jeweiligen Verpackung hatte sich in den drei Jahren, da die Sendungen mir von Adresse zu Adresse nachgeschickt wurden, miteinander vermischt wie in einer Waschmaschine und war schließlich zu einer harten Masse verschmolzen, die süßlich nach Moder und Verfall, nach Tabak und Bonbons roch …
> Ich trat an den Tisch, schnitt mit einem Messer ein Stück ab und schlang es vor aller Augen, fast ohne zu kauen, hastig hinunter. Ich spürte weder Geruch noch Geschmack, denn ich hatte panische Angst, jemand könnte eingreifen und es mir wegnehmen …«[27]

## *Dom Swidanij:* das Haus der Begegnungen

Die größte Erregung oder die schlimmsten Qualen lösten bei den Gefangenen allerdings nicht Briefe und Päckchen aus. Viel aufwühlender waren Begegnungen mit Verwandten, meist der Ehefrau oder Mutter. Nur Häftlingen, die die Norm erfüllt und alle Regeln des Lagers gehorsam befolgt hatten, waren Besuche gestattet: In den offiziellen Dokumenten werden sie unumwunden als Belohnung für »gute, engagierte Arbeit mit hohen Ergebnissen« bezeichnet.[28] Die Aussicht, Verwandtenbesuch empfangen zu dürfen, war in der Tat ein starkes Motiv für Wohlverhalten.

Bei weitem nicht alle Häftlinge konnten auf dieses Glück hoffen. Zunächst musste die Familie couragiert genug sein, um zu dem »Volksfeind« weiter Kontakt zu halten. Dann forderte eine Reise an die Kolyma, nach Workuta, nach Norilsk oder Kasachstan auch einem freien Bürger beträchtlichen Mut ab. Man musste nicht nur eine endlose Zugfahrt an einen fernen, primitiven Ort auf sich nehmen, sondern hatte unter Umständen lange Fußmärsche oder eine Fahrt mit dem LKW über holprige Wege zum Lagpunkt zu überstehen. Dann musste der Besuch oft mehrere Tage, manchmal auch länger warten und arrogante Kommandanten anflehen, den Verwandten sehen zu dürfen. Eine Ablehnung ohne jeden Grund war durchaus möglich. Dann folgte die lange, ebenso abenteuerliche Heimreise.

Neben den körperlichen Strapazen konnte auch die psychische Belastung durch solche Treffen fast unerträglich sein. Die Frauen, die ihre Männer besuchen kamen, schreibt Herling-Grudzinski, »fühlen deren grenzenloses Elend mit, ohne es ganz begreifen oder ihnen auch nur ein wenig helfen zu können. In den langen Jahren der Trennung sind ihnen ihre Männer fremd geworden ... Außerdem warf das Lager, obwohl es ihnen versperrt blieb, seine drohenden Schatten auf sie. Zwar waren sie nicht Gefangene, aber mit Feinden des Volkes verwandt.«[29]

In Gefängnissen und bestimmten Lagern waren solche Begegnungen kurz, und stets saß ein Wärter dabei – eine Regel, die ebenfalls enorme Anspannung verursachte. »Ich wollte so viel reden, alles erzählen, was mit mir in diesem Jahr passiert war«, erinnert sich ein Häftling an die einzige Begegnung mit seiner Mutter. Ich suchte nach Worten, »und wenn ich dann etwas sagen wollte, fuhr der Wärter dazwischen: ›Das ist verboten!‹«[30]

Noch tragischer ist die Geschichte Dmitri Bystroletows, der seine Frau 1941 mehrmals sehen durfte. Immer war allerdings ein Wachmann anwesend. Sie kam aus Moskau, um ihm Lebewohl zu sagen. Nach seiner Verhaftung war sie an Tuberkulose erkrankt und hatte nicht mehr lange zu leben. Als sie sich von ihm verabschiedete, streckte sie die Hand aus und wollte sie um seinen Nacken legen, was nicht gestattet war. Besucher durften keinen Körperkontakt mit den Gefangenen haben. Der Wachmann riss ihren Arm grob zurück, sie stürzte zu Boden und hustete Blut. Bystroletow schreibt, er habe »den Kopf verloren« und sei auf den Wärter losgegangen, der nun ebenfalls blutete. Nur die Tatsache, dass an jenem Tag der Krieg ausbrach, rettete ihn vor schwerer Strafe. In dem Chaos, das dann folgte, wurde seine Attacke auf den Wachmann vergessen. Er sah seine Frau nicht wieder.[31]

Nicht immer waren Wachen zugegen. In den größeren Lagpunkten gestattete man Gefangenen manchmal längere gemeinsame Aufenthalte ohne dritte Personen. In den vierziger Jahren fanden diese in der Regel in einem besonderen »Haus der Begegnungen« statt, das zu diesem Zweck am Rand des Lagers eingerichtet wurde. Hier Herling-Grudzinskis Beschreibung:

> »Von der Straße her, die vom Lager zum Dorf führte, wirkte das Haus freundlich und einladend. Es war aus rohem Tannenholz gebaut; die Lücken zwischen den Balken hatte man mit Werg ausgestopft, das Dach bestand aus schönen Dachziegeln … Zu der einen, sich jenseits des Stacheldrahtes befindenden Eingangstür führten ein paar Holzstufen hinauf. Nur die Besucher von auswärts durften diese Tür benutzen. Vor den mit baumwollenen Vorhängen umrahmten Fenstern standen Blumenkästen. Jedes Zimmer war mit zwei sauberen Betten, einem großen Tisch, zwei Bänken, einem Waschständer und einer Wasserkanne, einem Kleiderschrank und einem eisernen Ofen möbliert, und die elektrische Birne war sogar von einem kleinen Schirm verdeckt. Was konnte ein Gefangener,

der jahrelang auf einer gewöhnlichen Pritsche in einer schmutzigen Baracke geschlafen hatte, sich mehr an kleinbürgerlicher Behaglichkeit wünschen? Wir alle erträumten uns von unserem Leben in der Freiheit nichts anderes als solch einen bescheidenen Raum.«[32]

Und doch fühlten sich jene, die den »Traum vom Leben in Freiheit« so herbeigesehnt hatten, danach oft noch schlechter, wenn die Begegnung missglückte, was häufig geschah. Männer, die nach Jahren ihre Frau zum ersten Mal wiedersahen, wurden plötzlich von sexuellen Ängsten gepackt, wie Herling-Grudzinski schreibt:

> »Die langen Jahre der schweren Arbeit und des Hungers hatten ihre Manneskraft untergraben, und darum erfüllte sie der Gedanke an ein intimes Zusammensein mit der ihnen fast fremd gewordenen Frau neben scheuer Erregung mit nervöser Angst, ja Verzweiflung. Ein paar Mal hörte ich Männer nach einem Besuch prahlerisch von ihren sexuellen Fähigkeiten berichten, aber meistens wurde schamhaft darüber geschwiegen.«[33]

Die Frauen, die zu Besuch kamen, erzählten außerdem von ihren eigenen Schwierigkeiten. Meist hatten sie unter der Haft ihrer Männer schwer zu leiden. Sie fanden keine Arbeit, wurden nicht zum Studium zugelassen, mussten ihre Partnerschaft vor neugierigen Nachbarn geheim halten.

Zuweilen konnte ein solcher Besuch daher schlimmer sein als gar keiner. Israil Masus, der in den fünfziger Jahren verhaftet wurde, berichtet von einem Gefangenen, der den Fehler beging, seinen Kameraden zu erzählen, dass seine Frau eingetroffen sei. Während er all die Prozeduren durchlief, die für einen Häftling vor dieser Begegnung vorgeschrieben waren – baden, Haare schneiden, im Lagerraum Zivilkleidung empfangen –, hänselten ihn seine Mitgefangenen ununterbrochen und neckten ihn mit dem quietschenden Bett im Haus der Begegnungen.[34] Am Ende ließ man ihn dort keine Minute mit seiner Frau allein. Was für ein »Traum von Freiheit« sollte das sein?

Kontakte zur Außenwelt waren stets kompliziert, wegen all der

Erwartungen, der Wünsche und der Vorfreude. Dazu noch einmal Herling-Grudzinski:

> »Ob der Gefangene nun enttäuscht war, weil die Freiheit, der er in den drei Tagen teilhaftig geworden, einer idealisierten Vorstellung nicht entsprochen hatte, oder weil die Tage wie ein Traum vergangen waren und nur eine um so größere Leere in ihm zurückgelassen hatten; weil es für ihn nichts mehr gab, auf das er sich noch freuen konnte – einer wie der andere war nach den Besuchen still und bedrückt, ganz zu schweigen von denen, bei denen der Besuch der Frau nur den Sinn gehabt hatte, die Einwilligung in die Scheidung zu erlangen. Krestynski … hatte zweimal nach einem Gespräch mit seiner Frau, in dem sie ihn zur Scheidung drängte und von ihm die Zustimmung verlangte, die Kinder im Städtischen Kinderheim unterzubringen, versucht, sich zu erhängen.«

Als Ausländer konnte Herling-Grudzinski nie mit Besuch im Haus der Begegnungen rechnen. Daher sah er die Bedeutung dieses Ortes wohl klarer als viele sowjetische Zeugen: »Ich glaube, wenn die Hoffnung das einzige ist, was dem Leben noch einen Sinn gibt, kann ihre Erfüllung oft zu einer unerträglichen Qual werden.«[35]

An die Tschekisten

Eine große und schwere Mission
Hat Iljitsch uns auferlegt.
Der Tschekist ist gezeichnet von Sorgen,
Die außer ihm keiner versteht.

Aus des Tschekisten Miene spricht Mut.
Er ist kampfbereit jeden Tag
Für aller Wohlergehen,
Für die Werktätigen setzt er sich ein.

Erzittert, erbebt, ihr Feinde!
Euer Ende ist nahe schon!
Du, Tschekist, steh' immer auf Wacht
Und führe die Menge zum Kampf!

Gedicht des sowjetischen Gefängnisinspektors
Michail Pantschenko, das in seiner Personalakte
zusammen mit den Dokumenten über seinen Ausschluss
aus der Partei und dem NKWD aufbewahrt wird[1]

# Die Wachen

So merkwürdig es klingen mag: Nicht alle Regeln für das Leben im Lager wurden von den Kommandanten geschrieben. Es gab auch ungeschriebene – wie man sich eine Stellung erkämpfte, wie man an Privilegien kam, wie man etwas besser lebte als die anderen. Und es gab eine heimliche Hierarchie. Wer diese ungeschriebenen Gesetze beherrschte und die Leiter der Hierarchie zu erklimmen wusste, hatte eine wesentlich größere Chance zu überleben.

Ganz oben standen der Kommandant, die Oberaufseher, die Wärter, Gefängniswärter und Wachmänner. Sie konnte man nicht als separate Kaste betrachten, die völlig getrennt von den Häftlingen existierte. Im Unterschied zu den SS-Wachen in deutschen Konzentrationslagern galten sie nicht als rassisch – also für alle Zeiten – überlegen. Oft gehörten sie derselben Nationalität an wie die Gefangenen.

Noch lebten Wachen und Häftlinge in völlig getrennten gesellschaftlichen Sphären. Einige Wärter und Verwaltungsangehörige machten mit Häftlingen hervorragende Geschäfte. Andere tranken zusammen. Viele »kohabitierten« mit Lagerinsassen, wie man im Gulag den Geschlechtsverkehr nannte.[2] Manche waren früher selbst Gefangene gewesen. In den dreißiger Jahren galt es als völlig normal, dass Häftlinge bei guter Führung in die Wachmannschaften aufsteigen konnten. Einige gelangten sogar noch weiter nach oben.[3] Naftali Frenkels Karriere ist sicher das prominenteste Beispiel, aber nicht das einzige.

Jakow Kupermans Laufbahn war nicht so herausragend, aber

dafür wesentlich typischer. Seine unveröffentlichten Memoiren hat er der Gesellschaft Memorial in Moskau übergeben. Er wurde 1930 verhaftet und zu zehn Jahren Lagerhaft verurteilt. Zunächst kam er nach Kem, das Transitlager für die Solowezki-Inseln. Später wurde er in die Planungsabteilung des Bauprojekts am Weißmeer-Kanal versetzt. 1932 überprüfte man seinen Fall und änderte seinen Status: Aus dem Häftling wurde ein Verbannter. Schließlich wurde er freigelassen und übernahm eine Arbeit in Bamlag an der Baikal-Amur-Eisenbahn, eine Erfahrung, an die er sich bis zu seinem Lebensende »mit Befriedigung« erinnerte.[4] Sein Entschluss war nichts Ungewöhnliches. 1938 bestand über die Hälfte des Verwaltungspersonals und etwa die Hälfte der bewaffneten Wachen von Belbaltlag, dem Lager, das für den Bau des Weißmeer-Kanals zuständig war, aus ehemaligen und derzeitigen Gefangenen.[5]

Ein Status konnte gewonnen werden, aber auch wieder verloren gehen. Es war relativ leicht, vom Häftling zum Wärter aufzusteigen; genauso schnell konnten aus Wärtern allerdings auch Häftlinge werden. Unter den Tausenden NKWD-Leuten, die während der Säuberungen von 1937/38 verhaftet wurden, waren viele Gulag-Angestellte und Lagerkommandanten. Auch in späteren Jahren wurden hochrangige Aufseher und Verwaltungsangestellte des Gulags immer wieder von argwöhnischen Kollegen festgesetzt. In den isolierten Lagpunkten blühten Klatsch und Tratsch: Ganze Akten in den Gulag-Archiven sind voll von Denunziationen und Gegendenunziationen, zornigen Briefen über Versäumnisse in den Lagern und den daraus resultierenden Befehlen, die Schuldigen oder Unbeliebten festzunehmen.[6]

Bewaffnete Wachmänner und Angestellte wurden regelmäßig verhaftet: wegen Desertion, Trunksucht, Diebstahl, Verlust der Waffe, ja sogar wegen Misshandlung von Gefangenen.[7] In den Akten des Transitlagers beim Hafen Wanino findet sich beispielsweise der Fall von W. N. Sadownikow, einem Wachmann, der eine Krankenschwester im Lager umbrachte, die er irrtümlich für seine Frau hielt; von I. M. Sobolew, der mehreren Häftlingen insgesamt 300 Rubel stahl, sich betrank und dafür aus der Partei ausgeschlossen wurde; von W. D. Suworow, der ein Trinkgelage veranstaltete und dabei mit

Offizieren in Streit geriet; von anderen, die sich »um den Verstand soffen« oder zu betrunken waren, um ihren Posten zu beziehen.[8] Das Leben in den fernen Außenlagern sei so stumpfsinnig, beklagte sich ein Angestellter in einem Brief nach Moskau, dass der Mangel an Unterhaltung »viele der Jungs dazu bringt, zu desertieren, die Disziplin zu verletzen, zu trinken und Karten zu spielen – was regelmäßig vor Gericht endet«.[9]

Es war sogar möglich und kam gar nicht so selten vor, dass sich der Kreis schloss: NKWD-Offiziere konnten zu Häftlingen werden, dann wieder zu Wärtern aufsteigen und schließlich in der Gulag-Zentrale eine zweite Laufbahn starten. Viele ehemalige Häftlinge haben beschrieben, wie rasch ein in Ungnade gefallener NKWD-Offizier im Lager wieder auf die Beine kam und zu realer Macht gelangte. In seinen Memoiren schildert Lew Rasgon die Begegnung mit einem niederen NKWD-Beamten namens Korabelnikow, den er auf der Fahrt von Moskau traf. Dieser erzählte ihm: »Einmal habe ich im Suff meinem besten Freund was ausgeplaudert, habe ihm von einer Geldsache des Natschalniks erzählt ... Fünf Jahre als sozial gefährliches Element haben sie mir aufgebrummt, und ab in die allgemeine Etappe. Die Etappe wie für alle ...« Aber Korabelnikow war nicht wie alle. Einige Monate später begegnete Rasgon ihm erneut. Da trug er schon wieder eine schicke Uniform. Er hatte einen »guten« Job, war jetzt Chef des Straflagers von Ustwymlag.[10]

Rasgons Geschichte gibt eine Realität wieder, die von Archivdokumenten bestätigt wird. In der Tat waren viele Offiziere des Gulags vorbestraft. Man kann fast den Eindruck gewinnen, dass die Gulag-Administration innerhalb des NKWD so etwas wie ein Auffangbecken für in Ungnade gefallene Mitarbeiter der Geheimpolizei war.[11] Einmal an der Peripherie des Imperiums angekommen, fanden diese Offiziere nur selten den Weg in eine andere NKWD-Dienststelle oder gar nach Moskau zurück. Um ihren Status sichtbar zu machen, trugen die im Gulag Beschäftigten andere Uniformen und Abzeichen, die leicht abgewandelte Ränge symbolisierten.[12] Auf Parteiversammlungen beschwerten sie sich über ihr geringes Ansehen. »Der Gulag wird als eine Verwaltungsform angesehen, von der alles verlangt werden kann, die aber nichts erhält«, nörgelte ein Offizier. »Diese übertrieben bescheidene Denkweise – dass wir schlechter seien als alle anderen – ist nicht richtig. Von daher stammen die Ungerechtigkeiten bei Gehalt, Unterkunft und so weiter.«[13]

Diesen relativ niedrigen Status hatten die Lagerkommandanten von Anfang an. In einem Brief, der in den frühen zwanziger Jahren aus Solowezki herausgeschmuggelt wurde, schrieb ein Gefangener, die Lagerführung bestehe fast ausschließlich aus degradierten Tschekisten, die »für Diebstahl, Veruntreuungen u. a. verurteilt worden sind«.[14] In den dreißiger und vierziger Jahren wurde der Gulag zur Endstation für NKWD-Beamte, deren Biografien nicht in die Zeit passten: Entweder war ihre Herkunft nicht ausreichend proletarisch, oder ihre polnische, jüdische oder baltische Nationalität ließ sie zu Zeiten unzuverlässig erscheinen, da diese ethnischen Gruppen besonders verfolgt wurden. Der Gulag war außerdem letzte Zuflucht für jene, die einfach dumm und unfähig oder dem Alkohol verfallen waren. 1937 klagte der damalige Chef des Gulags, Israil Pliner:

> »Wir haben Abgänger aus anderen Abteilungen bekommen, und man schickte sie uns nach dem Prinzip: ›Ihr könnt haben, was wir nicht brauchen.‹ Im besten Fall gab man uns hoffnungslose Trunkenbolde. Wenn ein Mann erst Trinker geworden war, schob man ihn in den Gulag ab … Wenn jemand ein Vergehen verübt hat, ist es aus Sicht des NKWD-Apparates die höchste Strafe, ihn zur Arbeit ins Lager zu schicken.«[15]

1945 sandte Gulag-Chef Wassili Tschernyschew ein Memorandum an alle Lagerkommandanten und regionalen Leiter des NKWD, in dem er seine Entrüstung über das niedrige Niveau der Wachmannschaften in den Lagern zum Ausdruck brachte: Es gebe zahlreiche Fälle von »Selbstmord, Desertion, Waffenverlust und -diebstahl, Trunksucht und anderen unmoralischen Verhaltensweisen« sowie häufige »Verstöße gegen das revolutionäre Recht«.[16]

Die gulageigenen Archive bestätigen auch, was eine ehemalige Gefangene sehr delikat ausdrückte, dass es sich nämlich beim Wach- und Verwaltungspersonal »meist um sehr beschränkte Leute« handelte.[17] Von den elf Männern, die sich »Kommandant des Gulags«

nennen durften und zwischen 1930 und 1960 an der Spitze des ganzen Systems standen, hatten nur fünf irgendeine höhere Schulbildung genossen, während drei nicht über die Grundschule hinausgekommen waren.[18]

Wenn man das untere Ende der NKWD-Hierarchie betrachtet, dann geht aus den Personalakten der vierziger Jahre hervor, dass selbst die Elite des Lagerpersonals, die Mitglieder und Kandidaten der Partei, fast ausschließlich bäuerlicher Herkunft mit minimalem Bildungsstand war. Einige hatten ganze fünf Jahre die Schule besucht, manche sogar nur drei.[19]

Die bewaffneten Wachmannschaften, wegen der sowjetischen Vorliebe für Abkürzungen *Wochr* für *Wojennisirowannaja ochrana* genannt, bewegten sich noch unter diesem Bildungsniveau. Das waren die Männer, die am Lagerzaun patrouillierten, die Häftlinge zur Arbeit begleiteten und die Transportzüge bewachten – oft nur mit einer sehr vagen Vorstellung von dem, was sie da taten. In einem Bericht aus Kargopollag heißt es dazu sehr charakteristisch: »Es scheint, dass die Wachleute nicht einmal die Namen der Mitglieder des Politbüros oder anderer Parteiführer kennen.«[20] In einem anderen Dokument sind Vorfälle aufgelistet, da bewaffnete Posten ihre Waffe missbrauchten. Einer habe drei Häftlinge verletzt, »weil er nicht wusste, wie sein Gewehr funktioniert«.[21] Moskau drängte die Lagerkommandanten immer wieder, der »Kultur- und Erziehungsarbeit« mit dem Wachpersonal mehr Zeit zu widmen.[22]

Aber selbst mit den »Abgängern« und »hoffnungslosen Trunkenbolden« aus anderen Abteilungen des NKWD konnte der Bedarf des Gulags an Dienstpersonal nicht gedeckt werden. Die meisten sowjetischen Institutionen litten an chronischem Personalmangel, was sich im Gulag besonders stark bemerkbar machte. Selbst das NKWD konnte nicht genügend straffällige Beamte aufbieten, um den in die Höhe schnellenden Bedarf zu decken, der von 1930 bis 1939 auf das 18-Fache anstieg. Zwischen 1939 und 1941 mussten noch einmal 150 000 Leute eingestellt werden. Nach dem Krieg expandierte der Gulag weiter. 1947 dienten allein in den bewaffneten Wachmannschaften 157 000 Menschen, und doch waren 40 000 Stellen unbesetzt.[23]

Dieses Dilemma begleitete den Gulag bis zu seiner Auflösung. Mit Ausnahme einiger sehr hoher Posten galt die Arbeit in den Lagern nicht als angesehen oder attraktiv, waren die Lebensbedingungen – insbesondere auf den kleinen, fernen Außenposten im Hohen Norden – alles andere als komfortabel. Die ständige Nahrungsmittelknappheit bedeutete, dass das Wach- und Verwaltungspersonal rationierte Lieferungen bezog, die von der eigenen Stellung abhängig waren.[24] Nach einer Inspektionsreise durch die Lager im Workuta-Gebiet prangerte ein Gulag-Kontrolleur die schlechten Lebensbedingungen der Wachleute an, die vierzehn bis sechzehn Stunden täglich unter »den schweren klimatischen Bedingungen des Nordens« Dienst taten, nicht immer Kleidung und Schuhwerk erhielten, wie es nötig gewesen wäre, und in schmutzigen Baracken hausen mussten. Einige litten an Skorbut, Pellagra und anderen Mangelkrankheiten wie die Häftlinge auch.[25] Ein anderer schrieb, dass in Kargopollag 26 Angehörige der *Wochr* vor Gericht gestellt und bestraft wurden, weil sie auf ihrem Posten eingeschlafen waren.[26]

Seit Stalins Tod haben frühere Angehörige des Lagerpersonals immer wieder versucht, ihre Tätigkeit mit den Erschwernissen und der Härte des Dienstes zu rechtfertigen. Olga Wassiljewa, die Straßenbaulager des Gulags inspizierte, setzte mir bei einer Begegnung Geschichten vom harten Leben der Gulag-Mitarbeiter vor. In ihrer ungewöhnlich großen Moskauer Wohnung, einem Geschenk der dankbaren Partei, erzählte sie mir, wie sie einmal beim Besuch eines entfernten Lagers in das Haus des Kommandanten eingeladen wurde, wo sie im Bett seines Sohnes schlafen durfte. In der Nacht wurde ihr heiß, und es juckte überall. Sie glaubte, sie werde krank, und schaltete das Licht ein. »Auf seiner grauen Soldatendecke wimmelte es von Läusen. Die hatten nicht nur die Häftlinge, sondern auch die Chefs.«

In ihren Augen war die Aufgabe eines Lagerkommandanten extrem schwierig: »Es war kein Spaß, für Hunderte, ja Tausende Häftlinge verantwortlich zu sein, darunter Rückfalltäter und Mörder, Schwerverbrecher, von denen man alles erwarten konnte. Er musste ständig auf der Hut sein.« Einerseits wurde er gedrängt, das reibungslose Funktionieren des Lagers zu organisieren, aber er hatte auch noch alle möglichen anderen Probleme zu lösen:

»Der Chef eines Bauvorhabens war zugleich der Lagerkommandant. Sechzig Prozent seiner Zeit musste er dem Lager widmen, nicht den Bauarbeiten, der Planung und den damit verbunden Problemen. Jemand wurde krank, was bedeutete, es konnte eine Epidemie im Anzug sein. Irgendwo war ein Unfall passiert, jemand musste ins Krankenhaus gebracht werden, ein anderer brauchte Pferd und Wagen oder einen Karren.«[27]

1930, als das Lagersystem noch als Teil der wirtschaftlichen Entwicklung der UdSSR aufgefasst wurde, warb die OGPU intern mit regelrechten Kampagnen für die neuen Lager im Hohen Norden:

»Die Tschekisten haben mit ihrem Enthusiasmus und ihrer Energie die Lager auf den Solowezki-Inseln gegründet und aufgebaut. Sie spielen eine wichtige, positive Rolle bei der industriellen und kulturellen Entwicklung im Hohen Norden des europäischen Teils unseres Landes. Solchen neuen Lagern wie Solowezki kommt eine umgestaltende Rolle in der Wirtschaft und Kultur der entlegenen Gebiete zu. Für diese Verantwortung ... brauchen wir besonders standhafte Tschekisten, Freiwillige, die harte Arbeit nicht scheuen ...«

Freiwilligen bot man unter anderem ein bis zu fünfzig Prozent höheres Gehalt als üblich, zwei Monate Urlaub im Jahr und nach drei Jahren eine Prämie in Höhe von drei Monatsgehältern sowie einen dreimonatigen Urlaub an. Außerdem sollte das höhere Führungspersonal monatlich ein kostenloses Lebensmittelpaket sowie Zugang zu »Rundfunk, Sport- und Kultureinrichtungen« erhalten.[28]

Später, als jeder echte Enthusiasmus verschwunden war (wenn es ihn überhaupt je gab), wurden die Anreize systematischer verteilt. Man führte eine Rangfolge der Lager nach Entfernung und Schwere der Bedingungen ein. Je entlegener das Lager und je härter die Umstände, desto höher die Entlohung eines NKWD-Offiziers. Mancherorts organisierte man Sportwettkämpfe und andere Zerstreuungen für die Beschäftigten. In Sotschi am Schwarzen Meer und in Kislowodsk im Kaukasus baute das NKWD eigene Sanatorien, so dass die ranghöchsten Offiziere ihren langen Urlaub in warmem Klima und komfortabler Umgebung verbringen konnten.[29]

Die Gulag-Zentrale richtete Schulen ein, wo Offiziere aus den Lagern zwecks Beförderung ihre Qualifikation verbessern konnten. In einer solchen Einrichtung in Charkow wurden nicht nur die obligatorischen Lehrgänge in »Geschichte der Partei« und »Geschichte des NKWD«, sondern auch Strafrecht, Lagerführung, Verwaltung, Buchhaltung und militärische Fächer angeboten.[30]

Das Geld und die anderen Vorteile waren für manchen Beschäftigten der unteren Ebenen durchaus attraktiv. Viele sahen im Gulag einfach die beste aller schlechten Möglichkeiten. In Stalins Sowjetunion, gezeichnet von Hunger und Krieg, als Wachmann oder Gefängniswärter zu arbeiten, versprach sozialen Aufstieg. Susanna Petschora erinnert sich aus den fünfziger Jahren an eine Aufseherin, die im Lager arbeitete, weil das die einzige Möglichkeit war, der Armut im Kolchos ihres Heimatdorfes zu entkommen: »Mit ihrem Lagergehalt ernährte sie ihre sieben Brüder und Schwestern.«[31]

Aber auch die Aussicht auf ein hohes Einkommen, langen Urlaub und sozialen Aufstieg reichte nicht immer aus, um genügend Personal in den Gulag zu bringen, insbesondere für niedere Arbeiten. Wenn der Bedarf zu groß wurde, sandten die Arbeitsämter Menschen einfach dorthin, wo sie gebraucht wurden, ohne ihnen genau zu sagen, worum es sich handelte. Soja Jeremenko, eine ehemalige Krankenschwester im Gulag, wurde direkt von der Schwesternschule an einen Ort geschickt, der eine Baustelle sein sollte. Bei der Ankunft stellte sie fest, dass es sich um das Lager Krasnojarsk 26 handelte. »Zunächst waren wir überrascht und verängstigt, aber als wir uns umgesehen hatten, stellten wir fest, dass die Leute und die Arbeit ›dort‹ so waren, wie wir es auf Grund unserer Ausbildung erwarten konnten«, erinnert sie sich.[32]

Besonders tragisch war das Schicksal derer, die nach dem Zweiten Weltkrieg zur Arbeit in den Lagern gezwungen wurden. Tausende Soldaten der Roten Armee, die kämpfend bis nach Deutschland gekommen waren, Zivilisten, die während des Krieges »im Ausland« gelebt hatten, weil sie deportiert worden waren oder flüchten mussten, wurden bei der Rückkehr in die Sowjetunion an der

Grenze festgenommen und in »Filtrationslager« gebracht, wo man sie gründlich verhörte. Wer nicht sofort festgenommen wurde, konnte durchaus beim Wachdienst von Gefängnissen und Lagern landen. Anfang 1946 betraf das 31 000 Personen. In manchen Lagern stellten sie bis zu achtzig Prozent der Wachmannschaften.[33] Waren sie einmal dort, gab es kaum ein Entrinnen. Ihre Dokumente – Pass, Aufenthaltserlaubnis und Belege für den Militärdienst – hatten die Behörden eingezogen. Ohne diese konnten sie das Lager nicht verlassen und sich auch keine neue Arbeit suchen. Drei- bis vierhundert begingen jedes Jahr Selbstmord.[34]

Andere ließen sich einfach gehen. Karlo Stajner, ein jugoslawischer Kommunist, der während des Krieges und danach in Norilsk einsaß, erinnert sich, dass solche Wärter »sich stark von jenen [unterschieden], die nicht gekämpft hatten«.

Bei ihnen war »eine gewisse Demoralisierung festzustellen, die sich darin ausdrückte, daß sie bereit waren, sich von den weiblichen Gefangenen bestechen zu lassen oder von der Willigkeit der hübschen unter ihnen selbst Gebrauch zu machen und auch sonst Dinge zu tun, für die sie vor dem Krieg keinesfalls zu haben gewesen wären. Die strenge Bestrafung, die ihnen drohte, wenn das Kommando davon erfuhr, schreckte sie nicht ab. Oft erlaubten sie den Kriminellen, die Brigade zu verlassen, um in die Wohnungen der Freien einzubrechen; die Beute wurde dann geteilt.«[35]

Nur wenige protestierten. In den Archiven findet sich der Fall eines Rekruten namens Daniljuk, der sich entschieden weigerte, zu den bewaffneten Wachmannschaften zu gehen. »Ich will grundsätzlich nicht in den Organen des MWD [Innenministeriums] dienen«, lautete seine Begründung. Dabei blieb er trotz »Überprüfung«, womit die Amtssprache gewöhnlich Einschüchterung, möglicherweise auch Schläge über einen langen Zeitraum umschrieb. Schließlich wurde er entlassen – zumindest in seinem Fall zahlte unbeirrbare und ausdauernde Verweigerung sich aus.[36]

Am Ende belohnte das System jedoch seine effizientesten und treuesten Bediensteten. Vor allem jene, die dem Staat mit der Arbeit ihrer Gefangenen große Mengen Gold oder Holz lieferten, konnten mehr erwarten als nur eine erfolgreiche Laufbahn und bessere Verpflegung. Während es sich im gewöhnlichen, abgelegenen Lagpunkt selbst für die Führung niemals angenehm lebte, richtete man sich in den Hauptquartieren der großen Lager mit der Zeit sehr komfortabel ein.

In den vierziger Jahren hatten sich die Mittelpunkte solcher Lagerkomplexe wie Magadan, Workuta, Norilsk oder Uchta zu pulsierenden Städten mit Geschäften, Theatern und Parks gemausert. Seit den frühen Tagen der Gulag-Pioniere hatten sich die Lebensbedingungen enorm verbessert. Die Lagerkommandanten erhielten hier wesentlich höhere Gehälter, mehr Zuwendungen und längeren Urlaub als im übrigen Land. Sie kamen leichter an Lebensmittel und Konsumgüter als der Durchschnitt. »Das Leben in Norilsk war besser als anderswo in der Sowjetunion«, erinnert sich Andrej Tscheburkin, ein Vorarbeiter in Norilsk und späterer Beamter in der Stadtverwaltung:

> »Alle Chefs hatten Hausmädchen, die sie sich aus dem Lager holten. Dann war das Essen ganz hervorragend. Es gab jede Sorte Fisch. Den konnte man selber in den Seen fangen. Während man in der Sowjetunion noch auf Lebensmittelkarten einkaufte, brauchten wir die dort kaum. Fleisch und Butter gab es zur Genüge. Sekt, wenn man wollte, auch Krabben in Hülle und Fülle. Kaviar ... Überall Fässer davon. Ich rede natürlich von den Chefs. Nicht von den Arbeitern. Aber die Arbeiter waren damals Gefangene ...«[37]

Tscheburkins erster Punkt – »alle Chefs hatten Hausmädchen« – war der entscheidende, denn er betraf nicht nur die Chefs, sondern praktisch alle freien Angestellten. Nach den Bestimmungen durften Häftlinge nicht als Hausangestellte eingesetzt werden. Dennoch passierte es ständig und war den vorgesetzten Behörden bekannt. Wiederholte Versuche, dem ein Ende zu setzen, fruchteten nichts.[38]

Thomas Sgovio arbeitete als persönliche Ordonnanz bei einem höheren Lageraufseher an der Kolyma. Er musste dessen Essen ko-

Vier Lagerkommandanten 1950 an der Kolyma. Auf das Foto hat die Tochter eines Gefangenen »Mörder!« geschrieben.

chen und Alkohol für ihn beschaffen. Der Mann fasste Vertrauen zu ihm. »Thomas, mein Junge«, pflegte er zu sagen, »merk dir eins: Pass' auf mein Parteibuch auf. Achte darauf, dass es nicht verloren geht, wenn ich betrunken bin. Du bist mein Diener. Wenn es jemals verschwindet, muss ich dich wie einen Hund erschießen ... Und das will ich nicht.«[39]

Für die wirklich hohen Bosse war Dienstpersonal nur der Anfang. Iwan Nikischow, der 1939 im Gefolge der Säuberungen Chef von Dalstroi wurde und es bis 1948 blieb, war dafür berüchtigt, dass er inmitten von tiefster Armut Reichtümer anhäufte. Nikischow war eine andere Generation als Bersin, unberührt von den mageren, aber leidenschaftlichen Jahren der Revolution und des Bürgerkrieges. Vielleicht hatte er deshalb keine Hemmungen, seine Position zu nutzen, um sich ein schönes Leben zu machen. Er umgab sich mit einer »vielköpfigen Leibwache, Luxusautos, großen Büros und einem prachtvollen Landhaus an der Küste des Stillen Ozeans«,[40] das nach Aussagen von Häftlingen mit Orient-Teppichen, Bärenfellen und

Kristalllüstern ausgestattet war. In dem luxuriösen Esszimmer, so heißt es, ließen er und seine zweite Frau, eine junge, ehrgeizige Lagerkommandantin namens Gridassowa, es sich bei Bärenfleisch, Wein aus dem Kaukasus, aus dem Süden eingeflogenen Beeren, frischen Tomaten und Gurken aus privaten Gewächshäusern wohl sein.[41]

Häufig mussten Gefangene dabei mithelfen, derartige Launen zu befriedigen. Dem Lagerarzt Isaac Vogelfanger fehlte es ständig an medizinischem Alkohol, weil sein Pharmazeut daraus Kognak herstellte, mit dem der Lagerchef zu Besuch kommende Würdenträger beeindrucken wollte: »Je mehr Alkohol sie bekommen, desto besser ist ihre Meinung über Sevurallag.« Vogelfanger war auch dabei, als der Lagerkoch mit eigens abgezweigten Leckerbissen ein »Bankett« für solche Besucher zubereitete. Auf den Tisch kamen »Kaviar, Räucheraal, Pasteten mit Pilzfüllung, arktische Forelle in Zitronenaspik, Gänsebraten und Spanferkel«.[42]

Zu dieser Zeit – es waren die vierziger Jahre – sahen sich Chefs wie Nikischow nicht mehr als reine Kerkermeister. Sie fingen sogar an, miteinander zu konkurrieren. Jeder wollte das beste Lagertheater, das beste Orchester und die besten Künstler haben. Lew Kopelew erlebte 1946 in Unschlag, dass der Lagerchef bereits im Gefängnis nach »Schauspielern, Musikern und Malern Ausschau halten« ließ, die er dann »als Genesende oder Sanitäter im Krankenhaus« beschützte. Das Lager wurde als »Zufluchtsstätte der Bühnenkunst« bekannt.[43]

Lew Rasgon berichtet, dass der Kommandant von Uchtischemlag »ein richtiges Operettenensemble besaß«. Außerdem waren bei ihm eine berühmte Ballerina des Bolschoi-Theaters, bekannte Sänger und Musiker »angestellt«.

> »Mitunter stattete der Natschalnik vom Uchtinsker Lager dem Nachbarlager einen Besuch ab. Obwohl sich das ganz prosaisch ›Erfahrungsaustausch‹ nannte, wurde eine solche Visite nach allen Regeln des Protokolls wie bei Besuchen von Staatsoberhäuptern abgewickelt. Die Obrigkeit umgab sich mit einer großen Suite von Abteilungsleitern, für die im Gästehaus Plätze reserviert wurden, Rundreisen wurden organisiert. Der geladene Natschalnik führte

zwei seiner besten Künstler bei sich, damit die Gastgeber sahen, dass es auch bei ihm nicht schlecht um die Kunst bestellt war, vielleicht sogar noch besser.«[44]

Bis heute ist das ehemalige Theater von Uchtischemlag, ein riesiges, weiß getünchtes Bauwerk mit Säulen und Theatersymbolen am Giebel, eines der solidesten Gebäude der Stadt Uchta.

Aber nicht nur die Bewunderer der schönen Künste lebten ihre Neigungen aus. Wer den Sport bevorzugte, hatte ebenfalls Gelegenheit, eine eigene Fußballmannschaft zu gründen, die in heftigen Wettstreit mit anderen trat. Nikolai Starostin, der Fußballstar, der verhaftet worden war, weil seine Mannschaft das Pech hatte, Berias Lieblingsteam zu schlagen, wurde ebenfalls nach Uchta gebracht, wo man ihn schon am Bahnhof erwartete. Man geleitete ihn sofort zum Leiter der örtlichen Fußballmannschaft, der ihn höflich empfing und ihm erklärte, dass der Lagerchef ihn angefordert habe: »Das Herz des Generals schlägt für den Fußball. Er hat Sie hierher geholt.« Starostin verbrachte den größten Teil seiner Lagerhaft damit, Fußballmannschaften für das NKWD zu trainieren, wofür er von Lager zu Lager wanderte, je nachdem, welcher Kommandant ihn gerade brauchte.[45]

Gelegentlich, aber nur selten, lösten Nachrichten von solchen Eskapaden in Moskau Unruhe, zumindest aber Interesse aus. Vielleicht als Reaktion auf Klagen, die ihm zu Ohren kamen, ordnete Beria eine interne Untersuchung von Nikischows luxuriösem Lebensstil an. Der Bericht bestätigte unter anderem, dass dieser einmal für 15 000 Rubel – damals eine gewaltige Summe – ein Bankett ausgerichtet hatte, um das Gastspiel des Operettentheaters Chabarowsk zu feiern.[46] In dem Bericht wird kritisiert, dass im Umfeld des Ehepaars ein »Klima der Speichelleckerei« herrsche: »Gridassowas Einfluss ist so groß, dass selbst Nikischows Stellvertreter zugeben, sie seien ihrer Positionen nur so lange sicher, wie die Frau des Kommandanten ihnen gut gesonnen sei.«[47] Beria unternahm nichts. Gridassowa und Nikischow konnten ihren Lebensstil ungestört weiter pflegen.

In den letzten Jahren ist es Mode geworden, darauf hinzuweisen, dass man, im Widerspruch zu ihren späteren Erklärungen, nur wenige Deutsche zwingen musste, in KZs oder Erschießungskommandos tätig zu werden. Ein amerikanischer Wissenschaftler hat behauptet, die meisten hätten das aus freiem Willen getan, und damit eine Kontroverse ausgelöst.[48] In Russland und anderen postsowjetischen Staaten liegt die Sache anders. Häufig hatten die Beschäftigten in den Lagern wie die meisten Sowjetbürger kaum eine andere Wahl. Das Arbeitsamt wies ihnen eine Arbeitsstelle zu, bei der sie zu erscheinen hatten. Keine Wahl zu haben gehörte zum Kern des sowjetischen Wirtschaftssystems.

Gleichwohl kann man nicht behaupten – wie manche das versuchen –, den Offizieren und Wachleuten des NKWD sei es »nicht besser gegangen als den Häftlingen, die ihnen unterstanden«, beide seien Opfer desselben Systems gewesen. Zwar hätten viele sicher gern anderswo gearbeitet, aber wenn man einmal im Gulag beschäftigt war, hatte man durchaus Entscheidungsfreiräume, vielleicht mehr als in den nationalsozialistischen Lagern, wo derartige Tätigkeit viel strikter reglementiert war. Den Angestellten des Gulags blieb es selbst überlassen, ob sie brutal oder freundlich waren. Sie konnten entscheiden, ob die Häftlinge sich zu Tode schinden mussten oder ob man so viele wie möglich am Leben erhielt. Sie konnten mit den Gefangenen mitfühlen, deren Schicksal sie vielleicht einst geteilt hatten und durchaus wieder teilen konnten, oder ihre zeitweilige Glückssträhne voll nutzen.

Nichts in ihrem bisherigen Leben konnte unabänderlich vorausbestimmen, wie ihr weiterer Weg sich gestaltete, denn sowohl die Lagerleitung als auch gewöhnliche Aufseher kamen aus ebenso vielen ethnischen Gruppen und sozialen Milieus wie die Gefangenen. Überlebende des Gulags, die den Charakter ihrer Bewacher beschreiben sollen, erklären immer wieder, dass es enorme Unterschiede gab. Wie Anna Andrejewa berichtet, waren unter ihnen »krankhafte Sadisten, aber auch ganz normale, gute Menschen«. Sie erinnert sich, wie der Hauptbuchhalter ihres Lagers wenige Tage nach Stalins Tod plötzlich in die Buchhaltung gestürzt kam, wo sie mit anderen Häftlingen arbeitete, sie umarmte und rief: »Nehmt die

Nummern ab, Mädels, ihr könnt jetzt wieder eure eigenen Kleider tragen!«[49]

Irina Arginskaja erzählte mir, ihre Aufseher seien nicht nur »sehr verschiedene Leute gewesen«, sondern hätten sich mit der Zeit auch verändert. Besonders die jungen Wehrpflichtigen, die neu ins Lager kamen, hätten gewütet »wie die Tiere«, weil sie noch mit Propaganda vollgepumpt waren. Aber »mit der Zeit begriffen sie, was vorging – nicht alle, aber ein großer Teil –, und verhielten sich ganz anders.«[50]

Die Behörden drängten Wachpersonal und Lagerleitung natürlich, gegenüber den Häftlingen nicht entgegenkommend zu sein. Im Archiv der Gulag-Inspektion liegt der Fall Levin aus dem Jahr 1937: Gegen den Chef des Versorgungsdienstes einer Dienststelle von Dmitlag wurde wegen Nachsicht ermittelt. Man warf ihm vor, zu den *Seks* insgesamt zu freundlich zu sein, besonders zu einer Gruppe, die als Menschewiken galten.[51]

Derartige Kritik hatte in der Regel jedoch keine schwerwiegenden Folgen. Mehrere hohe Lagerkommandanten waren sogar für ihre gute Behandlung der Häftlinge bekannt. In seinem Buch *Das Urteil der Geschichte,* seiner Abrechnung mit dem Stalinismus, berichtet der Dissident, Historiker und Publizist Roy Medwedjew von dem Lagerkommandanten W. A. Kundusch, der während der Kriegszeit die Forderung nach Produktionssteigerung ernst nahm. Er setzte politische Gefangene, die erfahrene Produktionsleiter waren, auf die entsprechenden Posten und verbesserte die Lebensbedingungen für die Gefangenen. Er erreichte für einige sogar die vorzeitige Entlassung. Sein Unternehmen erhielt das »Rote Banner für gute Betriebsführung«. Bei Kriegsende wurde allerdings auch er verhaftet, vielleicht, weil er um besserer Produktionsergebnisse willen zu human gehandelt hatte.[52]

Genrich Gortschakow, ein russischer Jude, den man 1945 verhaftete, kam auf seinem langen Weg durch den Gulag in ein Invalidenlager von Siblag. Der Kommandant, ein ehemaliger Frontoffizier, war neu in seinem Amt. Nach dem Krieg hatte er keine andere Arbeit finden können. Er nahm seine Aufgabe ernst, ließ neue Baracken bauen, sorgte dafür, dass die Gefangenen Matratzen und sogar Betttücher erhielten, und organisierte die Arbeit um. Bald war das Lager nicht mehr wiederzuerkennen.[53]

Es gab auch direktere Formen von Freundlichkeit. Galina Lewinson schreibt in ihren Memoiren über einen Lagerkommandanten, der einer Gefangenen die Abtreibung ausredete: »Wenn du aus dem Lager kommst, wirst du allein sein«, ermahnte er sie. »Wie gut wäre es dann für dich, ein Kind zu haben.« Die Frau war ihm bis an ihr Lebensende dankbar.[54] Auch Anatoli Schigulin schildert einen »guten« Lagerchef, der »Hunderten Menschen das Leben rettete«, seine Untergebenen entgegen der Regel mit »Genossen Häftlinge« ansprach und der Küche befahl, besseres Essen zu kochen. Sicher, so bemerkt Schigulin, »kannte er die gängige Praxis noch nicht«.[55] Maria Sandrazkaja, die als Ehefrau eines »Feindes« einsaß, berichtet ebenfalls von einem Lagerkommandanten, der den Müttern unter den Häftlingen besondere Aufmerksamkeit schenkte. Er sorgte dafür, dass die Kinderstation gut geführt wurde, dass stillende Mütter genug zu essen bekamen und Frauen mit Kindern nicht zu schwer arbeiten mussten.[56]

Freundlichkeit war möglich: Auf allen Ebenen gab es Menschen, die sich von der Propaganda, alle Häftlinge seien Feinde, nicht beeindrucken ließen, die durchschauten, was wirklich vorging. Erstaunlich viele ehemalige Häftlinge erwähnen in ihren Erinnerungen ein derartiges Erlebnis mit einem ihrer Bewacher, einen Moment der Nachdenklichkeit. »Ich habe keinen Zweifel«, schreibt Jewgeni Gnedin, »dass es in dem riesigen Heer von Lageraufsehern aufrichtige Menschen gab, die ihre Rolle als Bewacher völlig Unschuldiger sehr bedrückte.«[57] Alle stimmen aber auch darin überein, dass es sich um Ausnahmen handelte. Denn trotz der genannten Gegenbeispiele waren saubere Gefängnisse nicht die Norm, waren viele Lager mörderisch, behandelte die Mehrheit des Aufsichtspersonals die ihnen anvertrauten Menschen im besten Falle mit Gleichgültigkeit, im schlechtesten mit unverhüllter Brutalität.

Dabei – das betone ich noch einmal – wurde Grausamkeit nicht von oben angeordnet. Im Gegenteil: Wer sie bewusst anwandte, musste mit Kritik der Gulag-Zentrale rechnen. Lageraufseher und -verwalter, die Gefangene unnötig hart behandelten, konnten bestraft werden, was auch oft geschah. In den Archiven von Wjatlag gibt es Berichte darüber, dass Angehörige des Wachpersonals zur Rechenschaft gezogen wurden, weil sie »*Seks* regelmäßig prügelten«, bestahlen oder weibliche Häftlinge vergewaltigten.[58] Das Archiv von Dmitlag enthält Dokumente über Strafurteile gegen Lagerchefs, die in trunkenem Zustand Häftlinge schlugen.[59]

Aber die Grausamkeiten hörten nicht auf. Zuweilen nahmen sie wahrhaft sadistische Züge an. Viktor Bulgakow, der in den fünfziger Jahren in Lagern saß, erinnert sich an einen Wachmann, einen des Lesens und Schreibens unkundigen Kasachen, der offenbar Vergnügen daran fand, die Gefangenen stundenlang im Schnee frieren zu lassen. Ein anderer prügelte Häftlinge ohne jeden Grund, »um seine Stärke zu beweisen«.[60]

Häufiger kam Eigennutz als Motiv für Brutalität vor. Wachleute, die Gefangene auf der Flucht erschossen, erhielten eine Geldprämie oder gar Heimaturlaub. Daher konnten manche der Versuchung nicht widerstehen, »Fluchtversuche« selbst zu inszenieren. Schigulin beschreibt einen solchen Fall:

> »Der Wachmann rief einem in der Kolonne zu: ›He, hol mir mal das Brett dort!‹
> ›Aber das liegt doch hinter dem Zaun …‹
> ›Macht nichts. Los!‹
> Der Gefangene tat, wie ihm geheißen. Und schon ratterte das Maschinengewehr.«[61]

Solche Szenen kamen nicht selten vor, wie die Archive beweisen. 1938 wurden zwei Männer der bewaffneten Wachmannschaften von Wjatlag für die Erschießung von zwei Häftlingen verurteilt, deren Flucht sie selbst provoziert hatten. Dabei stellte sich heraus, dass sich auch ihr Divisionskommandeur und sein Mitarbeiter am Eigentum der Häftlinge vergangen hatten.[62] Selbst der Schriftsteller Boris Djakow erwähnt derartige Praktiken in seinen prosowjetischen Memoiren über den Gulag, die 1964 in der UdSSR erschienen.[63]

Meist entsprach die Grausamkeit sowjetischer Lagerwachen jedoch der gedankenlosen, stupiden Grausamkeit, mit der man Vieh behandelt. Zwar wurde das Personal nicht ausdrücklich angewiesen,

Angehörige der bewaffneten Wachmannschaften mit Hunden

Häftlinge zu misshandeln, aber ebenso wenig dazu angehalten, sie, besonders die Politischen, als vollwertige Menschen zu sehen. Im Gegenteil: Der Hass auf sie wurde regelrecht geschürt, da man sie ständig als »gefährliche Verbrecher, Spione und Saboteure« beschimpfte, die es darauf angelegt hätten, »das sowjetische Volk zu vernichten«. Derartige Propaganda zeigte bei Menschen starke Wirkung, die ohnehin über ihr Schicksal, die ungeliebte Tätigkeit und die schlechten Lebensbedingungen frustriert waren.[64] Sie beeinflusste auch die Haltung der freien Arbeitskräfte aus der Umgebung, die nicht dem NKWD angehörten, und der bewaffneten Wachen, wie sich eine Gefangene erinnert: »Zwischen uns und den freien Arbeitern stand eine Mauer des Misstrauens … Unsere grauen Gestalten, die stets in Reih und Glied marschierten und manchmal sogar von Hunden begleitet wurden, waren für sie wahrscheinlich etwas sehr Unangenehmes, an das sie möglichst nicht denken wollten.«[65]

Brutalen Umgang mit Häftlingen gab es bereits in den zwanziger Jahren, als die Wachen von Solowezki frierende Gefangene zwangen, auf den Ruf »Delphin!« in den Fluss zu springen. Noch schlimmer wurde es in den dreißiger Jahren, als man die politischen Gefangenen als »Volksfeinde« abstempelte und das Lagerregime sich insgesamt verschärfte.

Selbst als der Große Terror vorüber war, ließ die Propaganda nicht wirklich nach. Auch in den vierziger und fünfziger Jahren galten Häftlinge als Verbrecher und Kollaborateure, Verräter und Spione. Als nach dem Zweiten Weltkrieg immer mehr ukrainische Nationalisten in den Lagern auftauchten, bezeichnete man sie abwechselnd als »Kettenhunde der Nazihenker«, »ukrainisch-deutsche Faschisten« oder »Agenten ausländischer Geheimdienste«. Nikita Chruschtschow, damals der erste Mann in der Ukraine, sagte vor einem Plenum des Zentralkomitees der Kommunistischen Partei, die ukrainischen Nationalisten hätten »selbst gemordet, um Hitler, ihrem Herrn, zu gefallen und für ihre hündischen Dienste einen kleinen Teil der Beute abzubekommen«.[66] In der Kriegszeit hießen die politischen Gefangenen bei den Wachmannschaften in der Regel nur »Faschisten«, »Hitler-Leute« oder »Wlassow-Anhänger« (nach General Wlassow, der von der Roten Armee desertierte und zu Hitler überlief).

Das war besonders bitter für Juden, für Kriegsveteranen, die mutig gegen die Deutschen gekämpft hatten, aber auch für ausländische Kommunisten, die vor dem Faschismus in ihren eigenen Ländern hatten fliehen müssen.[67] Margarete Buber-Neumann, die Ehefrau des hohen KPD-Funktionärs Heinz Neumann, die man aus dem Gulag entließ, um sie den Deutschen zu übergeben, die sie auf direktem Wege ins KZ Ravensbrück brachten, schreibt ebenfalls, dass man sie mehrfach als »deutsche Faschistin« bezeichnete.[68] Als Michail Schreider, ein verhafteter Mitarbeiter des NKWD, beim Verhör betonte, als Jude werde er wohl kaum mit Hitler kollaboriert haben, erklärte man ihm, er sei kein Jude, sondern ein »als Jude verkappter Deutscher«.[69]

Diese Beschimpfungen waren alles andere als ein törichtes Spiel. Wenn sie die Häftlinge als »Feinde« oder »Untermenschen« titulierten, dann suchten die Wachleute damit ihr eigenes Handeln zu rechtfertigen. Das Gerede von den »Feinden« war allerdings nur ein

Teil der Ideologie, mit der die Gulag-Kader ihr Tun begründeten. Der andere Teil – soll man ihn »Staatssklaverei« nennen? – war das unablässige Trommelfeuer, wie wichtig Arbeit und steigende Produktionszahlen für die Existenz der Sowjetunion seien. Im Grunde war alles erlaubt, wenn man nur mehr Gold aus dem Boden holte. Diesen Gedanken hat Alexej Loginow, einstmals Produktions- und Lagerleiter in Norilsk, in einem Interview mit einem britischen Dokumentarfilmer sehr plastisch formuliert:

> »Wir wussten von Anfang an, dass die Welt unserer sowjetischen Revolution keinen Frieden gönnen wird. Das wusste nicht nur Stalin, sondern jedes Parteimitglied, und jeder normale Mensch begriff, dass wir unser Land in voller Erwartung eines baldigen Krieges aufbauten. Daher wurde auf meinem Gebiet der Gewinnung von Rohstoffen wie Kupfer, Nickel, Aluminium oder Eisen mit enormer Intensität nach neuen Lagerstätten gesucht. Wir wussten, dass es bei Norilsk riesige Vorkommen gab, aber wie sollte man sie in der Arktis erschließen? So kam das ganze Projekt in die Hände des NKWD, des Innenministeriums. Wer sonst hätte diese Aufgabe bewältigen können? Sie wissen, wie viele Menschen verhaftet waren. Dort oben wurden Zehntausende gebraucht …«[70]

Das sagte Loginow in den neunziger Jahren. Da war Norilsk seit fast einem halben Jahrhundert kein Lagerkomplex mehr.

Aus Treue zur Sowjetunion und ihren wirtschaftlichen Zielen erschien Härte, eingesetzt, um Produktionspläne zu erfüllen, den Tätern geradezu bewundernswert. Das gab ihnen die Möglichkeit, das wahre Wesen der Grausamkeit wie auch das der Lager mit wirtschaftlicher Rhetorik zu überdecken.

Die Bürokraten der höchsten Ebene sprachen von den Gefangenen, als seien sie nichts als Maschinen oder Werkzeuge, die man für eine Aufgabe benötigte. Man betrachtete sie als billige Arbeitskräfte, so notwendig wie Zement oder Stahl. Dazu noch einmal Loginow:

> »Hätten wir Zivilisten [nach Norilsk] geschickt, dann hätten wir zuerst einmal Häuser bauen müssen, in denen sie wohnen konnten.

Wie aber sollten Zivilisten dort überhaupt leben? Bei Gefangenen ist das einfach: Alles, was man braucht, sind eine Baracke, ein Ofen und ein Schornstein. So können sie überleben. Und später vielleicht einen Ort, wo sie ihr Essen einnehmen. Kurz gesagt, Gefangene waren unter den damaligen Umständen die einzigen, die man in so großer Zahl dort einsetzen konnte. Wäre mehr Zeit gewesen, dann hätten wir es vielleicht anders gemacht ...«[71]

Der Wirtschaftsjargon half den Lagerleitungen, alles zu rechtfertigen, selbst den Tod. In den Archiven findet sich die folgende Bemerkung, die bei einer Besprechung der Offiziere von Wjatlag im Januar 1943 fiel. In der völlig neutralen Sprache der Statistik erläuterte Genosse Awruzki folgenden Vorschlag: »Die notwendigen Arbeitskräfte sind zu hundert Prozent vorhanden, aber wir können den Plan nicht erfüllen, weil Gruppe B immer weiter wächst. Wenn wir die Verpflegung, die wir jetzt an Gruppe B verwenden, auf ein anderes Kontingent umlegen könnten, dann gäbe es Gruppe B bald nicht mehr, und wir könnten den Plan erfüllen ...«[72] Mit »Gruppe B« waren die schwächeren Gefangenen gemeint. Um sie wäre es natürlich sofort geschehen gewesen, wenn man ihnen überhaupt nichts mehr zu essen gegeben hätte.

Wenn die Lagerkommandanten es sich leisten konnten, solche Entscheidungen fern von den Menschen zu fällen, die davon betroffen waren, so konnten die Gefangenen auch von denen weiter unten in der Hierarchie kaum Mitgefühl erwarten. Kazimierz Zarod, ein polnischer Gefangener, marschierte mit einer Kolonne zu einem neuen Lager. Da es unterwegs so gut wie nichts zu essen gab, wurden die Häftlinge immer schwächer. Einer sank schließlich zu Boden und konnte nicht mehr weiter. Ein Wachmann richtete sein Gewehr auf ihn. Ein zweiter wollte gleich schießen:

»›Um Gottes willen‹, hörte ich den Mann flehen, ›lasst mich nur ein bisschen verschnaufen, dann geht es wieder weiter.‹
›Du gehst oder stirbst!‹, erklärte der erste Soldat ...
Ich sah noch, wie er seine Waffe hob und zielte. Ich konnte einfach nicht glauben, dass er schießen würde. Inzwischen verdeckten die

Männer in der Kolonne hinter mir, was weiter geschah. Plötzlich hörte ich einen Schuss, dann einen zweiten. Nun wusste ich, dass der Mann tot war.«

Zarod berichtet aber auch, dass nicht alle, die auf dem Marsch zu Boden gingen, erschossen wurden. Wenn sie jung waren, dann hob man die Erschöpften auf und warf sie auf einen Wagen, wo sie »lagen wie Säcke, bis sie sich wieder erholt hatten. Man ging offenbar davon aus, dass die Jungen wieder zu Kräften kommen und noch arbeiten konnten, während von den Alten nichts mehr zu erwarten war. Die man wie Kleiderbündel auf den Wagen warf, lagen dort nicht aus humanitären Gründen. Die Wachen, selbst junge Männer, hatten diese Strecke bereits mehrmals zurückgelegt und waren bar jeden menschlichen Gefühls.«[73]

Auch wenn die Memoirenschreiber nichts davon erwähnen, war diese Haltung mit Sicherheit auch in den obersten Etagen des Lagersystems weit verbreitet. In den bisherigen Kapiteln habe ich regelmäßig aus den Akten der Gulag-Inspektion zitiert, die zum Apparat der sowjetischen Generalstaatsanwaltschaft gehörte. Diese Berichte, die sehr regelmäßig und exakt abgefasst wurden, sind von erstaunlicher Aufrichtigkeit. Sie beschreiben Typhus-Epidemien, Engpässe in der Lebensmittelversorgung und den Mangel an Kleidung. Sie melden Lager, wo die Todesraten »zu hoch« waren. Sie gehen mit Lagerkommandanten ins Gericht, die den Häftlingen unerträgliche Lebensbedingungen zumuteten. Sie zählen die »Arbeitstage« zusammen, die durch Krankheit, Unfälle und Tod verloren gingen. Wenn man sie liest, kann man sich davon überzeugen, dass die Moskauer Gulag-Chefs genau wussten, was in den Lagern vorging. In den Akten steht alles schwarz auf weiß – nicht weniger offen als bei Solschenizyn und Schalamow.[74]

Zwar änderte sich manchmal etwas, zwar wurden Lagerkommandanten gelegentlich bestraft, und doch ist es erstaunlich zu sehen, wie sich die Klagen in den Berichten wiederholen. Die absurde Kultur falscher Inspektionen fällt einem ein, die Nikolai Gogol im neunzehnten Jahrhundert so meisterhaft schilderte. Der Form war Genüge getan, die Berichte waren abgeheftet, behördlicher Ärger zum Ausdruck gebracht. Aber ob all das eine Wirkung auf die betroffenen Menschen hatte, interessierte kaum. Die Lagerkommandanten wurden regelmäßig dafür gerügt, dass sie die Lebensbedingungen nicht verbesserten. Die Lebensbedingungen veränderten sich trotzdem nicht, und damit war die Sache erledigt.

Schließlich zwang niemand das Wachpersonal, die Jungen am Leben zu lassen und die Alten zu töten. Niemand zwang auch die Lagerkommandanten, Kranke sterben zu lassen. Niemand veranlasste die Moskauer Gulag-Chefs zu ignorieren, was die Berichte der Inspektoren aussagten. Und doch entschieden sich Wachposten und Bürokraten Tag für Tag dafür, genau so zu handeln, offenbar überzeugt, dass sie das Recht dazu hatten.

Die Ideologie der Staatssklaverei wirkte nicht nur bei den Herren des Gulags. Gefangene wurden ebenfalls zum Mittun aufgefordert, und manche gingen darauf ein.

Der Mensch ist ein Geschöpf, das sich an alles gewöhnt, und ich glaube, damit ist er am treffendsten beschrieben.

FJODOR DOSTOJEWSKI,
*The House of the Dead*[1]

# Die Gefangenen

## *Urkas:* die Kriminellen

Für den unerfahrenen politischen Gefangenen musste die erste Begegnung mit den Urkas, den sowjetischen Berufsverbrechern, ein bestürzendes, schockierendes und unbegreifliches Erlebnis sein. Jewgenia Ginsburg stieß zum ersten Mal auf Verbrecherinnen, als sie das Schiff zur Kolyma bestieg:

> »Es waren keine gewöhnlichen Kriminellen, sondern es war die Creme der Verbrecherwelt ... Mörderinnen, Sadistinnen, Meisterinnen in sexuellen Perversionen ... Von der ersten Sekunde an terrorisierten sie die ›Damen‹. Sie schwelgten in dem Bewusstsein, dass es Menschen gab, die noch verächtlicher, noch verfemter waren als sie – die ›Volksfeinde‹!«[2]

Die Kriminellen stürzten sich in rasender Wut kreischend und fluchend auf die übrigen Gefangenen, warfen sie im Zug oder in der Baracke von den Pritschen, nahmen ihnen weg, was ihnen an persönlichen Sachen noch geblieben war.

Aber die Verbrecherwelt war kein einheitliches Milieu, sie hatte ihre eigene Rangordnung. Es gab ganz verschiedene Arten von Kriminellen. Lassen wir Lew Rasgon erklären: »Alle waren in Kasten unterteilt, in Gemeinschaften mit eiserner Disziplin, mit einer Vielzahl von Regeln, deren Nichteinhaltung grausam geahndet wurde – im günstigsten Fall mit der völligen Verbannung aus der Gemeinschaft, oft aber auch mit dem Tod.«[3]

Karol Colonna-Czosnowski, ein polnischer Häftling, der in einem Holzfällerlager im Hohen Norden als einziger Politischer unter lauter Kriminelle geriet, stellte folgende Unterschiede fest:

> »Der russische Kriminelle war zu jener Zeit überaus klassenbewusst. Die Klasse war alles für ihn. Verbrecher mit großer Karriere, die Banken oder Eisenbahnzüge überfallen hatten, gehörten der Oberklasse an. Der Schwarze Grischa, Chef der Lagermafia, war einer von ihnen. Am unteren Ende der sozialen Leiter standen die Kleinganoven wie etwa Taschendiebe. Sie durften den Großen als Lakaien oder Botengänger zu Diensten sein und fanden ansonsten kaum Beachtung. Die übrigen bildeten die Mittelklasse, aber auch dort gab es beträchtliche Unterschiede.
>
> In vielerlei Hinsicht war diese merkwürdige Gesellschaft eine verzerrte Kopie der ›normalen‹ Welt. Das ganze Spektrum menschlicher Tugenden und Laster war auch hier zu finden: der ehrgeizige Karrierist, der Snob, der soziale Aufsteiger, der Betrüger, aber auch der ehrbare, großzügige Mann – es gab sie alle ...«[4]

An der Spitze der Hierarchie standen die Berufsverbrecher, die die Regeln für alle anderen bestimmten. Bekannt als *Urkas* oder, wenn sie der höchsten Elite angehörten, als »Diebe im Gesetz«, die über den Ehrenkodex der Unterwelt wachten, lebten die russischen Berufsverbrecher nach Regeln, die lange vor dem Gulag entstanden sind und ihn überdauert haben. Mit der großen Mehrheit der Gulaginsassen, die wegen »krimineller« Vergehen dorthin geraten waren, hatten sie allerdings nichts zu tun. Diejenigen, die man für kleine Diebstähle, Verletzung der Arbeitsdisziplin oder andere nicht politische Vergehen hart bestraft hatte, hassten die Berufsverbrecher genauso leidenschaftlich wie die politischen Gefangenen.

Das kann nicht verwundern, denn die Lebenswelt der Berufsverbrecher unterschied sich stark von der des sowjetischen Durchschnittsbürgers. Ihre Wurzeln sind fest in der Unterwelt des zaristischen Russland verankert, in den Gilden der Diebe und Bettler, die damals die Verbrecherwelt beherrschten.[5] In den ersten Jahrzehnten der Sowjetmacht hatte sich dieses Milieu durch die Waisen aus Revolution, Bürgerkrieg und Kollektivierung, die zu Hunderttausenden zunächst als Straßenkinder und später als Diebe überlebten, stark ausgebreitet. Als die Lager Ende der zwanziger Jahre Massencharakter annahmen, hatten sich die Berufsverbrecher als separate Gesellschaft mit eigenem Verhaltenskodex etabliert, der es ihnen verbot, etwas mit dem Sowjetstaat zu tun zu haben. Ein echter »Dieb im Gesetz« arbeitete nicht, ließ sich keinen Pass ausstellen und verweigerte jegliche Zusammenarbeit mit den Behörden, außer es gelang ihm, sie für seine Zwecke einzuspannen.[6]

Die Indoktrinations- und Umerziehungsprogramme der frühen dreißiger Jahre zielten vor allem auf diese Häftlingskategorie, nicht auf die politischen Gefangenen. Kriminelle, die der Sowjetmacht »sozial näher« standen als die »sozial gefährlichen« Politischen, galten als umerziehbar. Ende der dreißiger Jahre scheinen die Behörden allerdings eingesehen zu haben, dass dies vergebliche Liebesmüh war. Nun benutzten sie die Berufsverbrecher vor allem dazu, andere Häftlinge zu überwachen und einzuschüchtern, besonders die »Konterrevolutionäre«, gegen die die Kriminellen tiefen Abscheu empfanden.[7]

Auch das war nicht neu. Bereits hundert Jahre zuvor hassten in Sibirien eingekerkerte Kriminelle die politischen Gefangenen. In den *Aufzeichnungen aus einem Totenhaus*, seinen zum Roman verarbeiteten Erfahrungen von fünf Jahren Kerker, lässt Dostojewski einen Mitgefangenen sagen: »Ja, mein Lieber, den Adligen sind sie nicht grün, vor allem den Politischen nicht; sie freuen sich, wenn sie denen das Leben schwer machen können. Und das ist auch kein Wunder. Erstens seid ihr ein anderer Menschenschlag als sie ...«[8]

In der Sowjetunion setzten die Lagerleitungen von 1937 bis Kriegsende ganz offen kleine Gruppen von Berufsverbrechern zur Kontrolle ihrer Mithäftlinge ein. In dieser Zeit brauchten ihre obersten Chargen nicht zu arbeiten, sorgten aber dafür, dass die anderen Gefangenen es taten.[9] Dazu noch einmal Lew Rasgon:

> »Sie arbeiteten nicht, bekamen aber den vollen Lohn zugeschrieben. Sie belegten alle, die arbeiteten ..., mit einer Geldabgabe. Sie eigneten sich die Hälfte der Paketsendungen, der Einkäufe im Laden an, sie plünderten die neuen Häftlingstransporte aus, knöpften den

Neuen die besten Kleidungsstücke ab … Dafür wurden sie von den übrigen Lagerinsassen, die die Mehrheit bildeten, blindwütig gehasst.«[10]

Manchen politischen Gefangenen gelang es, sich mit den Berufsverbrechern zu arrangieren. Das war vor allem nach Kriegsende möglich. Einige der Mafia-Bosse schmückten sich gerne mit Politischen als Glücksbringern oder Kumpanen. Weil er einmal einen Kriminellen in einem Faustkampf geschlagen hatte, fiel Marlen Korallow, ein junger politischer Gefangener, der später die Gesellschaft Memorial mitbegründen sollte, dem Verbrecherboss des Lagers, Nikola, auf, der es ihm daraufhin erlaubte, in der Baracke in seiner Nähe zu sitzen. Das änderte Marlens Status im Lager sofort. Er stand nun unter Nikolas Schutz und erhielt einen wesentlich besseren Schlafplatz: »Das Lager wusste: War ich erst einmal Mitglied der ›Troika‹ um Nikola, dann gehörte ich zur Lagerelite … Alle verhielten sich plötzlich ganz anders zu mir.«[11]

In der Regel übten die Kriminellen allerdings die absolute Herrschaft über die Politischen aus. Ihr Status erklärt auch, weshalb sie sich, wie es ein Kriminologe formuliert hat, in den Lagern »wie zu Hause fühlten«. Sie lebten besser als andere Gefangene und übten ein Maß an realer Macht aus, die sie draußen nicht hatten.[12] Korallow berichtet zum Beispiel, dass Nikola in dem »einzigen Metallbett« der Baracke schlief, das man in eine Ecke gerückt hatte. Kein anderer durfte sich dort niederlassen; darauf achteten Nikolas Leute streng. Sie verhängten das Bett mit Decken, damit ihr Chef dahinter ungestört war. Der Zugang zu ihm wurde strikt kontrolliert. Gefangene wie er betrachteten ihre langen Strafen sogar mit einer Art Macho-Stolz.[13]

Der Rang und die bessere Behandlung der Verbrecherwelt machte diese für jüngere Häftlinge attraktiv, die zuweilen nach einem komplizierten Initiationsritual in die Bruderschaft aufgenommen wurden. Laut Berichten von Geheimpolizei und Gefängnisleitungen aus den fünfziger Jahren musste jedes neue Mitglied schwören, ein »würdiger Dieb« zu sein und die strengen Gesetze seines Standes zu achten. Die Aufnahme wurde über ein eigenes Kontaktnetz im ganzen Lagersystem verbreitet, so dass der Status des neuen Bruders auch erhalten blieb, wenn er in einen anderen Lagpunkt versetzt wurde.[14]

Das war das System, das Nikolai Medwedjew (der zu den bekannten Moskauer Intellektuellen in keiner Beziehung steht) 1946 vorfand. Als Jugendlicher verhaftet, weil er in einem Kolchos Getreide gestohlen hatte, genoss er bereits auf dem Transport den Schutz eines Verbrecherbosses, der ihn Schritt für Schritt in seine Welt einführte. In Magadan angekommen, wurde Medwedjew wie die anderen Häftlinge zur Arbeit eingeteilt. Er sollte den Speiseraum säubern, was wahrlich kein schwerer Job war. Aber sein Mentor befahl ihm, damit aufzuhören: »Also habe ich nicht mehr gearbeitet, wie alle Berufsverbrecher.« Die Arbeit taten andere Häftlinge für ihn.[15]

Wie Medwedjew erläutert, interessierte es die Lagerführung nicht sonderlich, ob ein bestimmter Häftling arbeitete oder nicht. »Für sie galt nur eins: Die Mine musste Gold fördern, so viel Gold wie möglich, und im Lager musste Ordnung herrschen.« Und, so schreibt er durchaus zustimmend, die Verbrecher sorgten für Ordnung. Was an Arbeitsstunden verloren ging, wurde an Disziplin gewonnen. »Wenn jemand einem anderen etwas antat, ging der mit seiner Klage zum Verbrecherboss«, nicht zur Lagerführung. So, behauptet Medwedjew, wurden Streit und Gewalt, die sonst in beängstigender Weise eskaliert wären, auf niedrigem Niveau gehalten.[16]

Nikolai Medwedjews positiver Bericht über das Verbrecherregiment in den Lagern ist ungewöhnlich. Er beschreibt diese Welt von innen – viele der *Urkas* waren Analphabeten, und kaum einer hat Memoiren hinterlassen –, und er lässt Sympathie für sie erkennen. Die meisten »klassischen« Chronisten des Gulags, die mit Schrecken erlebten, wie die kriminellen Häftlinge andere Lagerinsassen beraubten und malträtierten, hassten diese aus tiefster Seele. Schalamow schreibt rundheraus: »Die Kriminellen haben nichts Menschliches an sich. Ihre Schandtaten in den Lagern sind nicht zu zählen«.[17] Schigulin schildert sehr plastisch, wie die Kriminellen »für Ordnung sorgten«. Als er einmal in dem fast leeren Speiseraum saß, hörte er zwei Häftlinge um einen Löffel streiten. Plötzlich stürzte Desemia, der erste »Stellvertreter« des Mafiabosses, herein:

»›Was soll der Radau? Im Speiseraum hat Ruhe zu herrschen!‹

›Der hat meinen Löffel genommen und vertauscht. Meiner war ganz, und er will mir einen zerbrochenen andrehen! …‹

›Ihr bekommt beide eins ab, damit ihr euch versöhnt‹, gluckste Desemia. Es folgten zwei rasche Hiebe mit seiner Picke. Wie der Blitz hatte er jedem der Streithähne ein Auge ausgeschlagen.«[18]

Die Kriminellen übten starken Einfluss auf das Lagerleben aus. Ihr Slang, der vom normalen Russisch so stark abweicht, dass er wie eine eigene Sprache klingt, wurde zum wichtigsten Kommunikationsmittel. Vor allem bekannt für seine reiche Auswahl an Flüchen, findet man in einer in den achtziger Jahren erstellten Liste (die meisten Ausdrücke dürften sich seit den Vierzigern kaum verändert haben) Hunderte Bezeichnungen für Alltagsobjekte wie Kleidung, Körperteile und andere Gegenstände, die sich vom Russischen beträchtlich unterscheiden. Für Objekte, die besonders interessierten – Geld, Prostituierte, Diebstahl und Diebe –, gibt es Dutzende Synonyme.[19]

*Blatnoje slowo* – Rotwelsch – zu lernen, war ein Ritual, dem sich die meisten Häftlinge unterzogen, wenn auch nicht immer freiwillig. Einige konnten sich nie daran gewöhnen. Dazu eine ehemalige politische Gefangene:

»Am schwersten war es, die ständigen Kraftausdrücke, Schmähungen und Flüche auszuhalten … Die Sprache, die die Verbrecherinnen führen, ist so obszön, dass man es kaum ertragen kann. Sie scheinen auf der niedrigsten und brutalsten Ebene miteinander zu verkehren. Wenn sie zu kreischen und zu fluchen anfingen, war uns das so zuwider, dass wir zueinander sagten: ›Und wenn so eine neben mir verdurstet, von mir bekommt sie keinen Tropfen Wasser.‹«[20]

Von Zeit zu Zeit versuchte manche Lagerleitung etwas gegen den Slang zu tun. So wies der Kommandant von Dmitlag seine Untergebenen 1933 an, »etwas zu unternehmen«, um die Benutzung der Verbrechersprache durch Häftlinge, Aufseher und Verwaltungspersonal zu unterbinden, die jetzt »überall in Gebrauch ist, selbst in offiziel-

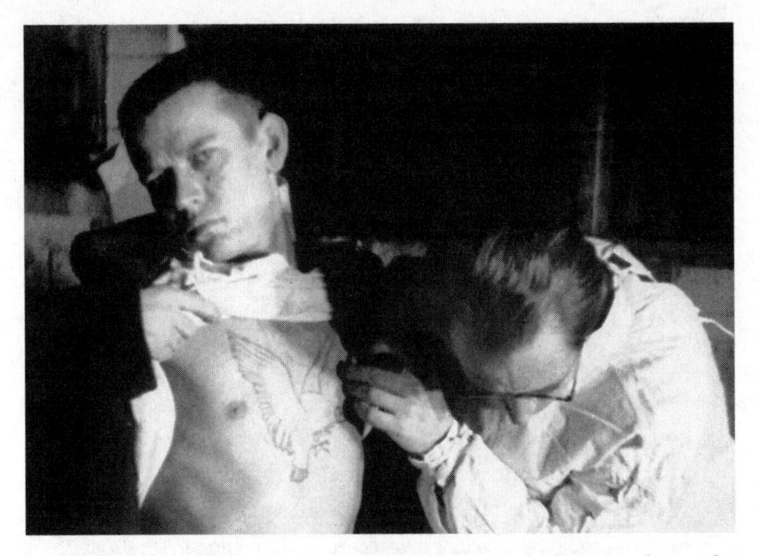

»Ihre bronzene Haut ist fürs Tätowieren wie geschaffen, eine dauernde Befriedigung ihrer künstlerischen, erotischen und sogar moralischen Bedürfnisse wird dadurch erzielt ...«

len Reden und Briefen«.[21] Es gibt keinerlei Hinweis darauf, dass er damit Erfolg hatte.

Die höchsten Chargen der Kriminellen sprachen nicht nur anders, sie sahen auch anders aus als gewöhnliche Häftlinge. Mehr noch als an der Sprache waren sie an ihrer bizarren Kleidung als besondere Kaste zu erkennen, womit sie auf die übrigen Häftlinge noch beängstigender wirkten. So trugen sie laut Schalamow in den vierziger Jahren allesamt Kreuze aus Aluminium um den Hals, die aber keinerlei religiöse Bedeutung hatten: »Für sie war das eine Art Markenzeichen.«[22]

Georgi Feldgun, der in den vierziger Jahren im Lager saß, erinnert sich, dass die Kriminellenprominenz mit einem besonderen Gang daher kam – »leicht breitbeinig, mit kurzen Schritten« – und dass ihre Zähne mit Gold oder Silber überkront waren, was für sie eine Art Mode bedeutete: »Der Verbrecherboss von 1943 trug in der Regel einen dunkelblauen Dreiteiler, dessen Hosen in die Rindlederstiefel gesteckt waren. Das Hemd schaute unter der Weste hervor.

Dazu eine Mütze, tief ins Gesicht gezogen. Und Tätowierungen, meist sehr sentimentale: ›Unvergessen: meine geliebte Mutter‹. ›Es gibt kein Glück im Leben ...‹«[23]

An diesen Tattoos, die viele erwähnen, waren die Mitglieder der Bruderschaft von den gewöhnlichen Kriminellen zu unterscheiden. Außerdem ließen sie erkennen, welchen Rang der Betreffende in dieser besonderen Welt hatte. Ein Lagerhistoriker schreibt, dass es verschiedene Tattoos für Homosexuelle, Rauschgiftsüchtige, Vergewaltiger und Mörder gab.[24] Noch deutlicher wird Solschenizyn:

> »Ihre bronzene Haut ist fürs Tätowieren wie geschaffen, eine dauernde Befriedigung ihrer künstlerischen, erotischen und sogar moralischen Bedürfnisse wird dadurch erzielt; ein Bilderbuch tragen sie auf Brust, Bauch und Rücken, zu ihrem und der Kumpane lebhaftem Ergötzen: mächtige Adler, auf Felsen sitzend, in den Lüften schwebend; die Sonne mit Strahlen rundherum; Frauen und Männer sich paarend; die einzelnen Organe ihrer Lust; und plötzlich, überm Herzen – ein Lenin, ein Stalin oder sogar beide zugleich ... Und da, sie kugeln sich: Ein komischer Heizer schaufelt Kohle direkt in den Hintern; ein Affe onaniert. Zu lesen gibt's auch was, altbekannte, aber durch Wiederholung um so teurere Inschriften: ›Alle Nutten vögle ich ins Maul!‹ ... Oder auf dem Bauch einer Unterweltsmaid: ›Mein Leben für 'nen heißen Fick!‹«[25]

Die Verbrecherbosse frönten außerdem besonderen Arten von Unterhaltung. Vor allem ihre Kartenspiele waren mit komplizierten Riten verknüpft. Die Spiele bedeuteten stets ein hohes Risiko. Zum einen ging es um enorme Einsätze, zum anderen standen auf Kartenspiel im Lager hohe Strafen.[26] Die Bräuche der Kriminellen verbreiteten unter den übrigen Gefangenen Angst und Schrecken. Beim Spiel setzten sie Geld, Brot und Kleidung. Hatte einer alles Eigene verloren, dann kamen Geld, Brot und Kleidung anderer Häftlinge an die Reihe.

Eine Gefangene wohnte in einer Frauenbaracke, die auf diese Weise als Ganzes »verspielt« worden war. Als die Insassinnen das hörten, verbrachten sie mehrere Tage in angstvoller Erwartung, bis dann eines Nachts der Angriff kam: »Es gab einen schrecklichen Aufruhr – die Frauen schrieen das ganze Lager zusammen, bis ihnen Männer zu Hilfe eilten ... Am Ende fehlten nur einige Kleiderbündel, und die Barackenälteste lag erstochen am Boden.«[27]

Aber das Kartenspiel konnte auch den Akteuren selbst gefährlich werden. General Gorbatow begegnete einem Kriminellen an der Kolyma, der an der linken Hand nur noch zwei Finger hatte. Der erzählte mit einem gewissen Stolz:

> »Wir haben Karten gespielt, und ich habe verloren. Ich hatte kein Geld mehr, so habe ich eben einen guten Anzug gesetzt – nicht meinen, sondern den von einem Politischen. Den wollte ich ihm abnehmen, wenn der sich ausgezogen und schlafen gelegt hatte. Am nächsten Morgen vor acht sollte ich ihn bringen. Aber gerade an dem Tag wurde der Politische in ein anderes Lager verlegt. Unser Ältestenrat trat zusammen, um mein Urteil zu sprechen. Der Kläger wollte, dass mir alle Finger der linken Hand abgehackt werden. Die Ältesten schlugen zwei vor. Man handelte ein bisschen und einigte sich auf drei. Ich habe also meine Hand auf den Tisch gelegt, und der Mann, gegen den ich verloren hatte, haute mir mit fünf Knüppelschlägen drei Finger ab.«[28]

Die Behörden wussten von diesen Ritualen und versuchten gelegentlich einzugreifen, meist mit wenig Erfolg. Einmal verurteilte ein Kriminellengericht einen Dieb namens Jurilkin zum Tode. Die Lagerbehörden hörten davon und verlegten Jurilkin zunächst in ein anderes Lager, dann in ein Transitgefängnis, schließlich in ein drittes Lager in einer weit entfernten Gegend des Landes. Zwei Mitglieder der Bruderschaft fanden ihn und vollstreckten das Urteil – vier Jahre später.[29]

Die Kriminellengerichte konnten auch Urteile über Außenstehende fällen. Das erklärt, weshalb sie so große Furcht verbreiteten. Lew Finkelstein, der Anfang der fünfziger Jahre politischer Gefangener war, erinnert sich an einen solchen Fememord:

> »... Ich persönlich habe nur einen Mord erlebt, aber der war sehr spektakulär. Wissen Sie, was eine große Eisenfeile ist? Wenn man sie an einem Ende anschleift, wird sie zur tödlichen Waffe ...

Wir hatten einen *Narjadschik*, das ist der Mann, der die Gefangenen zur Arbeit einteilt. Wessen er sich schuldig gemacht hat, weiß ich nicht. Aber die Verbrecherbosse entschieden, dass er sterben müsse. Es passierte, als wir vor dem Abmarsch zur Arbeit beim Zählappell standen – jede Brigade getrennt für sich. Der *Narjadschik* hatte sich vor uns aufgebaut. Er hieß Kasakow, war ein großer, schwerer Mann mit einem dicken Bauch. Plötzlich sprang einer der Kriminellen aus der Reihe vor und rammte ihm die Feile in den Wanst. Wahrscheinlich war es ein Berufskiller. Er wurde sofort gefasst, aber er war bereits zu 25 Jahren verurteilt. Natürlich gab es einen neuen Prozess, und er erhielt noch einmal die gleiche Strafe. Er musste also länger sitzen, aber wen kümmerte das schon ...«[30]

Es kam allerdings ziemlich selten vor, dass die Kriminellen »Justiz« an Mitgliedern der Lagerverwaltung übten. In der Regel waren sie zwar nicht gerade loyale Sowjetbürger, aber durchaus zufrieden damit, dass ihnen die Behörden die Aufgabe überließen, die Politischen zu beherrschen, jene Gruppe, die, um noch einmal Jewgenia Ginsburg zu zitieren, »noch verächtlicher, noch verfemter waren als sie«.

## *Kontras* und *Bytowye:* die politischen Gefangenen und die anderen

Die Berufsverbrecher mit ihrem eigenen Slang, ihrer besonderen Kleidung und bizarren Kultur waren leicht zu erkennen und sind einfach zu beschreiben. Viel schwieriger ist es, sich zusammenfassend zu den übrigen Gefangenen zu äußern, die den größten Teil der Arbeitskräfte im Gulag darstellten. Sie kamen aus allen Schichten der sowjetischen Gesellschaft. Unsere Vorstellung, wer eigentlich die Mehrheit der Lagerhäftlinge stellte, ist lange Zeit davon beeinflusst gewesen, dass wir uns zu sehr auf Memoiren stützten, besonders auf solche, die außerhalb der Sowjetunion erschienen. Diese stammen in der Regel von Intellektuellen, häufig von Ausländern und fast ausschließlich von politischen Gefangenen.

Seit Gorbatschows *Glasnost* Ende der achtziger Jahre sind Erinnerungen und Archivdokumente in größerer Zahl und Vielfalt zugänglich geworden. Nach den Daten aus den Archiven, die allerdings mit Vorsicht zu behandeln sind, entsteht jetzt der Eindruck, dass die große Mehrzahl der Häftlinge überhaupt keine Intellektuellen waren. Das heißt, keine Angehörigen der wissenschaftlichen und technischen Intelligenz, die in der Sowjetunion eine besondere soziale Klasse darstellten, sondern Arbeiter und Bauern. Einige Zahlen für die dreißiger Jahre, da im Gulag vor allem *Kulaken* saßen, sind in dieser Hinsicht besonders aufschlussreich. 1934 verfügten ganze 0,7 Prozent der Lagerinsassen über höhere Bildung. 39,1 Prozent gaben Grundschulbildung an. 42,6 Prozent wurden als »Halbanalphabeten« und 12 Prozent als des Lesens und Schreibens völlig unkundig eingestuft. Selbst 1938, als unter den Intellektuellen von Moskau und Leningrad der Große Terror wütete, machten Menschen mit höherer Bildung nur 1,1 Prozent der Lagerhäftlinge aus, während über die Hälfte nur Grundschulbildung hatten und ein Drittel Halbanalphabeten waren.[31]

Vergleichszahlen zur sozialen Herkunft der Häftlinge liegen bisher nicht vor, aber es ist interessant festzustellen, dass 1948 weniger als ein Viertel der Gulaginsassen politische Gefangene waren, das heißt solche, die nach Artikel 58 des Strafgesetzbuches wegen »konterrevolutionärer« Verbrechen verurteilt waren. Diese Zahl fügt sich in einen längeren Trend ein. Die Politischen stellten in den Terrorjahren 1937 und 1938 zwischen 12 und 18 Prozent aller Gefangenen, bewegten sich während des Krieges bei 30 bis 40 Prozent und stiegen 1946 auf fast 60 Prozent an, da die Kriminellen weitgehend unter die nach dem Sieg über Deutschland verkündete Amnestie fielen. Dann füllten sich die Lager wieder, und bis zu Stalins Tod pendelte der Anteil der Politischen zwischen einem Viertel und einem Drittel aller Häftlinge.[32]

Wenn man das neue Memoirenmaterial analysiert, das sich in Russland seit dem Zusammenbruch der Sowjetunion angesammelt hat, dann wird klar, dass viele nicht wirklich politische Gefangene in dem Sinne waren, wie wir sie heute definieren. In den zwanziger Jahren saßen tatsächlich Mitglieder antibolschewistischer Parteien in den Lagern, die sich selbst »Politische« nannten. Auch in den dreißiger Jahren fanden sich dort noch einige echte Trotzkisten, die

»Porträtskizzen von zwei *Seks*«: Zeichnung von Sergej Reichenberg, Magadan, undatiert.

Trotzki gegen Stalin unterstützt hatten. In den vierziger Jahren schwemmten die Massenverhaftungen in der Ukraine, im Baltikum und in Polen ernsthaft antisowjetische Aktivisten in die Lager. Anfang der fünfziger Jahre wurde eine Hand voll antistalinistischer Studenten inhaftiert.

Aber die große Mehrheit der Hunderttausenden von Leuten, die in den Lagern als politische Gefangene behandelt wurden, waren weder Dissidenten noch Geistliche, die heimlich Gottesdienste abgehalten hatten, noch hohe Parteifunktionäre. Den Massenverhaftungen fielen in der Mehrzahl ganz gewöhnliche Menschen zum Opfer, die noch nicht einmal besonders ausgeprägte politische Ansichten vertraten. Dazu schreibt Olga Adamowa-Sljosberg, einst Angestellte in einem Moskauer Industrieministerium: »Vor meiner Verhaftung führte ich ein ganz normales Leben, wie es für eine sowjetische Frau mit Berufsausbildung, die nicht der Partei angehörte, typisch war. Ich arbeitete fleißig, war aber politisch nicht besonders aktiv. Mein eigentliches Interesse galt meinem Heim und meiner Familie.«[33]

Wenn die politischen Gefangenen gar nicht unbedingt politisch waren, so trifft Ähnliches auch auf die Kriminellen zu. Zwar gab es Berufsverbrecher unter ihnen, und während des Krieges kamen einige echte Kriegsverbrecher und Kollaborateure mit den Nationalsozialisten hinzu, doch die meisten waren wegen so genannter »gewöhnlicher« oder nicht politischer Vergehen verurteilt, die in einer anderen Gesellschaft unter Umständen gar nicht strafbar gewesen wären. So kam der Vater von Alexander Lebed, dem ehemaligen russischen General und Politiker, zwei Mal zehn Minuten zu spät zur Arbeit in die Fabrik. Dafür erhielt er fünf Jahre Lagerhaft.[34] Im hauptsächlich Kriminellen vorbehaltenen Lager Poljanski in der Nähe von Krasnojarsk-26, dem Standort sowjetischer Atomreaktoren, galt einer als kriminell, weil er einen einzelnen Gummischuh auf einem Basar gestohlen hatte. Er büßte mit sechs Jahren Lagerhaft. Ein anderer bekam zehn Jahre für die Entwendung von zehn Laib Brot. Ein dritter, ein LKW-Fahrer, der zwei Kinder allein aufziehen musste, wurde zu sieben Jahren Lagerhaft verurteilt, weil er von dem Wein, den er ausfuhr, drei Flaschen hatte mitgehen lassen. Wieder ein anderer bekam fünf Jahre für »Spekulation«, was bedeutete, dass er Zigaretten an einer Stelle gekauft und an einer anderen weiterverkauft hatte.[35] In der Welt des Gulags, wo die Verhältnisse auf dem Kopf standen, mussten kriminelle Häftlinge ebenso wenig Verbrecher sein wie politische Gefangene aktive Gegner des Regimes.

Mit anderen Worten: Kriminelle waren nicht immer Menschen, die tatsächlich ein Verbrechen begangen hatten. Und noch seltener hatten Politische sich ein politisches Vergehen zu Schulden kommen lassen. Die Politischen wurden danach eingestuft, auf welchen Absatz von Artikel 58 Strafgesetzbuch sich ihr Urteil stützte. Jewgenia Ginsburg stellte fest, dass es das Beste war, für Absatz 10 – »antisowjetische Agitation« (ASA) – bestraft worden zu sein. Das waren die »Schwätzer«: Sie hatten einen verunglückten Witz gegen die Partei erzählt, ihnen war eine kritische Bemerkung über Stalin oder den örtlichen Parteichef herausgerutscht, oder ein missgünstiger Nachbar hatte sie dessen beschuldigt. Selbst die Lagerbehörden gingen stillschweigend davon aus, dass diese Leute eigentlich gar nichts verbrochen hatten, weshalb wegen ASA Verurteilte gelegentlich mit leichterer Arbeit bedacht wurden.

Danach kamen diejenigen, denen man »konterrevolutionäre Tätigkeit« (KRD) vorwarf. Die nächste Kategorie waren Gefangene mit »konterrevolutionärer trotzkistischer Tätigkeit« (KRTD). Das zusätzliche T konnte in einigen Lagern bedeuten, dass einen Häftling ausschließlich schwere »allgemeine Arbeit« erwartete, also Holzeinschlag, Bergwerk oder Straßenbau. Das galt besonders dann, wenn der Betreffende wegen KRTD zehn, fünfzehn oder mehr Jahre Lagerhaft erhalten hatte.[36]

Aber man konnte auch noch tiefer sinken. Nach KRTD rangierte noch KRTTD, was nicht nur trotzkistische, sondern »konterrevolutionäre trotzkistische terroristische Tätigkeit« bedeutete. Dazu Lew Rasgon: »Ich kannte Fälle, wo das zusätzliche ›T‹ in den Unterlagen nach einem Streit mit dem Diensthabenden oder dem Arbeitsverteiler, beides Kriminelle, auftauchte.«[37] Ein kleiner Unterschied wie dieser konnte über Leben und Tod entscheiden, denn einem Gefangenen der Kategorie KRTTD durfte jeder Brigadier nur den schlimmsten Job geben.

Der Platz der politischen Häftlinge in der Lagerhierarchie wurde allerdings nicht ausschließlich davon bestimmt, wozu man sie offiziell verurteilt hatte. Zwar hatten sie keinen strengen Verhaltenskodex wie die Kriminellen und auch keine gemeinsame Sprache, aber auch sie teilten sich in deutlich voneinander unterscheidbare Gruppen. Diese politischen Clans hielten aus Kameradschaft zusammen, um sich gegenseitig zu schützen oder weil sie der gleichen Weltanschauung anhingen. Zuweilen überlappten sie sich gegenseitig und auch mit Clans der nichtpolitischen Gefangenen. Es gab sie nicht in jedem Lager. Aber wo es sie gab, konnten sie für das Überleben des Einzelnen entscheidend sein.

Die wichtigsten und letzten Endes auch mächtigsten politischen Clans bildeten sich nach Nationalität oder Herkunftsort, ein Merkmal, das vor allem während und nach dem Zweiten Weltkrieg Bedeutung erlangte, als die Zahl der ausländischen Häftlinge dramatisch anstieg. Dass diese zueinander strebten, war ganz natürlich. Wenn ein neuer Häftling eintraf, suchte er seine Baracke zunächst nach estnischen, ukrainischen oder in ganz seltenen Fällen auch amerikanischen Landsleuten ab. Walter Warwick, einer der amerikanischen Finnen, die Ende der dreißiger Jahre in die Lager kamen, hat für seine Familie aufgeschrieben, wie sich die Finnisch sprechenden Gefangenen in seinem Lager zusammenfanden, um sich vor Raub und Übergriffen der *Urkas* zu schützen: »Wenn wir wollten, dass sie uns in Ruhe ließen, dann mussten wir selbst eine Bande gründen. Wir organisierten uns also, um uns gegenseitig zu helfen. Wir waren sechs – zwei Amerika-Finnen, ... zwei Finnen aus Finnland ... und zwei Finnen aus dem Leningrader Gebiet ...«[38]

Nicht jeder nationale Clan war gleich. So gibt es zum Beispiel verschiedene Meinungen darüber, ob die jüdischen Gefangenen ein eigenes Netzwerk hatten oder in der Masse der Russen aufgingen. Viele Juden, die Ende der dreißiger Jahre im Zuge der Repressalien gegen hohe Funktionäre von Partei und Armee verhaftet wurden, sahen sich in erster Linie als Kommunisten und erst dann als Juden. Als in der Kriegszeit aber immer mehr Juden und Polen eingeliefert wurden, scheinen sie erkennbare ethnische Netzwerke gebildet zu haben. Ada Federolf, die ihre Memoiren zusammen mit Ariadna Efron, der Tochter der Schriftstellerin Marina Zwetajewa, geschrieben hat, berichtet von einem Lager, dessen Schneiderwerkstatt – für Lagerverhältnisse ein luxuriöser Arbeitsplatz – von einem Häftling namens Lieberman geleitet wurde. Wenn ein neuer Transport ankam, soll er durch die Menge gegangen sein und gerufen haben: »Sind Juden hier?« Wenn er welche fand, sorgte er dafür, dass sie in seinen Werkstätten angestellt wurden und bewahrte sie auf diese Weise vor der Arbeit im Wald. Lieberman hatte geniale Einfälle, wenn es darum ging, Rabbinern den nötigen Freiraum zu verschaffen, damit sie den ganzen Tag beten konnten. Er richtete heimlich ein kleines Hinterzimmer für einen Rabbi ein, damit niemand bemerkte, dass er nicht arbeitete. Für einen anderen Rabbi erfand er das Amt des »Qualitätskontrolleurs«. So konnte der Mann den ganzen Tag die Reihen der nähenden Frauen auf und ab schreiten, ihnen zulächeln und still für sich beten.[39]

Da sie so wenige waren, konnten die Westeuropäer und Nordamerikaner in den Lagern keine tragfähigen Netzwerke bilden. Sie waren kaum in der Lage, einander überhaupt zu helfen: Das Lagerleben hatte sie total desorientiert, sie sprachen kein Russisch, fanden das Essen ungenießbar und die Lebensbedingungen unerträglich.

Nachdem Nina Gagen-Torn eine ganze Gruppe deutscher Frauen in einem Transitlager bei Wladiwostok hatte sterben sehen, obwohl diese sogar abgekochtes Wasser zu trinken bekamen, schrieb sie, nur halb ironisch: »Wenn die Baracken mit Sowjetbürgern gefüllt sind, die das Essen kennen, dann ertragen die den Salzfisch, selbst wenn er schon verdorben ist. Wenn dagegen ein großer Transport von verhafteten Mitgliedern der Dritten Internationale ankommt, dann haben gleich alle die Ruhr.«[40]

Ein paar Vorteile hatten die Westler, zu denen auch Polen, Tschechen und andere Osteuropäer zählten, dennoch. Sie wurden besonders fasziniert und interessiert beobachtet, was zuweilen nützliche Kontakte, etwas besseres Essen und freundlichere Behandlung zur Folge hatte. So spielte Flora Leipman aus Schottland, deren russischer Stiefvater die Familie zum Umzug in die Sowjetunion überredet hatte, die »Schottin«, um ihre Mitgefangenen ein wenig aufzuheitern:

> »Ich steckte meinen Rock bis über die Knie auf, damit er wirkte wie ein Kilt, und ließ die Strümpfe bis auf die Waden rutschen. Ich warf mir eine Decke über die Schulter und trug meinen Hut vor mir her wie eine Felltasche. Mit vor Stolz heiserer Stimme sang ich dann ›Annie-Laurie‹, ›Ye Banks and Braes o'Bonnie Doon‹ und am Ende unbedingt ›God Save the King‹. Eine Übersetzung war nicht nötig.«[41]

John Noble, ein Amerikaner, den man in Dresden festgenommen hatte, wurde zum »VIP von Workuta«. Er ergötzte seine Mitgefangenen mit Geschichten aus dem amerikanischen Alltagsleben, die sie unglaublich fanden. »Also, Johnny«, sagte einer zu ihm, »du wirst uns noch weismachen wollen, dass die amerikanischen Arbeiter im eigenen Auto herumfahren.«[42] Letzten Endes aber hinderte ihr Anderssein die Ausländer daran, sich so eng an andere anzuschließen, dass es ihnen das Leben rettete. Dazu Flora Leipman: »Selbst meine neuen ›Freundinnen‹ im Lager hielten sich zurück, weil sie in mir eine Fremde sahen.«[43]

In noch schlechterer Lage waren die Muslime und andere Gefangene aus Zentralasien und den kaukasischen Republiken. Ebenso desorientiert wie die Westler, waren sie meist nicht in der Lage, bei den Russen ähnliches Interesse zu erwecken. Als *Nazmeny* (Angehörige nationaler Minderheiten) gehörten sie seit Ende der zwanziger Jahre zum Bild der Lager. Während der Befriedung und Sowjetisierung Zentralasiens und des Nordkaukasus wurden sie in großer Zahl verhaftet und an den Weißmeer-Kanal geschickt. Nach 1933 arbeiteten viele von ihnen auch am Moskwa-Wolga-Kanal. Gustaw Herling-Grudzinski begegnete ihnen in einem Holzfällerlager im Norden. Er erinnert sich, dass er sie jeden Abend in der Krankenstation sah, wo sie den Arzt aufsuchen wollten:

> »Schon hier im Warteraum hielten sie sich schmerzgekrümmt den Bauch, und sobald sie hinter die Sperrholzwand traten, brachen sie in Stöhnen und Wimmern aus, das mit Klageworten in einem seltsam gebrochenen Russisch abwechselte. Es gab kein Mittel für ihr Leiden ... Sie starben an Heimweh, an der unstillbaren Sehnsucht nach ihrer Heimat, an Hunger und Kälte, die ihre letzte Kraft verzehrten. Ihre Schlitzaugen, die an das nördliche Klima nicht gewöhnt waren, tränten unaufhörlich, und ihre Augenlider waren von einer schmalen gelben Eiterkruste verklebt. An den seltenen freien Tagen versammelten sich die Usbeken, Turkmenen und Kirgisen in einer Ecke der Baracke, mit Festtagsstaat aus langen bunten Seidengewändern und bestickten Kappen angetan, und niemand vermochte zu erraten, worüber sie so erregt sprachen. Sie gestikulierten dabei wild, überschrieen sich gegenseitig oder nickten sich traurig zu – eins ist sicher, sie sprachen nicht über das Lager.«[44]

Den Koreanern, eigentlich Sowjetbürgern koreanischer Herkunft, ging es nicht viel besser. Ebenso wenig den Japanern, von denen 600 000 Mann bei Kriegsende völlig erschöpft im Gulag und in den Kriegsgefangenenlagern ankamen. Sie litten vor allem an dem Essen, das ihnen nicht nur kärglich, sondern völlig fremd und ungenießbar vorkam. Stattdessen jagten und aßen sie Dinge, die ihre Mitgefangenen entsetzten: Wildkräuter, Insekten, Käfer, Schlangen und Pilze, die kein Russe angerührt hätte. Gelegentlich nahmen ihre Beutezüge aber auch ein schlimmes Ende: In den Akten finden sich Beispiele von japanischen Gefangenen, die sich mit unbekannten Pflanzen vergifteten.[45]

Andere Nationen aus dem Fernen Osten erwiesen sich als anpassungsfähiger. In einigen Memoiren wird die straffe Organisation der Chinesen erwähnt, die zum Teil Sowjetbürger chinesischer Herkunft, in der Mehrzahl aber in den zwanziger Jahren legal zur Arbeit Eingewanderte oder Pechvögel waren und irgendwann per Absicht oder Zufall auf die andere Seite der langen chinesisch-sowjetischen Grenze gerieten.[46]

In den Lagern, so erinnert sich Dmitri Panin, ein Mithäftling Solschenizyns, »blieben die Chinesen immer unter sich. Wenn wir sie etwas fragten, schauten sie uns nur verständnislos an.«[47] Karol Stajner erinnert sich, dass sie sich gegenseitig Jobs zuschoben: »In Europa kennt man Chinesen als Jongleure, im Lager aber waren die meisten als Wäscher beschäftigt. Ich erinnere mich nicht, auch nur in einem der vielen Lager, die ich passierte, nichtchinesische Wäscher angetroffen zu haben.«[48]

Die einflussreichsten ethnischen Gruppen aber waren die Balten und Westukrainer, die es während des Krieges und danach in Massen in die Lager verschlug. Davon wird später noch die Rede sein. Nicht ganz so zahlreich, aber ebenfalls von starkem Einfluss waren die Polen, besonders die antikommunistischen Partisanen, die Ende der vierziger Jahre auftauchten. Zu beachten sind auch die Tschetschenen, die Solschenizyn als »eine Nation, die der Psychologie der Unterwerfung standgehalten hatte«, beschreibt. Sie unterschieden sich gleich in mehrfacher Hinsicht von den anderen Kaukasiern.[49] Die Stärke dieser Gruppen lag in ihrer Zahl und in ihrer klaren Gegnerschaft zur Sowjetunion, deren Einmarsch in ihre Heimat sie als illegal ansahen. Polen, Balten und Ukrainer hatten militärische Erfahrungen als Partisanen und konnten ihre Organisationen in den Lagern zum Teil erhalten. Unmittelbar nach dem Krieg richtete der Generalstab der UPA, der ukrainischen Rebellenarmee – einer von mehreren Gruppen, die um die Kontrolle der Ukraine kämpften –, eine Erklärung an alle Ukrainer in Lagern oder Verbannung: »Wo ihr euch auch befindet, in Bergwerken, in den Wäldern oder im Lager, bleibt, was ihr seid – treue Ukrainer – und setzt unseren Kampf fort.«

In späteren Jahren, als Polen, Balten und Ukrainer wie auch Georgier, Armenier und Tschetschenen den Alltag im Lager immer stärker in ihrem Sinne lenken konnten, bildeten sie eigene nationale Brigaden, wohnten in getrennten Baracken und organisierten sogar Feiern aus Anlass nationaler Feiertage. Zuweilen kooperierten die mächtigen Clans miteinander. Der polnische Schriftsteller Aleksander Wat schreibt, dass Ukrainer und Polen, erbitterte Gegner während des Krieges, die um jeden Zentimeter der westlichen Ukraine kämpften, sich in den sowjetischen Gefängnissen »in gewisser Weise reserviert, aber unglaublich loyal [begegneten]. Wir sind zwar Feinde, aber hier gilt das nicht.«[50]

Dann wieder lagen die ethnischen Gruppen untereinander und mit den Russen in heftiger Konkurrenz. Den nationalen Widerstand, schreibt ein Beobachter, »charakterisiert einerseits Gegnerschaft zum Regime und andererseits zu den Russen«. Edward Buca erinnert sich an noch grundsätzlichere Feindschaft: »Es war nicht üblich, dass man einem Gefangenen anderer Nationalität half.«[51]

Als verschiedene nationale Abteilungen Ende der vierziger Jahre von den Kriminellen die Rolle der informellen Lagerpolizei übernahmen, kam es zwischen ihnen zum Gerangel. Marlen Korallow erinnert sich, dass »sie anfingen, um die Macht zu kämpfen, was damals viel bedeutete. Zum Beispiel war sehr wichtig, wer den Speiseraum kontrollierte, denn der Koch arbeitete direkt für seinen Herrn.« Laut Korallow war das Kräfteverhältnis zwischen den einzelnen Gruppen damals sehr labil und konnte mit jeder Ankunft eines neuen Transports kippen. Als beispielsweise eine Gruppe Tschetschenen in seinem Lagpunkt eintraf, kamen sie in die Baracke und »warfen alles, was auf den unteren Etagen der Stockbetten lag« – in jenem Lager die »Aristokratenebene« – »auf den Boden. Dann machten sie sich dort mit ihren Sachen breit.«[52]

Auch wenn es merkwürdig klingen mag: In den meisten Lagern gab es keinen Clan für Russen, obwohl sie laut den Gulag-Statistiken in all den Jahren stets die überwiegende Mehrheit der Häftlinge stellten.[53] Die Russen schlossen sich höchstens danach zusammen, aus welcher Stadt oder welcher Gegend des Landes sie kamen. Moskauer fanden Moskauer, Leningrader Leningrader et cetera. Meist waren diese Verbindungen aber schwach. Sie kannten vielleicht die Straße, in der sie gewohnt, oder die Schule, die sie besucht hatten. Während die anderen Nationalitäten Netzwerke zur gegenseitigen Unterstützung bildeten, Neuankömmlinge mit Schlafplätzen in der Baracke versorgten, ihnen halfen, bessere Jobs zu finden, taten die Russen nichts von alledem. Ariadna Efron beschreibt, wie sie und ihre Mitgefangenen bei der Ankunft in Turuchansk, wohin sie am Ende ihrer Lagerhaft in die Verbannung geschickt wurde, von Leidensgefährten vor Ort empfangen wurden:

> »Ein Jude nahm die jüdischen Frauen aus unserer Gruppe beiseite, gab ihnen Brot zu essen und erklärte ihnen, was sie zu tun hätten. Dann holte ein Georgier die georgischen Frauen ab. Nach einer Weile blieben nur noch wir zehn bis fünfzehn Russinnen übrig. Niemand erwartete uns, bot uns Brot an oder gab uns einen Ratschlag.«[54]

Die russischen Häftlinge unterschieden sich eher nach ideologischen als nach ethnischen Merkmalen. Dazu Nina Gagen-Torn: »Die Mehrheit der Frauen in den Lagern betrachtete ihr Schicksal und ihre Leiden als zufälliges Missgeschick und fragte nicht nach den Ursachen. Wer für sich selbst eine Erklärung fand, was da geschah, und diese zu seiner Überzeugung machte, hatte es leichter.«[55] Zu denen, die eine solche Erklärung hatten, gehörten vor allem die Kommunisten, jene Häftlinge, die weiterhin ihre Unschuld beteuerten, der Sowjetunion die Treue hielten und gegen allen Augenschein immer noch glaubten, alle anderen seien ihre Gegner und müssten gemieden werden.[56] Susanna Petschora beschreibt die Ankunft einer solchen Gruppe Anfang der fünfziger Jahre in Minlag: »Sie saßen in einer Ecke und redeten miteinander: ›Wir sind ehrliche Sowjetmenschen, es lebe Stalin, wir haben keine Schuld, unser Staat wird uns bald aus der Gesellschaft all dieser Feinde befreien‹.«[57]

Solschenizyn widmet ein ganzes Kapitel seines *Archipel Gulag* den Kommunisten, die er nicht sehr freundlich als die »Wohlmeinenden« tituliert. Er staunt darüber, wie sie es fertig bringen, sich ihre eigene Verhaftung, Folter und Einkerkerung als »das äußerst geschickt eingefädelte Werk fremder Spionagedienste« zu erklären, als »ein Schädlingskomplott von gigantischem Ausmaß«, als »einen Streich der lokalen NKWDler« oder einfach als »Verrat«. Manche verstiegen sich gar zu der Behauptung, die Repressalien seien »eine historische Notwendigkeit in der Entwicklung unserer Gesellschaft«.[58]

Die einzige Gruppe, die die Kommunisten in ihrem festen Glauben noch übertraf, waren die Orthodoxen wie auch Mitglieder verschiedener russisch-protestantischer Sekten, die in der Sowjetunion politisch verfolgt wurden: Baptisten, Zeugen Jehovas und andere. Anna Andrejewa erinnert sich, dass Ende der vierziger Jahre in einem Frauenlager in Mordowien »die Mehrheit der Häftlinge Gläubige waren«, die sich so organisierten, dass »an den jeweiligen religiösen Festtagen die Katholiken den Orthodoxen Dienste leisteten und umgekehrt«.[59]

Wie bereits erwähnt, weigerten sich einige dieser Sekten strikt, mit dem sowjetischen Satan in Kontakt zu treten, wollten nicht arbeiten und unterschrieben keinerlei offizielle Dokumente. Gagen-Torn berichtet von einer gläubigen Frau, die aus Krankheitsgründen freikommen sollte, aber das Lager nicht verlassen wollte. »Ich erkenne eure Autorität nicht an«, erklärte sie dem Wärter, der ihr die notwendigen Dokumente ausstellen und sie nach Hause schicken wollte. »Eure Macht ist nicht legitim, auf euren Pässen ist der Antichrist abgebildet ... Wenn ich freigelassen werde, verhaftet ihr mich sowieso bald wieder. Es hat keinen Sinn, dass ich gehe.«[60]

Solschenizyn erzählt die Geschichte einer Gruppe von Sektenanhängern, die 1930 in Solowezki eintraf. Sie kommt in abgewandelter Form auch bei anderen vor. Sie wiesen alles zurück, was vom »Antichrist« kam, selbst sowjetische Pässe oder Geld. Zur Strafe schickte man sie auf eine kleine Insel im Solowezker Archipel, wo man ihnen Essen versprach, wenn sie dafür unterschrieben. Das lehnten sie ab. Nach zwei Monaten waren alle verhungert. Das nächste Schiff, das an der Insel anlegte, erinnert sich ein Augenzeuge, »fand nur zerpickte Leichen«.[61]

Diese fanatischen Gläubigen lösten bei den anderen Häftlingen gemischte Gefühle aus. Irina Arginskaja, eine entschiedene Atheistin, erinnert sich, dass »wir uns alle vor ihnen ekelten«, besonders vor jenen, die sich aus religiösen Gründen weigerten zu baden.[62]

In gewisser Weise waren Männer oder Frauen, die sich bei der Ankunft im Lager sofort einem Clan oder einer Sekte anschließen konnten, glücklich zu nennen. Denn Verbrecherbanden, militante nationale Gruppen, wahre Kommunisten und religiöse Sekten boten ihnen eine Gemeinschaft, Kameradschaft und Unterstützung. Die meisten politischen Gefangenen und »gewöhnlichen« Kriminellen – die die große Mehrheit der Insassen des Gulags stellten – fanden dagegen nicht so leicht Anschluss bei der einen oder anderen Gruppe. Ihnen fiel es viel schwerer, das Leben im Lager zu begreifen, mit der ihnen fremden Moral und Hierarchie zurechtzukommen. Ohne ein Netz von Kontakten mussten sie ganz allein lernen, wie man im Lager vorankam.

Die Gefangene, die unserer Baracke vorstand, empfing mich mit dem Ruf: »Lauf und schau unter dein Kissen!« Mir blieb fast das Herz stehen: Hatte ich endlich meine Brotration erhalten?
Ich stürzte zu meinem Bett und riss das Kissen fort. Darunter lagen drei Briefe von zu Hause, drei dicke Briefe! Es war sechs Monate her, seit ich zum letzten Mal etwas erhalten hatte.
Spontan empfand ich maßlose Enttäuschung. Dann packte mich der Schrecken.
Was war aus mir geworden, wenn mir ein Stück Brot wichtiger war als Briefe von meiner Mutter, meinem Vater, meinen Kindern … Das Brot war vergessen. Ich brach in Tränen aus.

OLGA ADAMOWA-SLJOSBERG[1]

# Frauen und Kinder

Viele weibliche Überlebende sind der Meinung, dass man als Frau im Lager große Vorteile hatte. Frauen achten mehr auf sich, halten ihre Kleidung und ihr Haar in Ordnung. Sie schienen auch besser mit dem kärglichen Essen auszukommen, fielen nicht so leicht der Pellagra und anderen Mangelkrankheiten zum Opfer.[2] Sie freundeten sich enger an und halfen einander auf eine Weise, wie es bei Männern in der Regel nicht vorkam.

Männliche Ex-Gefangene sehen das ganz anders. Sie sind der Meinung, dass Frauen moralisch schneller herunterkamen als Männer. Ihr Geschlecht gab ihnen eigene Möglichkeiten, eine bessere Arbeitseinstufung, einen leichteren Job und damit auch einen höheren Status im Lager zu erreichen. So verloren sie in dieser harten Welt leichter die Orientierung. Gustaw Herling-Grudzinski erzählt die Geschichte einer jungen Polin, die von einer informellen Jury der *Urkas* hohe Noten bekam. Zunächst

> »… ging sie mit hoch erhobenem Kopf zur Arbeit, und jeden Mann, der sich ihr zu nähern versuchte, wehrte sie mit zornesfunkelnden Blicken ab. Abends kam sie zwar weniger stolz zurück, aber sie blieb auch dann unnahbar, ging unmittelbar vom Tor zur Küche, um sich ihr Essen zu holen, und verschwand darauf für die ganze Nacht in der Frauenbaracke. Man konnte darum annehmen, sie werde nicht so bald die Beute einer der nächtlichen Jagden im Lager werden.«

Aber das hielt nicht lange an. Nachdem ihr der Aufseher im Gemüselager, wo sie arbeitete, mehrere Wochen lang scharf auf die Finger geschaut hatte, so dass sie auch nicht eine einzige verfaulte Mohrrübe oder gesalzene Tomate stehlen konnte, gab sie auf.

> »Von da an ging mit dem Mädchen eine völlige Veränderung vor sich. Sie sputete sich nicht mehr wie früher, ihre Suppe aus der Küche zu holen, sondern streunte nach der Arbeit wie eine läufige Hündin bis spät in die Nacht im Lager umher. Jeder Beliebige konnte sie haben. Es war ihr gleich, wo sie sich hingab, auf der Pritsche, unter der Pritsche, in den Zimmern der technischen Spezialisten oder in der Kleiderkammer. Sobald sie mir begegnete, wandte sie den Kopf ab und presste die Lippen heftig aufeinander. Als ich eines Tages zufällig in das Kartoffellager in der Zentrale kam, sah ich sie mit dem buckligen Krüppel Lewkowitsch, dem Vorarbeiter der 56. Brigade, auf einem Kartoffelhaufen liegen. Sie brach in ein fassungsloses Schluchzen aus, und als sie am Abend ins Lager zurückkehrte, hielt sie sich beschämt die Hände vors Gesicht.«[3]

Das ist Herling-Grudzinskis Version einer oft gehörten Geschichte, die immer etwas anders klingt, wenn eine Frau sie erzählt. Zum Beispiel die Version von Tamara Ruschnewitz, deren »Romanze« im Lager mit einem Brief begann, einem »Liebesbrief, wie er nur im Lager möglich ist«. Er kam von Sascha, einem jungen Mann, dessen angenehmer Job des Schuhmachers ihn als Teil der Lageraristokratie auswies. Es war eine kurze, schlichte Botschaft: »Lass' uns zusammenleben, und ich werde dir helfen.« Zwei Tage später nahm Sascha Tamara beiseite und wollte von ihr eine Antwort haben. »Willst du mit mir leben oder nicht?«, fragte er. Sie sagte nein. Da schlug er sie mit einer Eisenstange zusammen. Anschließend brachte er sie ins Hospital (wo er wegen seiner Sonderstellung Einfluss hatte) und wies die Pfleger an, sie gut zu behandeln. Mehrere Tage blieb sie dort, bis ihre Verletzungen geheilt waren. Zeit zum Nachdenken hatte sie genug. Als man sie entließ, willigte sie ein. Sonst hätte er sie wieder geschlagen.

»So begann mein Familienleben«, schreibt Tamara Ruschnewitz. Sofort ging es ihr besser: »Ich war gesünder, trug richtige Schuhe und musste nicht mehr in den alten Lumpen herumlaufen. Ich bekam eine neue Jacke, eine neue Hose ... und sogar einen neuen Hut.« Jahrzehnte später beschrieb Tamara Sascha als »meine erste wahre Liebe«. Leider wurde er bald in ein anderes Lager verlegt. Sie sah ihn nie wieder.[4] Ihre Erlebnisse wie auch Herling-Grudzinskis Bericht können als Geschichten des moralischen Abstiegs gesehen werden. Aber auch als Geschichten des Überlebens.

Aus Sicht der Lagerleitung hätte das alles gar nicht passieren dürfen. Vom Grundsatz her herrschte im Gulag strikte Geschlechtertrennung, und tatsächlich gibt es Häftlinge, die viele Jahre lang keinen Vertreter des anderen Geschlechts zu Gesicht bekommen haben. Die Lagerkommandanten rissen sich in der Regel auch nicht um weibliche Gefangene. Da sie körperlich schwächer waren, drückten sie das Produktionsergebnis, weshalb man sie in manchem Lager abzuweisen suchte. Im Februar 1941 sah sich die Gulag-Zentrale sogar genötigt, die gesamte NKWD-Führung und alle Lagerkommandanten schriftlich und unmissverständlich aufzufordern, Transportzüge mit Frauen aufzunehmen. Der Brief enthielt eine Aufstellung aller Arbeiten, die Frauen verrichten konnten, darunter Tätigkeiten in der Leicht- und Textilindustrie, in der Holz- und Metallverarbeitung, bestimmte Arbeiten im Wald oder das Ein- und Ausladen von Fracht.[5]

Vielleicht liegt es an dieser Abneigung der Kommandanten gegen weibliche Häftlinge, dass durchgängig verhältnismäßig wenig Frauen in die Lager geschickt wurden. (Ihr Anteil an den Hinrichtungen während der Säuberungskampagne von 1937/38 war übrigens ebenfalls relativ gering.) Nach der offiziellen Statistik waren zum Beispiel im Jahr 1942 nur 13 Prozent der Gulag-Häftlinge Frauen. 1945 stieg diese Zahl auf 30 Prozent, zum Teil, weil die männlichen Gefangenen in erheblicher Zahl an die Front geschickt wurden, zum Teil, weil es nunmehr gesetzlich verboten wurde, den Arbeitsplatz zu verlassen. Viele junge Frauen, die damals in den Fabriken arbeiteten, wurden wegen Zuwiderhandlung verhaftet.[6] 1948 ging der Anteil der weiblichen Gefangenen wieder auf 22 Prozent zurück, 1951 und 1952 auf 17 Prozent.[7] Aber auch diese Zahlen geben die wirkliche

Lage nicht exakt wieder, da Frauen ihre Freiheitsstrafen eher in den »Kolonien« mit leichtem Regime absaßen. In den großen Industrielagern des Hohen Nordens waren sie seltener anzutreffen.

An Frauen bestand daher – wie an Essen oder Kleidung – fast überall ein Mangel. Für die Produktionsstatistiker der Lager mögen sie von geringem Wert gewesen sein. Die männlichen Häftlinge, das Wachpersonal und die freien Angestellten sahen das ganz anders. Dort, wo es mehr oder weniger offene Kontakte zwischen männlichen und weiblichen Häftlingen gab oder wo bestimmte Männer Zugang zu Frauenlagern hatten, wurden Frauen ständig in unmissverständlicher Weise angesprochen. Meist bot man ihnen Essen oder leichtere Arbeit im Gegenzug für Sex an.

Das Schicksal einer Frau hing von Anfang an davon ab, welchen Status und welche Position sie in einem bestimmten Clan hatte. In der Verbrecherwelt galt für Frauen ein System komplizierter Regeln und Rituale. Insgesamt sprang man mit ihnen aber sehr respektlos um. Nach Schalamow »wird einem Berufsverbrecher der dritten oder vierten Generation die Verachtung für Frauen schon im Kindesalter beigebracht ... Sie gelten als niedere Wesen, nur geschaffen, um die animalischen Triebe des Mannes zu befriedigen, Zielscheibe seiner rohen Späße und öffentlicher Demütigung zu sein, wenn er mal richtig auf den Putz hauen will.« Weibliche Prostituierte »gehörten« effektiv bestimmten männlichen Kriminellen, konnten verkauft oder getauscht werden. Ein Bruder oder Freund konnte sie sogar erben, wenn der »Besitzer« in ein anderes Lager verlegt oder getötet wurde.[8]

Frauen waren jedoch nicht das einzige Objekt der Begierde. Unter Berufsverbrechern galten für gleichgeschlechtlichen Sex ähnlich brutale Regeln. Einige der Bosse hielten sich junge Homosexuelle neben oder anstelle von »Lager-Gattinnen«. Thomas Sgovio berichtet von einem Brigadier, der einen männlichen Partner hatte, einen jungen Mann, der für sexuelle Gefälligkeiten Sonderrationen erhielt.[9] Wie es in diesem Bereich zuging, ist kaum bekannt, da das Thema in Memoiren nur sehr selten auftaucht. Das kann daran liegen, dass Homosexualität in der russischen Kultur nahezu tabu ist und man nicht gern darüber schreibt. Offenbar blieb männliche Homosexua-

»Liebeshunger«: männliche Gefangene spähen über den Zaun ins Frauenlager, Zeichnung von Jula-Imar Suster, Karaganda 1950.

lität in den Lagern außerdem weitgehend auf die Kriminellen beschränkt, die kaum Erinnerungen geschrieben haben.

Wir wissen allerdings, dass sowjetische Kriminelle in den siebziger und achtziger Jahren komplizierte Verhaltensregeln für Homosexuelle entwickelten. »Passive« Männer wurden von den anderen getrennt, mussten an eigenen Tischen essen und durften nicht mit anderen Männern sprechen.[10] Obwohl nur selten beschrieben, scheinen ähnliche Regeln schon Ende der dreißiger Jahre gegolten zu haben, als Pjotr Jakir, Sohn des 1937 erschossenen Armeegenerals Iona Jakir, damals fünfzehn Jahre alt, in einer Zelle für jugendliche Straftäter ein ähnliches Phänomen beobachtete. Als er die anderen Jungen über ihre sexuellen Erlebnisse reden hörte, wollte er zunächst seinen Ohren nicht trauen:

»Aber ich irrte mich: Einer hatte sein Brot bis zum Abend aufgehoben, dann fragte er den hungrigen Maschka:
›Willst du was zu fressen haben?‹

Der bejahte.

›Dann zieh die Hose aus.‹

Es geschah vor unser aller Augen in einer Ecke, die vom Spion in der Tür aus schwer einzusehen war. Niemand fand etwas dabei, und ich tat so, als sei das auch für mich nichts Befremdliches. Solche Szenen gab es sehr häufig. Es waren immer dieselben, die die passive Rolle übernehmen mussten, und ihnen als Parias war es nicht erlaubt, aus dem gemeinsamen Becher zu trinken; darüber hinaus gab es noch eine Reihe anderer Schikanen, um sie zu diskriminieren.«[11]

Lesbische Liebe scheint in den Lagern offener gepflegt worden zu sein, zumindest wird häufiger darüber geschrieben. Unter den weiblichen Kriminellen gab es dafür ebenfalls strenge Regeln. Lesben wurden im Russischen stets nur mit dem sächlichen Pronomen »es« angesprochen. Sie teilten sich in die feminineren »Weiber« und die maskulineren »Gebieter«. Erstere wurden zuweilen wie Sklavinnen behandelt, die, einem Bericht zufolge, ihre »Gebieter« zu bedienen hatten. Letztere trugen häufig Männernamen und waren fast immer Raucherinnen.[12] Über Lesben wurden sogar Lieder gesungen:

»Ich danke dir, Stalin,
Du hast eine Baroness aus mir gemacht.
Ich bin Kuh und Stier,
Frau und Mann zugleich.«[13]

Waleri Frid berichtet von weiblichen Kriminellen, die Männerkleider trugen und sich als Zwitter ausgaben. Eine war »hübsch mit kurzem Haar und trug nur Offiziershosen«, eine andere schien wirklich eine genitale Deformation zu haben.[14] Eine andere Gefangene beschreibt eine lesbische »Vergewaltigung«: Sie sah, wie ein lesbisches Paar ein »bescheidenes, ruhiges Mädchen« unter die Pritschen trieb, wo die beiden es entjungferten.[15] Von den Intellektuellen wurde lesbische Liebe sehr ungnädig beurteilt. Eine ehemalige politische Gefangene beschreibt sie als »äußerst abstoßende Praktiken«.[16] Zwar wurde sie unter den Politischen eher geheim gehalten, aber es gab sie auch dort. Oft fanden sich Frauen zusammen, die in der Freiheit

Mann und Kinder hatten. Susanna Petschora erzählte mir, dass in Minlag, einem Lager, wo vor allem politische Gefangene einsaßen, ein lesbisches Verhältnis »manch einer beim Überleben geholfen hat«.[17]

Ob nun freiwillig oder erzwungen, ob homo- oder heterosexuell – die meisten dieser Beziehungen waren von der im Lager herrschenden brutalen Atmosphäre geprägt. Notgedrungen wurden sie mit einer Offenheit vollzogen, die viele Häftlinge abstoßend fanden. »Die mit Lumpen abgeschirmte Liege ist ein klassisches Attribut aller Lager«, schreibt Solschenizyn.[18] Und Chawa Wolowitsch: »Dinge, die sich ein Mensch in Freiheit hundert Mal überlegt hätte, spielten sich hier so unverhüllt ab wie unter streunenden Katzen.«[19]

Sex war so öffentlich, dass die Häftlinge völlig abstumpften. Vergewaltigung und Prostitution waren für manche tägliche Routine. Edward Buca arbeitete einmal zusammen mit einer Frauenbrigade in einem Sägewerk. Da traf eine Gruppe Krimineller ein. »Die griffen sich die Frauen, die sie wollten, und warfen sie in den Schnee oder drückten sie gegen einen Stapel Baumstämme. Die Frauen schienen das gewohnt zu sein und wehrten sich nicht. Es war auch eine Brigadierin dabei, aber die schritt nicht ein, als ob das die normalste Sache der Welt sei.«[20]

In manchen Lagern galten bestimmte Frauenbaracken geradezu als Bordelle. Solschenizyn schildert einen solchen Ort:

> »Sie [die Frauenbaracke] ist unbeschreiblich verdreckt, vernachlässigt und verstunken. Keine Bettwäsche auf den Liegen. Den Männern war der Eintritt von Amts wegen verboten, aber niemand hielt sich daran, und keiner prüfte nach. Nicht nur Männer kamen in Scharen, sondern auch Minderjährige, zwölf- und dreizehnjährige Jungen, die etwas lernen wollten … Es vollzog sich alles mit naturhafter Selbstverständlichkeit, vor aller Augen und an mehreren Stellen zugleich. Nur offensichtliches Alter oder offensichtliche Hässlichkeit boten einer Frau Schutz – nichts anderes.«[21]

In krassem Gegensatz zu den Berichten von brutalem, vulgärem Sex trifft man in vielen Erinnerungen auf ebenso unglaubliche Liebesgeschichten. Sie begannen häufig damit, dass eine Frau bei einem

Mann Schutz suchte. Nach den verwirrenden Regeln des Lagerlebens wurden nämlich Frauen, die sich einen »Lager-Gatten« zulegten, in der Regel von anderen Männern in Ruhe gelassen. Dabei gesellte sich nicht unbedingt Gleich zu Gleich: Ehrenhafte Frauen lebten zuweilen mit Kriminellen zusammen.[22] Wie Ruschnewitz beschreibt, waren die Partner auch nicht immer frei gewählt. Trotzdem wäre es nicht korrekt, die Verhältnisse als Prostitution zu beschreiben. Eher ist Waleri Frid zuzustimmen, der von »Vernunftehen« sprach, »die aber durchaus auch aus Liebe geschlossen werden konnten«. Selbst wenn am Anfang rein praktische Gründe dahinter standen, nahmen die Gefangenen derartige Beziehungen in der Regel ernst. »Seine mehr oder weniger ständige Geliebte nannte ein *Sek* ›meine Frau‹. Und sie nannte ihn ihren ›Mann‹. Das war nicht im Spaß gesagt. Solche Beziehungen machten unser Leben im Lager menschlicher.«[23]

So abwegig das klingen mag: Häftlinge, die vom Lagerleben nicht zu geschwächt waren, suchten durchaus nach Liebe. In Anatoli Schigulins Erinnerungen findet sich eine Liebesromanze, die er mit einer politischen Gefangenen aus Deutschland hatte, der »fröhlichen, guten, grauäugigen Marta mit dem goldenen Haar«. Später erfuhr er, dass sie ein Kind geboren hatte, das sie Anatoli nannte. Das Ganze ereignete sich im Herbst 1951. Da nach Stalins Tod bald eine Generalamnestie für ausländische Gefangene erlassen wurde, nahm er an, dass »Marta und das Kind, falls ihnen nichts zugestoßen war, nach Hause zurückgekehrt« seien.[24] Die Memoiren des Lagerarztes Isaac Vogelfanger lesen sich streckenweise wie ein Liebesroman, dessen Held zwischen den Gefahren eines Verhältnisses mit der Frau des Lagerchefs und den Freuden wahrer Liebe hin und her gerissen wird.[25]

Menschen, denen man alles genommen hatte, suchten so verzweifelt nach emotionalen Kontakten, dass einige platonische Liebesaffären per Brief aufnahmen. Das war besonders Ende der vierziger Jahre in den Sonderlagern für politische Gefangene der Fall, wo Männer und Frauen strikt getrennt lebten. In einem dieser Lager, Minlag, sandten sich männliche und weibliche Gefangene kurze Botschaften über das Lagerhospital, wo Kranke beiderlei Geschlechts behandelt wurden.

Solche Briefe, erinnert sich Leonid Sitko, wurden mit winzigen Buchstaben auf kleine Papierfetzen geschrieben. Man benutzte natürlich falsche Namen. So schrieb »Hamlet« an seine »Marsfrau«. Sie war ihm von anderen Frauen »vorgestellt« worden, die ihm erzählten, sie sei tief deprimiert, weil man ihr nach der Verhaftung ihr Baby weggenommen hatte. Er begann ihr zu schreiben, und es gelang ihnen sogar, sich einmal in einem verlassenen Bergwerk zu treffen.[26]

Andere hatten in ihrem Drang nach ein wenig Intimität noch ausgefallenere Ideen. Im Sonderlager Kengir saßen fast ausschließlich ausländische politische Gefangene, die von jedem Kontakt mit ihren Familien, ihren Freunden, Frauen oder Männern in der Heimat abgeschnitten waren. Sie entwickelten ganz eigene Beziehungen zu Menschen, denen sie vorher nie begegnet waren.[27] Es gab *Seks*, die sich über die Mauer, die das Männer- vom Frauenlager trennte, sogar miteinander verheirateten, ohne sich je gesehen zu haben. Die Frau stand auf der einen Seite und der Mann auf der anderen. Man schwor sich gegenseitig Treue, und ein gefangener Priester hielt alles auf einem Stück Papier fest.

Diese Art von Liebe konnte nicht ausgerottet werden, selbst als die Lagerführung die Mauer erhöhen und mit Stacheldraht versehen ließ und es den Gefangenen verbot, sich auch nur in ihre Nähe zu wagen. Bei der Beschreibung dieser anonymen Vermählungen kommt selbst Solschenizyn der Zynismus abhanden, mit dem er sonst nahezu alle Aspekte des Lagerlebens bedenkt: »In solch einer Eheschließung mit einem jenseits der Mauer stehenden unbekannten Häftling ... glaube ich den Chor der Engel zu hören; an die selbstlose Betrachtung von Himmelskörpern will sie mich erinnern. Zu hoch ist dies für unser Jahrhundert der Berechnung und des jaulenden Showbusiness.«[28]

Auf Liebe, Sex, Vergewaltigung und Prostitution folgten unweigerlich Schwangerschaft und Geburt. Neben Bergwerken und Baustellen, Forstbrigaden und Strafzellen, Baracken und Viehwagen gab es daher im Gulag auch Entbindungsstationen und Mütterlager sowie Krippen für Babys und Kleinkinder.

Nicht alle Kinder in diesen Einrichtungen waren in den Lagern geboren. Einige wurden zusammen mit ihren Müttern »verhaftet«. Wovon man sich dabei leiten ließ, ist unklar. In der Praxis nahm man bei Verhaftungen auf Schwangere und stillende Mütter keine Rücksicht. Natalja Saporoschez wurde auf Transport geschickt, als sie im achten Monat schwanger war. Nachdem man sie in Zügen herumgestoßen und auf Lastwagen durchgerüttelt hatte, brachte sie ein totes Kind zur Welt.[29] Die Schauspielerin Jefrossinja Kersnowskaja half dabei, in einem Häftlingszug ein Kind zu entbinden.[30]

Hunderttausende Kinder waren gemeinsam mit ihren Eltern von den zwei großen Deportationswellen betroffen, die sich Anfang der dreißiger Jahren gegen die Kulaken und während des Zweiten Weltkrieges gegen »feindliche« ethnische und nationale Gruppen richteten. Diese Kinder haben den Schock über den jähen Wechsel ihrer Umwelt ihr Leben lang nicht vergessen. Eine polnische Gefangene erinnert sich, dass eine Frau in ihrer Zelle ihren drei Jahre alten Sohn bei sich hatte: »Der Junge war folgsam, sehr zart und sprach kaum. Wir versuchten ihn mit Märchen und Geschichten aufzuheitern, aber von Zeit zu Zeit unterbrach er uns mit dem Satz: ›Wir sind doch im Gefängnis, oder?‹«[31]

Not und Elend zum Trotz gab es auch Frauen, die sich absichtlich, manche sogar in zynischer Weise schwängern ließen. In der Regel waren das Kriminelle oder für kleinere Vergehen Verurteilte, die die Schwangerschaft nutzen wollten, um harter Arbeit zu entgehen, etwas besser ernährt zu werden und vielleicht unter eine Amnestie zu fallen, die für Mütter mit Kleinkindern von Zeit zu Zeit gewährt wurde. Diese Gnadenerlasse – etwa 1945 und 1948 – galten in der Regel nicht für Frauen, die wegen konterrevolutionärer Verbrechen einsaßen.[32] »Man konnte sich durch eine Schwangerschaft das Leben erleichtern«, meinte Ljudmila Chatschaturjan, um mir zu erklären, warum Frauen bereitwillig mit ihren Aufsehern schliefen.[33]

Nadeschda Joffe, eine Gefangene, die nach einer Begegnung mit ihrem Mann schwanger wurde, schreibt, dass ihre Mitgefangenen in der »Ammenbaracke« von Magadan »mütterliche Gefühle ... überhaupt nicht« gehabt hätten und ihre Babys verließen, sobald sie konnten.[34]

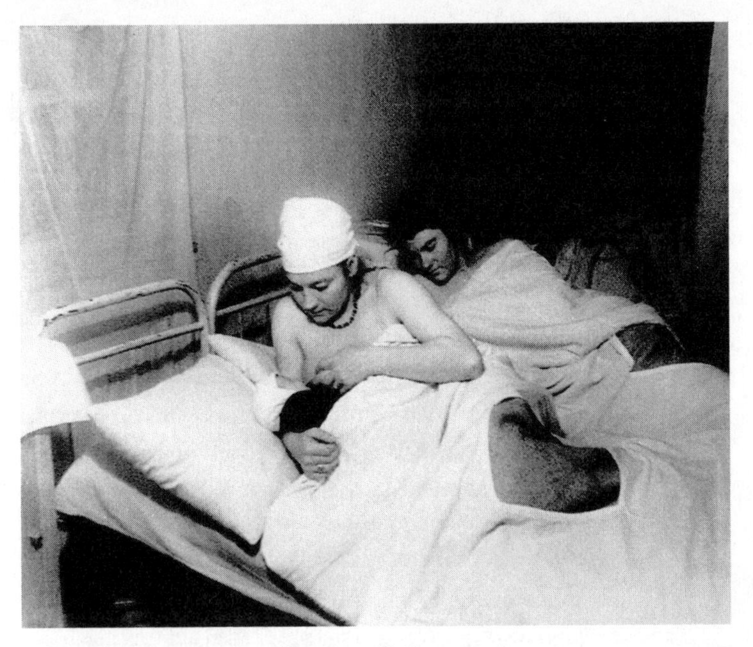

Mütterstation: eine Gefangene stillt ihr Neugeborenes.

Es kann nicht überraschen, dass nicht alle Frauen eine Schwangerschaft im Lager austragen wollten. Im Gulag schien es keine eindeutigen Vorschriften dafür zu geben, ob Abtreibung gestattet war oder nicht. Einigen Gefangenen wurde sie erlaubt, andere, die es versuchten, erhielten eine zusätzliche Haftstrafe.[35] Es ist auch nicht klar, wie häufig sie vorkamen, denn zu diesem Thema äußern sich nur wenige. In Dutzenden Gesprächen und schriftlichen Erinnerungen bin ich lediglich auf zwei Fälle gestoßen. So berichtete Anna Andrejewa von einer Frau, die »Nägel in sich hineinstopfte und sich dann zur Arbeit an die Nähmaschine setzte. Bald darauf hatte sie schwere Blutungen.«[36] Eine andere Frau schildert, wie ein Lagerarzt ihre Schwangerschaft abbrechen wollte:

> »Stellen Sie sich das Bild vor: Es ist Nacht. Es ist dunkel … Andrej Andrejewitsch versucht mit bloßen Händen, die er mit Jod desinfiziert hat, ohne alle Instrumente eine Abtreibung bei mir auszulösen. Aber er ist so nervös, dass es nicht gelingt. Der Schmerz ver-

schlägt mir den Atem, aber ich gebe keinen Laut von mir, damit uns niemand hört. ›Stopp!‹, rufe ich schließlich, als ich den Schmerz nicht mehr ertragen kann. Die Prozedur wird für zwei Tage unterbrochen. Schließlich kam alles heraus – der Fötus und viel Blut. Ich habe nie wieder ein Kind bekommen können.«[37]

Aber es gab auch Frauen, die ihr Kind wollten. Ihr Schicksal verlief oft tragisch. Gegen alles, was über den Egoismus und die Käuflichkeit von Frauen geschrieben wurde, die im Lager Kinder zur Welt brachten, steht die Geschichte von Chawa Wolowitsch. Als Politische 1937 festgenommen, fühlte sie sich in den Lagern sehr einsam und wollte ein Kind. Obwohl sie für den Vater nichts übrig hatte, brachte sie 1942 Eleonora zur Welt. Das geschah in einem Lager, wo es keine besonderen Einrichtungen für Frauen mit Kindern gab:

»Wir waren drei Mütter und teilten uns einen winzigen Raum in der Baracke. Von Decke und Wänden fielen Wanzen auf uns herab wie Sand. Wir hatten die ganze Nacht zu tun, um sie von den Kindern abzuschütteln. Am Tage, wenn wir arbeiten mussten, schaute irgendeine alte Frau, die nicht mehr zur Arbeit gehen konnte, nach den Kindern. Diese Frauen ernährten sich stillschweigend von dem mit, was wir eigentlich für die Kinder dagelassen hatten.
Ein ganzes Jahr lang stand ich Nacht für Nacht am Bett meines Babys, entfernte die Wanzen und betete. Ich flehte Gott an, mich nicht von meiner Tochter zu trennen, und wenn dies bedeutete, meine Qualen um hundert Jahre zu verlängern. Ich betete, zusammen mit ihr entlassen zu werden, und sei es als Bettlerin oder als Krüppel. Ich betete, er möge mir erlauben, sie großzuziehen, und wenn ich dafür anderen zu Füßen fallen und um Almosen betteln müsste. Aber Gott erhörte meine Gebete nicht. Mein Kind hatte gerade zu laufen begonnen, ich hatte es zum ersten Mal das herzerwärmende Wort ›Mama‹ aussprechen hören, als wir bei klirrendem Frost, in Lumpen gehüllt, auf einen Lastwagen gesetzt und in ein ›Mütterlager‹ gebracht wurden. Hier wurde aus meinem kleinen pausbäckigen Engel mit den goldenen Löckchen bald eine bleiche Elfe mit blauen Schatten unter den Augen und Bläschen auf den Lippen.«

Chawa Wolowitsch wurde zunächst einer Forstbrigade und dann einem Sägewerk zugeteilt. Abends nahm sie stets ein kleines Bündel Feuerholz für die Schwestern im Kinderheim mit. Dafür durfte sie ihre Tochter manchmal außerhalb der Besuchszeit sehen.

> »Ich war dabei, wie die Schwestern die Kinder am Morgen weckten. Mit Händen und Füßen trieben sie sie aus dem kalten Bett, stießen sie umher, beschimpften sie roh, rissen ihnen die Nachthemden vom Leib und wuschen sie mit eiskaltem Wasser. Die Babys wagten nicht einmal zu schreien. Sie schnauften nur durch die Nase und stöhnten leise wie alte Männer.
> Diese schrecklichen Laute ertönten von Zeit zu Zeit von ihren Pritschen. Kinder, die eigentlich groß genug waren, um zu sitzen oder zu krabbeln, lagen nur still auf dem Rücken, zogen die Knie an den Bauch und gaben diese merkwürdigen Töne von sich wie gurrende Tauben.«

Eleonora schwand langsam dahin.

> »Als ich sie eines Tages besuchte, hatte sie blaue Flecken an ihrem kleinen Körper. Ich werde nie vergessen, wie sie sich mit ihren knochigen Händchen an meinen Hals klammerte und klagte: ›Mama, will nach Hause!‹ Sie dachte offenbar immer noch an das verwanzte Loch, wo sie das Licht der Welt erblickt hatte und immer bei ihrer Mutter gewesen war …
> Mit fünfzehn Monaten begriff die kleine Eleonora, dass ihr Flehen, ›nach Hause‹ zu kommen, vergeblich war. Sie streckte nicht mehr ihre Ärmchen nach mir aus, wenn ich sie besuchte, sondern drehte sich still von mir weg. Am letzten Tag ihres Lebens nahm ich sie aus dem Bett und wollte sie stillen. Mit weit aufgerissenen Augen starrte sie ins Leere. Dann begann sie mit ihren kleinen schwachen Fäustchen auf mein Gesicht zu trommeln, meine Brust zu kratzen und zu beißen. Mit der Hand zeigte sie auf ihr Bett.
> Als ich abends mit meinem Bündel Feuerholz von der Arbeit kam, war das Bett leer. Ich fand sie nackt im Leichenraum unter den verstorbenen Erwachsenen. Sie hatte ein Jahr und vier Monate auf dieser Welt verbracht. Am 3. März 1944 ist sie gestorben … Das ist die Geschichte, wie ich mit der Geburt meines einzigen Kindes das größte Verbrechen beging, das es nur geben kann.«[38]

Im Archiv des Gulags gibt es Fotos von Kindereinrichtungen, wie Chawa Wolowitsch sie beschrieben hat. In einem dieser Alben ist folgendes Vorwort zu lesen:

> »Über ihrem Stalinschen Vaterland scheint die Sonne. Unser Volk ist von Liebe zu seinem Führer erfüllt, und unsere wunderbaren Kinder sind so glücklich wie unser ganzes junges Land. In geräumigen, warmen Betten liegen hier seine neuen Bürger. Sie haben gerade gegessen, schlafen süß und haben sicher glückliche Träume ...«[39]

Bis zu einem gewissen Grad muss die Gulag-Zentrale in Moskau gewusst haben, wie schrecklich das Leben in den Lagern für Kinder war. Inspektoren haben darüber informiert. In einem Bericht aus dem Jahr 1949 ist kritisch vermerkt, dass von den 503 000 Frauen im gesamten Gulag 9300 schwanger waren und weitere 23 790 kleine Kinder bei sich hatten. Mit dem Hinweis darauf, »wie negativ sich dies auf Erziehung und Gesundheit von Kindern auswirkt«, sprach sich der Berichterstatter für die vorzeitige Entlassung dieser Mütter aus. Ebenso sollte man seiner Meinung nach mit Frauen verfahren, die zu Hause Kinder zurückgelassen hatten. Wenn man Rückfalltäterinnen und politische Gefangene mit konterrevolutionären Vergehen davon ausnahm, betraf das etwa 70 000 Personen.[40]

Von Zeit zu Zeit gab es solche Amnestien in der Tat. Für Kinder, die damals im Gulag zurückblieben, wurde allerdings wenig unternommen. Im Gegenteil: Da sie zum Produktionsergebnis des Lagers nichts beitrugen, kümmerten ihre Gesundheit und ihr Wohlergehen die Kommandanten kaum. Sie mussten stets mit den primitivsten, ältesten und kältesten Behausungen vorliebnehmen. Ein Inspektor berichtete, die Temperatur in der Kinderstation eines Lagers überschreite nie elf Grad Celsius.[41] In einem Bericht aus Siblag heißt es 1933, in diesem Lagerkomplex fehlten 800 Paar Kinderschuhe, 700 Kindermäntel und 900 Bestecke.[42] Die dort eingesetzten Frauen waren für die Arbeit mit Kindern nicht unbedingt qualifiziert. Schlimmer noch: Diese galt als »Vertrauensstellung«, die gewöhnlich an Kriminelle ging. Joffe schreibt, dass die Frauen »stundenlang ... mit ihren ›Männern‹ unter der Treppe [standen] oder ...

Kinderstation im Lager: die Neujahrstanne wird geschmückt.

ganz weg[gingen], und die Kinder, hungrig, unbeaufsichtigt, wurden krank, starben, bei der kleinsten Epidemie starben sie wie die Fliegen.«[43]

Auch die Mütter, deren Schwangerschaft das Lager schon eine Menge gekostet hatte, durften diese Vernachlässigung in der Regel nicht ausgleichen, wenn sie es überhaupt wollten. Man zwang sie, so rasch wie möglich zur Arbeit zurückzukehren, und gab ihnen nur widerwillig Zeit, um ihre Babys zu stillen. Wenn das vorüber war, unterband man oft jeden weiteren Kontakt der Mutter zu ihrem

Kind. Die ehemalige Leiterin einer Kinderstation erklärte dazu, in ihrem Lager habe sie den Müttern Spaziergänge mit ihren Kindern untersagt, damit sie ihnen keinen Schaden zufügten. Sie habe gesehen, wie eine Frau ihrem Kind mit Tabak vermischte Süßigkeiten gegeben habe, um es zu vergiften. Eine andere habe ihm die Schuhe ausgezogen und es barfuß im Schnee laufen lassen. »Für die Todesrate unter den Kindern im Lager machte man schließlich mich verantwortlich«, erklärte sie mir, um zu begründen, warum sie sich gegenüber den Müttern so verhalten hatte. »Diese Kinder waren ihren Müttern nur eine Last, die sie loswerden wollten.«[44] Dass Lagerkommandanten Mütter von ihren Kindern fern hielten, kann durchaus auf dieser Logik beruhen. Es ist aber auch möglich, dass gedankenlose Grausamkeit die Ursache war. Schließlich brachten Begegnungen von Müttern mit ihren Kindern nur Scherereien, also ließ man sie erst gar nicht zu.

Die Folgen so früher Trennung der Kinder von ihren Eltern waren absehbar. Seuchen gingen unter ihnen um. Die Sterberaten waren so hoch, dass man sie – nach Aussage der Inspektionsberichte – häufig zu vertuschen suchte.[45] Aber selbst die Kinder, die die ersten Lebensjahre überstanden, erwartete in den Kinderheimen der Lager kein normales Leben. Einige hatten vielleicht das Glück, an aufmerksamere Betreuerinnen als die beschriebenen zu geraten. Andere hatten es nicht. Jewgenia Ginsburg arbeitete selbst in einer solchen Einrichtung. Schon zu Beginn stellte sie fest, dass auch die größeren Kinder noch nicht sprechen konnten:

> »Nur ein paar Vierjährige brachten einzelne zusammenhanglose Worte heraus. Meist jedoch verständigten sie sich durch unartikuliertes Geschrei, durch Gebärden und Püffe. ›Woher sollen sie denn sprechen können? Wer hat es ihnen beigebracht? Wen haben sie denn reden hören?‹, erklärte mir Anja in leidenschaftslosem Ton. ›In der Säuglingsgruppe liegen sie doch die ganze Zeit nur in ihren Bettchen. Niemand nimmt sie hoch, selbst wenn sie sich die Lunge aus dem Hals brüllen. Es ist verboten, sie auf den Arm zu nehmen. Die nassen Windeln werden gewechselt. Aber natürlich nur, wenn genug da sind.‹«

Als Jewgenia Ginsburg versuchte, ihren neuen Schutzbefohlenen etwas beizubringen, waren nur ein, zwei, die noch ein wenig Kontakt zu ihren Müttern hatten, in der Lage, überhaupt etwas zu lernen. Und auch deren Erfahrungen waren sehr begrenzt:

»›Schau mal‹, sagte ich zu Stasik und zeigte ihm das von mir gezeichnete Häuschen. ›Was ist das?‹ ›Eine Baracke‹, antwortete der Junge ganz deutlich. Mit einigen Bleistiftstrichen setzte ich eine Katze neben das Häuschen. Aber niemand erkannte sie, auch Stasik nicht. Die Kinder hatten noch nie ein so außergewöhnliches Tier gesehen. Dann zeichnete ich um das Häuschen einen idyllischen Gartenzaun. ›Und was ist das?‹ ›Die Zone! Die Zone!‹, schrie Werotschka fröhlich.«[46]

In der Regel wurden Kinder im Alter von zwei Jahren aus dem Lager entfernt und in ein normales Waisenhaus gegeben. Einige Mütter begrüßten das als Chance für ihr Kind, dem Lagerleben zu entkommen. Andere wehrten sich aus Angst, ihre Kinder würden absichtlich oder zufällig in andere Lager verlegt, wo ihre Namen verändert werden oder in Vergessenheit geraten könnten. Damit wäre der Kontakt zu ihnen endgültig verloren.[47] Kein Wunder, dass manche Mütter »heulten und schrien, einige wurden sogar wahnsinnig, manche kamen in eine Zelle, bis sie sich beruhigt hatten …«[48]

Draußen erging es Kindern, die in Lagern geboren waren, nicht unbedingt besser. Sie erwartete das Schicksal derer, die nach der Verhaftung ihrer Eltern direkt in Kinderheime gegeben wurden – eine andere Gruppe kindlicher Opfer. Die staatlichen Kinderheime waren in der Regel überfüllt, schmutzig, mit Personal unterbesetzt und daher für viele ebenfalls tödlich. Eine ehemalige Gefangene beschreibt, mit welcher Freude und Hoffnung sie eine Gruppe von Häftlingskindern an ein städtisches Waisenhaus übergaben und wie groß der Schrecken war, als sie erfuhren, dass eine Seuche alle elf dahingerafft hatte.[49] Schon 1931, als die Kollektivierung ihren Höhepunkt erreichte, baten Leiter von Kinderheimen im Ural die Gebietsbehörden verzweifelt um Hilfe, um die Kulakenkinder zu betreuen, die zu Tausenden bei ihnen eintrafen:

»In einem Raum von zwölf Quadratmetern sind dreißig Jungen untergebracht. Für 38 Kinder haben wir sieben Betten, die die ›Rückfalltäter‹ okkupiert haben. Zwei Achtzehnjährige haben die Elektroanlage demoliert, den Laden ausgeraubt und trinken mit dem Direktor ... Kinder schlafen auf dem schmutzigen Fußboden, spielen Karten, die sie sich aus Buchillustrationen selber herstellen, rauchen, brechen die Gitter vor den Fenstern auf und klettern über die Mauer, um zu entkommen.«[50]

Zwei Jahre später sandte ein Kinderheim bei Smolensk das folgende Telegramm an die Kinderkommission in Moskau: »Die Lebensmittelversorgung unseres Heimes ist zusammengebrochen. Hundert Kinder hungern. Der Versorger liefert nichts mehr. Es kommt keine Hilfe. Ergreifen Sie umgehend Maßnahmen.«[51]

Die Zeit verging, aber es änderte sich wenig. In einer Weisung des NKWD aus dem Jahr 1938 ist von einem Kinderheim die Rede, wo zwei achtjährige Mädchen von älteren Jungen vergewaltigt wurden. In einem anderen mussten sich 212 Kinder zwölf Löffel und zwanzig Teller teilen. Sie schliefen in Kleidern und Schuhen, weil sie keine Nachtwäsche hatten.[52] Sawelia Leonidowa, Kind verhafteter Eltern, wurde 1940 aus dem Heim entführt und von einer Familie adoptiert, die ein Hausmädchen brauchte. So verlor sie ihre Schwester aus den Augen und fand sie nicht mehr wieder.[53]

Besonders schwer hatten es in solchen Heimen die Kinder von verhafteten Politikern. Oftmals wurden sie noch schlechter behandelt als Waisen. So erklärte man zum Beispiel der zehnjährigen Swetlana Kogtewa, sie solle »ihre Eltern vergessen, weil sie Volksfeinde sind«.[54] Die für diese Heime verantwortlichen NKWD-Beamten wurden zu besonderer Wachsamkeit angehalten. Sie hatten dafür zu sorgen, dass Kinder von Konterrevolutionären nicht privilegiert behandelt wurden.[55] Auf Grund dieser Vorschrift kam der vierzehnjährige Pjotr Jakir nach der Festnahme seiner Eltern in ein Waisenhaus. Am dritten Tag erwarb er sich bereits »Ruhm als Anführer der Vaterlandsverräter-Kinder« und wurde selber verhaftet. Zuerst steckte man ihn ins Gefängnis, dann in ein Lager.[56]

Kinder von Politikern wurden oft gehänselt und aus der Ge-

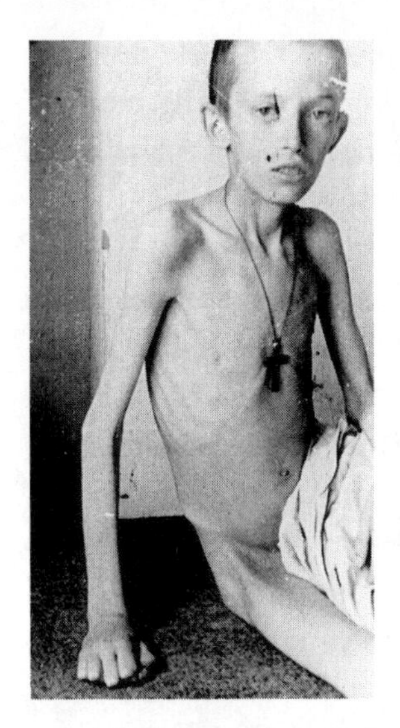

Polnische Kinder nach der Amnestie von 1941

meinschaft ausgestoßen. Ein Betroffener erinnert sich, dass bei Kindern von »Feinden« im Waisenhaus wie von Verbrechern Fingerabdrücke genommen wurden. Lehrer und Betreuer waren bemüht, nicht zu viel Zuneigung zu zeigen, damit man sie nicht der Sympathie mit »Feinden« bezichtigte.[57]

In dieser Umgebung nahmen selbst die Kinder gebildeter Eltern bald kriminelle Gewohnheiten an. Wladimir Glebow, der Sohn des bekannten Bolschewiken Lew Kamenew, war ein solches Kind. Sein Vater wurde verhaftet, als er vier Jahre alt war. Er wurde in ein Sonderwaisenhaus in Westsibirien »verbannt«, wo vierzig Prozent der Insassen Kinder von »Feinden«, weitere vierzig Prozent jugendliche Straftäter und die restlichen zwanzig Prozent Kinder von Sinti und Roma waren, die man wegen ihres Wanderlebens verurteilt hatte. Wie Glebow dem Schriftsteller Adam Hochschild erklärte, hatte dieser frühe Kontakt mit jungen Kriminellen für die Kinder politischer Gefangener durchaus Vorteile:

> »Mein Kumpel hat mir Sachen beigebracht, die mir später im Leben geholfen haben, mich zu schützen. Sehen Sie diese Narbe oder die

> … Wenn man mit einem Messer angegriffen wird, muss man wissen, wie man sich dagegen verteidigen kann. Das Wichtigste ist, vor dem anderen zuzuschlagen, nicht zu warten, bis er angreift. Das war unsere glückliche sowjetische Kindheit!«[58]

Manche Kinder trugen dauerhafte Schäden davon. Eine Mutter fand nach der Verbannung ihre kleine Tochter wieder. Mit acht Jahren konnte diese kaum sprechen, riss alles Essbare an sich und verhielt sich wie ein wildes Tier, was im Waisenhaus wohl notwendig gewesen war.[59] Eine andere Mutter, die nach acht Jahren Haftstrafe zurückkehrte, musste erleben, dass ihre Kinder nicht mit ihr gehen wollten. Sie hatten tief verinnerlicht, dass ihre Eltern »Volksfeinde« seien, die keine Liebe und Zuneigung verdienten. Man hatte ihnen beigebracht, sich zu verweigern, »wenn eure Mutter euch holen will«. Sie wollten nicht mehr mit ihren Eltern leben.[60]

Kein Wunder, dass Kinder in großer Zahl aus solchen Heimen wegliefen. Einmal auf der Straße, versanken sie bald in der Unterwelt. Wurden sie erst einmal kriminell, dann schloss sich der Kreis. Früher oder später kamen auch sie hinter Schloss und Riegel.

Auf den ersten Blick scheint der Jahresbericht des NKWD von 1944/45 über eine Gruppe von acht Lagern in der Ukraine nichts Besonderes zu sein. Dort ist festgehalten, welche Lager den Fünfjahresplan erfüllten und welche nicht. Stoßarbeiter werden gelobt. Ganz offen ist davon die Rede, dass die Verpflegung in den meisten Lagern dürftig und monoton sei. Eher positiv wird vermerkt, dass im Berichtszeitraum nur in einem Lager eine Seuche ausbrach, nachdem man fünf Insassen aus einem überfüllten Charkower Gefängnis dorthin verlegt hatte.

Einige Einzelheiten zeigen jedoch, um welche Art Lager es sich hier handelt. Ein Inspektor führt zum Beispiel Klage darüber, dass es in einem Lager an »Schulbüchern, Federhaltern, Notizblöcken und Bleistiften« fehlte.[61]

Die acht Lager waren die Kinderkolonien der Ukraine. Denn nicht alle Kinder, die unter die Jurisdiktion des Gulags fielen, hatten verhaftete Eltern. Einige wurden selbst ins Lager eingeliefert. Sie hatten Verbrechen begangen, waren verhaftet und in Sonderlager für Jugendliche gesteckt worden. Diese unterstanden denselben Bürokraten, die auch die Lager für Erwachsene führten. Daher ähnelten sie diesen in vielerlei Hinsicht.

Diese »Kinderlager« hatte man ursprünglich für die »Verwahrlosten«, die Waisen, die verstoßenen und schmutzigen Straßenkinder eingerichtet, die in den Jahren von Bürgerkrieg, Hungersnot, Kollektivierung und Massenverhaftungen verloren gegangen oder ihren Eltern weggelaufen waren. Anfang der dreißiger Jahre machten sie in großer Zahl Bahnhöfe und Parks der sowjetischen Städte unsicher. Der Schriftsteller Victor Serge beschreibt sie so:

> »Ich habe sie in Leningrad und Moskau gesehen. Sie lebten in der Kanalisation, in Kiosken, in den Leichenhallen von Friedhöfen, wo sie uneingeschränkt herrschten. Sie trafen sich nachts in öffentlichen Toiletten, reisten bei der Eisenbahn nur auf Waggondächern oder -kupplungen. Schwarz vor Schmutz und Schweiß, bettelten sie bei Reisenden um ein paar Kopeken, lagen ständig auf der Lauer und ergriffen jede Gelegenheit, einen Koffer zu stehlen ...«[62]

Diese Kinder waren so zahlreich und ein solches Problem, dass der Gulag 1934 die ersten Kinderabteilungen in Lagern für Erwachsene einrichtete, um die Kinder verhafteter Eltern von der Straße zu holen.[63] Ein Jahr später wurde beschlossen, außerdem besondere Kolonien für sie aufzubauen. Massenrazzien wurden veranstaltet, um diese Kinder aufgreifen und in diese Einrichtungen bringen zu können, wo man sie zu brauchbaren Werktätigen erziehen wollte.

Im selben Jahr beschlossen die sowjetischen Behörden das berüchtigte Gesetz, wonach Kinder ab zwölf Jahre bestraft werden konnten wie Erwachsene. Auf diese Weise gelangten Bauernmädchen, die man festnahm, weil sie ein paar Getreideähren eingesteckt hatten, oder Kinder von »Feinden«, die man der »Zusammenarbeit« mit ihren Eltern verdächtigte, in Jugendhaftanstalten. Dort trafen sie auf minderjährige Prostituierte, junge Taschendiebe, Straßenkinder und andere.[64] Die Kinderkriminalität in der Sowjetunion war zu jener Zeit so hoch, dass das NKWD 1937 Kinderheime mit »Sonderregime« für jene Delinquenten einrichten musste, die in normalen Einrichtungen gegen alle Regeln verstießen. Von 1939 an wurden Waisen nicht mehr in Kinderlager geschickt. Diese waren nun ausschließlich kindlichen Straftätern vorbehalten, die von Gerichten oder »Sonderkommissionen« verurteilt worden waren.[65]

Trotz verschärfter Urteile wuchs die Zahl der jugendlichen Straftäter weiter an. Der Krieg erzeugte nicht nur Waisen, sondern auch Ausreißer, deren Väter an der Front waren, während die Mütter zwölf Stunden täglich in den Fabriken arbeiteten. Dazu kamen ganz neue Kategorien von Tätern: minderjährige Arbeiter und Arbeiterinnen, die vor der Schufterei in der Fabrik flohen. Das geschah häufig, wenn ihre Arbeitsstelle an einen Ort fern von der Familie evakuiert wurde. Mit ihrer Flucht verletzten sie das Gesetz der Kriegszeit »Über die eigenmächtige Entfernung von der Arbeit in einem Rüstungsbetrieb«.[66] Laut NKWD-Statistik sammelten die so genannten Aufnahmezentren für Kinder zwischen 1943 und1945 die ungeheure Zahl von 842 144 obdachlosen Kindern ein. Die meisten wurden zu ihren Eltern zurückgeschickt, kamen in Kinderheime oder Berufsschulen. Aber die beträchtliche Zahl von 52 830 wurde den Akten zufolge in »Besserungsarbeitskolonien« gesteckt. Das hieß im Klartext Kinderlager.[67]

Hier wurden die Kinder in vielerlei Hinsicht kaum anders behandelt als ihre Eltern. Verhaftung und Transport erfolgten nach den gleichen Regeln mit zwei Ausnahmen: Man suchte sie von Erwachsenen fern zu halten, und bei Fluchtversuch wurde nicht auf sie geschossen.[68] Aber man steckte sie in dieselben Gefängnisse wie Erwachsene – in eigene, aber genauso primitive Zellen.[69]

Manche der jungen Gefangenen wurden auch verhört wie Erwachsene. Der vierzehnjährige Pjotr Jakir wurde nach dem Waisenhaus zunächst in ein Gefängnis für Erwachsene gesteckt und dort dem vollen Verhörzyklus unterzogen. Der Vernehmungsoffizier erklärte ihm, er sei »angeklagt, eine Kavallerie-Bande organisiert zu haben. Ziel der Organisation war, in einem künftigen Krieg der Roten Armee in den Rücken zu fallen.« Als Beweis diente ihm allein die Tatsache, dass Jakir ein passionierter Reiter war. Schließlich wurde der Junge als »sozial gefährliches Element« verurteilt.[70]

Als die sowjetische Presse im Jahr 1939 über einige NKWD-Offiziere berichtete, die man verhaftet hatte, weil sie falsche Geständnisse erpresst hatten, druckte eine sibirische Zeitung einen Fall ab, in den 160 Kinder zwischen zwölf und vierzehn Jahren, dazu einige Zehnjährige, verwickelt waren. Vier Offiziere des NKWD und der Staatsanwaltschaft erhielten für die Verhöre, die sie mit diesen Kindern angestellt hatten, fünf bis zehn Jahre Haft.[71]

Kinder entgingen auch der unersättlichen Gier des Systems der Zwangsarbeit nicht. Zwar legte man Kinderkolonien in der Regel nicht bei den harten Holzfäller- oder Bergwerkslagern im Hohen Norden an, aber 1940 gab es in Norilsk einen Lagpunkt für Kinder. Einige der tausend Insassen mussten in der Ziegelfabrik von Norilsk arbeiten, die anderen wurden zum Schneeräumen eingesetzt. Einige der Kinder waren erst zwischen zwölf und vierzehn Jahre alt, die Mehrheit allerdings fünfzehn oder sechzehn. Ältere Jugendliche kamen direkt in Erwachsenenlager. Zahlreiche Inspektoren beklagten die Bedingungen im Kinderlager von Norilsk. Aber erst nachdem viele der jungen Häftlinge – wie die Erwachsenen – Kälte und Unterernährung zum Opfer gefallen waren, verlegte man diese Einrichtung in eine südlichere Gegend der UdSSR.[72]

Typischer war da schon ein Bericht aus der Ukraine, in dem es hieß, dass die Insassen von Kinderkolonien in Holz- und Metallverarbeitungsfabriken sowie in Nähereien eingesetzt wurden.[73] Viele Praktiken dort ähnelten denen in Erwachsenenlagern. Produktionsziele mussten erreicht, Normen erfüllt und Regeln eingehalten werden. Nach einer Weisung des NKWD von 1940 waren für Kinder zwischen zwölf und sechzehn Jahren vier Stunden Arbeit und vier Stunden Schulunterricht vorgeschrieben. Für Jugendliche zwischen sechzehn und achtzehn Jahren sah dieses Dokument acht Stunden Arbeit und zwei Stunden Unterricht vor.[74] Im Lager von Norilsk konnte diese Weisung nicht eingehalten werden, denn dort gab es gar keine Schule.[75]

Das Lernen galt ja auch nicht als die Hauptaufgabe der Kinder. 1944 berichtete Beria stolz an Stalin, dass die Jugendlager des Gulags einen eindrucksvollen Beitrag zu den Kriegsanstrengungen leisteten, indem sie Minen, Granaten und andere Rüstungsgüter im Werte von 150 Millionen Rubel herstellten.[76]

Kinder waren im Lager der gleichen Propaganda ausgesetzt wie die Erwachsenen. Mitte der dreißiger Jahre berichteten Lagerzeitungen von Stachanow-Arbeitern unter Kindern und waren voller Lob für die »35er«, die Straßenkinder, die auf Grund des in jenem Jahr erlassenen Gesetzes in die Lager gekommen waren. Gerühmt wurden jene, die die körperliche Arbeit verändert hatte. Zugleich fiel man über solche her, die noch nicht begriffen hatten, »dass sie ihre Vergangenheit abschütteln und ein neues Leben beginnen müssen ... Kartenspiel, Alkoholgenuss, Rowdytum, Arbeitsverweigerung, Diebstahl et cetera sind unter ihnen nach wie vor weit verbreitet.«[77]

Schließlich wurde auf Kinder der gleiche psychologische Druck ausgeübt wie auf Erwachsene. 1941 gab das NKWD die Weisung aus, in den Kinderkolonien und Aufnahmezentren des NKWD ein Netzwerk von Informanten zu schaffen. Damit reagierte die Zentrale auf Gerüchte über konterrevolutionäre Anwandlungen unter Angestellten und Kindern, vor allem Kindern von Konterrevolutionären. In einer Einrichtung hatte sogar eine Minirevolte stattgefunden. Die Kinder hatten den Speiseraum besetzt, das Mobiliar demoliert und die Wachen angegriffen. Sechs Wachmänner erlitten Verletzungen.[78]

Nur in einer Hinsicht konnten sich die Kinder in den Jugendlagern glücklich schätzen: Sie mussten nicht wie manche ihrer Altersgenossen in Lagern für Erwachsene unter älteren Häftlingen leben. Wie die schwangeren Frauen stellten Jugendliche für die Lagerkommandanten ein ewiges Problem dar. Im Oktober 1935 schrieb Jagoda ärgerlich an alle Lagerkommandanten, dass »entgegen meinen Weisungen minderjährige Häftlinge nicht in Arbeitskolonien für Jugendliche eingewiesen, sondern in den Gefängnissen mit Erwachsenen vermischt werden«. Nach seiner Übersicht befanden sich zu jener Zeit 4305 Jugendliche in regulären Gefängnissen.[79] Noch dreizehn Jahre später beschwerten sich Inspektoren der Staatsanwaltschaft darüber, dass es in den Erwachsenenlagern zu viele Minderjährige gebe, die von den Älteren ausgenutzt würden.[80]

Die Jugendlichen konnten bei den anderen Häftlingen kaum auf Mitgefühl zählen. »Wenn sie Verhaftung, Leibesvisitation, Gefängnis, Verhöre, Gericht und Transport hinter sich hatten, waren sie bei ihrer Ankunft vom Hunger und vom Durchlebten so zermürbt, daß sie jeden Widerstand aufgegeben hatten«, schreibt Lew Rasgon. Er beobachtete, dass es die jungen Leute fast automatisch zu denen zog, die die Stärksten zu sein schienen. Das waren die Gangsterbosse, die »die Jungen zu Dienern, stummen Sklaven, Lakaien oder Narren« machten und Jungen und Mädchen gleichermaßen zur Prostitution zwangen.[81] Aber auch solche schrecklichen Erlebnisse riefen kaum Mitleid hervor. Im Gegenteil: Die härtesten Anschuldigungen in der Memoirenliteratur aus den Lagern richten sich gegen sie. Woher diese halben Kinder auch kamen, schreibt Rasgon, »es dauerte nicht lange, und sie alle waren einander gleich. Gleich in ihrer rachedürstenden Grausamkeit, Zügellosigkeit und Verantwortungslosigkeit.« Schlimmer noch,

> »sie fürchteten niemanden und nichts. Sie wohnten in besonderen Baracken, in die sich die Aufseher und Natschalniks fürchteten hineinzugehen. In diesen Baracken spielten sich die abscheulichsten, grausamsten Dinge ab, die in einem Lager vorkommen können. Wenn die Gangsterbosse, die auch um Menschen spielten, jemanden verspielt hatten und der Betreffende umgebracht werden musste, dann taten das für eine Brotration oder aus ›reinem Interesse‹ minderjährige Jungen! Minderjährige Mädchen brüsteten sich damit, dass sie eine ganze Brigade Holzfäller über sich ergehen lassen könnten ... In diesen Kindern war nichts Menschliches mehr, und es war unmöglich, sich vorzustellen, dass sie jemals ins normale Leben zurückfinden und zu normalen Menschen werden könnten.«[82]

Johann Wigmans, ein holländischer Häftling, erinnert sich an junge Menschen, »denen es wahrscheinlich nicht viel ausmachte, in diesen Lagern zu leben. Offiziell sollten sie arbeiten, aber in der Praxis taten sie alles, nur nicht das. Sie hatten immer Geld in der Tasche und ausreichend Gelegenheit, von ihren Kumpanen zu lernen.«[83]

Es gab aber auch Ausnahmen. Alexander Klein erzählt die Geschichte von zwei dreizehnjährigen Jungen, die als Partisanen verhaftet wurden. Beide erhielten zwanzig Jahre Lagerhaft. Sie blieben zehn Jahre im Lager und ließen sich nicht trennen. Wenn man es versuchte, traten sie sofort in den Hungerstreik. Wegen ihrer Jugend hatte man Mitleid mit ihnen, gab ihnen leichtere Arbeit und zusätzliches Essen. Beide erhielten im Lager eine technische Ausbildung und wurden bei einer der Amnestien nach Stalins Tod als praxiserprobte Ingenieure entlassen. Wäre das Lager nicht gewesen, so schrieb Klein, »wer hätte aus diesen Dorfjungen, die kaum lesen und schreiben konnten, solche Fachleute gemacht«?[84]

Als ich Ende der neunziger Jahre nach Erinnerungen von Menschen suchte, die als Minderjährige im Lager gesessen hatten, waren diese kaum zu finden. Mit Ausnahme dessen, was Jakir, Kmiecik und eine Hand voll anderer aufgeschrieben, was Memorial und andere Organisationen gesammelt haben, lässt sich kaum etwas auftreiben.[85] Aber es gab Zehntausende solcher Kinder, und viele müssen noch am Leben sein. Ich hatte sogar die Idee, per Zeitungsannonce Gesprächspartner aus dieser Gruppe zu suchen. »Tun Sie das nicht«, riet mit eine russische Freundin. »Jeder weiß doch, was aus ihnen geworden ist.« Jahrzehnte der Propaganda, unzählige Plakate an Waisenhauswänden, die Stalin »für unsere glückliche Kindheit« dankten, haben das sowjetische Volk nicht davon überzeugen können, dass aus den Kindern der Lager und Waisenhäuser, aus den Straßenkindern je etwas anderes geworden wäre als vollwertige Angehörige der größten, allumfassendsten Klasse der Sowjetunion: Kriminelle.

Was heißt das schon: Erschöpfung?
Was heißt das schon: Ermattung?
Angst vor jeder Bewegung
Deiner schmerzenden Arme und Beine.
Schrecklicher Hunger – Träume von Brot.
»Brot, Brot«, schlägt dein Herz.
Fern von dir am trüben Himmel
Eine ungerührte Sonne.
Dein Atem ein dünnes Pfeifen
Bei fünfzig Grad Frost.
Was bedeutet schon Sterben?
Die Berge sehen schweigend zu.

NINA GAGEN-TORN,
*Memoria*[1]

# Die Sterbenden

Solange der Gulag existierte, war der unterste Platz in der Lagerhierarchie für die Sterbenden reserviert oder, besser gesagt: für die lebenden Toten. Auf sie wurde mit einer eigenen Sprache Bezug genommen. Man nannte sie »Dochte«, wie Kerzendochte, kurz vor dem Erlöschen der Flamme, aber auch »Scheißefresser« oder »Spülwassersäufer«. Meistens bezeichnete man sie jedoch als *Dochodjagi,* was man mit »die Ankommenden« übersetzen könnte. In seinem *Gulag Handbook* weist Jacques Rossi darauf hin, dass dies sarkastisch gemeint war: Die Sterbenden würden schließlich »im Sozialismus ankommen«.[2] Andere deuteten es prosaischer: Das Ankommen meine nicht den Sozialismus, sondern das Ende des Lebens.

Klar und unverblümt gesagt, die »Ankommenden« verhungerten. Sie litten an Hunger- und Mangelkrankheiten, an Skorbut, Pellagra und Durchfall in fortschreitendem Stadium. Zuerst wurden die Zähne locker, und auf der Haut erschienen offene Stellen, Symptome, an denen zuweilen auch die Lagerwachen litten.[3] Später kam Nachtblindheit hinzu. Gustaw Herling-Grudzinski erinnert sich »an den Anblick der Nachtblinden, die sich frühmorgens oder am Abend vorsichtig durch das Lager tasteten, wobei sie die Hände wie Fühler weit vor sich streckten«.[4]

Der Hunger verursachte Magenschmerzen, Schwindelgefühl und grotesk angeschwollene Beine. Thomas Sgovio, der dem Hungertod nahe war, sich aber wieder erholte, stellte eines Morgens beim Erwachen fest, dass eines seiner Beine »purpurrot angelaufen und doppelt so dick war wie das andere. Es juckte, und überall zeigten sich dunkle Flecken.« Bald »wurden die Flecken zu großen Furunkeln, aus denen Blut und Eiter sickerte. Wenn ich mit dem Finger auf eine dieser violett verfärbten Stellen drückte, blieb noch lange eine Vertiefung im Fleisch.«[5]

Im Endstadium des Hungers verloren die Sterbenden nahezu alles Menschliche. Im Grunde erfüllte sich die zynische Rhetorik des Staates: In ihren letzten Tagen waren die Feinde des Volkes keine Menschen mehr. Der Geist verwirrte sich, sie tobten und fantasierten stundenlang. In ihren Augen stand ein besessenes Glühen. Sie irrten umher wie in Trance und konnten ihre Ausscheidungen nicht mehr kontrollieren. Unerträglicher Gestank ging von ihnen aus. Tamara Petkewitsch erinnert sich, wie sie Menschen in diesem Zustand zum ersten Mal sah:

> »Hinter dem Stacheldraht erblickte ich eine Gruppe von Geschöpfen, die nur noch entfernt an menschliche Wesen erinnerten ... Es waren zehn Skelette unterschiedlicher Größe, bespannt mit wettergegerbter Haut, die wie Pergament wirkte. Sie gingen alle bis zur Taille nackt, hatten kahl geschorene Köpfe und baumelnde verwelkte Brüste. Ihre einzige Kleidung waren hängende, schmutzige Unterhosen, und ihre Schienbeine ragten aus konkaven Hohlräumen hervor. Frauen! Hunger, Hitze und schwere Arbeit hatten sie zu ausgemergelten Geschöpfen gemacht, die sich, weshalb auch immer, an das letzte Quäntchen Leben klammerten.«[6]

Warlam Schalamow hat eine unvergessliche Beschreibung der Sterbenden in Form eines Gedichtes hinterlassen, in dem er schildert, wie diese einander mit der Zeit immer ähnlicher wurden und alle individuellen Züge verloren:

> »Ich erhebe mein Glas auf einen Weg im Wald,
> auf jene, die dort niedersinken,
> keinen Schritt mehr gehen können
> und ihn doch gehen müssen.

Auf ihre bläulich-starren Lippen,
auf ihre gleichen Gesichter,
auf ihre Mäntel, von Reif bedeckt,
auf ihre Hände ohne Handschuh im Frost.

Auf das Wasser, das aus einer Büchse sie trinken,
auf den Skorbut, der ihnen die Zähne raubt,
auf die Fänge strammer grauer Hunde,
die ihnen morgens rauben den Schlaf.

Auf die gleichgültige Sonne,
die kalt auf sie niederschaut,
auf die weißen Grabsteine,
die der Schneesturm ihnen setzt.

Auf das Stückchen klebriges Brot,
das sie hastig würgen hinab,
auf den blassen, endlosen Himmel,
auf den Fluss Ajan-Jurjach!«[7]

Der Begriff des »Ankommenden« bezeichnete aber nicht nur einen körperlichen Zustand. Diese Häftlinge waren nicht bloß krank: Sie hatten ein Stadium des Hungers erreicht, da ihnen alles gleichgültig war. Dieser Abstieg vollzog sich in Stufen: Der Mensch wusch sich nicht mehr, reagierte nicht mehr normal auf Angriffe anderer und verlor schließlich vor Hunger den Verstand. Sgovio war tief schockiert, als er damit zum ersten Mal in Berührung kam. Der Mann war ein amerikanischer Kommunist namens Eisenstein, den er in Moskau kennen gelernt hatte:

»Zuerst erkannte ich meinen Freund gar nicht. Eisenstein zeigte keine Reaktion, als ich ihn begrüßte. Er hatte den Gesichtsausdruck eines Sterbenden. Er schaute durch mich hindurch, als sei ich gar nicht da. Offenbar erkannte er niemanden mehr. Sein Blick war völlig leer. Er war gerade dabei, die leeren Teller im Speiseraum einzusammeln und jeden einzelnen nach Spuren von Essen zu untersuchen. Mit dem Finger fuhr er über die Teller und leckte ihn ab.«

Wie die anderen »Dochte«, schreibt Sgovio, hatte Eisenstein jedes Gefühl für Würde verloren:

»Sie vernachlässigten sich und wuschen sich nicht, selbst wenn sie die Gelegenheit dazu hatten. Sie suchten auch nicht mehr nach den Läusen, die ihr Blut saugten. Sie wischten sich nicht mehr die Nase mit dem Ärmel ihres Kittels ab … Ein ›Docht‹ reagierte kaum noch auf Schläge. Wenn ein anderer *Sek* auf ihn losging, hob er vielleicht die Arme, um den Kopf zu schützen. Er fiel nur hin. Wenn man ihn in Ruhe ließ und er noch konnte, stand er ächzend wieder auf, als sei nichts geschehen. Nach der Arbeit konnte man ihn bei der Küche um Abfälle betteln sehen. Um sich einen Spaß zu machen, schwappte ihm der Koch einen Löffel Suppe ins Gesicht. Dann fuhr der arme Kerl eilig mit seinen Fingern über Wangen und Schläfen und leckte sie ab … ›Dochte‹ konnte man um die Tische stehen sehen, wo sie darauf warteten, dass jemand etwas Suppe oder Brei übrig ließ. Wenn das geschah, stürzten sich gleich mehrere darauf. Bei der Rangelei wurde der kümmerliche Rest meist verschüttet. Dann gingen alle auf die Knie und balgten so lange miteinander, bis das letzte Tröpfchen des kostbaren Stoffs in ihren Mündern verschwunden war.«[8]

Die Anziehungskraft der Küche und die Gier nach etwas Essbarem trübte jeden anderen Gedanken, was Gustaw Herling-Grudzinski zu beschreiben versucht:

»Unter den physischen Einwirkungen des Hungers verliert die schon schwankende menschliche Würde ihren letzten Halt. Wie oft habe ich mein blasses Gesicht an die vereiste Scheibe des Küchenfensters gepresst, um mit einem stummen Blick von dem Koch, dem Leningrader Dieb Fedka, eine Extrakelle dünner Suppe zu erbetteln. Und ich erinnere mich, dass mein bester Freund, ein alter Kommunist und Jugendgefährte von Lenin, der Ingenieur Sadowski, mir einmal auf der leeren Plattform vor der Küche meine volle Suppenschüssel entriss, im selben Augenblick mit ihr davonlief und schon, ehe er die Latrine erreicht hatte, das heiße Zeug mit fiebernden Lippen hinunterschlang. Wenn es einen Gott gibt, dann soll er jene gnadenlos bestrafen, die ihre Mitmenschen durch Hunger körperlich und seelisch zerstören.«[9]

Jehoschua Gilboa, ein polnischer Zionist, der 1940 verhaftet wurde, schildert sehr plastisch, wie die Gefangenen sich selbst vorzuspiegeln suchten, dass sie mehr aßen, als tatsächlich vorhanden war:

»Wir suchten unseren Magen zu täuschen, indem wir das Brot zerkrümelten, bis es fast wie Mehl war, und es dann mit Salz und viel Wasser vermischten. Diese Köstlichkeit nannten wir ›Brotsoße‹. Das Salzwasser nahm ein wenig von Farbe und Geschmack des Brotes an. Man trank es und glaubte, man esse Brot. Man gab immer wieder Wasser hinzu, bis der letzte Rest von Brotgeschmack verschwunden war. Mit wenigen hundert Gramm konnte man so eine riesige Illusion erzeugen.«[10]

Wenn ein Häftling nur noch um die Küche schlich, um Abfälle zu ergattern, dann war der Tod nicht mehr fern. Im Grunde konnte er jeden Augenblick sterben – nachts im Bett, auf dem Weg zur Arbeit, bei einem Gang über das Lagergelände oder wenn er seine Abendsuppe aß. Janusz Bardach erlebte einmal, wie ein Häftling beim abendlichen Zählappell zusammenbrach.

»Sofort war er von Mitgefangenen umringt. ›Ich bekomme die Mütze‹, sagte einer. Andere rissen ihrem Opfer Schuhe, Fußlappen, Mantel und Hose vom Leib. Um seine Unterwäsche entbrannte ein heftiger Kampf.
Als der am Boden Liegende völlig nackt war, blickte er auf, hob die Hand und klagte leise, aber deutlich hörbar: ›Mir ist so kalt.‹ Dann sank sein Kopf in den Schnee, und sein Blick wurde starr. Ungerührt trollten sich die Räuber mit dem, was sie erbeutet hatten. Jeden Schutzes beraubt, starb der Bedauernswerte letztlich an Unterkühlung.«[11]

Häftlinge starben aber nicht nur an Hunger. Manche ließen ihr Leben bei der Arbeit, fielen mangelnder Sicherheit in Fabriken und Bergwerken zum Opfer. Andere, vom Hunger geschwächt, wurden leichte Beute von Krankheiten und Epidemien.[12]

Gefangene begingen auch Selbstmord. Das scheint merkwürdigerweise ein Tabuthema zu sein. Wie viele diesen Weg wählten, ist schwer zu sagen. Offizielle Statistiken gibt es nicht. Auch unter den Überlebenden gehen die Meinungen darüber, wie groß diese Zahl war, weit auseinander. Nadeschda Mandelstam meint, die Menschen in den Lagern begingen keinen Selbstmord, weil sie so sehr um ihr Leben kämpfen mussten. Diese Überzeugung wird von anderen geteilt.[13] Jewgeni Gnedin schreibt, im Gefängnis und später in der Verbannung habe er mehrfach daran gedacht, sich umzubringen, aber während der acht Jahre im Lager »ist es mir nie eingefallen, Selbstmord zu begehen. Jeder Tag war ein neuer Kampf ums Leben: Wie sollte man in dieser Schlacht daran denken, es freiwillig herzugeben? Man hatte ein Ziel – dort herauszukommen – und eine Hoffnung: seine Lieben wiederzusehen.«[14]

Die Historikerin Catherine Merridale hat eine andere Theorie. Bei ihren Nachforschungen traf sie in Moskau zwei Psychologen, die im Gulag-System gearbeitet hatten. Wie Mandelstam und Gnedin behaupteten auch sie, Selbstmord und Geisteskrankheiten seien dort selten gewesen: »Sie waren überrascht und – leicht beleidigt«, als Merridale Beweise für das Gegenteil vorlegte. Sie schreibt dieses merkwürdige Beharren dem in Russland verbreiteten »Mythos vom Stoizismus« zu, aber es kann dafür auch andere Gründe geben.[15] Der Literaturkritiker Zwetan Todorow vermutet, dass die Überlebenden Selbstmorde bestreiten, weil sie die Einzigartigkeit ihres Schicksals hervorheben wollen. Es war dort so schrecklich, dass man nicht einmal den »normalen« Ausweg des Selbstmords wählte: »Der Überlebende [will] vor allem die absolute Fremdheit der Lager … mitteilen.«[16]

Einzelfälle von Selbstmord werden gleichwohl in vielen Memoiren erwähnt. Darunter ist der Suizid eines Jungen, dessen sexuelle Dienste ein Krimineller im Kartenspiel »gewann«.[17] Ein anderer berichtet vom Selbstmord eines jungen Sowjetdeutschen, eines Stu-

»Sterbender *Sek*«: Porträtzeichnung von Sergej Reichenberg, Magadan, undatiert.

denten, der folgende Notiz für Stalin hinterließ: »Mein Tod ist eine bewusste Tat des Protestes gegen das an uns begangene Unrecht und gegen die an uns Sowjetdeutschen verübte Gewalt durch NKWD-Organe.«[18] Ein Überlebender der Kolyma schreibt, in den dreißiger Jahren sei es häufig vorgekommen, dass ein Häftling rasch und zielbewusst auf die »Todeszone«, das Niemandsland am Lagerzaun, zusteuerte, dort stehen blieb und wartete, bis auf ihn geschossen wurde.[19]

Jewgenia Ginsburg schnitt selbst den Strick durch, mit dem sich ihre Freundin Polina Melnikowa erhängt hatte. Voller Bewunderung schrieb sie, diese habe »ihr Recht auf Menschsein durch eine Tat bekräftigt, die über ihr Leben entschieden hat«.[20] Auch Todorow meint, dass viele Überlebende von Gulag und NS-KZ Selbstmord als eine Chance zur freien Willensäußerung betrachteten: »Man ändert den Lauf der Ereignisse, wenn auch zum letzten Mal in seinem Leben, auf eine Weise, die man gewählt hat, statt sich damit zufrieden zu geben, bloß auf diese selben Ereignisse zu reagieren. Diese Selbstmorde werden nicht aus Verzweiflung, sondern wegen der Herausforderung begangen ...«[21]

Der Lagerleitung war es ziemlich gleichgültig, wie ein Gefangener zu Tode kam. Für sie war nur wichtig, die Sterberaten geheim oder zumindest halb geheim zu halten. Kommandanten von Lagpunkten, deren Todesraten als »zu hoch« galten, riskierten Bestrafung.[22] Daher versteckten, wie einige ehemalige Häftlinge berichtet haben, Lagerärzte häufig Verstorbene vor einer Inspektion. In manchen Lagern war es auch Praxis, dem Tod geweihte Häftlinge vorzeitig zu entlassen. Dann tauchten sie in der Lagerstatistik nicht als verstorben auf.[23]

Selbst wenn die Toten gemeldet wurden, waren die Angaben nicht immer exakt. Vor allem suchte der Lagerkommandant sicherzustellen, dass der Arzt im Totenschein nicht »Hunger« als Todesursache vermerkte. So wurde der Chirurg Isaac Vogelfanger direkt angewiesen, stets »Herzversagen« anzugeben, egal, was der wahre Grund sein mochte.[24] Das konnte aber auch Verdacht auslösen: In einem Lager kamen so viele Fälle von »Herzversagen« vor, dass die Kontrollbehörde stutzig wurde. Die Staatsanwaltschaft zwang die Ärzte, die Leichen zu exhumieren, und stellte fest, dass die meisten in Wirklichkeit an Pellagra gestorben waren.[25] Solche Zustände waren allerdings nicht immer auf Vorsatz zurückzuführen. In einem anderen Lager herrschte ein solches Durcheinander in den Akten, beklagte sich ein Inspektor, dass »Tote als Lebende, Flüchtige als anwesend und umgekehrt geführt werden«.[26]

Auch vor den Häftlingen wurden Todesfälle häufig geheim gehalten. Zwar war das nicht immer möglich – eine Gefangene berichtet, dass Leichen »aufgetürmt neben dem Zaun [lagen], bis es taute«[27] –, aber vernebeln konnte man die Tatsachen schon. In vielen Lagern wurden Verstorbene nachts abgeholt und an einen geheimen Ort gebracht.

Ebenfalls geheim gehalten wurde das Anlegen von Massengräbern, weil es laut Vorschrift verboten war. Das bedeutet nicht, dass es nicht überall vorkam. An allen Standorten früherer Lager gibt es Anzeichen für Massengräber, die manchmal sogar noch in der Gegenwart für Unruhe sorgen: Der Dauerfrostboden im Hohen Norden hält Leichen nicht nur frisch, manche so, wie sie begraben wurden, sondern verschiebt und bewegt sie auch beim jährlichen Wechsel aus Tauwetter und neuem Frost, wie Schalamow schreibt: »Der Norden wehrte sich mit aller Macht gegen dieses Menschenwerk. Die Erde wollte die Toten nicht in ihren Schoß aufnehmen. Sie tat sich wieder auf und gab ihre innersten Schatzkammern frei, die nicht nur Gold und Blei, Wolfram und Uran bargen, sondern auch nicht verwesende menschliche Körper.«[28]

Nichtsdestoweniger sollte es die dort nicht geben. 1946 gab die Gulag-Zentrale an alle Lagerkommandanten Weisung aus, dass Tote einzeln, in ein Leichentuch gehüllt, in Gräbern von mindestens 1,5 Meter Tiefe beizusetzen waren. Die Gräber sollten zwar nicht mit dem Namen, aber zumindest mit einer Nummer gekennzeichnet werden. Nur der Aktenverwalter des Lagers sollte wissen, wer wo begraben war.[29]

Das klingt alles sehr zivilisiert. In einer anderen Weisung hieß es dann wieder, dass es erlaubt sei, toten Häftlingen Goldzähne zu entfernen. Das sollte unter Aufsicht einer Kommission aus Vertretern des medizinischen Dienstes, der Lagerführung und der Finanzabteilung des Lagers geschehen. Das Gold sollte bei der nächsten Staatsbank abgeliefert werden. Es ist allerdings schwer vorstellbar, dass solche Kommissionen oft zusammentraten. Wo es zu viele Leichen gab, war es die einfachste Sache von der Welt, Goldzähne zu unterschlagen und dafür zu sorgen, dass das nicht ruchbar wurde.[30]

Es gab in der Tat zu viele Leichen. Das war letztlich das Schreckliche am Tod hinter Stacheldraht, wie Herling-Grudzinski schreibt:

> »Noch etwas machte den Tod im Lager so furchtbar: seine Anonymität. Wir hatten keine Ahnung, wo man die Toten begrub oder ob nach dem Tod eines Gefangenen irgendein – und sei es der schlichteste – Totenschein ausgestellt wurde ... Die Gewissheit, dass niemand jemals von ihrem Tode benachrichtigt würde, noch erfahren würde, wo man sie begrub, war eine der größten seelischen Qualen der Gefangenen ...

> Überall hatten Gefangene ihre Namen und Geburtsdaten in die Barackenwände geritzt und baten ihre Freunde, nach ihrem Tode den Todestag und ein Kreuz hinzuzufügen. Jeder schrieb möglichst in gleichmäßigen Abständen nach Hause, damit die Angehörigen, wenn einmal länger keine Nachricht von dem Betreffenden kam, daraus ersehen konnten, dass er inzwischen gestorben und zugleich, wann er gestorben war.«[31]

Trotz der Bemühungen der Häftlinge sind viele Tote unbemerkt verstorben, wurden nicht registriert und dem Vergessen anheim gegeben. Es gab keinen Totenschein, Verwandte wurden nicht benachrichtigt, und die hölzernen Merkzeichen verfielen. Wenn man über alte Lagergelände im Hohen Norden geht, sieht man die Reste von Massengräbern: den unebenen, zerwühlten Boden, die jungen Kiefern, das hohe Gras, das Grabstellen überwuchert, die ein halbes Jahrhundert alt sind. Manchmal stellt eine lokale Gruppe ein Denkmal auf. Meist aber erinnert gar nichts an den Ort. Namen, Leben, Familienbande und Geschichte – alles verloren.

Ich bin arm, allein und nackt,
Habe kein Feuer zum Wärmen.
Das violette Nordlicht
Hüllt mich gänzlich ein …

Ich spreche meine Gedichte,
Ich schreie sie hinaus.
Die Bäume, kahl und taub,
Sehen erschrocken aus.

Nur von den fernen Bergen
Kommt das Echo zurück.
Nach einem tiefen Seufzer
Atme ich wieder ruhig.

WARLAM SCHALAMOW[1]

## Überlebensstrategien

Am Ende gab es Gefangene, die überlebten. Sie überstanden selbst die schlimmsten Lager, die härtesten Bedingungen, die Kriegsjahre, den Hunger und die Massenexekutionen. Und nicht nur das. Einige blieben psychisch intakt genug, um nach Hause zurückzukehren, sich zu erholen und danach relativ normal weiterzuleben. Janusz Bardach wurde plastischer Chirurg in Iowa City. Isaak Filschtinski lehrte wieder arabische Literatur. Lew Rasgon schrieb wie zuvor Kinderbücher. Anatoli Schigulin verfasste wieder Gedichte. Jewgenia Ginsburg zog nach Moskau und war jahrelang der Mittelpunkt eines Kreises von Überlebenden, die sich regelmäßig an ihrem Küchentisch trafen, um miteinander zu essen, zu trinken und zu streiten.

Ada Purischinskaja, die als Jugendliche ins Lager kam, heiratete schließlich und hatte vier Kinder, von denen mehrere hervorragende Musiker wurden. Zwei lernte ich bei einem fröhlichen, üppigen Familienessen kennen. Purischinskaja trug Teller für Teller ihre leckeren Gerichte auf und schien enttäuscht zu sein, als ich irgendwann nichts mehr essen konnte.

Einige leisteten später Außergewöhnliches. Alexander Solschenizyn ist einer der bekanntesten und meist gelesenen russischen Schriftsteller in der Welt geworden. General Gorbatow war an führender Stelle am Sturm der Roten Armee auf Berlin beteiligt. Nach seiner Haft an der Kolyma und der Arbeit in einer Scharaschka während des Krieges wurde Sergej Koroljow zum Vater der sowjetischen Raumfahrt. Gustaw Herling-Grudzinski kämpfte in der polnischen Armee. Obwohl er später nach Neapel ins Exil ging, ist er heute einer der be-

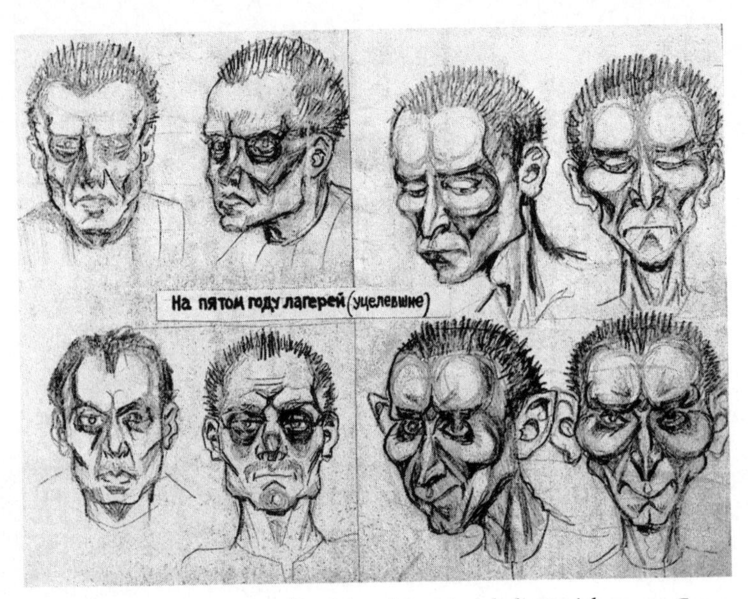


»Im fünften Lagerjahr (Überlebende)«: wie sich die Gesichter von Gefangenen mit der Zeit veränderten, Zeichnung von Alexej Merekow, ohne Ort und Datum.

liebtesten Schriftsteller im postkommunistischen Polen. Mit der Fähigkeit, neu anzufangen, waren diese Männer und Frauen keine Einzelfälle. Isaac Vogelfanger, der selbst Professor für Chirurgie an der Universität von Ottawa wurde, schreibt: »Wunden heilen, und du wirst wieder ganz – ein bisschen stärker und humaner als zuvor ...«[2]

Aber nicht alle Geschichten von Überlebenden nahmen ein so gutes Ende. In Memoiren ist darüber wenig zu finden. Menschen, die nicht überlebten, hatten ohnehin keine Chance, Erinnerungen zu schreiben. Wer geistig oder körperlich geschädigt aus dem Lager kam, griff wohl kaum zur Feder. Dasselbe gilt für diejenigen, die überlebt hatten, weil sie Dinge taten, für die sie sich später schämten. Und wenn sie schrieben, dann bestimmt nicht die ganze Geschichte. Es gibt nur einige ganz wenige Erinnerungen von Informanten oder von Menschen, die bekennen, Informanten gewesen zu sein. Noch weniger Überlebende geben zu, anderen Häftlingen geschadet oder sie gar getötet zu haben, um selbst zu überleben.

Das Thema, wer überlebte und warum, muss daher sehr vorsichtig behandelt werden. Man kann sich dabei nicht auf Archivdokumente stützen, und es gibt keinerlei wirkliche »Beweise«. Wir müssen denen glauben, die bereit sind, ihre Erlebnisse niederzuschreiben oder einem Gesprächspartner anzuvertrauen. Jeder kann dabei Gründe haben, bestimmte Aspekte seiner Biografie für sich zu behalten.

Und dennoch ist es möglich, aus mehreren hundert schriftlichen Erinnerungen, die veröffentlicht oder Archiven übergeben wurden, bestimmte Verhaltensmuster herauszuschälen. Denn es gab Überlebensstrategien, die alle kannten, wenn sie auch je nach den Umständen stark variierten. In einer Arbeitskolonie in Westrussland Mitte der dreißiger oder selbst Ende der vierziger Jahre zu überleben, wo man in der Regel in einer Fabrik arbeitete und, zwar nicht üppig, aber doch regelmäßig verpflegt wurde, erforderte wahrscheinlich keine besondere Anpassungsfähigkeit. Um eines der Lager im Hohen Norden – an der Kolyma, in Workuta oder Norilsk – in den Hungerjahren zu überstehen, war dagegen ein enormes Maß an Talent und Willenskraft oder auch die ausgeprägte Fähigkeit, Böses zu tun, vonnöten, Eigenschaften, die der jeweilige Gefangene in Freiheit vielleicht nie an sich entdeckt hätte.

Zweifellos überlebten viele, weil sie es verstanden, sich über die anderen zu erheben, sich von der Masse der hungernden *Seks* abzuheben. Dutzende Redensarten und Sprichwörter, die in den Lagern entstanden, zeigen die moralische Wirkung dieses Wettkampfes auf Leben und Tod: »Du kannst heute sterben, ich dafür erst morgen«, lautete eines.

Viele frühere *Seks* schildern den Überlebenskampf als grausam, manche sprechen von einer Darwinschen Auswahl. »Das Lager war eine große Probe der moralischen Kräfte des Menschen, der gewöhnlichen Moral, und 99 Prozent der Menschen bestanden diese schwierige Prüfung nicht«, notierte Schalamow.[3] »Nach kaum drei Wochen waren die meisten Gefangenen gebrochene Menschen, die nur noch ans Essen dachten. Sie verhielten sich wie Tiere, misstrauten jedem und sahen in dem Freund von gestern einen Konkurrenten im Kampf ums Überleben«, schrieb Edward Buca.[4] Galina Uschakowa schildert, wie sie im Lager Veränderungen an ihrer eigenen Persönlichkeit feststellte: »Ich war ein gut erzogenes Kind aus einer Intellektuellenfamilie, das sich stets ordentlich benahm. Aber mit solchen Eigenschaften konnte man nicht überleben. Man musste hart werden, lügen lernen und auf jede erdenkliche Art heucheln können.«[5]

Gustaw Herling-Grudzinski entwickelt diesen Gedanken weiter und beschreibt, wie der neue Gefangene es allmählich lernte, »ohne Mitleid« zu leben:

> »Anfangs wird er sein Brot mit den halbverhungerten Kameraden teilen, einen Nachtblinden auf dem abendlichen Heimweg führen, um Hilfe rufen, wenn sein Nachbar bei der Waldarbeit sich zwei Finger abgehackt hat, heimlich Suppe und Heringsköpfe in die ›Leichenhalle‹ schleppen. Aber schon nach einigen Wochen wird ihm klar, dass seine Motive weder rein noch ohne Berechnung sind, dass er den egoistischen Befehlen seines Verstandes folgt und nur darauf bedacht ist, sich selbst zu retten, und erst in zweiter Linie die anderen. Das Lager mit seinen eigenen Gesetzen und dem System, die Gefangenen knapp unter der unteren Grenze des Menschseins vegetieren zu lassen, macht es ihm leicht, zu diesem Schluss zu kommen. Wie hätte er damals im Gefängnis glauben können, dass es möglich sei, einen Menschen so zu erniedrigen, dass er in seinen Gefährten nicht Mitleid, sondern Widerwillen und Ekel erweckt? Wie kann er den Nachtblinden helfen, wenn er sieht, dass man sie jeden Tag mit Gewehrkolben schlägt, weil sie die Rückkehr ins Lager verzögern, und die zur Küche eilenden Gefangenen sie unwirsch zur Seite stoßen, weil sie ihnen im Wege stehen? Wie kann er die ›Leichenhalle‹ besuchen und die Dunkelheit und den Gestank der Exkremente dort ertragen, wie sein Brot mit einem hungrigen Irren teilen, der ihn am nächsten Tag mit einem gierig fordernden Blick anstarrt? ... Recht hatte also sein Untersuchungsrichter, als er sagte, dass der eiserne Besen der Sowjetjustiz nur den Abfall in die Lager kehrt ...«[6]

In den sowjetischen Lagern übernahmen die Kriminellen bereitwillig die unmenschliche Rhetorik des NKWD, beschimpften politische Gefangene und »Feinde« und ließen die Sterbenden ihre Verachtung spüren. In der ungewöhnlichen Lage, der einzige Politische in einem Lagpunkt mit lauter Kriminellen zu sein, musste Karol Colonna-Czosnowski erfahren, wie die Verbrecherwelt seinesgleichen sah: »Von denen gibt es einfach zu viele. Sie sind schwach, sie sind schmutzig und wollen immer nur essen. Sie produzieren nichts. Warum die Behörden mit ihnen so viel Federlesen machen, weiß Gott allein ...« Einer der Kriminellen, schreibt Colonna-Czosnowski, erzählte ihm, wie er in einem Transitlager auf einen Wissenschaftler, einen Universitätsprofessor aus dem Westen, stieß. »Er war gerade dabei, stell' dir das vor, die halb vergammelte Schwanzflosse von einem Dorsch zu verschlingen. Dem hab ich's vielleicht gegeben, kann ich dir sagen. Ich hab ihn gefragt, ob er überhaupt weiß, was er da macht. Er hat nur gesagt, er ist hungrig ... Da hab ich ihm eins ins Genick gegeben, dass er sofort alles wieder ausgekotzt hat. Mir wird jetzt noch schlecht, wenn ich daran denke. Außerdem hab ich ihn den Posten gemeldet, aber der dreckige Alte war am nächsten Morgen schon tot. Geschieht ihm recht!«[7]

Andere Gefangene, die bei solchen Szenen zusahen, lernten schnell und taten es den Kriminellen bald nach, wie Warlam Schalamow schreibt:

> »Der junge Bauer, der zum Gefangenen wird, sieht bald, dass in dieser Hölle nur die Kriminellen einigermaßen gut leben, dass sie respektiert werden, dass die allmächtige Lagerleitung Angst vor ihnen hat. Die Verbrecher haben immer anzuziehen und zu essen; sie unterstützen sich gegenseitig ... Allmählich dämmert ihm, dass sie wissen, wie es im Lager zuzugehen hat, dass er nur dann am Leben bleiben kann, wenn er es macht wie sie ... Der intellektuelle Häftling wird vom Lager vernichtet. Alles, woran er geglaubt hat, wird hier in den Schmutz getreten. Zivilisation und Kultur fallen binnen Wochen von ihm ab. Das einzige Argument ist die Faust oder der Knüppel. Wenn ein Gefangener etwas tun soll, bekommt er einen Stoß mit dem Gewehrkolben oder eins in die Zähne.«[8]

Und doch wäre es falsch zu behaupten, in den Lagern hätte es überhaupt keine Moral gegeben, Freundlichkeit oder Großzügigkeit wären unmöglich gewesen. Die meisten Erinnerungen zeugen davon, dass der Gulag keine Welt in Schwarz und Weiß war, wo die Trennlinie klar zwischen Herren und Sklaven verlief und man nur durch Grausamkeit überleben konnte. Gefangene, freie Angestellte und Wachpersonal gehörten zu einem komplizierten sozialen Netz, das sich zudem ständig in Bewegung befand. Häftlinge konnten in der Hierarchie auf- und wieder absteigen, was häufig geschah. Sie konnten ihr Schicksal durch Kollaboration oder Widerstand ändern, ebenso durch geschickte Manöver, Kontakte und Beziehungen. Glück und Pech spielten in einer Lagerkarriere eine wichtige Rolle. Wenn sie von langer Dauer war, bestand sie ganz sicher aus »glücklicheren« Zeiten, da der Gefangene einen erträglichen Job hatte, gut zu essen bekam und wenig arbeiten musste, und schlimmen Perioden, da er in die Unterwelt des Hospitals, des Leichenhauses oder in die Gesellschaft der Sterbenden absank, die im Müll nach Essbarem suchten.

Die Überlebensstrategien waren Bestandteil des Systems. Eine Lagerführung legte es in der Regel nicht darauf an, die Gefangenen zu töten. Sie versuchte nur unerreichbar hohe Normen zu erfüllen, die die zentralen Planer in Moskau ihr stellten. Daher war sie durchaus gewillt, Häftlinge zu belohnen, die dazu etwas beitragen konnten. Jene nutzten das natürlich aus. Dabei verfolgten beide Gruppen ganz unterschiedliche Ziele: Den einen ging es darum, dass mehr Gold geschürft und mehr Bäume gefällt wurden, die anderen dagegen wollten einfach nur überleben. Zuweilen fanden sie aber gemeinsam Mittel, um beiden Zwecken zu dienen. Einige Überlebensstrategien, die Häftlingen und Aufsehern Vorteile brachten, sollen hier dargestellt werden.

## *Tufta:* Arbeit zum Schein

Wenn man die *Tufta* – sinngemäße Übersetzung: »seinen Chef über's Ohr hauen« – exakt beschreiben will, dann ist das gar nicht so einfach. Zum einen, weil diese Praxis im sowjetischen System so weit verbreitet war, dass sie nicht nur als typisch für den Gulag gelten kann.[9] Zum anderen war sie nicht auf die UdSSR beschränkt. Das

Sprichwort: »Sie tun so, als ob sie uns bezahlen, und wir tun so, als ob wir arbeiten«, war in vielen Warschauer-Pakt-Staaten geläufig.

Die *Tufta* durchdrang im Grunde jeden Aspekt der Arbeit im Lager – von der Zuteilung über die Organisation bis zur Abrechnung – und erfasste alle Glieder des Lagersystems, von den Bossen in Moskau über die Wachmannschaften bis zum letzten Häftling.

Seit über dieses Thema geredet wird, wird auch darüber gestritten, wie schwer die Gefangenen arbeiteten und wie viel Energie sie dafür aufwandten, Arbeit zu vermeiden. Angestoßen durch Solschenizyns Buch *Ein Tag im Leben des Iwan Denissowitsch* 1962 flammt die Debatte über die Arbeitsmoral in den Lagern zwischen Überlebenden, Polemikern und Historikern immer wieder auf, und sie können sich nicht einigen. Denn Solschenizyns bahnbrechender Roman ist zu einem großen Teil den Bemühungen seines Helden gewidmet, der Arbeit aus dem Weg zu gehen. Im Laufe des geschilderten Tages sucht Iwan Denissowitsch den Arzt auf, weil er hofft, krankgeschrieben zu werden. Er träumt davon, wie es wäre, einige Wochen lang krank zu sein, schaut auf das Lagerthermometer, ob es nicht zu kalt ist, um zur Arbeit zu gehen. Er bewundert Brigadiere, die nach dem Grundsatz handeln: »Wenn eine Arbeit nicht fertig geworden ist, dreh's hin, dass es so aussieht als ob.« Er ist erleichtert, als sein Brigadier »eine gute Arbeitsleistung herausholt«. Er stiehlt am Arbeitsplatz Späne, um in der Baracke Feuer anzuzünden, und lässt beim Essen eine Extraportion Brei mitgehen. Der Mensch ist kein Gaul, denkt Iwan Denissowitsch. Er sollte sich nicht selbst zu Tode arbeiten.[10]

Diejenigen, die an das Sowjetsystem glaubten, für die also »Arbeit« in den Lagern etwas Wertvolles und Notwendiges war, empfanden Iwan Denissowitschs »Faulheit« als Beleidigung. In vielen »alternativen«, das heißt eher prosowjetischen Berichten über das Lagerleben, die in der offiziellen sowjetischen Presse nach *Iwan Denissowitsch* erschienen sind, stellte man besonders den Arbeitseifer derer heraus, die trotz der ungerechten Haftstrafe treue Anhänger des Systems blieben. Der sowjetische Schriftsteller (und lebenslange Informant) Boris Djakow erzählt die Geschichte eines Ingenieurs, der auf einer Gulag-Baustelle bei Perm arbeitete. Die Aufgabe schlug ihn so in ihren Bann, dass er manchmal darüber glatt vergaß, dass er im Lager saß: »Eine Zeitlang genoss ich die Arbeit so sehr, dass ich nicht mehr daran dachte, was aus mir geworden war.« Er schickte sogar heimlich einen Brief an eine Lokalzeitung, in der er die schlechte Organisation von Transport und Versorgung im Lager kritisierte. Zwar wurde er von seinem Kommandanten dafür verwarnt, denn es war unerhört, dass der Name eines Gefangenen in der Zeitung erschien, aber in Djakows Geschichte war der Ingenieur froh, dass sich »nach dem Artikel einiges änderte«.[11]

Angehörige von Lagerführungen erregten sich noch mehr. So sagte mir eine ehemalige Lagerangestellte, die anonym bleiben wollte, sehr ärgerlich, alle Geschichten, dass es den Insassen der Lager so schlecht gegangen sei, wären einfach nicht wahr: Wer gut arbeitete, lebte sehr gut, viel besser als der Durchschnitt. Er konnte sogar *Kondensmilch* (Hervorhebung von mir, A. A.) kaufen, was unter normalen Umständen nicht möglich gewesen sei. »Nur wer die Arbeit verweigerte, lebte schlecht«, erklärte sie mir.[12] Solche Ansichten waren öffentlich kaum zu hören. Aber es gab auch Ausnahmen. Anna Sacharowa, die Ehefrau eines NKWD-Offiziers, deren Brief an die Zeitung »Iswestija« in den sechziger Jahren in der russischen Untergrundpresse zirkulierte, griff Solschenizyn scharf an. *Ein Tag im Leben des Iwan Denissowitsch* habe sie »tief ins Herz getroffen«, schrieb Sacharowa:

> »Wir können sehen, warum der Held dieser Geschichte, der so eine Haltung zum Sowjetvolk hat, nur auf die Krankenstation hofft, um sich irgendwie davor zu drücken, die Schuld, die er vor seinem Vaterland auf sich geladen hat, durch Arbeit zu tilgen ... Warum eigentlich sollte jemand körperliche Arbeit scheuen und verachten? Für uns ist Arbeit die Grundlage des Sowjetsystems. Nur in der Arbeit erkennt der Mensch, wozu er wirklich fähig ist.«[13]

Weniger ideologisch gefärbte Einwände kamen auch von gewöhnlichen *Seks.* W. K. Jasny, der zu Beginn der Vierziger fünf Jahre lang im Lager saß, schreibt in seinen Memoiren: »Wir haben versucht, ehrlich zu arbeiten. Und das nicht, weil wir Angst hatten, unsere Ration zu verlieren oder in die Strafzelle zu kommen ... Die schwere Arbeit, die wir in unserer Brigade verrichten mussten, half uns, zu vergessen, die trüben Gedanken zu vertreiben.«[14]

Gefangene, die ihr Leben lang voller Elan für das Sowjetregime gearbeitet hatten, konnten davon auch im Lager nicht so ohne weiteres lassen. Alexander Borin, ein politischer Häftling und Flugzeugingenieur, wurde im Gulag einer Maschinenfabrik zugeteilt. In seinen Memoiren beschreibt er stolz die technischen Neuerungen, die er dort – meist in seiner Freizeit – entwickelte.[15] Alla Schister, die Ende der dreißiger Jahre aus politischen Gründen verhaftet wurde, sagte mir in einem Gespräch: »Ich habe immer gearbeitet, als sei ich ein freier Mensch. So bin ich nun mal, ich kann nicht schlecht arbeiten. Wenn ein Loch gegraben werden muss, dann grabe ich so lange, bis es fertig ist.« Nach zwei Jahren schwerer körperlicher Arbeit wurde sie Bigadierin. Das hatte seinen Grund: »Sie haben gesehen, dass ich nicht arbeite wie eine Gefangene, sondern mit vollem Einsatz.«[16]

Natürlich gab es auch solche, die gut arbeiteten, weil sie der materielle Vorteil reizte. Einige Gefangene taten einfach, was man von ihnen erwartete: die Norm übererfüllen, Stoßarbeiter werden, besseres Essen bekommen. Als Wladimir Petrow in einem Lagpunkt an der Kolyma eintraf, stellte er sofort fest, dass die Bewohner des »Stachanow-Zelts«, die besser arbeiteten als die anderen, alles hatten, woran es den Todgeweihten fehlte:

> »Sie waren unvergleichlich sauberer. Selbst unter den schlimmen Bedingungen des Lagerlebens wuschen sie sich jeden Tag das Gesicht. Wenn sie kein Wasser hatten, nahmen sie Schnee. Sie waren auch besser gekleidet … und viel beherrschter. Sie drängten sich nicht um den Ofen, sondern waren auf ihrem Bett mit etwas beschäftigt oder mit anderen in ein Gespräch vertieft. Selbst von außen sah ihr Zelt anders aus.«

Petrow bat, in ihre Brigade aufgenommen zu werden. Immerhin erhielten sie ein Kilogramm Brot pro Tag. Sie nahmen ihn, aber er konnte bei ihrem Arbeitstempo nicht mithalten. Die Brigade schloss ihn wieder aus. Schwächlinge duldete sie nicht.[17] So etwas kam häufig vor, wie Herling-Grudzinski schreibt:

»Für die Norm begeisterten sich nicht allein die Herren, die sie auferlegten, sondern auch aus einem schlichten Lebensinstinkt heraus die Sklaven, die sie zu erfüllen trachteten. In jenen Brigaden, die in Gruppen von drei bis vier Leuten arbeiteten, waren die Gefangenen selber die eifrigsten und erklärtesten Antreiber, denn dort wurde die Norm kollektiv errechnet, indem man die Gesamtarbeitsleistung durch die Zahl der Arbeiter teilte. Jedes Gefühl gegenseitiger Hilfsbereitschaft und Solidarität unter den Gefangenen musste der Jagd nach dem Prozentsatz weichen. Ein unqualifizierter Gefangener, der einer Gruppe guter Arbeiter zugeteilt wurde, konnte nicht erwarten, dass man die geringste Rücksicht auf ihn nahm. Meist zwang man ihn schon nach kurzer Zeit, den Kampf aufzugeben und sich in eine andere Gruppe versetzen zu lassen, in der er dann häufig die schwächeren Kameraden überwachen musste. Dadurch wurde das einzige, scheinbar natürliche Band zwischen Gefangenen – ihre Solidarität den Folterern gegenüber – auf eine unmenschliche, gnadenlose Art zerschnitten.«[18]

In der großen Mehrheit der Erinnerungen ist allerdings davon die Rede, wie man Arbeit umgehen konnte. Das bestätigen in gewisser Weise auch die Archive. Dabei war das Hauptmotiv nicht Faulheit oder der Wunsch, »Abscheu« gegenüber dem Sowjetsystem zum Ausdruck zu bringen. Das Hauptmotiv war das eigene Überleben. Bei schlechter Kleidung, nicht ausreichendem Essen, bei schwerer Arbeit unter extremen Witterungsbedingungen mit defektem Werkzeug wurde vielen klar, dass sie ihr Leben nur retten konnten, wenn sie sich so wenig anstrengten wie möglich. Die unveröffentlichten Memoiren von Sinaida Ussowa, die als Ehefrau eines »Volksfeindes« 1938 verhaftet wurde, zeigen anschaulich, wie eine Gefangene zu dieser Erkenntnis kam. Zunächst brachte man sie nach Temlag. Dort saßen hauptsächlich Frauen wie sie – verheiratet mit führenden Männern aus Partei und Armee, die man erschossen hatte. Da der Lagerchef ein umgänglicher Mensch und das Arbeitsregime erträglich war, wurde in Temlag kräftig angepackt. Die meisten waren »loyale Sowjetbürger«, die noch daran glaubten, dass ihre Verhaftung nur ein gigantischer Irrtum sei. Außerdem meinten sie durch gute Arbeit eine frühere Entlassung erreichen zu können.

Ussowa »dachte beim Wachen und Schlafen nur an ihre Entwürfe, von denen einer sogar in Produktion ging«.

Später verlegte man sie jedoch mit weiteren Leidensgenossinnen in ein anderes Lager, das auch Kriminelle beherbergte. Nun musste sie in einer Möbelfabrik arbeiten. Hier galten viel höhere und strengere Normen, die »unvernünftigen« Aufgaben, die so viele Häftlinge beschrieben haben. Dieses System, so schreibt Ussowa, »machte aus Menschen Sklaven mit einer Sklavenseele«. Nur wer die Norm erfüllte, erhielt die volle Brotration von 700 Gramm. Wer das nicht schaffte oder ganz und gar arbeitsunfähig war, erhielt nur 300 Gramm – zum Leben zu wenig, zum Sterben zu viel.

In diesem Lager unternahmen die Häftlinge alles, um »die Chefs auszutricksen und so wenig wie möglich zu tun«. Die Neuankömmlinge von Temlag mit ihrer Arbeitsmoral wurden behandelt wie Aussätzige. »Aus der Sicht der älteren Insassen waren wir entweder Idioten oder Streikbrecher. Sie hassten uns vom ersten Tag an.«[19] Bald stellten sich die Frauen von Temlag auf die übliche Technik der Arbeitsvermeidung ein. So war das System selbst der Ursprung der *Tufta*, nicht die Gefangenen.

Manche Häftlinge waren dabei besonders erfindungsreich. Eine Polin arbeitete in einer Fischfabrik an der Kolyma, wo man die unmöglichen Normen nur durch Betrug erfüllen konnte. Die Stachanow-Arbeiter waren die »besten Betrüger«: Statt die Gläser randvoll mit Hering zu füllen, taten sie das nur halb, aber »so geschickt, dass der Brigadier nichts merkte«.[20] Beim Bau des Badehauses eines Lagers lernte Waleri Frid einen ähnlichen Trick. Man kaschierte die Risse im Mauerwerk mit Moos, statt mit Beton. Nur ein Gedanke ließ ihn dabei nicht los: »Was, wenn ich selber einmal in dieses Badehaus gehe? Denn das Moos trocknete bald, und dann pfiff der Wind durch alle Ritzen.«[21]

Jewgenia Ginsburg hat beschrieben, wie sie und Galja, ihre erste Partnerin beim Holzfällen, schließlich doch ihre unmögliche Norm schafften. Als sie beobachteten, dass eine ihrer Mitgefangenen wie durch ein Wunder ihre Norm stets erfüllte, obwohl sie »allein mit einem Fuchsschwanz arbeitete«, wollten sie wissen, wie ihr das gelang:

»Als wir Polina mit Fragen in die Enge trieben, erklärte sie uns, wobei sie sich ängstlich umsah, ihre Technik:

›Hier liegt doch überall das aufgestapelte Holz, die alten Stapel, die von unseren Vorgängern aufgeschichtet wurden. Kein Mensch hat sie gezählt, niemand weiß, wie viele es sind.‹

›Na und? Man sieht doch auf den ersten Blick, dass das kein frisch gefälltes Holz ist.‹

›Was ist denn eigentlich der Unterschied? Doch nur, dass die Schnittflächen nachgedunkelt sind. Man braucht nur von jedem Stamm eine dünne Scheibe abzusägen und hat den allerfrischesten Schnitt. Dann braucht man den Stapel nur noch umzuschichten, und das Soll ist erfüllt.‹

Dieses Verfahren nannten wir später ›garnieren‹. Wir atmeten auf … Der Wahrheit zuliebe muss ich hinzufügen, dass wir keine Gewissensbisse hatten.«[22]

Häufig wurde die *Tufta* auf Brigadeebene organisiert, denn die Brigadiere waren in der Lage zu verschleiern, wie viel der Einzelne gearbeitet hatte. Ein ehemaliger *Sek* beschreibt, wie sein Brigadier es so arrangierte, dass er sechzig Prozent Normerfüllung angeben konnte, während er in Wirklichkeit kaum in der Lage war, auch nur eine Hand zu rühren.[23] Andere Brigadiere waren durch Bestechung zu solchen Angaben zu bewegen. Juri Sorin, der selbst Brigadier war, gibt das offen, wenn auch vornehm formuliert, zu: »Im Lager herrschten Gesetze, die einer, der nicht innerhalb der Zone gelebt hat, kaum verstehen kann«.[24] Leonid Trus erinnert sich, dass seine Brigadiere in Norilsk eigenmächtig »entschieden, welche ihrer Arbeiter besseres Essen und bessere Bezahlung als andere verdienten«, ganz gleich, welche Leistung sie tatsächlich brachten. Bestechung und Clanzugehörigkeit bestimmten das »Ergebnis« des einzelnen Gefangenen.

Aus Sicht der *Seks* war derjenige Brigadier der beste, der es verstand, *Tufta* in großem Stil zu organisieren. Lew Finkelstein, der Ende der vierziger Jahre in einem Steinbruch im Nordural arbeitete, geriet in eine Brigade, deren Chef ein ausgeklügeltes Mogelsystem anwandte. Die Wachposten hielten sich den ganzen Tag oben am Rande des Steinbruchs auf und saßen am Lagerfeuer, um sich zu wärmen. Brigadier Iwans System funktionierte so:

»Wir wussten genau, welcher Teil unten im Steinbruch von oben einsehbar war. Darauf beruhte der Schwindel ... In dem sichtbaren Teil arbeiteten wir aus Leibeskräften am Stein. Dabei veranstalteten wir einen Heidenlärm, so dass die Posten sehen und hören konnten, wie wir schufteten. Nach einer Weile ging Iwan die Reihe entlang ... und kommandierte: ›Einen Schritt nach links!‹ Die ganze Reihe rückte einen Mann nach links. Die Posten merkten nichts. Links war der nicht einsehbare Bereich, den wir mit einem Kreidestrich auf dem Boden markiert hatten. Wer dort angekommen war, setzte sich entspannt nieder, nahm seine Hacke und klopfte locker auf den Stein am Boden, damit das Geräusch nicht nachließ. Der Nächste kam zum Ausruhen und immer so weiter. Schließlich befahl Iwan dem Ersten: ›Du – nach rechts!‹ Und der Mann rückte nach rechts und schloss sich der Reihe der Arbeitenden wieder an. Keiner von uns leistete je mehr als eine halbe Schicht.«[25]

Später musste Leonid Trus Güterwagen ausladen: »Wir schrieben einfach eine größere Entfernung an, über die wir die Lasten angeblich transportiert hatten – zum Beispiel 300 Meter statt 10.« Dafür erhielten sie eine höhere Verpflegungsration. »Die *Tufta* gab es überall«, erklärte er im Hinblick auf Norilsk. »Ohne sie wäre gar nichts gegangen.«

Selbst auf der höheren Verwaltungsebene – etwa zwischen Brigadieren und Normern – gab es vorsichtige Verhandlungen im Sinne der *Tufta*. Denn Letztere waren wie die Brigadiere für Bestechung nicht unempfänglich. Ende der dreißiger Jahre wurde Olga Adamowa-Sljosberg an der Kolyma zur Brigadierin einer Frauenbrigade ernannt, die Gräben auszuheben hatte. Ihre Gruppe bestand zum großen Teil aus politischen Häftlingen, die von langer Gefängnishaft geschwächt waren. Als sie drei Tage lang nur drei Prozent der Norm schafften, ging sie zum Normer und bat um eine leichtere Aufgabe. Dessen Gesicht lief allerdings dunkelrot an, als er hörte, dass ihre schwache Brigade fast ausschließlich aus ehemaligen Parteimitgliedern bestand:

»So, Parteimitglieder seid ihr also? Wenn ihr Prostituierte wärt, würde ich euch mit Vergnügen Fenster putzen lassen, wo man die dreifache Norm schafft. Als Parteimitglieder 1929 beschlossen, mich als *Kulaken* zu bestrafen, und mich samt meinen sechs Kindern aus unserem Haus jagten, da habe ich zu ihnen gesagt: ›Was haben euch denn die Kinder getan?‹ Und was haben die mir geantwortet? ›So sind die sowjetischen Gesetze.‹ Nun haltet ihr euch auch an eure sowjetischen Gesetze, und bewegt gefälligst neun Kubikmeter Schlamm am Tag!«[26]

Die Normer wussten natürlich, dass sie die Arbeitskräfte zu gewissen Zeiten schonen mussten – wenn das Lager beispielsweise wegen seiner hohen Sterberate in die Kritik geriet oder wenn es im Hohen Norden lag, wo man nur einmal in der Saison mit Verstärkung rechnen konnte. Unter solchen Umständen senkten sie zuweilen die Norm etwas ab oder übersahen, dass die Aufgaben nur unzureichend erfüllt wurden. Diese Praxis war in den Lagern als »Normdehnung« bekannt und allgegenwärtig.[27]

Bestechung funktionierte auch in den obersten Rängen der Hierarchie, manchmal unter Zuhilfenahme ganzer Ketten von Mittelsleuten. Alexander Klein war Ende der vierziger Jahre im Lager, als man die *Seks* mit einem kleinen Lohn zu höherer Leistung anstacheln wollte:

»Wenn der Arbeiter sein Geld erhalten hatte, was nicht viel war, bekam der Brigadier seinen Teil ab. Das galt für alle, denn dieser musste damit den Vorarbeiter und den Normer bestechen, die entschieden, wie die Brigade ihre Norm erfüllt hatte.«

Im Durchschnitt, schreibt Klein, musste er die Hälfte seines »Lohnes« hergeben. Wer das nicht tat, hatte mit schweren Folgen zu rechnen. Ihm wurde umgehend eine niedrigere Normerfüllung angeschrieben, was hieß, er bekam weniger zu essen. Noch schlechter erging es Brigadieren, die nicht zahlen wollten. Einer, so schreibt Klein, wurde in seinem Bett ermordet. Sie schlugen ihm mit einem Stein den Schädel ein, ohne dass die, die neben ihm schliefen, etwas merkten.[28]

Die *Tufta* beeinflusste die Lagerstatistik auf allen Ebenen. In der

Inspektionsabteilung des Gulags liegen Dutzende Berichte, aus denen hervorgeht, dass Lagerkommandanten und Buchhalter häufig die Zahlen frisierten, wenn es für sie von Vorteil war. 1941 richteten der Kommandant und der Hauptbuchhalter eines Lagpunktes »unter Ausnutzung ihrer Stellung« sogar ein falsches Bankkonto ein, wohin sie Gelder von den Konten des Lagers abzweigten. Der Kommandant unterschlug 25 000 Rubel, der Buchhalter 18 000 – nach damaligen sowjetischen Vorstellungen ein Vermögen.

Wer Geld unterschlug, hatte auch keine moralischen Skrupel, die Statistik zu fälschen. Wenn die *Tufta* bereits auf der Brigadeebene einsetzte und sich auf der Ebene des Lagpunktes summierte, dann waren die Zahlen der Produktionsstatistik, die der Buchhalter eines großen Lagers zusammenrechnete, schon weit von der Realität entfernt. Sie vermittelten einen sehr irreführenden Eindruck von der wirklichen Produktivität, die in der Regel sehr niedrig war.

Da überall in großem Stil gelogen und betrogen wurde, kann man mit Produktionszahlen des Gulags wenig anfangen. Daher betrachte ich die sorgfältig und in allen Einzelheiten ausgearbeiteten Jahresberichte des Gulags mit großer Skepsis. Nehmen wir zum Beispiel den vom März 1940. Auf 124 Seiten sind in diesem erstaunlichen Dokument Produktionszahlen für Dutzende Lager aufgelistet. Sie sind sorgfältig in Kategorien eingeteilt: Lager in der Forstwirtschaft, bei Fabriken, Bergwerken und Kolchosen. Dem Bericht sind Grafiken und Zahlenkolonnen verschiedenster Art beigefügt. Als Endergebnis verkündet sein Verfasser selbstbewusst, der Gesamtwert der Gulag-Produktion im Jahr 1940 habe 2659,5 Millionen Rubel betragen – angesichts der geschilderten Umstände eine völlig bedeutungslose Zahl.[29]

## Die »Vertrauenspersonen«: Kooperation und Kollaboration

Die *Tufta* war nicht die einzige Methode, mit der die Gefangenen die Lücke zwischen den unmöglichen Normen, die man von ihnen erwartete, und den unmöglichen Rationen, die sie dafür bekamen, zu schließen suchten. Es war auch nicht das einzige Instrument, mit dem die Behörden eine Erfüllung ihrer eigenen fantastischen Produktionsziele vortäuschten. Gefangene konnte man auch auf anderen Wegen zur Kooperation bewegen. Isaak Filschtinski hat sie in seinen Memoiren brillant und einprägsam beschrieben.

Seine Geschichte beginnt in den ersten Tagen nach seiner Ankunft in Kargopollag, dem Holzfäller- und Baulager nördlich von Archangelsk. Dort begegnete er einer jungen Frau, ein Neuankömmling wie er. Zusammen mit anderen hatte man sie seiner Brigade zeitweilig zugeordnet. Ihre »scheue, furchtsame Art« und ihre zerlumpte Kleidung fielen ihm auf, und er schob sich in der Kolonne näher an sie heran. Ja, antwortete sie auf seine Frage, »ich bin gestern mit einem Transport aus dem Gefängnis hier angekommen«.

Am Einsatzort wurden Frauen und Männer getrennt, aber auf dem Rückmarsch schloss sich die junge Frau, sie war Schauspielerin, Filschtinski wieder an. In den nächsten eineinhalb Wochen machten sie den Marsch stets zusammen. Sie erzählte ihm, dass ihr Mann sie verlassen habe und sie ihr Kind wohl nie wiedersehen werde. Schreckliches Heimweh plagte sie. Dann wurden Männer- und Frauenbrigade endgültig getrennt, und Filschtinski verlor sie aus den Augen.

Drei Jahre vergingen. An einem heißen Tag stieß Filschtinski unerwartet wieder auf die Frau. Diesmal trug sie »eine neue Jacke, die perfekt saß«. Statt der zerbeulten Mütze, die Häftlinge gewöhnlich trugen, hatte sie eine schicke Kappe. Ihre Füße steckten nicht in der lagerüblichen Fußbekleidung, sondern in richtigen Schuhen. Sie hatte zugenommen und wirkte etwas vulgär. Als sie den Mund aufmachte, entströmte ihm ein grässlicher Slang, »der davon zeugte, dass sie seit langem stabile Verbindungen zur Verbrecherwelt des Lagers unterhielt«. Filschtinski starrte sie ungläubig an. Sie erschrak tief, wandte sich ab und suchte das Weite, »sie rannte beinahe«.

Er traf sie noch ein drittes und letztes Mal. Nun war sie »nach der letzten Stadtmode« gekleidet, saß an einem Chefschreibtisch und war keine Gefangene mehr. Sie hatte inzwischen Major L. geheiratet, einen Lageraufseher, der für seine Grausamkeit bekannt war. Filschtinskis Auftauchen war ihr nicht mehr peinlich, sie fuhr ihn nur grob an. Die Verwandlung war vollkommen: Von der Gefangenen war sie zu einer Kollaborateurin geworden und von dieser zu den Lagerchefs aufgestiegen. Zuerst hatte sie die Sprache, dann Kleidung und Sitten der Verbrecherwelt angenommen. Von dort war sie schließlich in die privilegierte Schicht der Lagerbehörden gelangt. Filschtinski hatte ihr »eigentlich nichts mehr zu sagen«. Als er den Raum verließ, wandte er sich noch einmal um. Ihre Blicke trafen sich einen Moment. Er meinte in ihren Augen eine Spur von »grenzenloser Trauer« und eine verräterisch glitzernde Träne bemerkt zu haben.[30]

Das beschriebene Schicksal wird Lesern bekannt vorkommen, die sich mit anderen Lagersystemen beschäftigt haben. Der deutsche Soziologe Wolfgang Sofsky schrieb über die nationalsozialistischen KZs, dass »absolute Macht ... kein Besitz [ist], sondern eine Struktur«. Damit meinte er, Macht in den deutschen Lagern habe nicht einfach bedeutet, dass eine Person das Leben anderer kontrollieren konnte. Stattdessen »verwischte das Regime die Trennlinie zwischen Personal und Insassen«, so Sofsky, »indem es einige Opfer zu Komplizen machte«.[31] Zwar herrschte, was Organisation und Wirkung betraf, im Gulag eine andere Art Brutalität, aber in einem Aspekt ähneln sich die beiden Lagersysteme: Auch das Sowjetregime nutzte Gefangene, die sich zur Kollaboration mit dem Unterdrückungssystem bereit fanden, ließ sie aufsteigen und gewährte ihnen Privilegien, wofür diese den Behörden halfen, ihre Macht auszuüben. Nicht zufällig konzentriert sich Filschtinski in seiner Geschichte darauf, dass die Kleidung seiner Bekannten immer besser wurde: In den Lagern, wo es ständig an allem fehlte, konnten schon geringe Verbesserungen bei Kleidung, Essen oder Lebensbedingungen einen Gefangenen dazu bewegen, sich kooperativ zu zeigen und nach Aufstieg zu streben. Das waren die so genannten Vertrauenspersonen. Ihr Leben im Lager verbesserte sich schlagartig auf mannigfache Weise.

Solschenizyn hat die Hierarchie der Vertrauenspersonen ausführlich beschrieben.

> »Ein Arbeiter des lagerinternen Wirtschaftshofes hat es an sich schon um vieles leichter als jeder Arbeiter von den *Allgemeinen*: Er braucht nicht zum Morgenappell zu erscheinen, kann darum länger schla-

fen und später frühstücken; er erspart sich den Marsch zum Arbeitsplatz und zurück, erspart sich also die Wachhunde und Wachsoldaten, die Schikanen, die Kälte, den Kräfteverlust noch vor Arbeitsbeginn; sein Arbeitstag endet auch früher, überdies ist er meistens in geheizten Räumen tätig, und wenn nicht, kann er ab und zu mal in die Wärmestube schlüpfen … Ein ›Schneider‹, das bedeutet im Lager etwa dasselbe wie draußen in der Freiheit ein ›Dozent‹.«[32]

Die untersten Ränge in der Hierarchie der Vertrauensleute auf dem Lagergelände mussten körperlich arbeiten – im Badehaus, in der Wäscherei, in der Küche, als Heizer oder Ordonnanzen. Andere waren in den Werkstätten des Lagers tätig, besserten Kleidung und Schuhe aus oder reparierten Maschinen. Über ihnen standen die eigentlichen »Vertrauensleute«, denen man keine körperliche Arbeit zumutete. Das waren Küchenchefs, Essenausgeber, Verwaltungsangestellte, Ärzte, Kinderbetreuerinnen, Arzthelfer, Friseure, höhere Bedienstete, Arbeitsverteiler und Buchhalter, diejenigen also, die die Befugnis hatten zu entscheiden, wem welche Arbeit zugeteilt wurde, wer wie viel Essen erhielt, wer medizinisch behandelt werden durfte.

Im Prinzip konnte jeder Gefangene zur Vertrauensperson aufsteigen und auch wieder zum Gefangenen degradiert werden. Aber in der Praxis vollzog sich dies nach komplizierten Regeln, die von Lager zu Lager, von Region zu Region variierten. Gewisse Grundsätze haben aber offenbar überall gegolten, vor allem der, dass man leichter Vertrauensperson werden konnte, wenn man ein »sozial nahe stehender« krimineller und kein »sozial gefährlicher« politischer Häftling war. Kriminelle, die auch vor dem Einsatz brutaler Gewalt nicht zurückschreckten, waren geradezu ideale Vertrauenspersonen. Das traf insbesondere Ende der dreißiger Jahre und während der Kriegszeit zu, als die kriminellen Banden in den sowjetischen Lagern herrschten. Doch auch danach – Filschtinski schreibt über die Zeit Ende der vierziger Jahre – war die »Kultur« der Vertrauensleute von der der Berufsverbrecher kaum zu unterscheiden.

Kriminelle in dieser Funktion stellten für die Lagerführungen dennoch ein Problem dar. Sie waren zwar keine »Feinde«, hatten aber auch keinerlei Bildung. Viele konnten kaum lesen und schreiben. In der Regel waren sie nicht bereit, es zu lernen. Als in den Lagern Alphabetisierungskurse eingerichtet wurden, hielten sich die Kriminellen meist von ihnen fern.[33] So hatten die Lagerchefs, wie Lew Rasgon schreibt, oft keine andere Wahl, als auf Politische zurückzugreifen: »Vom Plan ging ein solcher Druck aus, dass es kein Ausweichen gab. Daher blieb auch den schärfsten Lagerkommandanten, die die ›Konterrevolutionäre‹ unter den Häftlingen am meisten hassten, gar nichts anderes übrig, als sie einzusetzen.«[34]

Nach 1939, als Beria an Jeschows Stelle trat und erneut den Versuch unternahm, den Gulag rentabel zu machen, wurden die Vorschriften immer weiter aufgeweicht. Zwar erließ Beria im August 1939 eine Weisung, die es den Lagerkommandanten ausdrücklich verbot, politische Gefangene auf Vertrauensposten zu setzen, doch ließ sie zugleich Schlupflöcher offen. So durften qualifizierte Ärzte unter besonderen Umständen in ihrem Beruf arbeiten, ebenso Gefangene, die nach einem der »leichteren« Absätze von Artikel 58 verurteilt waren – also nach Absatz 7, 10, 12 oder 14, das heißt wegen »antisowjetischer Agitation« (beispielsweise dem Erzählen regimefeindlicher Witze) oder »antisowjetischer Propaganda«. Wer allerdings wegen »Terrorismus« oder »Vaterlandsverrat« verurteilt worden war, konnte theoretisch der schweren körperlichen Arbeit nicht entkommen.[35] Aber als der Krieg ausbrach, war es auch damit vorbei. Stalin und Molotow gaben ein besonderes Rundschreiben heraus, das es Dalstroi gestattete, »in dieser Ausnahmesituation für eine bestimmte Zeit Einzelverträge mit Ingenieuren, Technikern und Verwaltungsangestellten abzuschließen, die zur Arbeit an die Kolyma geschickt worden sind«.[36]

Lagerleitungen, die zu viele Politische auf hochrangigen Posten hatten, riskierten einen Verweis, weshalb ein gewisser Grad an Unsicherheit immer blieb. Daher stimmen Solschenizyn und Rasgon darin überein, dass politische Häftlinge »gute« Bürojobs wie Rechnungsführung und Buchhaltung erhalten konnten, aber meist nur für eine bestimmte Zeit. Einmal im Jahr, wenn die Inspektoren aus Moskau erwartet wurden, entließ man sie regelmäßig wieder.

In der Praxis erwiesen sich die Bestimmungen oft als unsinnig.

Als politischer Häftling in Kargopollag war es Filschtinski streng verboten, an einem Lehrgang in Forsttechnologie teilzunehmen. Aber er durfte die Lehrbücher lesen. Und als er nach dem Selbststudium die Prüfung bestand, ließ man ihn auch als Forstfachmann arbeiten.[37] Als in der Nachkriegszeit die starken nationalen Gruppen im Lager an Einfluss gewannen, wurde das Regime der Kriminellen häufig von dem der besser organisierten Ukrainer und Balten abgelöst. Ihre Vorarbeiter und Aufseher wiederum verteilten wichtige Posten auch an politische Gefangene aus dem Kreis ihrer Landsleute.

Allerdings oblag es nie allein den Häftlingen, die Posten von Vertrauensleuten zu verteilen. Das letzte Wort hatte stets die Lagerleitung. Die meisten Kommandanten neigten dazu, die besseren Posten denen zu geben, die bereit waren, offen zu kollaborieren, das heißt, als Informanten zu fungieren. Schwer zu sagen, wie viele das System im Einsatz hatte. Denn obwohl das russische Staatsarchiv die Bestände der Gulag-Zentrale freigegeben hat, sind die Dokumente der »Dritten Abteilung«, die für die Informanten zuständig war, nach wie vor unter Verschluss. Der russische Historiker Viktor Berdinskich gibt in seinem Buch über Wjatlag einige Zahlen an, ohne die Quelle zu nennen: »In den zwanziger Jahren setzte sich die OGPU-Führung das Ziel, unter den Lagerhäftlingen nicht weniger als 25 Prozent Informanten zu haben. In den dreißiger und vierziger Jahren wurde diese Planzahl auf zehn Prozent gesenkt.« Aber auch Berdinskich räumt ein, dass ohne Zugang zu den Archiven eine reale Einschätzung der Zahlen »kompliziert« ist.[38]

Nicht viele von denen, die schriftliche Erinnerungen hinterlassen haben, geben offen zu, Informanten gewesen zu sein. Häftlinge, die bereits im Gefängnis (oder sogar vor ihrer Verhaftung) Informanten waren, kamen im Lager mit einem entsprechenden Vermerk in ihrer Akte an. Andere wurden sofort nach ihrer Ankunft angesprochen, wenn sie noch vollkommen desorientiert und voller Furcht waren. Leonid Trus wurde bereits am zweiten Tag im Lager zu einem Stellvertreter des Kommandanten gerufen, der unter den Häftlingen nur der *Gevatter*, der Informantenwerber, hieß, und zur Kooperation aufgefordert. Ohne recht zu begreifen, was man da von ihm verlangte, lehnte er ab. Seiner Ansicht nach war das der Grund dafür, dass man ihn zunächst für schwere körperliche Arbeiten einsetzte.

Die berühmteste Ausnahme unter den vielen, die ihre Informantentätigkeit vehement bestreiten, ist wiederum Alexander Solschenizyn, der seinen Flirt mit den Lagerbehörden ausführlich beschreibt. Den ersten Augenblick der Schwäche hatte er nach der Ankunft im Lager, da er seinen tiefen sozialen Absturz noch verwinden musste. Als er zum stellvertretenden Kommandanten gerufen wurde, führte man ihn in »ein kleines, behaglich eingerichtetes Zimmer«, wo im Radio klassische Musik spielte. Der Kommandant erkundigte sich zunächst höflich, wie er sich eingerichtet habe und ob er mit dem Lagerleben zurechtkomme. Dann folgte die Frage: »Sind Sie nun ein Sowjetmensch geblieben – oder nicht?« Solschenizyn druckste ein wenig herum, antwortete aber schließlich mit ja.

Obwohl das allgemein als Zustimmung zur Kollaboration galt, weigerte er sich zunächst, Informationen über andere zu liefern. Da wechselte der Kommandant die Taktik. Er schaltete die Musik ab und fing ein Gespräch über die Kriminellen im Lager an. Wie er, Solschenizyn, sich wohl fühlen würde, wenn seine Frau in Moskau von einem, der ausgebrochen sei, angefallen werde? Schließlich willigte Solschenizyn ein zu melden, wenn ihm etwas von einem Fluchtversuch zu Ohren kommen sollte. Er unterschrieb eine entsprechende Verpflichtung und wählte selbst den Decknamen Wetrow. »Die sechs Buchstaben«, so schreibt er, brannten »schmachvolle Wunden in mein Gedächtnis ein«.[39]

Er selbst ist der Meinung, dass er im Grunde nie etwas berichtet hat. Als man ihn 1956 erneut verpflichten wollte, hat er seiner Aussage nach nichts mehr unterschrieben. Seine ursprüngliche Zusage ermöglichte ihm jedoch eine Vertrauensstellung, solange er in den Lagern war, und das bedeutete eine bessere Unterbringung, bessere Kleidung und bessere Ernährung, als die übrigen Häftlinge bekamen. Dafür habe er sich geschämt, schrieb er später, und dies erklärt wohl auch seine Verachtung für alle, die es ihm gleichtaten.

Als Solschenizyn seine Schilderung der Vertrauensleute veröffentlichte, war sie umstritten und ist es bis heute geblieben. Wie seine Darstellung der Arbeitsgewohnheiten im Lager löste sie unter

Überlebenden und Historikern eine Debatte aus, die bis in unsere Tage anhält. Fast alle bekannten und viel gelesenen Memoirenschreiber waren zu dieser oder jener Zeit Informanten: Jewgenia Ginsburg, Lew Rasgon, Warlam Schalamow und auch Solschenizyn. Vielleicht trifft zu, was manche behaupten, dass die Mehrheit *aller* Gefangenen, die eine lange Lagerhaft überstanden, irgendwann zu Informanten wurde. Ein Überlebender berichtete mir von einem Treffen mit ehemaligen Lagerkameraden. Bald war man bei gemeinsamen Erinnerungen und lachte über die alten Geschichten. Einer schaute in die Runde, und plötzlich ging ihm auf, was sie zusammenhielt, was es möglich machte, dass sie alle über die Vergangenheit lachen konnten, statt darüber zu weinen: »Wir sind alle Vertrauensleute gewesen.«

Kein Zweifel: Viele Menschen haben überlebt, weil sie als Vertrauenswürdige einen Job auf dem Lagergelände erhielten und dadurch dem Schrecken der »allgemeinen Arbeit« entgingen. War das schon aktive Kollaboration mit der Lagerleitung? Solschenizyn sieht das so. Selbst jene Vertrauensleute, die nicht über ihre Mithäftlinge berichteten, müssen seiner Meinung nach als Kollaborateure betrachtet werden. Denn: »Wo fand man einen Vorzugsposten, der nicht mit Katzbuckeln vor dem Nächsthöheren, nicht mit der Teilnahme an dem allgemeinen Zwangssystem verbunden war?«

Auch wer nur indirekt kollaborierte, konnte Schaden anrichten, meint Solschenizyn. Arbeitsnormer, Buchhalter oder Ingenieure haben zwar niemanden gefoltert, aber zu einem System beigetragen, das die Häftlinge zwang, sich zu Tode zu schuften. Sekretärinnen erfüllten Aufträge der Lagerleitung. Jeder Essenausgeber, der ein Brot für sich abzweigte, schreibt Solschenizyn, sorgte dafür, dass ein im Wald schwer arbeitender *Sek* nicht seine volle Ration bekam: »Wer betrügt den Iwan Denissowitsch beim Abwägen um etliche Gramm Brot? Wer stiehlt ihm den Zucker, indem er Wasser darüber träufelt? Wer grapscht das Fett, das Fleisch, die guten Einlagen auf halbem Weg zum Suppenkessel?«[40]

Solschenizyn erntete von vielen heftigen Widerspruch, in besonderer Schärfe von Lew Rasgon, der in den neunziger Jahren in Russland zu einer fast gleichrangigen Autorität in Fragen des Gulags aufstieg. Er hatte im Lager als Normer gearbeitet, also nahezu die höchste Stufe des »Vertrauens« erklommen. Rasgon argumentiert, dass für ihn und für viele andere der Entschluss, Vertrauensperson zu werden, über Leben und Tod entschieden habe. Besonders in den Kriegsjahren »war es unmöglich zu überleben, wenn man Bäume fällen musste«. Das gelang höchstens Bauern, »die wussten, wie man Werkzeuge schärft und gebraucht, die ihre gewohnte Feldarbeit erhielten, wodurch sie an ein paar verfaulte Kartoffeln, Rettiche oder anderes Gemüse zusätzlich herankamen«.[41]

Rasgon glaubt nicht, dass es unmoralisch war, sich für das Leben zu entscheiden, oder dass solche Menschen »nicht besser waren als die, die sie ins Lager gebracht hatten«. Er bestreitet auch Solschenizyns Ansicht, die Vertrauenspersonen seien käuflich gewesen. Hatten sie sich eine bessere Stellung erkämpft, suchten sie in der Regel anderen Gefangenen zu helfen:

> »Die Iwan Denissowitschs, die in den Wald zum Holzfällen mussten, waren ihnen nicht gleichgültig oder fremd. Sie konnten einfach nicht helfen, wenn einer zu nichts anderem taugte als zu körperlicher Arbeit. Aber selbst darunter fanden sie Leute mit ganz überraschenden Fähigkeiten: Wer Pfeil und Bogen schnitzen oder ein Fass bauen konnte, wurde zu einem Außenposten geschickt, wo Skier hergestellt wurden. Wer etwas vom Körbeflechten verstand, fertigte Korbmöbel – Stühle, Sessel und Sofas – für die Bosse.«[42]

So wie es gute und schlechte Wachposten gab, meint Rasgon, habe es auch gute und schlechte Vertrauensleute gegeben, Menschen, die ihre Position zum Nutzen, und andere, die sie zum Schaden ihrer Mithäftlinge gebrauchten.

## *Santschast:* Krankenhäuser und Ärzte

Einer der vielen absurden Aspekte des Lagerlebens, vielleicht der merkwürdigste, war zugleich der irdischste: der Lagerarzt. Jeder Lagpunkt hatte einen. Wenn es nicht genügend ausgebildete Ärzte gab, dann war im Lagpunkt zumindest ein Feldscher mit oder ohne medizinische Ausbildung tätig. Wie Schutzengel hatten die Mediziner die Macht, Häftlinge aus der Kälte zu holen und in ein sauberes Lagerhospital einzuweisen, wo sie ins Leben zurückgebracht und wieder aufgepäppelt wurden. Alle übrigen – die Wachposten, der Lagerkommandant oder die Brigadiere – trieben die *Seks* ständig an. Allein der Arzt brauchte das nicht zu tun.

Mancher Häftling wurde buchstäblich durch ein Wort des Medizinmannes gerettet. Als Lew Kopelew hohes Fieber hatte, zum Skelett abgemagert war und der Hunger ihn quälte, diagnostizierte eine Ärztin bei ihm Pellagra, Darminfektion und eine schwere Erkältung. »Ich schicke Sie ins Krankenhaus«, erklärte sie. Vom Lagpunkt zum *Santschast,* dem Zentralhospital des Lagers, war es ein schwerer Weg. Kopelew verabschiedete sich von all seinen Habseligkeiten, denn die musste er im Lager zurücklassen, stapfte durch »tiefen, zähen Dreck«, drängte sich mit anderen Kranken und Todgeweihten in einen Viehtransporter. Es war die reine Höllenfahrt. Aber als er in der neuen Umgebung erwachte, fand er sein Leben völlig verändert:

> »In seligem Halbtraum saß ich in einem warmen, weißen Behandlungszimmer auf einer mit sauberen Laken bezogenen Liege ... Der Arzt war ein kleiner rundgesichtiger Mann, dessen grauer Schnurrbart und dicke Brillengläser die Atmosphäre von Freundlichkeit und Fürsorge noch verstärkten. ›Haben Sie in Moskau‹, so fragte er mich, ›eine Literaturkritikerin namens Motyljowa gekannt?‹
> ›Tamara Lasarewna Motyljowa? Natürlich!‹
> ›Das ist meine Nichte.‹
> Onkel Borja, wie er hier nur hieß, schaute auf das Thermometer. ›Hoho, fast 40. Johann, bringen Sie ihn sofort ins Bett. Geben Sie alle Sachen zur Entlausung, und waschen Sie ihn hier, nicht im Bad, damit er sich nicht noch zusätzlich erkältet.‹«

Als Kopelew wieder erwachte, hatte man ihm sechs große Stücke Brot hingestellt: »drei schwarze und drei lange nicht mehr gesehene weiße!« Er verschlang sie gierig und unter Tränen. Noch besser war, dass er eine besondere Diät gegen Pellagra erhielt: Rüben und Möhren, dazu Hefe und Senf als Brotaufstrich. Zum ersten Mal durfte er

Päckchen und Geld von zu Hause empfangen. Dafür konnte er sich Kartoffeln, Milch und *Machorka*, den billigsten Tabak, leisten. Nachdem er sich schon unter den wandelnden Toten gesehen hatte, schien sein Schicksal sich gewendet zu haben.[43]

Solche Erlebnisse hatten viele. »Das Paradies« nannte Jewgenia Ginsburg das Krankenhaus, in dem sie an der Kolyma arbeitete.[44] Auch andere schreiben, mit welcher Ehrfurcht sie saubere Laken, freundliche Schwestern und die Bemühungen der Ärzte erlebten, sie vor dem Tod zu bewahren. Ein Häftling erzählt die Geschichte eines Doktors, der sich selbst auf das Risiko, seine Stelle zu verlieren, ohne Genehmigung aus dem Lager entfernte, um notwendige Medikamente zu besorgen.[45] Der Lagerarzt Wadim Alexandrowitsch erinnert sich, dass »der Doktor und seine Helfer in den Lagern Götter, zumindest aber Halbgötter waren. Sie hatten es in der Hand, einen Häftling für einige Tage von mörderischer Arbeit zu befreien, ja ihn gar ins Sanatorium zu schicken.«[46]

Janos Rozsas, ein Ungar, der nach dem Krieg als Achtzehnjähriger im selben Lager saß wie Alexander Solschenizyn, hat ein Buch mit dem Titel *Schwester Dussja* geschrieben. Der Titel bezieht sich auf eine Lagerschwester, die ihm, so glaubt er, das Leben gerettet hat. Sie saß nicht nur an seinem Bett und überzeugte ihn, dass er bei ihrer Pflege gar nicht sterben könne, sondern tauschte sogar ihre eigene Brotration gegen etwas Milch für ihren Patienten ein, der kaum noch Nahrung zu sich nehmen konnte. Dafür ist er ihr sein ganzes Leben lang dankbar geblieben: »In meinem Kopf verschwammen die Gesichter der beiden liebsten Menschen immer mehr zu einem – das ferne Gesicht meiner Mutter und das von Schwester Dussja. Sie waren einander so ähnlich.«[47]

Aus Rozsas' Dankbarkeit für Schwester Dussja wurde schließlich Liebe zur russischen Sprache und Kultur. Als ich Rozsas in Budapest traf, sprach er ein elegantes, fließendes Russisch, hatte Kontakt zu russischen Freunden und erzählte mir stolz, wo im *Archipel Gulag* und in den Memoiren von Solschenizyns Frau die Bezüge auf seine Geschichte zu finden sind.[48]

Viele haben auf ein weiteres Paradox hingewiesen: Wenn ein Häftling in einer Arbeitsbrigade an den ersten Erscheinungen von

Skorbut litt, interessierten seine lockeren Zähne oder die Geschwüre an seinen Beinen niemanden. Beklagte er sich, zog er damit nur den Zorn der Wachposten oder Schlimmeres auf sich. War er dann ein Todgeweihter, der sich kaum noch von seiner Pritsche erheben konnte, machten sich seine Mitgefangenen über ihn lustig. Wenn aber das Fieber immer höher stieg und die Krankheit das kritische Stadium erreichte, er also offensichtlich »krank« war, erhielt der gleiche Todgeweihte plötzlich »Skorbut-« oder »Pellagra-Rationen« und alle medizinische Behandlung, die der Gulag bieten konnte.

Dieses Paradox steckte im System. Von Anfang an wurden kranke Häftlinge höchst unterschiedlich behandelt. Bereits seit Januar 1931 gab es Invalidenbrigaden für Häftlinge, die zu keiner schweren körperlichen Arbeit mehr in der Lage waren.[49] Später wurden sogar Baracken und ganze Lagpunkte für Invaliden eingerichtet, wo geschwächte Häftlinge wieder Kräfte sammeln konnten. 1933 organisierte Dmitlag »Lagpunkte der Erholung«, ausgelegt für 3600 Gefangene.[50]

Gustaw Herling-Grudzinski empfand diesen Kontrast zwischen den mörderischen Bedingungen des Lagerlebens und den Bemühungen der Lagerärzte um Häftlinge, deren Gesundheit zuvor gründlich ruiniert worden war, als so frappierend, dass er zu dem Schluss kam, in der Sowjetunion müsse es einen »Krankenhaus-Kult« geben:

> »Keiner, der nach seiner Genesung wieder aus dem Lazarett entlassen wurde, konnte begreifen, dass er nun wieder ein Gefangener war, nachdem man ihm, solange er still in dem sauberen Bett gelegen, alle menschlichen Rechte, mit Ausnahme der Freiheit, zugebilligt hatte. Menschen, die nicht an die krassen Gegensätze des sowjetischen Lebens gewöhnt sind, empfinden die Lagerlazarette wie Kirchen, in denen man Schutz vor der allgewaltigen Inquisition findet.«[51]

Die Gulag-Chefs in Moskau waren angesichts der Tatsache, dass so viele Gefangene invalid und damit arbeitsunfähig wurden, durchaus besorgt. Zwar war das Problem nicht neu, aber seine Brisanz verschärfte sich, als Stalin und Beria 1939 die Praxis der bedingten vorzeitigen Entlassung aus gesundheitlichen Gründen stoppten. Plötzlich wurde man die Kranken nicht mehr so einfach los. Spätestens jetzt waren die Lagerkommandanten gezwungen, ihren Hospitälern mehr Aufmerksamkeit zu widmen. Ein Inspektor hat die Zeit- und Geldverluste durch Krankheit einmal sehr exakt bilanziert: »Von Oktober 1940 bis zur ersten Hälfte des Monats März 1941 kamen 3472 Fälle von Erfrierungen vor, wodurch 42 334 Arbeitstage verloren gingen. 2400 Häftlinge waren zu geschwächt, um zu arbeiten.«[52]

Aber wie so oft im Gulag hieß das nicht unbedingt, etwas zu unternehmen, um die Kranken zu heilen. In manchen Lagern scheint man Lagpunkte für Invaliden nur eingerichtet zu haben, damit die Kranken die Produktionsstatistik des Lagers nicht verdarben. In Siblag etwa, wo in den Jahren 1940/41 ein Drittel der 63 000 Gefangenen invalid (9000) oder »halbinvalid« (15 000) war, schossen die Produktionszahlen des Lagers wie durch ein Wunder in die Höhe, als diese schwachen Arbeitskräfte entfernt und durch »frische« Brigaden ersetzt wurden.[53]

Der Druck, den Plan zu erfüllen, brachte viele Lagerkommandanten in ein Dilemma. Einerseits wollten sie die Kranken wirklich behandeln, damit sie wieder arbeiten konnten. Andererseits durfte niemand zur Drückebergerei ermutigt werden. In der Praxis bedeutete das häufig, dass der Lagerchef ein Limit setzte – oft als ganz konkrete Zahl –, wie viele Häftlinge krank sein und wie viele zur Erholung in den entsprechenden Lagpunkt geschickt werden durften.[54] Unabhängig vom tatsächlichen Krankenstand durften die Ärzte nur einem kleinen Prozentsatz etwas Ruhe gönnen.

Wenn mehr krank waren, dann mussten sie eben warten. Typisch dafür ist die Geschichte eines Häftlings in Ustwymlag, der mehrfach erklärte, er sei krank und könne nicht arbeiten. Einem offiziellen Bericht zufolge, der in die Akten einging, »beachtete das medizinische Personal dies nicht und schickte ihn zur Arbeit. Da er nicht mehr konnte, weigerte er sich, wofür er in die Strafzelle gesperrt wurde. Dort hielt man ihn vier Tage lang fest und brachte ihn erst dann in kritischem Zustand ins Krankenhaus, wo er verstarb.«[55]

Die vorgegebenen Obergrenzen für Kranke bedeuteten, dass die

Ärzte unter schweren Druck gerieten. Sie konnten einerseits verwarnt oder sogar bestraft werden, wenn zu viele kranke Häftlinge starben, denen man die Einlieferung ins Krankenhaus verweigert hatte.[56] Auf der anderen Seite sahen sie sich mit ernsthaften Drohungen konfrontiert, wenn ein Mitglied der kriminellen Lagerelite sich vor der Arbeit drücken wollte. Ein Arzt, der die wirklich kranken Häftlinge behandeln wollte, musste die Forderungen der Kriminellen zurückweisen.

Als Karol Colonna-Czosnowski als Feldscher in einen Lagpunkt mit lauter Kriminellen kam, warnte man ihn, sein Vorgänger sei von den Patienten »erschlagen und in Stücke gehackt« worden. Schon in der ersten Nacht im Lager suchte ihn ein Mann mit einer Axt auf und forderte, am nächsten Tag von der Arbeit befreit zu werden. Er konnte ihn übertölpeln und aus seiner Hütte werfen. Am nächsten Tag bekam er es mit Grischa, dem Verbrecherboss des Lagers, zu tun und traf mit ihm eine Vereinbarung. Zusätzlich zu den wirklich Kranken würde dieser ihm täglich zwei Leute nennen, die er von der Arbeit freizustellen hatte.[57]

Wenn ein Häftling schließlich im Krankenhaus angekommen war, musste er feststellen, dass die Qualität der Behandlung sehr unterschiedlich sein konnte. Die größeren Lager hatten Krankenhäuser mit Medikamenten und Personal. Das Zentralkrankenhaus von Dalstroi in der Stadt Magadan war mit den neuesten medizinischen Geräten ausgestattet und verfügte über die besten Gefängnisärzte, häufig Spezialisten aus Moskau. Zwar waren die meisten Patienten NKWD-Offiziere oder Lagerangestellte, aber auch einzelne Häftlinge kamen in den Genuss, von den hervorragenden Ärzten dort und in anderen Einrichtungen behandelt zu werden. So durfte Lew Finkelstein während seiner Lagerhaft sogar einen Zahnarzt aufsuchen.[58] Einige Lagpunkte für Invaliden waren ebenfalls gut ausgerüstet und offenbar dafür da, die Häftlinge tatsächlich wieder gesund zu machen. Tatjana Okunewskaja, die in einen solchen Lagpunkt eingewiesen wurde, war begeistert von der großzügigen Anlage, den Unterkünften, den Bäumen: »Ich hatte so viele Jahre keine gesehen. Und es war Frühling!«[59]

In einem kleinen Hospital dagegen, das zu einem Lagpunkt von

Sewurallag gehörte, waren laut Isaac Vogelfanger, dem ehemaligen Chefchirurgen des Lagerkomplexes, »Behandlung und Dokumentation dürftig«. Schlimmer noch,

> »... die Verpflegungsrationen reichten eindeutig nicht aus, und es gab nur sehr wenig Medikamente. Fälle für den Chirurgen wie Brüche und schwere Gewebeverletzungen wurden schlecht behandelt und gepflegt. Wie ich später herausfand, konnte kaum ein Patient, der dorthin kam, wieder zur Arbeit zurückkehren. Da sie schon mit Symptomen von schwerer Unterernährung eingeliefert wurden, starb die Mehrzahl von ihnen im Krankenhaus.«[60]

Noch elender waren die Baracken – oder eher: Leichenhallen – für todkranke Patienten. In solchen Unterkünften, in die man beispielsweise Häftlinge mit Ruhr einlieferte, »lagen die Kranken wochenlang im Bett. Wenn sie Glück hatten, kamen sie durch. Die meisten aber starben. Für sie gab es weder Behandlung noch Medikamente ... In der Regel versuchten die Patienten den Tod eines Insassen drei oder vier Tage zu vertuschen, um seine Ration mit essen zu können.«[61]

Zwar haben viele Lagerärzte das Leben zahlreicher Menschen gerettet, aber nicht alle waren geneigt zu helfen. Einige, denen ihre Privilegien viel bedeuteten, sympathisierten stärker mit den Lagerchefs als mit den »Feinden«, die sie zu behandeln hatten. So wurde die Frau eines Lagerkommandanten, die als Ärztin im Lagerkrankenhaus arbeitete, nach einer Inspektion verwarnt, weil sie »Schwerkranke viel zu spät ins Krankenhaus aufnahm, Leidende nicht von der Arbeit befreite, grob mit ihnen umging und sie aus dem Behandlungszimmer warf«.[62]

Zuweilen behandelten Ärzte die Gefangenen auch bewusst falsch. Als Leonid Trus Anfang der fünfziger Jahre im Bergwerk eingesetzt war, wurde ihm ein Bein gequetscht. Der Lagerarzt verband die Wunde, aber es musste mehr getan werden. Trus hatte schon viel Blut verloren, und ihm wurde immer kälter. Da im Lager keine Bluttransfusion vorgenommen werden konnte, wurde er auf einem Lastwagen ins nächste Krankenhaus gebracht. Halb bewusstlos hörte er,

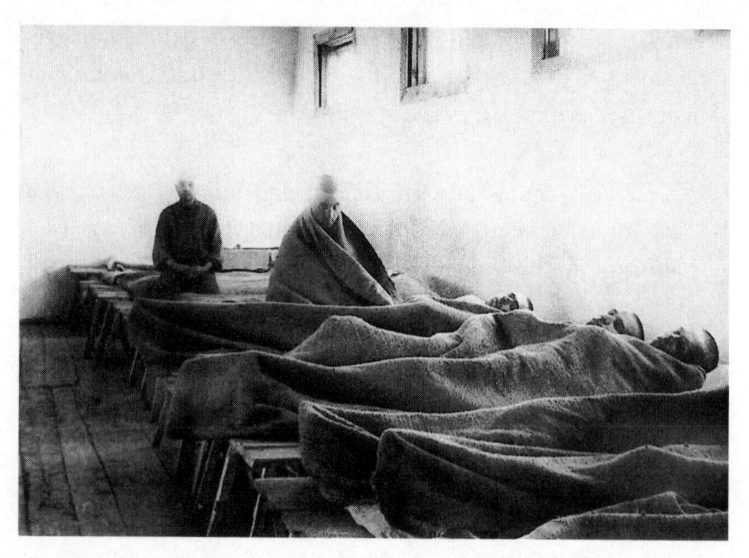

»Da sie schon mit Symptomen von schwerer Unterernährung eingeliefert wurden, starb die Mehrzahl von ihnen im Krankenhaus ...«

wie der Arzt eine Schwester anwies, mit der Bluttransfusion zu beginnen. Ein Freund, der ihn begleitete, gab seine Personalien an – Name, Alter, Geschlecht, Arbeitsstelle –, woraufhin der Arzt die Bluttransfusion stoppte. Derartige Hilfe stand Häftlingen nicht zu. Trus erinnert sich, dass man ihm etwas aufgelösten Traubenzucker zu trinken gab – dank seinem Freund, der das Personal bestach – und ihm Morphium spritzte. Am nächsten Tag wurde sein Bein amputiert:

> »Der Chirurg war überzeugt, dass ich die Operation nicht überleben würde. Deshalb nahm er sie nicht selbst vor, sondern beauftragte seine Frau damit, eine Krankengymnastin, die sich zur Chirurgin qualifizieren wollte. Später sagte man mir, dass sie alles richtig gemacht hatte und wusste, was sie tat. Auf einige Einzelheiten hatte sie allerdings verzichtet, nicht weil sie sie vergessen hatte, sondern weil sie auch nicht glaubte, dass ich die Operation überstehen würde. Es kam also darauf nicht an. Aber, wie Sie sehen, bin ich am Leben geblieben!«[63]

Ob ein Lagerarzt nun hingebungsvoll oder gleichgültig arbeitete – nicht jeder war ausreichend qualifiziert. Hinter dem Titel konnte ein prominenter Moskauer Spezialist stecken, der eine Haftstrafe verbüßte, aber auch ein Scharlatan, der von Medizin keine Ahnung hatte und nur den begehrten Job bekommen wollte. Bereits 1932 klagte die OGPU über den Mangel an qualifiziertem medizinischem Personal.[64] Das bedeutete, dass für Häftlinge mit medizinischer Ausbildung die Regeln für vertrauenswürdige Jobs nicht galten: Welchen konterrevolutionären Terrorakt man ihnen auch immer vorwarf, in der Regel durften sie ihren Beruf ausüben.[65]

Der Mangel brachte es auch mit sich, dass Häftlinge – in oft sehr dürftigen Lehrgängen – zu Schwestern und Sanitätern ausgebildet werden mussten. So wurde Jewgenia Ginsburg als Schwester angestellt, nachdem sie »einige Tage lang« im Häftlingshospital verbracht und dort gelernt hatte, »Schröpfköpfe zu setzen und Spritzen zu geben«.[66] Alexander Dolgun, dem man einige Grundlagen für den Job als Feldscher beigebracht hatte, musste nach der Verlegung in ein anderes Lager sogleich seine Fähigkeiten unter Beweis stellen. Ein Aufseher, der an seiner Qualifikation zweifelte, verlangte von ihm, er solle eine Autopsie vornehmen. »Ich legte die beste Show hin, zu der ich imstande war, und tat so, als machte ich das jeden Tag.«[67] Auch Janusz Bardach musste lügen, um eine Anstellung als Feldscher zu bekommen: Er behauptete, Medizinstudent im dritten Jahr zu sein, obwohl er noch nie eine Universität besucht hatte.[68]

Die Folgen waren absehbar. Als Isaac Vogelfanger, ein erfahrener Chirurg, seinen ersten Posten als Häftlingsarzt in Sewurallag antrat, musste er zu seinem Entsetzen feststellen, dass der dortige Feldscher Skorbutgeschwüre, die auf Unterernährung, nicht auf Infektion zurückzuführen sind, mit Jod behandelte. Später sah er Patienten sterben, weil ein unwissender Arzt darauf bestanden hatte, ihnen Lösungen zu spritzen, die mit gewöhnlichem Haushaltszucker angesetzt waren.[69]

Die Lagerchefs waren über die Zustände natürlich im Bilde. Einer beklagte sich in einem Brief nach Moskau über den Ärztemangel: »In einigen Lagpunkten wird die medizinische Behandlung von Autodidakten vorgenommen, Häftlingen ohne jede medizinische

Ausbildung.«[70] Die Lagerchefs wussten, was da ablief, die Häftlinge nicht minder, aber es änderte sich nichts.

Trotz all dieser Nachteile – korrupten Ärzten, schlecht eingerichteten Krankenstationen und kärglichen Medikamenten – übte ein Aufenthalt im Krankenhaus oder in der Sanitätsstation auf die Häftlinge eine solche Anziehungskraft aus, dass sie bereit waren, dafür nicht nur dem Arzt zu drohen und ihn anzugreifen, sondern auch sich selbst zu verletzen. Wie Soldaten auf dem Schlachtfeld neigten auch die *Seks* zu Selbstverstümmelung oder zumindest Simulation, um ihr Leben zu retten. Manche hofften auch, als Invalide unter eine künftige Amnestie zu fallen. Dieser Glaube schien so verbreitet zu sein, dass die Gulag-Zentrale zumindest einmal offiziell erklärte, Invalide würden nicht amnestiert (obwohl es gelegentlich vorkam).[71] Die meisten Gefangenen aber waren einfach froh, ein paar Tage nicht arbeiten zu müssen.

Auf Selbstverstümmelung standen harte Strafen. Stets wurde die Haftzeit verlängert. »Selbstverstümmelung wurde wie Sabotage geahndet«, schreibt Schigulin.[72] Ein Gefangener erzählt die Geschichte von einem Dieb, der sich vier Finger der linken Hand abschnitt. Statt ihn in ein Invalidenlager zu verlegen, ließ man ihn im Schnee sitzen und den anderen bei der Arbeit zuschauen. Da er sich nicht von der Stelle bewegen durfte, weil man ihn sonst wegen Fluchtversuchs erschossen hätte, »verlangte er bald selbst wieder nach dem Spaten. Er packte ihn mit der gesunden Hand wie eine Krücke und stocherte damit weinend und fluchend in dem gefrorenen Boden herum.«[73]

Viele Gefangene glaubten dennoch, dass der zu erwartende Vorteil das Risiko wert sei. Manche gingen dabei sehr brutal zu Werke. Besonders die Kriminellen waren dafür bekannt, dass sie sich einfach ihre drei mittleren Finger mit der Axt abhackten, so dass sie nicht mehr Bäume fällen oder im Bergwerk eine Schubkarre führen konnten. Andere hieben sich eine Hand oder einen Fuß ab oder rieben sich Säure in die Augen. Mancher steckte sich am Morgen vor dem Abmarsch zur Arbeit einen nassen Fußlappen in den Schuh. Am Abend kam er mit Erfrierungen dritten Grades zurück.

Subtilere Methoden gab es auch. Ganz mutige Kriminelle stahlen eine Spritze und injizierten sich damit Seifenlauge in den Penis.

Mit dem Ausfluss täuschten sie eine Geschlechtskrankheit vor. Ein Gefangener kam auf die Idee, eine Staublunge zu simulieren. Zunächst feilte er ein wenig Silberstaub von einem Silberring ab, den er unter seinen Habseligkeiten hatte verstecken können. Diesen mischte er seinem Tabak bei, den er dann rauchte. Zwar spürte er keine Folgen, hustete aber so stark, wie er es bei Silikosekranken gesehen hatte, und kam tatsächlich ins Krankenhaus.[74]

Häftlinge versuchten, sich bewusst zu infizieren oder sich eine länger anhaltende Krankheit zu holen. Gustaw Herling-Grudzinski beobachtete, wie ein Gefangener seinen Arm ins Feuer hielt, wenn er sich unbeobachtet glaubte. Er tat das einmal täglich, bis er schließlich eine rätselhafte offene Wunde hatte, die er untersuchen lassen konnte.[75] Anatoli Schigulin brachte sich eine Erkältung bei, indem er Eiswasser trank und danach die kalte Frostluft tief einatmete. Seine Temperatur stieg so hoch, dass er von der Arbeit freigestellt wurde: »O glückliche zehn Tage im Hospital!«[76]

Wahnsinn wurde ebenfalls simuliert. Während seiner Tätigkeit als Feldscher arbeitete Bardach eine Zeit lang auf der psychiatrischen Station des Zentralkrankenhauses von Magadan. Dort entlarvte man Delinquenten, die Schizophrenie simulierten, indem man sie mit echten Schizophrenen zusammensperrte: »Nur Stunden später schlugen die meisten, auch ganz Hartnäckige, an die Tür und baten, wieder herausgelassen zu werden.« Wenn das nicht half, verabreichte man dem Häftling eine Kampferspritze, die einen Anfall auslöste. Wer den überlebte, wollte so etwas nicht noch einmal durchmachen.[77]

Nach Elinor Lipper hatten die Ärzte eine Standardmethode, um Gefangene zu überführen, die Lähmung vortäuschten. Der Patient wurde auf den Operationstisch gelegt und erhielt einen leichten Ätherrausch. Sobald er erwachte, stellten die Ärzte ihn auf die Füße und riefen seinen Namen. Unweigerlich machte er ein paar Schritte, bevor er daran dachte, auf dem Boden zusammenzusacken.[78]

Es gab aber auch Ärzte, die den Patienten bei ihren Bemühungen halfen. Alexander Dolgun litt einmal an einem schrecklichen Durchfall und fühlte sich sehr schwach, aber seine Temperatur war nicht hoch genug, damit man ihn von der Arbeit freistellen konnte. Als er dem Lagerarzt, einem gebildeten Letten, jedoch eröffnete, er sei Amerikaner, war der hocherfreut. »Ich suche schon lange jemanden, mit dem ich Englisch sprechen kann«, erklärte er. Dann zeigte er Dolgun, wie er sich einen Schnitt beibringen und diesen infizieren konnte. Das gab eine riesige Eiterbeule an seinem Arm, die ausreichte, um die Kontrolleure von der Schwere seiner Erkrankung zu überzeugen.[79]

Wieder einmal stand die Moral auf dem Kopf. In Freiheit hätte sich ein Arzt, der seine Patienten bewusst krank machte, schwer gegen sein Berufsethos versündigt. In den Lagern wurde er dagegen wie ein Heiliger verehrt.

## »Alltägliche Tugenden«

Nicht alle Überlebensstrategien in den Lagern leiteten sich notwendigerweise aus dem System selbst ab. Nicht alle erforderten Kollaboration, Grausamkeit oder Selbstverstümmelung. Zwar blieben einige Gefangene – wahrscheinlich sogar die große Mehrheit – am Leben, weil sie die Lagerregeln zu ihren Gunsten manipulierten, aber es gab auch Häftlinge, die auf etwas bauten, was Zwetan Todorow in seinem Buch über Moral im Lager die »alltäglichen Tugenden« nennt: Fürsorge und Freundschaft, Würde und Charakter.[80]

Fürsorge gab es in vielen Formen. Wie wir bereits gesehen haben, schufen sich Häftlinge ihre eigenen Netzwerke, um zu überleben. Mitglieder der ethnischen Gruppen, die Ende der vierziger Jahre in einigen Lagern dominierten – Ukrainer, Balten und Polen –, entwickelten ganze Systeme gegenseitiger Hilfeleistung. Andere bauten sich in den langen Jahren der Lagerhaft einen eigenen Bekanntenkreis auf. Wieder andere hatten einen oder zwei sehr gute Freunde. Eine der bekanntesten Freundschaften im Gulag war die zwischen Ariadna Efron, der Tochter der Dichterin Marina Zwetajewa, und Ada Federolf. Sie unternahmen enorme Anstrengungen, um in Lager und Verbannung zusammen zu bleiben. Später veröffentlichten sie auch ihre Memoiren in einem Band. In ihrem Teil der Geschichte berichtet Federolf, wie sie auf verschiedene Transporte verteilt wurden, lange getrennt waren und sich dann doch wiederfanden:

»Wir hatten schon Sommer. Die ersten Tage nach der Ankunft waren schrecklich. Jeden Tag mussten wir zum Exerzieren antreten, obwohl man die Hitze kaum noch ertragen konnte. Dann plötzlich ein neuer Transport aus Rjasan und darin: Alja. Ich wusste mich vor Freude kaum zu fassen. Ich zog sie auf ein oberes Bett, näher zur frischen Luft ... Das war das Glück der Gefangenen: einen Menschen wiederzutreffen.«[81]

Dieser Gedanke findet sich bei vielen. »Es ist sehr wichtig, eine Freundin zu haben, ein vertrautes Gesicht, das sich nicht abwendet, wenn man Schweres erlebt«, schreibt Soja Martschenko.[82] Dafür gab es natürlich auch Grenzen. Janusz Bardach berichtet von seinem besten Freund im Lager, dass »keiner den anderen je um Essen bat oder ihm zu essen anbot. Wir wussten beide, dass wir dieses Gebot auf keinen Fall verletzen durften, wenn wir Freunde bleiben wollten.«[83]

Wenn Achtung vor anderen manchem half, seine Menschlichkeit zu bewahren, so konnte ein Häftling mit Selbstachtung auch anderen einen Halt bieten. Viele, besonders Frauen, betonen, dass es enorm wichtig war, sich selbst so sauber wie möglich zu halten, um die eigene Würde zu bewahren. Olga Adamowa-Sljosberg beschreibt, wie eine Mitgefangene jeden Morgen »ihren weißen Kragen wusch, trocknete und wieder an ihre Bluse nähte«.[84] Andere trieben Gymnastik oder achteten sehr auf die Hygiene. Dazu noch einmal Janusz Bardach:

»Trotz Erschöpfung und Kälte behielt ich die tägliche Routine bei, die ich mir zu Hause und bei der Roten Armee angewöhnt hatte. Regelmäßig wusch ich mir unter der Pumpe Gesicht und Hände. Ich wollte mir so viel Selbstachtung wie möglich bewahren – anders als viele Mitgefangene, die sich Tag für Tag mehr gehen ließen. Zuerst kümmerten sie sich nicht mehr um ihre Sauberkeit und ihr Aussehen, dann wurde ihnen ihr Nebenmann gleichgültig und schließlich das eigene Leben. Wenn ich schon nichts anderes kontrollieren konnte, dann wenigstens dieses tägliche Ritual, das, so glaubte ich, mich vor Verwahrlosung und sicherem Tod bewahren konnte.«[85]

Wieder andere beschäftigten sich intensiv mit geistigen Dingen. Viele Gefangene schrieben selbst Gedichte oder lernten die von anderen auswendig. Sie rezitierten sie Tag für Tag, erst für sich, dann für Freunde.

Laut Schalamow bewahrte die Poesie ihn inmitten von »Heuchelei, Bosheit und Verfall« davor, völlig abzustumpfen. Seine hier zitierten Verse tragen den Titel »An einen Dichter«:

»Ich fraß wie ein Tier und knurrte dabei.
Ein Blatt Papier
Schien ein Wunder zu sein,
Gefallen vom Himmel in den dunklen Wald.

Ich soff wie ein Tier, leckte Wasser vom Boden
Und von meinen eigenen Haaren.
Maß mein Leben nach Stunden,
Nicht nach Monaten oder Jahren.

Aber jeden Abend,
Überrascht, noch zu leben,
Sprach ich ein Gedicht, und es war,
Als hörte ich deine Stimme.

Ich flüsterte es wie ein Gebet.
Es war wie das Wasser des Lebens,
Wie eine Ikone, im Kampf bewahrt,
Wie ein Stern, der den Weg mir wies.

Es war mein Band zum früheren Leben
Aus dieser Welt, die mich würgte
Mit ihrem alltäglichen Schmutz
Und dem allgegenwärtigen Tod.«[86]

Solschenizyn »schrieb« im Lager Gedichte, indem er sie im Kopf erdachte und dann ständig mit Hilfe von zerbrochenen Streichhölzern memorierte, um sie nicht zu vergessen. Dazu sein Biograf Michael Scammell:

> »Er legte zwei Reihen von zehn Hölzern aus, die er in einer Zigarettenschachtel aufbewahrte. Die eine Reihe waren die Zehner und die andere die Einer. Dann sagte er seine Verse still für sich auf, wobei er bei jeder Zeile einen ›Einer‹ und bei jeder neuen Strophe einen ›Zehner‹ bewegte. Jede 50. und jede 100. Zeile wurden besonders vermerkt. Einmal monatlich rezitierte er das ganze Poem vollständig. Wenn eine Zeile verrutschte oder vergessen wurde, begann er von vorn, bis alles wieder an seinem Platz war.«[87]

Manchem half aus ähnlichen Gründen auch das Gebet. Die Erinnerungen eines gläubigen Baptisten, der in den siebziger Jahren in einem poststalinschen Lager einsaß, bestehen fast ausschließlich aus Berichten davon, wann und wo er betete, wann und wo er seine Bibel versteckte.[88] Viele haben die Bedeutung der religiösen Feste hervorgehoben. Ostern konnte man heimlich – in einer Lagerbäckerei – feiern, wie es in einem Transitgefängnis auf den Solowezki-Inseln geschah, oder offen im Transportzug: »Der Waggon ratterte, unser Gesang klang dissonant und schrill, die Posten hämmerten bei jedem Halt gegen die Wagentür. Wir sangen trotzdem weiter.«[89] Weihnachten konnte in einer Baracke stattfinden. Juri Sorin, ein russischer Gefangener, erinnert sich mit Staunen, wie gut die Litauer in seinem Lager das Weihnachtsfest vorbereiteten. Das nahm ein ganzes Jahr in Anspruch: »Versuchen Sie sich das vorzustellen: in einer Baracke ein Tisch, gedeckt mit allem, was dazugehört – Wodka, Schinken, einfach allem.«[90]

Kazimierz Zarod feierte 1940 mit polnischen Landsleuten Heiligabend in einem Arbeitslager mit einem Priester, der heimlich durch das Lager wanderte und in jeder Baracke die Messe zelebrierte:

> »Ohne Bibel oder Gebetbuch begann er die Worte der Messe zu sprechen, das vertraute Latein, geflüstert und kaum hörbar. Und die

Antwort der Gläubigen kam leise wie ein Seufzer ...

›*Kyrie eleison, Christe eleison* – Herr, erbarme dich unser. Christus, erbarme dich unser. *Gloria in excelsis Deo* ...‹

Als die Worte sich auf uns herabsenkten, veränderte sich die sonst so brutale und rohe Atmosphäre im Raum unmerklich, die dem Priester zugewandten Gesichter wurden weich und gelöst, als die Männer dem kaum vernehmbaren Wispern lauschten.

›Alles in Ordnung‹, sagte der Mann, der am Fenster Wache hielt.«[91]

Viele gebildete Häftlinge hielten sich geistig und körperlich dadurch aufrecht, dass sie sich größere intellektuelle oder künstlerische Ziele setzten. Wer Begabung oder Talent hatte, fand durchaus praktische Anwendung dafür. In einer Welt, in der es an allem fehlte, wo elementarster Besitz enorme Bedeutung erlangen konnte, waren Menschen, die anderen etwas geben konnten, überall willkommen.

Dabei musste nicht alles, was Häftlinge für andere herstellten, praktischen Gebrauchswert haben. Die Künstlerin Anna Andrejewa war ständig gefragt, und das nicht nur von Mitgefangenen. Auch die Lagerleitung bat sie, einen Grabstein für eine Beerdigung zu schmücken, zerbrochenes Geschirr zu kitten, Spielzeug zu reparieren oder selbst herzustellen: »Für die Chefs taten wir alles, was immer sie wollten.«[92] Ein anderer schnitzte kleine »Andenken« für seine Kameraden aus dem Stoßzahn eines Mammuts: Armbänder, Figuren zu »nordischen« Themen, Ringe, Medaillons oder Knöpfe.[93]

Im Museum der Gesellschaft Memorial in Moskau, das ehemalige Häftlinge aufgebaut haben, um die Geschichte der Stalinschen Unterdrückung zu erzählen, finden sich solche Dinge in Hülle und Fülle: Spitzenbortenstückchen, selbst gefertigter Schmuck, handgezeichnete Spielkarten und selbst kleine Kunstwerke – Malereien, Zeichnungen und Plastiken –, die Häftlinge bei sich aufbewahrten, in die Freiheit mitnahmen und später dem Museum schenkten.

Was Häftlinge leisten konnten, war nicht immer materiell zu greifen. So merkwürdig das klingt: Im Gulag konnte man auch um sein Leben singen, tanzen oder spielen. Das galt besonders für begabte Häftlinge in den größeren Lagern mit extravaganten Chefs, die sich mit Orchestern und Theatertruppen großtun wollten. Wenn der Kommandant von Uchtischemlag unbedingt ein richtiges Opernensemble haben wollte, dann bedeutete dies, dass Dutzende Sänger und Tänzer ihres Lebens sicher waren. Und zumindest während der Proben mussten sie nicht im Wald schuften. Wichtiger noch: Sie konnten sich zeitweise wieder als Menschen fühlen. »Wenn Schauspieler auf der Bühne agierten, dann vergaßen sie für eine Weile den ständigen Hunger, die Rechtlosigkeit und die Posten mit den Hunden, die draußen vor dem Tor warteten«, schreibt Alexander Klein.[94]

Manchmal fiel die Belohnung noch großzügiger aus. In einem Dokument aus Dmitlag wird die »Berufskleidung« beschrieben, die an die Mitglieder des Lagerorchesters ausgegeben wurde, darunter die heiß begehrten hohen Offiziersstiefel, und außerdem der Kommandant eines Lagpunktes angewiesen, die Musiker in einer eigenen Baracke unterzubringen.[95]

Selbst in kleineren Lagern konnten Künstler mit Vorzugsbehandlung rechnen. Nachdem Georgi Feldgun in einem Transitlager für eine Gruppe Krimineller auf seiner Geige gespielt hatte, wurde sein Essen besser. Das war für ihn ein merkwürdiges Erlebnis: »Wir sind hier am Ende der Welt im Hafen Wanino ... Und ich spiele zeitlose Musik, die vor über zweihundert Jahren geschrieben wurde. Vivaldi für fünfzig Ganoven.«[96]

Dmitri Panin erzählt von einem Artisten, einem Clown aus Odessa, der um sein Leben spielte. Er wusste, wenn er die Chefs zum Lachen brachte, konnte ihn das vor dem Straflager bewahren: »Das Einzige, was nicht zu seinem fröhlichen Tanz passte, waren seine großen dunklen Augen, die um Gnade zu flehen schienen. Niemals wieder habe ich eine so anrührende Vorstellung gesehen.«[97]

Von all den vielen Möglichkeiten, durch Kollaboration mit den Behörden zu überleben, erschien den Häftlingen das Auftreten in einem Lagertheater oder die Teilnahme an anderen kulturellen Tätigkeiten moralisch noch am unbedenklichsten. Das mag damit zusammenhängen, dass auch andere Gefangene etwas davon hatten. Selbst wer keine Sonderbedingungen herausschlagen konnte, empfand eine Theateraufführung als enorme moralische Stütze, die ihm beim Überleben half. »Für die Gefangenen war das Theater eine

Quelle des Glücks, es wurde geliebt und bewundert«, schrieb einer.[98] Bei einem Konzert, erinnert sich Gustaw Herling-Grudzinski, »... setzten die Gefangenen an der Tür ihre Mützen ab, klopften sich draußen den Schnee von den Schuhen und nahmen in feierlicher Erwartung mit fast religiöser Andacht auf den Bänken Platz«.[99]

Vielleicht deshalb ernteten Gefangene, denen künstlerisches Talent ein besseres Leben ermöglichte, Bewunderung, nicht Neid oder Hass. Tatjana Okunewskaja, der Filmstar, der ins Lager geschickt wurde, weil sie sich weigerte, mit dem Chef der sowjetischen Abwehr, Abakumow, zu schlafen, erfuhr überall Anerkennung und Unterstützung. Bei einem Auftritt glaubte sie, man werfe ihr Steine vor die Füße. Als sie den Blick senkte, sah sie, dass es Konservenbüchsen mit mexikanischer Ananas waren – damals eine unerhörte Delikatesse, die einige Kriminelle speziell für sie beschafft hatten.[100]

Der Fußballspieler Nikolai Starostin stand bei den *Urkas* in hohem Ansehen. Wie er schreibt, lief über ihr Netzwerk die Botschaft von einem Lager zum anderen: Starostin darf kein Haar gekrümmt werden. Wenn er abends Fußballgeschichten erzählte, versammelten sich die Gefangenen um ihn, und selbst die Karten ruhten. Traf er in einem neuen Lager ein, wurde ihm ganz sicher ein sauberes Bett im Lagerhospital angeboten. »Das war immer das Erste, wenn ich einen Fan in der Lagerleitung oder unter den Ärzten hatte.«[101]

Eine erstaunlich große Zahl politischer Gefangener, die Memoiren geschrieben haben, führen ihr Überleben darauf zurück, dass sie »Geschichten erzählen«, das heißt, die Kriminellen unterhalten konnten, indem sie ihnen die Handlung von Romanen oder Filmen schilderten. Das mag unter anderem erklären, weshalb sie ihre Erinnerungen schriftlich festgehalten haben. In dieser Welt, wo Bücher und Filme eine seltene Ausnahme waren, stand einer, der spannend und farbig erzählen konnte, hoch im Kurs. Finkelstein berichtet, er sei »einem Verbrecherboss ewig dankbar, der diese Fähigkeit am ersten Tag im Gefängnis an mir erkannte und mir sagte: ›Du hast bestimmt viele Bücher gelesen. Erzähl' sie den Leuten, und du wirst es gut haben.‹ In der Tat ging es mir besser als den anderen. Mich kannten alle ... Es kam vor, dass mich jemand ansprach und sagte: ›Du bist doch Leontschik, der Geschichtenerzähler. Ich habe in Taischet von dir gehört.‹« Wegen dieser Gabe lud ihn sein Brigadier zwei Mal täglich zu einem Becher mit heißem Wasser in seinen Unterstand ein. In dem Steinbruch, wo er damals arbeitete, »rettete er mir damit das Leben«. Finkelstein stellte fest, dass russische und ausländische Klassiker am liebsten gehört wurden. Viel weniger Erfolg hatte er mit neueren sowjetischen Romanen.[102]

Anderen erging es ähnlich. In dem heißen, stickigen Zug nach Wladiwostok erlebte Jewgenia Ginsburg, dass »das Vortragen von Gedichten ein einträgliches Geschäft« sein konnte. »Zum Beispiel ›Verstand schafft Leiden‹ von Gribojedow: Nach jedem Akt wird mir aus einem Becher ein Schluck Wasser angeboten – für meine ›gesellschaftliche Arbeit‹.«[103]

Alexander Wat erzählte im Gefängnis einer Gruppe von Banditen Stendhals *Rot und Schwarz.*[104] Alexander Dolgun schilderte die Handlung von Hugos *Les Misérables.*[105] Janusz Bardach nahm sich *Die drei Musketiere* vor: »Ich spürte, wie mein Ansehen mit jeder Wendung der Geschichte stieg.«[106] Als Antwort auf die Bemerkung eines Mafiabosses, die hungernden Politischen seien nichts als »Parasiten«, begann Colonna-Czosnowski »meine eigene Version eines Filmes zu erzählen, den ich einige Jahre zuvor in Polen gesehen hatte. Es war eine Räuber-und-Gendarm-Geschichte, die in Chicago spielte. Auch Al Capone kam darin vor. Um die Sache spannender zu machen, mischte ich etwas von Bugsy Malone und sogar etwas von Bonnie und Clyde hinein. Ich kratzte alles zusammen, was mein Gedächtnis hergab, und erfand beim Erzählen eine Menge hinzu.« Die Zuhörer waren offenbar beeindruckt und baten den Polen mehrmals, diese Story zu erzählen: »Sie lauschten wie die Kinder. Es machte ihnen gar nichts aus, die gleiche Geschichte immer wieder zu hören. Wie Kinder wollten sie auch, dass ich stets die gleichen Worte gebrauchte. Bei der geringsten Abweichung oder Auslassung wurde heftig protestiert … Drei Wochen später war ich ein anderer Mensch.«[107]

Künstlerische Begabung konnte einem Häftling auch das Leben retten, ohne dass er damit Geld oder Brot verdiente. Alexej Smirnow, der im heutigen Russland als Anwalt an führender Stelle für die Pressefreiheit streitet, erzählte mir die Geschichte von zwei Literaturwissenschaftlern, die im Lager einen fiktiven französischen Dichter des achtzehnten Jahrhunderts erfanden und im Stil jener Zeit Gedichte schrieben.[108]

Irina Arginskaja half das ästhetische Empfinden. Selbst Jahre nach ihrer Entlassung aus dem Lager konnte sie noch von der »unglaublichen Schönheit« des Hohen Nordens schwärmen, wo ihr die Sonnenuntergänge, die riesigen Wälder und die unendliche Weite manchmal den Atem raubten.[109]

Aber diese Schönheit half nicht jedem, und sie wurde sehr subjektiv wahrgenommen. Dieselbe Taiga und die weite Landschaft erfüllten Nadeschda Uljanowskaja mit Abscheu: »Ohne es zu wollen, sehe ich immer wieder grandiose Sonnenauf- und -untergänge, Kiefernwälder und bunte Blumen, die aus irgendeinem Grunde nicht duften.«[110] Diese Worte beeindruckten mich so sehr, dass ich bei einem sommerlichen Besuch im Hohen Norden die breiten Flüsse, die endlosen Wälder Sibiriens und die Mondlandschaft der arktischen Tundra mit anderen Augen sah. In der Nähe eines Lagpunktes bei Workuta pflückte ich wilde Blumen, um an ihnen zu riechen. Sie strömten eine starken Duft aus. Vielleicht hatte Uljanowskaja ihn einfach nicht bemerken wollen.

»Wenn ich jetzt das Bellen der Schlittenhunde gehört hätte, das den Aufbruch der Patrouille ankündigte, ich glaube, ich hätte mich übergeben. Wir rannten die paar Meter zum äußeren Zaun ... Wahrscheinlich machten wir kaum Geräusche, aber mir kam es vor, als veranstalteten wir einen ohrenbetäubenden Lärm ... Wie die Verrückten sprangen und stürzten wir über den letzten Stacheldraht am Fuß des äußeren Zaunes, rappelten uns auf, vergewisserten uns keuchend, dass alle gesund und munter waren, und begannen alle gleichzeitig zu laufen, was das Zeug hielt.«

SLAWOMIR RAWICZ,
*Der lange Weg*[1]

# Rebellion und Flucht

Von den vielen Mythen über den Gulag hat sich wohl der am hartnäckigsten gehalten, dass von dort kein Entkommen gewesen sei. Fluchtversuche aus einem stalinistischen Lager, so schrieb Solschenizyn, waren »Taten von Giganten, allerdings von Giganten, die zum Untergang verurteilt waren«.[2] Schalamow meint mit der für ihn typischen Hoffnungslosigkeit: »Gefangene, die zu fliehen versuchen, sind fast immer Neulinge im ersten Jahr ihrer Lagerhaft, Männer, denen man Freiheitsliebe und Eitelkeit noch nicht ausgetrieben hat.«[3] Nikolai Abakumow, ehemals stellvertretender Kommandant der Garnison von Norilsk, hielt Flucht für völlig aussichtslos: »Manchen gelang es, aus dem Lager zu kommen, aber keiner erreichte das ›Festland‹«, womit er Zentralrussland meinte.[4] Gustaw Herling-Grudzinski erzählt die Geschichte eines Mitgefangenen, dessen Fluchtversuch scheiterte: Nachdem er monatelang sorgfältig geplant hatte, tatsächlich fliehen konnte und sieben Tage lang im Wald herumgeirrt war, fand er sich ganze fünfzehn Kilometer vom Lager entfernt wieder. Der Hunger zwang ihn zum Aufgeben.[5]

Die Lager waren natürlich so gebaut, dass Ausbrüche scheitern mussten. Dafür waren die Mauern, der Stacheldraht, die Wachtürme und das sorgfältig geharkte Niemandsland schließlich da. Aber in vielen Lagern brauchte man im Grunde keinen Stacheldraht, um die Gefangenen zurückzuhalten. Es waren vor allem das Klima – zehn Monate im Jahr strenger Frost – und die geografische Lage, die jeden Fluchtversuch nahezu unmöglich erscheinen ließen. Die volle Tragweite dieser Bedingungen kann man allerdings erst ermessen, wenn man diese abgelegenen Gegenden einmal mit eigenen Augen gesehen hat.

So muss man Workuta, die Stadt, die bei den Kohleschächten von Workutlag entstand, nicht nur als isoliert, sondern als eigentlich unzugänglich bezeichnen. Nach Workuta, das jenseits des Polarkreises liegt, führt keine Straße. Die Stadt und die Bergwerke sind nur per Eisenbahn oder Flugzeug zu erreichen. Im Winter ist jeder, der sich in der offenen, baumlosen Tundra bewegt, eine lebende Zielscheibe. Im Sommer verwandelt sich die Landschaft in einen ebenso offenen, aber undurchdringlichen Sumpf.

Außerdem waren überall in der Gegend Wachen postiert. Das ganze Kolyma-Gebiet – Hunderte Quadratkilometer Taiga – war im Grunde ein riesiges Gefängnis; dasselbe gilt für die Republik der Komi, große Teile der kasachischen Wüste und Nordsibirien. In diesen Regionen gab es nur sehr wenige normale Dörfer mit freien Bewohnern. Jeder, der ohne gültige Personaldokumente durch die Gegend lief, war sofort als Ausbrecher zu erkennen. Er wurde entweder auf der Stelle erschossen oder erst einmal zusammengeschlagen und dann ins Lager zurückgebracht.

Stieß ein Flüchtiger auf Ortsbewohner, die nicht zum Wachpersonal oder zu den Häftlingen gehörten, konnte er von ihnen ebenfalls wenig Hilfe erwarten. Zur Zarenzeit war man in Sibirien entlaufenen Strafgefangenen und Leibeigenen traditionell mit Mitgefühl begegnet. Nachts hatte man für sie einen Laib Brot und eine Schale Milch vor die Tür gestellt.

In Stalins Sowjetunion war das anders. Die meisten Menschen waren bereit, einen entflohenen »Feind« und mehr noch einen kriminellen »Rückfalltäter« auszuliefern. Und das nicht deshalb, weil sie der Propaganda über die Gefangenen ganz oder halb Glauben schenkten, sondern weil sie selber eine lange Freiheitsstrafe riskierten, wenn sie es nicht taten.[6] Vor allem das paranoide Klima im täglichen Leben spielte hier eine Rolle:

> »Von der ortsansässigen Bevölkerung konnten wir nicht erwarten, dass sie uns half und uns versteckte, wie es mit Flüchtigen aus den deutschen Konzentrationslagern geschah. Die Menschen dort leb-

ten seit vielen Jahren in Angst und Misstrauen. Sie waren immer darauf gefasst, dass neues Ungemach über sie hereinbrach, und fürchteten sich sogar voreinander.«[7]

Wenn Ideologie und Angst nicht wirkten, dann war es die Gier. Ob nun zu Recht oder zu Unrecht, viele ehemalige Häftlinge glauben, dass die Ortsansässigen – Eskimos im Hohen Norden oder Kasachen im Süden – ständig bewusst nach Entflohenen Ausschau hielten. Manche stellten ihnen fast professionell nach, weil sie ein Kilo Tee oder einen Sack Weizen bekamen, wenn sie einen entflohenen Sträfling zurückbrachten.[8] Für die rechte Hand eines Flüchtigen oder – nach anderen Berichten – seinen Kopf soll ein Einwohner des Kolyma-Gebietes 250 Rubel erhalten haben. Diese Prämie war wohl überall ähnlich.[9] In einem Fall, heißt es, bekam ein Dorfbewohner 250 Rubel, weil er einen entlaufenen Häftling, der sich als freier Mann ausgab, erkannte und der Polizei meldete. Sein Sohn, den er aufs Polizeirevier geschickt hatte, bekam dafür ebenfalls 150 Rubel. In einem anderen Fall wurde einer, der dem Lagerkommandanten das Versteck eines Entlaufenen verriet, mit der fürstlichen Summe von 300 Rubel entlohnt.[10]

Wer wieder eingefangen wurde, musste mit grausamer Strafe rechnen. Viele wurden sofort erschossen. Noch als Tote wurden sie für Propagandazwecke benutzt:

»Als wir in die Nähe des Tores kamen, glaubte ich einen Alptraum zu haben: Am Torpfosten hing ein nackter Leichnam, Hände und Füße mit Draht gebunden, den Kopf zur Seite geneigt, die starren Augen halb offen; darüber eine Tafel: ›So ergeht es jedem, der in Norilsk einen Fluchtversuch unternimmt!‹«[11]

Schigulin erinnert sich, dass man die Leichen von Flüchtigen manchmal über einen Monat lang mitten in seinem Lagpunkt an der Kolyma liegen ließ.[12] Diese Praxis hatte man auf den Solowezki-Inseln erstmals angewandt. In den vierziger Jahren war sie in allen Lagern üblich.[13]

Und doch wurden immer wieder Ausbrüche versucht. Nach der

offiziellen Statistik und den wütenden Briefen zu urteilen, die zu diesem Thema im Gulag hin und her gingen, gab es wesentlich mehr versuchte und erfolgreiche Ausbrüche aus den Lagern, als in vielen Erinnerungen eingeräumt wird. In den Archiven findet man zum Beispiel Berichte über Strafen, die bei gelungenen Ausbruchsversuchen verhängt wurden. 1945 mussten Offiziere der Wachmannschaften in den Lagern bei der »NKWD-Baustelle 500«, einer Eisenbahnstrecke in Ostsibirien, wegen mehrerer erfolgreicher Gruppenfluchten fünf bis zehn Tage Gefängnis und eine Kürzung ihres Gehalts für diese Zeit um 50 Prozent hinnehmen.[14]

Andere Wachmänner vereitelten Fluchtversuche. Einer, der die Alarmsirene einschaltete, nachdem fliehende Gefangene einen Nachtwächter erwürgt hatten, erhielt laut Akten eine Prämie von 300 Rubel. Sein Chef wurde mit 200 Rubel bedacht. In einem anderen Gefängnis konnten der Direktor ebenfalls 200 und jeder der beteiligten Soldaten 100 Rubel einstreichen.[15]

Kein Lager war absolut sicher. Von dem abgelegenen Solowezki-Archipel und seinen Nebenlagern sollte man das eigentlich annehmen. Und doch gelang den Weißgardisten S. A. Malsagow und Juri Bessonow im Mai 1925 die Flucht aus einem Festland-Lager von SLON. Nachdem sie die Wachposten überwunden hatten, marschierten sie 35 Tage lang bis zur finnischen Grenze. Beide schrieben über ihre Erlebnisse später Bücher und zählten damit zu den Ersten, die die Lager auf den Solowezki-Inseln auch im Westen bekannt machten.[16] 1934 gelangen zwei besonders spektakuläre Fluchtversuche von dort. An einem waren vier »Spione«, an dem anderen »ein Spion und zwei Banditen« beteiligt. Beide Gruppen beschafften sich Boote und flohen über die See, wahrscheinlich nach Finnland. Der Lagerchef wurde entlassen, andere erhielten Verweise.[17]

Mit der Ausdehnung der SLON-Lager auf das karelische Festland in den zwanziger Jahren verfielfältigten sich auch die Fluchtmöglichkeiten, ein Umstand, den Wladimir Tschernjawin sich zu Nutze machte. Tschernjawin, ein Fischereiexperte, hatte mit beträchtlichem Mut versucht, dem Fünfjahresplan der Murmansker Fischereigesellschaft etwas Realismus einzuhauchen. Seine Kritik an dem Planentwurf brachte ihm eine Anklage wegen »Sabotage« ein. Er wurde zu fünf Jahren Haft verurteilt und nach Solowezki geschickt. SLON setzte ihn schließlich als Häftling und Fachmann in Nordkarelien ein, wo er neue Fischereibetriebe aufbauen sollte.

Tschernjawin nahm sich Zeit. Monatelang warb er um das Vertrauen seiner Vorgesetzten, die es sogar seiner Frau und seinem fünfzehnjährigen Sohn Andrej gestatteten, ihn zu besuchen. Während dieses Besuches im Sommer 1933 ging die Familie zu einem »Picknick« ans Ufer der nahe gelegenen Bucht. Als sie am westlichsten Punkt angekommen waren, eröffneten Tschernjawin und seine Frau dem Sohn, dass sie die UdSSR verlassen wollten – zu Fuß. »Ohne Karte oder Kompass schlugen wir uns durch wilde Berge, Wälder und Sümpfe bis nach Finnland und in die Freiheit durch«, schrieb Tschernjawin.[18]

Tschernjawin war kein Einzelfall. Die frühen Jahre des Gulags sind für Fluchtversuche offenbar die günstigsten gewesen. Die Zahl der Gefangenen wuchs schnell, das Wachpersonal reichte nicht aus, und die Lager befanden sich in relativer Nähe zu Finnland. Im Jahr 1930 wurden an der finnischen Grenze 1174 entflohene Häftlinge gestellt. 1932 waren es bereits 7202. Die Zahl der erfolgreichen Fluchten stieg wahrscheinlich entsprechend.[19] Der Gulag-Statistik zufolge, die nicht unbedingt exakt sein muss, brachen 45755 Personen 1933 aus Lagern aus, von denen nur etwas mehr als die Hälfte – 28 370 – wieder gefasst wurden.[20] In den Berichten heißt es, die einheimische Bevölkerung sei über die große Zahl entlaufener Sträflinge beunruhigt. Lagerkommandanten forderten permanent Verstärkung an, ebenso die Grenztruppen und die lokalen Organe der OGPU.[21]

Letztere führte schärfere Kontrollen ein. Um diese Zeit forderte man erstmalig auch die Bevölkerung zu aktiver Mithilfe auf. In einer Weisung der OGPU wurde angeordnet, um jedes Lager einen 25 bis 30 km breiten Gürtel zu ziehen, wo die Anwohner »Fluchtversuche aktiv bekämpfen« sollten. Neue Gesetze verhängten für Ausbruch aus dem Lager schwere Strafen. Die Wachmannschaften wussten, dass sie eine Belohung erwarten konnten, wenn sie einen Gefangenen auf der Flucht erschossen.[22]

Aber die Zahlen gingen nicht so schnell wie erhofft zurück. In den dreißiger Jahren kam es an der Kolyma immer wieder zu Gruppenausbrüchen. Kriminelle, die weitab im Wald arbeiteten, bildeten Banden, beschafften sich Waffen, griffen sogar Einheimische, Geologentrupps und ganze Dörfer an. Nach mehr als zwanzig solcher Zwischenfälle richtete man 1936 ein Lager für 1500 »besonders gefährliche Elemente« ein – Häftlinge, bei denen akuter Fluchtverdacht bestand.[23]

Zu Beginn des Zweiten Weltkrieges stieg die Zahl der Ausbrüche wieder steil an, da sich bei der Evakuierung der Lager aus dem Westteil des Landes und im allgemeinen Chaos mehr Fluchtmöglichkeiten boten.[24] Im weiteren Kriegsverlauf gingen die Zahlen erneut zurück, aber ganz verschwand das Phänomen nie. Im Jahr 1947, als der Höchststand der Nachkriegszeit erreicht wurde, wagten 10440 Gefangene den Ausbruch, von denen nur 2894 wieder eingefangen wurden.[25] Angesichts der Millionen, die damals in den Lagern einsaßen, ist das nur ein winziger Bruchteil, aber er beweist, dass Flucht nicht so unmöglich war, wie manche sich erinnern. Es kann sogar sein, dass die Verschärfung des Lagerregimes und der Sicherheitsmaßnahmen, die das Leben im Gulag bis zu Stalins Tod prägten, darauf zurückzuführen sind.

Potenzielle Ausbrecher fanden sich vor allem unter den Berufsverbrechern – darin sind sich alle Memoirenschreiber einig, und auch der Slang spiegelt diese Tatsache wider. Der Frühling wird als Ankunft des »grünen Staatsanwalts« bezeichnet (»Wassja wurde vom grünen Staatsanwalt freigelassen«), da im Frühjahr die Flucht für den Sommer geplant wurde: »Durch die Taiga kommt man nur im Sommer, wenn man sich von Kräutern, Pilzen, Beeren und Wurzeln ernähren, wenn man aus zermahlenem Moos Plinsen backen, wenn man Mäuse, Eichhörnchen, Eichelhäher oder Kaninchen fangen kann.«[26] Im Hohen Norden wiederum galt als beste Zeit für eine Flucht der Winter, den die Kriminellen prompt den »weißen Staatsanwalt« nannten, denn nur dann waren die Sümpfe der Tundra passierbar.[27]

Fluchtversuchen von Kriminellen war in der Regel auch häufiger Erfolg beschieden. Hatten sie den Stacheldraht einmal überwunden, boten sich ihnen bessere Überlebenschancen: Wenn sie es bis zu einer größeren Stadt schafften, konnten sie in der örtlichen Verbrecherwelt untertauchen, ein Versteck finden und sich falsche Papiere beschaffen. Da ihnen die Rückkehr in die »freie« Welt ohnehin nicht allzu viel bedeutete, flohen manche nur um des Abenteuers willen, um für eine Weile »draußen« zu sein. Wurden sie gefasst und blieben dabei am Leben, konnten weitere zehn Jahre einen Mann kaum erschüttern, der schon zwei Mal 25 Jahre oder noch mehr auf dem Konto hatte. Ein ehemaliger *Sek* erinnert sich an eine Kriminelle, die nur aus dem Lager weglief, um sich mit einem Mann zu treffen. Sie kehrte »hoch befriedigt« zurück, obwohl man sie sofort in die Strafzelle steckte.[28]

Politische Gefangene wagten die Flucht viel seltener. Es fehlte ihnen an den nötigen Kontakten und Erfahrungen, außerdem wurden sie härter verfolgt. Tschernjawin, der seine Flucht lange erwog, bevor er sich dazu entschloss, erklärt den Unterschied:

> »Die Flucht eines Verbrechers nahmen die Wachen nicht sehr ernst, und sie machten sich nicht die Mühe, ihn weit zu verfolgen. Er wurde ohnehin gefasst, wenn er die Eisenbahn oder die nächste Stadt erreichte. Wenn es dagegen um einen politischen Gefangenen ging, gab es sofort eine Treibjagd, in die man die umliegenden Dörfer und die Grenztruppen einbezog. Ein Politischer versuchte immer über die Grenze zu kommen, denn im Land selbst gab es für ihn keinen sicheren Zufluchtsort.«[29]

Fluchtversuche kamen vor allem an den schlechter bewachten Einsatzorten außerhalb der Lager vor, aber nicht ausschließlich. Betrachten wir den zufällig ausgewählten Monat September 1945: 51 Prozent der registrierten Fluchtversuche fanden am Arbeitsplatz statt, 27 Prozent im Bereich der Unterbringung und 11 Prozent auf dem Transport.[30] Edward Buca plante zusammen mit einer Gruppe junger Ukrainer die Flucht aus einem Transportzug nach Sibirien:

> »Mit meinem Sägeblatt wollten wir versuchen, vier oder fünf Bretter durchzusägen. Wir wollten nur nachts arbeiten und die Spuren mit einer Mischung aus Brot und Pferdemist verwischen. Dann wollten wir abwarten, bis der Zug einmal in einer bewaldeten Gegend hielt.

Sobald wir die Bretter herausgebrochen hatten, sollten so viele wie möglich durch die Öffnung aus dem Wagen springen und in verschiedene Richtungen davonlaufen, um die Wachmannschaften zu verwirren. Man würde auf uns schießen, aber die Mehrheit hatte eine Chance davonzukommen.«[31]

Sie mussten den Plan dann allerdings aufgeben, weil die Wachen Verdacht schöpften. Aber Fluchtversuche während des Transports gab es immer wieder. Im Juni 1940 gelang es tatsächlich zwei Kriminellen, durch ein Loch im Wagen zu schlüpfen.[32]

Leute wie Tschernjawin nutzten ihre Sonderstellung im Lager, um ihre Flucht vorzubereiten. Ein anderer Häftling löste absichtlich ein Unglück mit einem Güterzug aus, um in der allgemeinen Konfusion die Flucht zu ergreifen.[33] Bei einem anderen aktenkundigen Fall erschossen Häftlinge, die als Totengräber eingesetzt waren, ihren Begleitposten und warfen ihn in das Massengrab, so dass seine Leiche nicht sofort entdeckt wurde.[34] Leichter war die Flucht für »unbewachte« Häftlinge, die sich mit einem Sonderausweis zwischen den einzelnen Lagern bewegen durften.

Auch Tarnung wurde häufig benutzt. Schalamow erzählt die Geschichte eines Gefangenen, der fliehen und zwei Jahre in Freiheit verbringen konnte. Als angeblicher Geologe zog er durch Sibirien. Einmal baten ihn die regionalen Behörden, stolz, so einen Experten in ihrer Mitte zu haben, sogar voller Respekt, ihnen einen Vortrag zu halten. »Kriwoschej lächelte, zitierte Shakespeare auf Englisch, kritzelte irgendetwas an die Tafel und rasselte Dutzende ausländische Namen herunter.« Am Ende wurde er gefasst, weil er seiner Frau Geld schickte.[35] Diese Geschichte mag erfunden sein, aber in den Archiven stößt man auf ähnliche Fälle. So gelang es beispielsweise einem Gefangenen an der Kolyma, sich Papiere zu beschaffen, ein Flugzeug zu besteigen und nach Jakutsk zu fliegen. Dort fand man ihn. Er hatte sich mit 200 Gramm Gold in den Taschen in aller Ruhe in einem Hotel niedergelassen.[36]

Nicht alle Fluchtversuche boten Stoff für fantastische Geschichten. Oft war, vor allem bei den Kriminellen, Gewalt im Spiel. Ausbrecher griffen Wachposten an, erschossen oder erwürgten sie ebenso wie freie Angestellte oder Bewohner umliegender Ortschaften.[37] Selbst Mithäftlinge waren nicht vor ihnen sicher. Kannibalismus kam bei Fluchtversuchen häufig vor: Zwei Kriminelle sprachen sich ab, mit einem dritten Mann (dem »Fleisch«) zu fliehen, der von vornherein als Wegzehrung für die anderen beiden bestimmt war. So berichtet Buca vom Prozess gegen einen Dieb und Mörder, der gemeinsam mit einem Kumpan die Flucht wagte. Sie nahmen den Lagerkoch als »wandelnden Proviant« mit:

> »Auf diese Idee waren sie nicht als Erste gekommen. Wenn eine große Gruppe Menschen von nichts anderem träumt, als auszubrechen, dann werden alle Möglichkeiten dafür durchgespielt. Ein ›wandelnder Proviant‹ ist in der Regel ein beleibter Häftling. Wenn er bei dir ist, kannst du ihn töten und essen. Bis es dazu kommt, schleppt er den ›Proviant‹ selbst.«

Die beiden Männer führten ihren Plan aus. Sie töteten den Koch und aßen ihn auf. Aber sie hatten nicht vereinbart, wie lange ihre Reise dauern sollte. Bald waren sie wieder hungrig:

> »Beide wussten genau: Wer als Erster einschlief, fiel dem anderen zum Opfer. Daher taten beide, als seien sie nicht müde, und erzählten einander die ganze Nacht Geschichten, wobei sie sich argwöhnisch beäugten. Da sie alte Kumpane waren, brachte es keiner der beiden fertig, den anderen offen anzugreifen oder seinen Verdacht zu äußern.«

Schließlich nickte der eine doch ein. Der andere schnitt ihm die Kehle durch. Als er zwei Tage später gefasst wurde, soll er, so berichtet Buca, noch Stücke rohen Fleisches in einem Sack bei sich gehabt haben.[38]

Natürlich weiß man nicht genau, wie oft es zu derartigen Zwischenfällen gekommen ist. Aber solche Geschichten sind von den frühen dreißiger bis zu den späten vierziger Jahren aus den verschiedensten Lagern immer wieder zu hören, so dass sie von Zeit zu Zeit mit Sicherheit stattgefunden haben.[39]

Die mündliche Überlieferung des Gulags weiß von einigen ausgesprochen spektakulären Fluchtgeschichten zu berichten, die nicht alle tatsächlich passiert sein müssen. Da ist der merkwürdige Fall von Slavomir Rawicz, dessen Memoiren *Der lange Weg* die vielleicht spektakulärste und anrührendste Schilderung einer Flucht in der ganzen Gulag-Literatur sind: Rawicz wurde nach dem sowjetischen Einmarsch in Polen verhaftet und in ein Lager in Nordsibirien gebracht. Er behauptet, ihm und sechs weiteren Häftlingen, darunter einem Amerikaner, sei mit Unterstützung der Frau des Lagerkommandanten die Flucht gelungen. Zusammen mit einem polnischen Mädchen, einer Deportierten, die sie unterwegs auflasen, sei es ihnen geglückt, aus der Sowjetunion herauszukommen.

In einem unvergleichlichen Marsch – wenn er denn stattgefunden hat – umrundeten sie den Baikalsee, zogen über die Grenze in die Mongolei, durchquerten die Wüste Gobi, das Hochland von Tibet, den Himalaja und gelangten schließlich nach Indien. Vier seiner Weggefährten blieben auf der Strecke, die Übrigen litten extreme Entbehrungen. Leider haben mehrere Versuche, diese Geschichte, die an Rudyard Kiplings Erzählung »The Man Who Was« erinnert, zu bestätigen, zu nichts geführt.[40] *Der lange Weg* ist eine glänzend erzählte Story, auch wenn sie nie passiert sein sollte. Von ihrem überzeugenden Realismus können wir alle lernen, die die tatsächliche Geschichte vom Entkommen aus dem Gulag zu schreiben versuchen.

Denn von Flucht aus dem Lager träumten viele. Selbst für die Tausenden, die sie nie wagten, war der Gedanke daran eine wichtige psychologische Stütze. Besonders junge Männer planten, erörterten und debattierten immer und immer wieder die besten Fluchtmethoden. Für einige waren solche Gespräche eine Möglichkeit, mit der eigenen Hilflosigkeit fertig zu werden, wie Gustaw Herling-Grudzinski schreibt:

> »So trafen wir uns oft in einer der Baracken und besprachen in vertrautem Kreis alle Einzelheiten unserer Flucht. Wir sammelten Metallstücke, die wir bei der Arbeit fanden, Kistenholz und Glasscherben und redeten uns ein, dass man daraus einen Kompass basteln könne. Wir versuchten, uns genauer über die Landschaft ringsum

> zu informieren, die klimatischen Verhältnisse, Entfernungen und geografischen Besonderheiten …
> In diesem Königreich der Fiktion, in das man uns aus dem Westen in Hunderten von Güterwagen verschleppt hatte, erfüllte uns schon das kleinste Festbeißen in unsere eigenen Tagträume mit neuer Zuversicht. Wenn die Mitgliedschaft in einer nicht existierenden Terroristenorganisation ein Verbrechen sein kann, für das man zehn Jahre Arbeitslager bekommt, warum soll dann nicht ein angespitzter Nagel eine Kompassnadel, ein Stück Holz ein Ski, ein bekritzelter Fetzen Papier eine Karte sein können?«

Wie Herling-Grudzinski vermutet, war jedem, der sich an diesen Gesprächen beteiligte, tief in seinem Inneren klar, dass all diese Vorbereitungen zu nichts führen konnten. Dennoch hatten sie ihren Sinn:

> »Ich muss hier an einen jungen polnischen Kavallerieoffizier denken, der während der schlimmsten Hungerperiode im Lager die Energie aufbrachte, sich von seiner täglichen Brotration eine Scheibe abzusparen, die er dann über dem Feuer röstete und in einem Sack irgendwo in der Baracke an einer niemandem bekannten Stelle versteckte. Jahre später bin ich ihm noch einmal im Irak begegnet, und als wir in einem Armeezelt bei einer Flasche Wein saßen, hänselte ich ihn wegen seines Flucht-›Planes‹. Aber er antwortete ganz ernst: ›Du solltest nicht darüber lachen. Ich habe das Lagerleben nur durch meine Hoffnung auf die Flucht ertragen können, und ich bin nur darum lebendig aus dem Totenhaus herausgekommen, weil ich diesen Brotvorrat besaß. Man kann nicht leben, wenn man nicht weiß, wofür man lebt.‹«[41]

Wenn in den Erinnerungen der meisten Gulag-Überlebenden Flucht schon unmöglich schien, so war Rebellion geradezu undenkbar. Das Zerrbild des niedergedrückten, besiegten und entmenschlichten *Seks*, der sich den Behörden zur Kollaboration anbot und unfähig war, vom Sowjetregime auch nur schlecht zu denken oder sich gar dagegen zu organisieren, taucht in vielen Erinnerungen auf, nicht zuletzt bei den beiden größten literarischen Figuren unter den russischen Überlebenden: Solschenizyn und Schalamow. Und es kann durchaus sein, dass dieses Bild über weite Strecken der Gulaggeschichte von der Realität nicht weit entfernt ist. Mit dem System der gegenseitigen Bespitzelung wurde erreicht, dass viele Häftlinge einander misstrauten. Andere konnten wegen der Tretmühle der schweren Arbeit und der Übermacht der Kriminellen kaum an organisierten Widerstand denken.

Und doch erzählen die Archive wieder eine andere Geschichte. Dort finden sich zahlreiche Berichte über kleinere Lagerproteste und Arbeitsniederlegungen. Besonders die Anführer der Kriminellen scheinen von Zeit zu Zeit kurze, meist unpolitische Streiks angezettelt zu haben, wenn sie bei der Lagerleitung etwas durchsetzen wollten. Diese behandelte solche Zwischenfälle meist nur als minderes Ärgernis. Zu kleineren Revolten kam es vor allem Ende der dreißiger und Anfang der vierziger Jahre, als die Berufsverbrecher eine privilegierte Stellung einnahmen und Strafen kaum fürchteten.[42]

Spontane Proteste von Kriminellen entwickelten sich zuweilen auch während des langen Eisenbahntransports nach Osten, wenn es kein Wasser gab und die Häftlinge nur Salzhering zu essen bekamen. Um die Wachmannschaften dazu zu bewegen, ihnen Wasser zu bringen, beschlossen die Kriminellen, »gemeinsam zu schreien und Radau zu machen«. Sie veranstalteten ein solches Getöse, dass die Wachposten es kaum noch aushielten. Ein Häftling erinnert sich: »Einst brachte das Kriegsgeschrei der alten Germanen die römischen Legionen zum Weinen, so schrecklich hörte es sich an. Dasselbe Entsetzen packte die Sadisten im Gulag ...«[43] Diese Tradition überlebte bis in die achtziger Jahre, als Häftlinge, die während des Transports gegen ihre Behandlung protestieren wollten, noch einen Schritt weiter gingen. Die Dichterin und Dissidentin Irina Ratuschinskaja erinnert sich:

> »›Los, Leute! Schaukeln!‹ ... Die Gefangenen beginnen, den Waggon zum Schaukeln zu bringen, indem sie alle zusammen im Takt von einer Seite der Box auf die andere taumeln. Durch die Überfüllung des Waggons kann das gewünschte Resultat sehr schnell eintreten: Der Waggon kippt aus den Gleisen und reißt den Zug die Böschung hinunter.«[44]

Überfüllung und schlechtes Essen konnten auch Proteste auslösen, die man wohl am besten als halb organisierte Hysterie beschreibt. Eine Augenzeugin schildert einen solchen Ausbruch, angeführt von weiblichen Kriminellen:

»Etwa 200 Frauen rissen sich wie auf Kommando plötzlich die Kleider vom Leib und rannten splitternackt auf den Hof. In obszönen Posen umringten sie die Wachmänner, kreischten, lachten und fluchten, wälzten sich in schrecklichen Krämpfen am Boden, rauften sich die Haare, kratzten sich die Gesichter blutig, sprangen wieder auf und rannten zum Tor.
›A-a-a-a-a-a!‹, heulte die Menge.«[45]

Neben solchen spontanen Szenen des Wahnsinns gab es eine andere, ältere Protesttradition, die auf die ersten politischen Gefangenen – die Sozialdemokraten, Anarchisten und Menschewiki der frühen zwanziger Jahre – zurückging, die sie ihrerseits aus dem vorrevolutionären Russland übernommen hatten: der Hungerstreik. Erstmals von Politischen angewandt, als man sie von den Solowezki-Inseln fortbrachte und in Gefängnissen in Isolationshaft steckte,[46] suchten einige an der Tradition auch festzuhalten, als man sie wieder in die Lager zurückbrachte. Mitte der dreißiger Jahre wurden Sozialisten bei Hungerstreiks auch von Anhängern Trotzkis unterstützt. Im Oktober 1936 traten Hunderte Trotzkisten, Anarchisten und andere politische Gefangene in einem Lagpunkt von Workuta in den Hungerstreik, der laut Akten 132 Tage dauerte. Die Ziele waren ohne Frage politischer Natur: Die Streikenden forderten, von den Kriminellen getrennt zu werden, nur acht Stunden am Tag arbeiten zu müssen und unabhängig von der Normerfüllung verpflegt zu werden. Natürlich forderten sie auch die Annullierung ihrer Urteile. In einem anderen Lagpunkt, ebenfalls in Workuta, schlossen sich einem noch größeren Hungerstreik sogar einige Berufsverbrecher an. Dort hielten die Streikenden 115 Tage durch. Im März 1937 entschloss sich die Gulag-Zentrale, die Forderungen der Streikenden zu erfüllen. Bis Ende 1938 waren allerdings die meisten Beteiligten den Massenexekutionen jenes Jahres zum Opfer gefallen.[47]

Etwa zur selben Zeit streikte eine Gruppe Trotzkisten in einem Transitlager bei Wladiwostok, wo sie auf die Überfahrt zur Kolyma warteten. Sie hielten Versammlungen ab und wählten einen Anführer. Er forderte das Recht, das Schiff zu besichtigen, auf dem sie transportiert werden sollten. Das wurde abgelehnt. Beim Einschiffen sangen sie aber revolutionäre Lieder und entrollten – wenn man den Berichten der NKWD-Informanten Glauben schenken kann – Spruchbänder mit Losungen wie »Es lebe Trotzki, der Genius der Revolution!« und »Nieder mit Stalin!« Als der Dampfer am Bestimmungsort ankam, stellten die Häftlinge neue Forderungen: Jeder sollte seinem Beruf entsprechend beschäftigt und dafür bezahlt werden. Ehepaare sollten nicht getrennt werden. Alle Gefangenen verlangten das Recht, Post ohne Einschränkungen verschicken und empfangen zu dürfen. Prompt traten sie auch hier mehrfach in den Hungerstreik, von denen einer hundert Tage währte. »Die Führung der trotzkistischen Gefangenen an der Kolyma«, resümierte eine zeitgenössische Beobachterin, »lebte in einer Fantasiewelt und ignorierte das reale Kräfteverhältnis.« Sie wurden alle erneut verurteilt und erschossen.[48]

Vielleicht wegen dieser vereinzelten Revolten begann das NKWD politische Hungerstreiks und Arbeitsniederlegungen ernster zu nehmen. Seit den späten dreißiger Jahren erhielten die Anführer solcher Aktionen zusätzliche Haftstrafen. Einige wurden auch zum Tode verurteilt. Schlimmer noch waren in den Augen der Lagerleitungen jedoch Arbeitsniederlegungen, denn sie liefen der Hauptbestimmung der Lager zuwider. Ein Gefangener, der nicht arbeitete, verletzte nicht nur die Disziplin, sondern behinderte ernsthaft die Erfüllung der wirtschaftlichen Ziele des Lagers.

Doch selbst die sichere Strafe, ja sogar der Tod konnten die Gefangenen nicht davon abhalten, von Zeit zu Zeit zu rebellieren. Nach Stalins Tod sollte dies sogar massenhaft geschehen. Aber auch als Stalin noch lebte und das Regime am härtesten war, ließ sich der Geist der Rebellion nicht vollkommen ausrotten, wie die bemerkenswerte Geschichte des Aufstandes von Ust-Ussa im Januar 1942 zeigt.

Diese Revolte ist, soviel wir wissen, in den Annalen des Gulags einzigartig. Wenn es zu Stalins Lebzeiten weitere Massenausbrüche gegeben haben sollte, dann sind sie nicht bekannt geworden. Über Ust-Ussa wissen wir recht viel: Verfälschte Versionen der Geschichte waren im Gulag weit verbreitet. In den letzten Jahren ist sie aber sorgfältig dokumentiert worden.[49]

Die Revolte wurde – so merkwürdig das klingt – nicht von einem Gefangenen, sondern von einem freien Arbeiter angeführt. Mark Retjunin war damals Verwalter des Lagpunktes Lesoreid, eines kleinen Holzfäller-Camps im Komplex von Workutlag, das zweihundert Gefangene umfasste, davon mehr als die Hälfte politische. Bis 1942 hatte Retjunin im Lagersystem bereits die verschiedensten Erfahrungen gemacht. Wie viele kleine Lager-Chefs war er ein ehemaliger Gefangener. Er hatte zehn Jahre Lagerhaft wegen angeblichen Bankraubes hinter sich. Dennoch vertraute ihm die Lagerleitung, da er als ein Mann galt, der »für die Produktionsinteressen des Lagers sein Leben hingeben würde«. Andere haben ihn abwechselnd als Trinker und Kartenspieler beschrieben – vielleicht ein Hinweis auf eine kriminelle Vergangenheit.

Von welchen Motiven Retjunin sich leiten ließ, ist unklar. Offenbar hatte ihn die Weisung des NKWD nach Kriegsausbruch im Juni 1941 tief schockiert, die es allen politischen Gefangenen verbot, das Lager zu verlassen, selbst denen, deren Strafe abgelaufen war. Afanassi Jaschkin, der einzige Überlebende der ursprünglichen Verschwörer, sagte beim Verhör aus, Retjunin habe befürchtet, man werde alle Lagerinsassen, ob Gefangene oder Freie, hinrichten, sollten die Deutschen tiefer in die Sowjetunion eindringen. »Was haben wir zu verlieren, wenn sie uns sowieso erschießen«, drängte er. »Was ist der Unterschied, ob wir morgen einer Kugel zum Opfer fallen oder heute als Rebellen sterben?«

Über die Vorbereitungen sind keine Einzelheiten bekannt geworden. Retjunin hinterließ keinerlei schriftliche Aufzeichnungen, was nicht verwundern kann. Der Ablauf zeigt jedoch, dass die Revolte sorgfältig geplant war. Am Nachmittag des 24. Januar 1942 traten die Rebellen in Aktion. An diesem Sonnabend wollte die Lagerwache ausführlich das Badehaus nutzen. Als die meisten drinnen waren, schloss sie ein Chinese namens Lu Fa, der an der Verschwörung beteiligt war, rasch ein. Die Übrigen entwaffneten die verbliebenen Wachposten im Handumdrehen.

Eine Gruppe der Rebellen öffnete das Vorratslager und gab warme Kleidung und feste Schuhe aus. Retjunin hatte für ausreichende Vorräte gesorgt. Er rief die Insassen des Lagers auf, sich dem Aufstand anzuschließen. Das taten nicht alle. Einige hatten Angst, andere sahen, dass die Lage hoffungslos war, wieder andere wollten die Rebellen sogar zum Aufgeben bewegen. Dennoch marschierte gegen 17 Uhr, kaum eine Stunde, nachdem alles begonnen hatte, eine Abteilung von hundert Mann in Reih und Glied in Richtung der nächsten Stadt, Ust-Ussa.

Dort begriffen die Einwohner angesichts der gut gekleideten Truppe zunächst nicht, was geschehen war. In zwei Gruppen griffen die Rebellen das Postamt und das Stadtgefängnis an. Sie hatten Erfolg. Die Gefängniszellen wurden geöffnet, und zwölf dortige Insassen schlossen sich ihnen an. Auf dem Postamt unterbrachen sie als Erstes die Verbindungen zur Außenwelt. Ust-Ussa war unter Kontrolle der Häftlinge.

Jetzt begannen die Stadtbewohner sich zu wehren. Im Zentrum der Stadt brachen offene Kämpfe aus. Die Rebellen entwaffneten mehrere Stadtpolizisten und erbeuteten einige Waffen. Sie rechneten allerdings nicht damit, dass das Polizeigebäude zäh verteidigt würde. Die Kämpfe hielten die ganze Nacht an, und am Morgen hatten die Rebellen beträchtliche Verluste zu beklagen. Neun waren tot und einer verwundet. Vierzig hatte man wieder festgenommen. Die Übrigen verlegten sich auf eine neue Taktik. Sie wollten aus Ust-Ussa abziehen und in die Nachbarstadt Koschwa marschieren. Allerdings wussten sie nicht, dass die Behörden von Ust-Ussa über einen im Wald versteckten Sender bereits Hilfe angefordert hatten. In allen Ausfallstraßen und um die Stadt zogen allmählich bewaffnete Milizionäre auf.

Zunächst aber hatten die Aufständischen Glück. Als Erstes stießen sie auf ein Dorf, wo kaum jemand Widerstand leistete. Auf der dortigen Poststation zapften sie die Telefonleitung an und erfuhren vom Aufmarsch der Miliz. Sie verließen die Straße Richtung Tundra.

Schließlich versteckten sie sich auf einer Rentierfarm. Am Morgen des 28. Januar wurden sie dort jedoch entdeckt. Wieder gab es ein Scharmützel. Die Verluste auf beiden Seiten waren hoch. Als die Nacht hereinbrach, waren die überlebenden Häftlinge – etwa dreißig an der Zahl – jedoch entkommen. Sie verschanzten sich in einer Jagdhütte auf einem nahe gelegenen Berg. Einige wollten weiterkämpfen, obwohl ihnen die Munition ausging und sie kaum noch eine Chance hatten. Andere zogen sich in die Wälder zurück, wo sie zu dieser Jahreszeit ebenfalls nicht überleben konnten.

Zum letzten Gefecht kam es am 31. Januar. Es dauerte einen Tag und eine Nacht. Als die Miliz den Ring geschlossen hatte, erschossen sich einige der Rebellen, darunter Retjunin. Das NKWD verfolgte die Spuren der anderen und spürte einen nach dem anderen in den Wäldern auf. Die Leichen wurden zu einem Haufen aufgeschichtet. Rasend vor Hass verstümmelten die Milizionäre die Toten und fotografierten sie. Die Bilder, die in den Regionalarchiven erhalten sind, zeigen verkrümmte, mit Schnee und Blut bedeckte Körper. Wo sie begraben wurden, ist nicht festgehalten. In der Gegend glaubt man, die Milizionäre hätten sie an Ort und Stelle verbrannt.

Gefangen genommene Rebellen wurden nach Syktywkar, dem zentralen Ort der Region, geflogen, wo man sofort mit den Vernehmungen begann. Nach über sechs Monaten Verhör und Folter erhielten 19 Beteiligte eine weitere Haftstrafe. 49 wurden am 9. August 1942 hingerichtet.

Aber auch die Verteidiger der Sowjetmacht hatten einen hohen Blutzoll entrichten müssen. Dabei war der Verlust einiger Dutzend Wachmänner und Zivilisten nicht die Hauptsorge des NKWD. Laut den Verhörprotokollen »gestand« Jaschkin, Retjunin habe die Regionalbehörden stürzen, ein faschistisches Regime errichten und sich natürlich mit NS-Deutschland verbünden wollen. Angesichts der sowjetischen Verhörmethoden wissen wir, was von einer solchen Aussage zu halten ist.

Wahr ist allerdings, dass diese Erhebung über den typischen Verbrecheraufstand hinausging. Sie hatte offen politische, und zwar antisowjetische Motive. Auch die Beteiligten waren nicht die klassischen kriminellen Ausbrecher, sondern in der Mehrzahl politische

Gefangene. Das NKWD wusste, dass sich die Kunde von diesem Aufstand sehr rasch in den umliegenden Lagern verbreiten würde, wo die Zahl der Politischen in den Kriegsjahren ungewöhnlich hoch war. Einige hatten immer den Verdacht, die Deutschen könnten von den Lagern um Workuta wissen und sie als fünfte Kolonne zu nutzen suchen, sollten sie je so tief in russisches Territorium eindringen. Bis heute halten sich Gerüchte, dass deutsche Spione über der Region abgesprungen seien.

Moskau fürchtete aber vor allem Nachahmungstäter und ergriff daher Maßnahmen. Am 20. August 1942 ging bei allen Lagerchefs im Gulag eine Denkschrift mit dem Titel »Über die zunehmende konterrevolutionäre Tätigkeit in den Besserungsarbeitslagern des NKWD« ein. Darin wurde gefordert, das »konterrevolutionäre und antisowjetische Element« in den Lagern binnen zwei Wochen zu liquidieren. Bei den zahlreichen Ermittlungen, die in der ganzen Sowjetunion daraufhin in Gang gesetzt wurden, wurde eine riesige Zahl angeblicher Verschwörungen »aufgedeckt«, die vom »Volksbefreiungskomitee« in Workuta bis zur »Russischen Gesellschaft für Vergeltung an den Bolschewiken« in Omsk reichten. In einem Bericht aus dem Jahr 1944 heißt es, von 1941 bis 1944 seien in den Lagern 603 Verschwörergruppen mit insgesamt 4640 Beteiligten aufgedeckt worden.[50]

Ohne Zweifel war die Mehrzahl dieser Gruppen rein fiktiver Natur. Man wollte beweisen, dass das Spitzelsystem der Lager funktionierte. Andererseits waren die Behörden zu Recht beunruhigt: Die Rebellion von Ust-Ussa sollte sich in der Tat als Menetekel erweisen. Sie war zwar niedergeschlagen, aber nicht vergessen, auch nicht die Leiden der hingerichteten Sozialisten und Trotzkisten. Zehn Jahre später nahm eine neue Häftlingsgeneration den politischen Streik wieder auf. Mit einer der neuen Zeit gemäßen Taktik setzten sie die Sache der Rebellen und Hungerstreikenden fort.

Diese Geschichte gehört jedoch nicht zum Lagerleben auf dem Höhepunkt des Gulags, sondern in eine spätere Zeit: als der Gulag sich seinem Ende näherte.

DRITTER TEIL

# Aufstieg und Fall des Lager-Industrie-Komplexes 1940–1986

Ich war Soldat, jetzt bin ich Häftling.
Meine Seele ist gefroren, meine Zunge stumm.
Welcher Dichter, welcher Künstler
Wird meine schreckliche Haft beschreiben?

Und die Krähen des Bösen wussten nicht,
Welch Urteil sie da fällten,
Wenn sie uns folterten und jagten
Aus Gefängnis in Verbannung und Lager.

Aber Wunder geschehen! Über dem Steinbruch
Leuchtet ein freier Stern.
Sei meine Seele auch gefroren, sie ist nicht tot!
Sei meine Zunge auch stumm, sie wird sprechen!

LEONID SITKO 1949[1]

# Der Krieg beginnt

Im Westen gilt der 1. September 1939, als die Deutschen in Westpolen einmarschierten, allgemein als der Beginn des Zweiten Weltkrieges. Im Geschichtsbewusstsein der Russen dagegen ist es weder dieser Tag noch der 15. September 1939, als die Sowjetunion in Ostpolen einrückte. So dramatisch diese gleichzeitige Invasion war, die in den Verhandlungen über den Hitler-Stalin-Pakt vereinbart wurde, fühlten sich die meisten Sowjetbürger davon nicht unmittelbar betroffen.

Dagegen wird keiner von ihnen je den 22. Juni 1941 vergessen, als Hitler sein Unternehmen »Barbarossa«, den Überfall auf den sowjetischen Verbündeten, startete. Karlo Stajner, der damals Gefangener in Norilsk war, hörte die Nachricht über den Lagerfunk:

> »Plötzlich brach die Musik ab, und wir vernahmen die Stimme Molotows, der von dem ›heimtückischen Überfall‹ der Nazis auf Rußland sprach. Aber schon nach wenigen Worten wurde abgeschaltet. In der Baracke befanden sich etwa hundert Menschen; es war mäuschenstill geworden, einer schaute den anderen mit starren Augen an. Der Nachbar Wassilijs sagte nur: ›Jetzt sind wir erledigt.‹«[2]

Die politischen Gefangenen, die die Erfahrung gemacht hatten, dass sich große politische Ereignisse in der Regel schlecht für sie auswirkten, nahmen die Nachricht mit besonderem Schrecken auf. Und sie sollten Recht behalten: »Volksfeinde«, die jetzt als potenzielle fünfte Kolonne betrachtet wurden, waren in einigen Fällen sofort verschärften Repressalien ausgesetzt. An der Kolyma bekamen sie zum

Beispiel keine Post und keine Zeitungen mehr und durften nicht mehr Radio hören. Überall kam es häufiger zu Durchsuchungen, die morgendlichen Zählappelle dauerten länger. Die Kommandanten der Lagpunkte isolierten Gefangene deutscher Abstammung in eigens eingerichteten Hochsicherheitsbaracken. »Los, alle auf -berg, -burg und -stein nach links, beeilt euch!«, riefen die Aufseher und wiesen auch Jewgenia Ginsburg dorthin. Schließlich gelang es ihr, sich zur Registrierungs- und Einteilungsstelle durchzuschlagen und einen Beamten dazu zu bewegen, ihre Nationalität und Staatsangehörigkeit zur Kenntnis zu nehmen. »Zum ersten Mal in der Weltgeschichte erwies es sich als Vorteil, Jüdin zu sein.«[3]

Die Führung von Karlag nahm alle Gefangenen finnischer und deutscher Herkunft aus der Holzverarbeitung heraus und schickte sie zum Bäumefällen in den Wald. Ein finnisch-amerikanischer Häftling erinnert sich: »Nach fünf Tagen blieb die Fabrik stehen, weil Finnen und Deutsche die einzigen Fachleute waren ... Ohne Genehmigung aus Moskau holten sie uns in die Fabrik zurück.«[4]

Die bitterste Veränderung für die Betroffenen aber war eine Weisung – noch vom 22. Juni 1941 –, dass Häftlinge, die wegen »Vaterlandsverrat, Spionage, Terror, Diversion, Rechtsabweichung und Banditentum« verurteilt waren, das heißt alle Politischen, die Lager nicht verlassen durften. Unter den Gefangenen hieß diese Weisung nur die »Zusatzstrafe«, obwohl es sich um eine administrative Order, nicht um ein neues Urteil handelte. Den offiziellen Akten zufolge waren davon 17 000 Gefangene unmittelbar betroffen. Andere sollten später hinzukommen.[5] Eine Vorwarnung gab es nicht: Am eigentlichen Tag der Entlassung bekam der jeweilige Häftling einfach ein Schreiben in die Hand gedrückt, dass er »bis zum Kriegsende« hinter Stacheldraht bleiben müsse.[6] Viele gingen davon aus, dass sie das Lager in ihrem Leben nicht mehr verlassen würden. »Erst da begriff ich die ganze Tragik meiner Lage«, erinnert sich ein Betroffener.[7]

Besonders für Mütter mit Kindern war das ein schwerer Schlag. Eine polnische Gefangene erzählt von einer Frau, die ihr Baby in einem Heim außerhalb des Lagers hatte zurücklassen müssen. Tagaus, tagein grübelte sie darüber nach, wie sie ihr Kind zurückbekommen konnte. Als ihre Haft abgelaufen war, erklärte man ihr, wegen des Krieges könne sie nicht entlassen werden: »Sie ließ ihre Arbeit fallen und warf sich über den Tisch. Sie schluchzte nicht, sondern heulte wie ein wildes Tier.«[8]

Für alle Lagerinsassen gestaltete sich das Leben im Laufe des Krieges immer schwieriger. Der Arbeitstag wurde verlängert. Arbeit zu verweigern, war jetzt nicht nur verboten, sondern ein Akt des Verrats. Bereits im Januar 1941 hatte der damalige Gulag-Chef Tschernyschew die Kommandanten aller Lager und Arbeitskolonien schriftlich über das Schicksal von 26 Gefangenen in Kenntnis gesetzt, die vor der Lagergerichtsbarkeit wegen Arbeitsverweigerung angeklagt waren: Fünf von ihnen wurden zu weiteren zehn Jahren Lagerhaft verurteilt, die Übrigen 21 erhielten die Todesstrafe. Tschernyschew wies seine Untergebenen an, »die Häftlinge aller Lager und Besserungsarbeitskolonien über diese Urteile zu informieren«.[9]

Die Botschaft verbreitete sich schnell. Alle Gefangenen, so schrieb Herling-Grudzinski, wussten genau: »Zu den größten Verbrechen, die nach dem 22. Juni 1941 im Lager begangen werden konnten, gehörten die Verbreitung defätistischer Parolen und die Arbeitsverweigerung, die in den Bestimmungen zum Schutz des Staates in die Kategorie ›Sabotage der Kriegsanstrengungen‹ einbezogen waren.«[10]

Die Folgen all dieser Anweisungen in Verbindung mit massiver Lebensmittelknappheit waren verheerend. Zwar kamen Massenexekutionen nicht mehr so häufig vor wie in den Jahren 1937/38, aber die Sterberate unter den Gefangenen war 1942/43 so hoch wie nie in der ganzen Geschichte des Gulags. Laut offizieller Statistik, die ganz sicher nach unten korrigiert wurde, starben 352 560 Häftlinge allein im Jahr 1942, das heißt jeder vierte. 1943 waren es 267 826, also jeder fünfte.[11] Der Krankenstand, der für 1943 offiziell mit 22 Prozent und für 1944 mit 18 Prozent angegeben wird, lag wahrscheinlich viel höher, denn in jenen Jahren wüteten Typhus, Ruhr und andere Seuchen in den Lagern.[12]

Im Januar 1943 wurde die Situation so kritisch, dass die Sowjetregierung einen besonderen Lebensmittelfonds für den Gulag einrichtete. Die Gefangenen mochten »Feinde« sein, aber für die Kriegsproduktion wurden sie noch gebraucht. Als das Kriegsglück sich zugunsten der Sowjetunion wendete, entspannte sich die Versorgungslage ein wenig. Aber trotz zusätzlicher Rationen enthielten die Mahlzeiten bei Kriegsende immer noch ein Drittel weniger Kalorien als Ende der dreißiger Jahre.[13] Insgesamt starben während des Krieges in den Lagern und Arbeitskolonien des Gulags über zwei Millionen Menschen. Dabei sind jene nicht eingerechnet, die in der Verbannung oder in anderen Formen des Freiheitsentzugs ums Leben kamen. Über zehntausend Personen wurden auf Anweisung von Lagerstaatsanwälten wegen Landesverrat oder Sabotage erschossen.[14]

Doch auch die freie Bevölkerung der Sowjetunion litt während des Krieges, das strengere Regime und die schärferen Vorschriften trafen auch die Arbeiter außerhalb der Lager. Bereits 1940, als die Sowjetunion in Polen und die baltischen Staaten einmarschierte, setzte der Oberste Sowjet einen Arbeitstag von acht Stunden und eine Arbeitswoche von sieben Tagen für alle Fabriken und Behörden fest. Verschärfend kam hinzu, dass niemand – wie bereits erwähnt – seinen Arbeitsplatz verlassen durfte. Wer das tat, beging eine Straftat, für die Lagerhaft drohte. Auch schlechte Qualität in der Produktion (»Sabotage«) wurde zu einem Vergehen, das man immer härter ahndete. Wer dabei ertappt wurde, dass er Ersatzteile, Werkzeug, Papier oder Schreibgerät vom Arbeitsplatz mitgehen ließ, musste mit mindestens einem Jahr Lagerhaft rechnen.[15]

Die Bevölkerung hungerte kaum weniger als die Insassen der Lager. Während der deutschen Blockade Leningrads sank die Brotration auf etwa hundert Gramm pro Tag. Davon konnte niemand leben. Als das Heizöl zur Neige ging, wurde der nordische Winter zur Qual. Die Menschen machten Jagd auf Vögel und Ratten, nahmen sterbenden Kindern Essen weg, verzehrten selbst Leichen und mordeten, um an Lebensmittelkarten zu kommen.[16] Leningrad war nicht die einzige Stadt, die hungerte. Insgesamt beziffert die Sowjetunion ihre Verluste im Zweiten Weltkrieg auf zwanzig Millionen Menschen. Zwischen 1941 und 1945 wurden nicht nur im Gulag Massengräber angelegt.

Mit dem Kriegsbeginn hielt außerdem das Chaos Einzug. Die Deutschen rückten mit erschreckender Geschwindigkeit vor. In den ersten vier Wochen des Unternehmens »Barbarossa« wurden fast alle

319 sowjetischen Einheiten aufgerieben, die an den Kämpfen beteiligt waren.[17] Als es Herbst wurde, hatten die Nazis Kiew besetzt, belagerten Leningrad und standen vor Moskau.

Die westlichen Außenposten des Gulags wurden schon in den ersten Kriegstagen überrollt. Bereits 1939 hatten die Behörden die letzten Einrichtungen auf den Solowezki-Inseln geschlossen und alle Häftlinge aufs Festland verlegt, um mehr Abstand zur finnischen Grenze zu gewinnen.[18] (Im Zuge der Evakuierung und der späteren Besetzung durch Finnland verschwand das Lagerarchiv. Wahrscheinlich wurde es, wie damals üblich, vernichtet, allerdings gibt es bis heute – unbestätigte – Gerüchte, die finnische Armee habe alle Papiere nach Helsinki gebracht, wo sie noch immer in einem Hochsicherheitstresor der Regierung liegen sollen.[19]) Auch Belbaltlag, das Lager, das den Weißmeer-Kanal betrieb, erhielt im Juli 1941 den Befehl, seine Häftlinge zu evakuieren. Pferde und Rinder sollten allerdings für die Rote Armee zurückgelassen werden. Es ist nicht überliefert, ob diese noch einen Nutzen davon hatte, bevor die Deutschen dort auftauchten.[20]

Woanders verfiel das NKWD in unverhüllte Panik, vor allem in den kurz zuvor besetzten Gebieten Ostpolens und in den baltischen Staaten, wo die Gefängnisse voller politischer Gefangener waren. Es blieb keine Zeit, sie zu evakuieren. Aber man wollte »antisowjetische Terroristen« auch nicht einfach den Deutschen in die Hände fallen lassen. Noch am 22. Juni, dem Tag des deutschen Einmarsches, begann das NKWD Insassen der Gefängnisse von Lwow, der polnisch-ukrainischen Stadt in der Nähe der neuen deutsch-sowjetischen Grenze, zu erschießen. Noch während dieser Operation griff jedoch ein ukrainischer Aufstand in der Stadt um sich, der das NKWD zwang, die Gefängnisse aufzugeben. Da die Wärter plötzlich verschwunden waren und in der Nähe bereits Artilleriefeuer zu hören war, fasste eine Gruppe Häftlinge im Brygidka-Gefängnis im Zentrum von Lwow Mut und brach aus. Andere wagten es nicht, weil sie fürchteten, die Posten könnten vor den Toren stehen und nur auf einen Vorwand warten, um sie zu töten.

Für diesen Irrtum mussten sie bitter bezahlen. Am 25. Juni kehrte das NKWD, verstärkt durch Grenztruppen, in die Brygidka zurück, ließ die »gewöhnlichen« Kriminellen frei und ermordete die verbliebenen politischen Gefangenen in den Kellern mit Maschinenpistolen. Der Straßenverkehr übertönte die Schüsse. Ein ähnliches Schicksal erlitten auch die Insassen der übrigen Gefängnisse der Stadt. Insgesamt tötete das NKWD in Lwow über viertausend Gefangene, die in aller Eile in Massengräbern verscharrt wurden. Man nahm sich kaum die Zeit, eine dünne Schicht Sand über sie zu werfen.[21]

Zu ähnlichen Gräueltaten kam es überall in den Grenzgebieten. Beim Rückzug der Sowjets ließ das NKWD 21 000 Gefangene zurück. Siebentausend wurden freigelassen. In einem letzten gewaltsamen Aufbäumen ermordeten Einheiten des NKWD und der Roten Armee jedoch in Dutzenden polnischer und baltischer Städte und Dörfer etwa zehntausend Gefangene – zum Beispiel in Vilnius, Drochobycz und Pinsk.[22]

Weiter weg von der Grenze, wo mehr Zeit für die Vorbereitungen blieb, versuchte der Gulag eine normale Evakuierung der Häftlinge zu organisieren. Drei Jahre später sollte der Gulag-Chef der Kriegszeit, W. G. Nasedkin, in einer langen, bombastischen Publikation über die Kriegsanstrengungen des Systems, diese Evakuierungen als »geordnet« bezeichnen. Der Plan dafür sei »vom Gulag in Übereinstimmung mit der Verlegung der Industriebetriebe ausgearbeitet« worden. »Angesichts der bekannten Schwierigkeiten beim Transport wurde allerdings ein beträchtlicher Teil der Gefangenen zu Fuß evakuiert.«[23]

In Wirklichkeit gab es keinen Plan, und die Evakuierungen verliefen in panischer Hektik, häufig bereits im Bombenhagel der Deutschen. Die »bekannten Schwierigkeiten beim Transport« bedeuteten, dass die Menschen entweder in überfüllten Waggons erstickten oder von Bomben getötet wurden, bevor sie ihren Bestimmungsort erreichten.

Bombenangriffe auf Gefangenenzüge kamen allerdings relativ selten vor, und sei es nur deshalb, weil Gefangene kaum noch in Evakuierungszüge geladen wurden. Als ein solcher Zug ein Lager verließ, brauchten die Angehörigen und das Gepäck des Verwaltungs- und Wachpersonals so viel Raum, dass für die Häftlinge kein Platz mehr blieb.[24] Anderenorts hatten die Industrieausrüstungen – aus praktischen wie aus propagandistischen Gründen – Priorität vor den Menschen. Im Westen besiegt, versprach die Sowjetführung, die Industrie östlich des Urals wieder aufzubauen.[25] Die Folge war, dass der genannte »beträchtliche Teil« der Häftlinge – in Wirklichkeit die überwältigende Mehrheit –, der laut Nasedkin »zu Fuß evakuiert« wurde, lange Gewaltmärsche überstehen musste, deren Beschreibungen denen der Todesmärsche aus den nationalsozialistischen Konzentrationslagern vier Jahre später auf gespenstische Weise glichen: »Wir haben keine Transportmittel mehr«, erklärte ein Wachmann einer Kolonne Gefangener, als um sie herum Bomben einschlugen. »Wer gehen kann, wird gehen. Proteste sind sinnlos, alle werden marschieren. Wer das nicht kann, wird erschossen. Wir überlassen niemanden den Deutschen ... Die Entscheidung liegt bei euch.«[26]

Das rasche Vorrücken der Deutschen machte das NKWD nervös, und wenn es nervös war, begann es zu schießen. Am 2. Juli wurden die 954 Insassen des Gefängnisses von Czortkow in der Westukraine nach Osten in Marsch gesetzt. Unterwegs machte der Offizier, der später den Bericht schrieb, 123 ukrainische Nationalisten unter ihnen aus und erschoss sie wegen »versuchter Revolte und Flucht«. Nachdem die Häftlinge zwei Wochen lang marschiert waren, wobei die deutsche Armee ihnen stets in zwanzig bis dreißig Kilometern Abstand auf den Fersen blieb, ließ er die Überlebenden auch noch erschießen.[27]

Wer die Evakuierung lebend überstand, hatte Schreckliches mitmachen müssen. M. Steinberg, eine politische Gefangene, die 1941 bereits zum zweiten Mal verhaftet wurde, erinnert sich an ihre Evakuierung aus dem Gefängnis von Kirowograd:

> »Alles ringsum war in gleißendes Sonnenlicht getaucht. Um die Mittagszeit wurde es fast unerträglich. Das war die Ukraine im August. Das Thermometer stieg jeden Tag auf 35 Grad Celsius. Eine enorme Zahl von Menschen war unterwegs, über ihnen eine dicke Staubwolke. Wir hatten kaum noch Luft zum Atmen ...
>
> Jede trug ein Bündel unter dem Arm, auch ich. Ich hatte sogar einen

Mantel mitgenommen, denn ohne konnte man die Haft kaum überleben. Außerdem ein Kissen, eine Decke und etwas Bettwäsche. In den meisten Gefängnissen gibt es keine Betten, Matratzen oder Laken. Aber nach dreißig Kilometern in dieser Hitze ließ ich mein Bündel unauffällig am Straßenrand zurück. Ich hätte es nicht mehr lange tragen können. Die meisten anderen Frauen taten es mir gleich. Wer das nach dreißig Kilometern noch nicht fertig brachte, tat es nach 130. Niemand hatte am Ende seine Sachen noch bei sich. Nach weiteren zwanzig Kilometern legte ich auch meine Schuhe ab ...

Als wir durch Adschamka kamen, hatte ich meine Zellengenossin Sokolowskaja bereits seit dreißig Kilometern hinter mir hergezogen. Sie war eine Frau von über Siebzig und völlig ergraut ... Sie konnte nur unter Schwierigkeiten laufen. Sie klammerte sich an mich und erzählte mir unablässig von ihrem fünfzehnjährigen Enkel, der bei ihr gelebt hatte. Der letzte Schrecken in ihrem Leben war die Vorstellung, dass man auch ihn verhaftet hatte. Ich konnte sie nicht mehr lange mitschleppen und spürte, wie auch mir die Kräfte schwanden. ›Erholen Sie sich ein wenig‹, sagte sie, ›ich gehe allein.‹ Sofort fiel sie weit zurück. Wir waren schon die Letzten im ganzen Zug. Als ich bemerkte, dass sie zurückblieb, wandte ich mich um und wollte sie holen. Da sah ich, wie sie sie umbrachten. Sie stießen ihr ein Bajonett in den Rücken. Es kam für sie völlig unerwartet. Die wussten, wie man zustoßen musste. Sie zuckte nicht einmal. Später dachte ich bei mir, sie hatte einen leichten Tod, leichter als viele andere. Sie hatte das Bajonett nicht gesehen und gar keine Zeit mehr, Angst zu haben ...«[28]

Insgesamt evakuierte das NKWD 750 000 Gefangene aus 27 Lagern und 210 Arbeitskolonien.[29] Weitere 140 000 Häftlinge wurden aus 272 Gefängnissen evakuiert und in neue Gefängnisse im Osten verlegt.[30] Ein beträchtlicher Teil, dessen genaue Zahl wir nicht kennen, kam nie an seinem Bestimmungsort an.

Weiden sind überall Weiden

Weide von Alma-Ata, wie schön bist du,
Eingehüllt in strahlend weißen Reif.
Aber sollte ich dich je vergessen,
Du verdorrte Weide am Rozbrat in Warschau,
Dann verdorre auch meine Hand!

Berge sind überall Berge
Tienschan, vor meinen Augen
Ragst du auf zum violetten Himmel.
Aber sollte ich euch je vergessen,
Ihr Gipfel der Tatra, so fern,
Den Bach von Bialy, wo mein Sohn und ich
Von herrlichen Seereisen träumten …,
Will ich werden ein Stein im Tienschan.

Wenn ich dich je vergesse,
Du, meine Heimatstadt …

ALEXANDER WAT,
»Weiden in Alma-Ata«, Januar 1942[1]

# Die Fremden

Von Anfang an hat es im Gulag stets eine beträchtliche Zahl ausländischer Häftlinge gegeben. Zum großen Teil waren dies Kommunisten aus westlichen Ländern, Funktionäre und Mitarbeiter der Komintern, dazu eine Hand voll britische oder französische Ehefrauen von Sowjetbürgern und auch der eine oder andere verirrte ausländische Geschäftsmann. Die Ausländer wurden als rare Kuriositäten behandelt, obwohl die Kommunisten unter ihnen es wegen ihrer Herkunft und bereits längeren Erfahrungen mit dem Leben in der Sowjetunion nicht allzu schwer hatten, sich den anderen Häftlingen anzupassen. Dazu Lew Rasgon:

> »Das waren alles ›Unsere‹, denn sie waren hier geboren oder aufgewachsen, zumindest aber aus freiem Willen gekommen. Selbst wenn sie nur schlecht oder gar nicht Russisch sprachen, gehörten sie doch zu uns. Und im Schmelztiegel des Lagers verwischten sich rasch alle Unterschiede. Diejenigen, die das erste oder zweite Jahr überlebten, waren danach nur noch an ihrem schlechten Russisch zu erkennen.«[2]

Ganz anders die Ausländer, die nach 1939 in die Lager kamen. Diese Polen, Balten, Ukrainer, Belorussen und Moldauer hatte das NKWD nach der sowjetischen Invasion ohne Vorwarnung aus ihrer Bürger- oder Bauernwelt des multiethnischen Ostpolens, Bessarabiens und Baltikums gerissen und massenhaft in den Gulag oder die Dörfer der Verbannten gepfercht. Im Unterschied zu »unseren« Ausländern heißen sie bei Rasgon nur die »Fremden«.[3]

Sofort nach der sowjetischen Invasion in Ostpolen im September 1939 begannen dort die Verhaftungen. Kurz darauf waren Rumänien und die baltischen Staaten an der Reihe. Dabei ließ sich das NKWD zum einen von Sicherheitsinteressen leiten – es wollte Revolten und fünfte Kolonnen verbinden –, zum andern vom Ziel der Sowjetisierung, weshalb man vor allem Menschen jagte, denen man Gegnerschaft zum Sowjetregime unterstellte: Funktionsträger der alten polnischen Verwaltung, aber auch Händler und Geschäftsleute, Dichter und Schriftsteller, wohlhabende Bauern, einfach jeden, dessen Verhaftung die psychische Widerstandskraft der ostpolnischen Bevölkerung zu erschüttern half.[4] Außerdem fahndete die Geheimpolizei nach Flüchtlingen aus dem von den Deutschen besetzten Westpolen, darunter Tausenden Juden, die vor Hitler Zuflucht gesucht hatten.

In einer Weisung des Kommissars des neu sowjetisierten Litauen vom November 1940 heißt es, dass außer den genannten folgende Gruppen deportiert werden sollten:

> »... Personen, die häufig ins Ausland reisen, Korrespondenz mit dem Ausland führen oder zu Vertretern ausländischer Staaten Kontakt haben, Esperanto-Begeisterte, Philatelisten, Partner des Roten Kreuzes, Flüchtlinge, Schmuggler, aus der Kommunistischen Partei Ausgeschlossene, Priester und aktive Mitglieder religiöser Gemeinschaften, der Adel, Großgrundbesitzer, reiche Händler, Bankiers, Industrielle, Hotel- und Restaurantbesitzer«.[5]

Wegen des enormen Ausmaßes der Verhaftungen ließen die sowjetischen Besatzungsorgane bald jeden Anschein von Legalität fallen. Die wenigsten derer, die das NKWD in den neuen Westgebieten festnahm, wurden vor ein Gericht gestellt und verurteilt. Stattdessen wurde mit dem Krieg die »Deportation auf behördliche Anweisung« wiederbelebt, das Verfahren, das man in den dreißiger Jahren gegen die Kulaken angewandt hatte. Es bedeutete, dass Angehörige des NKWD oder der Transporttruppen ein Haus betraten und den Bewohnern befahlen mitzukommen. Manchmal gab man ihnen einen Tag für die Vorbereitungen, zuweilen aber auch nur wenige Minuten. Dann fuhr ein Lastwagen vor, der sie zum Bahnhof brachte, und los ging's – ohne offizielle Festnahme, ohne Prozess, ohne jegliche Formalität.

Die Zahlen waren gewaltig. Der Historiker Alexander Gurjanow schätzt, dass in den besetzten Gebieten Ostpolens 108 000 Menschen verhaftet und in den Gulag geschickt wurden. 320 000 verbannte man in den Hohen Norden und nach Kasachstan, in Dörfer, die zum Teil von Kulaken gegründet worden waren.[6] Hinzu kamen 96 000 Gefängnishäftlinge und 160 000 Deportierte aus den baltischen Staaten sowie 36 000 Moldauer.[7] Die Gesamtwirkung von Deportation und Krieg auf die Demografie der baltischen Staaten war schockierend: Von 1939 bis 1945 ging die Bevölkerung Estlands um 25 Prozent zurück.[8]

Die Geschichte dieser Deportationen unterscheidet sich wie die der Deportationen der Kulaken von der Geschichte des Gulags. Wie diese Verlegung ganzer Familien ablief, kann im Rahmen dieses Buches nicht umfassend geschildert werden. Dennoch lässt sich beides nicht völlig voneinander trennen. Warum das NKWD in einem Fall entschied, einen Menschen zu verbannen, und in einem anderen, eine Person zu verhaften und in ein Lager einzuliefern, ist oft schwer zu begreifen. Ebenso austauschbar ist mitunter der Hintergrund von Deportierten und Inhaftierten.

Von dem Ziel der Bestrafung einmal abgesehen, passten die Deportationen außerdem gut in Stalins großen Plan, die nördlichen Regionen Russlands zu bevölkern. Wie der Gulag wurden auch die Dörfer der Verbannten absichtlich in entlegenen Gebieten angelegt, wo die Menschen auf Dauer bleiben sollten. Dabei sagten die Offiziere des NKWD vielen ganz offen, dass sie nie zurückkehren würden. Wenn sie die Züge bestiegen, wurde den »Neubürgern« sogar in offiziellen Reden zur dauerhaften Einwanderung in die Sowjetunion gratuliert.[9]

Die Deportierten hatten mindestens genauso viel zu leiden wie ihre Landsleute, die in Arbeitslagern landeten, wenn nicht noch mehr. Im Lager gab es zumindest die tägliche Brotration und einen Schlafplatz. Verbannte hatten oft weder das eine noch das andere. Stattdessen luden die Behörden sie einfach in wilden Waldgegenden oder in winzigen Dörfern in Nordrussland, in Kasachstan oder Mittelasien ab und überließen sie sich selbst, oft genug ohne alle Mittel. Den Menschen der ersten Deportationswelle verboten die Begleitmannschaften jegliches Gepäck, ganz gleich ob Küchengerät, Kleidung oder Werkzeug. Erst im November 1940 trat das Führungsorgan der Begleittrupps zusammen und änderte diese Entscheidung. Selbst die sowjetischen Behörden begriffen nun, dass es zu hohen Sterberaten führte, wenn die Deportierten völlig ohne Hab und Gut an Ort und Stelle ankamen. Daher wiesen sie ihre Truppen an, die Verbannten darauf hinzuweisen, sich mit warmer Kleidung für drei Jahre auszustatten.[10]

Aber viele Verbannte waren weder geistig noch körperlich auf ein Leben als Waldarbeiter oder Kolchosbauern vorbereitet. Sie waren Anwälte, Ärzte, Geschäftsleute oder Händler gewesen, gewöhnt an das relativ komfortable Leben in einer städtischen Umgebung.

Ihre Leiden verschlimmerten sich in den folgenden Monaten und Jahren noch, wie ein ungewöhnlicher Aktenbestand bezeugt. Nach dem Krieg sammelte und verwahrte die damalige polnische Exilregierung die »Erinnerungen« von Kindern an die Deportation. Sie illustrieren besser als manche Dokumente von Erwachsenen den Kulturschock und die physischen Entbehrungen, mit denen die Verbannten fertig werden mussten. Ein polnischer Junge, zur Zeit der »Verhaftung« dreizehn Jahre alt, schrieb Folgendes über die ersten Monate nach der Deportation:

> »Es gab nichts zu essen. Die Menschen aßen Nesseln, schwollen davon an und verabschiedeten sich ins Jenseits. Wir wurden gezwungen, in die russische Schule zu gehen, weil wir sonst kein Brot bekamen. Sie befahlen uns, nicht zu Gott zu beten, denn es gäbe keinen Gott. Als wir nach der Stunde alle aufstanden und zu beten anfingen, sperrte mich der Kommandant der Siedlung in den Karzer.«[11]

Die Geschichten anderer Kinder geben das Trauma der Eltern wieder. Ein Vierzehnjähriger beschreibt, wie seine Mutter sich umzubringen versuchte:

»Mama kam in die Baracke, nahm einen Strick, ein kleines Stück Brot und ging in den Wald. Ich wollte sie zurückhalten. In ihrem Kummer schlug sie mit dem Strick nach mir und ging fort. Einige Stunden später fanden sie Mama auf einer Fichte mit dem Strick um den Hals. Unten standen ein paar Mädchen. Mama dachte, es seien meine Schwestern, und wollte ihnen etwas sagen, aber die fingen ein solches Geschrei an, dass der Kommandant, der eine Axt am Gürtel trug, die Fichte kurzerhand fällte ... Mama, völlig außer sich, packte die Axt und hieb sie dem Kommandanten in den Rücken. Er ging zu Boden ...

Am nächsten Tag brachten sie Mama in ein Gefängnis dreihundert Kilometer weit weg von mir ...«[12]

Aber nicht alle Mütter überlebten. Dazu der Bericht eines weiteren Kindes:

»Als wir in der Siedlung angekommen waren, brachten sie uns schon am nächsten Tag zur Arbeit. Wir mussten von Sonnenaufgang bis zur Dunkelheit arbeiten. Als nach fünfzehn Tagen der Zahltag kam, gab es als Höchstes zehn Rubel. Zwei Tage Arbeit reichten nicht einmal für Brot. Die Menschen starben vor Hunger. Sie aßen tote Pferde auf. So hat meine Mama gearbeitet und sich erkältet, weil sie keine warmen Kleider hatte. Sie bekam eine Lungenentzündung und war fünf Monate krank. Das fing am 3. Dezember an. Am 3. April ging sie ins Krankenhaus. Dort hat man sie nicht behandelt. Wenn sie nicht ins Krankenhaus gegangen wäre, könnte sie vielleicht noch leben. Sie kam in die Baracke zurück und starb dort, weil sie nichts zu essen hatte. Sie ist am 30. April 1941 verhungert. Meine Mutter lag im Sterben, ich und meine Schwester waren zu Hause. Papa war nicht da, denn er musste arbeiten. Als er nach Hause kam, war Mama schon tot, an Hunger gestorben. Dann gab es eine Amnestie, und wir kamen aus dieser Hölle heraus.«[13]

Nicht weniger grausam war das Schicksal einer anderen Gruppe von Verbannten, die während des Krieges zu den Polen und Balten hinzukommen sollten: die nationalen Minderheiten der Sowjetunion, die Stalin bereits zu Kriegsbeginn als potenzielle fünfte Kolonne ansah oder später der »Kollaboration« mit den Deutschen beschuldigte.

In erster Linie waren das Wolgadeutsche, deren Vorfahren man zur Zeit von Katharina der Großen (die ebenfalls die Weiten des Landes besiedeln wollte) nach Russland geholt hatte, und die Finnen, die in der Karelischen Sowjetrepublik lebten. Längst nicht alle von ihnen beherrschten noch ihre Muttersprache, aber sie lebten in besonderen Gemeinden und unterschieden sich durch ihre Sitten von den russischen Nachbarn. Als der Krieg mit Deutschland und Finnland ausbrach, reichte das schon aus, um sie verdächtig zu machen. Mit einer Argumentation, die selbst für sowjetische Verhältnisse an den Haaren herbeigezogen war, klagte man die gesamte Volksgruppe der Wolgadeutschen im September 1941 an, »Feinde zu verbergen«:

»Nach verlässlichen Informationen der Militärorgane gibt es in der deutschen Bevölkerung an der Wolga Tausende, ja Zehntausende Diversanten und Spione, die auf ein Signal aus Deutschland hin in der von ihnen besiedelten Gegend Sabotageakte ausführen sollen ... Bisher hat jedoch kein Wolgadeutscher den sowjetischen Behörden das Vorhandensein einer so großen Zahl von Diversanten und Spionen unter den Wolgadeutschen gemeldet. Daraus folgt, dass die deutsche Bevölkerung an der Wolga Feinde des Sowjetvolkes und der Sowjetmacht in ihrer Mitte versteckt.«[14]

Mehrere kleine kaukasische Völker – die Karatschaier, Balkaren, Kalmücken, Tschetschenen und Inguschen sowie die Krimtataren und einige andere Minderheiten wurden ebenfalls den »Kollaborateuren« zugeschlagen.[15] Aber nur die Deportation der Tschetschenen und Tataren wurde noch zu Stalins Lebzeiten öffentlich zugegeben. In der »Iswestija« las sich das allerdings so, als sei die Verbannung dieser beiden Völker, die 1944 stattfand, erst im Juni 1946 erfolgt:

»Als die Völker der UdSSR im Großen Vaterländischen Krieg Ehre und Unabhängigkeit des Vaterlandes im Kampf gegen die deutschfaschistischen Invasoren heldenhaft verteidigten, traten viele Tschetschenen und Krimtataren, aufgehetzt von deutschen Agenten, Freiwilligenverbänden bei, die die Deutschen aufstellten ... In diesem Zusammenhang wurden die Tschetschenen und die Krimtataren in andere Regionen der UdSSR umgesiedelt.«[16]

In der Verbannung in Zentralasien

Tatsächlich aber war Stalins Motiv für die Deportation der kaukasischen Völker und der Tataren nicht Vergeltung für Kollaboration. Eher hat man den Eindruck, dass er den Krieg als Vorwand nutzte, um lange geplante ethnische Säuberungen durchzuführen. Die Zaren hatten von einer tatarenfreien Krim geträumt, seit Katharina die Große die Halbinsel dem Russischen Reich einverleibte. Auch die Tschetschenen waren den russischen Herrschern auf die Nerven gefallen und hatten sich in der Sowjetunion noch renitenter gezeigt. Nach der Revolution von 1917 und nach der Kollektivierung von 1929 hatte es in Tschetschenien mehrere antirussische und antisowjetische Aufstände gegeben, zuletzt 1940. Alle Belege weisen darauf hin, dass Stalin sich dieses lästige, zutiefst antisowjetisch eingestellte Volk einfach vom Halse schaffen wollte.[17]

Wie die Deportationen aus Polen betraf auch die Zwangsumsiedlung der Wolgadeutschen, der Kaukasier und der Krimtataren riesige Menschengruppen. Bis Kriegsende wurden 1,2 Millionen Sowjetdeutsche, 90 000 Kalmücken, 70 000 Karatschaier, 390 000 Tschetschenen, 90 000 Inguschen, 40 000 Balkaren und 180 000 Krimtataren deportiert, dazu 9000 Finnen und weitere Völkerschaften.[18]

Eingedenk dieser ungeheuren Zahlen liefen die Deportationen in bemerkenswertem Tempo ab – noch rascher als die der Polen und

Balten. Im Mai 1944 holten 31 000 Offiziere, Soldaten und Helfer des NKWD in nur drei Tagen insgesamt 200 000 Tataren ab. Die meisten – Männer, Frauen, Kinder und Greise – wurden in Güterzüge verladen und nach Usbekistan gebracht. Sechs- bis achttausend starben auf dem Transport.[19]

Noch brutaler ging es bei der »Umsiedlung« der Tschetschenen zu. Viele Augenzeugen erinnern sich, dass das NKWD dabei amerikanische Studebaker einsetzte, die die Sowjetunion gerade erst durch das Lend-Lease-Abkommen über den Iran von den USA erhalten hatte. Viele haben auch beschrieben, wie die Tschetschenen dann von den LKWs in Eisenbahnzüge verladen wurden, die anschließend verplombt wurden – man verweigerte ihnen nicht nur Wasser, wie auf solchen Transporten üblich, sondern auch Nahrung. Bis zu 78 000 Tschetschenen sollen während des Transports gestorben sein.[20]

Bei der Ankunft am Verbannungsort in Kasachstan, Mittelasien oder Nordrussland wurden die Deportierten – sofern sie nicht schon vorher einzeln verhaftet und im Gulag verschwunden waren – wie die Polen und Balten oder die Kulaken eine Generation zuvor in besonderen Dörfern angesiedelt. Auf Fluchtversuch, wurde ihnen mitgeteilt, stünden zwanzig Jahre Lagerhaft. Völlig desorientiert, aus ihren Stammes- und Dorfgemeinschaften gerissen, konnten sich viele nicht einleben. Von der örtlichen Bevölkerung verachtet, häufig ohne Arbeit, büßten sie schnell ihre Kraft und ihre Gesundheit ein. Noch schlimmer war der Klimaschock: »Als wir in Kasachstan ankamen«, erinnert sich ein deportierter Tschetschene, »war der Boden hart gefroren. Wir dachten, wir müssten alle sterben.«[21] 1949 waren Hunderttausende Kaukasier und etwa ein Drittel bis die Hälfte der Krimtataren nicht mehr am Leben.[22]

Aus Moskaus Sicht bestand ein wichtiger Unterschied zwischen den Deportationswellen der Kriegszeit und jenen, die zuvor stattgefunden hatten: Das Ziel hatte sich verändert. Zum ersten Mal hatte Stalin sich entschlossen, nicht nur einzelne Mitglieder besonders verdächtiger Nationalitäten oder einzelne Kategorien politischer »Feinde« zu vernichten, sondern ganze Völkerschaften – Männer, Frauen, Kinder und Greise – von der Landkarte zu tilgen.

An Großmutters Grab

Vielleicht ist »Genozid« nicht das richtige Wort für diese Deportationen, denn Massenexekutionen gab es nicht. In späteren Jahren warb Stalin in diesen »feindlichen« Gruppen sogar um Kollaborateure und Verbündete, so dass es also nicht um Rassenhass allein ging. Der Begriff »kultureller Genozid« ist jedoch durchaus angebracht. Nach der Umsiedlung wurden die Namen der deportierten Völkerschaften aus allen offiziellen Dokumenten, ja selbst aus der »Großen Sowjetenzyklopädie« entfernt. Auch ihre Strukturen verschwanden von der Karte: Die Autonomen Republiken der Tschetschenen und Inguschen, der Wolgadeutschen, der Kabardiner und Balkaren sowie das Autonome Gebiet der Karatschaier wurden ebenso aufgelöst wie die Autonome Republik der Krim, die einfach der Sowjetunion als Gebiet einverleibt wurde. Die Behörden machten Friedhöfe dem Erdboden gleich, benannten Städte und Dörfer um und strichen deren ehemalige Einwohner aus den Geschichtsbüchern.[23]

An ihrem neuen Wohnort mussten alle muslimischen Deportierten – Tschetschenen, Inguschen, Balkaren, Karatschaier und Tataren – ihre Kinder in russischsprachige Grundschulen schicken. Man untersagte ihnen den Gebrauch ihrer Muttersprache, die Ausübung ihrer Religion und die Pflege ihrer Tradition und Geschichte. Zweifellos wollte man damit erreichen, dass sich Tschetschenen, Tataren, Wolgadeutsche und die kleineren kaukasischen Völkerschaften, längerfristig auch Balten und Polen in der russischsprachigen Sowjetwelt auflösten. Nach Stalins Tod kamen sie jedoch alle wieder zum Vorschein, wenn auch nur allmählich. Die Tschetschenen durften 1957 in ihre Heimat zurückkehren. Die Tataren mussten bis zur Ära Gorbatschow warten: Erst 1994 durften sie sich wieder auf der Krim ansiedeln.

Angesichts der damals herrschenden politischen Atmosphäre, der Grausamkeit des Krieges und eines anderen Völkermordes, der nur einige tausend Kilometer weiter westlich stattfand, fragen sich manche, weshalb Stalin die von ihm so verachteten Völkerschaften nicht einfach vernichtete. Ich glaube, dass die Zerstörung ihrer Kultur, aber nicht der Menschen, seinem Ziel dienlicher war. Mit dieser Operation beseitigte er das, was er als »feindliche« gesellschaftliche Strukturen ansah: bürgerliche, religiöse und nationale Institutionen, die seinen Plänen im Wege standen, sowie gebildete Menschen, die sich gegen ihn auflehnen konnten. Zugleich aber bewahrte er »Arbeitseinheiten«, die ihm in Zukunft nützlich sein konnten.

Man musste allerdings kein Tschetschene oder Pole sein, um als Ausländer im sowjetischen Lagersystem zu landen. Kriegsgefangene stellten eine weitere große Gruppe.

Rein formal richtete die Rote Armee die ersten Gefangenenlager bereits 1939 nach der Besetzung Ostpolens ein. Das erste entsprechende Dekret der Kriegszeit wurde am 19. September 1939 erlassen, vier Tage nachdem sowjetische Panzer über die Grenze gerollt waren.[24] Ende September hatte die Rote Armee bereits 230 000 polnische Soldaten und Offiziere gefangen genommen.[25] Viele wurden bald darauf wieder entlassen, insbesondere junge Soldaten niederer Ränge. Einige, die man als potenzielle Partisanen betrachtete, endeten schließlich im Gulag oder in einem der über hundert Kriegsgefangenenlager auf dem Gebiet der UdSSR.[26]

Im April 1940 ließ das NKWD heimlich über 20 000 der gefangenen polnischen Offiziere liquidieren. Auf direkte Anordnung Stalins wurden sie durch Genickschuss getötet.[27] Dieser Mord erfolgte aus dem gleichen Grund, aus dem Stalin polnische Priester und Lehrer verhaften ließ – er wollte die polnische Elite vernichten. Dann tat er alles, um es zu vertuschen. Obwohl die polnische Exilregierung große Anstrengungen unternahm, konnte sie nicht feststellen, was mit den Offizieren geschehen war, bis die Deutschen sie fanden. Im Frühjahr 1943 entdeckte das deutsche Besatzungsregime im Wald von Katyn über viertausend Leichen.[28] Zwar wies die Sowjetunion jede Verantwortung von sich – so glaubhaft, dass die Alliierten das Massaker von Katyn im Nürnberger Kriegsverbrecherprozess den Deutschen zur Last legten –, aber die Polen wussten aus eigenen Quellen, dass das NKWD verantwortlich war. Erst 1991 sollte der russische Präsident Boris Jelzin die Schuld der Sowjetunion an diesem Massaker eingestehen.[29]

Als sich das Kriegsglück zugunsten der Sowjetunion wendete, fielen der Roten Armee ziemlich unerwartet massenhaft Soldaten der Deutschen und der anderen Achsenmächte in die Hände. Darauf waren die Behörden überhaupt nicht vorbereitet, mit tragischen Folgen. So wurden nach der Schlacht von Stalingrad, die häufig als der Wendepunkt des Krieges angesehen wird, 91 000 feindliche Soldaten gefangen genommen, für die man keinerlei Unterkünfte eingerichtet oder Verpflegung bereitgestellt hatte. Auf dem Vormarsch der Roten Armee nach Westen wurden gefangen genommene Soldaten häufig in offenem Gelände ohne jede Verpflegung und medizinische Betreuung festgehalten, wenn man sie nicht gleich an Ort und Stelle erschoss.[30] In den ersten Monaten des Jahres 1943 lag die Sterberate unter den Kriegsgefangenen bei knapp 60 Prozent, 570 000 gelten offiziell als in Gefangenschaft an Hunger, Krankheit und mangelnder medizinischer Betreuung verstorben.[31] Die wirkliche Zahl liegt sicher höher, da viele Gefangene wahrscheinlich gestorben sind, bevor irgendjemand sie zählen konnte. Ähnliche Verlustraten gab es unter den sowjetischen Soldaten in deutscher Gefangenschaft. In diesem Krieg ging es in der Tat um Leben und Tod.

Ab März 1944 war das NKWD jedoch bemüht, die Lage zu »verbessern«. Es richtete eine neue Abteilung für Zwangsarbeitslager ein, in denen ausschließlich Kriegsgefangene untergebracht werden sollten. Diese Lager gehörten formal nicht zum Gulag; zunächst unterstanden sie der Verwaltung des NKWD für Kriegsgefangene (OPW) und nach 1945 der Hauptverwaltung Kriegsgefangene und Internierte (GUPWI).[32]

Im letzten Kriegsjahr und auch noch danach erreichte die Zahl der Kriegsgefangenen in diesen Lagern schwindelnde Höhen. Laut offiziellen Angaben nahm die Sowjetunion zwischen 1941 und 1945 allein 2,388 Millionen deutsche Militärangehörige gefangen. Hinzu kamen 1,097 Millionen Soldaten aus verschiedenen europäischen Ländern, die auf Seiten der Achsenmächte gekämpft hatten: Italiener, Ungarn, Rumänen, Österreicher, einige Franzosen, Holländer und Belgier sowie 600 000 Japaner, eine erstaunlich hohe Zahl, wenn man bedenkt, dass die Sowjetunion gegen Japan nur sehr kurze Zeit Krieg führte. Als die Waffen schwiegen, waren über vier Millionen gefangene Soldaten registriert.[33]

Das ist eine gewaltige Zahl, und doch erfasst sie nicht alle Ausländer, die auf dem Marsch der Roten Armee durch Europa in sowjetische Lager gerieten. Das NKWD, das der Armee auf dem Fuße folgte, hielt nach allen möglichen Leuten Ausschau: wer Kriegsverbrechen begangen haben könnte, vielleicht ein Spion war, und sei es für eine verbündete Regierung, bei wem man aus irgendeinem Grunde eine antisowjetische Einstellung vermutete und wen ein Geheimpolizist aus persönlichem Grund nicht mochte. Besonders groß war dieser Kreis in den Ländern Mitteleuropas, wo die Sowjetunion nach dem Kriege zu bleiben gedachte. In Budapest wurden beispielsweise in einer ersten Welle 75 000 ungarische Zivilisten festgenommen, die man zunächst in provisorischen Lagern in Ungarn selbst unterbrachte und später in den Gulag schickte.[34]

Im Grunde genommen konnte jeder unter den Verhafteten sein. In Budapest wurde der sechzehnjährige George Bien zusammen mit seinem Vater festgenommen, weil sie ein Radio besaßen.[35] Der schwedische Diplomat Raul Wallenberg hatte durch persönlichen Einsatz Tausende ungarische Juden vor der Deportation in nationalsozialistische Lager gerettet und dabei viele Abmachungen mit faschistischen Behörden und Politikern im Westen getroffen. Außerdem entstammte er einer bekannten und reichen schwedischen Familie. Für das NKWD waren das ausreichend Gründe für einen Verdacht. Wallenberg wurde im Januar 1945 zusammen mit seinem Chauffeur in Budapest verhaftet. Beide verschwanden in sowjetischen Gefängnissen, wo Wallenberg als »Kriegsgefangener« registriert wurde, dann verliert sich ihre Spur. Die ganzen neunziger Jahre hindurch hat die schwedische Regierung nach Hinweisen auf Wallenbergs Schicksal gesucht – ohne Ergebnis. Heute wird allgemein angenommen, dass er bereits beim Verhör starb oder bald darauf hingerichtet wurde.[36]

Kein besetztes Land wurde verschont. In Polen, den baltischen Staaten, der Ukraine, in der Tschechoslowakei, Bulgarien, Rumänien, vor allem aber in Deutschland und Österreich kam es nach dem Krieg zu schweren Repressalien. Die große Mehrheit derer, die davon betroffen waren, landete in Kriegsgefangenenlagern oder im Gulag. Die Abgrenzung zwischen beiden war nie eindeutig. Zwar unterstanden sie eigentlich zwei verschiedenen bürokratischen Apparaten, aber diese beiden verschmolzen im Laufe der Zeit immer mehr miteinander. In manchen Fällen richteten zum Gulag gehörende Lager sogar besondere Lagpunkte für Kriegsgefangene ein, und Gulag-Häftlinge und Kriegsgefangene arbeiteten Seite an Seite.[37] Aus unerklärlichen Gründen schickte das NKWD zuweilen auch Kriegsgefangene direkt in den Gulag.[38]

Bei Kriegsende waren die Verpflegungsrationen für Kriegsgefangene und Gulag-Häftlinge im Wesentlichen gleich. Ebenso die Baracken, in denen sie untergebracht waren, und die Arbeit, die sie zu leisten hatten. Wie die *Seks* arbeiteten auch die Kriegsgefangenen auf Baustellen, in Bergwerken, in der Verarbeitungsindustrie, beim Straßen- und Eisenbahnbau.[39] Wie die *Seks* kamen Kriegsgefangene mit besonderer Ausbildung in Scharaschki, geheime Konstruktionsbüros, wo sie neue Militärflugzeuge für die Rote Armee entwickelten.[40]

Wie die *Seks* wurden auch Kriegsgefangene im sowjetischen Sinne »politisch erzogen«. 1943 richtete das NKWD in den Kriegsgefangenenlagern »antifaschistische« Schulen und Kurse ein, um die Teilnehmer davon zu überzeugen, bei ihrer Rückkehr nach Deutschland, Rumänien oder Ungarn »für den ›demokratischen‹

Wiederaufbau ihrer Länder und die Ausrottung des Faschismus« zu kämpfen. Natürlich sollten sie auch der sowjetischen Vorherrschaft den Weg bereiten.[41] Viele ehemalige deutsche Kriegsgefangene waren schließlich in den neuen Polizeikräften in Ostdeutschland tätig.[42]

Doch selbst jene, die ihre neu gewonnene Loyalität demonstrierten, sollten nicht so bald nach Hause zurückkehren können. Zwar repatriierte die UdSSR bereits im Juni 1945 eine Gruppe von 225 000 Kriegsgefangenen, meist kranke oder verwundete Soldaten, und bald danach setzte ein ständiger Rückfluss ein. Aber insgesamt zog sich die Repatriierung der Kriegsgefangenen aus der Sowjetunion über ein Jahrzehnt hin. Als Stalin 1953 starb, befanden sich immer noch zwanzigtausend Kriegsgefangene im Land.[43] Stalin, der nach wie vor auf staatliche Zwangsdienste baute, betrachtete die Arbeit der Kriegsgefangenen als eine Art Reparationsleistung, die ihre lange Gefangenschaft voll und ganz rechtfertigte. In den vierziger und fünfziger Jahren – und auch später noch, wie der Fall Wallenberg zeigt – zogen die sowjetischen Behörden das Thema gefangener Ausländer in einen Schleier aus Verwirrung, Propaganda und Gegenpropaganda vor das Thema gefangen genommener Ausländer, entließen Personen oder bestritten jede Kenntnis von ihrer Existenz, ganz wie es ihnen passte.

In den ersten Nachkriegsjahren konfrontierten Abgesandte vieler Länder Moskau immer wieder mit Listen von Bürgern, die während der Besatzung durch die Rote Armee verschwunden waren und aus den verschiedensten Gründen in Kriegsgefangenenlagern oder im Gulag einsaßen. Die Antworten kamen sehr spärlich, da das NKWD häufig selbst nicht genau wusste, was mit ihnen geschehen war. Schließlich setzten die sowjetischen Behörden eine Sonderkommission ein, die herausfinden sollte, wie viele Ausländer sich noch in sowjetischem Gewahrsam befanden und wie in den einzelnen Fällen zu verfahren war.[44]

Als die Hungersnot der Nachkriegszeit 1947 ihren Höhepunkt erreichte, ließ das NKWD unerwartet mehrere hunderttausend Kriegsgefangene frei. Eine politische Erklärung dafür gab es nicht. Die sowjetische Führung war schlicht zu der Erkenntnis gekommen, dass es nicht genug Lebensmittel gab, um sie alle am Leben zu erhalten.[45]

Die Repatriierung war keine Einbahnstraße. Waren in den Kriegswirren Westeuropäer in großer Zahl nach Russland geraten, so hatte es auch viele Russen nach Westeuropa verschlagen. Im Frühjahr 1945 befanden sich über 5,5 Millionen Sowjetbürger außerhalb der Landesgrenzen. Einige waren Soldaten, die in nationalsozialistischen Kriegsgefangenenlagern saßen. Andere hatte man als Zwangsarbeiter nach Deutschland und Österreich verschleppt. Einzelne hatten während der Besetzung ihrer Länder durch die Deutschen mit diesen zusammengearbeitet und sich dann gemeinsam mit der deutschen Wehrmacht zurückgezogen. Etwa 150000 gehörten zu den »Wlassow-Leuten«, Sowjetsoldaten, die unter dem Befehl von General Andrej Wlassow – einem gefangenen Sowjetgeneral, der auf Hitlers Seite übergelaufen war – gegen die Rote Armee gekämpft hatten, die meisten davon gezwungenermaßen.

Im Februar 1945 fassten Roosevelt, Churchill und Stalin auf der Konferenz von Jalta den äußerst umstrittenen Beschluss, alle Sowjetbürger ungeachtet der persönlichen Umstände in ihr Heimatland zurückzuführen. Zwar verpflichteten die in Jalta unterzeichneten Protokolle die Alliierten nicht ausdrücklich, Sowjetbürger auch gegen ihren Willen zu repatriieren, aber in der Praxis geschah genau das.

Einige wollten nach Hause zurückkehren. Leonid Sitko, Soldat der Roten Armee, der in einem nationalsozialistischen Lager saß und später noch längere Jahre in einem sowjetischen Lager verbringen sollte, erinnert sich, dass er aus freien Stücken nach Hause zurückkehrte. Später fasste er seine damaligen Gefühle in folgenden Versen zusammen:

»Ich hatte vier Wege in vier Länder.
In dreien herrschten Frieden und Wohlstand.
Im vierten, das wusst' ich,
Zerstört man des Dichters Leier,
Und mich erwartete sicher der Tod.

Doch was geschah?
Den drei Ländern sagt' ich:
›Zur Hölle mit euch!‹
Und wählte mein Vaterland.«[46]

Andere, die Befürchtungen hatten, wurden von NKWD-Offizieren, die die Kriegsgefangenen- und Displaced-Persons-Lager überall in Europa besuchten, zur Rückkehr überredet. Die Offiziere malten heitere Bilder von einer lichten Zukunft. Alles werde vergeben, behaupteten sie: »Ungeachtet der Tatsache, daß ihr zwangsweise in den deutschen Streitkräften gedient habt, sehen wir jetzt in euch treue Sowjetbürger.«[47]

Auch im Falle derer, die nicht zurückwollten, hatten die Offiziere der Alliierten Befehl, sie in die Sowjetunion zu schicken. Den führten sie aus. In Fort Dix im US-Staat New Jersey verbarrikadierten sich 145 sowjetische Gefangene, die man in deutschen Uniformen festgenommen hatte, in ihrer Baracke, um nicht nach Hause zu müssen. Als amerikanische Soldaten Tränengasgranaten hineinwarfen, stürzten diejenigen, die sich noch nicht selber umgebracht hatten, mit Küchenmessern und Knüppeln bewaffnet heraus und verletzten einige der Amerikaner. Später erklärten sie, sie hätten ihre eigene Erschießung provozieren wollen.[48]

Noch tragischer waren Fälle, die Frauen und Kinder betrafen. Im Mai 1945 gingen britische Truppen – angeblich auf direkte Weisung Churchills – daran, über zwanzigtausend Kosaken zu repatriieren, die damals in Österreich lebten. Die meisten waren antibolschewistische Partisanen gewesen; einige von ihnen hatten sich Hitler angeschlossen, weil es gegen Stalin ging, viele waren bereits nach der Revolution aus der Sowjetunion ausgewandert und hatten gar keine sowjetischen Pässe mehr. Nachdem man ihnen tagelang ohne Erfolg gute Behandlung in der Sowjetunion versprochen hatte, griffen die Briten zu einer List. Sie luden die Kosakenoffiziere zu einer »Beratung« ein, übergaben sie stattdessen sowjetischen Einheiten und trieben am nächsten Tag ihre Familien zum Abtransport zusammen. Dabei kam es in einem Lager in der Nähe von Linz zu einem besonders hässlichen Zwischenfall. Britische Soldaten drängten Frauen und Kinder mit Bajonetten und Gewehrkolben in die Züge, die sie in die UdSSR bringen sollten. Doch lieber als zurückzugehen, warfen Frauen ihre Babys von Brücken herab und sprangen ihnen dann selbst nach. Die Kosaken wussten natürlich, was sie in der Sowjetunion erwartete: Erschießungskommando oder Lager.[49]

Auch wer aus eigenem Entschluss zurückkehrte, war vor Verdacht nicht gefeit. Ob sie nun die Sowjetunion freiwillig oder unter Zwang verlassen hatten, ob sie mit den Nationalsozialisten zusammengearbeitet hatten oder in Gefangenschaft geraten waren, ob sie freiwillig zurückkehrten oder in Güterwagen getrieben wurden – alle mussten an der Grenze ein Formular ausfüllen, das die Frage enthielt, ob sie kollaboriert hätten. Wer Zusammenarbeit mit den Deutschen eingestand (was manche taten) oder verdächtig erschien – darunter viele sowjetische Kriegsgefangene, die in den Lagern der Deutschen schwer gelitten hatten –, wurde für weitere Verhöre in Filtrationslagern festgehalten. Diese unterschieden sich kaum vom Gulag. Stacheldraht und Zwangsarbeit waren auch hier an der Tagesordnung. Praktischerweise hatte das NKWD viele Filtrationslager in der Nähe von Industriezentren, so dass die »Verdächtigen« für die Sowjetunion arbeiten konnten, solange ihre Fälle untersucht wurden.[50]

Da das NKWD sowjetische Zwangsarbeiter und Kriegsgefangene – Menschen, die sich nichts hatten zu Schulden kommen lassen – pauschal aburteilte, mussten die Behörden für tatsächliche Kriegsverbrecher eine neue Kategorie von Urteilen erfinden. Bereits im April 1943 hatte der Oberste Sowjet erklärt, dass die Rote Armee bei der Befreiung sowjetischen Territoriums »Akte ungekannter Grausamkeit und schrecklicher Gewalt festgestellt hat, die von deutschen, italienischen, rumänischen, ungarischen und finnischen faschistischen Ungeheuern, Agenten Hitlers sowie Spionen und Verrätern unter den Sowjetbürgern begangen wurden«.[51] Das NKWD reagierte darauf mit der Erklärung, dass überführte Kriegsverbrecher Haftstrafen von fünfzehn, zwanzig oder gar 25 Jahren zu erwarten hatten, die in besonderen Lagpunkten abzubüßen waren. Diese lagen natürlich bei Norilsk, Workuta und an der Kolyma, den drei Lagerkomplexen mit den härtesten Bedingungen.[52]

Mit merkwürdigem sprachlichem Bombast und ironischer Bezugnahme auf die Geschichte – was durchaus auf Stalin persönlich zurückgehen kann – bezeichnete das NKWD diese Lagpunkte mit einem Begriff aus dem Strafrecht des zaristischen Russland: *Katorga* (was damals so viel wie Zuchthaus oder Galeere bedeutete, A. d. Ü.).

Die Wahl dieses Begriffes war sicher kein Zufall. Der Rückgriff auf die zaristische Tradition, der zu jener Zeit auch in anderen Bereichen zu beobachten war (etwa bei der Einrichtung von Kadettenschulen), sollte möglicherweise eine neue Art Strafe für unerhört gefährliche Verbrecher anzeigen. Im Unterschied zu den gewöhnlichen Insassen der Besserungsarbeitslager konnten Katorga-Häftlinge nicht einmal theoretisch darauf hoffen, je Vergebung zu finden.

Diese Gefangenen wurden von anderen durch hohe Zäune getrennt. Sie erhielten besondere gestreifte Anzüge mit einer Nummer auf dem Rücken. Nachts wurden sie in ihren Baracken eingeschlossen, deren Fenster vergittert waren. Sie arbeiteten länger als gewöhnliche Häftlinge, hatten noch weniger Ruhetage und wurden ausschließlich zu schwerer körperlicher Arbeit eingesetzt, zumindest in den ersten zwei Jahren. Diese Häftlinge standen unter verschärfter Bewachung. Zehn von ihnen waren jeweils zwei Posten zugeordnet. Jedes Lager musste mindestens fünf Hunde halten.[53]

Katorga-Häftlinge scheinen vor allem in einem völlig neuen Industriezweig eingesetzt worden zu sein. 1954 erklärte das NKWD in einer Aufzählung seiner wirtschaftlichen Erfolge stolz, hundert Prozent der sowjetischen Urangewinnung erfolgten in seinen Unternehmen. Dazu schreibt die Historikerin Galina Iwanowa: »Es ist unschwer zu erraten, wer das radioaktive Erz förderte und verarbeitete.«[54] Gefangene und Soldaten bauten nach dem Krieg auch den ersten sowjetischen Atomreaktor in Tscheljabinsk: »Zu jener Zeit war die ganze Baustelle so etwas wie ein Lager«, erinnert sich ein Arbeiter, mit speziellen Finnhütten für die deutschen Fachleute, die man zur Arbeit an diesem Projekt rekrutiert hatte.[55]

Zweifellos waren unter den Katorga-Häftlingen viele NS-Kollaborateure und Kriegsverbrecher, die unter anderem auch Verantwortung für die Ermordung Hunderttausender sowjetischer Juden trugen. Offenbar hatte Simeon Wilenski, ein Überlebender der Kolyma, diese Leute im Sinn, als er mich einmal davor warnte zu glauben, jeder, der im Gulag saß, sei unschuldig gewesen: »Das waren Leute, die unter jedem Regime ins Gefängnis gehören.« Verurteilte Kriegsverbrecher wurden in der Regel von den anderen Häftlingen gemieden und zuweilen auch tätlich angegriffen.[56]

Unter den sechzigtausend Gefangenen, die bis 1947 zu Katorga verurteilt wurden, gab es allerdings eine ganze Reihe, bei denen die Gründe reichlich undurchsichtig waren.[57] Darunter befanden sich Tausende antisowjetischer Partisanen aus Polen, dem Baltikum und der Ukraine, von denen viele zunächst gegen die Nationalsozialisten und erst danach gegen die Rote Armee gekämpft hatten. Aus ihrer Sicht war das ein Kampf für ihre nationale Befreiung. Einem Dokument über minderjährige Katorga-Gefangene zufolge, das 1945 an Beria geschickt wurde, gehörte auch Andrej Lewtschuk zu diesen Leuten. Er wurde beschuldigt, der Organisation Ukrainischer Nationalisten (OUN), einer der beiden größten antisowjetischen Partisanengruppen in der Ukraine, angehört zu haben. In dieser Zeit soll er »an der Ermordung unschuldiger Bürger, der Entwaffnung von Soldaten der Roten Armee und dem Raub ihres Eigentums« beteiligt gewesen sein. Als Lewtschuk 1945 verhaftet wurde, war er fünfzehn Jahre alt.

Ein anderer Katorga-Gefangener war Alexander Klein, ein Offizier der Roten Armee, den die Deutschen gefangen genommen hatten. Er hatte jedoch fliehen können und es zu einer sowjetischen Division geschafft. Wie er später berichtet, wurde er bei seiner Rückkehr verhört:

> »Plötzlich sprang der Major auf und fragte: ›Können Sie beweisen, dass Sie Jude sind?‹
> Ich lächelte verwirrt und meinte, das könnte ich schon, ich müsste dazu nur meine Hose herunterlassen.
> Der Major blickte zu Sorokin und dann wieder zu mir.
> ›Und Sie behaupten, die Deutschen hätten nicht gewusst, dass Sie Jude sind?‹
> ›Wenn sie es gewusst hätten, glauben Sie mir, dann stünde ich nicht hier.‹
> ›Bei dieser jüdischen Visage?‹, rief er aus und versetzte mir einen so harten Faustschlag in den Bauch, dass mir die Luft weg blieb und ich zu Boden ging.
> ›Was sollen diese Lügen? Gesteh, du Schweinehund, mit welchem Auftrag haben sie dich geschickt? Mit wem arbeitest du zusammen? Wann hast du dich verkauft? Für wie viel? Für wie viel hast du dich ihnen ausgeliefert, du käufliche Kreatur? Wie ist dein Deckname?‹«

Nach diesem Verhör wurde Klein zunächst zum Tode verurteilt. Später schwächte man das Urteil ab – auf zwanzig Jahre Katorga.[58]

»In den Lagern gab es die verschiedensten Menschen, besonders nach dem Krieg«, schrieb Chawa Wolowitsch später. »Aber die Qualen waren für alle gleich – für die Guten, die Bösen, die Schuldigen und die Unschuldigen.«[59]

Wenn in den Kriegsjahren Millionen Ausländer gegen ihren Willen in den Gulag gebracht wurden, kam zumindest einer freiwillig. Der Vizepräsident der Vereinigten Staaten, Henry Wallace, reiste im Mai 1944 an die Kolyma und wusste nicht einmal, dass er Gefangenenlager besuchte.

Sein Besuch fand auf dem Höhepunkt der sowjetisch-amerikanischen Kriegsfreundschaft statt, als das Bündnis am engsten war und die amerikanische Presse von Stalin nur als »Onkel Joe« sprach. Vielleicht aus diesem Grunde war Wallace entschlossen, die Sowjetunion in freundlichem Licht zu sehen, bevor er auch nur einen Fuß auf ihren Boden setzte. An der Kolyma fand er sein fertiges Urteil bestätigt. Schon bei der Ankunft war ihm klar, wie viele Parallelen es zwischen Russland und den Vereinigten Staaten gab: Beide waren große »neue« Staaten, unbelastet vom aristokratischen Ballast der europäischen Geschichte. Nach seiner Meinung, so erklärte er seinen Gastgebern, sei das »sowjetische Asien« der »Wilde Westen Russlands«. »Die ungeheure Ausdehnung eures Landes, seine jungfräulichen Wälder, breiten Ströme, die weiten Seen, das vielfältige Klima, vom arktischen bis zum tropischen, der unerschöpfliche Bodenreichtum – all dies erinnert mich an mein Heimatland.«[60]

Die Landschaft gefiel ihm, und auch das, was er für Industriezentren hielt. Nikischow, der so offen korrupte, in Luxus lebende Boss von Dalstroi, führte Wallace in Magadan, der Hauptstadt der Kolyma-Region, herum. Der wiederum sah in Nikischow, einem hohen NKWD-Offizier, so etwas wie einen amerikanischen Kapitalisten: »Der dirigiert hier die ganze Gegend. Mit DALSTROI im Sack ist er ein Millionär!« Wallace genoss die Gesellschaft seines neuen Freundes »Iwan«. Auch dessen Bericht über die Ursprünge von Dalstroi hörte er interessiert zu: »Wir hatten schwer zu tun, bis die Geschichte hier funktioniert hat. Vor zwölf Jahren kamen die ersten Ansiedler und stellten acht vorfabrizierte Häuser hin. Heute hat Magadan vierzigtausend Einwohner, und alle sind gut untergebracht.«

Nikischow erwähnte natürlich nicht, dass die »ersten Siedler« Gefangene waren und dass es sich bei den meisten der vierzigtausend Einwohner um Verbannte handelte, die den Ort nicht verlassen durften. Wallace hatte auch keine Ahnung vom Status der aktuell dort Beschäftigten – fast durchweg Gefangene – und schrieb sehr anerkennend über die Arbeiter in den Goldminen der Kolyma. Es waren in seiner Erinnerung »hochgewachsene rauhe Burschen«, freie Arbeiter, die viel mehr leisteten als die politischen Gefangenen, die nach seiner Vorstellung in der Zarenzeit den Hohen Norden bevölkerten.[61]

Genau diese Vorstellung wollten die Chefs von Dalstroi Wallace vermitteln. Dem Bericht zufolge, den Nikischow später an Beria schickte, bat Wallace darum, ein Gefangenenlager zu besichtigen, was man ihm aber vorenthielt. Nikischow versicherte seinen Chefs auch, die einzigen Arbeiter, denen Wallace begegnete, seien freie Arbeiter gewesen, darunter viele Mitglieder des Kommunistischen Jugendverbandes, denen man erst Minuten vor dem Eintreffen des Vizepräsidenten Bergarbeiterkleidung und Gummistiefel verpasst hatte. Sie waren genau angewiesen worden, was sie antworten sollten, wenn sie gefragt wurden. »Ich habe mit einigen von ihnen gesprochen«, notierte Wallace später. »Sie waren vor allem scharf darauf, den Krieg zu gewinnen.«[62]

Später traf Wallace doch auf echte Gefangene, was er aber nicht wusste. Es waren Sänger und Musiker, darunter viele verhaftete Opernstars aus Moskau und Leningrad, die zu seinen Ehren im Theater von Magadan auftraten. Da man ihm erzählte, es handele sich um »Chöre, gesungen von Soldaten der Roten Armee«, die in der Stadt stationiert seien, war er höchst erstaunt, dass Amateure zu solchen künstlerischen Leistungen in der Lage waren. Tatsächlich aber hatte man jeden Einzelnen zuvor verwarnt: »Ein Wort oder eine Geste, daß ihr Gefangene seid, wird als Hochverrat betrachtet.«[63]

Wallace sah auch Handarbeiten von Gefangenen, ohne es zu ahnen. Nikischow zeigte ihm eine Ausstellung von Stickereien und erklärte ihm, diese seien von »Frauen und Mädchen aus dem Ort angefertigt, die während der langen Wintermonate regelmäßig zusammenkamen, um sich in der altrussischen Kunst der Gobelinstickerei zu vervollkommnen«. Natürlich hatten Gefangene diese Arbeiten für Wallaces Besuch angefertigt. Als dieser eine der Arbeiten offen bewunderte, nahm Nikischow sie von der Wand und schenkte sie ihm. Zu seiner großen Überraschung bekannte Nikischows Frau, die gefürchtete Gridassowa, sie selbst habe diese Stickerei angefertigt.[64]

Der Besuch des amerikanischen Vizepräsidenten fiel zeitlich mit dem Eintreffen der »amerikanischen Geschenke« an der Kolyma zusammen. Das Lend-Lease-Programm zur Unterstützung des amerikanischen Verbündeten im Kampf gegen Deutschland mit Waffen und militärischer Ausrüstung brachte auch amerikanische Traktoren, Lastwagen, mit Dampf betriebene Schaufelbagger und Werkzeug an die Kolyma, was nicht unbedingt den Intentionen der amerikanischen Regierung entsprach.

Zum Abschied gab Nikischow zu Ehren von Wallace ein luxuriöses Bankett. Auserlesene Gerichte, abgespart von den Rationen der Gefangenen, wurden aufgetragen, Trinksprüche auf Roosevelt, Churchill und Stalin ausgebracht. Die Tischrede des Vizepräsidenten enthielt die folgenden denkwürdigen Sätze:

> »Russen wie Amerikaner suchen auf unterschiedlichen Wegen einen Zustand zu erreichen, der auf der ganzen Erde den einfachen Mann instand setzt, aus der modernen Technik das beste für sich herauszuholen. In ihren Zielen und Zwecken ist nichts, was sich nicht versöhnen ließe. Wer das Gegenteil behauptet, zielt wissentlich oder unwissentlich auf einen neuen Krieg. Ich halte dies für ein Verbrechen.«[65]

Heut sag ich dem Lager mit fröhlichem Lächeln Lebwohl –
Dem Stacheldraht, der ein Jahr lang die Freiheit mir
nahm …
Wird gar nichts von mir zurückbleiben hier?
Wird kein Hindernis hemmen meinen eiligen Schritt?

Oh nein! Zurück bleibt ein Golgatha von Schmerz,
Der mich ins Elend hinabziehen will.
Gräber voll Angst und Särge voll Sehnsucht,
Wie Perlen am Rosenkranz: heimliche Tränen …

All das ist fort, wie ein Blatt fällt vom Baum.
Endlich sind unsere Fesseln gesprengt.
Der Hass ist aus meinem Herzen geschwunden,
Weil ein Regenbogen durch die Wolken bricht!

JANUSZ WEDÓW,
»Lager, leb wohl«[1]

# Amnestie und danach

Wahr ist, dass die Jahre 1941 bis 1943 Millionen sowjetischer Gefangener Tod, Krankheit und persönliche Tragödien brachten. Ebenso wahr ist aber auch, dass der Krieg für Millionen anderer die Freiheit bedeutete.

Er war erst wenige Tage alt, als bereits eine Amnestie für gesunde Männer im kampffähigen Alter erlassen wurde. Am 12. Juli 1941 wies der Oberste Sowjet die Gulag-Zentrale an, bestimmte Häftlingskategorien direkt in die Rote Armee zu entlassen – »solche, die wegen Arbeitsbummelei sowie unbedeutender Verwaltungs- und Wirtschaftsvergehen verurteilt sind«. Diese Order sollte noch mehrmals gegeben werden. Insgesamt ließ das NKWD in den ersten drei Kriegsjahren 975 000 Gefangene und mehrere hunderttausend Sonderumsiedler, meist frühere Kulaken, frei. Unmittelbar vor und während der Entscheidungsschlacht um Berlin folgten weitere Amnestien.[2]

Der gewaltige Umfang dieser Amnestien hatte enormen Einfluss auf die demografische Zusammensetzung der Lager während des Krieges und damit auch auf das Leben derer, die dort zurückblieben. Neue Häftlinge strömten in großer Zahl in die Lager, andere wurden in Massenamnestien freigelassen. Millionen starben. Die Statistiken der Kriegsjahre sind daher äußerst trügerisch. Doch obwohl Monat für Monat Tausende neuer Häftlinge eintrafen, ging die Gesamtzahl der Gulaginsassen von Juni 1941 bis Juli 1944 eindeutig zurück. Einige Holzfällerlager, die man 1938 in aller Eile aufgebaut hatte, um die Welle der neu Verhafteten aufzunehmen, wurden nun ebenso rasch wieder aufgelöst.[3] Der Arbeitstag für die Häftlinge wurde immer länger. Und doch herrschte überall Mangel an Arbeitskräften. An der Kolyma ließ man in den Kriegsjahren sogar die freien Arbeiter außerhalb der regulären Arbeitszeit nach Gold schürfen.[4]

Nicht alle kriegstauglichen Häftlinge durften gehen: Von den Amnestien ausgeschlossen waren ausdrücklich so genannte Rückfalltäter, das heißt Berufsverbrecher, und politische Gefangene. Ausnahmen wurden nur selten gemacht. Weil man sich des Schadens für die Rote Armee durch die Verhaftung führender Offiziere Ende der dreißiger Jahre offenbar bewusst war, wurden einige aus politischen Gründen Verurteilte nach dem sowjetischen Einmarsch in Polen in aller Stille freigelassen. Unter ihnen war auch General Alexander Gorbatow, den man im Winter 1940 von einem fernen Lagpunkt an der Kolyma nach Moskau holte. Als der Vernehmungsoffizier, der den Fall zu prüfen hatte, Gorbatow sah, schaute er auf das Foto, das vor dessen Verhaftung aufgenommen war, und begann sofort Fragen zu stellen. Er musste sich erst davon überzeugen, dass das Skelett, das da vor ihm stand, tatsächlich einmal einer der begabtesten jungen Offiziere der ganzen Armee gewesen sein konnte: »Meine Drillichhosen waren geflickt, meine Beine mit Lappen umwickelt, und ich trug die schweren Schuhe eines Bergarbeiters. Mein Äußeres wurde komplettiert durch eine geflickte, schmutzstarrende Weste und eine zerschlissene, speckige Mütze mit Ohrklappen ...«[5] Gorbatow wurde schließlich im März 1941 unmittelbar vor dem Überfall der Deutschen entlassen. Im Frühjahr 1945 kommandierte er einen der Vorstöße auf Berlin.

Für den einfachen Soldaten bedeutete die Amnestie keine Überlebensgarantie. Viele gehen davon aus, dass die aus dem Gulag in die Rote Armee entlassenen Gefangenen im Grunde Strafkompanien bildeten, die man an den gefährlichsten Frontabschnitten einsetzte. Die Archive bestätigen dies nicht. Aber die Rote Armee ist bekannt dafür, dass sie Menschen bereitwillig ins Feuer schickte, und man kann sich durchaus vorstellen, dass Kommandeure bei ehemaligen Häftlingen noch weniger Bedenken hatten. Der Dissident Awraham Schifrin behauptet, er sei in ein Strafbataillon gesteckt worden, weil er der Sohn eines »Volksfeindes« war. Seinem Bericht zufolge wurde er mit seinen Kameraden direkt an die Front geschickt, obwohl nicht ausreichend Waffen vorhanden waren: Auf 500 Mann kamen 100 Gewehre. »Eure Waffen halten die Nazis in ihren Händen«, erklärten ihnen die Offiziere. »Holt sie euch.« Schifrin wurde zwei Mal verwundet, aber überlebte.[6]

Sowjetische Häftlinge zeichneten sich in der Roten Armee oft aus. Überraschenderweise scheinen auch nur wenige etwas dagegen gehabt zu haben, für Stalin zu kämpfen. Zumindest laut seiner eigenen Aussage zögerte General Gorbatow keinen Moment lang, wieder in die Sowjetarmee zu gehen oder im Auftrag der Kommunistischen Partei in den Krieg zu ziehen, die ihn grundlos ins Lager gesteckt hatte. Als er von dem deutschen Überfall erfuhr, war sein erster Gedanke, wie gut es sei, dass man ihn freigelassen hatte. Nun konnte er seine wiedergewonnene Kraft für das Vaterland einsetzen. Mit Stolz schreibt er auch über die »sowjetischen Waffen«, die seine Soldaten »dank der Industrialisierung unseres Landes« in der Hand hatten. Kein Wort darüber, wie diese Industrialisierung zustande gekommen war. An der Aufrichtigkeit seines Patriotismus lässt sich kaum zweifeln.[7]

Das scheint auf viele andere entlassene Häftlinge ebenfalls zuzutreffen, zumindest besagen das die Akten des NKWD. Im Mai 1945 schrieb Gulag-Chef Nasedkin einen ausführlichen, beinahe schwärmerischen Bericht über den Patriotismus und den Kampfgeist ehemaliger Häftlinge in der Roten Armee. Dabei zitierte er ausführlich aus Briefen, die sie in ihre ehemaligen Lager schickten: »Zunächst möchte ich euch mitteilen, dass ich verwundet in einem Lazarett in Charkow liege«, schrieb einer. »Ich habe mein geliebtes Vaterland verteidigt, ohne mein Leben zu schonen. Zwar war ich verurteilt, weil ich schlecht gearbeitet hatte, aber unsere geliebte Partei hat mir Gelegenheit gegeben, meine Schuld gegenüber der Gesellschaft zu tilgen, indem ich zum Sieg an der Front beigetragen habe. Nach meinem Überblick sind 53 Faschisten durch meine stählernen Kugeln gefallen.«[8] Der Krieg löste in der ganzen Sowjetunion eine Welle des Patriotismus aus, und die ehemaligen Häftlinge durften daran teilhaben.[9]

Noch erstaunlicher ist, dass auch die Gefangenen, die weiterhin im Lager ihre Strafe verbüßten, zuweilen davon erfasst wurden. Selbst schärfere Vorschriften und weiter gekürzte Rationen ließen nicht unbedingt alle *Seks* des Gulags zu entschiedenen Gegnern des Sowjetregimes werden. Viele schrieben später, das Schlimmste sei im Juni 1941 für sie gewesen, im Lager zu sitzen und nicht an die Front gehen zu können. Der Krieg tobte, ihre Kameraden kämpften, und sie saßen, brennend vor Vaterlandsliebe, im Hinterland fest. In jedem deutschen Gefangenen witterten sie einen Faschisten. Sie warfen den Wachen vor, dass diese nicht an der Front seien. Gerüchte über den Krieg machten pausenlos die Runde. Jewgenia Ginsburg erinnert sich: »*Wir* waren bereit, alles zu vergessen und zu vergeben angesichts des Unglücks, das unser ganzes Volk betroffen hatte ...«[10]

In einigen Fällen hatten die Gefangenen von Lagern, denen die Front sehr nahe rückte, Gelegenheit, ihren Patriotismus zu beweisen. Pokrowski, damals ein Angestellter von Soroklag, einem Lager in der Karelischen Republik nahe der finnischen Grenze, schilderte in einem Bericht, der als Beitrag zur Geschichte des Großen Vaterländischen Krieges gedacht war, wie eine Gruppe von über sechshundert freigelassenen Häftlingen, die wegen fehlender Transportkapazität nicht wegkamen, sich freiwillig am Bau von Verteidigungsanlagen der Stadt Belomorsk beteiligte:

> »Alle stimmten sofort zu und bildeten selbstständig Arbeitsbrigaden mit Brigadieren und Vorarbeitern. Diese Gruppe freigelassener Häftlinge arbeitete mit größtem Eifer über eine Woche lang dreizehn bis vierzehn Stunden täglich, um die Stadt verteidigen zu helfen.«[11]

Die Propaganda stachelte diesen Patriotismus noch an. Wie überall in der Sowjetunion gab es entsprechende Plakate, Filme und Vorträge. »Ihr müsst jetzt noch besser arbeiten«, erklärte man den Gefangenen, »denn jedes Gramm Gold, das ihr fördert, ist ein Schlag gegen den Faschismus.«[12]

Zweifellos leistete der Gulag seinen Beitrag zur Kriegswirtschaft. In den ersten achtzehn Kriegsmonaten wurden 35 Arbeitskolonien auf die Produktion von Munition umgestellt. Viele Holzfällerlager fertigten Munitionskisten. In mindestens zwanzig Lagern wurden Uniformen für die Rote Armee genäht, in anderen Feldtelefone montiert, 1,7 Millionen Gasmasken und 24000 Mörsergestelle produziert. Über eine Million Gefangene arbeiteten beim Bau von Eisenbahnen, Straßen und Flugplätzen. Wo immer dringend Bauarbeiter benötigt wurden – wenn eine Ölleitung versagte oder eine neue Eisenbahnlinie verlegt werden musste –, bekam in der Regel der Gulag den Auftrag. Und wie in der Vergangenheit lieferte Dalstroi faktisch das gesamte Gold der Sowjetunion.[13]

Doch wie zu Friedenszeiten sind diese Zahlen trügerisch, ebenso die Effizienz, die sie suggerieren. »Seit den ersten Kriegstagen hat der Gulag seine Industrie umgestellt, um den Erfordernissen der kämpfenden Front zu dienen«, schrieb Nasedkin. Hätten freie Arbeiter diesen Erfordernissen nicht besser dienen können? An anderer Stelle behauptet er, die Produktion bestimmter Munitionsarten sei vervierfacht worden.[14] Wie viel mehr Munition wäre wohl hergestellt worden, wenn die vom Patriotismus getriebenen Häftlinge in normalen Fabriken hätten arbeiten können? Tausende Soldaten, die an der Front gebraucht wurden, mussten weiterhin Häftlinge bewachen. Tausende NKWD-Leute wurden dafür eingesetzt, Polen zunächst zu verhaften und später wieder freizulassen. Auch für sie hätte es bessere Verwendung gegeben. So trug der Gulag einerseits durchaus zu den Kriegsanstrengungen bei – und mag auf der anderen Seite dabei mitgeholfen haben, sie zu unterminieren.

Neben General Gorbatow und einigen weiteren Militärs gab es noch eine andere, umfassendere Ausnahme von der Festlegung, politische Gefangene nicht zu amnestieren: Ungeachtet seiner früheren Aussagen beendete das NKWD die Verbannung der Polen an die Peripherie der UdSSR überraschend schnell wieder. Am 30. Juli 1941, einen Monat nach Beginn des Unternehmens »Barbarossa«, unterzeichneten der Chef der polnischen Exilregierung in London, General Sikorski, und der sowjetische Botschafter in Großbritannien, Iwan Maiski, einen Waffenstillstand. Der Sikorski-Maiski-Pakt, wie er bald genannt werden sollte, stellte den polnischen Staat wieder her, dessen Grenzen noch zu bestimmen waren, und verkündete eine Amnestie für »alle polnischen Bürger, die gegenwärtig auf dem Gebiet der UdSSR ihrer Freiheit beraubt sind«.

Alle Polen, die im Gulag oder in der Verbannung saßen, wurden offiziell freigelassen. Sie durften einer neuen Division der polnischen Armee beitreten, die in der Sowjetunion gebildet wurde. In Moskau erfuhr General Wladyslaw Anders, ein polnischer Offizier, der die letzten zwanzig Monate in der Lubjanka verbracht hatte, bei einer überraschenden Begegnung mit Beria persönlich, er sei zum Befehlshaber der neuen Armee ernannt. Nach dem Zusammentreffen verließ General Anders das Gefängnis in einem Wagen des NKWD mit Chauffeur in Hemd und Hose, aber ohne Schuhe.[15]

Auf polnischer Seite hatten viele etwas gegen den Begriff »Amnestie« für die Freilassung unschuldiger Menschen einzuwenden, aber dies war nicht die Zeit für Wortklauberei, denn das Verhältnis zwischen den beiden neuen »Verbündeten« war noch nicht gefestigt. Die sowjetischen Behörden lehnten jede moralische Verantwortung für die »Soldaten« der neuen Armee ab, die alle in einem erbarmungswürdigen Gesundheitszustand waren. General Anders wurden keinerlei Verpflegung oder andere Versorgungsgüter zugesagt. »Ihr seid Polen, soll Polen euch ernähren«, hieß es nur.[16]

Die sowjetische Seite komplizierte die Sache noch dadurch, dass sie einige Monate später erklärte, die Amnestie gelte nicht für alle ehemaligen polnischen Bürger, sondern nur für ethnische Polen. Ukrainer, Belorussen und Juden, die vorher in Polen gelebt hatten, mussten in der UdSSR bleiben. Viele suchten sich als Polen auszugeben, wurden aber von ihren polnischen Landsleuten selbst entlarvt, die befürchteten, wieder ins Lager zurückzumüssen, sollte der Schwindel auffliegen.[17]

Andere polnische Gefangene wurden aus Lager oder Verbannung völlig mittellos freigelassen, ohne zu wissen, wohin sie sich wenden sollten. Einer erinnert sich: »Die sowjetischen Behörden in Omsk wollten uns nicht helfen. Sie erklärten, sie wüssten nichts von einer polnischen Armee. Wir sollten uns in der Nähe von Omsk Arbeit suchen.«[18] Die entlassenen Polen zogen, Gerüchten folgend, auf der Suche nach der polnischen Armee in der Sowjetunion umher. Nach und nach fanden sie sich samt Frauen und Kindern in Kuibyschew, dem Hauptstützpunkt der polnischen Armee, und in ihren anderen Basen zusammen.

Das Verhältnis zu den sowjetischen Behörden blieb schlecht. Mitarbeiter der ehemaligen polnischen Botschaft in der Sowjetunion, die überall im Lande verstreut waren, blieben aus unerfindlichen Gründen weiter in Haft. Weil er eine Zuspitzung der Lage befürchtete, änderte General Anders im März 1942 seinen Plan. Statt mit seiner Armee nach Westen in Richtung Front zu marschieren, erhielt er die Erlaubnis, sie aus der Sowjetunion zu evakuieren. Es war eine wahre Großaktion: 74 000 polnische Armeeangehörige und weitere 41 000 Zivilisten, darunter viele Kinder, wurden per Eisenbahn in den Iran gebracht.

Einige in der Sowjetunion zurückgebliebene Polen schlossen sich der Kosciuszko-Division an, einer polnischen Einheit, die in der Roten Armee kämpfte. Andere mussten bis Kriegsende auf ihre Repatriierung warten. Manche blieben auch für immer. Bis heute kann man in Kasachstan und Nordrussland polnische Dörfer finden, wo ihre Nachkommen leben.

Die meisten, die die Sowjetunion verließen, griffen bald in die Kämpfe ein. Nachdem sich die Anders-Armee im Iran erholt hatte, schloss sie sich den Alliierten in Europa an. Nach abenteuerlicher Reise über Palästina, zum Teil sogar Südafrika, kämpften sie in der Schlacht von Montecassino für die Befreiung Italiens. Die polnischen Zivilisten wurden in kleineren Gruppen auf die verschiedenen Teile des Britischen Empire verteilt. Polnische Kinder konnte man in Waisenhäusern von Indien, Palästina und selbst Ostafrika finden. Die meisten kehrten nie in das von der Sowjetunion besetzte Nachkriegspolen zurück.[19]

Nach dem Auszug aus der UdSSR leisteten diese Polen ihren weniger glücklichen ehemaligen Mithäftlingen einen unschätzbaren Dienst. Armee und polnische Exilregierung führten in Iran und Palästina mehrere Befragungen von Soldaten und deren Familien durch, um herauszufinden, was mit den in die Sowjetunion deportierten Polen tatsächlich geschehen war. Da die Anders-Armee die einzige große Gruppe von Gefangenen ist, die jemals die Sowjetunion verlassen durfte, sind die Ergebnisse dieser Befragungen und etwas hastiger historischer Nachforschungen fast ein halbes Jahrhundert lang das einzige substanzielle Material gewesen, das die Existenz des Gulags belegte. In bestimmten Grenzen war es erstaunlich korrekt: Ohne die Geschichte des Gulags zu kennen und zu durchschauen, vermittelten die polnischen Gefangenen einen Eindruck von der gewaltigen Größe des Lagersystems, seinen geografischen Ausmaßen – sie brauchten nur all die Orte aufzuzählen, wo man sie festgehalten hatte – und den schrecklichen Lebensbedingungen der Kriegszeit.

Nach dem Krieg bildeten die Erlebnisse der Polen die Grundlage für Berichte über sowjetische Zwangsarbeitslager, die die amerikanische Library of Congress und der Gewerkschaftsdachverband American Federation of Labor (AFL) zusammenstellten. Diese sehr direkten Schilderungen des Lagersystems in der Sowjetunion schockierten viele Amerikaner, die seit den Tagen des Holzboykotts in den zwanziger Jahren die Existenz der Lager fast völlig verdrängt hatten. Im Jahr 1949 versuchte die AFL die UNO zu überzeugen, der Zwangsarbeit in ihren Mitgliedstaaten nachzugehen. Zu diesem Zweck übergab sie umfangreiches Beweismaterial zum Fall der Sowjetunion:

> »Es ist noch nicht vier Jahre her, da die Arbeiter der Welt ihren ersten Sieg errungen haben, den Sieg gegen den nationalsozialistischen Totalitarismus. Das geschah nach einem Krieg, der die größten Opfer forderte – einem Krieg gegen die Politik der Versklavung aller Völker, in deren Länder die Nationalsozialisten einmarschierten … Ungeachtet dieses Sieges der Alliierten ist die Welt jedoch in hohem Maße beunruhigt über Nachrichten, die darauf hinzuweisen scheinen, dass die Übel, für deren Ausrottung so viele gekämpft und ihr Leben gelassen haben, in verschiedenen Teilen der Welt immer noch nicht beseitigt sind …«[20]

Der Kalte Krieg hatte begonnen.

Als Deutschland zerfiel, konnte Stalin sich der Nachkriegsordnung zuwenden. Sein Plan, Mitteleuropa in die sowjetische Einflusssphäre einzugliedern, nahm feste Konturen an. Nicht zufällig trat nun auch das NKWD in die Phase seiner »internationalistischen« Expansion ein. »Dieser Krieg ist nicht wie in der Vergangenheit«, bemerkte Stalin in einem Gespräch mit Tito, das der jugoslawische Kommunist Milovan Djilas festgehalten hat: »Wer immer ein Gebiet besetzt, erlegt ihm auch sein eigenes gesellschaftliches System auf. Jeder führt sein eigenes System ein, so weit seine Armee vordringen kann.«[21] Konzentrationslager waren integraler Bestandteil des sowjetischen »Gesellschaftssystems«. Als der Krieg seinem Ende entgegenging, begann die sowjetische Geheimpolizei ihre Vorgehensweise und ihr Personal in das sowjetisch besetzte Europa zu exportieren, wo sie ihren neuen ausländischen Gefolgsleuten das Lagerregime und die Methoden beibrachte, die sie zu Hause hatte perfektionieren können.

Die Lager in Ostdeutschland waren wahrscheinlich die härtesten. Sobald die Rote Armee 1945 in Deutschland einrückte, begann die sowjetische Militäradministration so genannte Sonderlager einzurichten. Insgesamt waren es schließlich elf an der Zahl. Zwei – Sachsenhausen und Buchenwald – befanden sich auf dem Gelände ehemals nationalsozialistischer KZs. Alle unterstanden direkt dem NKWD, das sie ebenso organisierte und führte wie den Gulag: mit denselben Arbeitsnormen, Hungerrationen und überfüllten Baracken. In den Hungerjahren der Nachkriegszeit scheint man in diesen deutschen Lagern noch schneller gestorben zu sein als in der Sowjetunion. In den fünf Jahren ihres Bestehens durchliefen 240000 meist politische Gefangene diese Lager. 95000 – fast ein Drittel – sollen dort umgekommen sein. War schon das Leben sowjetischer Gefangener den Behörden nicht besonders wichtig, so bedeutete das von deutschen »Faschisten« sicher noch weniger.

Allerdings waren die meisten Insassen der ostdeutschen Lager keine hochrangigen Nationalsozialisten oder erwiesene Kriegsverbrecher. Diese brachte man in der Regel sofort nach Moskau zum Verhör und danach entweder in sowjetische Kriegsgefangenenlager oder in den Gulag. Die Sonderlager dienten im Wesentlichen dem gleichen Ziel wie die Deportationen von Polen und Balten: Der deutschen Bourgeoisie sollte das Rückgrat gebrochen werden. Daher saßen dort nicht führende NS-Bonzen oder Kriegsverbrecher ein, sondern Richter, Rechtsanwälte, Unternehmer, Geschäftsleute, Ärzte und Journalisten, darunter auch einige der ganz wenigen Hitlergegner in Deutschland, die die Sowjetunion auf paradoxe Weise ebenfalls fürchtete. Wer es gewagt hatte, gegen die Nationalsozialisten zu kämpfen, konnte schließlich auch den Mut aufbringen, sich gegen die Rote Armee zu wenden.[22]

Einen ähnlichen Personenkreis internierte das NKWD in Ungarn und der Tschechoslowakei in Lagern, die die örtlichen Geheimdienste auf sowjetische Empfehlung einrichteten, nachdem die kommunistischen Parteien in Prag 1948 und in Budapest 1949 ihre Herrschaft konsolidiert hatten. Das tschechische Lagersystem war dabei von besonderer Art: Achtzehn Lagpunkte gruppierten sich um die Uranschächte von Jachymov. Aus heutiger Sicht scheint klar, dass politische Gefangene mit langen Haftstrafen – das Gegenstück zu den sowjetischen Katorga-Urteilen – dorthin geschickt wurden, um zu sterben. Obwohl sie Uranerz für das Projekt der neuen sowjetischen Atombombe abbauten, traf man für sie keinerlei Schutzmaßnahmen. Die Todesraten in diesen Lagern waren hoch, wenn man auch noch keine exakten Zahlen kennt.[23]

In Polen war die Lage komplizierter. Bei Kriegsende befand sich ein beträchtlicher Teil der polnischen Bevölkerung in Lagern verschiedener Art: für Flüchtlinge (Juden, Ukrainer und ehemalige Zwangsarbeiter im nationalsozialistischen Machtbereich), für Internierte (Deutsche und Volksdeutsche, Polen, die deutsche Vorfahren angegeben hatten) oder für Kriegsgefangene. Die Rote Armee hatte einige ihrer Kriegsgefangenenlager direkt auf polnischem Boden eingerichtet, wo nicht nur Deutsche, sondern auch Mitglieder der polnischen Heimatarmee bis zu ihrer Deportation in die Sowjetunion einsaßen. 1954 gab es in Polen außerdem nach wie vor 84 200 politische Gefangene.[24]

Lager gab es auch in Rumänien, in Bulgarien und ungeachtet seines »antisowjetischen« Rufs selbst in Titos Jugoslawien. Wie die Lager in Mitteleuropa ähnelten die auf dem Balkan zunächst dem Gulag. Mit der Zeit veränderten sie sich allerdings. Die meisten waren zunächst von örtlichen Polizeikräften unter sowjetischer Anleitung eingerichtet worden. Die rumänische Geheimpolizei *Securitate* scheint unter direktem Befehl der sowjetischen Partner gestanden zu haben. Möglicherweise ist das der Grund, warum diese Lager dem Gulag am ähnlichsten sind. Selbst solche absurden, überspannten Projekte, wie Stalin sie in der Sowjetunion forcierte, waren dort zu finden. Das berühmteste, der Donau-Schwarzmeer-Kanal, scheint keine reale wirtschaftliche Funktion gehabt zu haben. Bis heute liegt er genauso leer und verlassen da wie der Ostsee-Weißmeer-Kanal, dem er so sehr gleicht. Eine zeitgenössische Propagandalosung lautete: »Der Donau-Schwarzmeer-Kanal ist das Grab der rumänischen Bourgeoisie!« Da bei seinem Bau etwa 200 000 Menschen ihr Leben lassen mussten, war das vielleicht tatsächlich der eigentliche Zweck des Projektes.[25]

Die bulgarischen und jugoslawischen Lager folgten anderen Vorstellungen. Die bulgarische Polizei scheint weniger an der Erfüllung von Produktionsplänen und mehr an der Bestrafung der Häftlinge interessiert gewesen zu sein.

Im Unterschied zum Gulag blieben die Lager in den osteuropäischen Staaten jedoch nicht lange bestehen. Viele wurden sogar noch vor Stalins Tod wieder aufgelöst. Die Sonderlager in Ostdeutschland gab es bereits 1950 nicht mehr, weil sie dem Ansehen der SED schadeten. Um das Image der neuen Staatsmacht aufzubessern und die Deutschen von der Flucht in den Westteil des Landes abzuhalten, die damals noch möglich war, päppelten die DDR-Behörden die Gefangenen vor der Entlassung auf und statteten sie mit neuer Kleidung aus. Aber nicht alle kamen frei. Die gefürchtetsten politischen Gegner der neuen Ordnung wurden wie die Polen zu jener Zeit in die Sowjetunion deportiert. Dasselbe galt für Angehörige der Totengräberbataillone in den Sonderlagern, die über die Existenz und die Standorte von Massengräbern hätten Auskunft geben können. So wurden sie erst in den neunziger Jahren gefunden und die sterblichen Überreste exhumiert.[26]

Auch die Lager in der Tschechoslowakei waren nicht von langer Dauer. Sie erreichten ihre größte Ausdehnung im Jahr 1949 und schrumpften dann zusehends, bevor sie ganz verschwanden. Der ungarische Ministerpräsident Imre Nagy löste die Lager in seinem Land unmittelbar nach Stalins Tod im Juli 1953 auf. In Bulgarien dagegen gab es Zwangsarbeitslager noch bis weit in die siebziger Jahre, als das sowjetische Lagersystem bereits beseitigt war.[27]

Die dauerhafteste Wirkung hatte der Export des Gulags außerhalb Europas. In der ersten Hälfte der fünfziger Jahre, der Zeit der engsten Zusammenarbeit zwischen der Sowjetunion und China, halfen sowjetische »Experten« dabei, mehrere Lager im Land verstreut und Zwangsarbeitsbrigaden in einer Kohlengrube bei Fushun einzurichten. Die chinesischen Lager mit der Bezeichnung *Laogai* (Umerziehung durch Arbeit) gibt es heute noch, wenn sie auch kaum an die Stalinschen Einrichtungen erinnern, denen sie einst nachempfunden waren. Sie sind immer noch Arbeitslager, und auf eine Haftstrafe dort folgt häufig eine Zeit der Verbannung wie unter Stalin, aber die Lagerchefs scheinen sich weniger um Normen und zentrale Produktionspläne zu kümmern. Stattdessen konzentrieren sie sich mehr auf rigide »Umerziehungs«-Maßnahmen. Ein demütiges Schuldeingeständnis der Häftlinge gegenüber der Partei scheint den Behörden mindestens so viel zu bedeuten wie die Waren, die die Häftlinge herstellen – wenn nicht mehr.[28]

Wie es sich in den Lagern dieser Verbündeten der Sowjetunion lebte und welche konkreten Ziele mit ihnen verfolgt wurden, wie lange es sie gab, wie straff geführt oder desorganisiert sie waren, wie grausam oder liberal sie wurden – all das hing von dem einzelnen Land und seiner Kultur ab. Offenbar war es für andere Länder verhältnismäßig einfach, das sowjetische Modell ihren eigenen Erfordernissen entsprechend abzuwandeln.

Eine Menschenrechtsgruppe in Seoul schätzt, dass heute noch immer etwa 200 000 Nordkoreaner in Lagern sitzen, weil sie das »Verbrechen« begangen haben, eine ausländische Zeitung zu lesen oder einen ausländischen Sender zu hören, mit einem Ausländer zu sprechen oder die nordkoreanische Führung auf irgendeine Weise zu »beleidigen«. Man nimmt weiter an, dass etwa 400 000 Menschen in solchen Lagern umgekommen sind.[29]

Außerdem sind die nordkoreanischen Lager offenbar nicht auf Nordkorea beschränkt. Im Jahr 2001 berichtete die »Moscow Times«, die nordkoreanische Regierung zahle Schulden an Russland zurück, indem sie Arbeitsbrigaden in schwer bewachten Bergwerks- und

Holzfällerlagern in entlegenen Teilen Sibiriens einsetze. Diese Lager, ein Staat im Staate, haben ihre eigene Lebensmittelversorgung, ihre eigenen Strafeinrichtungen und Wachdienste. Insgesamt soll es um circa sechstausend Arbeiter gehen. Ob sie Lohn erhalten oder nicht, ist unklar. Aber mit Sicherheit können sie die Gegend nicht auf eigenen Wunsch verlassen.[30]

Mit Siebzehn war'n wir voller Wissensdrang.
Mit Zwanzig lernten wir zu sterben.
Wir wissen, wenn man uns jetzt leben lässt,
Muss das erst einmal gar nichts ändern.

Mit Fünfundzwanzig lernten wir
Das Leben einzutauschen
Für Dörrfisch, Feuerholz, Kartoffeln …

Was gab's für uns mit Vierzig noch zu lernen?
So viele Seiten wurden umgeblättert …
Vielleicht, dass unser Leben kurz ist?
Doch wussten wir das nicht bereits mit Zwanzig …?

MICHAIL FROLOWSKI,
»Meine Generation«[1]

Doch unterdessen näherte sich unserem Land, dem ganzen östlichen Europa und vor allem unseren Sträflingsregionen mit Riesenschritten das Jahr 1949, der Zwillingsbruder des Jahres 1937 …

JEWGENIA GINSBURG,
*Gratwanderung*[2]

# Der Lager-Industrie-Komplex auf dem Zenit

Mit dem Ende des Krieges kamen die Siegesparaden, die tränenfeuchten Wiedersehensfeiern und die verbreitete Überzeugung, das Leben müsse und werde jetzt leichter werden. Millionen Männer und Frauen hatten für diesen Sieg schreckliche Entbehrungen auf sich genommen. Nun wollten sie besser leben. Auf dem Lande gingen Gerüchte um, die Kolchose würden aufgelöst. In den Städten zeigten die Menschen offen ihre Unzufriedenheit über die hohen Preise, die für die rationierten Lebensmittel verlangt wurden. Millionen Sowjetbürger – Soldaten und Zwangsarbeiter – waren mit dem in ihren Augen luxuriösen Leben im Westen in Berührung gekommen. Ihnen konnte man nicht mehr erzählen, dort sei der Arbeiter viel ärmer dran als in der Sowjetunion.[3]

Im Frühjahr 1945 waren auch die Gefangenen voller Hoffnung. Im Januar hatten die Behörden eine weitere Generalamnestie für schwangere Frauen und solche mit Kleinkindern erklärt, und bis Juli kamen 734785 Betroffene frei.[4] Die Restriktionen der Kriegszeit wurden gelockert, und die Häftlinge durften wieder Lebensmittel und Kleidung von ihren Verwandten empfangen. Die Amnestie für Frauen, von der die politischen Gefangenen natürlich ausgenommen waren, zeugte allerdings nicht von einem Sinneswandel, sondern ist darauf zurückzuführen, dass die Zahl der Waisen bei Kriegsende enorm anschwoll. Überall in der UdSSR häuften sich die Probleme mit heimatlosen Kindern, Rowdys und jugendlichen Verbrecherbanden. Widerwillig mussten die Behörden einräumen, dass die Mütter ein Teil der Lösung des Problems waren. Ebenso wenig war die Lockerung der Vorschriften für Paketsendungen in erster Linie eine freundliche Geste, sondern man wollte damit die Wirkung der Nachkriegshungersnöte lindern:. Die Lager konnten die Häftlinge nicht mehr ernähren, also sollten die Familien einspringen. In einer zentralen Direktive heißt es dazu ganz unverblümt: »Was Verpflegung und Bekleidung der Häftlinge betrifft, so sind Päckchen und Geldüberweisungen als wichtige Ergänzung zu sehen.«[5] Trotzdem ließen diese Veränderungen viele hoffen, sie könnten die Vorboten einer neuen, besseren Zeit sein.

Aber es sollte anders kommen. Schon ein Jahr nach dem Sieg setzte der Kalte Krieg ein. Der Abwurf der Atombomben auf Hiroshima und Nagasaki überzeugte die sowjetische Führung, dass sich die sowjetische Industrie auch weiterhin vor allem mit der Produktion von Rüstungsgütern, nicht von Kühlschränken und Kinderschuhen zu befassen hatte.

Dabei passte das Auftauchen einer neuen Bedrohung Stalin durchaus ins Konzept. Es war genau der Vorwand, den er brauchte, um die Kontrolle über sein Volk, das dem verderblichen Einfluss der Außenwelt ausgesetzt gewesen war, wieder zu verschärfen. Daher ordnete er an, gegen alles Gerede von Demokratie »einen harten Schlag zu führen«, bevor es sich ausbreiten konnte.[6] Er verstärkte und reorganisierte das NKWD, das im März 1946 in zwei Apparate aufgeteilt wurde: Das Ministerium für Innere Angelegenheiten (MWD) kontrollierte weiterhin den Gulag und die Dörfer der Verbannten, wodurch es de facto zu einem Ministerium für Zwangsarbeit wurde. Die andere, berühmter gewordene Einrichtung, das Ministerium für Staatssicherheit (MGB) – später Komitee für Staatssicherheit (KGB) –, war für die Auslandsspionage und die Spionageabwehr, die Grenztruppen und letztlich auch für die Überwachung der Regimegegner verantwortlich.[7]

Statt die Repressionen nach dem Krieg zu lockern, löste die sowjetische Führung eine neue Verhaftungswelle aus, die sich wieder gegen die Armee und gegen ausgewählte nationale Minderheiten, darunter die sowjetischen Juden, richtete. Nach und nach deckte man in fast allen Großstädten des Landes gegen Stalin gerichtete jüdische »Verschwörungen« auf.[8] 1947 wurden neue Gesetze eingeführt, die

Eheschließungen und in der Praxis jegliches Verhältnis zwischen Sowjetbürgern und Ausländern verboten. Sowjetische Wissenschaftler, die mit Kollegen im Ausland Informationen austauschten, konnten strafrechtlich verfolgt werden. 1948 wurden etwa 23 000 Kolchosbauern verhaftet. Man beschuldigte sie, im Jahr zuvor nicht die obligatorische Zahl von Arbeitstagen geleistet zu haben, und verbannte sie dafür ohne jede Ermittlung oder Gerichtsprozess in entlegene Gegenden.[9]

Dank dieser Neuzugänge schrumpften die Lager nach dem Krieg mitnichten, im Gegenteil: Sie expandierten weiter und erreichten Anfang der fünfziger Jahre ihre größte Ausdehnung. Nach offiziellen Angaben saßen am 1. Januar 1950 in den Lagern und Arbeitskolonien des Systems 2 561 351 Häftlinge ein. Das war eine Million mehr als 1945.[10] Die Deportationen aus den baltischen Staaten, Moldawien und der Ukraine, mit denen die »Sowjetisierung« jener Völkerschaften abgeschlossen werden sollte, ließ außerdem die Zahl der Sonderumsiedler wieder stark anschwellen. Etwa zur selben Zeit löste das NKWD auch die dornige Frage der Zukunft der Verbannten ein für allemal, indem es anwies, sie alle müssten mit Kind und Kegel »auf Lebenszeit« am Verbannungsort bleiben. Anfang der fünfziger Jahre erreichte die Zahl der Verbannten etwa die der Häftlinge in den Lagern.[11]

Im zweiten Halbjahr 1948 und im ersten Halbjahr 1949 mussten ehemalige Gulag-Häftlinge einen weiteren schweren Schicksalsschlag hinnehmen: Viele, die 1937/38 verhaftet worden und nach Verbüßung einer zehnjährigen Freiheitsstrafe gerade erst freigekommen waren, wurden zum zweiten Mal festgenommen und erhielten neue Urteile. Dabei ging es systematisch, gründlich und erstaunlich unblutig zu. Ermittelt wurde kaum oder nur pro forma.[12] Unter den Häftlingen und Verbannten in Magadan und im Tal der Kolyma breitete sich Unruhe aus, als sie erfuhren, dass ehemalige »Politische« wieder verhaftet wurden, deren Namen mit den ersten drei Buchstaben des russischen Alphabets begannen. Das hieß, die Geheimpolizei verhaftete die Menschen in alphabetischer Reihenfolge.[13] Man wusste nicht, ob man darüber lachen oder weinen sollte. Dazu Jewgenia Ginsburg: »1937 war das Böse im Gewand des Monumentalen und Tragischen aufgetreten ... Jetzt, 1949, stellte der georgische

Lindwurm, gähnend vor Überdruss und Langeweile, alphabetische Listen derer auf, die vernichtet werden sollten ...«[14]

Die Betroffenen reagierten überwiegend mit Gleichmut. Ihre erste Verhaftung war ein Schock gewesen, zugleich aber auch eine heilsame Lektion: Zum ersten Mal hatten sie die Wahrheit über ihr politisches System erkennen müssen. Bei der zweiten Festnahme hatten sie das lange hinter sich. »Jetzt, 1949, wußte ich, daß Leiden nur bis zu einem gewissen Grad Läuterungskraft haben. Dauern sie jahrzehntelang, werden sie zur Alltäglichkeit, dann läutern sie nicht mehr, sondern verwandeln einen einfach in ein Stück Holz. Und wenn ich mir meine lebendige Seele in meinem ›freien‹ Magadaner Leben noch erhalten hatte, so würde ich mich jetzt, nach der zweiten Verhaftung, unweigerlich in ein Stück Holz verwandeln«, schreibt Jewgenia Ginsburg.[15]

Als man sie holen kam, trat Olga Adamowa-Sljosberg an ihren Schrank, um zu packen. Dann aber hielt sie inne. »Warum soll ich überhaupt etwas mitnehmen? Die Kinder können die Sachen besser gebrauchen«, dachte sie. »Sicher würde ich diesmal nicht überleben. Wie sollte ich das alles noch einmal ertragen?«[16]

Die meisten Betroffenen wurden jedoch nicht ins Lager, sondern in die Verbannung geschickt, zumeist in die besonders entlegenen und dünn besiedelten Gegenden an der Kolyma, in den Gebieten Krasnojarsk und Nowosibirsk sowie in Kasachstan.[17] Dort sollten die meisten öde Jahre verbringen. Von der ortsansässigen Bevölkerung als »Feinde« abgelehnt, hatten sie es schwer, einen Lebensraum und normale Arbeit zu finden. Mit einem Spion oder Saboteur wollte niemand etwas zu tun haben.

Den Opfern war Stalins Absicht nun eindeutig klar: Niemand, der einmal wegen Spionage, Sabotage oder irgendeiner Form von politischer Gegnerschaft verurteilt war, durfte damit rechnen, jemals im Leben wieder nach Hause zurückzukehren. Selbst wer frei kam, erhielt einen »Wolfspass«, mit dem er keiner Großstadt zu nahe kommen durfte und jeder Zeit erneut verhaftet werden konnte.[18] Der Gulag und das System der Verbannung, das ihn ergänzte, bedeuteten keine zeitweilige Strafe mehr. Wenn man einmal in dieses Räderwerk geriet, war das für immer.

Und doch hatte der Krieg dauerhafte Auswirkungen auf das Lagersystem, wenn sie auch schwer zu quantifizieren sind. Zwar wurden Vorschriften und Regeln nach dem Sieg nicht liberalisiert, aber die Häftlinge hatten sich verändert, besonders die politischen.

Zunächst einmal waren sie viel mehr geworden. Die demografische Umwälzung der Kriegsjahre, die Amnestien, die die politischen Gefangenen systematisch ausklammerten, hatten ihren Anteil stark anwachsen lassen. Zum 1. Juli 1946 saßen 35 Prozent aller Gulag-Häftlinge Strafen für »konterrevolutionäre« Vergehen ab. In manchen Lagern stellten sie mehr als die Hälfte der Gefangenen.[19]

Außerdem war dies – unabhängig von der Gesamtzahl, die mit den Jahren wieder absank – eine neue Generation von politischen Gefangenen. Die in den dreißiger Jahren, besonders die 1937/38 Verhafteten waren Intellektuelle, Parteimitglieder und Arbeiter gewesen. Die meisten hatten die Verhaftung als einen Schock erlebt, waren seelisch auf das Gefangenenleben und körperlich auf die Zwangsarbeit überhaupt nicht vorbereitet. In den Nachkriegsjahren aber wurden vor allem ehemalige Soldaten der Roten Armee, Offiziere der Polnischen Heimatarmee, ukrainische und baltische Partisanen oder deutsche und japanische Kriegsgefangene aus politischen Gründen inhaftiert. Diese Männer und Frauen hatten im Schützengraben gelegen, Geheimaktionen durchgeführt oder Truppen kommandiert. Ein Gefangener erinnert sich: »Sie hatten dem Tod ins Auge gesehen, waren durch das Höllenfeuer des Krieges gegangen, hatten Hunger und Schrecken erlebt. Das war eine ganz andere Generation von Häftlingen als die der Vorkriegszeit.«[20]

Als diese Häftlinge in den Lagern auftauchten, bereiteten sie den Behörden sofort Probleme. Schon 1947 konnten die Berufsverbrecher sie kaum noch bändigen. Unter den verschiedenen nationalen oder kriminellen Gruppen, die damals das Lagerleben beherrschten, tauchte ein neuer Clan auf: die »Rotkäppchen«. Das waren in der Regel ehemalige Soldaten oder Partisanen, die sich zusammenschlossen, um die Herrschaft der Berufsverbrecher zu beenden und die der Lagerleitungen gleich dazu, die deren Umtriebe duldeten, ja sich darauf stützten. Die Rotkäppchen behielten ihren Einfluss bis ins nächste Jahrzehnt, obwohl man alles tat, um diese Gruppen zu zerschlagen. Im Winter 1954/55 erlebte Viktor Bulgakow, der damals in Inta, einem Bergwerkslager in der Region Workuta, einsaß, wie die Lagerleitung eine Gruppe politischer Gefangener zu »knacken« versuchte, indem sie sechzig Berufsverbrecher in das Lager verlegte. Diese bewaffneten sich und bereiteten einen Angriff auf die Politischen vor:

> »Plötzlich hatten sie alle ›kalte Waffen‹ [Messer], wie in einer solchen Situation nicht anders zu erwarten … Wir erfuhren, dass sie einem älteren Häftling Geld und Sachen gestohlen hatten. Wir verlangten von ihnen, das Eigentum zurückzugeben, aber das waren sie nicht gewohnt. Also umzingelten wir gegen 2.00 Uhr morgens, als es gerade hell wurde, ihre Baracke von allen Seiten und gingen zum Angriff über. Wir schlugen so lange zu, bis sie nicht mehr hochkamen. Einer sprang aus dem Fenster … rannte zum Lagertor und brach auf der Schwelle zusammen. Bis die Wachen ankamen, war niemand mehr zu sehen … Die Kriminellen wurden wieder aus dem Lager abgezogen.«[21]

Natürlich waren nicht immer die Kriminellen die Verlierer. Für die Lagerleitungen aber war das eine Lehre. Wenn politische Gefangene es fertig brachten, Gangster in die Flucht zu schlagen, dann konnte ihnen dasselbe blühen. 1948 ordneten die Moskauer Gulag-Chefs aus Furcht vor einer Revolte an, die »gefährlichsten« Politischen in eine Gruppe von »Sonderlagern« zu verlegen, die eigens für »Spione, Diversanten, Terroristen, Trotzkisten, Rechtsabweichler, Menschewiken, Sozialrevolutionäre, Anarchisten, Nationalisten, weißgardistische Emigranten und Mitglieder anderer antisowjetischer Organisationen« neu eingerichtet wurden. Im Grunde herrschte hier das Regime der Katorga, was schon äußerlich sichtbar war: Die Häftlinge trugen gestreifte Anzüge mit einer Nummer an der Mütze, auf Brust und Rücken, die Fenster waren vergittert, und die Baracken wurden nachts abgeschlossen. Den Häftlingen war nur minimaler Kontakt zur Außenwelt gestattet, was konkret höchstens ein bis zwei Briefe im Jahr bedeuten konnte. Korrespondenz durfte ohnehin nur mit den nächsten Angehörigen geführt werden. Der Arbeitstag betrug zehn Stunden bei ausschließlich schwerer körperlicher Arbeit. Die medizinische Betreuung war auf ein Minimum reduziert. In diesen Komplexen gab es keine Lager für Invaliden.[22]

Wie die Lagpunkte der Katorga, mit denen sie sich bald teilweise deckten, wurden diese Sonderlager ausschließlich in den unwirtlichsten Gegenden des Landes angelegt: bei Inta, Workuta, Norilsk und an der Kolyma – den Bergbaurevieren jenseits des Polarkreises –, außerdem in der kasachischen Wüste und in den öden Wäldern von Mordowien. Bei den meisten handelte es sich um ein Lager im Lager, denn sie wurden in der Regel bereits bestehenden Komplexen von Zwangsarbeitslagern angeschlossen. Von diesen unterschieden sie sich nur in einem: Die Gulag-Zentrale hatte ihnen mit überraschender Poesie Namen gegeben, die sich aus der Landschaft ableiteten, etwa Mineral, Berg, Eiche, Steppe, Strand, Fluss, See, Sand oder Wiese. Der Zweck war vermutlich Tarnung. Im Eichen-Lager gab es keine Eichen und beim Strand-Lager keinen Strand. Bald setzten sich die üblichen sowjetischen Abkürzungen durch – Minlag, Gorlag, Dubrawlag, Steplag et cetera. Anfang 1953 zählten die Sonderlager 210 000 Insassen.[23]

Aber durch Isolierung waren die »gefährlichsten« politischen Gefangenen nicht zu zähmen. Im Gegenteil, in den Sonderlagern waren die Politischen frei von den ständigen Reibereien mit den Kriminellen und dem mäßigenden Einfluss anderer Häftlinge. Sich selbst überlassen, verschärfte sich ihre Gegnerschaft zum System nur. Man schrieb das Jahr 1948, nicht 1937. Schließlich entstand daraus eine lange, entschlossene, bislang beispiellose Auseinandersetzung mit den Behörden.

Als die Repressalien wieder angezogen wurden, traf das nicht nur die politischen Gefangenen. Mehr denn je kam es auf den wirtschaftlichen Nutzen der Lager an, und so änderte sich auch die Haltung der Gulag-Chefs zu den Kriminellen merklich. Deren Bestechlichkeit, Faulheit und ihr herausforderndes Verhalten gegenüber dem Wachpersonal beeinträchtigte die Produktivität der Lager. Da sie außerdem die politischen Gefangenen nicht mehr unter Kontrolle halten konnten, also keine Gegenleistung mehr erbrachten, entschloss sich die Gulag-Zentrale, der Herrschaft der Kriminellen in den Lagern ein Ende zu setzen. Zwar sollten sie von den Wachen nie so feindselig und hasserfüllt behandelt werden wie die Politischen, aber der Zustand, dass ihre Chefs nicht arbeiteten, war nicht länger hinnehmbar.

Dieser Feldzug gegen die Kriminellen wurde direkt und indirekt geführt. Zunächst wurden die gefährlichsten, zu allem entschlossenen Verbrecher von den anderen Lagerinsassen isoliert und mit höheren Strafen belegt – zehn, fünfzehn und sogar 25 Jahre Haft.[24] Im Winter 1948 ordnete die Zentrale an, eine Gruppe von Lagpunkten mit verschärftem Regime für kriminelle Rückfalltäter einzurichten. Laut den Instruktionen aus Moskau durften dort nur die diszipliniertesten und »körperlich gesündesten« Wachmänner arbeiten. Die Lager wurden mit besonders hohen, verstärkten Zäunen gesichert, für das Lagerregime galten besondere Vorschriften. In kürzester Frist sollten 27 solcher Lager für insgesamt 115 000 Häftlinge errichtet werden.[25]

Leider ist über das Leben in diesen Straflagern sehr wenig bekannt. Wir wissen nicht einmal, ob in der Tat alle geplanten Vorhaben realisiert wurden. Häftlinge, die dort überlebten, schrieben sicher noch seltener Erinnerungen als Kriminelle in gewöhnlichen Lagern.

Ein strengeres Regime und längere Haftstrafen waren indes nicht die einzigen Waffen, die man gegen die Verbrecherbosse einsetzte. Überall in Mittel- und Osteuropa bestand die Stärke der Sowjetunion als Besatzungsmacht darin, dass sie die örtlichen Eliten korrumpieren und zu Kollaborateuren machen konnte, die bereit waren, ihre eigenen Leute zu unterdrücken. Dieselbe Technik wurde nun gegen die Verbrechereliten in den Lagern angewandt. Die Methode war einfach: Privilegien und Sonderbehandlung durften diejenigen Verbrecherbosse erwarten, die sich von ihren eigenen »Gesetzen« lossagten und mit der Lagerleitung kollaborierten. Sie erhielten völlig freie Hand im Umgang mit ihren Kumpanen bis hin zu Folter und Mord, und das Wachpersonal sah weg. Diese durch und durch korrupten Kriminellen wurden als *suki*, »Zuträger«, bezeichnet.

Wie der Kampf der Politischen prägte auch der brutale Krieg der

Kriminellen das Lagerleben der Nachkriegszeit. Zwar hatte es auch zuvor Konflikte zwischen einzelnen Gruppen gegeben, aber keiner wurde so verbissen ausgetragen und war so eindeutig provoziert: 1948 flammten solche Fehden gleichzeitig an verschiedenen Stellen im Lagersystem auf, an der Einmischung der Behörden konnte daher kein Zweifel bestehen.[26] Sehr viele haben in ihren Erinnerungen Einzelheiten dieser Kämpfe geschildert, wenn sie auch meist selbst nicht daran beteiligt waren. Sie erlebten sie entweder als entsetzte Zuschauer, manchmal auch als Opfer. Anatoli Schigulin berichtet:

> »Zuträger und Berufsverbrecher lieferten sich einen Kampf auf Leben und Tod. Wenn Kriminelle in einen von den Zuträgern kontrollierten Lagpunkt gerieten und sich nicht gleich in der Strafbaracke verkriechen konnten, wurden sie häufig vor die Wahl gestellt, selbst Zuträger zu werden oder zu sterben. Wenn dagegen eine große Gruppe Berufsverbrecher in einem Lagpunkt eintraf, verkrochen sich die Zuträger in der Strafbaracke, weil das Blatt sich wendete ... Bei jedem Machtwechsel floss viel Blut.«[27]

Und so sah es nach einer dieser Schlachten aus:

> »Nach eineinhalb Stunden wurden die ›Diebe‹ aus unserer Gruppe zurückgebracht und auf den Barackenboden geworfen. Sie waren nicht wiederzuerkennen. Ihre feschen Sachen hatte man ihnen vom Leibe gerissen und sie in gewöhnliche Lagerlumpen gesteckt. Statt guter Schuhe trugen sie jetzt irgendetwas an den Füßen. Offenbar hatte man sie gnadenlos verprügelt. Einigen fehlten Zähne. Einer konnte seinen Arm nicht mehr heben: Er war mit einer Eisenstange gebrochen worden.«[28]

Auch nichtkriminelle Häftlinge wurden in diese Auseinandersetzungen hineingezogen, zumal, wenn die Lagerkommandanten den Zuträgern wenige Schranken setzten. Dazu noch einmal Schigulin:

> »Ich bin weit davon entfernt, die Berufsverbrecher und ihre Verhaltensregeln zu romantisieren, wie es bei ihnen üblich ist. Aber die Zuträger in den Gefängnissen und Lagern waren für den normalen

Häftling das Schlimmste. Als Vorarbeiter und Brigadiere waren sie treue Diener der Gefängnisdirektoren und Lagerkommandanten. Gegenüber den Häftlingen wüteten sie wie Tiere, nahmen ihnen alle Habseligkeiten, jedes bessere Kleidungsstück ab. Sie waren nicht nur Informanten. Auf Weisung von oben mordeten sie auch. Lager, in denen die Zuträger herrschten, waren für normale Gefangene die Hölle.«

Aber man lebte in der Nachkriegszeit, und die Politischen waren derartigen Machenschaften nicht mehr schutzlos ausgeliefert. In Schigulins Lager gelang es einer Gruppe ehemaliger Rotarmisten, zunächst das Gefolge des verhassten Anführers der Zuträger zusammenzuschlagen und dann ihm selbst mit Hilfe einer Kreissäge den Garaus zu machen. Als der Rest der Truppe sich in einer Baracke verbarrikadierte, schickten die Politischen ihnen eine Botschaft: Wenn ihr den zweiten Mann enthauptet und uns seinen Kopf durch das Fenster zeigt, dann bleibt der Rest am Leben. Und sie taten es wirklich.[29]

Der offene Krieg tobte so heftig, dass es schließlich selbst den Behörden zu viel wurde. 1954 regte das Innenministerium an, »getrennte Lager für Rückfalltäter besonderer Art« einzurichten, um die »sichere Unterbringung von Häftlingen« zu gewährleisten, die von anderen bedroht seien. Die »Trennung feindseliger Gruppen voneinander« war die einzige Möglichkeit, um noch schlimmeres Blutvergießen zu verhüten. Der Krieg war begonnen worden, weil die Behörden die Kriminellen unter Kontrolle bringen wollten. Der Krieg wurde gestoppt, weil die Behörden die Kontrolle verloren hatten.[30]

Anfang der fünfziger Jahre steckten die Herren des Gulags in einer Zwickmühle. Sie hatten die Herrschaft der Kriminellen beenden wollen, um die Produktion zu steigern und ein reibungsloses Funktionieren der Lagerwirtschaft zu erzwingen. Sie hatten die Konterrevolutionäre isolieren wollen, damit diese andere Häftlinge nicht mit ihren gefährlichen Ideen ansteckten. Da sie dies jedoch ausschließlich durch verschärfte Repressalien zu erreichen suchten, machten sie alles nur noch schlimmer. Die Revolte der Politischen und die Kämpfe der Kriminellen läuteten eine neue, noch dramatischere Krise ein: Auch die Behörden konnten nicht mehr die Augen davor verschließen, dass die Lager verschwenderisch, korrupt und unprofitabel, kurz, ein aufwändiges Verlustgeschäft waren.

Genauer gesagt: Diese Erkenntnis dämmerte allen außer Stalin. Seine Fixierung auf Repression und unbedingte Überzeugung vom wirtschaftlichen Nutzen der Zwangsarbeit griffen so nahtlos ineinander, dass es für die Zeitgenossen schwer zu beurteilen war, ob er die Verhaftungsmaschine wieder anwarf, weil er noch mehr Lager einrichten wollte, oder noch mehr Lager baute, um der steigenden Zahl von Häftlingen Herr zu werden.[31] Die ganzen vierziger Jahre hindurch bestand Stalin darauf, dem Innenministerium immer mehr wirtschaftliche Vollmachten zu übertragen. 1952, im Jahr vor Stalins Tod, gebot es bereits über neun Prozent der staatlichen Investitionen. Kein anderes sowjetisches Ministerium hatte so viele Mittel zur Verfügung. Der Fünfjahresplan für die Jahre 1951 bis 1955 sah noch eine Verdopplung dieser Investitionen vor.[32]

Noch einmal startete Stalin eine ganze Reihe spektakulärer Bauvorhaben, die an die Gulag-Projekte der dreißiger Jahre erinnerten. Auf sein persönliches Drängen hin baute das MWD eine neue Asbestfabrik. Ein Projekt dieser Art erforderte ein hohes Maß an technischem Fachwissen, was noch nie zu den Stärken des Gulags gezählt hatte. Er setzte sich persönlich für den Bau einer weiteren Eisenbahnlinie durch die Tundra von Salechard nach Igarka ein, die als die »Todesstrecke« bekannt wurde.[33] Ende der vierziger Jahre begannen außerdem die Bauarbeiten am Wolga-Don-, am Wolga-Ostsee- und am großen Turkmenischen Kanal sowie an den Staudämmen von Stalingrad und Kuibyschew. Letzterer war damals der größte der Welt. 1950 nahm man den Bau eines Tunnels und einer Eisenbahnverbindung zur Insel Sachalin in Angriff, wofür man Zehntausende Gefangene einsetzen wollte.[34]

Diesmal stimmte allerdings kein Gorki Lobeshymnen auf Stalins neue Großbauten an. Im Gegenteil: Die Projekte galten weithin als grandiose Verschwendung. Zwar äußerte zu Stalins Lebzeiten niemand offene Einwände, aber nur wenige Tage nach seinem Tod wurden die »Todesstrecke«, der Tunnel nach Sachalin und andere eingestellt. Aus den Akten des Gulags geht hervor, dass man dort durchaus wusste, wie sinnlos dieser maßlose Einsatz menschlicher Arbeitskraft war. Bei einer Inspektion im Jahre 1951 stellte sich heraus, dass 83 Kilometer der Eisenbahnstrecke im Hohen Norden, die man mit so enormem Aufwand gebaut und die so viele Menschenleben gekostet hatte, drei Jahre lang überhaupt nicht benutzt wurden. Auf weiteren 370 Kilometern einer ähnlich aufwändigen Straße war achtzehn Monate lang kein Fahrzeug gesichtet worden.[35]

Eine weitere Inspektion, die 1953 auf Weisung des Zentralkomitees vorgenommen wurde, ergab, dass die Unterhaltskosten der Lager den Ertrag aus der Arbeit der Gefangenen weit überstiegen. 1952 hatte der Staat den Gulag mit 2,3 Milliarden Rubel subventioniert, das waren mehr als sechzehn Prozent der Gesamtausgaben des Staatshaushalts.[36]

Der Gulag-Zentrale in Moskau waren auch die Unzufriedenheit und Unruhe, die in den Lagern um sich griffen, wohlbekannt. 1951 wuchsen sich Arbeitsniederlegungen von kriminellen und politischen Häftlingen zu einer wahren Krise aus: Das Innenministerium berechnete, dass allein dadurch über eine Million Arbeitstage verloren gingen. 1952 verdoppelte sich diese Zahl. Laut der gulageigenen Statistik hatten in jenem Jahr 32 Prozent der Häftlinge ihre Arbeitsnorm nicht erfüllt.[37] Die Liste großer Streiks und Protestaktionen in den Jahren 1950 bis 1952, die die Behörden selbst führten, ist erstaunlich lang.[38]

Die Lage wurde so schlimm, dass der Kommandant von Norilsk, Swerew, im Januar 1952 an General Iwan Dolgich, damals oberster Chef des Gulags, einen Brief sandte, in dem er die Maßnahmen auflistete, die er zur Unterdrückung der Revolten ergriffen hatte. Er schlug vor, große Produktionsbereiche zu schließen, wo die Gefangenen nicht ausreichend überwacht werden konnten, das Wachpersonal zu verdoppeln (was er als schwer zu verwirklichen zugestand) und die einzelnen Häftlingsgruppen voneinander zu trennen. »Da jedoch zahlreiche Häftlinge aktiv an der einen oder anderen Gruppe beteiligt sind«, erklärte Swerew, »können wir nur ihre Anführer isolieren.« Außerdem wäre es wünschenswert, die freien Arbeiter an den Arbeitsplätzen von den Gefangenen zu trennen, besser noch: 15 000 Gefangene ganz freizulassen, da sie als freie Arbeiter bessere Ergebnisse erzielen würden. Damit aber wurde im Grunde der ganze Sinn der Zwangsarbeit in Frage gestellt.[39]

Weiter oben in der sowjetischen Hierarchie gab es Zustimmung. »Jetzt brauchen wir erstklassige Technik«, räumte der damalige Innenminister Kruglow ein, nachdem die drittklassige Technik des Gulags sich als unzureichend herausgestellt hatte. Auf einer Tagung des Zentralkomitees vom 25. August 1949 wurde gar ein Brief erörtert, den ein gebildeter Gefangener namens Schdanow geschickt hatte. »Das wichtigste Defizit des Lagersystems besteht darin, dass es auf Zwangsarbeit beruht«, schrieb dieser. »Die reale Produktivität der Arbeit von Gefangenen ist äußerst niedrig. Unter anderen Arbeitsbedingungen könnte man mit halb so viel Menschen das Doppelte schaffen.«[40]

Kruglow beantwortete diesen Brief mit dem Versprechen, die Produktivität der Häftlinge zu steigern, indem man für gute Arbeitsleistungen wieder Löhne und Haftverkürzung einführte. Niemand erwähnte dabei, dass Stalin selbst diese beiden Arten von Anreizen Ende der dreißiger Jahre abgeschafft hatte, weil sie angeblich die Rentabilität der Lager beeinträchtigten.

Das war auch nicht von Bedeutung, denn die Veränderungen zeigten ohnehin kaum Wirkung. Nur ein sehr geringer Teil der aufgewandten Mittel kam überhaupt bei den Gefangenen an. Eine Untersuchung nach Stalins Tod brachte an den Tag, dass der Gulag und andere Institutionen 126 Millionen Rubel von den persönlichen Konten der Gefangenen abgezweigt hatten.[41] Aber selbst die geringen Beträge, die die Häftlinge tatsächlich erhielten, trugen eher noch mehr Unruhe in die Lager. Vielerorts führten die Verbrecherbosse Schutzgeldsysteme ein, mit denen sie die Häftlinge für das »Privileg« zahlen ließen, nicht geschlagen oder gar ermordet zu werden.[42] Mit dem Geld kam Wodka und schließlich sogar Rauschgift in die Lager.[43]

Die Aussicht auf Haftverkürzung für bessere Arbeit hat den Eifer der Häftlinge vielleicht etwas mehr angestachelt. Das Innenministerium unterstützte diese Politik nachdrücklich und schlug 1952 sogar selbst vor, aus den Lagern bei den größten Unternehmen im Hohen Norden, den Kohlebergwerken von Workuta und Inta sowie der Ölraffinerie von Uchta, großen Gruppen von Gefangenen die Haft zu erlassen und sie als freie Arbeiter anzustellen. Selbst die Direktoren dieser MWD-Unternehmen hatten es also lieber mit normalen Beschäftigten als mit Häftlingen zu tun.[44]

So groß war inzwischen die Sorge um die Wirtschaftlichkeit der Lager, dass Beria im Herbst 1950 Kruglow anwies, den Gulag persönlich in Augenschein zu nehmen und sich ein eigenes Bild von der Lage zu machen. In seinem Bericht behauptete dieser später, die vom MWD eingesetzten Häftlinge seien ebenso produktiv wie freie Arbeiter. Dabei musste er allerdings einräumen, dass die Kosten für ihren Unterhalt – Verpflegung, Kleidung, Unterbringung und vor allem das Wachpersonal, das in immer größerer Zahl gebraucht wurde – den Lohn freier Arbeiter weit überstiegen.[45]

Mit anderen Worten: Die Lager waren unrentabel, was inzwischen viele wussten. Doch solange Stalin lebte, wagte niemand, etwas zu unternehmen, nicht einmal Beria. Das kann nicht überraschen. In den Jahren 1950 bis 1952 scheint es besonders gefährlich gewesen zu sein, dem Diktator zu erklären, seine Projekte seien wirtschaftliche Fehlschläge. Stalin siechte zwar dahin, wurde aber nicht milder, sondern paranoider. Überall witterte er Feinde und Verschwörer. Im Juni 1951 befahl er ganz unerwartet, Abwehrchef Abakumow zu verhaften. Im Herbst diktierte er, ohne sich vorher mit jemandem zu beraten, den Wortlaut eines Beschlusses des Zentralkomitees über eine »nationalistische Verschwörung der Mingrelier«, einer kleinen Völkerschaft in Georgien, deren prominentester Vertreter kein Geringerer als Beria war. In jenem Jahr rollte eine Welle von Absetzungen, Verhaftungen und Hinrichtungen über die kommunistische Elite Georgiens hinweg, der zahlreiche enge Vertraute und Schützlinge Berias zum Opfer fielen. Das eigentliche Ziel dieser Säuberung war er.[46]

Er sollte nicht die einzige Zielscheibe von Stalins finalem Wahnsinn bleiben. Eine weitere ethnische Gruppe stand auf Stalins Liste. 1952 erklärte er vor einem Parteigremium: »Jeder Jude ist ein Nationalist und ein Agent des amerikanischen Geheimdienstes.« Am 13. Januar 1953 deckte die »Prawda«, das Zentralorgan der Kommunistischen Partei, angeblich eine Ärzteverschwörung auf: »Eine Terrorgruppe von Ärzten«, hieß es dort, »hat sich zum Ziel gesetzt, das

Leben aktiver Vertreter der sowjetischen Öffentlichkeit durch falsche medizinische Behandlung zu verkürzen.« Sechs der neun »Terrorärzte« waren Juden. Allen wurden Verbindungen zum Jüdischen Antifaschistischen Komitee vorgeworfen, dessen Führung aus der Kriegszeit – allesamt prominente jüdische Schriftsteller und Intellektuelle – wenige Monate zuvor wegen »Kosmopolitismus« verurteilt worden war.[47]

Kaum zehn Jahre zuvor waren Hunderttausende sowjetische Juden im Westteil des Landes von Hitler ermordet worden. Hunderttausende weitere hatten sich aus Polen in die Sowjetunion geflüchtet, um dort vor den Nationalsozialisten Schutz zu suchen. Und jetzt verwendete Stalin seine letzten Lebensmonate darauf, im Zuge der »Ärzteverschwörung« Serien von Schauprozessen, Massenhinrichtungen und Deportationen zu planen. Möglicherweise hatte er sogar vor, alle Juden aus den sowjetischen Großstädten nach Zentralasien und Sibirien zu deportieren.[48]

Wieder wurde das Land von Furcht und Schrecken erfasst. Eingeschüchterte jüdische Intellektuelle unterschrieben eine Erklärung, in der sie die Ärzte verurteilten. Hunderte weitere jüdische Ärzte wurden verhaftet. Andere verloren ihre Arbeit, da eine Welle hasserfüllten Antisemitismus durch das Land rollte.

Aber als man bereits Zehntausende neue Häftlinge im Gefolge der Ärzteverschwörung in Lagern und Verbannung erwartete, als sich die Schlinge um Beria und dessen Gefolgsleute immer weiter zuzog, als der Gulag in einer ausweglosen wirtschaftlichen Krise zu versinken drohte, starb Stalin.

In den letzten zwölf Stunden war es bereits klar, daß sich der Sauerstoffmangel vergrößerte. Das Antlitz verfärbte sich, die Gesichtszüge entstellten sich bis zur Unkenntlichkeit, die Lippen wurden schwarz. In den letzten zwei Stunden erstickte er einfach Die Agonie war entsetzlich, sie erwürgte ihn vor aller Augen. In einem dieser Augenblicke ... offenbar in der letzten Minute öffnete er plötzlich die Augen und ließ seinen Blick über alle Umstehenden schweifen. Es war ein furchtbarer Blick, halb wahnsinnig, halb zornig, voll Entsetzen vor dem Tode ...

Stalins letzte Augenblicke, beschrieben von seiner Tochter Swetlana[1]

# Stalins Tod

Während viele sowjetische Gefangene in den dreißiger Jahren noch glaubten, der Gulag sei ein großer Fehler, ein gigantischer Irrtum, der dem freundlichen Blick des Genossen Stalin irgendwie entgangen sein musste, hegte in den fünfziger Jahren kaum jemand noch solche Illusionen. Die meisten hatten dazu eine klare Meinung, erinnert sich ein Lagerarzt: »Die große Mehrheit wusste und begriff, wie dieser Mann beschaffen war: ein Tyrann, der ein großes Land im Würgegriff hielt. Das Schicksal jedes Gefangenen war irgendwie mit Stalins Schicksal verknüpft.«[2]

In Stalins letzten Lebensjahren hofften und beteten die politischen Gefangenen, er möge bald das Zeitliche segnen. Darüber wurde ständig gesprochen, wenn auch hinter vorgehaltener Hand, damit die Informanten nichts mitbekamen. Selbst als Stalin krank wurde, war man noch vorsichtig. Als Maja Uljanowskaja die Nachricht von Stalins letzter Erkrankung von einer Frau hörte, die ihr als Informantin bekannt war, überlegte sie sich ihre Antwort genau: »So? Jeder kann krank werden. Er hat gute Ärzte, die werden ihn schon kurieren.«[3]

Selbst als am 5. März 1953 schließlich Stalins Tod bekannt gegeben wurde, reagierten einige immer noch mit Bedacht. In Mordowien behielten politische Gefangene aus Angst vor zusätzlichen Strafen für sich, wie sehr sie innerlich jubelten.[4] An der Kolyma, so schreibt Jewgenia Ginsburg, »gab es Frauen, die den Entschlafenen lauthals und mit Inbrunst beklagten«.[5] In einem Lagpunkt bei Norilsk versammelten sich die Häftlinge auf dem Hof und hörten mit ernster Miene, wie die Nachricht vom Tode des »große[n] Führer[s] des Sowjetvolkes und der ganzen freien Menschheit« verlesen wurde. Es folgte eine lange Pause. Dann hob ein Häftling die Hand: »Bürger Kommandant, ich habe auf meinem Konto etwas Geld, das mir meine Frau geschickt hat und das ich ohnehin nicht verwenden kann. Ich würde gern einen Blumenkranz für den geliebten Führer spenden, geht das?«[6]

Andere frohlockten ganz unverhüllt. Im Steplag gab es wildes Freudengeheul. In Wjatlag warfen Häftlinge ihre Mützen in die Luft und riefen: »Hurra!«[7] Aber ob die Gefangenen ihre Gefühle nun zeigten oder nicht, die meisten waren überzeugt, nun werde alles anders werden. Als Olga Adamowa-Sljosberg in der Verbannung in Karaganda die Nachricht erfuhr, begann sie zu zittern und bedeckte das Gesicht mit den Händen, damit ihre misstrauischen Kolleginnen ihre Freude nicht bemerkten. »Jetzt oder nie. Es muss sich alles ändern. Jetzt oder nie.«[8]

In einem Lagpunkt bei Workuta hörte Bernhard Roeder die Meldung über das Lagerradio, während er seine Schubkarre belud:

> »Schnelle Blicke vom einen zum anderen, Haß, im Triumph aufleuchtend, leise geflüsterte Worte, erregte Bewegungen, und schon war die Halle leer. Alle eilten, den Kameraden die Nachricht zu bringen ... An diesem Tage blieb die Arbeit in Workuta liegen. Alle standen in Gruppen zusammen und redeten aufgeregt durcheinander ... Wir hörten die Posten auf den Wachtürmen erregt miteinander telefonieren und bald darauf die ersten Betrunkenen lärmen.«[9]

Unter dem Lagerpersonal war die Verwirrung groß. Olga Wassiljewa, die damals bei der Gulag-Zentrale in Moskau arbeitete, erinnert sich, dass sie ihre Tränen nicht verbarg: »Ich weinte, und fast alle anderen auch – Frauen und Männer ließen ihren Tränen freien Lauf ...«[10] Wie Millionen ihrer Landsleute weinten die Beschäftigten des Gulags nicht allein um ihren toten Führer, sondern auch aus Sorge um sich selbst und ihre weitere Laufbahn. Chruschtschow schrieb später darüber: »Ich weinte nicht nur um Stalin. Ich machte mir schreckliche Sorgen um die Zukunft der Partei und die Zukunft des Landes. Ich ahnte bereits, daß Beria anfangen würde, jeden herumzukommandieren, und daß dies der Anfang vom Ende sein konnte.«[11] Mit dem »Ende« meinte er natürlich das Ende für sich selbst. Stalins Tod musste zu neuem Blutvergießen führen.

Wie Chruschtschow befürchtete, riss Beria, der im Angesicht des toten Stalin seine Freude kaum verbergen konnte, in der Tat die Macht an sich und begann mit erstaunlichem Tempo Veränderungen einzuleiten. Am 6. März – Stalin war noch nicht unter der Erde – kündigte er eine Umstrukturierung seiner Geheimpolizei an. Er wies deren Chef an, die Verantwortung für den Gulag an den Justizminister abzugeben. Nur die Sonderlager für die politischen Gefangenen sollten in der Hand des Innenministeriums bleiben. Viele Gulag-Unternehmen wurden nun anderen Ministerien – für Forstwirtschaft, für Bergbau oder für Verarbeitungsindustrie – unterstellt.[12] Am 12. März ließ Beria außerdem über zwanzig Vorzeigeprojekte des Gulags mit der Begründung einstellen, sie entsprächen nicht »den Erfordernissen der Volkswirtschaft«.

Zwei Wochen später legte Beria in einer Denkschrift an das Präsidium des Zentralkomitees den Zustand der Arbeitslager mit erstaunlicher Offenheit dar. Von den 2 526 402 Insassen seien nur 221 435 wirklich »gefährliche Staatsverbrecher«. Von den Übrigen könne man viele freilassen:

> »Unter den Häftlingen sind 438 788 Frauen. 6286 von ihnen sind schwanger, 35 505 haben Kinder bis zu zwei Jahren bei sich, viele haben Kinder unter zehn Jahren, die bei Verwandten oder in Kinderheimen aufwachsen.
> Unter den Häftlingen sind 238 000 Männer und Frauen älter als fünfzig Jahre. 31 180 sind Jugendliche unter achtzehn Jahren, in der Hauptsache wegen Kleindiebstählen oder Rowdytum verurteilt.
> Etwa 198 000 Insassen leiden an schweren, unheilbaren Krankheiten und sind vollkommen arbeitsunfähig.
> Es ist bekannt, dass zu Lagerhaft Verurteilte ... ihre Verwandten und Angehörigen in einer außerordentlich schwierigen Situation zurücklassen. Häufig brechen Familien auseinander, was sich auf ihr ganzes weiteres Leben negativ auswirkt.«[13]

Mit dieser human klingenden Begründung schlug Beria eine Amnestie für alle Gefangenen mit Strafen unter fünf Jahren, schwangere Frauen, Frauen mit kleinen Kindern und Jugendliche unter achtzehn Jahren vor, insgesamt eine Million Menschen. Sie wurde am 27. März 1953 ausgesprochen. Unmittelbar darauf begannen die Entlassungen.[14]

Eine Woche später, am 4. April, ließ Beria auch die Ermittlungen im Fall der Ärzteverschwörung einstellen. Das war die erste Veränderung, die auch von der breiten Öffentlichkeit wahrgenommen wurde. »Personen, denen unkorrekte Ermittlungsführung vorgeworfen wird«, konnte man in der »Prawda« lesen, »sind festgenommen worden und werden strafrechtlich zur Verantwortung gezogen.«[15]

Die Botschaft war klar: Die Stalinsche Justiz hatte sich geirrt. Insgeheim nahm Beria weitere Veränderungen vor. Er verbot allen Angehörigen der Geheimpolizei, gegen Verhaftete Gewalt anzuwenden. Damit war die Folter abgeschafft.[16] Er bemühte sich um eine Liberalisierung gegenüber der Westukraine, den baltischen Staaten und selbst Ostdeutschland. Der Kurs der Sowjetisierung und Russifizierung, den im Fall der Ukraine Chruschtschow selbst eingeleitet hatte, sollte rückgängig gemacht werden.[17] Was den Gulag betraf, so legte er am 16. Juni alle Karten auf den Tisch. Ganz offen erklärte er seine Absicht, »das bestehende System der Zwangsarbeit wegen seiner wirtschaftlichen Ineffizienz und Perspektivlosigkeit zu liquidieren«.[18]

Berias Motive für diese raschen Veränderungen sind bis heute ein Rätsel. Manche haben versucht, ihn als heimlichen Liberalen hinzustellen, der unter Stalins Regime geschmachtet und sich nach Reformen verzehrt habe. Seine Genossen vermuteten, er wolle der Geheimpolizei auf Kosten der Partei noch mehr Macht zuschanzen. Wenn das Innenministerium die schwere, kostspielige Bürde der Lager loswerde, konnte das die Institution nur stärken. Vielleicht wollte Beria sich auch nur in der Öffentlichkeit und bei den vielen ehemaligen Angehörigen seiner Behörde beliebt machen, die nun aus den abgelegenen Lagern zurückkamen.

Was immer die wahren Gründe gewesen sein mögen: Beria ging zu schnell vor. Seine Reformvorschläge verunsicherten und verwirrten die anderen Mitglieder der Führung. Chruschtschow, den Beria stark unterschätzte, war am tiefsten erschüttert; möglicherweise hatte er bei den Ermittlungen zum Fall der Ärzte persönlich die Hand im Spiel oder sorgte sich um das Schicksal der Ukraine. Ganz gewiss fürchtete er, früher oder später selber auf der Liste von Berias Gegnern zu stehen. Durch intensive Flüsterpropaganda gelang es ihm, die anderen Führungsmitglieder nach und nach gegen Beria einzunehmen. Ende Juni hatte er sie alle auf seiner Seite. Während einer Tagung des Politbüros ließ er das Gebäude von ihm ergebenen Truppen umstellen. Die Überraschung gelang. Schockiert, zitternd und stammelnd ließ sich der zweitmächtigste Mann der Sowjetunion verhaften und ins Gefängnis werfen.

Die wenigen Monate, die ihm noch blieben, sollte Beria hinter Schloss und Riegel verbringen. Wie Jagoda und Jeschow vor ihm schrieb er Briefe, in denen er um Gnade flehte. Sein Prozess fand im Dezember statt. Ob er erst damals oder schon früher hingerichtet wurde, ist unklar. Ende 1953 war er jedenfalls nicht mehr am Leben.[19]

Die Führung der Sowjetunion rückte von einigen Initiativen Berias so schnell wieder ab, wie er sie umgesetzt hatte. Doch weder Chruschtschow noch ein anderer hauchte den großen Bauprojekten des Gulags wieder Leben ein. Auch Berias Amnestie wurde nicht zurückgenommen. Die Entlassungen gingen weiter, was beweist, dass nicht nur der in Ungnade gefallene Beria Zweifel an der Effizienz des Lagersystems hatte. Die neue sowjetische Führung wusste genau, dass die Lager eine Belastung für die Wirtschaft waren, wie sie auch wusste, dass Millionen Gefangene völlig schuldlos darin saßen. Die Uhr tickte: Die Zeit des Gulags lief ab.

Chefs und Wachmannschaften der Lager wussten die Zeichen aus Moskau zu deuten und stellten sich auf die neue Situation ein. Nachdem sie den ersten Schock überwunden hatten, änderten viele Kommandanten ihr Verhalten gleichsam über Nacht. Sie lockerten die Regeln, noch bevor sie den Befehl dazu erhielten. In Alexander Dolguns Lagpunkt an der Kolyma gab einer der Kommandanten Häftlingen plötzlich wieder die Hand und nannte sie »Genosse«, und das zu einem Zeitpunkt, als zwar Stalins Krankheit bekannt wurde, von seinem Tod offiziell aber noch keine Rede war.[20] »Das Lagerregime lockerte sich, wurde humaner«, erinnert sich ein Gefangener.[21] Häftlinge, die sich weigerten, besonders anstrengende, unangenehme oder als ungerecht empfundene Arbeit zu übernehmen, wurden nicht mehr bestraft, ebenso wenig Gefangene, die Arbeit an Sonntagen ablehnten.[22] Selbst spontane Proteste blieben ohne Folgen, wie sich Barbara Armonas erinnert:

> »Irgendwie veränderte dieses Amnestie die Disziplin im Lager von Grund auf... Eines Tages kamen wir völlig durchweicht im Regensturm von den Feldern heim. Die Verwaltung schickte uns ins Bad und ließ uns nicht erst auf unsere Zimmer gehen. Das gefiel uns nicht, denn wir wollten unsere nasse Kleidung gegen trockene Sachen wechseln. Die langen Gefangenenkolonnen protestierten mit Geheul und beleidigenden Rufen und nannten die Verwaltungsbeamten Faschisten und Tschekisten Dann weigerten wir uns kurzerhand, weiterzugehen. Überredungskünste und Drohungen blieben erfolglos. Nach einer Stunde gab die Verwaltung nach, und wir gingen auf die Zimmer, um trockene Kleidung zu holen.«[23]

Auch in den Gefängnissen änderte sich einiges. In den Monaten nach Stalins Tod saß Susanna Petschora in einer Einzelzelle und musste zum zweiten Mal eine komplette Ermittlung über sich ergehen lassen. Als jüdische »Konterrevolutionärin« war sie im Zusammenhang mit der Ärzteverschwörung aus ihrem Lager nach Moskau beordert worden. Dann wurden die Ermittlungen plötzlich eingestellt. Ihr Vernehmungsoffizier ließ sie rufen. »Sie wissen, dass ich Ihnen nichts getan, Sie nicht geschlagen oder anderweitig angegriffen habe«, erklärte er. Er schickte sie in eine Gemeinschaftszelle, wo sie die Frauen zum ersten Mal von Stalins Tod sprechen hörte. »Was ist passiert?«, fragte sie. Ihre Mitgefangenen verstummten. Da jeder wusste, dass Stalin gestorben war, glaubten sie, sie sei eine Informantin, die sie aushorchen wollte. Sie brauchte einen ganzen Tag, um die anderen davon zu überzeugen, dass sie tatsächlich nichts wusste. Danach änderten sich die Dinge dramatisch:

»Die Wachen hatten plötzlich Angst vor uns. Wir taten, was wir wollten, schrien beim Spaziergang, hielten Reden, stiegen durch die Fenster. Wir standen nicht mehr auf, wenn sie in die Zelle kamen und uns befehlen wollten, am Tage nicht auf dem Bett zu liegen. Ein halbes Jahr zuvor hätte man uns dafür erschossen.«[24]

Nicht alles änderte sich. Auch Leonid Trus wurde im März 1953 verhört. Stalins Tod scheint ihn zwar vor der Hinrichtung bewahrt zu haben, aber man verurteilte ihn trotz allem zu 25 Jahren Haft. Einer seiner Zellengenossen erhielt zehn Jahre dafür, dass er sich taktlos über Stalins Tod geäußert hatte.[25] Es wurden auch bei weitem nicht alle freigelassen. Die Amnestie war auf die sehr jungen und sehr alten Häftlinge, auf Frauen mit Kindern und Gefangene mit Haftstrafen unter fünf Jahren beschränkt. Letzteres traf in der Regel auf Kriminelle oder politische Häftlinge mit sehr zweifelhaften Beschuldigungen zu. Über eine Million Gefangene blieben in den Lagern, darunter Hunderttausende politische mit langen Haftstrafen.

Mancherorts wurden die zu Entlassenden mit Geschenken und Aufmerksamkeiten überhäuft. Man bat sie, Briefe an Angehörige und Freunde mitzunehmen.[26] Ebenso häufig kam es aber auch zu heftigem Streit oder gewalttätigen Auseinandersetzungen zwischen Gefangenen, deren Entlassung bevorstand, und solchen, die im Lager bleiben mussten. In einem Lager schlug eine Bande weiblicher Gefangener mit langen Strafen aus purer Bosheit eine Frau zusammen, die nur zu wenigen Jahren verurteilt war.[27] Manch langjähriger Häftling verlangte von seinem Lagerarzt ein Attest für »Invalidität«, um eine vorzeitige Entlassung zu erwirken. Ärzte, die das ablehnten, wurden bedroht oder geschlagen.

Eine Gruppe von Häftlingen beherrschten allerdings ganz andere Empfindungen. Die Insassen der »Sonderlager« verbüßten in der überwiegenden Mehrzahl Strafen zwischen zehn und 25 Jahren und hatten somit keinerlei Hoffnung, unter Berias Amnestie zu fallen. Für sie änderte sich in den Monaten nach Stalins Tod nur wenig.[28]

Anlass für Rebellion gab es also genug. 1953 waren die Insassen der Sonderlager bereits seit fünf Jahren von kriminellen und »gewöhnlichen« Häftlingen getrennt. Sich allein überlassen, hatten sie Widerstandsstrukturen organisiert, die bislang im Gulag ihresgleichen suchten. Seit langem planten und organisierten sie Erhebungen. Allein die Hoffnung, Stalins Tod könnte ihnen die Freiheit bringen, hatte sie noch zurückgehalten. Doch als sich nichts änderte und alle Hoffnung schwand, war da nur noch Zorn.

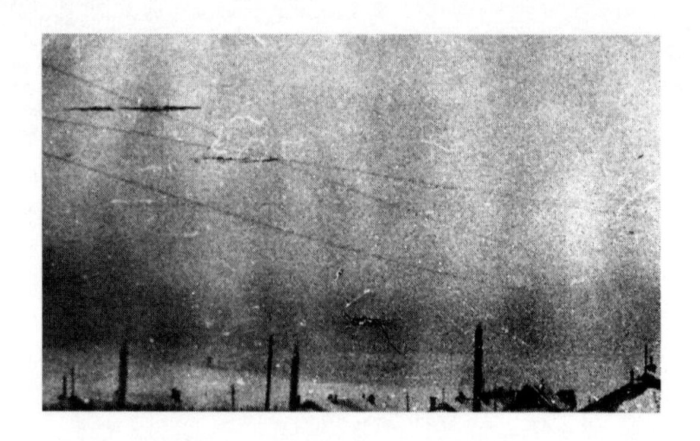

Ich kann nicht schlafen, und der Schneesturm heult
In einer Zeit, die spurlos verschwand,
Da Tamerlans farbenprächtiges Zelt
Am Feuer in der Steppe stand …

Als mongolische Prinzessin
Galoppiere ich tief in die Zeit
Und peitsche mit dem Schweif meines Pferdes
Freunde und Feinde zugleich.

Und dann, in einer der Schlachten –
Einem Blutbad ohne Vergleich –,
Wenn der Untergang greifbar nah ist,
Stürz' ich mich in mein Schwert.

ANNA BARKOWA,
»In den Baracken des Lagers«[1]

## Die Revolution der *Seks*

Nach Stalins Tod brodelte wie überall im Land auch in den Sonderlagern die Gerüchteküche. Beria werde die Macht übernehmen. Beria sei schon tot. Marschall Schukow und Admiral Kusnezow seien in Moskau einmarschiert und hätten den Kreml mit Panzern angegriffen. Chruschtschow und Molotow seien ermordet worden. Alle Gefangenen kämen frei. Alle Gefangenen würden hingerichtet. Die Lager seien von bewaffneten Truppen des Innenministeriums umstellt, bereit, jede Revolte im Keim zu ersticken. Die Häftlinge erzählten diese Geschichten einander flüsternd und schreiend, hoffend und spekulierend.[2]

Typisch für diese Zeit sind die Erlebnisse von Viktor Bulgakow, der im Frühjahr 1953 – genau an dem Abend, als Stalin starb – verhaftet und der Beteiligung an einem antistalinistischen studentischen politischen Zirkel beschuldigt wurde. Bald darauf war er bereits in Minlag, dem Sonderlager des Bergbaukomplexes Inta jenseits des Polarkreises.

Bulgakows Schilderung der Atmosphäre in Minlag unterscheidet sich stark von dem, was Häftlinge aus früherer Zeit berichten. Der Halbwüchsige fand eine gut organisierte antistalinistische und antisowjetische Gemeinschaft vor. Regelmäßig kam es zu Streiks und Protesten. Die Häftlinge hatten sich nach nationalen Gruppierungen gegliedert, mit jeweils ganz eigenem Charakter. Die Balten hatten eine »straffe Organisation, aber keine klare Hierarchie«. Die Ukrainer, meist ehemalige Partisanen, waren »bestens organisiert, da ihre Anführer bereits Partisanentrupps geleitet hatten.

Sie kannten sich alle, und ihre Strukturen entstanden fast automatisch.«

Im Lager gab es auch Häftlinge, die weiter an den Kommunismus glaubten. Sie teilten sich ebenfalls in zwei Gruppen: solche, die sich einfach der Parteilinie unterwarfen, und andere, die sich als Kommunisten aus Überzeugung betrachteten und an einer Reform der Sowjetunion festhielten. Schließlich konnte man auch ein antisowjetischer Marxist sein, was in früheren Jahren schlicht undenkbar war. Bulgakow selbst schloss sich der Volksunion der Arbeiter (*Narodno-Trudowoi Sojus*, NTS) an, einer antistalinistischen Oppositionsbewegung, die zehn, zwanzig Jahre später Berühmtheit erlangen sollte, als die paranoiden Behörden ihren Einfluss überall zu spüren glaubten.

Womit sich Bulgakow im Lager beschäftigte, hätte frühere Generationen von Häftlingen schon sehr erstaunt. In Minlag brachten die Häftlinge es fertig, eine illegale Zeitung herauszugeben, die von Hand geschrieben und von Mann zu Mann weitergegeben wurde. Sie schüchterten die Vertrauensleute ein, die ihrerseits Angst vor den Häftlingen bekamen. Ein Lagerhistoriker schreibt, Morde an Informanten seien damals »so alltäglich gewesen, dass sie kaum noch jemanden interessierten«. Die Zuträger seien »rasch ausgestorben«.[3] Wieder einmal spiegelte und verstärkte das Leben im Lager das, was außerhalb des Stacheldrahtes geschah.

1953 waren Bulgakows Kameraden in Minlag bemüht, selbst den Überblick über die Zahl der Häftlinge und die Lebensbedingungen zu behalten und diese Informationen an den Westen weiterzugeben. Dafür nutzte man zur Kooperation bereite Wachleute und andere Verfahren, die, wie wir noch sehen werden, in den Dissidentenlagern der siebziger und achtziger Jahre vervollkommnet werden sollten. Bulgakow übernahm die Aufgabe, diese Dokumente sowie Abschriften von Liedern und Gedichten, die Häftlinge verfasst hatten, heimlich aufzubewahren. Das Gleiche tat Leonid Sitko in Steplag, wo er den Keller eines Gebäudes, das die Arbeiter gebaut hatten, als Versteck benutzte. Sitko verbarg »kurze Darstellungen von Lebensläufen, Briefe bereits verstorbener Häftlinge, eine kurze Beschreibung der unmenschlichen Bedingungen im Lager (Todesstatistiken, Hunger et cetera), die die Ärztin Galina Mischkina unterzeichnet hatte, einen Bericht über Aufbau und Entwicklung der Lager in Kasachstan, eine ausführlichere Geschichte von Steplag und eine Reihe Gedichte«.[4]

Sitko und Bulgakow waren überzeugt, dass man die Lager eines Tages schließen und die Baracken niederbrennen werde. Dann wollten sie die versteckten Dokumente bergen. Zwanzig Jahre zuvor wäre so etwas niemandem auch nur im Traum eingefallen, erst recht nicht hätte man es zu realisieren gewagt.

Die Gulag-Zentrale selbst trug dazu bei, dass sich Strategie und Taktik der Verschwörung im ganzen System der Sonderlager ausbreiteten. In der Vergangenheit hatte man Häftlinge, bei denen man konspirative Absichten vermutete, rasch voneinander getrennt. Sie wurden von einem Lager ins andere verlegt, damit ihre Netzwerke sich gar nicht erst verfestigen konnten. Im Falle der Sonderlager bewirkte diese Taktik das Gegenteil. Durch die häufige Verlegung von Häftlingen breitete sich der Geist der Rebellion immer weiter aus.[5]

Nördlich des Polarkreises sind die Sommer kurz und heiß. Ende Mai beginnt der Eisgang auf den Flüssen. Die Tage werden rasch länger, bis es kaum noch dunkel wird. Mitte Juni, in manchen Jahren auch Anfang Juli beginnt die Sonne plötzlich unerträglich zu brennen und große Hitze zu entwickeln. Das dauert einen Monat, manchmal auch zwei. Von einem Tag zum anderen öffnen sich in der Arktis wilde Blumen. Für wenige Wochen ist die Tundra mit einem farbenprächtigen Teppich bedeckt. Die Menschen, die neun Monate lang in ihren Behausungen eingesperrt waren, werden von einem unwiderstehlichen Drang ins Freie erfasst. An den wenigen heißen Sommertagen, die ich in Workuta erlebte, schienen die Bewohner der Stadt ganze Tage draußen zu verbringen, und die weißen Nächte noch dazu. Sie flanierten durch die Straßen, saßen in den Parks oder schwatzten unter der Haustür miteinander. Nicht zufällig war das Frühjahr die Zeit, da die meisten Fluchtversuche aus den Lagern stattfanden. Auch die drei wichtigsten, gefährlichsten und berühmtesten Aufstände im Gulag ereigneten sich in den Lagern des Hohen Nordens im Frühling.

In Gorlag, dem Sonderlager von Norilsk, war die Atmosphäre im Frühjahr 1953 besonders spannungsgeladen. Im Herbst war eine große Gruppe von 1200 Häftlingen aus Karaganda, wo viele sich offenbar einige Monate zuvor an bewaffneten Ausbruchsversuchen und Protesten beteiligt hatten, nach Gorlag verlegt worden. Sie alle verbüßten Haftstrafen wegen »konterrevolutionärer Tätigkeit in der Westukraine und in den baltischen Staaten«. Zornig darüber, dass die Amnestie für sie nicht gelten sollte, hatte diese Gruppe nach Angaben des Innenministeriums in Gorlag eine »antisowjetische Organisation« aufgebaut, was wahrscheinlich bedeutet, dass sie die bereits bestehenden Organisationen der einzelnen Nationalitäten weiter verstärkt hatte.

Im ganzen Monat Mai wuchs die Unruhe im Lager. Am 25. Mai erschoss ein Wachmann einen Häftling auf dem Weg zur Arbeit. Am nächsten Morgen traten zwei Teillager aus Protest in den Streik. Einige Tage später eröffneten die Wachen das Feuer auf Häftlinge, die sich über die Mauer zwischen dem Männer- und dem Frauenlager hinweg Botschaften zuwarfen. Einige Häftlinge wurden verletzt. Am 4. Juni riss eine Gruppe Häftlinge einen Holzzaun nieder, der ihre Strafbaracke von der übrigen Zone trennte, und befreiten 24 Gefangene. Sie nahmen einen Aufseher in die Zone mit und behielten ihn als Geisel. Wieder eröffneten die Wachen das Feuer, töteten fünf Gefangene und verletzten vierzehn weitere. Daraufhin schlossen sich vier neue Abteilungen des Lagers dem Protest an. Am 5. Juni streikten bereits 16 379 Gefangene. Die Lager wurden von Soldaten umstellt und alle Ausgänge blockiert.[6]

Etwa zur selben Zeit kam es in Retschlag, dem Sonderlager des Bergbaureviers Workuta. zu ähnlichen Vorfällen. Bereits seit 1951 hatten Häftlinge versucht, dort Massenstreiks zu organisieren. Die Lagerleitung behauptete später, sie habe in den Jahren 1951 und 1952 nicht weniger als fünf »revolutionäre Organisationen« im Lager aufgedeckt.[7] Als Stalin starb, waren die Häftlinge von Retschlag vorbereitet. Wie in Minlag hatten sie sich in nationalen Gruppen organisiert und zudem einzelne Häftlinge damit beauftragt, westliche Rundfunksendungen auf gestohlenen oder geliehenen Radios zu verfolgen und handgeschriebene Bulletins mit Nachrichten und

Kommentaren herauszugeben, die sie von Hand zu Hand weiterreichten. So erfuhren sie nicht nur von Stalins Tod und Berias Verhaftung, sondern auch von den Massenstreiks in Ostberlin am 17. Juni 1953, die von sowjetischen Panzern niedergeschlagen wurden.[8]

Diese Nachricht scheint die Gefangenen stark bewegt zu haben: Wenn die Berliner streiken konnten, dann konnten sie es auch. John Noble, ein Amerikaner, der unmittelbar nach dem Krieg in Dresden verhaftet wurde, erinnert sich: »Ihr Kampfgeist spornte uns an, und wir sprachen noch Tage danach von nichts anderem.«[9]

Am 30. Juni verteilten die Häftlinge des Schachts Kapitalnaja Flugblätter mit dem Aufruf »Stoppt die Kohlelieferungen!« Am selben Tag schrieb jemand an die Mauern von Schacht Nr. 40: »Keine Kohle ohne Amnestie«. Die Waggons blieben leer. Die Gefangenen hatten die Kohleförderung eingestellt.[10] Am 17. Juli wurde es für die Leitung von Kapitalnaja noch ernster: Eine Gruppe Häftlinge hatte einen Vorarbeiter verprügelt, weil der angeblich von ihnen gefordert hatte, »die Sabotage einzustellen«. Als die zweite Schicht beginnen sollte, weigerte sich der nächste Vorarbeiter, in den Schacht einzufahren.

Die Häftlinge von Retschlag verdauten diese Nachrichten noch, als ein neuer Gefangenentransport eintraf – wieder aus Karaganda. Den Gefangenen waren bessere Lebensbedingungen und eine Überprüfung ihrer Fälle versprochen worden. Als sie zum ersten Mal in den Schacht Nr. 7 von Workuta einfuhren, stellten sie fest, dass nicht Verbesserung, sondern die schlimmsten Bedingungen im ganzen Lagersystem sie erwarteten. Am nächsten Tag, dem 19. Juli 1953, traten 350 der Neuen in den Streik.[11]

Weitere Streiks folgten, was zum Teil mit der Geografie von Workuta zusammenhing. Workutlag befindet sich im Zentrum eines riesigen Kohlebeckens, das zu den größten der Welt zählt. Um die Kohle abzubauen, wurden um das Becken herum in weitem Kreis Schächte angelegt. Zwischen ihnen befanden sich weitere Betriebe – Kraftwerke, Ziegeleien und Zementfabriken –, denen jeweils ein eigenes Lager zugeordnet war. Hinzu kamen die Stadt Workuta und die kleinere Siedlung Jur-Schor. Alle diese Orte waren durch eine Eisenbahnlinie verbunden. Wie alles in Workuta wurden auch die Züge von Gefangenen betrieben, und auf diesem Weg breitete sich die Revolte aus: Mit Kohle und anderen Versorgungsgütern, die von einem Lagpunkt zum nächsten gebracht wurden, gaben die Gefangenen auf den Lokomotiven auch die Nachricht vom Streik im Lager Nr. 7 weiter. Im Gefolge der Züge hörten Tausende Gefangene die geflüsterten Berichte und sahen die Losungen an den Waggons: »Zur Hölle mit eurer Kohle! Wir wollen Freiheit!«[12] Ein Lager nach dem anderen schloss sich dem Streik an, bis am 29. Juli 1953 sechs der siebzehn Abteilungen des Komplexes Retschlag – 15 604 Gefangene – die Arbeit niedergelegt hatten.[13]

In den meisten streikenden Lagpunkten von Workuta und Norilsk hielten Streikkomitees die inzwischen sehr gefährliche Lage unter Kontrolle. Die verängstigten Lagerleitungen hatten das Weite gesucht, und Anarchie lag in der Luft. In einigen Fällen organisierten die Komitees die Verpflegung der Häftlinge. In anderen versuchten sie sie zu überzeugen, sich nicht an den nun völlig schutzlosen Informanten zu vergreifen. In Retschlag und Gorlag standen laut Memoiren und Archivdokumenten eindeutig Westukrainer, Polen und Balten an der Spitze der Aktionen.

Jahre später behaupteten ukrainische Nationalisten, alle großen Streiks im Gulag seien von ihren Geheimorganisationen geplant und ausgeführt worden, die hinter den multinationalen Streikkomitees gestanden hätten: »Der Durchschnittshäftling, damit meinen wir insbesondere westliche und russische Gefangene, war unfähig, Entscheidungen zu treffen oder den Mechanismus der Bewegung auch nur zu begreifen.« Als Beleg führt man die beiden »Transporte aus Karaganda« an, zum größten Teil Ukrainer, die unmittelbar vor den Streiks in beiden Lagern eingetroffen waren.[14]

Dieselben Belege führen andere zu dem Schluss, dass die Streiks von Leuten aus dem Innenministerium selbst provoziert worden seien. Vielleicht befürchteten Mitarbeiter der Sicherheitsdienste, dass Chruschtschow die Lager ganz schließen und alle dort Beschäftigten entlassen wollte. Sie hätten Revolten angezettelt, um sie niederschlagen und damit nachweisen zu können, wie sehr man sie noch brauchte. Simeon Wilenski, ehemaliger *Sek* und späterer Publizist, der zwei Konferenzen zum Thema Widerstand im Lager organisiert hat, fasst diese Position so zusammen: »Wer leitete die Lager? Tausende Menschen, die in der zivilen Gesellschaft keinen Beruf ausüben konnten, die an absolute Rechtsfreiheit gewöhnt waren, die glaubten, die Gefangenen seien ihr Eigentum, mit dem sie tun und lassen könnten, was sie wollten. Außerdem waren sie im Vergleich zu anderen Werktätigen relativ gut bezahlt.«

Wilenski bleibt bei seiner Überzeugung, dass er in seinem Sonderlager an der Kolyma 1953 eine Provokation erlebte. Plötzlich, so berichtet er, tauchte eine Gruppe neuer Häftlinge im Lager auf. Einer fing an, die jüngeren Männer zu einer Rebellengruppe zu organisieren. Sie redeten von Streik, schrieben Flugblätter, steckten andere Häftlinge an. In der Lagerschlosserei stellten sie sogar Messer her. Sie agierten offen und herausfordernd, was Wilenski verdächtig vorkam: Dass die Lagerleitung so etwas geschehen ließ, konnte kein Zufall sein.[15]

Die beiden Positionen müssen sich nicht widersprechen. Es ist durchaus möglich, dass bestimmte Vertreter des Innenministeriums rebellische Ukrainer in die Lager brachten, um Unruhe zu stiften. Es ist aber auch möglich, dass die ukrainischen Streikführer glaubten, sie handelten aus eigenem Entschluss. Trotz ihrer bürokratischen Sprache vermitteln die MWD-Berichte, die einige Wochen nach diesen Ereignissen abgefasst wurden, sehr plastisch, welchen Schrecken die Streiks unter Häftlingen und freien Arbeitern gleichermaßen auslösten. Ein Buchhalter von Gorlag schwor dem Innenministerium: »Wenn die Streikenden aus der Zone ausbrechen, werden wir gegen sie kämpfen wie gegen den Feind.«

Ein freier Arbeiter berichtete dem MWD von einer zufälligen Begegnung mit Streikenden: »Ich war nach Schichtende geblieben, um noch einige Bohrlöcher in die Kohle zu treiben. Plötzlich tauchte eine Gruppe Häftlinge auf. Sie rissen mir die elektrische Bohrmaschine aus der Hand und verlangten, ich solle die Arbeit sofort einstellen, sonst setze es Prügel. Ich erschrak und tat, wie mir geheißen ...« Zu seinem Glück leuchteten die Häftlinge ihm mit einer Grubenlampe ins Gesicht, erkannten ihn als freien Arbeiter und ließen ihn in Ruhe.[16] Allein in dem dunklen Schacht, umgeben von wütenden, feindseligen, kohlegeschwärzten Häftlingen, muss er in der Tat große Angst verspürt haben.

Von den verschreckten Lagerkommandanten verlangten die Streikenden von Gorlag und Retschlag, sie wollten Vertreter der Sowjetregierung und der Kommunistischen Partei aus Moskau sprechen. Ohne Moskaus Zustimmung, so ihr Argument, könnten die Lagerkommandanten ohnehin nichts entscheiden, womit sie durchaus Recht hatten.

Und Moskau reagierte. Bei mehreren Gelegenheiten trafen Vertreter von »Kommissionen aus Moskau« in Gorlag und Retschlag mit Häftlingskomitees zusammen, hörten sie an und debattierten über deren Forderungen. Diese Begegnungen als Präzedenzfälle zu beschreiben, wird dem Umschwung, der sich hier zeigte, kaum gerecht. Noch nie hatten Forderungen von Gefangenen etwas anderes als brutale Gewalt ausgelöst. In der neuen poststalinschen Zeit schien Chruschtschow jedoch zumindest den Versuch wagen zu wollen, die Häftlinge mit echten Zugeständnissen zu besänftigen.

Es gelang ihm – besser gesagt, seinen Vertretern – nicht. Am vierten Streiktag in Workuta legte eine Kommission aus Moskau unter Leitung von General I. I. Maslennikow den Gefangenen eine Liste neuer Privilegien vor: Neun-Stunden-Arbeitstag, Entfernung der Nummern von der Häftlingskleidung, Besuchserlaubnis für Verwandte, Empfang von Briefen und Geldsendungen der Familien. In dem offiziellen Bericht heißt es, viele Streikführer hätten dieses Angebot »feindselig« aufgenommen und den Streik fortgesetzt. Ein ähnliches Angebot war bereits in Gorlag abgelehnt worden. Die Gefangenen wollten eine Amnestie, nicht nur eine Verbesserung ihrer Lebensbedingungen.

Zwar schrieb man nicht mehr das Jahr 1938, aber 1989 war auch noch nicht angebrochen. Stalin war tot, sein Erbe indes war quicklebendig. Hatte man sich zu Beginn auf Verhandlungen eingelassen, so folgte jetzt brutale Gewalt.

In Norilsk versprachen die Behörden zunächst, »die Forderungen der Gefangenen zu prüfen«. Aus dem offiziellen Bericht geht jedoch hervor, dass »die Kommission des Innenministeriums der UdSSR entschied, die Streiks niederzuschlagen«. Soldaten umstellten die Lager.

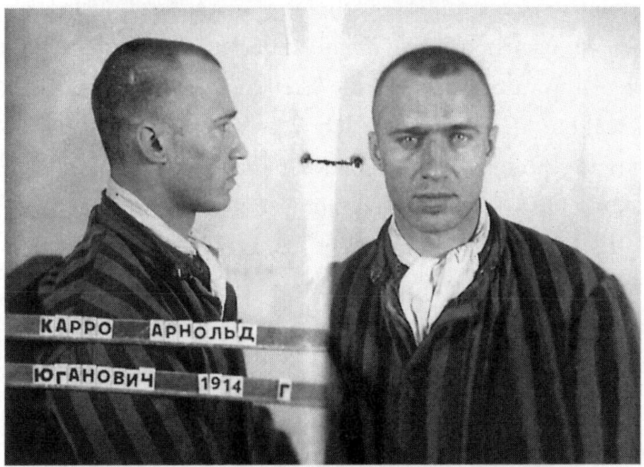

Gefangenengesichter: Wassili Schurid, Arnold Karro und Valentina Orlowa (von oben nach unten).

In einigen Fällen lief diese »Niederschlagung« relativ milde ab. Im ersten Lagpunkt wurden die Gefangenen vom Eintreffen der Truppen noch überrascht. Über den Lagerfunk befahl der Oberste Staatsanwalt von Norilsk, Babilow, den Häftlingen, die Zone zu verlassen. Er versicherte ihnen, wer diesem Befehl ruhig Folge leiste, werde für die Beteiligung an der »Sabotage« nicht bestraft werden. Laut offiziellem Bericht taten die meisten Häftlinge, wie ihnen geheißen. Als sie ihre Isolierung erkannten, gingen auch die Anführer. Draußen in der Taiga trennten Soldaten und Lagerchefs die Häftlinge in zwei Gruppen. Die der Anstiftung Verdächtigen wurden auf Lastwagen verladen, die »Unschuldigen« marschierten zurück ins Lager.

Spätere »Niederschlagungen« verliefen weniger reibungslos. Als die Behörden am nächsten Tag in einem anderen Lagpunkt das gleiche Verfahren anwandten, drohten die Streikführer zuerst jenen, die sich fügen wollten, und schlossen sich dann in einer der Baracken ein, aus der man sie mit Gewalt herausholen musste.

In Lagpunkt Nr. 5 weigerten sich 1400 Gefangene, zumeist Ukrainer und Balten, die Zone zu verlassen. Als die Wachmannschaften mit Unterstützung von vierzig Soldaten die Baracken einzuzäunen versuchten, um die Lebensmittelvorräte des Lagers zu schützen, gingen fünfhundert Gefangene zum Angriff über. Brüllend und fluchend warfen sie Steine, schlugen auf die Soldaten mit Knüppeln und Spitzhacken ein und versuchten, sie zu entwaffnen. Im offiziellen Bericht heißt es dazu: »Als es kritisch wurde, eröffneten die Soldaten das Feuer auf die Häftlinge.«[17]

Nach und nach trieben Soldaten und Miliz die Gefangenen aus allen Lagern. Um sie zum Einlenken zu bewegen, versprach die Kommission aus Moskau lauthals, alle Fälle würden geprüft und die Streikführer nicht erschossen. Der Trick funktionierte: Da General Maslennikow sich »väterlich« gab, »glaubten wir ihm«, erzählte ein Teilnehmer später.[18]

Nicht jedoch im Lagpunkt des Schachtes Nr. 29. Als Maslennikow ihnen befahl, die Arbeit wieder aufzunehmen, weigerten sie sich. Soldaten erschienen mit einem Wasserwerfer, um die Menge zu zerstreuen:

»Aber bevor die Schläuche überhaupt ausgerollt und gegen uns gerichtet werden konnten, stürmte auf Ripezkis Zeichen eine Welle von Gefangenen auf das Fahrzeug zu und fegte es aus dem Tor, als sei es ein Spielzeug ... Die Wachen feuerten eine Salve in die Menge. Aber wir standen mit eingehakten Armen, und zuerst fiel keiner zu Boden, obwohl viele bereits tot oder verwundet waren. Nur Ihnatowicz stand vor der Front allein. Seine Haltung schien Erstaunen auszudrücken, dann wandte er sich zu uns um. Seine Lippen bewegten sich, aber kein Laut entrang sich ihnen. Er streckte einen Arm aus, dann stürzte er zu Boden. Als er gefallen war, folgte eine zweite Salve, eine dritte. Dann eröffneten schwere Maschinengewehre das Feuer.«

Die Schätzungen, wie viele Gefangene damals in Schacht Nr. 29 erschossen wurden, gehen weit auseinander. Die offiziellen Dokumente sprechen von 42 Toten und 135 Verletzten. Augenzeugen berichten von »Hunderten« Opfern.[19]

Damit waren die Streiks zu Ende. Aber Ruhe zog in keinem Lager ein. In den Jahren 1953 und 1954 kam es in Workuta und Norilsk, in anderen Sonderlagern und auch in normalen Lagern immer wieder zu Protesten. Die Häftlinge hatten Mut gefasst. Faktisch blieb kein Lager von den Unruhen verschont. Im November 1953 verweigerten beispielsweise 530 Gefangene in Wjatlag die Arbeit. Sie forderten bessere Bezahlung und ein Ende der »nicht normalen« Lebensbedingungen, besonders im Hinblick auf ihre Bekleidung. Die Lagerleitung willigte ein, aber am nächsten Tag gingen die Häftlinge trotzdem nicht zur Arbeit. Jetzt verlangten sie, in Berias Amnestie eingeschlossen zu werden. Der Streik endete schließlich damit, dass die Organisatoren festgenommen und in Strafzellen gesteckt wurden.[20] Im März 1954 übernahm eine Gruppe »Banditen« einen Lagpunkt von Kargopollag. Sie drohten mit Aufstand, wenn sie nicht besseres Essen – und Wodka – erhielten.[21] Im Juli 1954 traten neunhundert Gefangene von Minlag eine Woche lang in einen Hungerstreik, weil ein Mithäftling bei lebendigem Leibe verbrannt war, als in einem Strafblock Feuer ausbrach. Die Gefangenen verteilten Flugblätter im Lager und im nahe gelegenen Dorf, in denen sie die Gründe für den Streik darlegten. Sie stellten ihre Aktion erst ein, als eine Kommission aus Moskau anreiste und ihre Forderungen nach besserer Behandlung erfüllte.[22]

Den Behörden war klar, dass sie weitere Unruhen zu erwarten hatten. Die gefährlichste Erhebung stand noch bevor.

Wie seine beiden Vorgänger brach auch der Aufstand, den Solschenizyn »Die vierzig Tage von Kengir« nannte, weder abrupt noch unerwartet los.[23] Vielmehr entwickelte er sich allmählich im Frühjahr 1954 aus einer ganzen Reihe von Zwischenfällen im Sonderlager von Steplag in der Nähe des Dorfes Kengir in Kasachstan.

Wie ihre Kollegen in Retschlag und Gorlag waren auch die Kommandanten von Steplag nach Stalins Tod nicht sofort in der Lage, ihre Häftlinge im Zaum zu halten. Im Vorfeld des Streiks schickten die Kommandanten von Steplag mehrfach Berichte nach Moskau, in denen sie die illegalen Organisationen in den Lagern schilderten, auf Unruhen hinwiesen und von einer »Krise« des Informantennetzes sprachen, das inzwischen kaum noch funktionierte. Moskau antwortete, man möge die Ukrainer und Balten von den anderen Häftlingen trennen. Aber die Lagerleitung wollte oder konnte das nicht. Damals waren etwa die Hälfte der 20 000 Insassen Ukrainer, ein weiteres Viertel Balten und Polen. Vielleicht gab es gar keine praktische Möglichkeit, sie zu isolieren. Also brachen die Häftlinge weiter die Regeln, protestierten und organisierten Kurzstreiks.[24]

Da Strafandrohungen nichts halfen, griff das Wachpersonal zu Gewalt. Einige, darunter Solschenizyn, glauben, dadurch habe die nachfolgende Revolte provoziert werden sollen. Ob das zutrifft oder nicht – Beweise gibt es bislang für keine Version –, im Winter 1953 und im Frühjahr 1954 eröffneten die Wachmannschaften jedenfalls mehrmals das Feuer auf arbeitsunwillige Häftlinge, was mehrere Tote forderte.

Vielleicht in dem verzweifelten Versuch, die Kontrolle wiederzuerlangen, holte die Lagerleitung schließlich eine Gruppe Krimineller in die Lager und erteilte ihnen die klare Weisung, in Lagpunkt Nr. 3, dem rebellischsten im ganzen Komplex Steplag, mit den Politischen Streit anzuzetteln. Aber der Plan ging nach hinten los. Statt einander zu bekämpfen, beschlossen beide Gruppen zusammenzuarbeiten.

Wie in anderen Lagern waren auch hier die Gefangenen in nationalen Gruppen organisiert. Die Ukrainer von Steplag scheinen jedoch die Konspiration weiter als üblich getrieben zu haben. Statt ihre Anführer zu wählen, bildeten sie ein konspiratives »Zentrum«, eine streng geheime Gruppe, deren Mitgliedschaft niemand kannte. Wahrscheinlich waren darin alle Nationalitäten vertreten. Als die Kriminellen im Lager eintrafen, hatte dieses Zentrum in den Lagerwerkstätten bereits die Herstellung von Waffen – Messer, Knüppel und Hacken – in Angriff genommen und Kontakt zu den zwei benachbarten Lagpunkten – Nr. 1, einer Zone für Frauen, und Nr. 2 – aufgenommen. Vielleicht beeindruckten diese entschlossenen Politischen die Kriminellen mit dem, was sie bisher organisiert hatten. Vielleicht schüchterten sie sie damit auch nur ein. Alle sind sich jedoch einig, dass Vertreter beider Gruppen, der Kriminellen und der Politischen, sich bei einem Treffen um Mitternacht die Hände reichten und Zusammenarbeit schworen.

Die trug am 16. Mai 1954 erste Früchte. An jenem Nachmittag ging eine große Gruppe Häftlinge von Lagpunkt Nr. 3 daran, die Steinmauern niederzureißen, die ihr Lager von den beiden benachbarten und vom Wirtschaftshof trennten, wo sich die Werkstätten und Vorratsspeicher befanden.

In der Nacht wurden die Mauern weiter demoliert. Daraufhin eröffneten die Wachposten das Feuer, töteten dreizehn Häftlinge und verwundeten 43. Andere Gefangene, darunter Frauen, wurden geschlagen. Am nächsten Tag fanden sich die Häftlinge von Lagpunkt Nr. 3, aufgebracht über die Tötungen, zu massivem Protest zusammen und schrieben antisowjetische Losungen an die Wände ihres Speisesaals. In der Nacht brachen Gefangenentrupps in die Strafbaracke ein, die sie mit bloßen Händen auseinander nahmen, und befreiten die darin eingeschlossenen 252 Häftlinge. Sie brachten den Vorratsspeicher, die Küche, die Bäckerei und die Lagerwerkstätten – die sofort auf Produktion von Messern und Knüppeln umgestellt wurden – unter ihre Kontrolle. Am Morgen des 19. Mai befanden sich die meisten Gefangenen des Lagers im Streik.

Weder Moskau noch die Lagerleitung schienen zu wissen, was sie als Nächstes tun sollten. Der Lagerkommandant informierte Innenminister Kruglow über die Vorfälle. Eine Kommission traf ein, die Verhandlungen aufnahm. Um Zeit zu gewinnen, versprach sie den Gefangenen, den rechtswidrigen Beschuss zu untersuchen, die Mauerdurchbrüche zwischen den Lagern offen zu lassen und sogar eine beschleunigte Überprüfung der Fälle aller Häftlinge vorzunehmen.

Die Gefangenen glaubten ihnen. Am 23. Mai nahmen sie die Arbeit wieder auf. Als die Tagschicht ins Lager zurückkehrte, stellte sie jedoch fest, dass zumindest eines der Versprechen gebrochen worden war: Die Mauern zwischen den Lagpunkten standen wieder lückenlos. Am 25. Mai erbat der Kommandant von Kengir, W. M. Botschkow, telegrafisch dringend die Genehmigung, zu einem »strengen Regime« zurückkehren zu dürfen: keine Briefe, keine Besuche, keine Geldüberweisungen, keine Überprüfung der Fälle. Außerdem verlegte er 420 Kriminelle in einen anderen Lagpunkt, wo sie ihren Streik fortsetzten.

Das Ergebnis: Binnen 48 Stunden jagten die Gefangenen mit ihren selbst gefertigten Waffen das gesamte Lagerpersonal aus der Zone. Zwar verfügten die Wachmannschaften über Gewehre, aber sie waren zahlenmäßig unterlegen. Die meisten der fünftausend Gefangenen, die in den drei Abteilungen des Lagers lebten, schlossen sich dem Aufstand an.

Anfangs hofften die Behörden offenbar, der Streik werde von selbst abklingen. Früher oder später mussten sich Politische und Kriminelle in die Haare geraten. Es würde zu Anarchie und Ausschreitungen kommen, Frauen würden vergewaltigt und Lebensmittellager geplündert werden. Ohne das Verhalten der Gefangenen während des Streiks idealisieren zu wollen, trat beinahe das Gegenteil ein: Das Lager funktionierte überraschend harmonisch.

Sehr rasch wählten die Gefangenen ein Streikkomitee, das mit den Verhandlungen und mit der Organisation des Lageralltags beauftragt wurde. Das Verhältnis des Streikkomitees zur »wahren« Speerspitze des Aufstands bleibt unscharf. Das war es wohl auch damals. Selbst wenn das ukrainisch geführte »Zentrum« nicht jeden Schritt exakt geplant hat, war es eindeutig die Triebkraft des Streiks und spielte auch bei der »demokratischen« Wahl des Streikkomitees die entscheidende Rolle. Die Ukrainer scheinen auf einem multinationalen Gremium bestanden zu haben. Sie wollten nicht, dass der Streik zu antirussisch oder antisowjetisch wirkte, und verlangten sogar einen Russen als Anführer.

Diese Rolle fiel Oberst Kapiton Kusnezow zu, eine in der ungeklärten Geschichte von Kengir höchst zweifelhafte Figur. Offenbar hatten die Ukrainer den ehemaligen Offizier der Roten Armee ausgewählt, weil sie hofften, er könnte dem Aufstand ein »sowjetisches« Gesicht geben und damit den Behörden einen Vorwand nehmen, die Aktion sofort niederzuschlagen. Das funktionierte zunächst besser als erwartet. Auf Kusnezows Drängen hängten die Gefangenen Spruchbänder mit Losungen auf wie: »Es lebe die Sowjetverfassung!« »Es lebe die Sowjetmacht!« Er predigte den Häftlingen, keine Flugblätter mehr herzustellen, weil »konterrevolutionäre« Agitation ihrer Sache nur schaden könne.

Kusnezow dankte den Ukrainern, die ihn in diese Position gebracht hatten, ihr Vertrauen nicht. In dem langen, ausführlichen und sorgfältig abgewogenen Geständnis, das er verfasste, nachdem der Streik sein unvermeidliches blutiges Ende gefunden hatte, behauptet Kusnezow, er habe das »Zentrum« stets für illegal gehalten und während des Streiks gegen dessen geheime Befehle gehandelt. Später sollte er außerdem behaupten, mindestens drei Mitglieder des Streikkomitees – »Gleb« Slutschenkow, Hersch Keller und Juri Knopmus – hätten dem geheimen »Zentrum« angehört. Die Lagerleitung bezeichnete Hersch Keller im Nachhinein ebenfalls als Mitglied der ukrainischen Geheimverschwörung, und seiner Biografie nach zu urteilen ist das durchaus möglich.

Keller – ein Ukrainer, dessen eigentlicher Vorname Pendrak lautete – stellte sich an die Spitze der »militärischen« Einheiten des Streiks und bereitete den Widerstand der Gefangenen für den Fall eines bewaffneten Angriffs auf das Lager vor. Er organisierte auch die Massenproduktion von Waffen – Messern, Knüppeln und Hacken – in den Werkstätten und richtete sogar ein »Labor« ein, wo er Handgranaten, Molotow-Cocktails und andere »heiße« Waffen fertigen lassen wollte. Keller überwachte die Errichtung von Barrikaden und sorgte dafür, dass jede Baracke ein Fass mit zerstoßenem Glas bereit hielt, mit dem man angreifende Soldaten bewerfen wollte.

Gleb Slutschenkow stand eher mit den Kriminellen des Lagers in Verbindung. Kusnezow nannte ihn einen »Vertreter der Verbrecherwelt«. Auch in ukrainisch-nationalistischen Quellen taucht er als der Anführer der Kriminellen auf. Während des Aufstandes leitete er die »Spionageabwehr« des Streikkomitees. Er hatte seine eigene »Polizei«, die im Lager patrouillierte, die Ordnung aufrechterhielt und potenzielle Überläufer oder Informanten festsetzte. Slutschenkow teilte die Lager in Abteilungen ein, an deren Spitze jeweils ein eigener »Kommandeur« stand. Kusnezow beklagte sich später, deren Namen seien geheim gehalten worden. Nur Slutschenkow und Keller hätten sie gekannt.

Weniger negativ äußerte sich Kusnezow über Knopmus, einen in St. Petersburg geborenen Deutschen, der während des Aufstandes für die »Propaganda« verantwortlich war. Im Rückblick sind dessen Aktionen jedoch die revolutionärsten und antisowjetischsten von allen. Knopmus ließ Flugblätter herstellen, die an die örtliche Bevölkerung verteilt wurden, hängte eine Wandzeitung für die Streikenden auf und richtete sogar einen provisorischen Rundfunksender ein.

Nur Tage später hatte das Lager Rundfunksprecher und strahlte regelmäßig Nachrichtensendungen für die Gefangenen und die Bevölkerung in der Umgebung, einschließlich Wachmännern und Soldaten, aus. Lagerstenographen hielten den Text einer Rundfunkrede fest, die er hielt, als der Aufstand bereits einen Monat dauerte und die Lebensmittel knapp wurden. Das Stenogramm der Rede, die sich vor allem an die Soldaten außerhalb des Lagers richtete, ist in den Akten des Innenministeriums erhalten geblieben:

> »Genossen Soldaten! Wir haben keine Angst vor euch und bitten euch, nicht in unsere Zone zu kommen. Schießt nicht auf uns, beugt euch nicht dem Willen der Beria-Leute. Wir fürchten sie nicht, und wir fürchten auch nicht den Tod. Lieber verhungern wir in diesem Lager, als uns der Beria-Bande zu ergeben. Beschmutzt euch nicht mit dem Blut, das bereits an den Händen eurer Offiziere klebt ...«[25]

Kusnezow organisierte währenddessen die Ausgabe des Essens, das von den Frauen des Lagers gekocht wurde. Jeder Gefangene erhielt die gleiche Ration. Extraportionen für Vertrauensleute gab es nicht mehr. Als die Zeit verging und die Vorräte schrumpften, wurden die Portionen immer kleiner. Freiwillige säuberten die Baracken, wuschen die Kleidung und standen auf Posten. Ein Beteiligter erinnert sich, dass der Speisesaal, der zuvor oft schmutzig und unaufgeräumt war, nun vor »Ordnung und Sauberkeit« glänzte. Die Badehäuser funktionierten wie gewöhnlich, ebenso das Hospital, obwohl die Lagerleitung Medikamente und medizinische Versorgungsgüter verweigerte.

Die Gefangenen organisierten sogar ihre eigene »Unterhaltung«. Den Erinnerungen eines Augenzeugen zufolge eröffnete ein polnischer Adliger namens Graf Bobrinski im Lager ein »Café«, wo er »Kaffee« anbot: »Er warf etwas ins Wasser, kochte es, und die Gefangenen schlürften das Gebräu am hellichten Tag mit großem Vergnügen.« Der Graf selbst saß in einer Ecke und sang alte Romanzen zur Gitarre.[26]

Eine religiöse Sekte, deren männliche und weibliche Mitglieder mit dem Niederreißen der Mauern wieder zusammenkamen, erklärte, ihr Prophet habe verkündet, sie würden nun alle in den Himmel kommen, lebend. Mehrere Tage lang saßen sie auf dem großen Platz mitten in der Zone auf ihren Matratzen und warteten, aber nichts geschah.

Es gab auch eine große Zahl von Vermählungen, vorgenommen von Priestern, die man gemeinsam mit ihrer baltischen oder ukrainischen Herde in großer Zahl verhaftet hatte. Manche Partner, die sich bereits über die Mauer hinweg anonym verheiratet hatten, sahen einander jetzt zum ersten Mal von Angesicht zu Angesicht. Zwar konnten Männer und Frauen sich nun ohne Einschränkung begegnen, aber alle Beschreibungen stimmen darin überein, dass Frauen nicht belästigt und weder angegriffen noch vergewaltigt wurden, wie es im normalen Lageralltag üblich war.

Natürlich entstanden auch Lieder. Jemand komponierte eine ukrainische Hymne, die alle 13 500 streikenden Gefangenen dann gemeinsam sangen. Der Refrain ging so:

»Wir sind, wir sind keine Sklaven mehr!
Wir tragen das Joch nicht länger ...«

»Es war eine wundervolle Zeit«, erinnert sich Irina Arginskaja 45 Jahre später. »Nie wieder habe ich mich so frei gefühlt wie damals.« Andere äußerten sich nicht so unbeschwert. Ljubow Berschadskaja meint: »Wir handelten sehr spontan. Niemand von uns wusste oder dachte darüber nach, was uns erwartete.«

Die Verhandlungen mit den Behörden zogen sich hin. Am 27. Mai kam die zuständige Kommission des Innenministeriums zum ersten Mal mit den Häftlingen zusammen. Von den »Goldbetressten«, wie Solschenizyn sie nannte, gehörten der Kommission der stellvertretende Innenminister Sergej Jegorow, der damalige Chef des Gulag-Systems, Iwan Dolgich, und der stellvertretende Oberstaatsanwalt für den Gulag, Wawilow, an. Ihnen standen zweitausend Gefangene unter Führung von Kusnezow gegenüber, der eine Liste mit Forderungen präsentierte.

Auf dem Höhepunkt des Streiks gehörten dazu die Bestrafung der Wachleute, die Häftlinge erschossen hatten – das war eine der ersten Forderungen der Gefangenen gewesen –, außerdem einige eindeutig politische Ziele wie die Reduzierung aller Strafen von 25 Jahren, die Überprüfung aller Fälle der politischen Gefangenen, die Auflösung der Strafzellen und Strafbaracken, mehr Kontakt zu Verwandten, die Abschaffung der Verbannung nach Verbüßung der Haftstrafe, bessere Lebensbedingungen für Frauen und die Aufhebung der Trennung von Männer- und Frauenlagern.

Da bereits viele Gefangene gestorben waren und er die Sache rasch und friedlich beenden wollte, ging Dolgich sofort auf einige kleinere Forderungen der Gefangenen ein. Die Gitter von den Barackenfenstern sollten entfernt, ein Acht-Stunden-Tag eingeführt sowie besonders verhasste Wachmänner und Lagerangestellte aus Kengir abgezogen werden. Auf direkte Anweisung aus Moskau verzichtete Dolgich zunächst auf Gewalt. Allerdings suchte er den Widerstand der Gefangenen dadurch zu brechen, dass er sie drängte, das Lager zu verlassen, und ihnen jegliche Lebensmittel- und Arzneimittellieferungen verweigerte.

Mit der Zeit verlor Moskau die Geduld. In einem Telegramm vom 15. Juni attackierte Innenminister Kruglow seinen Stellvertreter Jegorow, weil er seine Berichte aus Kengir mit unsinnigen Statistiken fülle – wie viele Tauben mit Flugblättern zum Beispiel im Lager aufgestiegen seien. Er teilte mit, eine Truppeneinheit mit fünf T-34-Panzern sei unterwegs.

In den letzten zehn Tagen des Streiks stieg die Spannung merklich an. Die Kommission des Innenministeriums ließ über die Lagerlautsprecher scharfe Warnungen verbreiten. Im Gegenzug teilten die Gefangenen der Welt über ihren provisorischen Sender mit, sie wollten lieber verhungern als sich ergeben.

Am 26. Juni um 3.30 Uhr, noch vor der Morgendämmerung, schlug die Staatsmacht zu. Am Abend zuvor hatte Kruglow Jegorow telegrafisch aufgefordert, »alle vorhandenen Kräfte« einzusetzen. Das hieß: nicht weniger als 1700 Soldaten, 98 Hunde und die fünf Panzer, die inzwischen das Lager umstellt hatten. Als Erstes ließen die Soldaten Leuchtkugeln aufsteigen und feuerten Warnschüsse ab. Über die Lautsprecher erging die dringende Warnung: »Soldaten rücken jetzt ins Lager ein. Gefangene, die kooperieren wollen, werden aufgefordert, das Lager geordnet zu verlassen. Wer Widerstand leistet, wird erschossen ...«

Als die erschreckten Gefangenen wild durcheinander rannten, brachen die Panzer durch die Tore. In ihrem Schutz folgten bis an die Zähne bewaffnete Soldaten. Die Panzerfahrer hatten keine Bedenken, Gefangene, die sich ihren Fahrzeugen in den Weg stellen wollten, einfach niederzuwalzen. »Ich stand mittendrin«, erinnert sich Ljubow Berschadskaja, »und rund um mich her wurden lebendige Menschen von Panzern überrollt.« Sie fuhren mitten in eine Gruppe von Frauen, die sich untergehakt hatten und sich ihnen in den Weg stellten, weil sie nicht glaubten, dass sie es wagen würden, sie zu töten. Die aber machten selbst vor Baracken nicht Halt, in denen noch Menschen schliefen. Die selbst gefertigten Granaten, Steine, Spitzhacken und andere Metallgegenstände, die die Gefangenen gegen sie schleuderten, konnten ihnen nichts anhaben. Überraschend schnell – nach dem offiziellen Bericht schon nach eineinhalb Stunden – war das Lager befriedet, waren die Gefangenen, die sich ergeben wollten, abtransportiert und der Rest mit Handschellen versehen.

Nach den offiziellen Dokumenten starben an jenem Tag 37 Gefangene. Neun weitere erlagen später ihren Verletzungen. Man zählte 106 verwundete Häftlinge, dazu vierzig Soldaten. Alle diese Zahlen liegen allerdings wesentlich niedriger als das, was die Gefangenen berichteten. Berschadskaja, die dem Lagerarzt Julian Fuster bei der Versorgung der Verwundeten zur Hand ging, schreibt von fünfhundert Toten:

> »Fuster sagte, ich solle eine weiße Kappe aufsetzen und eine Chirurgenmaske anlegen (die ich bis zum heutigen Tage aufbewahre), mich an den Operationstisch stellen und die Namen aufschreiben, die die Verwundeten noch angeben konnten. Das konnte leider fast keiner mehr. Die meisten starben unter den Händen des Arztes. Viele hatten nur noch einen Wunsch: ›Schreib' meiner Mutter ... meinem Mann ... meinen Kindern ...‹.
> Als es zu heiß und stickig wurde, nahm ich die Kappe ab und schaute in den Spiegel. Mein Kopf war schlohweiß. Zuerst glaubte ich, aus irgendeinem Grund müsse Puder in der Kappe gewesen sein. Ich konnte nicht begreifen, dass mein Haar in den fünfzehn Minuten, die ich inmitten dieses unglaublichen Gemetzels gestanden und alles mit angesehen hatte, völlig ergraut war.«[27]

Nach der Schlacht wurden alle Überlebenden, die nicht im Hospital lagen, aus dem Lager in die Taiga geführt. Soldaten mit Maschinenpistolen befahlen ihnen, sich, Gesicht nach unten, mit ausgebreiteten Armen niederzulegen. So mussten sie – wie gekreuzigt – viele Stunden lang ausharren. Mit Hilfe von Fotos, die sie von den Kundgebungen der Gefangenen gemacht hatten, und nach den Aussagen der wenigen Informanten gingen Vertreter der Lagerführung durch die Reihen und nahmen 436 Gefangene fest, darunter alle Mitglieder des Streikkomitees. Sechs wurden später erschossen, darunter Keller, Slutschenkow und Knopmus. Kusnezow, der den Behörden 48 Stunden nach seiner Festnahme ein langes schriftliches Geständnis vorlegte, wurde zum Tode verurteilt, aber nicht hingerichtet. Man verlegte ihn nach Karlag, wo er 1960 freikam. Weitere tausend Gefangene – fünfhundert Frauen und fünfhundert Männer – wurden wegen Unterstützung des Aufstandes angeklagt und in andere Lager gebracht, die meisten nach Oserlag und an die Kolyma. Die Mehrzahl von ihnen sah am Ende des Jahrzehnts ebenfalls die Freiheit wieder.

Während des Aufstandes ahnten die Behörden anscheinend nichts davon, dass eine andere Kraft als das offizielle Streikkomitee hinter der Aktion stand. Später ermittelte man – wahrscheinlich anhand von Kusnezows detailliertem Geständnis – Stück für Stück die Hintergründe. Fünf Mitglieder des »Zentrums« wurden identifiziert: der Litauer Kondratas, die Ukrainer Keller, Sunitschuk und Wachajew sowie ein Anführer der Kriminellen, von dem nur der Deckname »Schnurrbart« überliefert wurde. Es gibt sogar ein Schema, das zeigt, wie die Befehlsstränge vom »Zentrum« über das Streikkomitee bis zu den Organen für Propaganda, Verteidigung und Spionageabwehr liefen. Man erfuhr von den Brigaden, die zur Verteidigung jeder einzelnen Baracke gebildet worden waren, von dem Rundfunksender und einem provisorischen Generator.

Aber bis heute sind nicht alle Mitglieder des »Zentrums« bekannt, das den eigentlichen Mittelpunkt des Aufstandes bildete. Nach einem Bericht sind viele seiner »wahren Aktivisten« im Lager geblieben, haben ihre Strafe abgesessen und auf eine Amnestie gewartet. Ihre Namen sind unbekannt und werden es wohl für immer bleiben.

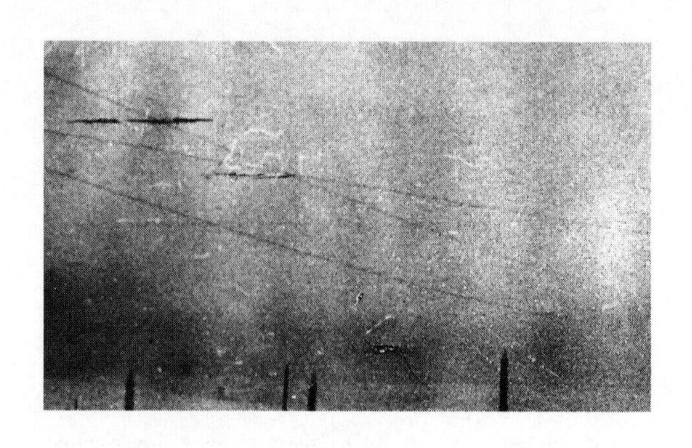

Reden wir nicht drum herum,
Lassen wir den Unsinn.
Wir sind die Kinder des Kults.
Wir sind sein Fleisch und Blut.

Wir sind im Nebel aufgewachsen,
Nährten große Ambitionen.
Gigantomanie umgab uns
Und kümmerlicher Geist …

ANDREJ WOSNESSENSKI,
»Die Kinder des Kults«, 1967[1]

# Tauwetter und Freilassung

Die Streikenden von Kengir mögen die Schlacht verloren haben, aber den Krieg gewannen sie doch. Nach der Revolte in Steplag verlor die Führung der Sowjetunion zunehmend den Geschmack an Zwangsarbeitslagern.

Im Sommer 1954 galten die Lager bereits weithin als unrentable Angelegenheit. Ein Überblick über die Finanzen des Gulags vom Juni 1954 hatte mit aller Deutlichkeit gezeigt, dass das System stark subventioniert werden musste und insbesondere die Kosten für die Bewachung jeglichen Gewinn zunichte machten.[2] Bei einer Beratung von Lagerkommandanten und hohen Gulag-Funktionären nach dem Aufstand von Kengir beklagten sich viele Vertreter der Lagerleitungen offen über die unzureichende Lebensmittelversorgung, über die ausufernde Bürokratie – inzwischen gab es siebzehn verschiedene Verpflegungsnormen – und die schlechte Organisation der Lager. Einige Einrichtungen wurden aber weiter betrieben, obwohl nur noch wenige Häftlinge darin untergebracht waren. Streiks und Unruhen blieben an der Tagesordnung. Der Drang nach Veränderung wurde immer mächtiger – und die Veränderung kam.

Am 10. Juli 1954 fasste das Zentralkomitee einen Beschluss, mit dem endlich der Acht-Stunden-Tag wieder eingeführt, das Lagerregime vereinfacht und den Gefangenen erneut die Möglichkeit gegeben wurde, durch gute Arbeit Haftverkürzung zu erreichen. Die Sonderlager wurden aufgelöst. Gefangene durften nun, oft ohne jede Einschränkung, Briefe schreiben und Päckchen empfangen. In einigen Lagern erlaubte man Gefangenen, zu heiraten und danach sogar zusammenzuleben. Bellende Hunde und bewaffnete Begleiter auf dem Weg zur Arbeit gehörten der Vergangenheit an. Die Häftlinge durften jetzt Dinge wie Kleidung und Orangen käuflich erwerben, die für sie bisher unerreichbar waren.[3]

In den höheren Rängen der sowjetischen Elite setzte derweil eine breite Debatte über die stalinistische Justiz ein. Anfang 1954 hatte Chruschtschow einen Bericht darüber verlangt, wie viele Häftlinge seit 1921 konterrevolutionärer Vergehen angeklagt wurden und wie viele noch in Gefängnissen und Lagern saßen. Die Zahlen, die er daraufhin erhielt, mussten unvollständig sein, denn die Millionen, die man in die Verbannung geschickt, ungerecht formal unpolitischer Vergehen angeklagt hatte, die von ordentlichen Gerichten oder überhaupt nicht verurteilt worden waren, fehlten in dieser Statistik. Wenn man bedenkt, dass es sich im Wesentlichen um Menschen handelte, die ohne jeden Grund umgebracht oder eingekerkert wurden, sind die Zahlen schockierend hoch. Nach eigenen Berechnungen des Innenministeriums hatten Kollegien der OGPU, Troikas des NKWD, Sonderkommissionen und all die Militärkollegien und Tribunale, die in den vergangenen drei Jahrzehnten Urteile in Massen produzierten, 3 777 380 Menschen der Aufhetzung zur Konterrevolution für »schuldig« befunden. Von diesen waren 2 369 220 in Lager geschickt, 765 180 verbannt und 642 980 hingerichtet worden.[4]

Einige Tage später ging das Zentralkomitee daran, alle diese Fälle ebenso wie die der »Rückfalltäter« – die 1948 zum zweiten Mal verbannt worden waren – zu überprüfen. Chruschtschow setzte zu diesem Zweck einen landesweiten Ausschuss unter Leitung des Generalstaatsanwaltes der Sowjetunion ein, in jeder Republik und Region des Landes wurden Komitees zur Überprüfung von Freiheitsstrafen gebildet. Einige politische Gefangene wurden bereits zu dieser Zeit entlassen, obwohl ihre Urteile noch nicht aufgehoben waren. Die eigentliche Rehabilitierung – das Eingeständnis des Staates, dass ein Irrtum vorlag – kam erst deutlich später.[5]

Weitere Entlassungen folgten, wenn es damit auch eineinhalb Jahre lang quälend langsam voranging. Wer zwei Drittel seiner Strafe verbüßt hatte, konnte – ohne Erklärung oder Rehabilitierung –

durchaus freikommen, während andere ohne jeden Grund in den Lagern bleiben mussten. Obwohl die mangelnde Rentabilität der Lager hinreichend bekannt war, konnten die Verantwortlichen für den Gulag sich nicht zur Auflösung des Systems entschließen. Offenbar fehlte ein direkter Anstoß von oben.

Dieser kam im Februar 1956, als Chruschtschow vor einer geschlossenen Sitzung des 20. Parteitages der KPdSU seine berühmt gewordene »Geheimrede« hielt. Zum ersten Mal griff er darin Stalin und den »Personenkult« offen an:

> »Es ist unzulässig und dem Geist des Marxismus-Leninismus zuwider, eine Person herauszuheben und sie zu einem Übermenschen zu machen, der Gott ähnliche, übernatürliche Eigenschaften besitzt, zu einem Menschen, der angeblich alles weiß, alles sieht, für alle denkt, alles kann und in seinem ganzen Verhalten unfehlbar ist. Ein solcher Glaube an einen Menschen, und zwar an Stalin, ist bei uns viele Jahre lang kultiviert worden.«[6]

Insgesamt war die Rede recht tendenziös. Bei der Aufzählung von Stalins Verbrechen konzentrierte sich Chruschtschow fast ausschließlich auf die Opfer von 1937/38 und hob insbesondere die 98 Mitglieder des Zentralkomitees der Partei sowie die Hand voll alter Bolschewiken hervor, die erschossen wurden. »Die Welle der Massenverhaftungen ging im Jahre 1939 zurück«, behauptete er, was eine glatte Lüge ist, denn in Wirklichkeit stieg die Zahl der Häftlinge in den vierziger Jahren weiter an. Chruschtschow erwähnte weder die Kollektivierung noch den Hunger in der Ukraine oder die Massenrepressalien in der Westukraine und in den baltischen Staaten – vielleicht, weil er selbst darin verwickelt war.[7]

Doch trotz ihrer Schwächen erschütterte die Rede die Sowjetunion bis in die Grundfesten, als sie auf geschlossenen Sitzungen der Parteiorganisationen überall im Land verlesen wurde. Nie zuvor hatte die sowjetische Führung Verbrechen eingestanden, noch dazu in so riesigem Umfang.

Die Rede brachte endlich auch das Innenministerium, den KGB und die Lagerleitungen in Bewegung. Schon Wochen danach lockerte sich die Atmosphäre merklich, kamen Entlassungen und Rehabilitierungen endlich in Gang. Waren in den drei Jahren vor der Geheimrede etwa siebentausend Personen rehabilitiert worden, so schnellte diese Zahl in den zehn Monaten danach auf 617 000. Neue Mechanismen wurden geschaffen, um den Prozess zu beschleunigen. Viele Gefangene, die einst von Troikas verurteilt worden waren, wurden nun – Ironie des Schicksals – auch von Troikas entlassen. Diese Dreiergruppen, die in der Regel aus einem Staatsanwalt, einem Mitglied des Zentralkomitees und einem rehabilitierten Parteimitglied, oft ein ehemaliger Gefangener, bestanden, bereisten nun Lager und Verbannungsorte in der ganzen Sowjetunion. Sie hatten Vollmacht, die einzelnen Fälle rasch zu prüfen, die Gefangenen anzuhören und auf der Stelle zu entlassen.[8]

In den Monaten nach der Geheimrede setzte das Innenministerium außerdem zu tiefgreifenden Veränderungen in der Struktur der Lager an. Im April 1956 sandte der neue Innenminister, N. P. Dudorow, einen Reorganisationsvorschlag an das Zentralkomitee. Die Situation in den Lagern und Arbeitskolonien, heißt es darin, »ist seit vielen Jahren äußerst prekär«. Er schlug vor, sie zu schließen und die gefährlichsten Verbrecher stattdessen in isolierten Sondergefängnissen in entlegenen Gegenden des Landes unterzubringen. Wegen geringerer Vergehen Verurteilte sollten in ihrer Region bleiben und ihre Strafe dort in »Kolonien« bei leichter Arbeit in der Industrie und in Kollektivwirtschaften auf dem Land verbüßen. Niemand sollte mehr gezwungen werden, als Holzfäller, Bergarbeiter oder auf dem Bau unqualifizierte, körperlich schwere Arbeit zu leisten.[9]

An Dudorows Dokument ist die Wortwahl interessanter als die konkreten Vorschläge. Dem Innenminister ging es nicht um ein kleineres Lagersystem, sondern um ein völlig anderes. Ihm schwebte die Rückkehr zu einem »normalen« Gefängnissystem vor oder zumindest zu einem, das von anderen europäischen Staaten als solches betrachtet werden konnte. Die neuen Häftlingskolonien würden gar nicht erst vorgeben, finanziell rentabel zu sein. Die Gefangenen sollten arbeiten, um sich nützliche Fertigkeiten anzueignen, nicht um den Reichtum des Staates zu mehren. Der Zweck ihrer Arbeit war Rehabilitierung, nicht Gewinn.[10]

Die Vorschläge stießen auf überraschend wütende Einwände. Zwar signalisierten die Vertreter der Wirtschaftsministerien Unterstützung, aber KGB-Chef Iwan Serow wandte sich scharf gegen die Ideen des Innenministers, nannte sie »falsch« und »unannehmbar«, von den Kosten gar nicht zu reden. Er lehnte die Auflösung der Lager ab und wollte gar nicht verstehen, weshalb *Seks* nicht als Holzfäller oder Bergleute arbeiten sollten. Schließlich würden sie durch harte Arbeit »zum ehrlichen und arbeitsamen Leben in der sowjetischen Gesellschaft erzogen«.[11]

Ergebnis dieser Auseinandersetzung zwischen den beiden Zweigen des Sicherheitsapparates war eine sehr gemischte Reform. Einerseits wurde das Führungsorgan des Gulags, die Hauptabteilung Lager, aufgelöst. 1957 ereilte dieses Schicksal auch die beiden größten Lagerkomplexe, Dalstroi und Norilsk. Weitere folgten. Die zuständigen Ministerien – für Bergbau, Maschinenbau, Forstwirtschaft und Straßenbau – übernahmen große Teile des bisherigen Lager-Industrie-Komplexes.[12] Zwangsarbeit sollte in der sowjetischen Wirtschaft nie wieder eine bedeutende Rolle spielen.

Gleichzeitig änderte sich am Justizwesen kaum etwas. Die Richter waren so politisiert, parteiisch und ungerecht wie zuvor. Auch das Gefängnissystem blieb im Grunde unangetastet.

Der unerwartet heftige Schlagabtausch zwischen Innenminister Dudorow und KGB-Chef Serow kündigte größere Debatten an. In Chruschtschows Fahrwasser – so glaubten sie zumindest – strebten die Liberalen rasche Veränderungen in nahezu allen Bereichen der Sowjetgesellschaft an. Die Verteidiger des alten Systems hingegen wollten die Veränderungen stoppen, umkehren oder zumindest abwandeln, besonders dann, wenn sie die Lebensverhältnisse großer Personengruppen betrafen. Das Ergebnis war absehbar: Nicht nur die Gefängnisse blieben, wie sie waren, sondern die Reformen waren halbherzig, neue Privilegien wurden rasch wieder abgeschafft, öffentliche Diskussionen unterdrückt. Die Zeit, die als »Tauwetter« bekannt geworden ist, brachte in der Tat Veränderungen, aber solche besonderer Art: Die Reformen gingen zwei Schritte vorwärts, dann aber einen, manchmal auch drei wieder zurück.

Ob nun 1926 oder 1956 – die Entlassung löste bei den Gefangenen stets gemischte Gefühle aus. Gennadi Andrejew-Chomjakow, der in den dreißiger Jahren freikam, konnte sich über seine eigene Reaktion nur wundern:

> »Ich stellte mir vor, wenn ich endlich freikäme, würde ich nicht gehen, sondern tanzen, berauscht von der Freiheit. Als es dann so weit war, fühlte ich nichts dergleichen. Ich ging durch das Tor, am letzten Posten vorbei, aber Hochstimmung oder gar Glücksgefühle wollten sich nicht einstellen ... Zwei junge Mädchen in luftigen Kleidern liefen fröhlich lachend den sonnenüberfluteten Bahnsteig entlang. Ich blickte ihnen erstaunt nach. Wie konnten sie nur lachen? Wie konnten all diese Menschen herumspazieren, sich unterhalten und fröhlich sein, als ob in dieser Welt nichts Besonderes geschähe, als ob nicht ein unvorstellbarer Albtraum in ihrer Mitte passierte ...«[13]

Als es nach Stalins Tod und Chruschtschows Rede mit den Entlassungen immer schneller voranging, wussten viele Häftlinge gar nicht, wie sie reagieren sollten. Gefangene, die darauf eingestellt waren, noch mindestens zehn Jahre hinter Stacheldraht zu verbringen, kamen von einem Tag zum anderen frei. Eine Gruppe Verbannter wurde mitten aus der Schicht in die Bergwerksverwaltung gerufen. Dort sagte man ihnen, sie sollten nach Hause gehen. Ein Augenzeuge erinnert sich: »Sonderkommandant Leutnant Issajew öffnete den Safe, holte unsere Papiere heraus und drückte sie uns in die Hand ...«[14]

Häftlinge, die nie an etwas anderes hatten denken können als an die Freiheit, scheuten plötzlich davor zurück, sie anzunehmen: »Ich wollte es selber nicht glauben – aber ich weinte ... Mir war, als hätte ich das Teuerste und Liebste aus dem Herzen gerissen, meine Kameraden in der Not. Das Tor schloß sich – und es war aus.«[15]

Viele waren einfach noch nicht so weit. Juri Sorin fuhr 1954 nur zwei Stationen in dem überfüllten Zug voller freigelassener Häftlinge von Kotlas nach Süden. »Was soll ich in Moskau?«, fragte er sich. Er kehrte um und fuhr zu seinem alten Lager zurück, wo sein ehemaliger Kommandant ihm eine Anstellung als freier Arbeiter verschaffte. Er blieb noch sechzehn Jahre lang dort.[16] Ein anderer schrieb in sein Tagebuch: »Ich will die Freiheit nicht. Was zieht mich zu ihr? Dort draußen ist doch nur ... Lüge, Heuchelei und Gedankenlosigkeit. Dort ist alles so merkwürdig unreal, hier dagegen ist alles real.«[17]

Aber selbst für jene, die nach Hause zurückkehren wollten, war das häufig ein fast unmögliches Unterfangen. Sie hatten kein Geld und sehr wenig zu essen. Lager schickten Gefangene mit dem Äquivalent von 500 Gramm Brot für jeden erwarteten Reisetag los, einer Hungerration.[18] Sie war schon deshalb absolut unzureichend, weil die Reise meist viel länger dauerte als angenommen, denn Tickets für die wenigen Flugzeuge und Züge nach Süden waren kaum zu bekommen. Als Ariadna Efron in Krasnojarsk ankam, stieß sie »auf eine solche Menge Menschen, dass man einfach nicht wegkam. Aus allen Lagern um Norilsk strömten die Leute hier zusammen.« Schließlich trat ihr ein »rettender Engel«, eine Frau, die per Zufall zwei Tickets besaß, eines ab. Sonst hätte sie dort wohl monatelang warten müssen.[19]

Wer es bis nach Moskau, Leningrad oder in sein Heimatdorf schaffte, musste oft feststellen, dass das Leben dort auch nicht leichter war. Die Entlassung allein reichte nicht aus, um in ein »normales« Leben zurückzukehren. Ohne ein Papier, das die tatsächliche Rehabilitierung belegte, das heißt, das ursprüngliche Urteil aufhob, blieben ehemalige politische Gefangene für ihre Umgebung suspekt.

Gewiss, einige Jahre zuvor hätten sie den gefürchteten »Wolfspass« bekommen, der es ihnen verbot, in einer sowjetischen Großstadt oder auch nur in deren Nähe zu leben. Oder man hätte sie direkt in die Verbannung geschickt. Nun war all das abgeschafft, aber nach wie vor erwies es sich als äußerst schwierig, eine Unterkunft und Arbeit zu finden. In Moskau kam die Aufenthaltserlaubnis für die Hauptstadt dazu. Bei der Rückkehr mussten viele bisherige Gefangene feststellen, dass ihre Wohnung seit langem konfisziert, ihre Habe verstreut war. Viele ihrer Verwandten hatte das enge Verhältnis zu einem »Volksfeind« Leben oder Besitz gekostet. Die Familien blieben noch lange nach der Freilassung stigmatisiert, offiziell diskriminiert und von bestimmten Arbeitsstellen ausgeschlossen. Ältere ehemalige Gefangene mussten feststellen, dass sie nicht die ihnen zustehende Rente erhielten.[20]

Die persönlichen Schwierigkeiten und das Gefühl, ungerecht behandelt worden zu sein, ließ viele beharrlich nach voller Rehabilitierung streben. Aber auch das war kein einfacher, gerader Weg. Manch einem stand diese Möglichkeit gar nicht offen. Das Innenministerium lehnte es zum Beispiel entschieden ab, Fälle aus der Zeit vor 1935 neu aufzurollen.[21] Auch wer im Lager eine weitere Strafe erhalten hatte – ganz gleich, ob für Diebstahl, Insubordination oder Widerstand –, bekam die ersehnte Rehabilitationsbescheinigung nicht.[22] Die Fälle der führenden Bolschewiken Bucharin, Kamenew und Sinowjew blieben tabu. Wer mit ihnen zusammen verurteilt worden war, musste bis in die achtziger Jahre auf seine Rehabilitierung warten.

Wenn es eine Chance gab, dann stand dem Antragsteller ein langes Verfahren bevor. Einen Rehabilitierungsantrag konnte der ehemalige Gefangene selbst oder seine Familie stellen. Aber häufig mussten noch zahlreiche Briefe geschrieben werden, bevor die Zustimmung kam. Viele ehemalige Gefangene hüteten sich, einen Antrag zu stellen. Wer schließlich zu einem Termin vor die Rehabilitierungskommission bestellt wurde, die gewöhnlich im Innen- oder Justizministeriums tagte, erschien häufig mit mehreren Schichten Kleidung am Leib und Reiseproviant, von weinenden Verwandten begleitet, die sicher waren, es gehe zurück ins Lager.[23]

In der Führungsspitze bangten viele, die Rehabilitierungen gingen zu schnell und zu weit. »Wir hatten Angst, richtige Angst«, sollte Chruschtschow später schreiben. »Wir befürchteten, das Tauwetter werde eine Flutwelle auslösen, die wir nicht mehr kontrollieren und in der wir untergehen konnten.«[24] Anastas Mikojan, unter Stalin lange Zeit Mitglied des Politbüros, der bis in die Chruschtschow-Zeit überlebte, erklärte einmal, weshalb es unmöglich war, die Menschen zu rasch zu rehabilitieren. Wenn man alle sofort für unschuldig erklärte, »dann hätte sich herausgestellt, dass das Land nicht von einer rechtmäßigen Regierung, sondern von einer Verbrecherbande geführt wurde«.[25]

Auch die Partei hütete sich, zu viele Fehler zuzugeben. Von den über 70 000 Anträgen ehemaliger Häftlinge auf Wiederherstellung ihrer Mitgliedschaft wurde kaum die Hälfte positiv beschieden.[26] Somit war die volle gesellschaftliche Rehabilitierung, die Wiedereinsetzung in Arbeitsplatz, Wohnung und Rente, eher die Ausnahme. Viel häufiger kamen gemischte Erfahrungen vor, wie sie Olga Adamowa-Sljosberg machte, die 1954 für sich und ihren Ehemann die Rehabilitierung beantragte. Sie musste zwei Jahre lang warten. Nach Chruschtschows Geheimrede erhielt sie ihr Dokument. Darin hieß es, ihr Fall sei geprüft und wegen Mangels an Beweisen annulliert worden. »Ich wurde am 27. April 1936 verhaftet. Für diesen Fehler hatte ich also zwanzig Jahre und einundvierzig Tage meines Lebens hingeben müssen.« Als Entschädigung, hieß es im Dokument, habe sie Anspruch auf zwei Monatsgehälter für sich selbst und ihren verstorbenen Mann, dazu 11 Rubel, 50 Kopeken – der Besitz ihres Mannes bei seinem Tod. Das war alles.

Als sie im Warteraum des Büros im Gebäude des Obersten Sowjets in Moskau stand und diese Nachricht zu begreifen suchte, hörte sie jemanden schreien. Es war eine ältere Ukrainerin, die gerade einen ähnlichen Bescheid erhalten hatte:

> »Sie rief: ›Ich brauche euer Geld für das Blut meines Sohnes nicht, das könnt ihr behalten!‹ Sie zerriss die Dokumente und warf sie auf den Fußboden.
> Der Soldat, der ihr soeben die Papiere ausgehändigt hatte, trat an sie heran: ›Beruhigen Sie sich, Bürgerin‹, sagte er.
> Aber die alte Frau schrie weiter und steigerte sich in einen regelrechten Wutanfall hinein.
> Alle schwiegen bedrückt. Hier und da war unterdrücktes Schluchzen zu hören.
> Ich ging in meine Wohnung zurück, von wo mich kein Polizist mehr vertreiben konnte. Es war niemand zu Hause, und endlich konnte ich ungehemmt weinen.
> Weinen um meinen Mann, der mit 37 Jahren auf dem Gipfel seiner Kraft und seiner Begabung in den Kellern der Lubjanka ums Leben kam. Weinen um meine Kinder, die als Waisen mit dem Stigma aufwachsen mussten, Kinder von Volksfeinden zu sein. Weinen um meine Eltern, die vor Kummer starben, um Nikolai, der in den La-

gern gefoltert wurde, um alle meine Freunde, die ihre Rehabilitierung nicht mehr erleben würden, weil sie in der gefrorenen Erde der Kolyma lagen.«[27]

In den Standardgeschichten der Sowjetunion meist ignoriert, muss die Heimkehr von Millionen Menschen aus Lagern und Verbannung Millionen andere Sowjetbürger schwer erschüttert haben, denen sie bei ihrer Rückkehr begegneten. Chruschtschows Geheimrede war ein Schock gewesen, doch sie hatte sich in höheren Sphären abgespielt und war vor allem für die Parteihierarchie bestimmt. Das Wiederauftauchen von Personen dagegen, die man längst für tot gehalten hatte, brachte viel mehr Menschen auf ganz unmittelbare Weise die tatsächliche Bedeutung dieser Rede zu Bewusstsein. Die Stalin-Ära war eine Zeit heimlicher Folter und verdeckter Gewalt gewesen. Plötzlich standen mit den Veteranen der Lager lebende Zeugen dafür zur Verfügung, was wirklich geschehen war.

Die Rückkehrer versetzten viele in Angst und Schrecken: ihre früheren Chefs, ihre Kollegen, diejenigen, die sie hinter Gitter gebracht hatten. In seinem Roman *Krebsstation* beschreibt Solschenizyn die Reaktion eines krebskranken Parteifunktionärs, als ihm seine Frau mitteilt, dass ein früherer Freund rehabilitiert werden soll, den er einst persönlich denunzierte, um sich dessen Wohnung anzueignen:

»Er fühlte sich ganz schwach – im Leib, in den Schultern, den Armen; und die Geschwulst zog seinen Kopf seitwärts hinab. ›Warum erzählst du mir so etwas?‹ brachte er schließlich mit leiser, gequälter Stimme hervor. ›Habe ich nicht schon genug Kummer?‹ Und ein trockenes Schluchzen erschütterte zweimal seine Brust …
›Welches Recht haben die überhaupt, solche Leute freizulassen? … Wie kann man nur so erbarmungslos sein und den anderen ein solches Trauma zufügen?‹«[28]

Schuldgefühle konnten unerträglich werden. Alexander Fadejew, ein überzeugter Stalinist und weithin gefürchteter Literaturbürokrat, ließ sich nach Chruschtschows Geheimrede mit Schnaps volllaufen. In trunkenem Zustand gestand er einem Freund, dass er als

Präsident des Schriftstellerverbandes der Verhaftung vieler Autoren zugestimmt hatte, obwohl er wusste, dass sie unschuldig waren. Am Tag darauf nahm sich Fadejew das Leben. Angeblich soll er einen Abschiedsbrief an das Zentralkomitee hinterlassen haben, der nur aus einem Satz bestand: »Diese Kugel gilt Stalins Politik, Schdanows Ästhetik und Lyssenkos Genetik.«[29]

Andere verloren den Verstand. Olga Mischakowa, die beim ZK des Jugendverbandes Komsomol angestellt war, hatte den Chef ihrer Organisation, Alexander Kossarew, denunziert. Nach 1956 wurde dieser rehabilitiert, und das ZK des Komsomol schloss Mischakowa aus. Ein ganzes Jahr lang erschien sie jedoch jeden Tag im Komsomolgebäude, saß in ihrem leeren Büro und hielt sogar die Mittagspause ein. Als man ihr den Hausausweis entzog, kam sie trotzdem und stand zu der Zeit, da sie früher gearbeitet hatte, vor der Tür. Als ihr Ehemann nach Rjasan versetzt wurde, fuhr sie jeden Morgen um 4.00 Uhr mit dem Zug nach Moskau, stand tagsüber vor ihrem Büro und fuhr am Abend zurück. Schließlich wies man sie in eine psychiatrische Klinik ein.[30]

Selbst wenn das Ergebnis nicht Wahnsinn oder Selbstmord war, kam es zu zahllosen peinlichen, qualvollen Begegnungen, die das gesellschaftliche Leben Moskaus nach 1956 geradezu vergifteten. »Zwei Russlands standen sich Auge in Auge gegenüber«, schrieb Anna Achmatowa: »Jene, die im Gefängnis gewesen waren, und jene, die sie dorthin gebracht hatten.«[31] Noch problematischer waren Begegnungen ehemaliger Häftlinge mit ihren Vernehmungsoffizieren oder Kerkermeistern. In der von Roy Medwedjew herausgegebenen Untergrundzeitschrift erschienen 1964 unter einem Pseudonym Erinnerungen, in denen ein Mann schildert, wie er seinem früheren Vernehmungsoffizier begegnet, der ihn um Geld für Wodka anbettelt: »Ich gab ihm alles, was ich von der Reise übrig hatte, und das war nicht wenig. Ich gab es ihm, damit er rasch verschwand. Ich fürchtete, ich könnte mich nicht beherrschen. Ich spürte den übermächtigen Wunsch, meinen Hass gegen ihn und seinesgleichen herauszulassen, den ich so lange in mir verschlossen hatte.«[32]

Äußerst unangenehm konnte es auch sein, früheren Freunden zu begegnen, die jetzt gut situierte Sowjetbürger waren. Lew Rasgon stieß 1968, über zehn Jahre nach seiner Rückkehr aus dem Lager, auf einen guten Freund: »Er tat so … als seien wir erst am Abend zuvor auseinander gegangen. Natürlich sprach er mir sein Beileid zu Oxanas Tod aus und fragte nach Jelena. Aber alles rasch, wie nebenbei … Und das war's dann.«[33]

Lew Kopelew hat geschrieben, dass er nach seiner Entlassung die Gesellschaft erfolgreicher Menschen nicht mehr ertragen konnte und sich unter gescheiterten Existenzen wohler fühlte.[34]

Wie man mit Freunden und Familie über die Lager sprechen und wie viel man davon erzählen sollte, war für die Heimkehrenden ebenfalls eine qualvolle Entscheidung. Viele wollten ihre Kinder vor der brutalen Wahrheit schützen. Die Tochter des Raketenkonstrukteurs Koroljow wusste bis kurz vor ihrem zwanzigsten Lebensjahr nicht, dass ihr Vater im Gefängnis gesessen hatte. Da hatte sie zum ersten Mal ein Formular auszufüllen, das die Frage enthielt, ob einer ihrer Verwandten je in Haft gewesen sei.[35] Viele mussten bei der Entlassung aus dem Lager die Verpflichtung unterschreiben, über ihre Erlebnisse gegenüber jedermann Stillschwiegen zu bewahren.

Andere stellten fest, dass Familie und Freunde zwar nicht wirklich desinteressiert waren, aber auch nicht allzu genau wissen wollten, was sie erlebt hatten. Sie hatten zu große Angst – nicht nur vor der allgegenwärtigen Geheimpolizei, sondern vor allem vor dem, was sie über Menschen, die sie liebten, erfahren könnten. Der Romancier Wassili Axjonow, der Sohn von Jewgenia Ginsburg, hat eine tragische, aber schrecklich plausible Szene in seine Trilogie *Die Generationen des Winters* eingebaut, in der ein Mann und seine Frau einander nach Jahren in den Lagern wiedersehen. Ihm fällt sofort auf, dass sie zu gesund aussieht: »Sag mir, wie hast du es angestellt, dass du nicht hässlich geworden bist … Du hast ja nicht einmal Gewicht verloren!«, ruft er aus und weiß doch ganz genau, wie Frauen im Gulag überleben konnten. In dieser Nacht liegen sie im Bett, fern voneinander und unfähig zu sprechen, »ausgebrannt von Melancholie und Trauer«.[36]

Der Schriftsteller und Liedermacher Bulat Okudschawa hat eine Erzählung geschrieben, in der er schildert, wie ein Mann seiner Mutter begegnet, die zehn Jahre im Lager verbracht hat. Er ist überglücklich, sie wiederzusehen, stellt sich vor, wie er sie am Bahnhof abholt, nach dem tränenreichen, aber freudigen Wiedersehen nach Hause bringt, ihr von seinem Leben erzählt und sie vielleicht sogar ins Kino ausführt. Stattdessen trifft er auf eine Frau mit trockenen Augen und abwesendem Blick: »Sie schaute mich an, aber sie schien mich gar nicht wahrzunehmen, ihre Miene war wie gefroren.« Er hatte erwartet, dass sie körperlich geschwächt sein würde, aber auf seelische Schäden war er überhaupt nicht vorbereitet – etwas, das Millionen erlebt haben müssen.[37]

Wahre Geschichten waren nicht weniger traurig. Nadeschda Kapralowa erzählt, wie sie ihre Mutter, von der sie als achtjähriges Kind getrennt worden war, nach dreizehn Jahren wiedersah: »Als Mutter und Tochter waren wir die nächsten Verwandten füreinander, aber wir saßen uns wie Fremde gegenüber, sprachen von völlig belanglosen Dingen, weinten viel und schwiegen.«[38] Olga Adamowa-Sljosberg musste mit größter Umsicht zu Werke gehen, als sie ihrem Sohn 1948 wiederbegegnete: »Ich fürchtete, etwas fallen zu lassen, was ich ›dort‹ erlebt hatte. Zweifellos hätte ich ihn davon überzeugen können, dass mit unserem Land vieles nicht stimmte, dass sein Idol Stalin bei weitem nicht vollkommen war, aber mein Sohn war gerade erst siebzehn Jahre alt. Ich hatte Angst davor, ihm gegenüber völlig offen zu sein.«[39]

Aber nicht jeder haderte mit der sowjetischen Gesellschaft. So überraschend das scheinen mag, viele der Rückkehrer verlangten, wieder in die Kommunistische Partei aufgenommen zu werden. Dabei ging es ihnen nicht um Status und Privilegien, sondern sie wollten wieder ganz zur kommunistischen Sache dazugehören, so wie sie war. »Hingabe an ein Glaubenssystem kann tiefe, nicht rationale Wurzeln haben«, versucht die Historikerin Nanci Adler den Gemütszustand eines ehemaligen Häftlings zu erklären, als seine Parteimitgliedschaft wiederhergestellt wurde:

> »Der wichtigste Faktor, dem ich das Überleben unter jenen schweren Bedingungen verdanke, war mein unauslöschlicher Glaube an unsere leninistische Partei und ihre humanistischen Prinzipien. Es war die Partei, die mir die physische Kraft gegeben hat, alle Prüfun-

gen zu bestehen ... Wieder in die Reihen meiner geliebten kommunistischen Partei aufgenommen zu werden, ist das höchste Glück meines Lebens.«[40]

Wenn ihnen auch irgendwie bewusst war, dass sie den falschen Kampf führten, dass ihr Land nicht so glänzend dastand, wie seine Führer behaupteten, dass ganze Städte auf den Knochen unschuldig verurteilter Zwangsarbeiter errichtet waren, fühlten sich manche Opfer der Lager trotz allem besser, wenn sie wieder Teil der großen Gemeinschaft sein durften und nicht länger von ihr ausgeschlossen waren.

Wie dem auch sei, die gewaltigen Spannungen zwischen denen, die »dort« gewesen, und denen, die zu Hause geblieben waren, konnten nicht ewig hinter Wohnungs- und Schlafzimmertüren verschlossen bleiben. Die Verantwortlichen waren noch am Leben. Auf dem 22. Parteitag der KPdSU im Oktober 1961, wo Chruschtschow um seinen Einfluss in der Partei kämpfen musste, nannte er sie schließlich beim Namen. Er erklärte, Molotow, Kaganowitsch, Woroschilow und Malenkow seien »der illegalen Massenrepressalien gegen viele Funktionäre der Partei, des Staates, des Militärs und des Komsomol schuldig und tragen direkte Verantwortung für deren physische Vernichtung«. Zugleich deutete er dunkel an, man verfüge über Dokumente, um diese Schuld zu beweisen.[41]

In der Auseinandersetzung mit den Stalinisten, die sich gegen seine Reformen wandten, legte Chruschtschow jedoch am Ende nichts dergleichen vor. Vielleicht hatte er nicht genügend Macht, oder seine eigene Rolle bei den Stalinschen Repressionen wäre ans Tageslicht gekommen. Stattdessen schlug er eine neue Taktik ein: Er weitete die öffentliche Debatte über den Stalinismus aus und ließ sie aus den geschlossenen Parteizirkeln in die Welt der Literatur überschwappen. Zwar hatten ihn sowjetische Schriftsteller und Dichter bisher nie sonderlich interessiert, aber Anfang der sechziger Jahre begriff er, dass sie in seinem Machtkampf eine Rolle spielen konnten. Nach und nach tauchten fast vergessene Namen in offiziellen Publikationen wieder auf. Niemand erklärte, wohin sie verschwunden waren und weshalb sie jetzt zurückkehrten. Figuren, die bisher in sowjetischen Romanen undenkbar gewesen waren – habgierige Bürokraten oder ehemalige Lagerinsassen –, erblickten plötzlich das Licht der literarischen Welt.[42]

Chruschtschow hatte erkannt, dass seine Propaganda auf diesem Weg viel wirkungsvoller verbreitet werden konnte: Nun diskreditierten Schriftsteller seine Gegner, indem sie ihnen die Verbrechen der Vergangenheit anlasteten. Aus diesem Grund fällte er wahrscheinlich auch die Entscheidung, die Veröffentlichung von Alexander Solschenizyns *Ein Tag im Leben des Iwan Denissowitsch*, dem berühmtesten aller Romane über den Gulag, zu genehmigen.

Wegen seiner literarischen Bedeutung ebenso wie wegen der Rolle, die er bei der Verbreitung der Wahrheit über den Gulag im Westen gespielt hat, verdient Alexander Solschenizyn zweifellos, in jeder Geschichte des sowjetischen Lagersystems gesondert erwähnt zu werden. Dabei ist auch seine kurze Karriere als berühmter und breit publizierter »offizieller« sowjetischer Schriftsteller von Bedeutung, weil sie einen wichtigen Übergang markierte. Als *Iwan Denissowitsch* im Jahre 1962 erstmals in gedruckter Form erschien, war die Tauwetterperiode auf ihrem Höhepunkt, gab es nur noch wenige politische Gefangene, schien der Gulag eine Sache der Vergangenheit zu sein. Als eine Parteizeitschrift im Sommer 1965 *Iwan Denissowitsch* »eine ideologisch und künstlerisch umstrittene Arbeit« nannte, war Chruschtschow bereits abgesetzt, hatte der Gegenschlag begonnen, stieg die Zahl der politischen Gefangenen in atemberaubendem Tempo an. Als 1974 *Der Archipel Gulag,* Solschenizyns umfangreiche dreibändige Geschichte des Lagersystems, auf Englisch erschien, war Solschenizyn bereits aus der Sowjetunion ausgewiesen und konnte nur noch im Ausland publizieren. In der Sowjetunion gab es wieder Zwangsarbeitslager, und die Dissidentenbewegung war in vollem Gange.[43]

Solschenizyns Lagerkarriere begann so, wie viele *Seks* seiner Generation es auch erlebten. Nach seiner Ausbildung an einer Offiziersschule, in die er 1941 eintrat, kämpfte er im Herbst und Winter 1943 an der Westfront. 1945 erlaubte er sich in einem Brief an einen Freund eine schlecht verhüllte Kritik an Stalin, worauf er bald verhaftet wurde. Bislang ein mehr oder weniger treuer Anhänger des Kommunismus, war der junge Offizier erschüttert, wie brutal und grob man mit ihm umsprang. Noch mehr sollte ihn später die Behandlung der Rotarmisten schockieren, die in deutsche Gefangenschaft geraten waren. Er meinte, sie hätten eigentlich als Helden heimkehren müssen.

Der weitere Verlauf seiner Lagerzeit war vielleicht nicht ganz so typisch, denn auf Grund einiger Mathematik- und Physikkenntnisse durfte er eine gewisse Zeit in einer Scharaschka, einem der internen Forschungslabors, arbeiten, was er später in seinem Roman *Im ersten Kreis* verarbeitete. Ansonsten saß er in einigen durchschnittlichen Lagpunkten, unter anderem in Moskau, und in einem Sonderlagerkomplex bei Karaganda ein. Er war kein besonders auffälliger Häftling. Er hatte seinen Flirt mit den Behörden, diente als Informant, bevor er die Dinge durchschaute, und arbeitete schließlich als Maurer. Diese Tätigkeit schrieb er später auch seinem Iwan Denissowitsch zu, dem *Sek* »Jedermann«, dem Helden seines ersten Romans. Nach seiner Entlassung war er Lehrer in Rjasan und begann seine Erlebnisse niederzuschreiben. Auch das war nicht ungewöhnlich: Die vielen hundert Memoiren aus dem Gulag, die seit 1980 als Bücher erschienen sind, zeugen von dem Talent sowjetischer Häftlinge, von denen viele jahrelang insgeheim geschrieben haben. Aus dieser Menge trat Solschenizyn nur hervor, weil seine Arbeiten in der Sowjetunion gedruckt erschienen, als Chruschtschow noch an der Macht war.

Um die Veröffentlichung von *Ein Tag im Leben des Iwan Denissowitsch* ranken sich zahllose Legenden. Das Manuskript ging durch die Hände von Lew Kopelew, der gemeinsam mit Solschenizyn im Lager gesessen hatte und damals als Lektor bei der renommierten Literaturzeitschrift »Nowy mir« [Neue Welt] eine bemerkenswerte Figur der Moskauer Literaturszene war. Erregt von seinem Fund, gab er diesen an den Chefredakteur der Zeitschrift, den damals berühmten Dichter und Schriftsteller Alexander Twardowski, weiter.

Twardowski, so will es die Legende, soll das Manuskript zum Lesen mit ins Bett genommen haben. Nach wenigen Seiten sei er so beeindruckt gewesen, dass er aufstand, sich wieder anzog und die Lektüre am Schreibtisch fortsetzte. Er habe die ganze Nacht gelesen, sei bei der Morgendämmerung in sein Büro gestürzt, habe nach den Sekretärinnen geschrien und ihnen befohlen, sofort weitere Kopien herzustellen, die er seinen Freunden schicken wollte. Dabei habe er ununterbrochen geschwärmt, ein neues literarisches Genie sei geboren. Ob sich das alles so zugetragen hat oder nicht, Twardowski hat es so berichtet. Später schrieb ihm Solschenizyn, wie glücklich es ihn gemacht habe, als er erfuhr, *Ein Tag im Leben des Iwan Denissowitsch* sei Twardowski »eine schlaflose Nacht wert gewesen«.[44]

Die Handlung des Romans ist recht geradlinig: Beschrieben wird ein einziger Tag im Leben eines gewöhnlichen Häftlings. Heutige Leser – selbst in Russland – können nur schwer verstehen, weshalb der Roman damals in der sowjetischen Literaturszene solchen Wirbel auslöste. Aber für jene, die ihn 1962 lasen, war er wie eine Erleuchtung. Statt nur verschämt von »Rückkehrern« oder »Repressalien« zu sprechen, wie es in der Literatur jener Zeit üblich war, wurde in diesem Buch das Lagerleben offen und unverblümt beschrieben. Damit berührte der Autor einen Gegenstand, der bisher überhaupt nicht öffentlich erörtert worden war.

Zudem standen Solschenizyns Stil – insbesondere die Verwendung des Lagerslangs – und seine Beschreibung des öden, abstoßenden Lagerlebens in auffälligem Kontrast zu der pathetischen, heuchlerischen Literatur, die man damals gewohnt war. Das für die Sowjetliteratur jener Zeit gültige Credo vom »sozialistischen Realismus« war alles andere als realistisch, sondern eher die literarische Version der stalinistischen Doktrin. Die Gefängnisliteratur, wenn es sie überhaupt gab, hatte sich seit Gorkis Zeiten nicht verändert. Ein Verbrecher in einem sowjetischen Roman sah am Ende stets das Licht und wurde zum sowjetischen Glauben bekehrt. Der Held durfte leiden, aber am Ende zeigte ihm die Partei den richtigen Weg.

*Ein Tag im Leben des Iwan Denissowitsch* dagegen war purer Realismus: Der Roman verbreitete keinen Optimismus, und an seinem Ende stand keine Moral. Die Leiden seiner Helden waren sinnlos. Die Arbeit, die sie verrichten mussten, war schwer und zermürbend, und sie versuchten ihr zu entgehen. Am Ende siegten nicht die Partei und nicht der Kommunismus. Diese für einen sowjetischen Schriftsteller so ungewöhnliche Ehrlichkeit erregte Twardowskis Bewunderung: Solschenizyns Freund Kopelew sagte, in der Geschichte sei »kein Quäntchen Heuchelei«. Genau das aber erzürnte viele Leser, insbesondere aus dem sowjetischen Establishment. Menschen, die simple Schlussfolgerungen gewöhnt waren, hielten den Roman für erschreckend vage, ja geradezu unmoralisch.

Twardowski wollte ihn unbedingt veröffentlichen. Er wusste aber, wenn er ihn kurzerhand setzen ließ und den Zensoren schickte, konnte er mit sofortigem Verbot rechnen. Stattdessen bot er ihn Chruschtschow als Waffe gegen seine Feinde an.

Nach vielem Hin und Her und einigen Veränderungen am Manuskript – so überzeugte man Solschenizyn schließlich, wenigstens einen »positiven Helden« einzufügen und den ukrainischen Nationalismus symbolisch zu verurteilen – gelangte der Roman schließlich auf Chruschtschows Tisch. Der gab seine Einwilligung. Er lobte sogar, das Buch sei »im Geiste des 22. Parteitages« geschrieben. Damit meinte er offenbar, es werde seinen Gegnern Ärger bereiten. In der Novemberausgabe 1962 von »Nowy mir« erschien der Roman schließlich in gedruckter Form. »Der Vogel ist frei! Der Vogel ist frei!«, soll Twardowski angeblich ausgerufen haben, als er das erste Probeexemplar in den Händen hielt.

Zunächst gab es von der Literaturkritik nur Lob, lag doch die Geschichte genau auf der offiziellen politischen Linie. Der Kritiker der »Prawda« brachte die Hoffnung zum Ausdruck, dass der »Kampf gegen den Personenkult« von nun an »das Erscheinen von Kunstwerken erleichtern wird, die sich durch wachsenden künstlerischen Wert auszeichnen«.[45]

Anders die Reaktion der Durchschnittsleser, die Solschenizyn in den Monaten nach der Veröffentlichung in »Nowy mir« mit Post überschütteten. Dass die Geschichte zur neuen Parteilinie passte, ließ ehemalige Häftlinge kalt, die ihm aus dem ganzen Land schrieben. Sie waren überglücklich, etwas zu lesen, das ihre eigenen Gefühle und Erlebnisse wiedergab. Menschen, die bisher nicht gewagt hatten, selbst guten Freunden auch nur mit einem Wort von ihren Erlebnissen zu erzählen, fühlten sich erleichtert. Eine Frau beschrieb ihre Reaktion so: »Tränen liefen mir über das ganze Gesicht. Ich wischte sie nicht fort, denn alles, was hier auf so wenigen Seiten der Zeitschrift zusammengedrängt war, gehörte mir, nur mir. So war jeder Tag der fünfzehn Jahre gewesen, die ich im Lager verbrachte.«[46]

Die heftigsten Reaktionen kamen jedoch von denen, die immer noch hinter Stacheldraht saßen. Leonid Sitko, der damals seine zweite Strafe verbüßte, hörte im fernen Dubrawlag von der Veröffentlichung. Als das Exemplar von »Nowy mir« in der Lagerbibliothek eintraf, hielt es der Kommandant zwei Monate lang unter Verschluss. Schließlich beschafften sich die *Seks* aber doch ein Exemplar und hielten sofort eine Gruppenlesung ab. Sitko erinnert sich, wie die Gefangenen »atemlos lauschten«:

> »Nachdem das letzte Wort verklungen war, herrschte Totenstille. Zwei Minuten später explodierte der Raum. Diese Geschichte hatte jeder auf seine eigene, schmerzhafte Weise erlebt ... In Wolken von Tabakrauch wurde endlos debattiert ...
> Immer öfter folgte dann die bange Frage: ›Warum hat man das gedruckt?‹«[47]

Ja, warum wohl? Darüber schienen die Parteioberen selbst ins Grübeln zu kommen. Vielleicht war Solschenizyns wahrhaftige Schilderung des Lagerlebens zu viel für sie, eine zu abrupte Veränderung für den Geschmack von Leuten, die um ihren eigenen Kopf fürchten mussten. Oder sie hatten Chruschtschow schon satt, fürchteten, er sei zu weit gegangen, und brauchten Solschenizyns Roman als Anlass. Im Oktober 1964 wurde Chruschtschow in der Tat abgesetzt und durch Leonid Breschnew ersetzt, dem Anführer der reaktionären Neostalinisten, die das Tauwetter und die damit eingetretenen Veränderungen ablehnten.

Nach dem Erscheinen des Romans sammelten sich die Konservativen jedenfalls erstaunlich schnell. *Ein Tag im Leben des Iwan Denissowitsch* erschien im November 1962. Im Dezember – Chruschtschow hatte Solschenizyn gerade empfangen und ihm persönlich gratuliert – hielt Leonid Iljitschow, der Vorsitzende der neuen Ideologischen Kommission des Zentralkomitees, vor vierhundert Schriftstellern und Künstlern, die man im Schriftstellerverband zusammengeholt hatte, einen Vortrag. Die Sowjetgesellschaft, ermahnte er sie, dürfe nicht »unter dem Vorwand des Kampfes gegen den Personenkult erschüttert und geschwächt werden ...«[48]

Das Tempo des Umschwungs spiegelt die ambivalente Haltung der Sowjetunion zu ihrer eigenen Geschichte wider, die bis heute nicht überwunden ist. Wenn die sowjetische Elite akzeptierte, dass das Porträt von Iwan Denissowitsch authentisch war, gab sie damit zu, dass unschuldige Menschen sinnlos gelitten hatten. Wenn die Lager tatsächlich eine so stupide, öde und tragische Angelegenheit waren, musste man das Gleiche von der Sowjetunion annehmen. Für jeden Sowjetbürger, ob nun Angehöriger der Elite oder einfacher Bauer, war es damals und auch später jedoch schwer zu akzeptieren, dass ihr Leben von Lügen beherrscht war.

Nach einer Zeit der Unsicherheit, in der die Argumente hin und her gingen, wurde eine massive Angriffswelle gegen Solschenizyn in Gang gesetzt. Als der Roman dann gar den Leninpreis, die höchste Auszeichnung für ein literarisches Werk in der Sowjetunion, erhalten sollte, wurden die Attacken immer schärfer. Am Ende griff das Establishment zu persönlichen Beleidigungen, eine Taktik, die sich in späteren Jahren wiederholen sollte. Auf der Tagung des Leninpreis-Ausschusses stand Komsomol-Chef Sergej Pawlow auf und beschuldigte Solschenizyn, er habe sich während des Krieges den Deutschen ergeben und sei später wegen krimineller Vergehen verurteilt worden. Twardowski riet Solschenizyn, seine Rehabilitierungsurkunde ins Feld zu führen, aber es war zu spät. Der Leninpreis ging an *Die Schafsglocke*, ein Buch, das heute längst vergessen ist, und Solschenizyns offizielle Schriftstellerkarriere war beendet.

Er schrieb weiter, aber bis 1989 wurde keiner seiner Romane in der Sowjetunion gedruckt, zumindest nicht offiziell. 1974 wurde er aus der Sowjetunion ausgewiesen und ließ sich schließlich im US-Staat Vermont nieder. Bis zur Gorbatschow-Zeit hatte nur eine kleine Gruppe von Sowjetbürgern – jene, die Zugang zu illegalen maschinengeschriebenen Manuskripten oder aus dem Ausland eingeschmuggelten Exemplaren seiner Bücher hatten – den *Archipel Gulag*, die von ihm zusammengetragene mündliche Überlieferung des Lagersystems, gelesen.

Solschenizyn sollte nicht das einzige Opfer des konservativen Gegenschlags bleiben. Während die Debatte über *Ein Tag im Leben des Iwan Denissowitsch* immer wütender wurde, nahm ein anderes Drama auf dem Feld der Literatur seinen Lauf: Am 18. Februar 1964 wurde der junge Dichter Jossif Brodski wegen »Parasitentum« vor Gericht gestellt. Die Ära der Dissidenten zog herauf.

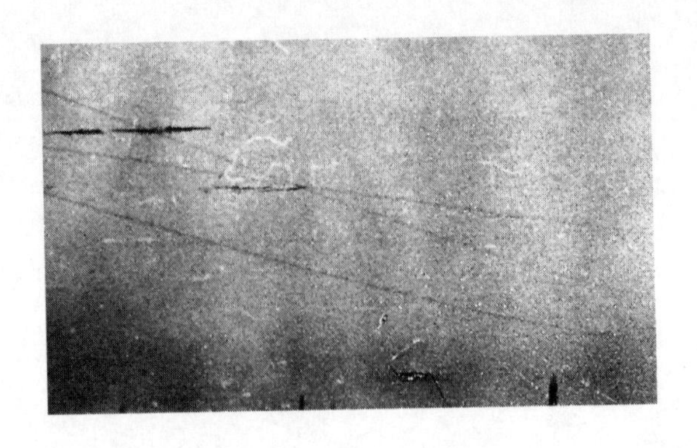

Freu' dich nicht zu früh
Und glaub' dem Orakel nicht,
Dass Wunden sich nicht wieder öffnen,
Dass das Böse nicht aufersteht.
Selbst wenn ich rückständig scheine:
Lass sie reden, ich weiß es genau:
Stalin ist nicht tot.

Als ob nur der Tod es wäre
Und die Namenlosen, verschwunden im Norden.
Hat nicht das Böse, gepflanzt in unsere Herzen,
Sein übles Werk schon getan?
Solange Armut ist und Reichtum,
Solang die Lügen nicht verstummen,
Solang die Angst wir nicht vertreiben,
Ist Stalin nicht tot.

BORIS TSCHITSCHIBABIN,
»Stalin ist nicht tot«, 1967[1]

# Die Ära der Dissidenten

Stalins Tod hatte tatsächlich für den massiven Einsatz von Zwangsarbeit in der Sowjetunion das Ende eingeläutet. Obwohl die sowjetische Unterdrückungspolitik auch in den folgenden vierzig Jahren zuweilen sehr harte Formen annahm, kam niemand mehr auf den Gedanken, das riesige Lagersystem zu neuem Leben zu erwecken. Keiner versuchte mehr, es zu einem zentralen Bestandteil der sowjetischen Wirtschaft zu machen oder Millionen Menschen auf diese Art einzukerkern. Die Geheimpolizei erhielt nie wieder die Kontrolle über einen so großen Anteil am Wirtschaftspotenzial des Landes, und Lagerkommandanten konnten sich nie mehr als Direktoren mächtiger Industrieunternehmen gerieren.

Ganz verschwanden die Lager allerdings nicht. Und die sowjetischen Gefängnisse fügten sich auch nicht in einen »normalen« Strafvollzug ein, in dem nur Kriminelle einsaßen. Stattdessen durchliefen sie einen gewissen Wandel.

Zunächst wandelte sich das Wesen der politischen Gefangenen. Zu Stalins Zeit erinnerte das Unterdrückungssystem an ein Glücksspiel: Jeder konnte zu jeder Zeit und aus jedem Grund verhaftet werden – Bauern, Arbeiter und Parteibürokraten gleichermaßen. Auch nach Chruschtschow nahm die Geheimpolizei Menschen gelegentlich »wegen nichts« fest, wie Anna Achmatowa einst gesagt hatte. Aber Breschnews KGB verhaftete in der Regel doch »für etwas«, und wenn es keine wirkliche Straftat war, dann für literarische, religiöse oder politische Gegnerschaft zum Sowjetsystem. In der Regel »Dissidenten« – manchmal auch »Gefangene aus Gewissensgründen« genannt –, wusste diese neue Generation von Politischen, warum sie in Haft saß, verstand sich selbst als politische Gefangene und wurde auch so behandelt.

Sie waren nun viel weniger an Zahl als zu Stalins Zeiten. Mitte der siebziger Jahre schätzte Amnesty International, dass von der einen Million Häftlinge in der Sowjetunion nur etwa zehntausend politische Strafen verbüßten, die meisten in den beiden »politischen« Lagerkomplexen in Mordowien, südlich von Moskau, und bei Perm im Westural.[2] Pro Jahr wurden in der Regel nicht mehr als einige tausend offen politische Verhaftungen vorgenommen. In jedem anderen Land wäre das eine sehr große Zahl, im Vergleich zur Sowjetunion unter Stalin war sie jedoch gering.

Nach Berichten ehemaliger Häftlinge tauchte diese neue Art von Politischen bereits 1957 im Gefolge des ungarischen Aufstandes vom Oktober 1956 in den Lagern auf, als sowjetische Bürger und Soldaten festgenommen wurden, die mit der Erhebung sympathisiert hatten.[3] Zur gleichen Zeit gelangten die ersten wenigen »Abgelehnten« in sowjetische Gefängnisse: Juden, denen man die Auswanderung nach Israel verweigert hatte.

Ende der fünfziger Jahre wurden ebenfalls die ersten Gruppen sowjetischer Baptisten verhaftet, die sich bald zur größten Einzelgruppe von Dissidenten hinter Stacheldraht entwickeln sollten, dazu Mitglieder weiterer religiöser Sekten. Im Jahr 1960 stieß Awraham Schifrin in einer Strafzelle im politischen Lager Potma sogar auf eine Gruppe von Altgläubigen, die an archaischen Riten der orthodoxen Kirche festhielten. Ihre Gemeinschaft hatte sich 1919 in die unberührten Wälder des Nordurals zurückgezogen und dort in völliger Abgeschiedenheit gelebt, bis ein Hubschrauber des KGB sie fünfzig Jahre später entdeckte.[4]

Schifrin selbst gehörte einer neuen Kategorie von Gefangenen an: Söhne und Töchter von »Volksfeinden«, denen es Ende der fünfziger Jahre schwer fiel, sich in die Routine der Sowjetgesellschaft einzufügen. Ein auffallend großer Teil der Dissidentengeneration, besonders der Menschenrechtsaktivisten, waren Kinder oder Verwandte von Stalinopfern. Zu den berühmtesten gehören die Zwillingsbrüder Zhores und Roy Medwedjew. Roy, ein Historiker, wurde zu einem der bekanntesten Publizisten des sowjetischen Untergrundes. Zhores, Wissenschaftler und ebenfalls Dissident, fand sich daraufhin in einer psychiatrischen Klinik wieder. Ihren Vater hatte man als »Volksfeind« verhaftet, als sie noch Kinder waren.[5]

Sie sollten nicht die Einzigen bleiben. 1967 sandten die Nachkommen von Kommunisten, die unter Stalin gelitten hatten, einen offenen Brief an das Zentralkomitee, in dem sie vor der Gefahr des Neostalinismus warnten. Diesen Brief, eines der ersten öffentlichen Protestschreiben an die Behörden, hatten eine Reihe Publizisten und Aktivisten der Dissidentenbewegung unterschrieben, von denen viele bald selbst inhaftiert werden sollten: Pjotr Jakir, der Sohn des Generals Iona Jakir, Anton Antonow-Owsejenko, der Sohn des bekannten Bolschewiken Wladimir Antonow-Owsejenko, und Larissa Bogoras, deren Vater wegen trotzkistischer Aktivitäten 1936 ins Gefängnis kam. Offenbar reichte ein Erlebnis mit Lagerhaft in der Familie aus, um die junge Generation zu radikalisieren.[6]

Aber nicht nur die Gefangenen waren andere, sondern auch die Justiz hatte sich in einigen Aspekten gewandelt. 1960, als die Tauwetterperiode ihren Höhepunkt erreichte, wurde ein neues Strafgesetz eingeführt. Zweifellos war es liberaler. Verhöre zur Nachtzeit wurden abgeschafft, die Befugnisse des KGB (bei der Ermittlung in politischen Fällen) und des Innenministeriums (bei der Leitung des Strafvollzuges) eingeschränkt. Staatsanwälte erhielten größere Unabhängigkeit, vor allem aber wurde der verhasste Artikel 58 abgeschafft.[7]

Manche dieser Veränderungen wurden zu Recht als reine Kosmetik abgetan. Denn wenn die Behörden einen vermeintlich Andersdenkenden verhaften wollten, dann konnten sie das nach wie vor tun. An die Stelle des Artikel 58 traten in dem neuen Strafgesetz Artikel 70 über »antisowjetische Agitation und Propaganda« sowie Artikel 72 über »Organisierte Beteiligung an besonders gefährlichen Verbrechen gegen den Staat sowie Beteiligung an antisowjetischen Organisationen«. Hinzu kam Artikel 142, »Verletzung des Gesetzes über die Trennung von Kirche und Staat«. Wenn der KGB also jemanden aus religiösen Gründen festnehmen wollte, dann war das nach wie vor möglich.[8]

Dennoch war nicht alles gleich. In der Zeit nach Stalin achteten die Behörden – Staatsanwälte, Gefängnisse, Lagerwachen und Aufseher – viel mehr auf die Außenwirkung ihres Handelns und gaben sich daher große Mühe, einen Schein von Legalität zu wahren. Als beispielsweise Artikel 70 sich als zu lasch erwies, um jeden hinter Gitter zu bringen, der den Behörden missfiel, wurde das Strafgesetzbuch um Artikel 190-1 ergänzt, der »die mündliche Verbreitung bewusster Verleumdungen zur Diskreditierung des politischen und gesellschaftlichen Systems der Sowjetunion« untersagte. Die Justiz sollte wie ordentliche Justiz wirken, selbst wenn jeder wusste, dass das eine Täuschung war.[9]

Als eindeutige Absage an das alte System der Troikas und Sonderkommissionen legte das neue Gesetz fest, dass Verhaftete vor ein ordentliches Gericht zu stellen waren, eine Bestimmung, die den sowjetischen Behörden in der Folgezeit viel mehr Unannehmlichkeiten bereiten sollte, als sie damals ahnen konnten.

Zwar wurde Jossif Brodski nicht nach den neuen, gegen die Dissidenten gerichteten Gesetzen abgeurteilt, aber sein Prozess läutete in vieler Hinsicht die neue Ära ein. Dass er überhaupt stattfand, war schon etwas Neues. In der Vergangenheit hatte man über Personen, die dem Staat Ärger bereiteten, nicht öffentlich verhandelt, es sei denn in sorgfältig inszenierten Schauprozessen. Brodskis Verhalten vor Gericht war Beweis genug, dass er einer anderen Generation angehörte als Solschenizyn und die politischen Gefangenen wenige Jahre zuvor.

Brodski hat einmal geschrieben, dass ihm die Erfahrung der Indoktrination erspart blieb, die andere, nur wenige Jahre ältere noch erleiden mussten: »Wir tauchten aus den Nachkriegstrümmern auf, als der Staat zu beschäftigt damit war, seine eigene Haut zu flicken, und sich nicht richtig um uns kümmern konnte. Wir kamen zur Schule, und welch höherer Quatsch uns dort auch beigebracht wurde – Leid und Armut rundum waren offensichtlich. Eine Ruine läßt sich nicht mit einer Seite der ›Prawda‹ zudecken.«[10]

Wenn es sich um Russen handelte, dann kamen Brodskis Altersgenossen in der Regel über ihre literarischen oder künstlerischen

Vorlieben, die sie in Breschnews Sowjetunion nicht ausleben konnten, zur Kritik an den Zuständen in ihrem Lande. Für Balten, Kaukasier oder Ukrainer war meist eine von den Eltern überkommene nationalistische Einstellung das Motiv. Brodski selbst war ein typischer Leningrader Dissident. Schon in sehr jungen Jahren lehnte er die sowjetische Propaganda ab und verließ mit fünfzehn die Schule. Er arbeitete mal hier, mal da und begann bald Gedichte zu schreiben. Mit Anfang zwanzig hatte er sich in der Leningrader Literaturszene bereits einen Namen gemacht. Die alternde Achmatowa nahm ihn unter ihre Fittiche. Seine Gedichte wurden unter Freunden weitergegeben und auf geheimen Literaturabenden rezitiert – ebenfalls etwas Neues, das für diese Zeit typisch war.

Damit zog Brodski unweigerlich die Aufmerksamkeit der Geheimpolizei auf sich. Zuerst wurde er nur schikaniert, später verhaftet. Die Anklage lautete auf »Parasitentum«: Da Brodski als Dichter nicht vom Schriftstellerverband anerkannt war und keinem regelmäßigen Broterwerb nachging, galt er als asozial. Bei seinem Prozess im Februar 1964 erklärten die Zeugen der Staatsanwaltschaft, die der Angeklagte meist gar nicht kannte, er sei ein »moralisch verkommener Mensch, der von anderen abschreibt und antisowjetische Verse verfasst«. Zu seiner Verteidigung konnte er aus Briefen und Reden berühmter Dichter und Schriftsteller, darunter Anna Achmatowa, zitieren.

Natürlich war der Prozess nicht allein gegen Brodski gerichtet, sondern gegen die Reste einer unabhängigen Schicht von Intellektuellen mit ihren Verbindungen, ihrer vermuteten Gegnerschaft zur Sowjetmacht und ihrer Verachtung für »Arbeit«. In gewissem Sinne hatten die Organisatoren des Prozesses durchaus ins Schwarze getroffen: Brodski war gegen die Sowjetmacht eingestellt, er hasste sinnlose, fruchtlose Arbeit und vertrat eine entfremdete Klasse, Menschen, die von dem Rückschlag nach dem Tauwetter zutiefst frustriert waren. Da Brodski das selbst genau wusste, war er über seine Verhaftung nicht verwundert und von dem Prozess nicht aus der Fassung gebracht. Stattdessen stritt er mit dem Richter:

»Richter: Was ist Ihre Beschäftigung?
Brodski: Ich bin Dichter.
Richter: Wer hat Sie als Dichter anerkannt? Wer hat Ihnen das Recht gegeben, sich Dichter zu nennen?
Brodski: Niemand. Wer hat mir das Recht gegeben, dem Menschengeschlecht anzugehören?
Richter: Haben Sie dafür ein Studium absolviert?
Brodski: Wofür?
Richter: Um Dichter zu werden. Warum haben Sie keine höhere Bildung angestrebt, um etwas zu lernen, um sich vorzubereiten?
Brodski: Ich glaube nicht, dass Dichten etwas mit Lernen zu tun hat.
Richter: Womit dann?
Brodski: Ich denke, es ist … eine Gottesgabe.«

Als er später gefragt wurde, ob er das Gericht noch um etwas bitten wolle, sagte Brodski: »Ich möchte wissen, warum man mich verhaftet hat.« Der Richter antwortete: »Das ist eine Frage, keine Bitte.« Darauf Brodski: »Wenn das so ist, dann habe ich keine Bitten.«[11]

Formal gesehen, verlor Brodski den Streit: Der Richter verurteilte ihn zu fünf Jahren Zwangsarbeit in einer Kolonie bei Archangelsk. Als Begründung wurde angeführt, er habe »es systematisch unterlassen, die Pflichten eines Sowjetbürgers zu erfüllen, keine materiellen Werte produziert, nicht für seinen Unterhalt gesorgt, wie aus dem häufigen Wechsel seiner Arbeitsstellen zu ersehen« sei. Unter Berufung auf Auskünfte der »Kommission für Arbeit mit jungen Dichtern« erklärte der Richter, Brodski, der später den Nobelpreis für Literatur erhalten sollte, sei »kein Dichter«.[12]

Aus anderer Sicht »gewann« Brodski diesen Prozess in einer Weise, wie es früheren Generationen russischer Häftlinge nicht möglich gewesen wäre. Er stellte nicht nur den Sinn der sowjetischen Justiz in Frage, sondern dieser Vorgang wurde auch noch für die Nachwelt festgehalten. Ein Journalist fertigte ein detailliertes Protokoll des Prozesses an, das anschließend in den Westen geschmuggelt wurde. Das machte Brodski mit einem Schlag in Russland und im Ausland bekannt. Sein Auftreten im Gerichtssaal wurde zum Vorbild, dem andere nacheiferten; Schriftsteller im In- und Ausland forderten von der Regierung seine Freilassung. Nach zwei Jahren wurde diese gewährt und Brodski aus der UdSSR ausgewiesen.

All das wäre zu Stalins Lebzeiten undenkbar gewesen. »Wie immer werden Menschen hinter Gitter gebracht und nach dem Osten abtransportiert«, schrieb Valentin Moros, ein kritischer ukrainischer Historiker, kurze Zeit später: »Aber diesmal sind sie nicht unbekannt geblieben.«[13] Das war letztlich der größte Unterschied zwischen den Gefangenen Stalins und denen Breschnews und Andropows. Die Außenwelt wusste von ihnen, setzte sich für sie ein und konnte ihr Schicksal beeinflussen. Das Sowjetregime wurde davon allerdings nicht liberaler – nach dem Brodski-Prozess sollten die Ereignisse sich überschlagen.

So wie das Jahr 1937 für die Verfolgung der Intelligenz der Stalin-Zeit besondere Bedeutung hat, war 1966 für die Tauwetter-Generation ein besonderes Jahr. Nun war klar, dass die Neostalinisten triumphiert hatten. Chruschtschow war abgesetzt. An seine Stelle war Leonid Breschnew getreten, der mit eindeutigen Erklärungen Stalins Reputation wiederherzustellen versuchte.[14] Ein Jahr später hielt Juri Andropow, der frisch gebackene Chef des KGB, eine Rede zum fünfzigsten Jahrestag der Gründung der Tscheka, in der er die sowjetische Geheimpolizei unter anderem für ihren »unnachgiebigen Kampf gegen die Feinde des Staates pries«.[15]

Im Februar 1966 kamen Andrej Sinjawski und Juli Daniel vor Gericht. Beide waren bekannte Schriftsteller und hatten bereits im Ausland veröffentlicht. Man befand sie nach Artikel 70 des Strafgesetzbuches der »antisowjetischen Agitation und Propaganda« für schuldig. Sinjawski erhielt sieben und Daniel fünf Jahre Zwangsarbeit.[16] Sie waren die Ersten, die man nicht wegen asozialen Verhaltens, sondern für den Inhalt ihrer literarischen Arbeit verurteilte. Einen Monat später wurde zwei Dutzend ukrainischen Intellektuellen in Kiew unter wesentlich größerer Geheimhaltung der Prozess gemacht.[17]

Nach einem Muster, das bald nur zu vertraut werden sollte, brachten diese Prozesse immer weitere hervor, da immer mehr empörte Intellektuelle die Sprache des sowjetischen Rechtssystems und die sowjetische Verfassung benutzten, um Justiz und Polizei des Landes zu kritisieren. Der Fall von Sinjawski und Daniel zum Beispiel beeindruckte Alexander Ginsburg, einen jungen Moskauer, der bereits in »inoffiziellen« kulturellen Zirkeln aktiv war. Er stellte eine Mitschrift des Sinjawski/Daniel-Prozesses als »Weißbuch« zusammen und ließ es in Moskau kursieren. Zusammen mit drei angeblichen Mittätern wurde er bald darauf verhaftet.[18]

Etwa zur selben Zeit beeindruckten die Kiewer Prozesse in gleicher Weise den jungen ukrainischen Anwalt Wjatscheslaw Tschornowil. Er stellte ein Dossier über das ukrainische Justizsystem zusammen, zeigte dessen innere Widersprüche auf und wies nach, wie rechtswidrig und absurd die Verhaftungen in der Ukraine waren.[19] Auch er wurde bald darauf verhaftet.[20] So entstand aus einer von Schriftstellern und Dichtern begründeten kulturellen und geistigen Strömung eine Bewegung für die Menschenrechte.

Wenn man die sowjetische Menschenrechtsbewegung in einen größeren Zusammenhang stellt, fällt auf, dass die sowjetischen Dissidenten niemals eine Massenorganisation aufbauten wie ihre polnischen Kollegen und auch nicht für sich beanspruchen können, das Sowjetregime allein zu Fall gebracht zu haben. Das Wettrüsten, der Afghanistankrieg und die wirtschaftliche Katastrophe, die das zentrale Planungssystem verursachte, haben mindestens ebenso großen Anteil daran. Ja, die sowjetischen Dissidenten brachten kaum mehr als eine Hand voll öffentlicher Demonstrationen zustande. An der bekanntesten, die am 25. August 1968 als Protest gegen den sowjetischen Einmarsch in der Tschechoslowakei stattfand, waren ganze sieben Personen beteiligt. Um die Mittagszeit versammelten sie sich vor der Basilius-Kathedrale auf dem Roten Platz, entrollten die tschechoslowakische Fahne und Spruchbänder mit Losungen wie: »Es lebe die freie und unabhängige Tschechoslowakei!«, »Hände weg von der Tschechoslowakei, für eure und unsere Freiheit!«. Minuten später ertönte eine Trillerpfeife, und KGB-Agenten in Zivil stürzten sich auf die Demonstranten, als hätten sie sie bereits erwartet, mit dem Ruf: »Das sind alles Juden!« »Schlagt die Sowjetfeinde!« Sie rissen die Spruchbänder nieder, verprügelten die Demonstranten und brachten alle außer einer Frau, die ihr drei Monate altes Baby bei sich hatte, auf direktem Weg ins Gefängnis.[21]

So schwach sie waren, verursachten diese Aktionen der sowjetischen Führung gleichwohl viel Ärger; schließlich war ihr Ziel nach wie vor die Weltrevolution, ihr Bild in der internationalen Öffentlichkeit daher für sie von enormer Bedeutung. Zu Stalins Zeiten hatte man die Tatsache massiver Unterdrückung sogar vor einem amerikanischen Vizepräsidenten auf Rundreise geheim halten können. In den sechziger und siebziger Jahren ging die Nachricht von einer einzigen Verhaftung über Nacht um die Welt.

Zum Teil war die Verbesserung der Massenkommunikation über Radiosender wie Voice of America und Radio Liberty sowie das Fernsehen dafür verantwortlich. Zum Teil lag es daran, dass die Sowjetbürger selbst neue Wege der Nachrichtenübermittlung auftaten. Denn 1966 war auch in anderer Hinsicht ein Meilenstein: Das Wort *Samisdat* wurde geboren. Dieses Akronym, das dem russischen Wort *Gosisdat,* »Staatsverlag«, nachgebildet ist, bedeutet im Wortsinn »Selbstverlag« und meint die Untergrundpresse. Das war keine neue Idee. Der Samisdat ist in Russland fast so alt wie das geschriebene Wort. Bereits Puschkin verbreitete in den zwanziger Jahren des neunzehnten Jahrhunderts heimlich handgeschriebene Exemplare seiner politischen Gedichte. Und auch in der Stalin-Zeit war die Weitergabe von Geschichten und Gedichten unter Freunden nicht unbekannt.

Seit 1966 breitete sich der Samisdat allerdings über das ganze Land aus. In der Periode des Tauwetters hatten viele Sowjetbürger Geschmack an freieren literarischen Werken gefunden, weshalb der Samisdat zunächst vor allem ein literarisches Phänomen war.[22] Sehr rasch nahm er jedoch einen politischeren Charakter an. In einem Bericht des KGB vom Januar 1971 für die Mitglieder des Zentralkomitees werden die Veränderungen der vorausgegangenen fünf Jahre untersucht. Danach hatte die Geheimpolizei

> »... über vierhundert Studien und Artikel zu wirtschaftlichen, politischen und philosophischen Fragen sichergestellt, die die historischen Erfahrungen des sozialistischen Aufbaus in der Sowjetunion

> aus verschiedener Sicht kritisieren, die Innen- und Außenpolitik der Kommunistischen Partei in Frage stellen und verschiedene Programme oppositioneller Tätigkeit propagieren«.[23]

Der Bericht kam zu dem Schluss, der KGB müsse Schritte einleiten, um »die vom Samisdat propagierten antisowjetischen Tendenzen zu neutralisieren und zu diskreditieren«. Aber es war zu spät, den Geist zurück in die Flasche zu jagen. Der Samisdat wuchs und nahm die verschiedensten Formen an: maschinengeschriebene Gedichte, die von Freund zu Freund weitergegeben und bei jeder Gelegenheit neu abgetippt wurden, handgeschriebene Infobriefe und Bulletins, Mitschriften von Sendungen der Voice of America, und – viel später – Bücher und Zeitschriften, die man auf illegalen Druckmaschinen – oft im kommunistischen Polen – professionell herstellte. Gedichte und Songs, die russische Liedermacher wie Alexander Galitsch, Bulat Okudschawa oder Wladimir Wyssozki schrieben, fanden dank technischer Neuerungen wie dem Kassettenrecorder rasche Verbreitung.

In den sechziger, siebziger und achtziger Jahren war die Geschichte des Stalinismus einschließlich der des Gulags eines der wichtigsten Themen im Samisdat. Die Netzwerke druckten und verbreiteten weiterhin Werke von Solschenizyn, der inzwischen in der UdSSR verboten war. Warlam Schalamows Gedichte und Erzählungen sowie Jewgenia Ginsburgs Memoiren zirkulierten ebenfalls zuerst im Untergrund.

Ein anderes wichtiges Thema war die Verfolgung der Dissidenten. Erst dank Samisdat, besonders jener Erzeugnisse, die ins Ausland gelangten, bekamen die Menschenrechtler in den siebziger Jahren ein größeres internationales Forum. Die Dissidenten lernten, mit Hilfe des Samisdat die Widersprüche zwischen dem Rechtssystem der UdSSR und den Methoden des KGB herauszustellen, zugleich aber auch immer lauter und häufiger auf die Kluft hinzuweisen, die zwischen den von der UdSSR unterzeichneten Menschenrechtskonventionen und der sowjetischen Praxis klaffte. Bevorzugte Texte waren dabei die Allgemeine Erklärung der Menschenrechte der UN und die Schlussakte von Helsinki. Erstere hatte die UdSSR bereits 1948 unterzeichnet. Ihr Artikel 19 lautet:

> »Jedermann hat das Recht auf Freiheit der Meinung und der Meinungsäußerung; dieses Recht umfasst die unbehinderte Meinungsfreiheit und die Freiheit, ohne Rücksicht auf Staatsgrenzen Informationen und Gedankengut durch Mittel jeder Art sich zu beschaffen, zu empfangen und weiterzugeben.«[24]

Die Schlussakte von Helsinki – das Ergebnis der Konferenz für Sicherheit und Zusammenarbeit in Europa – enthielt im so genannten Korb 3 eine Reihe von Vereinbarungen zum Thema Menschenrechte, die von allen beteiligten Staaten, auch der UdSSR, unterzeichnet wurden. Die Teilnehmerstaaten verpflichten sich darin unter anderem zur Gewährung von »Gedanken-, Gewissens-, Religions- und Überzeugungsfreiheit« und

> »anerkennen die universelle Bedeutung der Menschenrechte und Grundfreiheiten ... Sie werden diese Rechte und Freiheiten in ihren gegenseitigen Beziehungen stets achten und sich einzeln und gemeinsam, auch in Zusammenarbeit mit den Vereinten Nationen bemühen, die universelle und wirksame Achtung dieser Rechte und Freiheiten zu fördern.«

Inner- wie außerhalb der UdSSR stammten die meisten Informationen über die Bemühungen der Dissidenten, zur Umsetzung dieser Vereinbarungen beizutragen, aus der Zeitschrift des sowjetischen Samisdat, der »Chronik laufender Ereignisse«. Dieses Bulletin, das anderswo nicht publizierte Nachrichten über Menschenrechtsverletzungen, Verhaftungen, Prozesse, Demonstrationen und neue Publikationen des Samisdat neutral weitergab, wurde von einem kleinen Freundeskreis in Moskau gegründet, dem Sinjawski, Daniel, Ginsburg und zwei später berühmte Dissidenten – Pawel Litwinow und Wladimir Bukowski – angehörten. Die Entwicklungsgeschichte der »Chronik« wäre ein weiteres Buch vom Umfang des vorliegenden wert. In den siebziger Jahren führte die Geheimpolizei einen regelrechten Krieg gegen diese Publikation, organisierte groß angelegte Hausdurchsuchungen bei allen, die mit diesem Journal in Verbindung gebracht wurden. Aber die »Chronik« überlebte selbst die Verhaftung ihrer Herausgeber und gelangte bis in den Westen. Amnesty International verbreitete regelmäßig Übersetzungen.[25]

Die »Chronik« spielte in der Geschichte des Lagersystems ebenfalls eine herausragende Rolle. Sie wurde bald zur Hauptinformationsquelle über das Leben dort in der Zeit nach Stalin. In ihrer Rubrik »In Gefängnissen und Lagern« und später »In den Strafzellen« erschienen regelmäßig Reportagen aus den Lagern und Interviews mit Gefangenen.

Ob durch Indiskretion, Bestechung oder Schmeichelei erlangt, die Informationen, die die »Chronik« aus den Lagern holte, haben bis heute ihre Bedeutung behalten. Als dieses Buch geschrieben wurde, waren die Akten von Innenministerium und KGB aus der Zeit nach Stalin für die wissenschaftliche Forschung immer noch verschlossen. Aber dank der »Chronik«, dank anderen Publikationen des Samisdat und der Menschenrechtsbewegung, dank auch der vielen Erinnerungen aus den Lagern der sechziger, siebziger und achtziger Jahre war es möglich, sich ein zusammenhängendes Bild davon zu machen, wie es dort zuging.

»Weil die heutigen sowjetischen Lager für politische Gefangene ebenso grauenhaft sind wie Stalins Lager oder in mancher Beziehung sogar noch schlimmer ...«

So beginnen Anatoli Martschenkos Memoiren über seine Jahre in der Haft. Als dieses Dokument Ende der sechziger Jahre in Moskau zirkulierte, war das ein Schock für die Intelligenz der Stadt, die geglaubt hatte, mit den Arbeitslagern sei es endgültig vorbei. Martschenko, ein Arbeiter, dessen Eltern noch Analphabeten waren, geriet zum ersten Mal wegen Rowdytum in die Fänge der Justiz. Sein zweites Gerichtsurteil erhielt er für Hochverrat. Er hatte die Sowjetunion über die iranische Grenze verlassen wollen. Zur Verbüßung dieser politischen Strafe wurde Martschenko nach Dubrawlag in Mordowien geschickt, eines der zwei berüchtigten Lager mit verschärftem Regime für politische Gefangene.

Viele seiner Erlebnisse mussten jenen bekannt vorkommen, die bereits von den Zuständen in den Stalinschen Lagern gehört hatten. Wie seine Vorgänger wurde auch Martschenko in einem Stolypin-

Waggon nach Mordowien gebracht. Wie seine Vorgänger erhielt er einen Laib Brot, fünfzig Gramm Zucker und einen Salzhering für die Reise. Wie damals hing es von dem Begleitsoldaten ab, ob die Häftlinge Wasser bekamen: »Bestenfalls gibt er ein- bis zweimal am Tag Wasser aus, wird es ihm aber zu beschwerlich, mit der Kanne herumzulaufen, so kannst du einfach verdursten.«[26]

Im Lager angekommen, musste Martschenko von den gleichen Hungerrationen leben wie andere Jahrzehnte zuvor. »Während der sechs Jahre Gefängnis und Lager habe ich zweimal Butterbrot gegessen – das war beim Wiedersehen. Zwei Gurken habe ich in der ganzen Zeit gegessen: eine 1964 und die andere 1966. Nicht ein einziges Mal bekam ich eine rote Tomate oder einen Apfel.«[27]

Arbeit spielte immer noch eine Rolle, allerdings wurde nun anderes verlangt. Martschenko arbeitete als Lastträger und Zimmermann.

Martschenko machte Erfahrungen erst als Krimineller, dann als politischer Häftling, und über die Jahre, so stellte er fest, verschlechterten sich die Bedingungen. Seine Beschreibungen der Verbrecherwelt im Lager klingen vertraut. Seit Stalins Tod waren ihre Sitten und Gebräuche höchstens noch weiter verfallen.

Die Gewaltkultur von Dominanz und homosexueller Vergewaltigung, die wir aus früheren Schilderungen von Jugendhaftanstalten kennen, spielte jetzt eine weit größere Rolle. Ungeschriebene Gesetze teilten die Kriminellen strikt in zwei Gruppen ein, die jeweils die »Frauen«- beziehungsweise »Männerrolle« übernahmen. »Erstere wurden von allen verachtet, letztere spielten sich als Helden auf, prahlten mit ihrer Männlichkeit und ihren ›Eroberungen‹ nicht nur vor ihresgleichen, sondern auch vor den Vorgesetzten«, schrieb Martschenko.[28] Schenja Fjodorow zufolge, der 1967 wegen Diebstahls verhaftet wurde, spielten die Behörden das Spiel mit, indem sie die »unreinen« Gefangenen in separate Zellen sperrten. Jeder konnte dorthin geraten: »Wenn man beim Kartenspiel verlor, konnte man dazu gezwungen werden, es ›wie eine Frau‹ zu machen.«[29]

In den sechziger Jahren wurde die Tuberkulose zu einer Geißel der russischen Haftanstalten und ist es bis heute geblieben. Fjodorow beschreibt die Situation so: »Wenn in einer Baracke achtzig

Leute schliefen, dann hatten fünfzehn Tbc. Sie wurden nicht behandelt, denn gegen alles gab es nur eine Arznei, eine Art Kopfschmerztabletten. Die Ärzte benahmen sich wie SS-Leute: Sie sprachen nicht mit einem Gefangenen und schauten ihm nicht ins Gesicht, als ob er Luft für sie sei.«[30]

Viele Kriminelle waren inzwischen nach *Tschifir* süchtig, einem extrem starken Tee, der einen Rauschzustand auslöste. Andere kamen auf die abstrusesten Ideen, um sich Alkohol zu beschaffen. Von Häftlingen, die außerhalb des Lagers arbeiteten, was durchaus vorkam, wurde eine besondere Methode entwickelt, diesen an den Wachen vorbeizuschmuggeln:

Ein Kondom wird fest mit einem langen dünnen Plastikschlauch verbunden. Der *Sek* schluckt es hinunter, bis er nur noch das Ende des Schlauchs im Mund hat. Damit er es nicht aus Versehen verschluckt, klemmt er es in eine Zahnlücke. Das ist kein Problem, da kaum ein *Sek* noch alle 32 Zähne hat. Dann werden ihm mit Hilfe einer Spritze durch den Plastikschlauch bis zu drei Liter reiner Sprit in das Kondom gepumpt. In diesem Zustand geht der *Sek* ins Lager zurück. Wenn das Kondom nicht richtig festgebunden war oder in seinem Magen platzt, ist ihm ein qualvoller Tod gewiss. Und doch nehmen sie dieses Risiko immer wieder auf sich, denn drei Liter Sprit ergeben sieben Liter Wodka. Ist der »Held« im Lager zurück, wird er in der Baracke mit dem Kopf nach unten an einem Balken aufgehängt. Aus dem Schlauch läuft der Sprit in eine Schüssel, wobei auch der letzte Tropfen sorgfältig aufgefangen wird. Dann ziehen sie ihm das Kondom wieder heraus.

Auch Selbstverstümmelung war nach wie vor weit verbreitet. Nur nahm sie jetzt noch krassere Formen an. Eduard Kusnezow, der ins Lager kam, weil er an einem berühmt gewordenen Versuch beteiligt war, ein Flugzeug vom Leningrader Flugplatz zu entführen, beschreibt Dutzende Methoden:

»Unzählige Male bin ich Zeuge der unglaublichsten Selbstverstümmelungen geworden: Nägel und Stacheldraht werden kilogrammweise verschluckt. Man würgt Quecksilberthermometer, Zinnschlüssel (nachdem man sie vorher in ›essbare‹ Stücke zerkleinert hat) hinunter, Schachfiguren, Dominosteine, Nadeln. Glasscherben, Löffel, Messer ... und was einem sonst noch in die Hände gerät. Man näht sich Mund und Augen mit Zwirn oder Draht zu oder näht sich eine ganze Reihe von Knöpfen am Körper an. Man nagelt sich den Hodensack an den Pritschen fest ... Man schneidet die Haut an Händen und Füßen ein und zieht sie wie einen Strumpf ab. Man schneidet sich Fleischstücke (vom Bauch oder von den Beinen) heraus, brät sie und verspeist sie. Man füllt eine Schüssel mit dem Blut aus einer geöffneten Vene, bröckelt sich Brot hinein und löffelt diese Suppe aus. Man schneidet sich Finger, Nase, Ohren und Penis ab ...«

Kusnezow schreibt, dass die Häftlinge dies nicht unbedingt aus Protest taten, sondern häufig ohne jeden Grund oder »um ins Krankenhaus zu kommen, wo die jungen Schwestern so keß mit den Hüften wackeln, wo man Krankenration genießt und nicht zur Arbeit getrieben wird, wo man an Narkotika herankommt, Diätküche essen kann und Pakete oder den Besuch seiner Brieffreundin empfangen darf ...« Masochisten gab es auch, die »von Aderlass zu Aderlass in Depression« verfielen.[31]

Unbestreitbar hatte sich das Verhältnis zwischen Kriminellen und politischen Gefangenen seit Stalins Zeiten stark verändert. Zwar quälten oder verprügelten Kriminelle manchmal die Politischen: Der ukrainische Dissident Valentin Moros wurde mit Kriminellen in einer Zelle untergebracht, die ihn nachts nicht schlafen ließen und ihm schließlich einen scharf geschliffenen Löffel in den Bauch rammten.[32] Aber es gab auch Kriminelle, die vor Politischen hohen Respekt hatten, und sei es nur, weil diese sich den Behörden widersetzten. Dazu Wladimir Bukowski: »Sie wollten wissen, wofür wir sitzen, wofür wir kämpfen, lasen mit Interesse mein Urteil und konnten nur eins nicht fassen: dass wir alles umsonst tun, nicht für Geld.«[33]

Manche Kriminelle wollten sich ihnen anschließen. Da sie meinten, in Haftanstalten für politische Gefangene gehe es milder zu, versuchten einige Berufsverbrecher politische Strafen zu erhalten. Sie schrieben Schmähbriefe über Chruschtschow oder die Partei, in denen es von Kraftausdrücken wimmelte, oder bastelten aus Lumpen »amerikanische Flaggen« und hängten sie aus dem Fenster.

Tief greifender aber war die Veränderung im Verhältnis der politischen Gefangenen zu den Behörden. In der Zeit nach Stalin wussten die Politischen, weshalb sie in Haft waren, hatten diese erwartet und bereits entschieden, dass sie dort organisierten Widerstand leisten wollten. Ihre Forderung, getrennt von den Kriminellen untergebracht zu werden, wurde schließlich erfüllt. Die Lagerleitungen wollten diese neue Generation mit ihren ständigen Ansprüchen und der permanenten Bereitschaft zum Hungerstreik so weit wie möglich von den anderen Häftlingen fern halten.

Die Verweigerung der Nahrungsaufnahme kam so häufig vor, dass die »Chronik« seit 1969 nahezu ständig von solchen Protestaktionen berichten konnte. In den siebziger Jahren wurden Hungerstreiks, Arbeitsniederlegungen und andere Protestaktionen in Mordowien und Perm zu einer ständigen Erscheinung. Hungerstreiks als kurze Aktion von nur einem Tag oder als lange, quälende Auseinandersetzung mit den Behörden riefen auf der Gegenseite bald ermüdend vorhersehbare Reaktionen hervor, wie Martschenko beschrieben hat:

> »Während der ersten Tage des Hungerstreiks kümmerte sich niemand darum; nach einigen Tagen, es mochten zehn oder zwölf sein, wurde man in eine besondere Zelle zu den anderen Hungernden geführt und künstlich ernährt. Widerstand leisten konnte man nicht, man wurde gefesselt und bekam Handschellen angelegt. Im Lager wurde diese Prozedur weitaus grausamer ausgeführt als im Untersuchungsgefängnis, zwei bis drei Male ›gefüttert‹ konnte bedeuten, alle Zähne eingebüßt zu haben.«[34]

Mitte der siebziger Jahre hatte man einige der »schlimmsten« politischen Gefangenen aus Mordowien und Perm entfernt und in besonderen Hochsicherheitsgefängnissen – vor allem in Wladimir, einer Haftanstalt aus der Zarenzeit in Mittelrussland – untergebracht, wo sie sich ganz der Auseinandersetzung mit der Staatsmacht widmeten. Das war ein gefährliches Spiel, das nach hoch komplizierten Regeln ablief. Die Gefangenen wollten ihre Haftbedingungen verbessern und Punkte machen, über die dann mittels Samisdat in den Westen berichtet werden konnte. Die Behörden dagegen wollten den Willen der Gefangenen brechen. Sie sollten informieren, kollaborieren und vor allem ihre Auffassungen öffentlich widerrufen, worüber man dann in der sowjetischen Presse und ins Ausland berichten konnte. Zwar ähnelten ihre Methoden durchaus der Folter in den Verhörzellen der Stalinzeit, aber jetzt verursachte man den Gefangenen eher seelische als körperliche Schmerzen. Natan Sharansky, Ende der siebziger und Anfang der achtziger Jahre einer der widerspenstigsten Gefangenen und heute Politiker in Israel, hat das Verfahren beschrieben:

> »Sie laden dich zu einem Gespräch ein. Du glaubst, von dir hängt nichts ab? Im Gegenteil: Sie erklären dir, dass alles von dir abhängt. Möchten Sie Tee, Kaffee, Fleisch? Oder wollen Sie mit mir ein Restaurant besuchen? Warum nicht? Sie ziehen Zivilkleidung an und los geht's. Wenn Sie auf dem Wege der Rehabilitierung sind und uns helfen wollen ... Was, Sie wollen Ihre Freunde nicht verraten? Was bedeutet das schon? Dieser Russe (oder Jude oder Ukrainer, je nach Lage), der da mit Ihnen sitzt – wissen Sie nicht, was für ein Nationalist der ist? Sie wissen nicht, wie sehr er euch Ukrainer (Russen oder Juden) hasst?«[35]

Wie in der Vergangenheit konnten die Behörden Privilegien gewähren oder Strafen verhängen. Sie konnten die Lebensbedingungen des Gefangenen steuern, indem sie kleine, aber spürbare Veränderungen in seinen Alltag einbrachten, ihn ständig zwischen allgemeinem und Strafregime wechseln ließen, immer streng nach Vorschrift. Dazu noch einmal Martschenko: »Wohl mag der Unterschied zwischen beiden Regimen für einen Menschen, der sie nicht am eigenen Leib erfahren hat, gering erscheinen, für den Häftling ist er jedoch von unermesslicher Bedeutung. Im allgemeinen Regime gibt es Radio, im strengen nicht; im allgemeinen gibt es eine Stunde Spaziergang am Tag, im strengen eine halbe Stunde und sonntags überhaupt keinen.«[36]

Man konnte den Gefangenen auch in eine Strafzelle, »Kühlschrank« genannt, stecken: eine ideale Form der Strafe aus Sicht der Behörden. Sei war völlig legal und konnte technisch nicht als Folter bezeichnet werden. Die Wirkung auf den Gefangenen war langsam und zermürbend. Da man alle Zeit der Welt hatte und keine Straße durch die Tundra fertig stellen musste, war das für die Behörden kein Problem. Diese Zellen hätte auch Stalins NKWD ersonnen haben können. In einem Dokument, das die Moskauer Helsinki-Gruppe 1976 veröffentlichte, werden die Strafzellen des Gefängnisses von Wladimir – etwa fünfzig an der Zahl – sehr detailliert beschrieben. Ihre Wände waren mit besonders scharfkantigem Rauputz bedeckt, der Fußboden war schmutzig und feucht. In einer Zelle hatte man fehlende Fensterscheiben durch Zeitungspapier ersetzt, woanders Ziegelsteine in die Lücke gelegt. Die einzige Sitzgelegenheit war ein Zylinder aus Zement von etwa 25 Zentimetern Durchmesser, mit einem Eisenmantel umgeben. Nachts wurde eine hölzerne Pritsche ohne Decken oder Kissen hereingetragen. Der Gefangene musste auf blankem Holz und Metall schlafen. In den Zellen war es so kalt, dass die Häftlinge keinen Schlaf finden und sich manchmal nicht einmal niederlegen konnten. In einigen Zellen kam die »Belüftung« aus der Kanalisation.[37]

Für Menschen, die draußen ein aktives Leben geführt hatten, war die Langeweile am schwersten zu ertragen. Juli Daniel hat darüber ein Gedicht geschrieben:

»Wochen Wochen Wochen Wochen
So verrauchen Zigaretten
Zellen Zellen Fieberträume
Angekettet ohne Ketten

Ach, der Nächte gutes Dunkel
Schlucken Hundert-Watt-Gespenster
Und das Sonnenlicht verschluckt mir
Eine Holzwand vor dem Fenster

Ausgepumpt vom Nichtstun, schlag ich
Mit der Stirn an nasse Wände
Wochen Wochen, sie verrauchen
Und sie glimmen durch die Hände«[38]

Der Häftling konnte endlos in der Strafzelle eingesperrt bleiben. Laut Vorschrift durfte die Strafe nicht länger als fünfzehn Tage dauern. Das umging die Lagerleitung jedoch, indem sie den Gefangenen für einen Tag herausließ und danach sofort wieder in den Karzer steckte. Martschenko musste dort einmal 48 Tage lang ausharren. Nach fünfzehn Tagen ließ man ihn für einige Minuten heraus, gerade genug, um ihm den neuen Strafbefehl zu verlesen, und wieder fiel die Zellentür hinter ihm zu.[39]

Wenn die Behörden einem Häftling das Rückgrat brechen wollten, dann wurde er wegen jeder Kleinigkeit hart bestraft. So verweigerte man in Lagern bei Perm in den Jahren 1973/74 zwei Gefangenen den Verwandtenbesuch, weil sie »bei Tag auf dem Bett gesessen« hatten. Ein anderer wurde bestraft, weil Marmelade in einem Päckchen, das er erhielt, zur Geschmacksverbesserung mit etwas Alkohol versetzt war. Andere Häftlinge erhielten Strafen oder Rügen, weil sie auf dem Hof zu langsam gingen oder weil sie keine Socken trugen.[40]

Zuweilen hatte anhaltender Druck Erfolg. Alexej Dobrowolski, der im Prozess von Alexander Ginsburg mit angeklagt war, ließ sich sehr rasch »brechen«. Er bat schriftlich um die Erlaubnis, die ganze Geschichte seiner »kriminellen« Dissidententätigkeit über den Rundfunk berichten zu dürfen, um junge Leute davon abzuhalten, diesen gefährlichen Weg zu gehen.[41] Auch Pjotr Jakir brach schon während der Ermittlungen zusammen und »gestand«, alles was er geschrieben hatte, frei erfunden zu haben.[42]

Andere starben darüber. Juri Galanskow, ebenfalls im Ginsburg-Prozess angeklagt, verstarb 1972. Er hatte sich in der Haft Magengeschwüre geholt. Da sie nicht behandelt wurden, führten sie schließlich seinen Tod herbei.[43] Auch Martschenko starb. Ursache waren wahrscheinlich Medikamente, die er 1986 während eines Hungerstreiks erhielt.[44] Einige andere Häftlinge starben während eines Hungerstreiks in Perm 35 im Jahr 1974. Einer nahm sich dabei selbst das Leben.[45] 1985 starb der ukrainische Dichter und Menschenrechtler Wassil Stus in Perm.[46]

Aber sie schlugen auch zurück. 1977 beschrieben die politischen Gefangenen von Perm 35, wie sie sich gegen die Lagerleitung zur Wehr setzten:

> »Wir treten oft in den Hungerstreik. In Strafzellen oder Transportwaggons. An gewöhnlichen Tagen oder am Todestag eines Kameraden. Wenn in der Zone Ungewöhnliches vorfällt, am 8. März und 10. Dezember, am 1. August und 8. Mai oder am 5. September. Zu oft müssen wir in den Hungerstreik treten. Diplomaten und Staatsmänner unterzeichnen neue Vereinbarungen über Menschenrechte, über Informationsfreiheit, über das Verbot der Folter. Wir erklären dann den Hungerstreik, weil alle diese Dinge in der UdSSR nicht eingehalten werden.«[47]

Dank ihrer Bemühungen erfuhr man im Westen immer mehr über die Dissidentenbewegung, wurden die Proteste lauter. Das wiederum wirkte sich auf die Behandlung der Gefangenen aus.

Zwar sind, wie ich erwähnte, aus den siebziger und achtziger Jahren bisher nur wenige Archivdokumente bekannt geworden, doch es gibt Ausnahmen. 1991 wurde Wladimir Bukowski aus Großbritannien, wo er seit seiner Ausweisung fünfzehn Jahre zuvor gelebt hatte, nach Russland eingeladen. Er sollte als »Gutachter des Gerichts« in dem »Prozess« gegen die Kommunistische Partei aussagen, als diese gegen Präsident Jelzins Versuch, sie zu verbieten, Einspruch erhoben hatte. Bukowski kam ins Gebäude des Verfassungsgerichts in Moskau ausgerüstet mit Laptop und Scanner. Da er sicher sein konnte, dass niemand in Russland etwas Derartiges je gesehen hatte, kopierte er in aller Ruhe die Dokumente, die als Beweismaterial vorgelegt wurden. Erst als er damit fast am Ende war, begriffen einige, die um ihn herumsaßen, was er da trieb. Einer sagte laut: »Der wird das *dort* veröffentlichen!« Im Saal wurde es totenstill. »Wie in einem Film«, erklärte Bukowski später, habe er seinen Computer zugeklappt, sei aus dem Saal gegangen, direkt zum Flugplatz gefahren und aus Russland abgeflogen.[48]

Dank dieser Aktion Bukowskis wissen wir unter anderem auch, was auf einer Sitzung des Politbüros im Jahr 1967 unmittelbar vor seiner Verhaftung geschah. Bukowski selbst war besonders erstaunt darüber, wie viele der Anwesenden glaubten, wenn man ihn eines kriminellen Vergehens beschuldigte, werde das »im In- und Ausland eine bestimmte Reaktion auslösen«. Daher entschieden sie, es wäre ein Fehler, Bukowski nur zu verhaften, man müsse ihn in eine psychiatrische Klinik einweisen.[49] Das Zeitalter des Missbrauchs der Psychiatrie hatte begonnen.

Die Methode, einen Dissidenten als Fall für den Psychiater zu behandeln, hat eine Vorgeschichte. Als der russische Philosoph Pjotr Tschaadajew im Jahr 1836, da das russische Imperium auf dem Gipfel seiner Macht stand, aus Westeuropa nach St. Petersburg zurückkehrte, schrieb er in einem kritischen Essay über die Regierung von Zar Nikolaus I.: »Im Widerspruch zu allen Gesetzen der menschlichen Gesellschaft bewegt sich Russland nur in Richtung seiner eigenen Versklavung und der Versklavung aller seiner Nachbarvölker.« Nikolaus I. verhängte daraufhin für Tschaadajew Hausarrest. Er sei sicher, erklärte der Zar, wenn die Russen hörten, ihr Landsmann leide »an Geistesgestörtheit und Wahnsinn«, würden sie ihm verzeihen.[50]

Im Gefolge des Tauwetters begannen die Behörden erneut, psychiatrische Kliniken zur Inhaftierung von Dissidenten zu benutzen, was für den KGB viele Vorteile hatte. Damit konnten Andersdenkende im In- und Ausland diskreditiert, konnte die Aufmerksamkeit von ihnen abgelenkt werden. Wenn es sich nicht um ernsthafte politische Gegner des Regimes handelte, sondern lediglich um Verrückte, wer sollte dann etwas dagegen haben, dass sie ins Krankenhaus eingeliefert wurden?

Die offizielle sowjetische Psychiatrie spielte bei dieser Farce begeistert mit. Um das Phänomen des Andersdenkens zu erklären, erfand sie eigene Diagnosen wie »träge« oder »schleichende Schizophrenie«. Dies, so erklärten die Wissenschaftler, sei eine Form der Krankheit, die keine Spuren am Intellekt oder am äußerlichen Gebaren hinterlasse, jedoch asoziales oder abnormes Verhalten jeglicher Art hervorrufen könne. »Die Vorstellung vom ›Kampf für Wahrheit und Gerechtigkeit‹ entsteht meist bei Persönlichkeiten mit einer paranoiden Struktur«, schrieben zwei sowjetische Professoren vom Serbski-Institut, dem gerichtspsychiatrischen Institut in Moskau:

»Ein charakteristisches Kennzeichen überspannter Ideen ist die Überzeugung von der Richtigkeit des eigenen Handelns, die Besessenheit von der Pflicht, ›verletzte‹ Rechte zu verteidigen, und die große Bedeutung, die gewisse Erlebnisse für die Persönlichkeit des Kranken gewinnen. Diese Kranken benutzen das Gericht als Tribüne für Reden und Appelle.«[51]

Nach dieser Definition konnte man nahezu alle Dissidenten für geistesgestört erklären. Dem Schriftsteller und Wissenschaftler Zhores Medwedjew stellte man die Diagnose »träge Schizophrenie«, begleitet von »paranoider Selbsttäuschung, die Gesellschaft reformieren zu wollen«. Zu seinen Symptomen gehörte weiter »Persönlichkeitsspaltung«, was damit begründet wurde, dass er sich als Wissenschaftler und Autor betätigte. Der ersten Redakteurin der »Chronik«, Natalja Gorbanewskaja, wurde bescheinigt, sie leide an träger Schizophrenie mit »unklaren Symptomen«, die zu »abnormen Veränderungen der Emotionen, des Willens und der Denkmuster« führten. Bei dem kritischen General der Roten Armee Pjotr Grigorenko hieß es, sein psychischer Zustand sei »geprägt durch reformerische Ideen, insbesondere für die Umgestaltung des Staatsapparates, was mit Überschätzung der eigenen Persönlichkeit von messianischen Ausmaßen« einhergehe.[52] In einem Bericht an das Zentralkomitee klagte ein örtlicher KGB-Chef, er habe sich mit einer Gruppe Bürger zu befassen, die an einer besonderen Form von Geisteskrankheit litten: Sie »versuchen neue ›Parteien‹, Organisationen und Räte zu gründen, ersinnen und verbreiten Pläne für neue Gesetze und Programme«.[53]

Abhängig von den Umständen ihrer Verhaftung – oder Nicht-Verhaftung –, konnten Häftlinge, die als geisteskrank galten, in verschiedene Institutionen eingewiesen werden. Einige wurden von Gefängnisärzten untersucht, andere in Krankenhäusern. Eine Einrichtung besonderer Art war das Serbski-Institut, dessen Diagnose-Abteilung in den sechziger und siebziger Jahren von Dr. Daniil Lunz geleitet wurde. Er war für die Begutachtung politischer Straftäter zuständig. Der mit Sicherheit hochrangige Dr. Lunz untersuchte persönlich Sinjawski, Bukowski, Gorbanewskaja, Grigorenko und Viktor Nekipelow.[54] Letzterer berichtet, der Arzt habe eine blaue

Uniform mit zwei Sternen getragen, »bei den Truppen des Innenministeriums die Rangabzeichen eines Generals«.[55] Einige emigrierte sowjetische Psychiater sind der Meinung, Lunz und die anderen Ärzte des Instituts seien überzeugt gewesen, tatsächlich Geisteskranke vor sich zu haben. Die meisten politischen Gefangenen, die ihm begegnet sind, beschreiben ihn jedoch als Opportunisten, der die Weisungen seiner Chefs ausführte, »nicht anders als die verbrecherischen Ärzte, die in den nationalsozialistischen KZs unmenschliche Experimente an Gefangenen vornahmen«.[56]

Wenn eine Geisteskrankheit diagnostiziert wurde, dann bedeutete das für den Patienten, auf Monate oder Jahre in eine Klinik gesperrt zu werden. Wer Glück hatte, kam in eine der mehreren hundert gewöhnlichen psychiatrischen Heilanstalten der Sowjetunion. Dort herrschten oft schlechte hygienische Verhältnisse, und unter dem Personal gab es Trinker und Sadisten. Aber diese Trinker und Sadisten waren Zivilpersonen, und es wurde nicht so scharf auf Geheimhaltung geachtet wie in Gefängnissen und Lagern. Patienten durften Briefe schreiben und Besucher empfangen, selbst wenn es sich nicht um Verwandte handelte.

Als »besonders gefährlich« eingeschätzte Verurteilte wurden allerdings in »psychiatrische Spezialkliniken« gesteckt, von denen es nur eine Hand voll gab. Sie unterstanden direkt dem Innenministerium. Die Ärzte dort hatten wie Lunz einen militärischen Rang, und die Einrichtungen sahen aus und funktionierten wie Gefängnisse – mit Wachtürmen, Stacheldraht und Hundeführern.

Ob nun in gewöhnlichen oder in Spezialkliniken: Überall verlangten die Ärzte den öffentlichen Widerruf.[57] Patienten, die einwilligten, ihrer Überzeugung abzuschwören und zu erklären, bei ihrer Kritik am Sowjetsystem seien sie geistig verwirrt gewesen, konnten für gesund erklärt und freigelassen werden. Wer dies nicht tat, galt weiterhin als krank und konnte eine »Behandlung« erhalten. Da die sowjetischen Psychiater von Psychoanalyse nichts hielten, lief diese auf Medikamente, Elektroschocks und verschiedene Formen der Freiheitsbeschränkung hinaus. Bedenkenlos verschrieb man Mittel, die im Westen bereits in den dreißiger Jahren verworfen wurden, da sie die Körpertemperatur auf über 40 Grad hochtreiben, Schmerzen und unangenehme Empfindungen auslösen. Die Gefängnisärzte verschrieben auch Beruhigungsmittel, die zahllose Nebenwirkungen mit sich bringen, darunter körperliche Starre und Trägheit, unwillkürliche Ticks und Bewegungen, von Apathie und Teilnahmslosigkeit gar nicht zu reden.[58]

Als »Behandlung« galten Prügel, das Spritzen von Insulin, das Nichtdiabetiker in einen hypoglykämischen Schock versetzt, und eine Strafe, das »Einrollen« genannt, die Bukowski in einem Interview von 1976 beschrieben hat: »Dabei wurde der Patient von Kopf bis Fuß in lange Bahnen nassen Segeltuchs gerollt, und zwar so fest, dass er kaum noch Luft bekam. Wenn das Gewebe dann allmählich trocknete, zog es sich immer weiter zusammen, worunter der Patient noch mehr litt.«[59] Eine weitere Behandlung, die Nekipelow im Serbski-Institut erlebte, war die »Lumbalpunktur«, wobei dem Patienten eine Nadel ins Rückgrat gestochen wurde. Wer von dieser Prozedur zurückkehrte, wurde auf die Seite gelegt und mehrere Tage liegen gelassen, bewegungsunfähig, den Rücken mit Jod beschmiert.[60]

Viele waren davon betroffen. Als Sidney Bloch und Peter Reddaway 1977 ihre umfangreiche Studie über den Missbrauch der Psychiatrie in der Sowjetunion veröffentlichten, gab es mindestens 365 bekannte Fälle, wo gesunde Menschen wegen politisch definierter Geistesstörungen behandelt wurden. In Wirklichkeit waren es sicher Hunderte mehr.[61]

Mit der Einweisung von Dissidenten in psychiatrische Kliniken erreichte das Sowjetregime jedoch bei weitem nicht, was es bezweckte. Vor allem gelang es nicht, die Aufmerksamkeit des Westens abzulenken. Denn zum einen erregten dort die Schrecken des psychiatrischen Missbrauchs noch viel größeres Aufsehen als die sattsam bekannten Geschichten aus Lagern und Gefängnissen. Jeder, der den Film *Einer flog über das Kuckucksnest* gesehen hatte, konnte sich nur zu gut vorstellen, wie es in psychiatrischen Kliniken in der Sowjetunion zugehen musste. Zum anderen rief dieses Thema eine lautstarke und organisierte Gruppe auf den Plan, die daran ein unmittelbares berufliches Interesse hatte: die Psychiater aus dem Westen. Seit 1971, als es Bukowski gelang, mehr als 150 Seiten an Dokumenten über derartigen Missbrauch in der UdSSR ins Ausland zu schmuggeln, wurde diese Angelegenheit zum Dauerthema der Weltvereinigung für Psychiatrie, des Royal College of Psychiatrists in Großbritannien sowie anderer nationaler und internationaler Verbände.[62]

Schließlich brachte das Thema auch Wissenschaftler in der Sowjetunion in Bewegung. Als Zhores Medwedjew in eine psychiatrische Klinik eingewiesen wurde, schrieben viele Protestbriefe an die sowjetische Akademie der Wissenschaften. Andrej Sacharow, der Atomphysiker, der Ende der sechziger Jahre zur moralischen Instanz der Dissidentenbewegung wurde, setzte sich auf einem internationalen Symposium im Institut für Genetik öffentlich für Medwedjew ein.[63]

Das internationale Aufsehen veranlasste die Behörden offenbar, einige Gefangene freizulassen, darunter Medwedjew, der anschließend des Landes verwiesen wurde. Aber mancher in den oberen Etagen der sowjetischen Elite hielt diese Entscheidung für falsch. 1976 verfasste KGB-Chef Juri Andropow ein Geheimpapier, in dem er die internationalen Bemühungen, den Weltverband für Psychiatrie zu einer offiziellen Verurteilung der UdSSR zu bewegen, recht exakt beschrieb. Er war erstaunlich gut informiert, auf welchem internationalen Seminar solche Verurteilungen bereits erfolgt waren. Als Reaktion auf die Denkschrift regte das sowjetische Gesundheitsministerium an, bereits im Vorfeld des nächsten Weltkongresses des Verbandes eine massive Propagandakampagne zu starten. Man wollte wissenschaftliche Dokumente zur Widerlegung dieser Vorwürfe ausarbeiten und »progressive« Psychiater im Westen finden, die diese stützen sollten. Dafür wollte man ihnen Einladungen in die UdSSR zukommen lassen und ihnen ausgewählte psychiatrische Kliniken zeigen. Es wurden sogar Namen genannt, bei denen man sich entsprechende Hoffnungen machte.[64]

Statt also den politischen Missbrauch der Psychiatrie einzustellen, schlug Andropow vor, den Vorwürfen unverfroren entgegenzutreten. Es lag nicht in seinem Charakter einzuräumen, dass ein Aspekt der sowjetischen Politik falsch sein könnte.

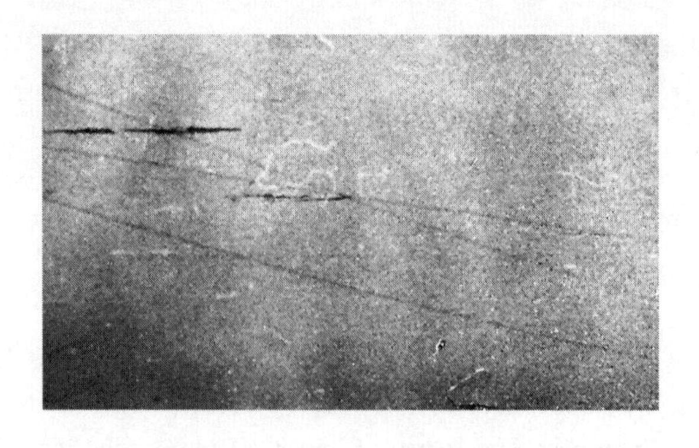

Der Sockel des Denkmals wird zertrümmert,
Der Stahl der Bohrer dringt knirschend ein.
Die steinharte Mischung von bestem Beton
Sollt' in tausend Jahren noch unversehrt sein …

Von Menschenhänden geschaffenes Gut
Können Menschenhände verwandeln in Schutt.
Das allerwichtigste aber ist:
Stein allein, dass ihr es wisst,
Ist für sich selbst nicht schlecht oder gut.

ALEXANDER TWARDOWSKI,
»Der Sockel des Denkmals«[1]

# Die achtziger Jahre: stürzende Denkmäler

Als Juri Andropow 1982 Generalsekretär der Kommunistischen Partei der Sowjetunion wurde, war das harte Durchgreifen gegen »asoziale« Elemente auf sein Betreiben hin längst im Gange. Im Unterschied zu seinen Vorgängern war Andropow immer der Meinung gewesen, dass man die Dissidenten ungeachtet ihrer geringen Zahl als ernsthafte Gefahr für die Sowjetmacht ansehen musste. Als Botschafter in Budapest hatte er 1956 erlebt, wie schnell aus einer Bewegung von Intellektuellen eine Volkserhebung werden konnte. Außerdem war er der Meinung, dass die vielen Probleme des Landes auf politischem, wirtschaftlichem und sozialem Gebiet durch mehr Disziplin zu lösen waren: Lager und Gefängnisse mit härterem Regime, mehr Überwachung und mehr Schikanen.[2]

Diese Methoden hatte Andropow als Chef des KGB seit 1979 angewandt und behielt sie auch während seiner kurzen Amtszeit als führender Mann der Sowjetunion bei. Es ist ihm zuzuschreiben, dass die erste Hälfte der achtziger Jahre als die Zeit mit den härtesten Repressalien seit Stalin in die sowjetische Geschichte eingegangen ist. Es war, als müsste der Druck im System erst unerträglich werden, bevor es ganz zusammenbrach.

Andropows KGB hatte seit Ende der siebziger Jahre zahlreiche Verhaftungen und Wiederverhaftungen vorgenommen: Unter seiner Führung erhielten »rückfällige« Aktivisten oft eine neue Strafe, wenn die alte kaum verbüßt war – ganz wie zu Stalins Zeiten. Mitgliedschaft in einer der Helsinki-Gruppen, die beobachteten, wie die Sowjetunion die KSZE-Schlussakte einhielt, endete unweigerlich im

Gefängnis. 23 Mitglieder der Moskauer Gruppe wurden zwischen 1977 und 1979 verhaftet und sieben des Landes verwiesen. Der Anführer der Moskauer Gruppe, Juri Orlow, saß in der ganzen ersten Hälfte der achtziger Jahre hinter Gittern.[3]

Gefängnis- und Lagerhaft war jedoch nicht Andropows einzige Waffe. Da er vor allem Menschen davon abhalten wollte, sich der Dissidentenbewegung anzuschließen, erweiterte er das Spektrum von Repressalien. Wer auch nur in den Verdacht geriet, mit einer Menschrechts-, religiösen oder nationalistischen Organisation zu sympathisieren, konnte alles verlieren. Verdächtige und deren Familienangehörige liefen Gefahr, nicht nur ihre Arbeit einzubüßen, sondern auch Titel und Qualifikation. Ihren Kindern konnte man das Studium an einer Hochschule verwehren. Ihre Telefone konnten abgeschaltet, das Wohnrecht in einer Großstadt aberkannt und Reisemöglichkeiten eingeschränkt werden.[4]

Ende der siebziger Jahre war es Andropow mit seinen vielfältigen »Disziplinarmaßnahmen« gelungen, die Dissidentenbewegung und deren Förderer im Ausland in kleine, isolierte, sich gegenseitig misstrauisch beäugende Interessengruppen aufzusplittern. Da gab es die Menschenrechtsaktivisten, deren Schicksal Gruppen wie Amnesty International genau verfolgten. Da waren die baptistischen Dissidenten, die von der internationalen Baptisten-Kirche Unterstützung erhielten, außerdem die Dissidenten verschiedener Nationalitäten – Ukrainer, Litauer, Letten oder Georgier –, die von ihren Landsleuten im Ausland Hilfe erwarten konnten.

Im Westen waren wahrscheinlich die »Abgelehnten« die bekanntesten, sowjetische Juden, denen man das Recht verweigerte, nach Israel auszuwandern. 1975 hatte das Jackson-Vanik-Amendment des US-Kongresses, das den amerikanischen Handel mit der Sowjetunion mit der Auswanderungsfrage verknüpfte, die Aufmerksamkeit auf diese Gruppe gelenkt, die für Washington bis zum Ende der Sowjetunion ein zentrales Problem blieb. Bei seiner Begegnung mit Gorbatschow in Reykjavik im Herbst 1986 legte Präsident Reagan diesem eine Liste von 1200 sowjetischen Juden vor, die ihre Auswanderung beantragt hatten.[5]

Alle diese Gruppen waren in sowjetischen Lagern und Gefängnissen zahlreich vertreten. Da man sie mittlerweile von den Kriminellen streng getrennt hielt, organisierten sie sich wie die Politischen früherer Jahre je nach ihren gemeinsamen Anliegen.[6] Man kann sogar sagen, dass die Lager zu dieser Zeit bereits die Funktion eines Netzwerks, einer Dissidentenschule hatten, wo politische Gefangene andere mit ähnlichen Ideen treffen konnten. Litauer und Letten, Georgier und Armenier feierten gemeinsam ihre nationalen Feste und stritten im Scherz darüber, welches Volk als erstes die Sowjetunion verlassen werde.[7] Auch verschiedene Generationen trafen hier aufeinander. Balten und Ukrainer hatten Gelegenheit, ihre nationalistischen Vorgänger kennen zu lernen, die antisowjetischen Partisanen, die man zu 25 Jahren Haft verurteilt und nie freigelassen hatte. Über Letztere schrieb Bukowski: »Ihr Leben war stehen geblieben, als sie zwanzig waren ... und das Lager konserviert den Menschen irgendwie ... Im Sommer setzten sie sich sonntags mit ihren Ziehharmonikas in die Sonne und spielten Lieder, die bei ihnen zu Haus heute niemand mehr kennt. Es war gespenstisch – wahrhaftig, als wäre man ins Reich der Toten hinabgestiegen.«[8]

Die Älteren hatten oft Schwierigkeiten, ihre jüngeren Landsleute zu begreifen. Männer und Frauen, die mit dem Gewehr in der Hand im Wald gekämpft hatten, konnten Dissidenten nicht verstehen, deren einzige Waffe Papier war.[9] Aber das Beispiel der Alten konnte die Jungen noch immer inspirieren. Hier wurden die Menschen geformt, die später in diesem Jahrzehnt die nationalistischen Bewegungen organisierten, welche letzten Endes zur Zerstörung der Sowjetunion beitrugen. Im Rückblick sagte mir der georgische Aktivist David Berdsenischwili, er sei froh, dass er in den achtziger Jahren zwei Jahre in Arbeitslagern zubrachte, statt in der Sowjetarmee zu dienen. Doch nicht nur die persönlichen Netzwerke festigten sich, auch die Verbindungen zur Außenwelt wurden immer stabiler. Eine Ausgabe der »Chronik« von 1979 illustriert das eindrucksvoll mit einem tagesgenauen Bericht darüber, wie es in den Strafzellen von Perm 36 zuging:

> »13. September: Dschukauskas fand einen weißen Wurm in seiner Suppe.

26. September: Er fand ein schwarzes Insekt von 1,5 Zentimeter Länge in seiner Schüssel. Das wurde sofort Hauptmann Nelipowitsch gemeldet.
27. September: In Zelle 6 wurde offiziell eine Temperatur von 12 Grad Celsius gemessen.
2. Oktober: In Zelle 6 (Dschukauskas, Glusman, Marmus) wurde ein 500-Watt-Heizer aufgestellt. Morgens und abends blieb die Temperatur auf 12 Grad. Dschukauskas sollte ein Papier unterschreiben, wo sein Arbeitsergebnis nur mit einem Zehntel dessen angegeben war, was er tatsächlich geschafft hatte. Er weigerte sich …
10. Oktober: Balchanow lehnte es ab, freiwillig an einer von der Erziehungskommission des Lagers einberufenen Versammlung teilzunehmen. Auf Nikomarows Befehl wurde er gewaltsam dorthin gebracht.«

Und so weiter.

Die Behörden waren offenbar nicht in der Lage, diesen Informationsfluss zu stoppen oder auch nur zu verhindern, dass Neuigkeiten unverzüglich zu westlichen Rundfunksendern gelangten, die in die UdSSR sendeten. Berdsenischwilis Verhaftung 1983 wurde von der BBC bereits zwei Stunden später gemeldet.[10] Die Menschenrechtlerin und Dichterin Irina Ratuschinskaja und ihre Gefährtinnen in einem Frauenlager in Mordowien sandten Ronald Reagan einen Glückwunsch zu seinem Sieg bei den amerikanischen Präsidentenwahlen. Zwei Tage später hielt er ihn in der Hand. Der KGB war außer sich, schrieb sie triumphierend.[11]

Den meisten vernünftigen Außenstehenden, die auf die merkwürdige Welt der Sowjetunion wie durch ein Spiegelglas blickten, kam solcher Mut zum Teil sinnlos vor. Praktisch hatte Andropow das Spiel doch gewonnen. Nach zehn Jahren Schikanen, Lagerhaft und Verbannung war die Dissidentenbewegung klein und schwach.[12] Die meisten bekannten Dissidenten waren mundtot gemacht: Solschenizyn war Mitte der achtziger Jahre im Exil, Sacharow in der Verbannung in Gorki. Vor Roy Medwedjews Tür patrouillierte der KGB, der jede seiner Bewegungen registrierte. Niemand in der UdSSR schien von ihrem Kampf Notiz zu nehmen. Peter Reddaway, wahrscheinlich der sachkundigste Fachmann für die sowjetische Dissidentenbewegung im Westen, schrieb 1983, dass diese »unter den Massen der einfachen Menschen in Russland wenig oder gar keine Fortschritte gemacht hat«.[13]

Schläger und Aufseher, falsche Ärzte und Geheimpolizisten schienen alle ungefährdet ihrem erwählten Gewerbe nachzugehen. Aber der Boden unter ihren Füßen war nicht mehr sicher. Bald stellte sich heraus, dass Andropows strikte Weigerung, Andersdenkende auch nur zu dulden, nicht durchzuhalten war. Als er 1984 starb, war es auch mit dieser Politik vorbei.

Über den Charakter des im März 1985 neu ernannten Generalsekretärs der KPdSU, Michail Gorbatschow, wurde im In- und Ausland anfangs heftig gerätselt. Nur wenige wussten zu jener Zeit, dass Gorbatschow selbst aus einer Familie von »Feinden« stammte. Einer seiner Großväter, ein Bauer, war 1933 verhaftet und in ein Arbeitslager gesteckt worden. Sein zweiter Großvater war 1938 in Haft gekommen. Im Gefängnis brach ihm ein Ermittlungsbeamter beim Verhör beide Arme. Das hinterließ bei dem jungen Michail tiefe Spuren, wie er später in seinen Memoiren schrieb: »Ich weiß heute noch, daß die Nachbarn nach Großvaters Verhaftung um unser Haus einen Bogen machten, als hätten wir die Pest, und daß uns nur bei Dunkelheit jemand von unseren Verwandten insgeheim auf einen Sprung besuchen kam. Selbst die Jungen aus der Nachbarschaft mieden den Umgang mit mir ... Damals ... erschütterte all das mich tief und prägte sich mir für immer ein.«[14]

Die ersten Monate der Ära Gorbatschow waren allerdings enttäuschend. Zunächst stürzte er sich in einen Feldzug gegen den Alkohol, der das Volk gegen ihn aufbrachte und jahrhundertealte Weinberge in Georgien und Moldawien zerstörte. Diese Aktion kann sogar für den Zusammenbruch der sowjetischen Wirtschaft einige Jahre später mitverantwortlich gewesen sein. Manche sind der Meinung, dass der Rückgang beim Absatz von Wodka dem labilen finanziellen Gleichgewicht des Landes den entscheidenden Stoß versetzt hat. Erst als es im April 1986 zu der schweren Explosion im Atomkraftwerk von Tschernobyl in der Ukraine kam, war Gorbatschow bereit, wirkliche Veränderungen vorzunehmen. Überzeugt, dass man in der Sowjetunion offen über alle Probleme sprechen müsse, leitete er seine nächste Reform unter der Losung *Glasnost* – Offenheit – ein.

Wahrscheinlich hoffte Gorbatschow, wenn man über die realen wirtschaftlichen, ökologischen und sozialen Krisen in der Sowjetunion offen sprach, werde das zu einer raschen Lösung der Probleme führen, zu einer Umgestaltung oder *Perestroika* – ein Begriff, der in seinen Reden immer häufiger auftauchte. Aber bei *Glasnost* ging es nach erstaunlich kurzer Frist vor allem um die Geschichte der Sowjetunion.

Will man heute beschreiben, was Ende der achtziger Jahre in der öffentlichen Debatte dieses Landes ablief, drängen sich einem pralle Bilder auf: Es war, als sei ein Damm gebrochen. Im Januar 1987 erklärte Gorbatschow einer erstaunten Gruppe von Journalisten, die »weißen Flecken« in der Geschichte müssten gefüllt werden. Im November hatte sich bereits so viel verändert, dass Gorbatschow als zweiter Parteiführer in der sowjetischen Geschichte in einer offiziellen Rede auf dieses Problem einging:

> »Dass nicht das nötige Niveau an Demokratisierung der sowjetischen Gesellschaft erreicht wurde, machte sowohl den Personenkult als auch die Rechtsverletzungen, die Willkür und die Repressalien der dreißiger Jahre möglich – offen gesagt, Verbrechen durch Machtmissbrauch. Viele Tausende Parteimitglieder und Parteilose fielen den Massenrepressalien zum Opfer. Das, Genossen, ist die bittere Wahrheit.«[15]

Gorbatschow war nicht ganz so eloquent wie seinerzeit Chruschtschow, aber der Eindruck dieser Rede auf die sowjetische Öffentlichkeit war eher noch größer. Chruschtschow hatte vor einem internen Parteigremium gesprochen. Gorbatschows Rede dagegen wurde landesweit im Fernsehen übertragen.

Gorbatschow behandelte dieses Thema auch in der Folgezeit mit wesentlich mehr Nachdruck als Chruschtschow. Im Wochentakt gab es in der sowjetischen Presse nun neue »Enthüllungen«. Die Öffentlichkeit erhielt endlich die Gelegenheit, Mandelstam und Brodski, Anna Achmatowas *Requiem*, Boris Pasternaks *Doktor Schiwago* und selbst Vladimir Nabokovs *Lolita* zu lesen. Nach heftigen Auseinandersetzungen begann das Literaturjournal »Nowy mir«, das jetzt eine neue Chefredaktion hatte, Solschenizyns *Archipel Gulag* in Fortsetzungen abzudrucken.[16] *Ein Tag im Leben des Iwan Denissowitsch* sollte bald in Millionenauflage verkauft werden, und Autoren, die bisher nur im Samisdat erschienen waren, setzten ebenfalls Hunderttausende Exemplare ihrer Erinnerungen an den Gulag ab. Ihre Namen waren bald in aller Munde: Jewgenia Ginsburg, Lew Rasgon, Anatoli Schigulin, Warlam Schalamow, Dmitri Lichatschow und Anna Larina.

Auch der Prozess der Rehabilitierungen wurde wieder aufgenommen. Zwischen 1964 und 1987 hatte man ganze 24 Personen rehabilitiert. Jetzt begann der Prozess von neuem – zum Teil als Reaktion auf spontane Enthüllungen der Presse. Diesmal wurden auch diejenigen berücksichtigt, die man bisher ausgeklammert hatte: Einer der ersten war Bucharin zusammen mit weiteren 19 Bolschewiken aus der Führungsspitze, die während der Säuberungen von 1938 abgeurteilt worden waren. »Damals hat man die Tatsachen verfälscht«, erklärte ein Regierungssprecher feierlich.[17]

Die neue Literatur wurde von neuen Entdeckungen aus sowjetischen Archiven begleitet. Diese kamen sowohl von sowjetischen Historikern, die (so behaupteten sie) nun endlich grünes Licht hatten, wie auch von der Gesellschaft Memorial, gegründet von einer Gruppe junger Historiker, die seit vielen Jahren mündliche Berichte von Überlebenden der Lager gesammelt hatten. Einer von ihnen war Arseni Roginski, der Begründer der Zeitschrift »Pamjat« [Gedächtnis], die seit den siebziger Jahren zunächst im Samisdat und danach im Ausland erschienen war. Die Gruppe um Roginski hatte bereits begonnen, eine Datenbank über die Opfer der Repressalien aufzubauen. Memorial sollte später den Kampf für die Identifizierung der bei Moskau und Leningrad in Massengräbern verscharrten Leichen sowie die Errichtung von Denkmälern und Gedenkstätten für die Opfer der Stalinzeit anführen. Nach einem kurzen, fehlgeschlagenen Versuch, zu einer politischen Bewegung zu werden, entwickelte sich Memorial schließlich in den neunziger Jahren zum wichtigsten Zentrum der Russischen Föderation für die Erforschung der sowjetischen Geschichte und für die Verteidigung der Menschenrechte. Roginski steht noch heute als einer ihrer herausragenden Historiker an der Spitze der Organisation. Die Publikationen von Memorial zur Sowjetgeschichte wurden und werden bei Fachleuten überall auf der Welt wegen ihrer Exaktheit, Faktentreue und gründlich recherchierten Archivalien geschätzt.[18]

Zwar änderte sich die Qualität der öffentlichen Debatte in erstaunlichem Tempo, aber Gorbatschow blieb wie Chruschtschow dem Sowjetsystem tief verbunden. Er hatte keineswegs die Absicht, die Grundsätze des sowjetischen Marxismus oder der Lehre Lenins in Frage zu stellen. Sein Ziel war immer, die Sowjetunion zu reformieren und zu modernisieren, nicht, sie zu zerstören. Möglicherweise hatten ihn die Erlebnisse in der eigenen Familie zu der Erkenntnis gebracht, dass es wichtig war, die Wahrheit über die Vergangenheit auszusprechen. Zunächst schien er jedoch keine Zusammenhänge zwischen Vergangenheit und Gegenwart zu sehen.

Daher führte die Veröffentlichung all der Artikel über die Stalinschen Lager, Gefängnisse und Massenmorde zunächst keineswegs zur Entlassung der nach wie vor einsitzenden Dissidenten. Ende 1986 – Gorbatschow schickte sich gerade an, von den »weißen Flecken« in der Sowjetgeschichte zu sprechen, Memorial hatte in der Öffentlichkeit für die Errichtung eines Mahnmals zum Gedenken an die Opfer der Repressalien zu werben begonnen, und die Welt begann hoffnungsvoll von der neuen Führung der UdSSR zu reden – lagen Amnesty International die Namen von sechshundert politischen Gefangenen vor, die immer noch in sowjetischen Lagern hockten. Man vermutete, dass es in Wirklichkeit wesentlich mehr waren.[19]

Einer von ihnen war Anatoli Martschenko, der im Dezember jenes Jahres bei einem Hungerstreik im Gefängnis von Christopol starb.[20] Seine Frau, Larissa Bogoras, stieß bei der Ankunft im Gefängnis auf drei Soldaten, die bei seinem Leichnam Wache hielten. Man hatte eine Autopsie vorgenommen. Sie durfte niemanden im Gefängnis sprechen, keinen Arzt, keine anderen Gefangenen und auch niemanden vom Leitungspersonal außer dem Politoffizier Tschurbanow, der sie sehr grob behandelte. Er sagte ihr nicht, wie ihr Mann gestorben war, und übergab ihr auch keinen Totenschein, keine

Freigabe für das Begräbnis, keine Krankheitsgeschichte, ja nicht einmal seine Briefe und Tagebücher.[21]

Zwar versuchten die Behörden Martschenkos Tod rätselhaft erscheinen zu lassen, aber sie konnten nicht verbergen, dass, wie Bogoras später erklärte, »Anatoli Martschenko im Kampf gestorben ist. Sein Kampf währte fünfundzwanzig Jahre, und er hat nie die weiße Fahne der Kapitulation gehisst.«[22]

Aber Martschenkos tragischer Tod war nicht völlig umsonst. Möglicherweise unter dem Druck der schlechten Presse – Larissa Bogoras' Erklärung ging um die Welt – entschloss sich Gorbatschow Ende 1986 endlich, eine Generalamnestie für alle politischen Gefangenen in der Sowjetunion zu erklären.

Um diese Amnestie, die zur endgültigen Schließung der politischen Haftanstalten in der Sowjetunion führte, ranken sich viele Merkwürdigkeiten – allen voran die Tatsache, dass sie so wenig Aufmerksamkeit erregte. Immerhin war dies das Ende des Gulags, des Lagersystems, in dem einmal Millionen Menschen eingesperrt saßen. Es war der Triumph der Menschenrechtsbewegung, die in den vergangenen zwanzig Jahren so häufig Gegenstand diplomatischer Aktivität gewesen war. Es war ein Moment echter Transformation von historischen Dimensionen – aber kaum jemand nahm Notiz davon.

Selbst die besten der vielen begabten Schriftsteller und Journalisten, die Ende der achtziger Jahre in Moskau lebten, waren viel zu sehr mit anderen Ereignissen jener Zeit beschäftigt: den stümperhaften Versuchen einer Wirtschaftsreform, den ersten freien Wahlen, der Veränderung der Außenpolitik, dem Ende des Sowjetreichs in Osteuropa und schließlich dem Zusammenbruch der Sowjetunion selbst.[23]

Von denselben Ereignissen gefangen genommen, achtete auch in Russland niemand darauf. Dissidenten, deren Namen im Untergrund berühmt gewesen waren, kehrten ins Land zurück, und niemand interessierte sich für sie. Die meisten waren inzwischen alt und konnten mit der Zeit nicht mehr Schritt halten. Wie es ein westlicher Journalist, der damals Korrespondent in Moskau war, treffend ausdrückte, hatten sie »ihre Karriere in häuslicher Umgebung gemacht, in ihren Datschen auf antiquierten Schreibmaschinen Petitionen getippt, die Behörden herausgefordert und dabei im Bademantel süßen Tee geschlürft. Für Redeschlachten im Parlament oder im Fernsehen waren sie nicht geeignet. Es verwirrte sie zutiefst, wie dramatisch sich ihr Land verändert hatte, während sie fort waren.«[24]

Und die meisten der ehemaligen Dissidenten, die noch öffentliche Aufmerksamkeit genossen, richteten ihr Augenmerk nicht mehr nur auf das Schicksal der verbliebenen Lager. Andrej Sacharow, im Dezember 1986 aus der Verbannung entlassen und 1989 zum Abgeordneten des Kongresses der Volksdeputierten gewählt, machte sich bald für eine Reform des Eigentums stark.[25] Der armenische Gefangene Lewon Ter-Petrossjan wurde zwei Jahre nach der Entlassung zum Präsidenten seines Landes gewählt. Ukrainer und Balten stürzten sich aus den Lagern in Perm und Mordowien direkt in das politische Tollhaus ihrer Länder, wo sie lautstark für deren Unabhängigkeit stritten.[26]

Der KGB musste zwar zur Kenntnis nehmen, dass die politischen Gefängnisse geschlossen wurden, aber selbst dort schien man die Bedeutung dieses Vorgangs kaum zu begreifen. Wenn man die wenigen offiziellen Dokumente aus der zweiten Hälfte der achtziger Jahre liest, dann kann man sich nur wundern, wie spät und wie wenig sich die Sprache der Geheimpolizei veränderte. Ihr damaliger Chef Viktor Tschebrikow sandte 1986 einen Bericht an das Zentralkomitee, in dem er den Kampf seines Organs gegen die »Aktivitäten imperialistischer Spionageagenturen und mit ihnen verbundener antisowjetischer Elemente« darstellte. Er tönte, der KGB habe die Aktivitäten verschiedener Gruppen, darunter der Helsinki-Komitees, wirksam »lahm gelegt« und von 1982 bis 1986 »über hundert Personen dazu gebracht, ihre illegalen Aktivitäten aufzugeben und auf den Weg des Rechts zurückzukehren«.

Einige Sätze weiter musste Tschebrikow allerdings einräumen, dass die Dinge sich geändert haben könnten. Man muss genau hinsehen, um zu erkennen, wie dramatisch diese Veränderung für ihn war: »Das gegenwärtige Klima der Demokratisierung aller Bereiche der Gesellschaft, die Stärkung der Einheit von Partei und Gesellschaft machen es möglich, die Frage einer Amnestie erneut zu prüfen.«[27]

In einer weiteren Erklärung fügte er gleichsam als Ergebnis von KGB-Recherchen hinzu, dass 96 Personen nach wie vor unnötig in psychiatrischen Spezialkliniken festgehalten würden. Er regte an, diejenigen, die »keine Gefahr für die Gesellschaft darstellen«, ebenfalls zu entlassen.[28] Das Zentralkomitee stimmte zu, und im Februar 1987 wurden zweihundert Gefangene begnadigt, die entweder nach Artikel 70 oder 190-1 verurteilt waren. Weitere wurden einige Monate später aus Anlass der tausendjährigen Wiederkehr der Christianisierung Russlands freigelassen. Über zweitausend (wesentlich mehr als 96) kamen in den folgenden zwei Jahren aus psychiatrischen Kliniken frei.[29]

Selbst zu dieser Zeit – vielleicht aus Gewohnheit, vielleicht weil er seine Macht mit dem Schrumpfen der Häftlingszahlen schwinden sah – ließ der KGB die politischen Gefangenen nur höchst widerwillig gehen. Da es sich offiziell um eine Begnadigung, keine Amnestie, handelte, verlangte man von den 1986 und 1987 zu entlassenden politischen Gefangenen, ein Papier zu unterschreiben, auf dem sie sich von ihrer antisowjetischen Tätigkeit distanzierten. Die meisten durften das mit eigenen Worten tun, um eine direkte Entschuldigung zu umgehen: »Wegen meiner schlechten Gesundheit werde ich mich künftig nicht mehr antisowjetisch betätigen.« Oder: »Ich war nie antisowjetisch, sondern antikommunistisch eingestellt. Das ist nach dem Gesetz nicht verboten.«[30]

Von anderen verlangte man nach wie vor, ihrer Überzeugung abzuschwören. Es gab auch weiterhin Ausweisungen.[31] Ein georgischer Dissident blieb weitere sechs Monate in einem Arbeitslager, weil er sich weigerte, jegliche Formulierung des KGB zu unterschreiben.[32] Ein anderer lehnte es ab, offiziell um Gnade zu bitten, weil er »kein Verbrechen begangen« hatte.[33]

Knirschend und quietschend, stöhnend und klagend kam das Unterdrückungsregime wie das ganze System schließlich doch zum Stillstand. Als die politischen Lager bei Perm im Februar 1992 endlich geschlossen wurden, gab es auch die Sowjetunion nicht mehr. Alle ehemaligen Sowjetrepubliken waren unabhängige Staaten. In einigen – in Armenien, der Ukraine oder Litauen – standen frühere Gefangene an der Spitze. In anderen waren es ehemalige Kommunisten, die sich in den achtziger Jahren von ihrer Überzeugung losgesagt hatten, als sie zum ersten Mal Beweise für den Terror der Vergangenheit sahen.[34] KGB und Innenministerium waren zwar nicht aufgelöst, aber durch andere Organe ersetzt worden. Die Mitarbeiter der Geheimpolizei sahen sich im Privatsektor nach neuen Betätigungsmöglichkeiten um. Gefängnisaufseher sagten ihren Kerkern Lebewohl und wurden diskret in der lokalen Verwaltung untergebracht. Das neue russische Parlament beschloss im November 1991 eine »Erklärung der Rechte und Freiheiten der Persönlichkeit«, die unter anderem die Freiheit garantierte, zu reisen, eine Religion auszuüben und mit der Regierung nicht übereinzustimmen.[35] Leider sollte sich das neue Russland nicht zu einem Muster an ethnischer, religiöser und politischer Toleranz entwickeln. Aber das ist eine andere Geschichte.

Die Veränderungen vollzogen sich mit atemberaubender Geschwindigkeit, und niemand schien sich darüber mehr zu wundern als der Mann, der den Zerfall der Sowjetunion eingeleitet hatte. Denn das war am Ende Gorbatschows größter »blinder Fleck«: Chruschtschow wusste es, und Breschnew wusste es, aber Gorbatschow, der Enkel von »Volksfeinden« und Urheber der *Glasnost* begriff nicht, dass eine umfassende, ehrliche Diskussion der sowjetischen Vergangenheit dem Sowjetregime unweigerlich die Legitimation entziehen musste. Er erkannte einfach nicht, dass mit der Wahrheit über die Stalinsche Vergangenheit der Mythos von der Größe der Sowjetmacht unmöglich aufrechterhalten werden konnte. Zu viel Grausamkeit, zu viel Blutvergießen und zu viele Lügen waren dabei im Spiel.

Wenn auch Gorbatschow sein eigenes Land nicht verstand, viele andere begriffen es durchaus. Bereits zwanzig Jahre zuvor hatte Solschenizyns Verleger Alexander Twardowski die Macht der damals verschwiegenen Vergangenheit gespürt und erkannt, was ein erwachendes Gedächtnis für das Sowjetsystem bedeuten konnte. Er sagte es in einem Gedicht:

»Sie irren, wenn sie glauben,
Erinnerung verliere an Wert,
Das Gras der Zeit überwuchere
Die Vergangenheit und jeden Schmerz.

Unsere Erde drehe sich weiter,
Tag um Tag, Jahr um Jahr …
Nein. Die Pflicht gebietet, dass jetzt alles
Noch nicht Gesagte ausgesprochen werden muss …«[36]

Und die Mörder? Die Mörder leben weiter …

LEW RASGON,

*True Stories*[1]

# Epilog: Erinnerung

Im Frühherbst 1998 bestieg ich ein Schiff, das mich von Archangelsk über das Weiße Meer zu den Solowezki-Inseln brachte. Es war die letzte Fahrt jenes Sommers: Wenn Mitte September die arktischen Nächte länger werden, wagt sich kein Schiff mehr auf diese Route. Die See wird zu rau und das Wasser zu eisig für Touristenfahrten.

Vielleicht war es das Ende der Saison, das diesem Trip eine Spur Ausgelassenheit gab. Die Trinksprüche in der Messe wollten nicht enden, es wurde gescherzt und dem Kapitän applaudiert. Meine Tischnachbarn – zwei Paare in mittlerem Alter von einer Marinebasis an der Küste – waren offenbar entschlossen, sich gut zu amüsieren.

Zunächst trug meine Anwesenheit noch zur allgemeinen Hochstimmung bei. Schließlich begegnet man nicht alle Tage auf einer klapprigen Fähre mitten im Weißen Meer einer waschechten Amerikanerin. Die Neugier der Leute war geweckt. Sie wollten wissen, wieso ich Russisch spreche, was ich von Russland halte und wie es sich von den USA unterscheidet. Als ich ihnen sagte, weshalb ich in Russland war, sank die Stimmung allerdings merklich. Eine Amerikanerin auf einer Vergnügungsreise, die die Solowezki-Inseln besuchte, um die Landschaft zu genießen und sich das schöne alte Kloster anzuschauen, war eine Sache. Aber eine, die auf die Inseln fuhr, um dort Reste der Lager zu finden, war etwas anderes.

Einer der Männer verbarg seine Feindseligkeit nicht. »Warum kümmert ihr Ausländer euch immer nur um die hässlichen Dinge in unserer Geschichte?«, wollte er wissen. »Wozu schreiben Sie über den Gulag? Warum nicht über unsere Errungenschaften? Wir haben schließlich den ersten Menschen ins All geschickt!« Mit »wir« meinte er »wir Sowjets«. Die Sowjetunion gab es schon sieben Jahre nicht mehr, aber er betrachtete sich nach wie vor als sowjetischer, nicht als russischer Bürger.

Seine Frau pflichtete ihm bei. »Der Gulag interessiert doch keinen mehr«, erklärte sie. »Wir haben jetzt ganz andere Sorgen: Arbeitslosigkeit, Verbrechen. Warum schreiben Sie nicht über diese realen Probleme statt über Dinge, die vor langer Zeit geschehen sind?«

Bei dem Gespräch, das langsam unangenehm wurde, schwieg das andere Paar. Der Mann äußerte sich gar nicht. Schließlich kam mir die Frau zu Hilfe. »Ich kann verstehen, dass Sie sich für die Lager interessieren«, sagte sie leise. »Es ist schon wichtig zu wissen, was passiert ist. Ich wünschte, ich wüsste mehr darüber.«

Diesen vier Positionen zu meinem Projekt begegnete ich bei späteren Reisen in Russland immer wieder. »Das geht Sie nichts an« oder »Das ist heute nicht mehr wichtig« waren häufige Reaktionen. Am meisten aber stieß ich auf Schweigen oder Gleichgültigkeit, ausgedrückt durch ein Achselzucken. Allerdings gab es stets auch Menschen, denen die Vergangenheit etwas bedeutete und die selber mehr wissen wollten.

Mit ein wenig Mühe kann man im Russland von heute eine Menge über die Vergangenheit erfahren. Nicht alle Archive sind geschlossen, und auch nicht alle russischen Historiker beschäftigen sich mit anderen Themen. Allein dieses Buch beweist, wie viele neue Informationen es gibt. Die Geschichte des Gulags ist inzwischen auch in der öffentlichen Diskussion ehemaliger Sowjetrepubliken und Satellitenstaaten ein Thema. Dort, wo man sich vor allem als Opfer des Terrors und nicht als Täter sieht, spielen Gedenkstätten und die Debatten zu diesen Fragen eine große Rolle. Die Litauer haben das ehemalige KGB-Gebäude in Vilnius zu einem Museum für die Opfer des Genozids gestaltet. Die Letten haben ein altes Museum, das ursprünglich den »Roten Schützen« gewidmet war, zu einem Museum der Besetzung des Landes gemacht.

Im Februar 2002 war ich bei der Eröffnung eines neuen Museums in Ungarn, in dessen Gebäude zwischen 1940 und 1945 die faschistische Bewegung des Landes und zwischen 1945 und 1956 die kommunistische Geheimpolizei ihren Sitz hatte. Im ersten Ausstellungsraum wird der Besucher von faschistischer Propaganda aus einer Batterie von Bildschirmen an der Wand empfangen. Von der anderen Wand schlägt ihm kommunistische Propaganda entgegen. Die durchaus beabsichtigte Wirkung ist sehr emotional. Das ganze Museum ist nach diesem Prinzip aufgebaut. Mit Fotos, Klängen, Videobildern und sehr wenig Worten suchen die Schöpfer des Museums ihre Ausstellungsstücke Menschen nahe zu bringen, die zu jung sind, um beide Regime bewusst erlebt zu haben.

Dagegen wurde in Belarus das Fehlen eines Denkmals zu einem echten Politikum: Im Sommer 2002 verkündete der diktatorisch agierende Präsident Alexander Lukaschenko noch lauthals seine Absicht, quer über eine Hinrichtungsstätte nahe der Hauptstadt Minsk, wo 1937 Massenexekutionen stattgefunden hatten, eine Straße zu bauen. Damit rief er die Opposition auf den Plan und löste eine breite Diskussion über die Vergangenheit aus.

In Russland selbst findet man heute eine Hand voll inoffizieller, halb offizieller und privater Gedenkstätten, die von den verschiedensten Menschen und Organisationen initiiert wurden. Die Zentrale der Gesellschaft Memorial in Moskau besitzt ein Archiv mit mündlichen und schriftlichen Überlieferungen aus den Lagern sowie ein kleines Museum, in dem unter anderem eine herausragende Sammlung von Häftlingskunst untergebracht ist. Das Andrej-Sacharow-Museum in Moskau erinnert ebenfalls an die Stalinzeit. Am Rande vieler Städte – Moskau, St. Petersburg, Tomsk, Kiew oder Petrosawodsk – haben örtliche Ableger von Memorial oder andere Organisationen über Massengräbern aus den Jahren 1937/38 Denkmäler errichtet.

Es gibt auch größere Projekte. Der Ring von Kohleschächten um Workuta, die alle einen Lagpunkt beherbergten, ist übersät mit Kreuzen, Statuen und Gedenksteinen, die litauische, polnische und deutsche Opfer hier aufgestellt haben. Das Museum für Regionalgeschichte in Magadan hat dem Gulag mehrere Räume gewidmet. Auf einem Berg über der Stadt ist ein alter Wachturm zu besichtigen. Ein bekannter russischer Bildhauer hat den Toten der Kolyma ein Denkmal gesetzt, auf dem sich Symbole der verschiedenen Glaubensrichtungen finden, die dort vertreten waren. In einem Raum des Solowezker Klosters, das heute Museum ist, sind Briefe, Fotos und Kassiber von Häftlingen ausgestellt. Draußen hat man zum Gedenken an die Toten des Lagers eine Allee gepflanzt. Im Zentrum von Syktywkar, der Hauptstadt der Komi-Republik, haben die neue Regierung und die örtliche Gruppe von Memorial eine kleine Kapelle errichtet. Eine Hand voll Häftlingsnamen sind innen aufgelistet, stellvertretend für die vielen Nationalitäten im Gulag: Litauer, Koreaner, Juden, Chinesen, Georgier oder Spanier.

Einige Autostunden nördlich von Petrosawodsk ist am Rande des Dorfes Sandormoch ein spontanes Denkmal entstanden. »Denkmal« ist vielleicht nicht das richtige Wort. Zwar gibt es eine Gedenktafel und mehrere Steine, die Polen, Deutsche und andere niedergelegt haben, aber Sandormoch, wo Gefangene von den Solowezki-Inseln 1937 erschossen wurden, ist vor allem wegen seiner anrührenden handgefertigten Kreuze und persönlichen Zeichen bekannt geworden. Da es keine Akten darüber gibt, wo wer begraben liegt, hat jede Familie sich willkürlich einen Ort des Gedenkens ausgesucht. Verwandte von Opfern haben Fotos ihrer verstorbenen Lieben an Holzpfählen befestigt, einige haben Epitaphe hineingeschnitzt. Bänder, Plastikblumen und anderer Grabschmuck sind in dem ganzen Kiefernwald verstreut, der über diesem Ort der Toten gewachsen ist.

Ein anderes größeres Projekt hat am Rande der Stadt Perm Gestalt angenommen. Auf dem Gelände von Perm-36, das in der Stalin-Ära ein Lagpunkt und in den siebziger und achtziger Jahren eines der härtesten Lager für politische Gefangene war, haben Heimathistoriker sich zusammengetan und ein Museum geschaffen – das einzige auf dem Gelände eines ehemaligen Lagers. Mit eigenen Mitteln haben sie Baracken, Mauern und Stacheldrahtzäune in den ursprünglichen Zustand versetzt. Sie haben sogar mit den alten, verrosteten und kaum noch brauchbaren Geräten ein kleines Holzfällerunternehmen eröffnet, um Geld für ihr Projekt zu beschaffen. Zwar gab es von den Behörden vor Ort wenig Unterstützung, aber sie konnten in Westeuropa und Amerika Spenden werben. Ihr Ehrgeiz ist geweckt. Sie hoffen nun, 25 Gebäude wiederherstellen zu können, von denen vier ein größeres Museum der Repressalien beherbergen sollen.

In Russland, wo riesige Kriegsdenkmäler und prächtige, feierliche Staatsbegräbnisse üblich sind, müssen diese lokalen Bemühungen und privaten Initiativen einen äußerst dürftigen, zersplitterten und unvollkommenen Eindruck hinterlassen. Der Mehrheit der Russen dürften sie gar nicht bekannt sein. Das ist kein Wunder: Zehn Jahre nach dem Zusammenbruch der Sowjetunion verhält sich Russland, das die Diplomatie und die Außenpolitik, die Botschaften, die Schulden und den Sitz der Sowjetunion in der UNO geerbt hat, als ginge die Geschichte dieses Landes es nichts an. Bis heute gibt es kein nationales Museum, das der Geschichte der Repressalien gewidmet wäre. Es gibt keinen Ort der nationalen Trauer, kein Denkmal, das die Leiden der Opfer und ihrer Familien offiziell würdigt. In den achtziger Jahren fanden zwar Ausschreibungen für ein solches Denkmal statt, aber es kam nichts dabei heraus. Bisher ist es lediglich der Gesellschaft Memorial gelungen, einen Stein von den Solowezki-Inseln, wo der Gulag seinen Anfang nahm, nach Moskau zu bringen und auf dem Dzierzynski-Platz gegenüber der Lubjanka aufzustellen.[2]

Noch bemerkenswerter als die fehlenden Gedenkstätten ist jedoch das fehlende Bewusstsein der Öffentlichkeit. Manchmal hat es den Anschein, als seien die enormen Emotionen und Leidenschaften, die die Diskussionen der Gorbatschow-Zeit auslösten, zusammen mit der Sowjetunion verschwunden. Auch der erbitterte Streit um Gerechtigkeit für die Opfer wurde abrupt abgebrochen. Ungeachtet der vielen Diskussionen Ende der achtziger Jahre hat die russische Regierung bisher nichts getan, um gegen Folterer und Massenmörder zu ermitteln oder diese gar zur Rechenschaft zu ziehen. Und das, obwohl viele namentlich bekannt sind. Anfang der neunziger Jahre war einer der Beteiligten des Massakers an polnischen Offizieren bei Katyn noch am Leben. Bevor er starb, befragte ihn der KGB und bat ihn – rein technisch – zu erklären, wie der Mord geschehen sei. Ein Band mit diesem Gespräch wurde dem polnischen Kulturattaché in Moskau als Geste des guten Willens übergeben. Nirgends kam die Forderung auf, den Mann vor Gericht zu stellen, weder in Moskau noch in Warschau oder anderswo.

Sicher sind Prozesse nicht immer der beste Weg, um die Vergangenheit zu bewältigen. Westdeutschland brachte seit dem Zweiten Weltkrieg 85 000 Nationalsozialisten vor Gericht. Verurteilt wurden nicht einmal siebentausend von ihnen. Die Gerichte waren korrupt und ließen sich von persönlichen Rivalitäten und Streitigkeiten beeinflussen. Der Nürnberger Prozess selbst ist ein Beispiel für »Siegerjustiz« von zweifelhafter Legitimität – unter anderem auch deswegen, weil dort sowjetische Richter mitwirkten, die genau wussten, dass es auch auf ihrer Seite zu Massenmorden gekommen war.

Aber es gibt andere Möglichkeiten außerhalb der Justiz, die Verbrechen der Vergangenheit öffentlich aufzuarbeiten: Wahrheitskommissionen, offizielle Untersuchungen oder öffentliche Entschuldigungen. Die russische Regierung hat bisher keine dieser Optionen auch nur in Erwägung gezogen. Von dem kurzen und ergebnislosen »Prozess« gegen die Kommunistische Partei abgesehen, hat es bisher in Russland keine öffentlichen Sitzungen, parlamentarischen Anhörungen oder offiziellen Ermittlungen zu den Morden, Massakern und Lagern in der UdSSR gegeben.

Während die Deutschen über ein halbes Jahrhundert nach Kriegsende regelmäßig öffentliche Debatten über die Entschädigung der Opfer, über Gedenkstätten, über eine Neuinterpretation der nationalsozialistischen Geschichte abhalten, darüber streiten, ob die späteren Generationen noch Verantwortung für die Verbrechen des Dritten Reiches tragen, gibt es in Russland ein halbes Jahrhundert nach Stalins Tod keinerlei derartige Diskussionen, ist die Erinnerung an die Vergangenheit noch nicht zum lebendigen Gut der Öffentlichkeit geworden.

Dabei gingen die Rehabilitierungen auch in den neunziger Jahren in aller Stille weiter. Mit Stand von Ende 2001 sind in Russland 4,5 Millionen politische Gefangene rehabilitiert. Die nationale Kommission schätzt, dass noch eine halbe Million Fälle ausstehen. Die Opfer, die niemals ein Urteil erhalten haben – es handelt sich um Hunderttausende, vielleicht sogar mehrere Millionen –, sind natürlich von diesem Vorgang ausgenommen.[3] Die Kommission ist sicher seriös und mit guter Absicht eingerichtet worden. Sie besteht aus Überlebenden der Lager und aus Angehörigen der Staatsbürokratie.

Man hat allerdings nicht den Eindruck, dass sich die Politiker bei ihrer Einrichtung davon leiten ließen, wirklich »Wahrheit und Versöhnung« zu erreichen, wie es die britische Historikerin Catherine Merridale formuliert hat. Ihr Ziel war vielmehr, unter die Debatten über die Vergangenheit endlich einen Schlussstrich zu ziehen, die Opfer zu befrieden, indem man ihnen ein paar Rubel und Freifahrkarten für die öffentlichen Verkehrsmittel hinwirft, und so jede tiefer gehende Auseinandersetzung mit den Ursachen des Stalinismus oder seinem Erbe zu vermeiden.

Für das Schweigen der Öffentlichkeit gibt es einige gute oder zumindest verzeihliche Erklärungen. Die meisten Russen sind vollauf damit beschäftigt, die Umwälzung ihrer Wirtschaft und Gesellschaft zu bewältigen. Die Stalin-Ära ist lange her, und seitdem ist viel geschehen. Das postkommunistische Russland ist nicht Nachkriegsdeutschland, wo die Erinnerung an die schlimmsten Grausamkeiten noch frisch war. Am Beginn des 21. Jahrhunderts sind fünfzig Jahre zurückliegende Ereignisse des zwanzigsten Jahrhunderts für große Teile der Bevölkerung weit weg.

Man kommt der Wahrheit näher, wenn man bedenkt, dass viele Russen meinen, sie hätten bereits über ihre Vergangenheit debattiert, und es sei sehr wenig dabei herausgekommen. Wenn man ältere Leute fragt, warum das Thema des Gulags heute so selten erwähnt wird, winken sie ab: »1990 wurde nur darüber gesprochen, heute brauchen wir das nicht mehr.« Das Problem wird dadurch kompliziert, dass viele Menschen Gespräche über den Gulag und die Unterdrückung der Stalinzeit mit den »demokratischen Reformern« in Zusammenhang bringen, die die Diskussionen über die sowjetische Vergangenheit zunächst angestoßen hatten. Diese Generation von Politikern gilt heute als Versager, ihre Zeit wird mit Korruption und Chaos assoziiert und die Debatten über den Gulag gleich mit.

Die Frage, wie man der politischen Unterdrückung gedenkt, wird, wie ich bereits in der Einleitung zu diesem Buch erwähnte, zusätzlich dadurch verwirrend, dass so viele andere Tragödien der Sowjetunion ebenfalls so zahlreiche Opfer hinterlassen haben, und häufig dieselben. Dazu schreibt Catherine Merridale: »Noch komplizierter werden die Dinge dadurch, dass viele gleich mehrfach zu Opfern wurden: als Kämpfer im Krieg, als Opfer der Unterdrückung, als Kinder politisch Verfolgter oder als Überlebende der Hungersnot ...«[4] So viele Denkmäler sind den Toten des Krieges gewidmet, scheinen manche Russen zu denken. Genügt das nicht?

Es gibt allerdings auch Gründe für dieses hartnäckige Schweigen, die weniger verzeihlich sind. Viele Russen haben den Zusammenbruch der Sowjetunion als schweren Schlag gegen ihren persönlichen Stolz empfunden. Vielleicht war das alte System schlecht, denken sie nun, aber unser Land war stark und mächtig. Heute, da es das nicht mehr ist, wollen wir nicht hören, dass es auch noch schlecht war. Das ist so, als rede man übel von einem Toten.

Wieder andere haben Angst vor dem, was zum Vorschein kommen könnte, wenn sie zu tief in der Vergangenheit graben. Die russisch-amerikanische Journalistin Masha Gessen hat 1998 geschildert, was sie empfand, als sie entdecken musste, dass eine ihrer Großmütter, eine nette alte jüdische Dame, Zensorin gewesen war, die die Berichte ausländischer Korrespondenten in Moskau bearbeitet hatte. Außerdem stellte sie fest, dass ihre andere Großmutter, eine ebenso nette alte jüdische Dame, sich einst bei der Geheimpolizei beworben hatte. Beide hatten aus Verzweiflung, nicht aus Überzeugung so gehandelt. Jetzt versteht sie, warum ihre Generation nicht den Stab über die Generation der Großeltern brach: »Wir haben sie nicht entlarvt und nicht gerichtet ... denn schon mit solchen Fragen riskiert jeder von uns, jemanden zu verraten, den er liebt.«[5]

Alexander Jakowlew, der Vorsitzende der russischen Rehabilitierungskommission, sagte es noch eindeutiger: »Die Gesellschaft verhält sich gleichgültig zu den Verbrechen der Vergangenheit, weil so viele Menschen daran beteiligt waren.«[6] Das Sowjetsystem hat Millionen seiner Bürger in viele Formen von Kollaboration und Kompromiss hineingezogen. Viele taten das freiwillig, aber auch anständige Menschen wurden zu schrecklichen Dingen gezwungen. Sie selbst, ihre Kinder und Enkel wollen sich daran heute nicht mehr erinnern.

Die wichtigste Erklärung dafür, dass dieses Thema öffentlich nicht diskutiert wird, liefern jedoch nicht die Ängste der jüngeren

Generation, Minderwertigkeitskomplexe oder Reste von Schuld bei ihren Eltern. Das wichtigste Hindernis sind Macht und Ansehen jener, die heute nicht nur Russland, sondern auch viele der anderen ehemaligen Sowjetrepubliken und Satellitenstaaten der UdSSR regieren. Im Dezember 2001, zehn Jahre nach Auflösung der Sowjetunion, standen in dreizehn der fünfzehn ehemaligen Sowjetrepubliken frühere Kommunisten an der Spitze. Ähnlich ist die Lage in den ehemaligen Satellitenstaaten – darunter Polen –, aus denen Hunderttausende in sowjetische Lager und Dörfer deportiert und verbannt wurden. Aber auch in Ländern, die nicht von direkten ideologischen Nachfolgern der kommunistischen Parteien regiert werden, sind ehemalige Kommunisten, deren Kinder oder Mitläufer in der Intelligenz, in den Medien und den Wirtschaftseliten stark vertreten. Der russische Präsident Wladimir Putin ist selbst ein ehemaliger Mitarbeiter des KGB, der sich stolz als »Tschekisten« bezeichnet. Als er noch russischer Ministerpräsident war, suchte er am Jahrestag der Gründung der Tscheka die ehemalige KGB-Zentrale an der Lubjanka auf, um dort eine Gedenktafel für Juri Andropow zu enthüllen.[7]

Die Dominanz ehemaliger Kommunisten in der postkommunistischen Welt und die ungenügende Diskussion über die Vergangenheit sind kein Zufall. Ehemalige Kommunisten haben ein eindeutiges Interesse daran, die Vergangenheit ruhen zu lassen. Sie nimmt ihnen den Glanz, untergräbt ihre Position, widerspricht ihrem Anspruch, »Reformen« durchzuführen, selbst wenn sie persönlich mit den Verbrechen der Vergangenheit nichts zu tun haben. In Ungarn hat sich die ehemalige kommunistische Partei, die sich heute sozialistisch nennt, der Einrichtung eines Museums für die Opfer des Terrors erbittert widersetzt. Auch in Russland werden zahllose Begründungen dafür beigebracht, weshalb den Millionen von Opfern bisher kein nationales Denkmal gesetzt wurde. Wieder hat Alexander Jakowlew die einleuchtendste Erklärung gegeben: »Das Denkmal wird gebaut werden, wenn wir – die ältere Generation – alle tot sind.«

Das ist es: Die Tatsache, dass man die Geschichte der kommunistischen Vergangenheit bisher weder angenommen noch bereut oder auch nur diskutiert hat, lastet schwer wie ein Stein auf vielen Staaten des postkommunistischen Europa. Gerüchte über den Inhalt alter »Geheimakten« destabilisieren weiterhin die Politik der Gegenwart und haben zumindest einen polnischen und einen ungarischen Ministerpräsidenten ins Wanken gebracht. Eine zufällige Entdeckung bisher verborgener Gebeine kann unverhofft Zorn und Kontroversen auslösen.[8]

In Russland wiegt die Last der Vergangenheit am schwersten. Russland hat die Insignien der Sowjetmacht geerbt, ihren Großmachtkomplex, ihr Militärpotenzial und ihre imperialen Ziele. Daher sind die politischen Folgen des Gedächtnisschwundes hier gravierender als in anderen ehemals kommunistischen Staaten. Im Namen des sowjetischen Vaterlandes deportierte Stalin das tschetschenische Volk in die Steppen von Kasachstan, wo die Hälfte zugrunde ging und der Rest mitsamt seiner Sprache und Kultur verschwinden sollte. Fünfzig Jahre später, gleichsam als Wiederholungstat, hat die Russische Föderation die tschetschenische Hauptstadt Grosny in Schutt und Asche gelegt und in zwei Kriegen Zehntausende tschetschenische Zivilisten umgebracht. Hätten das russische Volk und die russische Elite emotional verinnerlicht, was Stalin den Tschetschenen angetan hat, dann wären sie in den neunziger Jahren nicht in Tschetschenien einmarschiert – nicht ein Mal und erst recht nicht zwei Mal. Das ist etwa so, als wenn Nachkriegsdeutschland Westpolen überfallen hätte. Nur sehr wenige Russen sehen das so, was beweist, wie wenig sie über ihre eigene Geschichte wissen.

Das hat auch Folgen für die Entwicklung der Zivilgesellschaft und der Rechtsordnung in Russland. Um es ganz klar zu sagen: Solange die Täter des alten Regimes straffrei bleiben, wird nie das Gute über das Böse siegen. Das mag apokalyptisch klingen, ist politisch aber durchaus nicht irrelevant. Die Polizei muss nicht zu jeder Zeit alle Verbrecher dingfest machen, damit die Mehrheit die staatliche Ordnung einhält, aber sie muss zumindest einen bedeutsamen Teil erwischen. Nichts trägt mehr zur Gesetzlosigkeit bei als der Anblick von Schurken, die davonkommen und von ihrer Beute in Saus und Braus leben. Die Angehörigen der Geheimpolizei haben ihre Wohnungen, ihre Datschen und ihre hohen Renten behalten. Ihre Opfer sind arm und unbedeutend geblieben. Für die meisten Russen heißt das, je mehr man in der Vergangenheit kollaboriert hat, desto klüger ist man gewesen. Analog gilt dann: Je mehr man heute lügt und betrügt, desto weiser handelt man.

In einem tieferen Sinne hat etwas von der Ideologie des Gulags in der Haltung und Weltsicht der neuen russischen Elite überlebt. Ich hatte einmal Gelegenheit, spät nachts im Haus von Moskauer Freunden Zeugin eines der typischen Küchengespräche zu werden. Dort gerieten zwei Anwesende, erfolgreiche russische Unternehmer, in Streit darüber, wie dumm und naiv das russische Volk sei. Und für wie intelligent man sich selbst hielt. Hier war sie wieder, die alte Stalinsche Teilung der Menschen in Kategorien: in die allmächtige Elite und die »Feinde«, die zu nichts zu gebrauchen sind. Sie lebt in der arroganten Verachtung der russischen Elite für ihre Mitbürger fort. Solange diese nicht erkennt, wie wertvoll und wichtig alle Bürger Russlands sind, solange sie deren Bürger- und Menschenrechte nicht respektiert, so lange kann Russland das Schicksal eines Zaire des Nordens drohen, bevölkert von verarmten Bauern und steinreichen Politikern, die ihr Vermögen in Schweizer Banktresoren einschließen und stets ein Privatflugzeug mit laufendem Motor auf einer Startbahn stehen haben.

Es ist tragisch, dass Russlands fehlendes Interesse an der Vergangenheit ihm seine Helden ebenso wie seine Opfer nimmt. Die Namen derer, die sich – wie wenig wirksam auch immer – Stalin widersetzt haben, Studenten wie Susanna Petschora, Viktor Bulgakow und Anatoli Schigulin, die Anführer der Revolten und Aufstände im Gulag, die Dissidenten von Sacharow über Bukowski bis Orlow, sollten in Russland genauso bekannt sein, wie man in Deutschland die Namen derer kennt, die an dem Attentat auf Hitler beteiligt waren. Die unglaublich reiche Literatur von Überlebenden – Geschichten von Menschen, deren Humanität die schrecklichen Bedingungen in den sowjetischen Lagern besiegte – sollte mehr gelesen und häufiger zitiert werden. Wenn die Schulkinder diese Helden und ihre Geschichten besser kennen, dann finden sie auch in der Vergangenheit Sowjetrusslands neben imperialen und militärischen Siegen etwas, auf das sie stolz sein können.

Doch das Verdrängen der Vergangenheit hat auch Folgen irdischer, praktischer Natur. Die fehlende Auseinandersetzung mit der russischen Vergangenheit kann erklären, warum heute bestimmte Arten von Zensur oder die weiterhin starke Präsenz der Geheimpolizei, die jetzt Sicherheitsdienst der Föderation (FSB) heißt, so gleichgültig hingenommen werden. Die meisten Russen stört es nicht, dass Letzterer nach wie vor ohne Gerichtsbeschluss Post öffnen, Telefone abhören und in Privatwohnungen eindringen kann. Auch dass er den Ökologen Alexander Nikitin lange Zeit verfolgte, der darüber schrieb, welchen Schaden die russische Nordflotte in der Ostsee anrichtet, interessiert kaum jemanden.[9]

Mit diesem Desinteresse gegenüber der Vergangenheit ist außerdem zu erklären, weshalb es nach wie vor keine wirkliche Reform von Justiz und Strafvollzug gibt. 1998 besuchte ich das Zentralgefängnis der Stadt Archangelsk. Einst eine der wichtigsten Städte des Gulags, lag es auf direktem Weg zu den Solowezki-Inseln, nach Kotlas, Kargopollag und zu anderen Lagerkomplexen im Hohen Norden. Das Stadtgefängnis, das aus vorstalinistischer Zeit stammt, schien sich seitdem kaum verändert zu haben. Ich kam in Begleitung von Galina Dudina dorthin, einer Anwältin, die sich für Gefangenenrechte einsetzt – im heutigen Russland eine echte Rarität. Als wir in Begleitung eines schweigenden Wärters durch dieses Steingebäude schritten, war das wie ein Gang in die Vergangenheit.

Die Korridore waren eng und dunkel mit feuchten, glitschigen Wänden. Als der Wärter die Tür zu einer Männerzelle öffnete, sah ich kurz nackte, tätowierte Körper, auf Pritschen ausgestreckt. Als der Wärter bemerkte, dass die Männer nicht angezogen waren, schloss er die Tür rasch wieder, damit sie sich in Ordnung bringen konnten. Als sie wieder aufging, standen zwanzig Mann stramm in einer Reihe, überhaupt nicht erfreut, dass wir sie unterbrochen hatten. Auf Galinas Fragen murmelten sie einsilbige Antworten. Die meisten starrten mürrisch auf den Zementboden. Offenbar hatten sie Karten gespielt. Der Wärter führte uns rasch weiter.

Mehr Zeit verbrachten wir in einer Frauenzelle. In einer Ecke stand eine Toilette. Ohne sie hätte die Szene aus Erinnerungen der dreißiger Jahre stammen können. An einer Schnur unter der Decke hing Frauenunterwäsche. Die Luft war zum Schneiden dick. Es war heiß und feucht und roch nach Schweiß, schlechtem Essen und menschlichen Ausscheidungen. Die Frauen, ebenfalls nur halb bekleidet, hockten auf ihren Pritschen und überschütteten den Wärter kreischend mit Klagen und Forderungen. Es war, als hätte ich die Zelle betreten, in die Olga Adamowa-Sljosberg 1938 gekommen war.

In der Zelle für Jugendliche, die wir als nächste aufsuchten, stießen wir auf weniger Häftlinge, aber traurigere Gesichter. Galina gab einer schluchzenden Fünfzehnjährigen ein Taschentuch, die eines Diebstahls im Wert von umgerechnet zehn Dollar angeklagt war. »Ist ja gut«, sagte sie zu ihr, »beschäftige dich weiter mit deiner Algebra, bald bist du wieder draußen.« Das hoffte sie zumindest; immerhin war sie schon vielen Häftlingen begegnet, die monatelang ohne Verhandlung festgehalten wurden. Dieses Mädchen war erst eine Woche hinter Gittern.

Der Gefängnisdirektor zuckte nur mit den Schultern, als wir ihn auf das Mädchen in der Jugendzelle, auf den Gefangenen, der seit vielen Jahren in der Todeszelle saß und seine Unschuld beteuerte, auf die schlechte Luft und die fehlenden sanitären Anlagen ansprachen. Das habe alles mit Geld zu tun, meinte er. Es sei nicht genug Geld da. Das Personal werde schlecht bezahlt. Die Stromrechnung steige, deshalb die dunklen Gänge. Für Reparaturen, für Vernehmungsbeamte, Richter oder Prozesse – überall fehle das Geld. Die Gefangenen müssten halt warten, bis die nötigen Mittel vorhanden seien.

Das überzeugte mich nicht. Geld ist ein Problem, aber das ist es nicht allein. Wenn russische Gefängnisse heute aussehen wie in Jewgenia Ginsburgs Memoiren, wenn russische Gerichte und Ermittlungen eine Farce sind, dann liegt das zum Teil auch daran, dass das sowjetische Erbe denen, die heute das Strafrechtssystem des Landes verantworten, kein schlechtes Gewissen bereitet. Die Vergangenheit treibt sie nicht um – weder die russische Geheimpolizei noch die Richter, die Politiker oder die Geschäftselite des Landes.

Das heißt aber auch, dass die Vergangenheit nur für sehr wenige Menschen im heutigen Russland eine Last oder gar eine Verpflichtung ist. Sie erscheint ihnen eher als ein böser Traum, den man schnell vergessen will, als ein Gerücht, das man ignorieren kann. Wie eine große verschlossene Büchse der Pandora liegt sie da und wartet auf die nächste Generation.

Wenn wir im Westen das ganze Ausmaß dessen, was in der Sowjetunion und in Mitteleuropa geschehen ist, nicht in vollem Umfang verstehen, dann hat das natürlich nicht die gleichen Folgen für unsere Lebensweise. Wenn wir manch einen in unseren Universitäten dulden, der die Existenz des Gulags bestreitet, dann erschüttert das nicht die moralischen Grundlagen unserer Gesellschaft. Schließlich ist der Kalte Krieg vorüber, und die kommunistischen Parteien des Westens stellen keine reale intellektuelle oder politische Kraft mehr dar.

Wenn wir uns allerdings nicht stärker für diesen Teil der Vergangenheit interessieren, wird das auch für uns nicht folgenlos bleiben. Erstens werden wir nur wenig von dem begreifen, was heute in der früheren Sowjetunion geschieht, weil wir ihre Geschichte nicht verstehen. Wenn man bei uns wirklich wüsste, was Stalin den Tschetschenen angetan hat, dass es ein schreckliches Verbrechen war, dann wäre nicht nur Wladimir Putin unfähig, ihnen heute das Gleiche anzutun, sondern auch wir könnten nicht mit derartiger Gleichmut zuschauen. Der Zusammenbruch der Sowjetunion hat den Westen nicht in ähnlicher Weise mobilisiert wie das Ende des Zweiten Weltkrieges. Als NS-Deutschland endlich besiegt war, gründete der Westen die NATO und die Europäische Gemeinschaft. Ein wichtiges Motiv dafür war, Deutschland daran zu hindern, jemals wieder aus der »Normalität« der zivilisierten Welt auszubrechen. Erst nach dem 11. September 2001 begannen die Staaten des Westens ernsthaft über ihre Sicherheitspolitik seit dem Ende des Kalten Krieges nachzudenken. Aber auch dann gab es für sie Wichtigeres, als Russland in die Zivilisation des Westens zurückzuholen.

Dabei sind die außenpolitischen Folgen nicht einmal die gravierendsten. Denn wenn wir den Gulag vergessen, dann werden wir eines Tages auch unsere eigene Geschichte nicht mehr verstehen können. Warum haben wir den Kalten Krieg eigentlich geführt? Haben etwa wild gewordene rechte Politiker im Verein mit dem militärisch-industriellen Komplex und der CIA die Sache nur erfunden und ganze Generationen von Amerikanern und Westeuropäern dazu gezwungen? Oder gab es da noch etwas Wichtigeres? Darüber herrscht durchaus Verwirrung. In einem Artikel des konservativen britischen Nachrichtenmagazins *Spectator* hieß es im Jahre 2002, der Kalte Krieg sei »einer der unnötigsten Konflikte aller Zeiten« gewesen.[10]

Wir beginnen zu vergessen, was uns mobilisiert und inspiriert hat, was die Zivilisation »des Westens« so lange zusammenhielt. Wir beginnen zu vergessen, wogegen wir gekämpft haben. Wenn wir uns nicht stärker für die Geschichte der anderen Hälfte des europäischen Kontinents interessieren, die Geschichte des anderen totalitären Regimes des zwanzigsten Jahrhunderts, dann werden wir am Ende unsere eigene Vergangenheit nicht verstehen und nicht mehr wissen, warum unsere Welt so geworden ist, wie wir sie heute erleben.

Das gilt nicht nur für unsere eigene Vergangenheit. Wenn wir die Geschichte von halb Europa vergessen, dann gerät auch manches, was wir über die Menschheit wissen, in ein schiefes Licht. Jede der Massentragödien des zwanzigsten Jahrhunderts war einzigartig: der Gulag, der Holocaust, das Massaker an den Armeniern, das Blutbad von Nanking, die Kulturrevolution, die kambodschanische Revolution, der Bosnienkrieg und viele andere. Jedes dieser Ereignisse hatte seine eigenen historischen, philosophischen und kulturellen Ursachen, jedes hat sich unter besonderen lokalen Umständen abgespielt, die sich nie wiederholen werden. Nur unsere Fähigkeit, unsere Mitmenschen zu erniedrigen, unmenschlich zu behandeln und zu vernichten, bestätigt sich wieder und wieder – dass Menschen es fertig bringen, ihre Nachbarn zu »Feinden« zu erklären, politische Gegner zu Läusen, Ungeziefer oder Unkraut herabzuwürdigen, ihre Opfer als niedrige, wertlose oder gefährliche Wesen zu sehen, die man nur einsperren, ausweisen oder töten kann.

Je besser wir verstehen, wie einzelne Gesellschaften ihre Nachbarn und Mitbürger von Menschen in Sachen umdeuteten, je genauer wir die besonderen Umstände kennen, die zu jedem Fall von Massenfolter und Massenmord geführt haben, desto besser werden wir auch die dunkle Seite unserer eigenen menschlichen Natur begreifen. Dieses Buch ist nicht geschrieben worden, »damit so etwas nie wieder geschieht«, wie man vielleicht denken könnte. Es ist geschrieben worden, weil es fast sicher wieder geschehen wird. Totalitäre Philosophien haben immer Anziehungskraft auf viele Millionen Menschen ausgeübt und werden es weiter tun. Die Vernichtung des »objektiven Gegners«, wie Hannah Arendt es einst nannte, bleibt das Ziel vieler Diktaturen. Wir müssen wissen, warum, und jede Geschichte, jede Erinnerung, jedes Dokument des Gulags ist ein Stückchen dieses Puzzles, ein Teil der Erklärung. Ohne sie werden wir eines Tages aufwachen und feststellen, dass wir nicht wissen, wer wir sind.

# ANHANG

# Wie viele?

Obwohl es in der Sowjetunion Tausende Lager gab, durch die Millionen Menschen gingen, war die genaue Zahl der Opfer jahrzehntelang nur einer Hand voll Bürokraten bekannt. Solange die UdSSR bestand, war daher eine Einschätzung das reine Ratespiel. Jetzt sind es immer noch Vermutungen, aber auf einer gesicherteren Grundlage.

Zu der Zeit, als man bloß raten konnte, war die Debatte im Westen über die Statistik der Unterdrückung wie über die Sowjetgeschichte überhaupt seit den fünfziger Jahren von der Politik des Kalten Krieges geprägt. Ohne Archivdokumente zur Verfügung zu haben, stützten sich Historiker auf Erinnerungen von Gefangenen, Erklärungen von Überläufern, die Ergebnisse offizieller Volkszählungen, Wirtschaftsstatistiken oder noch unbedeutendere Einzelheiten, die per Zufall ins Ausland gelangten, wie zum Beispiel die Zahl der Zeitungen, die im Jahr 1931 an die Gefangenen verteilt wurden.[1] Wer die Sowjetunion weniger mochte, suchte sich die höheren Opferzahlen aus. Wer etwas gegen die Rolle Amerikas oder des Westens im Kalten Krieg hatte, benutzte die niedrigeren. Die Zahlen selbst klafften weit auseinander. In seinem bahnbrechenden Werk von 1968 *Der Große Terror* schätzte der Historiker Robert Conquest, dass das NKWD in den Jahren 1937/38 sieben Millionen Menschen verhaftete.[2] In seiner als »Revision« gedachten Darstellung von 1985 *Origins of the Great Purges* schrieb der Historiker J. Arch Getty dagegen nur von »Tausenden« Verhaftungen in denselben Jahren.[3]

Als die sowjetischen Archive schließlich zugänglich gemacht wurden, stellte sich heraus, dass keine der beiden Schulen völlig

Recht hatte. Die ersten veröffentlichten Zahlen über die Gulag-Insassen liegen etwa in der Mitte zwischen der höchsten und der niedrigsten Schätzung. Nach großzügig publizierten Dokumenten des NKWD betrug die Zahl der Gefangenen in den Lagern und Arbeitskolonien des Gulags von 1930 bis 1953 jeweils am 1. Januar jedes Jahres:

| | | | |
|---|---|---|---|
| 1930 | 179 000 | 1942 | 1 777 043 |
| 1931 | 212 000 | 1943 | 1 484 182 |
| 1932 | 268 700 | 1944 | 1 179 819 |
| 1933 | 334 300 | 1945 | 1 460 677 |
| 1934 | 510 307 | 1946 | 1 703 095 |
| 1935 | 965 742 | 1947 | 1 721 543 |
| 1936 | 1 296 494 | 1948 | 2 199 535 |
| 1937 | 1 196 369 | 1949 | 2 356 685 |
| 1938 | 1 881 570 | 1950 | 2 561 351 |
| 1939 | 1 672 438 | 1951 | 2 525 146 |
| 1940 | 1 659 992 | 1952 | 2 504 514 |
| 1941 | 1 929 729 | 1953 | 2 468 524[4] |

Diese Zahlen spiegeln einiges wider, das wir bereits aus anderen Quellen als zutreffend wissen. Die Zahl der Häftlinge begann in der zweiten Hälfte der dreißiger Jahre zu steigen, als die Repressalien verschärft wurden. Sie ging in den Kriegsjahren leicht zurück, weil man zahlreiche Häftlinge amnestierte. Und sie zog 1948 wieder an, als Stalin neue Bevölkerungsgruppen ins Visier nahm. Inzwischen stimmen die meisten Wissenschaftler, die in Archiven recherchiert haben, darin überein, dass die Zahlen auf realen Daten beruhen, die das NKWD aus den Lagern erhielt. Sie passen zu denen aus anderen Teilen des sowjetischen Regierungsapparates, beispielsweise aus dem Volkskommissariat für Finanzen.[5] Aber sie sagen uns nicht die ganze Wahrheit.

Zunächst einmal sind die Zahlen für die einzelnen Jahre irreführend, da sie die sehr hohe Fluktuation verschleiern. 1943 zum Beispiel gingen anderen Unterlagen zufolge 2,421 Millionen Gefangene durch den Gulag. Die Gesamtzahl am Anfang und am Ende jenes Jahres weist jedoch einen Rückgang von 1,5 auf 1,2 Millionen aus. Die Differenz zwischen diesen beiden Angaben beinhaltet Transfers innerhalb des Systems, deutet aber auch auf eine enorme Bewegung der Gefangenen hin, die die Gesamtzahl nicht zum Ausdruck bringt.[6] Zugleich wurde etwa eine Million Gefangener aus den Lagern direkt zur Roten Armee geschickt – eine Tatsache, die die Gesamtstatistik kaum erfasst, weil in den Kriegsjahren so viele neue Häftlinge in die Lager kamen. Ein anderes Beispiel: Im Jahr 1947 gab es in den Lagern 1 490 959 Neuzugänge und zugleich 1 012 967 Abgänge. Diese enorme Fluktuation ist aus der Tabelle ebenfalls nicht ablesbar.[7]

Häftlinge gingen ab, weil sie starben, aus dem Lager ausbrachen, ihre Haftzeit abgelaufen war, sie in die Rote Armee entlassen oder auf Verwaltungsposten befördert wurden. Wie bereits beschrieben, gab es auch immer wieder Amnestien für Alte, Kranke oder schwangere Frauen, auf die unweigerlich neue Verhaftungswellen folgten. Diese ständige Bewegung bedeutet, dass die Zahlen in Wirklichkeit weit höher liegen, als es auf den ersten Blick scheint: Bis 1940 hatten bereits acht Millionen Häftlinge im Lager gesessen.[8] Wenn man alle zugänglichen Statistiken über Zu- und Abgänge nutzt und die verschiedenen Quellen in eine gewisse Übereinstimmung bringt, dann läuft die Gesamtzahl nach meiner Kenntnis auf achtzehn Millionen Sowjetbürger hinaus, die zwischen 1929 und 1953 die Lager und Arbeitskolonien durchlaufen haben. Diese Zahl passt zu anderen, die hohe russische Sicherheitsbeamte in den neunziger Jahren genannt haben. Laut einer Quelle soll Chruschtschow selbst von siebzehn Millionen gesprochen haben, die zwischen 1937 und 1953 in den Arbeitslagern saßen.[9]

In einem gewissen Sinne ist jedoch auch diese Zahl irreführend. Wie die Leser wissen, hat nicht jeder, der in der Sowjetunion zu Zwangsarbeit verurteilt wurde, seine Strafe in einem Lager des Gulags verbüßt. Daher klammert diese Zahl die Hunderttausenden aus, die wegen Vergehen am Arbeitsplatz zu »Zwangsarbeit ohne Freiheitsstrafe« verurteilt wurden. Zudem gab es mindestens drei weitere wichtige Kategorien von Zwangsarbeitern mit Freiheitsentzug: die Kriegsgefangenen, die Insassen der Filtrationslager der Nachkriegszeit, vor allem aber die »Sonderumsiedler«, das heißt während der Kollektivierung verbannte Kulaken, nach 1939 deportierte Polen, Balten und andere sowie die während des Krieges umgesiedelten Kaukasier, Tataren, Wolgadeutschen und anderen Völkerschaften.

Die ersten beiden Gruppen sind relativ leicht zu zählen: Aus mehreren zuverlässigen Quellen wissen wir, dass die Zahl der Kriegsgefangenen die vier Millionen überstieg.[10] Wir wissen auch, dass das NKWD vom 27. Dezember 1941 bis zum 1. Oktober 1944 gegen 421 199 Personen in Filtrationslagern ermittelte und am 10. Mai 1945 dort immer noch 160 000 Menschen einsaßen, die zur Zwangsarbeit eingesetzt wurden. Erst im Januar 1946 löste das NKWD die Lager auf und repatriierte 228 000 Personen für weitere Ermittlungen in die UdSSR.[11] Eine Gesamtzahl von 700 000 scheint daher eine realistische Schätzung zu sein.

Die Sonderumsiedler sind schwerer zu zählen. So viele Gruppen wurden zu so unterschiedlichen Zeiten aus ganz verschiedenen Gründen an so viele Orte verbracht. In den zwanziger Jahren verbannte man die frühen Gegner der Bolschewiken – Menschewiken, Sozialrevolutionäre und andere – auf behördliche Anweisung, was bedeutete, dass sie formal kein Teil des Gulags waren, aber eine Strafe verbüßten. Anfang der dreißiger Jahre wurden 2,1 Millionen Kulaken verbannt. Eine unbekannte Zahl, wahrscheinlich Hunderttausende, kam aber nicht nach Kasachstan oder Sibirien, sondern wurde in andere Gegenden ihrer Heimatregionen oder auf schlechte Böden am Rande ihrer Kolchose umgesiedelt. Da viele fliehen konnten, weiß man nicht, ob man sie zählen soll oder nicht. Viel klarer ist dagegen das Problem der Nationalitäten, die während des Krieges und danach in »Sonderdörfer« verbannt wurden. Leicht vergessen werden solche Einzelgruppen wie die 17 000 Angehörigen des »alten Regimes«, die nach dem Mord an Kirow aus Leningrad verbannt wurden. Es gab auch Sowjetdeutsche, die man nicht deportierte, sondern zu denen der Gulag kam: Ihre Dörfer in Sibirien und Zentralasien wurden kurzerhand zu »Sonderansiedlungen« erklärt. Die in der Verbannung geborenen Kinder müssen ebenfalls als Verbannte mitgezählt werden.

Verschiedene Autoren, die versuchen, die unterschiedlichen Statistiken über diese vielen einzelnen Gruppen zusammenzutragen, kommen daher zu leicht voneinander abweichenden Ergebnissen. In *Nje po swojej wole* [Nicht aus freiem Willen], einem Dokument, das Memorial im Jahr 2001 veröffentlicht hat, kommt der Historiker Pawel Poljan auf eine Zahl von 6 015 000 Sonderumsiedlern.[12] In einer Zusammenfassung von Archivpublikationen errechnete Otto Pohl für die Jahre 1930 bis 1948 die Zahl von über sieben Millionen Sonderumsiedlern.[13] Für die Nachkriegszeit macht er folgende Angaben:

| | |
|---|---|
| Oktober 1945 | 2 230 500 |
| Oktober 1946 | 2 463 940 |
| Oktober 1948 | 2 104 571 |
| 1. Januar 1949 | 2 300 223 |
| 1. Januar 1953 | 2 753 356[14] |

Ausgehend davon, dass der niedrigere Schätzwert die Anspruchsvolleren zufrieden stellen wird, habe ich mich für Poljans Zahl von sechs Millionen Verbannten entschieden. Alles in allem kommt man damit auf eine Gesamtzahl von 28,7 Millionen Zwangsarbeitern in der UdSSR.

Mir ist natürlich bewusst, dass diese Zahl nicht jedermann zufrieden stellen wird. Einige werden einwenden, dass nicht alle, die verhaftet oder deportiert wurden, als »Opfer« angesehen werden können, denn schließlich waren Kriminelle, ja sogar Kriegsverbrecher darunter. In der Tat wurden Millionen Häftlinge wegen krimineller Straftaten verurteilt. Dennoch glaube ich nicht, dass auch nur annähernd die Mehrheit »Kriminelle« im üblichen Sinne waren. Eine Frau, die einige Kornähren von einem bereits abgeernteten Feld aufhob, hat kein Verbrechen begangen. Und ein Mann, der zwei Mal zu spät zur Arbeit kam, wie der Vater des russischen Generals Alexander Lebed, ist kein Krimineller, wurde aber mit dieser Begründung zu Lagerhaft verurteilt. Und auch ein Kriegsgefangener, der viele Jahre nach dem Krieg in einem Zwangsarbeitslager festgehalten wurde, ist in diesem Sinne kein legitimer Gefangener. Nach allen Berichten war der Anteil wirklicher Berufsverbrecher äußerst gering, weshalb ich es vorziehe, an diesen Zahlen nichts zu ändern.

Aber auch mancher andere wird aus unterschiedlichen Gründen

mit diesen Zahlen nicht zufrieden sein. Während ich an diesem Buch schrieb, bin ich sehr, sehr oft gefragt worden, wie viele von diesen 28,7 Millionen Gefangenen in den Lagern gestorben sind.

Auch hier ist eine Antwort kompliziert. Bislang gibt es keine wirklich akzeptablen Statistiken über die im Gulag oder in der Verbannung Verstorbenen.[15] Vielleicht erscheinen in den nächsten Jahren verlässlichere Zahlen. Zumindest hat ein ehemaliger Offizier des Innenministeriums es persönlich übernommen, die Archive Lager für Lager und Jahr für Jahr systematisch durchzugehen, um authentische Daten zu ermitteln. Aus etwas anderen Motiven hat auch die Gesellschaft Memorial, die bereits das erste verlässliche Handbuch über die Lager veröffentlicht hat, es sich jetzt zur Aufgabe gemacht, die Opfer der Repressalien zu zählen.

Bis diese Zusammenstellungen erscheinen, müssen wir uns auf das stützen, was wir haben: jährliche Berichte über die Todesraten im Gulag, die auf den Akten der Abteilung Häftlingsregistratur beruhen. In diesen scheinen die in den Gefängnissen und auf dem Transport Verstorbenen nicht enthalten zu sein. Sie wurden aus Gesamtstatistiken des NKWD, nicht aus den Akten der einzelnen Lager zusammengestellt. Die Sonderumsiedler sind dabei überhaupt nicht berücksichtigt. Ich führe sie daher hier nur unter Vorbehalt an:

| | | | | | |
|---|---|---|---|---|---|
| 1930 | 7 980 | ( 4,2 %) | 1942 | 352 560 | (24,9 %) |
| 1931 | 7 283 | ( 2,9 %) | 1943 | 267 826 | (22,4 %) |
| 1932 | 13 197 | ( 4,81 %) | 1944 | 114 481 | ( 9,2 %) |
| 1933 | 67 297 | (15,3 %) | 1945 | 81 917 | ( 5,95 %) |
| 1934 | 25 187 | ( 4,28 %) | 1946 | 30 715 | ( 2,2 %) |
| 1935 | 31 636 | ( 2,75 %) | 1947 | 66 830 | ( 3,59 %) |
| 1936 | 24 993 | ( 2,11 %) | 1948 | 50 659 | ( 2,28 %) |
| 1937 | 31 056 | ( 2,42 %) | 1949 | 29 350 | ( 1,21 %) |
| 1938 | 108 654 | ( 5,35 %) | 1950 | 24 511 | ( 0,95 %) |
| 1939 | 44 750 | ( 3,1 %) | 1951 | 22 466 | ( 0,92 %) |
| 1940 | 41 275 | ( 2,72 %) | 1952 | 20 643 | ( 0,84 %) |
| 1941 | 115 484 | ( 6,1 %) | 1953 | 9 628 | ( 0,67 %)[16] |

Wie die offizielle Gefangenenstatistik weist auch diese Tabelle bestimmte Muster auf, die sich mit anderen Daten in Einklang bringen lassen. Das Hochschnellen der Sterberate im Jahr 1933 geht zum Beispiel eindeutig auf die Hungersnot zurück, die auch sechs bis sieben Millionen »freier« Sowjetbürger das Leben kostete. Der geringere Anstieg im Jahre 1938 muss die Massenexekutionen widerspiegeln, die in jenem Jahr in einigen Lagern stattfanden. Die starke Zunahme der Todesraten während des Krieges – 1942 fast ein Viertel der Häftlinge – stimmt wiederum mit den Erinnerungen von Betroffenen überein, die über die große Lebensmittelknappheit in der ganzen UdSSR berichten.

Selbst wenn diese Zahlen noch weiter präzisiert werden, bleibt es schwierig, die Frage, wie viele tatsächlich gestorben sind, eindeutig zu beantworten. Denn keine Todeszahl der Gulag-Behörden kann jemals als vollkommen zuverlässig angesehen werden. Aus der Natur der Lagerinspektionen ergab sich, dass die Kommandanten ein vitales Interesse daran hatten, keine exakten Angaben darüber zu machen, wie viele Häftlinge gestorben waren. Archive und Erinnerungen sagen eindeutig aus, dass man in vielen Lagern Häftlinge, die nicht mehr lange zu leben hatten, vorzeitig entließ, um die Statistik aufzupolieren.[17] Zwar wurden die Verbannten weniger häufig verlegt und auch nicht als Halbtote entlassen, aber ihre Unterbringung in entlegenen Dörfern fern von jeglichen Behörden bedeutet, dass ihre Todesstatistiken nicht völlig zuverlässig sein können.

Außerdem muss die Fragestellung selbst präzisiert werden. »Wie viele sind gestorben?« ist in der Tat für die Sowjetunion eine ungenaue Frage. Zuerst muss man sich darüber klar werden, was man eigentlich wissen will. Geht es einfach um die Zahl derer, die während der gesamten Stalinzeit, das heißt von 1929 bis 1953, in Gulag und Verbannung gestorben sind? Dafür weisen die Archive eine Zahl aus, die allerdings der Historiker, der sie errechnet hat, selbst als unvollständig bezeichnet, da sie nicht alle Häftlingskategorien in allen Jahren umfasst. Wiederum führe ich sie nur unter Vorbehalt an: Es sind 2 749 163.[18]

Selbst wenn diese Zahl vollständig wäre, würde sie nicht alle Opfer der Stalinschen Justiz erfassen. Wie ich bereits in der Einleitung zu diesem Buch erwähnt habe, benutzte die sowjetische Geheimpolizei die Lager in der Regel nicht, um Menschen zu Tode zu bringen. Wenn sie das wollte, dann gab es Massenexekutionen in den Wäldern. Die dort Umgekommenen sind natürlich auch Opfer der sowjetischen Justiz, und es sind sehr viele. Unter Nutzung der Archive haben Wissenschaftler für die Jahre 1934 bis 1953 die Zahl von 786 098 Hinrichtungen aus politischen Gründen ermittelt.[19] Die meisten Historiker halten das für mehr oder weniger einleuchtend, wenn auch die Hast und das Chaos, die mit solchen Massentötungen einhergingen, bedeuten, dass wir es wohl nie genau erfahren werden. Aber auch diese Zahl, die aus meiner Sicht zu präzise ist, um verlässlich zu sein, schließt nicht jene ein, die auf dem Transport oder beim Verhör starben; deren Hinrichtung formal nicht politisch motiviert war, aber mit Scheinargumenten begründet wurde; die über 20 000 polnischen Offiziere, die in Katyn erschossen wurden; vor allem jene, die wenige Tage nach ihrer Entlassung verstarben. Wenn das die Zahl ist, die wir wirklich wissen wollen, dann wird sie höher, vielleicht viel höher liegen. Schätzungen werden auch hier natürlich weit auseinander gehen.

Aber auch diese Angaben sind nach meinem Eindruck nicht immer das, was die Menschen wissen wollen. Häufig geht es darum zu erfahren, wie viele Menschen im Ergebnis der bolschewistischen Revolution unnötig ihr Leben ließen: das heißt, während des Roten Terrors und des Bürgerkrieges, in den Hungersnöten, die auf die brutale Kollektivierungspolitik folgten, während der Massendeportationen, der Massenexekutionen, in den Lagern der zwanziger, aber auch der sechziger bis achtziger Jahre und natürlich in den Lagern und bei den Massenmorden unter Stalins Herrschaft. Wenn es so ist, dann liegen entsprechende Zahlen nicht nur weit höher, sondern dann kann man nur noch reine Mutmaßungen anstellen. Die französischen Verfasser des *Schwarzbuches des Kommunismus* führen eine Zahl von zwanzig Millionen Toten an. Andere gehen eher von zehn oder zwölf Millionen aus.[20]

Eine runde Gesamtzahl von Toten wäre höchst befriedigend, denn damit könnten wir Stalin direkt mit Hitler oder Mao vergleichen. Aber selbst wenn wir eine fänden, könnte sie wohl nicht die ganze Geschichte der Leiden dieser Menschen wiedergeben. Keine offizielle Zahl kann zum Beispiel etwas darüber aussagen, wie viele der zurückgebliebenen Ehefrauen, Kinder und betagten Eltern starben, denn ihr Tod wurde nicht eigens registriert. In der Kriegszeit mussten alte Menschen ohne Lebensmittelrationen verhungern. Hätte ihr Sohn nicht in Workuta Kohle abbauen müssen, wären sie vielleicht am Leben geblieben. Kleine Kinder fielen in kalten, schlecht ausgestatteten Waisenhäusern häufig dem Typhus oder den Masern zum Opfer. Hätten ihre Mütter nicht in Kengir Uniformen nähen müssen, wären auch sie vielleicht noch am Leben.

Keine Statistik kann wiedergeben, was tatsächlich geschehen ist. Auch Archivdokumente, auf denen dieses Buch zu großen Teilen beruht, können dies nicht. Alle, die so eindringlich zum Thema Gulag geschrieben haben, kennen diese Wahrheit. Daher möchte ich einem von ihnen zum Thema Statistiken, Archive und Akten das letzte Wort geben.

Der Schriftsteller Lew Rasgon erhielt 1990 Gelegenheit, seine eigene Akte einzusehen – ein dünnes Konvolut von Dokumenten über seine Verhaftung und die Festnahme seiner ersten Frau Oxana sowie weiterer Mitglieder ihrer Familie. Er las sie durch und schrieb darüber später einen Essay. Er äußerte sich ausführlich über deren Inhalt: die kümmerlichen Beweise, die absurden Anklagen, die Tragödie, die seine Schwiegermutter erdulden musste, die unklaren Motive seines Schwiegervaters, des Tschekisten Gleb Boki, das merkwürdige Fehlen von Reue bei denen, die alle diese Menschen vernichtet hatten. Am meisten beeindruckte mich die Schilderung seiner Gefühle, als er die Lektüre beendet hatte:

> »Längst blättere ich nicht mehr in der Akte. Seit über einer Stunde sitze ich still, und beim Nachdenken wird mir immer kälter. Mein Aufpasser [der Archivar vom KGB, A. A.] räuspert sich bereits bedeutungsvoll und schaut auf die Uhr. Es ist Zeit zu gehen. Hier bleibt für mich nichts mehr zu tun. Ich gebe die Akte ab, die man nachlässig in einen Plastikbeutel fallen lässt. Ich gehe die Treppen hinunter, die leeren Korridore entlang, an den Posten vorbei, die nicht einmal meinen Passierschein sehen wollen, und trete hinaus auf den Platz vor der Lubjanka.

Es ist erst fünf Uhr nachmittags, aber es dunkelt bereits. Immer noch regnet es still vor sich hin. Das Gebäude im Rücken, stehe ich auf dem Asphalt und überlege, was ich jetzt anfangen soll. Wie schlimm, dass ich nicht an Gott glaube. Dann könnte ich mir jetzt irgendeine kleine Kirche suchen, dort im warmen Licht der Kerzen stehen, Christus am Kreuz in die Augen blicken und dabei Dinge sagen und tun, die es den Gläubigen leichter machen, ihr Schicksal zu ertragen…

Ich nehme die Pelzmütze ab, und Regentropfen oder Tränen rinnen über mein Gesicht. Zweiundachtzig Jahre alt bin ich geworden. Da stehe ich nun und erlebe alles noch einmal ... Ich höre Oxanas Stimme und die ihrer Mutter … Ich sehe sie alle vor mir, jede Einzelne. Und da ich am Leben geblieben bin, ist das wohl auch meine Pflicht…«[21]

# Danksagung

Ein Buch ist niemals das Werk eines einzigen Menschen. Dieses hätte ganz bestimmt nicht geschrieben werden können, wenn nicht viele ihren praktischen, geistigen oder philosophischen Beitrag dazu geleistet hätten. Einige zählen zu meinen besten Freunden, anderen bin ich persönlich nie begegnet. Wenn es auch nicht üblich ist, Autoren, die schon lange nicht mehr leben, Dank zu sagen, so möchte ich an dieser Stelle doch die kleine, aber einzigartige Gruppe von Überlebenden der Lager erwähnen, deren Erinnerungen ich wieder und wieder gelesen habe, während ich an diesem Buch arbeitete. Zwar haben viele ihre Erlebnisse scharfsinnig und eloquent geschildert, aber es ist kein Zufall, dass ich in diesem Buch immer wieder aus den Arbeiten von Warlam Schalamow, Isaak Filschtinski, Gustaw Herling-Grudzinski, Jewgenia Ginsburg, Lew Rasgon, Janusz Bardach, Olga Adamowa-Sljosberg, Anatoli Schigulin, Alexander Dolgun und natürlich Alexander Solschenizyn zitiere. Einige der Genannten gehören zu den berühmtesten Überlebenden des Gulags. Aber auch wenn nicht, haben sie alle eines gemeinsam: Aus den Hunderten von schriftlichen Erinnerungen, die ich gelesen habe, ragen ihre hervor – nicht nur, weil es sich um eindrucksvolle Prosa handelt, sondern weil es ihnen gelungen ist, unter die Oberfläche des alltäglichen Horrors zu blicken und tiefere Erkenntnisse über die Natur des Menschen zutage zu fördern.

Überaus dankbar bin ich den vielen Moskauern, die mich durch die Archive geleitet, mich mit Überlebenden bekannt gemacht und zugleich ihre Vergangenheit selbst interpretiert haben. Als ersten möchte ich den Archivar und Historiker Alexander Kokurin nennen, den man hoffentlich eines Tages als Pionier der neuen russischen Geschichte ehren wird. Dazu Galja Winogradowa und Alla Borina, die sich mit außergewöhnlicher Energie für dieses Projekt engagiert haben. Zu unterschiedlichen Zeiten halfen mir Gespräche mit Anna Grischina, Boris Belikin, Nikita Petrow, Susanna Petschora, Alexander Gurjanow, Arseni Roginski und Natascha Malykina von Memorial Moskau, mit Simeon Wilenski von Woswraschtschenie, mit Oleg Chlewnjuk, Soja Jeroschok, Professor Natalja Lebedewa, Ljuba Winogradowa und mit Stanislaw Gregorowicz, der ehemals in der polnischen Botschaft in Moskau tätig war. Ich danke auch all jenen von Herzen, mit denen ich lange offizielle Gespräche führen durfte und die in der Bibliographie gesondert aufgeführt sind.

Viel verdanke ich Menschen außerhalb Moskaus, die sich bereit fanden, alles stehen und liegen zu lassen und einer Ausländerin einen großen Teil ihrer Zeit zu widmen, die plötzlich wie aus dem Nichts auftauchte und ihnen zu Dingen naive Fragen stellte, an denen sie schon seit Jahren forschten. Das sind unter vielen anderen Nikolai Morosow und Michail Rogatschow in Syktywkar, Schenja Chaidarowa und Ljuba Petrowa in Workuta, Irina Schabulina und Tatjana Fokina auf den Solowezki-Inseln, Galina Dudina in Archangelsk, Wassili Makurow, Anatoli Zigankow und Juri Dmitriew in Petrosawodsk, Viktor Schmirow in Perm, Leonid Trus in Nowosibirsk, die Direktorin des Heimatgeschichtlichen Museums von Iskitim, Swetlana Doinissina, Wenjamin Joffe und Irina Resnikowa von Memorial St. Petersburg. Besonders dankbar bin ich auch mehreren Mitarbeitern der Regionalgeschichtlichen Bibliothek von Archangelsk, die mir die Geschichte ihrer Gegend einen ganzen Tag lang erläuterten – einfach, weil ihnen das wichtig erschien.

In Warschau haben mir Bibliothek und Archiv des Karta-Instituts sehr geholfen, ebenso die Gespräche mit Anna Dzienkiewicz und Dorota Pazio. Für ihre Unterstützung in der Library of Congress von Washington danke ich David Nordlander und Harry Leich. Meine besondere Anerkennung gilt Elena Danielson, Thomas Henrikson, Lora Soroka, vor allem aber Robert Conquest von der Hoover Institution. Die italienische Historikerin Marta Craveri hat viel dazu beigetragen, dass ich die Revolten in den Lagern besser verstand. Die Gespräche mit Wladimir Bukowski und Alexander Jakowlew haben mir einen tieferen Einblick in die poststalinistische Zeit vermittelt.

Für ihre finanzielle und moralische Unterstützung danke ich vor allen anderen der Lynde and Harry Bradley Foundation, der John M. Olin Foundation, der Hoover Institution, der Märit and Hans Rausing Foundation sowie John Blundell vom Institute of Economic Affairs.

Außerdem möchte ich all den Freunden und Kollegen meinen Dank sagen, die mir während der Arbeit an diesem Buch mit praktischen und historischen Ratschlägen zur Seite gestanden haben. Das sind Antony Beevor, Colin Thubron, Stefan und Danuta Waydenfeld, Yuri Morakov, Paul Hofheinz, Amity Shlaes, David Nordlander, Simon Heffer, Chris Joyce, Alessandro Missir, Terry Martin, Alexander Gribanov, Piotr Paszkowski und Orlando Figes, außerdem Radek Sikorski, dessen ministerielle Aktentasche sich als sehr nützlich erwies. Ein besonderes Dankeschön geht an Georges Borchardt, Kristine Puopolo, Gerry Howard und Stuart Profitt, der die Fertigstellung des Buches leitete.

Für ihre Freundschaft, ihre klugen Hinweise, ihre Gastfreundschaft und das herrliche Essen möchte ich schließlich meinen wunderbaren Moskauer Gastgebern Christian und Natascha Caryl, Edward Lucas, Juri Senokossow und Lena Nemirowskaja meinen Dank aussprechen.

# Anmerkungen

## Einführung

1 Zitiert nach Cohen, Stephen (Hrsg.), *An End to Silence: Uncensored Opinion in the Soviet Union,* New York und London 1982, S. 39.

2 Leggett, George, *The Cheka: Lenin's Political Police,* Oxford 1981, S. 102 bis 120.

3 Vgl. Ochotin, N. G., und Roginski, A. B. (Hrsg.), *Sistema isprawitelno-trudowych lagerej w SSSR, 1923–1960 – Sprawotschnik* [Das System der Besserungsarbeitslager in der UdSSR, 1923–1960: Handbuch], Moskau 1998.

4 Statistische Angaben siehe Anhang.

5 Rigoulot, Pierre, *Les paupières lourdes,* Paris 1991, S. 1–10.

6 Zitiert nach Johnson, Paul, *The Intellectuals,* London 1988, S. 243.

7 Zitiert nach Revel, Jean-François, *Die totalitäre Versuchung,* Frankfurt a. M. und Berlin 1977, S. 72.

8 Vgl. Amis, Martin, *Koba the Dread: Laughter and the Twenty Million,* London 2002; Lloyd, John, »Show Trial: The Left in the Dock«, in: *New Statesman* vom 2. September 2002, Bd. 15, Nr. 722, S. 12–15; »Hit and Miss«, in: *Guardian* vom 3. September 2002.

9 Vgl. Thurston, Robert, *Life and Terror in Stalin's Russia, 1934–1941,* New Haven und London 1996; Conquest, Robert, »Small Terror, Few Dead«, in: *The Times Literary Supplement* vom 31. Mai 1996.

10 Das passierte der Verfasserin im Jahre 1994. Das Presseorgan war die *London Review of Books,* und der als »zu antisowjetisch« beanstandete Satz ist ein Zitat aus einem Brief. *The Times Literary Supplement* brachte schließlich eine stark gekürzte Version der Rezension.

11 »Neither Here Nor There« (Rezension von *Between East and West,* New York 1994), in: *The New York Times Book Review* vom 18. Dezember 1994.

12 Eine gründliche Erörterung dieses Problems findet sich bei Malia, Martin, »Judging Nazism and Communism«, in: *The National Interest* 64 (2002), S. 63–78.

13 Webb, Sidney und Beatrice, *Soviet Communism: A New Civilisation?* London 1936, S. 31.

14 Zitiert nach Conquest, Robert, *Der Große Terror. Sowjetunion 1934–1938*, München 1992, S. 527.

15 Vgl. Klehr, Harvey, Haynes, John Earl, und Firsov, Fridrikh, *The Secret World of American Communism*, New Haven und London 1995. Zur Geschichte der Kommunistischen Partei der USA siehe Klehr, Harvey, Haynes, John Earl, und Anderson, Kyrill (Hrsg.), *The Soviet World of American Communism*, New Haven und London 1998.

16 Zitiert nach Tolstoi, Nikolai, *Stalin's Secret War*, New York 1981, S. 289.

17 Einzelheiten siehe Thomas, D. M., *Solschenizyn. Die Biographie*, Berlin 1998, S. 581–586; Scammell, Michael, *Solzhenitsyn: A Biography*, New York und London 1984. Der Versuch, Solschenizyn als Trinker hinzustellen (Scammell, S. 664f.), war besonders plump, denn seine Abneigung gegen Alkohol ist allgemein bekannt.

18 Pipes, Richard, *Die Russische Revolution*, Reinbek 1992/1993, 3 Bde., Bd. 2, S. 811f.

19 Vgl. Overy, Richard, *Russia's War*, London 1997, S. 112, S. 226f.; Moskoff, William, *The Bread of Affliction: The Food Supply in the USSR during World War II*, Cambridge 1990.

20 Ginsburg, Lidija, *Aufzeichnungen eines Blockademenschen*, Frankfurt a. M. 1997, S. 52f.

21 Koschina, Jelena, *Durch die brennende Steppe*, Frankfurt a. M. 2000, S. 11. Die zweite Hälfte des Zitats findet sich nur in der englischen Fassung, *The rough the Burning Steppe: A Memoir of Wartime Russia, 1942–43*, New York 2000, S. 5.

22 Vgl. Kaczyńska, Elżbieta, *Das größte Gefängnis der Welt: Sibirien als Strafkolonie zur Zarenzeit*, Frankfurt a. M. 1994, S. 12.

23 Vgl. Kennan, George, *Sibirien und das Verbannungssystem*, Leipzig und Wien 1891, S. 64–70.

24 Tschechow, Anton, *Die Insel Sachalin*, Berlin 1982, S. 485.

25 Vgl. Kaczyńska, *Gefängnis*, S. 13–25.

26 Vgl. Popow, W. P., »Neiswestnaja iniziatiwa Chruschtschowa (o podgotowke ukasa 1948 g. o wyselenii krestjan)« [Eine unbekannte Initiative Chruschtschows: Zur Vorbereitung des Erlasses von 1948 über die Aussiedlung der Bauern], in: *Otetschestwennyje archiwy* [Inländische Archive] 2 (1993), S. 31–38.

27 Kennan, *Sibirien*, S. 157.

28 Vgl. Kaczyńska, *Gefängnis*, S. 63–89.

29 Vgl. Anisimov, Evgenii, *The Reforms of Peter the Great: Progress through Coercion in Russia*, Armonk, NY, und London 1993, S. 177.

30 GARF, 9414/1/76.

31 Kaczyńska, *Gefängnis*, S. 43–62.

32 Ebenda, S. 125.

33 Tschechow, *Sachalin*, S. 36.

34 Vgl. Kaczyńska, *Gefängnis*, S. 125–137.

35 Vgl. Sutherland, Christine, *Die Prinzessin von Sibirien. Maria Wolkonskaja und ihre Zeit*, Frankfurt a. M. 1988, S. 276–307.

36 Vgl. Adams, Bruce, *The Politics of Punishment: Prisoner Reform in Russia, 1863–1917*, DeKalb, IL, 1996, S. 4–11.

37 Vgl. Wolkogonow, Dmitri, *Stalin. Triumph und Tragödie*, Düsseldorf 1989, S. 34.

38 Zum Foto siehe Figes, Orlando, *Die Tragödie eines Volkes. Die Epoche der russischen Revolution 1891–1924*, Berlin 1998.

39 Zum Foto siehe Wolkogonow, Dmitri A., *Trotzki. Das Janusgesicht der Revolution*, Düsseldorf 1992.

40 Vgl. Bullock, Alan, *Hitler und Stalin. Parallele Leben*, Berlin 1991, S. 44 bis 68.

41 Wolkogonow, *Stalin*, S. 34

42 Vgl. Kotek, Joel, und Rigoulot, Pierre, *Das Jahrhundert der Lager. Gefangenschaft, Zwangsarbeit, Vernichtung*, Berlin und München 2001, S. 87 bis S. 97; Ochotin und Roginski, *Sprawotschnik*, S. 11f.

43 Zu dieser Definition siehe Applebaum, Anne, »A History of Horror«, in: *The New York Review of Books* vom 18. Oktober 2001.

44 Vgl. Heller, Michael, *Stacheldraht der Revolution. Die Welt der Konzentrationslager in der sowjetischen Literatur*, Stuttgart 1975, S. 46.

45 Zitiert nach Kotek und Rigoulot, *Das Jahrhundert der Lager*, S. 84.

46 Zur Vorgeschichte der Konzentrationslager siehe Kotek und Rigoulot, ebenda, S. 11–86.

47 Vgl. Kaczyńska, *Gefängnis*, S. 228–240.

48 Tolstoi, Leo, *Anna Karenina*, Berlin, Darmstadt und Wien 1966, S. 573 bis S. 579.

49 Eine umfassende Betrachtung von Stalins Haltung zu »feindlichen« ethnischen Gruppen findet sich bei Martin, Terry, *The Affirmative Action Empire: Nations and Nationalism in the USSR*, Ithaka, NY, 2001.

50 Arendt, Hannah, *Elemente und Ursprünge totaler Herrschaft*, München 1955.

51 Hitler, Adolf, *Mein Kampf*, 2 Bde. in einem Bd., München 1933, S. 60f.

52 Vgl. Weiner, Amir, »Nature, Nurture and Memory in a Socialist Utopia: Delineating the Soviet Socio-Ethnic Body in the Age of Socialism«, in: *The American Historical Review*, 102, 4 (1999), S. 1121–1136.

53 Vgl. Bullock, *Hitler und Stalin*, S. 418, S. 610.

54 Sereny, Gitta, *Am Abgrund. Eine Gewissensforschung*, Frankfurt a. M. [u. a.] 1980, S. 104.

55 Für die Klärung dieses Punktes danke ich Terry Martin.

56 Vgl. Schreider, Michail, *NKWD isnutri* [Das NKWD von innen gesehen], Moskau 1995, S. 5.

57 Lynne Viola stellt dies für die verbannten Kulaken fest. Vgl. Viola, Lynne, »The Role of the OGPU in Dekulakizations, and Special Resettlement in 1930«, in: *Carl Beck Papers in Russian and East European Studies* 1406 (2000); *Vlast i obschtschestwo w SSSR: politika repressij (20-40je gg.)* [Macht und Gesellschaft in der UdSSR: die Politik der Repressalien (20er bis 40er Jahre)], Moskau 1999.

58 Einzelheiten dazu siehe Applebaum, »A History of Horror«.

## DIE URSPRÜNGE DES GULAGS 1917–1939

### Anfänge unter den Bolschewiken

1 Lichatschow, Dmitri, *Wospominania* [Erinnerungen], St. Petersburg 1995, S. 118.

2 Pipes, *Die Russische Revolution*, Bd. 1, S. 577.

3 Vgl. Pipes, ebenda, Bd. 2, S. 179–286; Figes, *Die Tragödie eines Volkes*, S. 501–584.

4 *Dekrety sowjetskoi wlasti* [Dekrete der Sowjetmacht], Bd. 2, Moskau 1957, S. 241f., und Bd. 3, S. 80. Siehe auch Heller, *Stacheldraht der Revolution*, S. 27; Pipes, *Die Russische Revolution*, Bd. 2, S. 773.

5 Vgl. Jakobson, Michael, *Origins of the Gulag: The Soviet Prison Camp System, 1917–1934*, Lexington, KY, 1993, S. 18–26; Dekret »O rewoljuzionnych tribunalach« [Über Revolutionstribunale] vom 19. Dezember 1917, in: *Sbornik sakonodatelnych i normatiwnych aktow o repressiach i reabilitazii schertw polititscheskich repressij* [Sammlung von Gesetzen und Normativakten über Repressalien und die Rehabilitierung der Opfer politischer Unterdrückung], herausgegeben vom Obersten Sowjet der Russischen Föderation, Moskau 1993, S. 9f.

6 Vgl. Hoover Institution on War, Revolution and Peace, Stanford, CA, Melgunov Collection, Box 1, Folder 63.

7 Vgl. Ochotin und Roginski, *Sprawotschnik*, S. 13.

8 Russisches Staatsarchiv für Sozial- und Politikgeschichte (RGASPI), Moskau, 76/3/1 und 13.

9 *Dekrety*, Bd. 1, S. 401.

10 Hoover, Melgunov Collection, Box 1, Folder 4.

11 Vgl. ebenda.

12 Vgl. Lockhart, R. Bruce, *Memoirs of a British Agent*, London und New York 1932, S. 326–345.

13 Ochotin und Roginski, *Sprawotschnik*, S. 11.

14 Zitiert nach Heller, *Stacheldraht der Revolution*, S. 46; Leggett, *The Cheka*, S. 103.

15 Die Tscheka verwaltete die Lager zunächst gemeinsam mit der Zentralstelle für Kriegsgefangene und Flüchtlinge (Zentroplenbesch). Vgl. Ochotin und Roginski, *Sprawotschnik*, S. 11.

16 Leggett, *The Cheka*, S. 108.

17 Ivanova, Galina Michajlovna, *Der Gulag im totalitären System der Sowjetunion*, erweiterte Ausgabe, Berlin 2001, S. 26.

18 *Istoritscheski archiw* [Historisches Archiv] 1 (1958), S. 6–11; Heller, *Stacheldraht der Revolution*, S. 53.

19 Wie der Historiker Richard Pipes schreibt, wünschte Lenin nicht, dass sein Name mit den ersten Lagern in Zusammenhang gebracht wurde. Daher erließ nicht der Rat der Volkskommissare, dem er vorstand, die Dekrete, sondern das Zentralexekutivkomitee der Sowjets. Vgl. Pipes, *Die Russische Revolution*, Bd. 2, S.760f.

20 Vgl. *Dekrety*, Bd. 5, S. 69f. und S. 174–181.

21 RGASPI, 76/3/65.

22 Bunyan, James, *The Origin of Forced Labour in the Soviet State*, Baltimore 1967, S. 54–65.

23 Vgl. Heller, *Stacheldraht der Revolution*, S. 56–67; Bunyan, *Origin*, S. 54 bis 114.

24 Vgl. Ochotin und Roginski, *Sprawotschnik*, S. 11f. Eine ausführliche Darstellung der wechselnden Behörden in den zwanziger Jahren findet sich bei Michael Jakobson, *Origins of the Gulag*. Siehe dazu auch Lin, George, »Fighting in Vain: NKWD RSFSR in the 1920s«, Ph. D. Dissertation, Stanford University 1997.

25 RGASPI, 17/84/585.

26 Zu Beispielen solcher Beratungen siehe Hoover, Fond 89, 73/25, 26 und 27.

27 Wolkogonow, Dmitri, *Lenin. Utopie und Terror*, Düsseldorf 1994, S. 187.

28 Hoover, Nicolaevsky Collection, Box 9, Folder 1.

29 *Letters from Russian Prisons*, hrsg. vom International Committee for Political Prisoners, New York 1925, S. 20–28.

30 RGASPI, 17/84/395.

31 Siehe Doloi, Juri, *Krassny terror na sewere* [Der Rote Terror im Norden], Archangelsk 1993.

32 Babina-Nevskaya, Bertha, »My First Prison, February 1922«, in: Vilensky, Simeon (Hg.), *Till My Tale is Told*, Bloomington und Indianapolis, IN, 1999, S. 97–109.

33 RGASPI, 76/3/149.

34 Ebenda, 76/3/227; vgl. auch Hoover, Fond 89, 73/25, 26 und 27.

## Das erste Lager des Gulags

1 *Ekran* vom 27. März 1926.

2 Die Geografie der Solowezki-Inseln und ihre Entwicklung ist beschrieben bei Melnik, A., Soschina, A., Resnikowa, A., und Resnikow, A., »Materialy k istoriko-geografitscheskomu atlasu Solowkow« [Materialien zum historisch-geografischen Atlas der Solowezki-Inseln], in: *Swenja* 1 (1991), S. 303–330.

3 Vgl. »Solowezkaja monastyrskaja tjurma« [Das Solowezker Klostergefängnis], Solowezkoje Obschtschestwo Krajewedenia [Solowezker Gesellschaft für Heimatgeschichte], Bd. 7, 1925, Solowezker Museum für Heimatgeschichte (SKM).

4 Vgl. Staatsarchiv der Russischen Föderation (GARF), 5446/1/2. Vgl. auch Nasedkins Hinweis auf Dzierzynski in GARF, 9414/1/77.

5 Eine Darstellung des Gefängnissystems der zwanziger Jahre findet sich bei Jakobson, *Origins of the Gulag*.

6 Brodsky, Juri, *Solovki: Le Isole del Martirio*, Rom 1998, S. 30f.; Olizkaja, Elinor, *Moi wospominania* [Meine Erinnerungen], Bd. 1, Frankfurt a. M. 1971, S. 237–240; Malsagov, S. A., *Island Hell: A Soviet Prison in the Far North*, London 1926, S. 117–131.

7 Olizkaja, ebenda.

8 Vgl. Hoover, Nicolaevsky Collection, Box 99, und Hoover, Fond 89/73/34.

9 Vgl. Brodsky, *Solovki*, S. 194.

10 Schirjajew, Boris, *Neugassimaja lampada* [Die Ewige Lampe], Moskau 1991, S. 30–37.

11 Wolkow, Oleg, *Wek nadeschd i kruschenij* [Zeit der Hoffnung und Enttäuschung], Moskau 1990, S. 53.

12 Vgl. Brodsky, *Solovki*, S. 65.

13 Ebenda, S. 195ff.

14 Solschenizyn, Alexander, *Der Archipel Gulag*, 3 Bde., Bern 1974, Bd. 2, S. 52.

15 Vgl. Tschuchin, Iwan, *Kanaloarmejzy* [Die Kanal-Armisten], Petrosawodsk 1990, S. 40–44; ders., »Dwa dokumenta kommissii A. M. Schanina na Solowkach« [Zwei Dokumente der A. M. Schanin-Kommission auf den Solowezki-Inseln], in: *Swenja* 1 (1991), S. 359–381. Tschuchin erläutert, dass diese Dokumente, die in dem Artikel in vollem Wortlaut wiedergegeben werden, Teil der »Ermittlung Nr. 885« waren. Sie stammen aus dem Archiv des Sicherheitsdienstes der Russischen Föderation (FSB) in Petrosawodsk, wo Tschuchin angestellt war.

16 Klinger, A., »Solowezkaja katorga: Sapiski beschawschego« [Verbannt auf die Solowezki-Inseln: Notizen eines Geflohenen], in: *Archiv russkoi revoljuzii* [Archiv der Russischen Revolution], Bd. 19, Berlin 1929, S. 210, nachgedruckt in *Sewer* [Norden] 9 (1990), S. 108–112. Die Folter durch Mücken wird auch in Archivdokumenten erwähnt, siehe *Swenja* 1 (1991), S. 383; außerdem in verschiedenen Memoiren, siehe *Letters from Russian Prisons*, S. 165–171; Wolkow, *Wek nadeschd*, S. 55.

17 Reiseführer auf den Solowezki-Inseln erzählen diese Geschichte heute den Touristen. Sie findet sich auch bei Solschenizyn, *Archipel Gulag*, Bd. 2, S. 36.

18 Vgl. Zigankow, Anatoli (Hrsg.), *Ich naswali KR* [Man nannte sie KR], Petrosawodsk 1992, S. 196f.

19 Vgl. Schirjajew, *Lampada*, S. 115–132; Lichatschow, Dmitri, *Kniga bespokoistw* [Buch der Unruhe], Moskau 1991, S. 201–205. Weitere Bücher und Zeitschriften siehe SKM.

20 Vgl. GARF, Archiv der Zeitungen und Zeitschriften, *SLON*, Bd. 3, Mai 1924.

21 Vgl. Gespräch mit der SKM-Direktorin Tatjana Fokina am 12. September 1998. Siehe dazu auch *Solowezkie ostrowa* [Die Solowezki-Inseln], 1–7 (1925) und 1 (1930) oder die Bulletins der *Solowezkoe Obschtschestwo Krajewedenja* in dem genannten Museum sowie die Sammlung der Heimatgeschichtlichen Bibliothek Archangelsk (AKB). Siehe außerdem Drjachlizin, Dmitri, »Perioditscheskaja petschat Archipelaga« [Die Periodika des Archipel], in: *Sewer* 9 (1990).

22 Resnikowa, Irina, *Prawoslawie na Solowkach* [Die orthodoxe Religion auf den Solowezki-Inseln], St. Petersburg 1994, S. 46f.

23 *Solowezki Lager* 3 (1924),SKM.

24 Vgl. Anziferow, Nikolai, »Tri glawy is wospominanij« [Drei Kapitel Erinnerungen], in: *Pamjat* [Gedächtnis] 4, S. 75f.

25 Vgl. Klinger, »Solowezkaja katorga«, S. 170–177.

26 Vgl. ebenda, S. 200f.; Malsagov, *Island Hell*, S. 139–145, Rosanow, Michail, *Solowezki konzlager w monastyre* [Das Konzentrationslager im Kloster auf den Solowezki-Inseln], Moskau 1979, S. 55; Hoover, Melgunov Collection, Box 7.

27 *Istorija otetschestwa w dokumentach* [Geschichte des Vaterlandes in Dokumenten], Bd. 2: *1921–1939*, Moskau 1994, S. 51f.

28 Vgl. Jakobson, *Origins of the Gulag*, S. 70–102.

29 Vgl. Krassilnikow, S. A., »Roschdenie Gulaga: Diskussii w werchnych eschelonach wlasti« [Die Entstehung des Gulags: Diskussionen in den obersten Etagen der Macht], in: *Istoritscheski archiw* 4 (1997), S. 142f. Hier ist eine Sammlung von Dokumenten über die Gründung des Gulags aus dem Archiv des Präsidenten der Russischen Föderation abgedruckt, das normalerweise für Wissenschaftler nicht zugänglich ist.

30 Nationalarchiv der Republik Karelien (NARK), Petrosawodsk, 689/1/(44/465).

31 Ebenda, 690/6(2/9).

32 Vgl. Ochotin und Roginski, *Sprawotschnik*, S. 18.

33 Ivanova, *Der Gulag im totalitären System*, S. 80f.

34 Vgl. Jakobson, *Origins of the Gulag*, S. 121, Gespräche mit Nikita Petrow, Oleg Chlewnjuk und Juri Brodski in den Jahren 1998 und 1999. In *Solovki*, der italienischen Übersetzung von Brodskis Buch, wird Frenkel nicht erwähnt.

35 Schirjajew, *Lampada*, S. 138.

36 Vgl. Tschuchin, *Kanaloarmejzy*, S. 30f.

37 Gorki, Maxim (Hrsg.), *Belomor [Kanal imeni Stalina]* [Der Weißmeer-Kanal »J. W. Stalin«], New York 1935, S. 226ff.

38 Staatsarchiv gesellschaftspolitischer Bewegungen und der Entwicklung der Republik Karelien (GAOPDFRK – das ehemalige Parteiarchiv), Petrosawodsk, 1003/1/35.

39 Duguet, Raymond, *Un Bagne en Russie Rouge*, Paris 1927, S. 75.

40 Solschenizyn, *Archipel Gulag*, Bd. 2, S. 72.

41 Malsagov, *Island Hell*, S. 61–73.

42 Vgl. Schirjajew, *Lampada*, S. 137f.; Rosanow, *Konzlager w monastyre*, S. 174–191; Narinski, A. S., *Wremja tjaschkich potrjassenij* [Eine Zeit schwerer Erschütterungen], St. Petersburg 1993, S. 128–149.

43 Vgl. Rosanow, *Konzlager w monastyre*, S. 174–191; Schirjajew, *Lampada*, S. 137–148.

44 Frenkels Häftlingskarte siehe Hoover, St. Petersburg Memorial Collection.

45 Vgl. Tschuchin, *Kanaloarmejzy*, S. 30f.; Solschenizyn, *Archipel Gulag*, Bd. 2, S. 73.

46 Vgl. NARK, 690/6/(1/3).

47 Vgl. Baron, Nick, »Conflict and Complicity: The Expansion of the Karelian Gulag, 1923-1933«, in: *Cahiers du Monde Russe* 42, 2–4 (2001), S. 615–621.

48 NARK, 690/3/(17/148).

49 GAOPDFRK, 1033/1/15.

50 Vgl. Baron, *Conflict*, S. 624.

51 GAOPDFRK, 1033/1/35.

52 Vgl. Brodsky, *Solovki*, S. 75.

53 Vgl. ebenda, S. 195.

54 Vgl. NARK, 690/6/(1/3).

55 Vgl. Brodsky, *Solovki*, S. 115.

56 *Letters from Russian Prisons*, S. 183–188.

57 Hoover, Fond 89, 73/32.

58 Krassikow, N., »Solowki«, in: *Iswestija* vom 15. Oktober 1924.

59 Vgl. *Letters from Russian Prisons*, S. 215.

60 Vgl. Hoover, Fond 89, 73/34, 35 und 36.

61 Vgl. Hoover, Nicolaevsky Collection, Box 782; Melgunov Collection, Box 8.

62 Vgl. Hoover, Nicolaevsky Collection, Box 782, Folder 1.

1 Stalin im Gespräch mit Emil Ludwig 1934, in: Silvester, Christopher (Hrsg.), *The Penguin Book of Interviews,* London 1993, S. 311–322.

2 Vgl. Solschenizyn, *Archipel Gulag,* Bd. 2, S. 60f.; Figes, *Die Tragödie eines Volkes,* S. 425–429 und S. 868f.

3 Vgl. Brodsky, *Solovki,* S. 188f.

4 Lichatschow, *Kniga bespokoistw,* S. 183–189.

5 Wolkow, *Wek nadeschd,* S. 168.

6 Vgl. Solschenizyn, *Archipel Gulag,* Bd. 2; Kjetsaa, Geir, *Maxim Gorki. Eine Biographie,* Hildesheim 1996, S. 342.

7 Tschuchin, *Kanaloarmejzy,* S. 36.

8 Gorki, Maxim, *Gesammelte Werke,* 17 Bde., Bd. 15, Berlin und Weimar 1970, S. 449 und S. 459. Alle Gorki-Zitate über Solowezki stammen aus dieser Quelle.

9 Vgl. Kjetsaa, *Gorki,* S. 341f.

10 Vgl. Tucker, Robert, *Stalin in Power: The Revolution from Above,* New York 1990, S. 125ff.

11 Tucker, *Stalin in Power,* S. 96.

12 Vgl. Conquest, Robert, *Ernte des Todes. Stalins Holocaust in der Ukraine, 1929–1933,* München 1988. Dies ist nach wie vor die umfassendste Darstellung der Kollektivierung und des Hungers in deutscher Übersetzung. N. A. Iwnizkis Bericht *Kollektiwisazia i raskulatschiwanie, natschalo tridzatych gg.* [Kollektivierung und Enteignung der Kulaken Anfang der dreißiger Jahre], Moskau 1996, wertet in verlässlicher Weise Archivmaterial aus. Aber wie die Zwangsumsiedler haben die Kulaken ihren wahren Chronisten noch nicht gefunden.

13 Vgl. Iwnizki, *Kollektiwisazia,* S. 115; Semskow, W. N., »Spezposelenzy (po dokumentam NKWD-MWD SSSR)« [Die Zwangsumsiedler – nach Dokumenten des NKWD-MWD der UdSSR], in: *Soziologitscheskie issledowania* [Soziologische Forschungen] 11 (1990), S. 3–17.

14 Vgl. Getty, J. Arch, und Naumow, Oleg (Hrsg.), *The Road to Terror: Stalin and the Self-Destruction of the Bolscheviks, 1932–1939,* New Haven und London 1999, S. 110ff.; Solomon, Peter, *Soviet Criminal Justice Under Stalin,* Cambridge 1996, S. 111–129.

15 Vgl. Jakobson, *Origins of the Gulag,* S. 120.

16 Krassilnikow, »Roschdenie Gulaga«, S. 145

17 Vgl. ebenda; Jakobson, *Origins of the Gulag,* S. 1–9.

18 Jakobson, *Origins of the Gulag*, S. 120.

19 Vgl. Chlewnjuk, Oleg, »Prinuditelny trud w ekonomike SSSR: 1929–1941 gody« [Zwangsarbeit in der Wirtschaft der UdSSR: 1929–1941], in: *Swobodnaja mysl* [Der freie Gedanke] 13 (1992), S. 73–84; Krassilnikow, S. A., und andere (Hrsg.), *Spezpereselenzy w sapadnoi Sibiri, wesna 1930 g.–natschalo 1933 g.* [Die Zwangsumsiedler in Westsibirien, Frühjahr 1931–Anfang 1933], Nowosibirsk 1993, S. 6.

20 Vgl. GARF, 5446/1/54 und 9401/1a/1; Jakobson, *Origins of the Gulag*, S. 124f.

21 Vgl. Harris, James R., »Growth of the Gulag: Forced Labour in the Urals Region, 1929–1931«, in: *The Russian Review* 56 (1997), S. 265–280.

22 So führt beispielsweise Stephen Kotkin aus, wie die Pläne für ein weiteres Stalinsches Großprojekt, das Stahlwerk Magnitogorsk, das mit dem Gulag nichts zu tun hatte, fehlschlugen. Vgl. Kotkin, Stephen, *Magnetic Mountain*, Berkeley, CA, 1995.

23 Vgl. Tschuchin, *Kanaloarmejzy*, S. 25.

24 Vgl. Tucker, *Stalin in Power*, S. 64.

25 Chlewnjuk, »Prinuditelny trud«, S. 74.

26 Siehe Jakobson, *Origins of the Gulag*, S. 121.

27 Vgl. Chlewnjuk, »Prinuditelny trud», S. 74ff.; Jakobson, *Origins of the Gulag*, S. 121; Hoover, St. Petersburg Memorial Collection.

28 In der »Osobaja papka« (dem besonders geheimen Bestand) des GARF finden sich dafür viele Beispiele, siehe unter anderem 9401/2. Akte 64 enthält zum Beispiel einen ausführlichen Bericht über das Projekt Dalstroi.

29 Vgl. Nordlander, David, »Origins of a Gulag Capital: Magadan and Stalinist Control in the Early 1930s«, in: *Slavic Review* 57, 4 (1998), S. 798ff.

30 Vgl. *Genrich Jagoda: Narkom Wnutrennich Del SSSR, generalny komissar gosudarstwennoi besopasnosti: sbornik dokumentow* [Genrich Jagoda, Volkskommissar für Innere Angelegenheiten der UdSSR, Generalkommissar für Staatssicherheit: Dokumentensammlung], Kasan 1997, S. 434.

31 Vgl. Wolkogonow, *Stalin*, S. 358, S. 401ff., S. 697f.

32 Vgl. GARF, 9401/2/199 (Stalins persönlicher Aktenbestand).

33 Vgl. RGASPI, 17/3/746; Nordlander, »Capital of the Gulag«.

34 Vgl. Nordlander, ebenda.

35 Vgl. *Genrich Jagoda*, S. 375f.

36 Terry Martin äußerte dies in einer E-Mail an die Autorin im Juni 2002.

1 Zitiert nach Baron, »Conflict«, S. 638.

2 Vgl. Dallin, David J., und Nicolaevsky, Boris I., *Zwangsarbeit in Sowjetrußland*, Wien 1948, S. 200f.

3 Vgl. ebenda, S. 202f.

4 Ebenda, S. 201.

5 Vgl. ebenda und Jakobson, *Origins of the Gulag*, S. 126.

6 Vgl. GARF, 5446/1/54 und 9401/1a/1.

7 Vgl. GARF, 9414/1/2920.

8 Vgl. Jakobson, *Origins of the Gulag*, S. 127.

9 Kitchin, Georg, *Das endlose Gefängnis. Erinnerungen des Finnländers G. K. aus den Kerkern der Sowjetunion*, Berlin und Leipzig 1938, S. 278.

10 Vgl. Jakobson, *Origins of the Gulag*, S. 127f.

11 Vgl. Gorki, *Belomor*, S. 17ff.

12 Ebenda, S. 40.

13 Vgl. Ochotin und Roginski, *Sprawotschnik*, S. 163.

14 Vgl. Baron, »Conflict«, S. 640f.; Tschuchin, *Kanaloarmejzy*.

15 Makurow, W. G., *Gulag w Karelii: Sbornik dokumentow i materialow, 1930–1941* [Der Gulag in Karelien: Eine Sammlung von Dokumenten und Materialien, 1930–1941], Petrosawodsk 1992, S. 86.

16 Gorki, *Belomor*, S. 173.

17 Vgl. Makurow, *Gulag w Karelii*, S. 96 und S. 19f.

18 Baron, »Conflict«, S. 643.

19 Makurow, *Gulag w Karelii*, S. 43f.

20 Vgl. Tschuchin, *Kanaloarmejzy*, S. 121.

21 Vgl. Makurow, *Gulag w Karelii*, S. 19f.

22 Tschuchin, *Kanaloarmejzy*, S. 12.

23 Vgl. Makurow, *Gulag w Karelii*, S. 72f.

24 Tolczyk, Dariusz, *See No Evil: Literary Cover-Ups and Discoveries of the Soviet Camp Experience*, New Haven und London 1999, S. 152.

25 Baranow, Wadim, *Gorki bes grima* [Gorki ohne Schminke], Moskau 1996, S. 165–168.

26 Gorki, *Belomor*, S. 158, S. 165.

27 Pogodin, Nikolai, »Aristokraten«, in: Ruzicka, Christel (Hrsg.), *Sowjetische Dramen*, Berlin 1967, S. 350; Heller, *Stacheldraht der Revolution*, S. 143–149.

28 Gliksman, Jerzy, *Tell the West*, New York 1948, S. 173–178.

29 Vgl. GARF, 9414/4/1; *Perekowka* vom 20. Dezember 1932 bis 30. Juni 1934.

## Die Lager breiten sich aus

1 *Kusniza* [Die Schmiede], März-September 1936, siehe GARF, Zeitschriftensammlung.

2 Zitiert nach Nicolas Werth, »Ein Staat gegen sein Volk. Gewalt, Unterdrückung und Terror in der Sowjetunion«, in: Stephane Courtois u. a. (Hrsg.), *Das Schwarzbuch des Kommunismus*, München und Zürich 1998, S. 51–295, S. 173. Der Bericht eines anonymen Gefangenen, der im Gefängnis von Tomsk einige Überlebende des Zwischenfalls traf, erschien in *Pamjat*, einer Serie historischer Anthologien, die seit Ende der siebziger Jahre in den USA und in Paris herausgegeben wurden. Siehe Bd. 1, S. 342f. Siehe dazu auch Krassilnikow, S. A., u. a. (Hg.), *Spezpereselenzy w sapadnoi Sibiri, 1933–1938* [Die Sonderumsiedler in Westsibirien 1933–1938], Nowosibirsk 1996, S. 76–119.

3 Elanzeva, O. P., »Kto i kak stroil BAM w tridzatyje gody« [Wie und von wem die BAM in den dreißiger Jahren gebaut wurde], in: *Otetschestwennyje archiwy* [Archive des Inlands] 5 (1992), S. 71–81. Dieser Artikel beruht auf Akten, die im Zentralen Staatsarchiv der Stadt Tomsk in Westsibirien gefunden wurden.

4 Vgl. Kanewa, A. N., »Uchtpetschlag, 1929–1938«, in: *Swenja* 1 (1991), S. 331–354. Der Artikel stützt sich auf Dokumente aus dem Archiv der Republik der Komi sowie auf Erinnerungen aus der Sammlung der Gesellschaft Memorial.

5 Diese Angaben stammen aus einer Ausstellung im Heimatgeschichtlichen Museum von Workuta. Vgl. auch »Workutinstroi NKWD« [Industriebaustelle Workuta des NKWD], Dokument des Innenministeriums von Januar 1941 in der Sammlung der Gedenkstätte Syktywkar, Republik der Komi; Ochotin und Roginski, *Sprawotschnik*, S. 192.

6 Kanewa, »Uchtpetschlag«, S. 339.

7 Vgl. Ignatowa, Nadeschda, »Spezpereselenzy w Respublike Komi w 1930–1940 godach« [Die Sonderumsiedler in der Republik der Komi von 1930–1940], in: *Korni trawy: sbornik statej molodych istorikow* [Graswurzeln: Sammelband mit Artikeln junger Historiker], Moskau 1996, S. 23ff.

8 Vgl. ebenda, S. 25 und 29.

9 Vgl. Morosow, N. A., *Gulag w Komi kraje, 1929–1956* [Der Gulag in der Komi-Region 1929–1956], Syktywkar 1997, S. 13f.

10 Vgl. Kanewa, »Uchtpetschlag«, S. 337f.

11 Ebenda, S. 342.

12 Ebenda.

13 Stephan, John, *The Russian Far East: A History*, Stanford 1994, S. 225.

14 Vgl. Nordlander, David, »Capital of the Gulag: Magadan in the Early Stalin Era, 1929–1941«, Ph.D. dissertation, UNC Chapel Hill 1997. Sowohl hier als auch in anderen Kapiteln, in denen es um die Geschichte der Kolyma geht, stütze ich mich auf David Nordlanders Arbeit, die bisher die einzige im Westen erschienene, umfassende, auf Archivmaterialien fußende Arbeit über die Kolyma ist.

15 Schmirow, Viktor, »Lager kak model realnosti«, Vortrag auf der Konferenz »Sudba Rossii w kontexte mirowoi istorii dwadzatogo weka« [Russlands Schicksal in der Weltgeschichte des zwanzigsten Jahrhunderts], Moskau, 17. Oktober 1999.

16 Vgl. Stephan, *Russian Far East*, S. 225.

17 Vgl. Nordlander, »Capital of the Gulag«.

18 Ebenda.

19 Vgl. Stephan, *Russian Far East*, S. 226.

20 Vgl. Nordlander, »Capital of the Gulag«.

21 Vgl. Stephan, *Russian Far East*, S. 227.

22 Koslow, A. G., »Sewwostlag NKWD SSSR: 1937–1941« [Sewwostlag/Nordostlager des NKWD der UdSSR: 1937–1941], in: *Istoritscheskie issledowania na sewere Dalnego wostoka* [Historische Forschungen im Norden des Fernen Ostens], Magadan 2000.

23 Stephan, *Russian Far East*, S. 226.

24 Vgl. Conquest, Robert, *Kolyma: The Arctic Death Camps*, New York 1978, S. 42.

25 Shalamov, Varlam, *Kolyma Tales*, London 1994, S. 369.

26 Vgl. Koslow, »Sewwostlag«, S. 81; Nordlander, »Capital of the Gulag«.

27 Ginsburg, Jewgenia, *Gratwanderung*, München 1980, S. 244.

28 Ebenda.

29 GARF, 9414/1/OURZ, in der Sammlung von A. Kokurin.

30 Chlewnjuk, »Prinuditelny Trud«, S. 78.

31 Vgl. ebenda; Ochotin und Roginski, *Sprawotschnik*, S. 376, S. 399 und S. 285.

32 Vgl. Ochotin und Roginski, *Sprawotschnik*, S. 38.

## Der Große Terror und die Folgen

1 Achmatowa, Anna, *Requiem*, Berlin 1987, S. 15.

2 Bacon, Edwin, *The Gulag at War*, London 1994, S. 30 und S. 122. Bacon entnahm seine Zahlen verschiedenen Quellen und addierte die einzelnen Kategorien von Gefangenen und Zwangsarbeitern. Zum Umgang mit der Statistik siehe Anhang.

3 *Trud* vom 4. Juni 1992, zitiert nach Getty und Naumov, *The Road to Terror*, S. 472–477. Viele ähnliche Dokumente finden sich auch bei Sabbo, Hilda (Hrsg.), *Voimatu Vaikida* [Schweigen ist unmöglich], Tallinn 1996, S. 297–304. Wenn nicht anderweitig belegt, stützt sich diese Zusammenfassung des Großen Terrors auf Conquest, Robert, *Der Große Terror. Sowjetunion 1934–1938*, München 1992; Chlewnjuk, Oleg, *1937: Stalin, NKWD i sowjetskoje obschtschestwo* [1937: Stalin, das NKWD und die Sowjetgesellschaft], Moskau 1992, und Martin, Terry, »Un'interpretazione contestuale alla luce delle nuove richerche«, in: *Storica* 18 (2000), S. 22–37.

4 Sabbo, *Voimatu*, ebenda.

5 Kokurin, Alexander, und Petrow, Nikita, *Lubjanka: Sprawotschnik* [Die Lubjanka: Handbuch], Moskau 1997, S. 15.

6 Vgl. Jurassowa, D., »Reabilitazionnoje opredelenie po delu rabotnikow Gulaga« [Rehabilitierungsbeschluss in der Sache der Mitarbeiter des Gulags], in: *Swenja* 1 (1991), S. 389–399.

7 Vgl. die entsprechenden Personalakten in GARF. Siehe auch Kokurin, Alexander, und Petrow, Nikita, *Gulag, 1917–1960: Dokumenty* [Der Gulag 1917–1960: Dokumente], Moskau 2000, S. 797–857.

8 Vgl. Conquest, *Der Große Terror*, S. 211–247.

9 Sidorkina, Yelena, »Years Under Guard«, in: Vilensky, *Till My Tale is Told*, S. 194.

10 Vgl. GARF, 9401/12/94.

11 Vgl. Conquest, *Der Große Terror*, S. 345f.

12 Vgl. Ivanova, *Der Gulag im totalitären System*, S. 104f.

13 Vgl. ebenda, S. 103ff.; Makurow, *Gulag w Karelii*, S. 183f.

14 Vgl. Rossi, Jacques, *The Gulag Handbook*, New York 1989, S. 180.

15 Wolkogonow, *Stalin*, S. 377; Rossi, *Gulag Handbook*, S. 60.

16 Rossi, *Gulag Handbook*, S. 36 und S. 497; *Sbornik*, S. 86–93.

17 Weiner, »Nature, Nurture and Memory«.

18 Herling-Grudzinski, Gustaw, *Welt ohne Erbarmen*, München 2000, S. 22.

19 Makurow, *Gulag w Karelii*, S. 160.

20 Tschuchin, *Kanaloarmejzy*, S. 120.

21 Schmirow, »Lager kak model realnosti«.

22 *Trud* vom 4. Juni 1992, zitiert nach Getty und Naumov, *The Road to Terror*, S. 479f.; Gespräch mit N. A. Morosow, Juli 2001.

23 Papkow, S. A., »Lagernaja sistema i prinuditelny trud w Sibiri i na Dalnem wostoke w 1929–1941 gg.« [Lagersystem und Zwangsarbeit in Sibirien und im Fernen Osten 1929–1941], in: *Woswraschtschenie pamjati* [Die Rückkehr des Gedächtnisses], Bd. 3, S. 40–57.

24 Vgl. GARF, 9414/1/OURZ, in der Sammlung von A. Kokurin.

25 Vgl. *Memorialnoje kladbischtsche Sandormoch: 1937, 27 oktjabrja–4 nojabrja (Solowezki etap)* [Gedenkfriedhof Sandormoch: 27. Oktober bis 4. November 1937 (Solowezker Etappe)], St. Petersburg 1997, S. 3 und S. 160–167, eine Dokumentensammlung über die Hinrichtungen bei dem karelischen Dorf Sandormoch. Eine andere Quelle nennt als Datum dieser NKWD-Weisung den 16. August 1937, vgl. Binner, Rolf, Junge, Marc, und Martin, Terry, »The Great Terror in the Provinces of the USSR: A Cooperative Bibliography«, in: *Cahiers du monde russe* 42/2–4 (April–Dezember 2001).

26 Florenski, Sw. Pawel, *Sotschinenia* [Werke], Bd. 4, Moskau 1998, S. 777 bis 780, zitiert nach Tschirkow, Juri, *A bylo wsjo tak* [So ist es gewesen], Moskau 1991.

27 Vgl. *Memorialnoje kladbischtsche Sandormoch*, S. 167ff.

28 Hoover, Nicolaevsky Collection, Box 233, Folder 23; siehe auch Morosow, *Komi*, S. 28.

29 Vgl. Conquest, *Der Große Terror*, S. 331f.

30 Zitiert nach ebenda, S. 500.

31 Getty und Naumov, *The Road to Terror*, S. 532–537.

32 Ebenda, S. 562.

33 Vgl. Morosow, *Komi*, S. 28f.

34 Vgl. Nordlander, »Capital of the Gulag«, S. 253–257.

35 Makurow, *Gulag w Karelii*, S. 163.

36 Chlewnjuk, »Prinuditelny trud«, S. 79.

37 Ivanova, *Der Gulag im totalitären System*, S. 94–100.

38 Vgl. Nordlander, »Capital of the Gulag«.

39 Vgl. Chlewnjuk, »Prinuditelny trud«, S. 73.

40 Solschenizyn, Alexander, *Im ersten Kreis*, Frankfurt a. M. 1985, S. 29f., S. 35.

41 Vgl. Golowanow, Jaroslaw, »Katastrofa« [Die Katastrophe], in: *Snamja* [Das Banner] 1 (1990), S. 107–150, und 2 (1990), S. 104–149; Raisman, D., *Maldjak w schisni Koroljowa* [Maldjak in Koroljows Leben], Magadan 1999.

42 Vgl. Kokurin, Alexander, »Osoboje technitscheskoje bjuro NKWD SSSR« [Das Sonderkonstruktionsbüro des NKWD der UdSSR], in: *Istoritscheski Archiw* 1(1999), S. 85–99.

43 Vgl. Chlewnjuk, »Prinuditelny trud«, S. 79.

44 Vgl. GARF, 7523/67/1.

45 Vgl. ebenda, 9414/1/24 und 25.

46 Ebenda, 7523/67/1.

47 Vgl. ebenda, 8131/37/356, 7523/67/2 sowie 9401/1a/71.

48 Vgl. Knight, Amy, *Beria: Stalin's First Lieutenant*, Princeton 1993, S. 105f.

49 Chlewnjuk, »Prinuditelny trud«, S. 80.

50 Vgl. Semskow, W. N., »Sakljutschonnyje w 1930-je gody: sozialno-demografitscheskie problemy« [Die Gefangenen in den dreißiger Jahren: sozial-demografische Probleme], in: *Otetschestwennaja istoria* [Geschichte des Vaterlandes] 4 (1997), S. 63; Bacon, *Gulag at War*, S. 30.

51 Semskow, W. N., »Archipelag Gulag: glasami pissatelja i statistika« [Der Archipel Gulag aus Sicht des Schriftstellers und Statistikers], in: *Argumenty i fakty* [Argumente und Fakten] 45 (1989), S. 6f.; Bacon, *Gulag at War*, S. 30.

52 Ochotin und Roginski, *Sprawotschnik*, S. 308.

53 Ebenda, S. 338f.

54 Den Begriff »Lager-Industrie-Komplex« benutzen M. B. Smirnow, S. P. Sigatschow und D. W. Schkapow in ihrer historischen Einführung zu Ochotin und Roginski, *Sprawotschnik*.

## LEBEN UND ARBEIT IN DEN LAGERN

### Verhaftung

1 Mandelstam, Nadezhda, *Hope Against Hope*, New York 1999, S. 10f.

2 Robinson, Robert, *Black on Red: My 44 Years Inside the Soviet Union*, Washington, D.C., 1988, S. 13.

3 Vgl. Agnew, Jeremy, und McDermott, Kevin, *The Comintern*, New York 1997, S. 145 sowie S. 143–149 für den größen Zusammenhang.

4 Vgl. Gelb, Michael, »Karelian Fever: The Finnish Immigrant Community During Stalin's Purges«, in: *Europe-Asia Studies* 45, 6 (1993), S. 1091–1116.

5 Martin, *Affirmative Action Empire*, S. 328–343.

6 Vgl. Lipper, Elinor, *Elf Jahre in sowjetischen Gefängnissen und Lagern*, Zürich 1950, S. 34f.; Stephan, *Russian Far East*, S. 229.

7 Vgl. Martin, Terry, »Stalinist Forced Relocation Policies: Patterns, Causes, and Consequences«, in: Weiner, Myron, und Russell, Sharon (Hrsg.), *Demography and National Security*, New York 2001.

8 Mandelstam, Ossip, *Mitternacht in Moskau. Die Moskauer Hefte. Gedichte 1930–1934*, Zürich 1986, S. 165.

9 Vgl. Okunewskaja, Tatjana, *Tatjanin den* [Tatjanas Tag], Moskau 1998, S. 227.

10 Vgl. Starostin, Nikolai, *Futbol skwos gody* [Mein Leben für den Fußball], Moskau 1992; GARF, 7523/60/4105.

11 Rasgon, Lew, *Nichts als die reine Wahrheit. Erinnerungen*, Berlin 1992, S. 93f.

12 Vgl. GARF, 9401/12/253.

13 Vgl. Serebryakova, Galina, *Huragan*, Paris 1996, S. 34–50.

14 Lipper, *Elf Jahre*, S. 7.

15 Wat, Aleksander, *Jenseits von Wahrheit und Lüge: mein Jahrhundert. Gesprochene Erinnerungen, 1926–1945*, Frankfurt a. M. 2000, S. 251–255.

16 Solschenizyn, *Archipel Gulag*, Bd. 1, S. 19f.

17 Vgl. Gagen-Torn, Nina, *Memoria*, Moskau 1994, S. 58.

18 Hoover, Fond 89, 18/12, Reel 1.994.

19 Vgl. Petrov, Vladimir, *It Happens in Russia*, London 1951, S. 17.

20 Naimark, Norman N., *Die Russen in Deutschland, Die sowjetische Besatzungszone 1945 bis 1949*, Berlin 1997, S. 91–179.

21 Głowacki, Albin, *Sowieci Wobec Polaków: Na Ziemach Wschodnich II Rzeczpospolitej, 1939–1941*, Lódz 1998, S. 329.

22 Ginsburg, Jewgenia, *Marschroute eines Lebens,* Reinbek 1967, S. 44f.

23 Rasgon, *Wahrheit,* S. 36f.

24 Schenow, Georgi, *Sanotschki* [Nachtschwärmer], Moskau 1997, S. 44.

25 Schichejewa-Gaister, Inna, *Semejnaja chronika wremjon kulta litschnosti,* [Eine Familienchronik aus der Zeit des Personenkults], Moskau 1998, S. 99–104.

26 Solschenizyn, *Im ersten Kreis,* S. 615f.

27 Miljutina, T. P., *Ljudi mojei schisni* [Menschen aus meinem Leben], Tartu 1997, S. 150f.

28 Solschenizyn, *Im ersten Kreis,* S. 630.

29 Dolgun, Alexander, *Alexander Dolgun's Story: An American in the Gulag,* New York 1975, S. 11.

30 Vgl. Berschadskaja, Ljubow, *Rastoptannye schisni* [Zertretenes Leben], Paris 1975, S. 37ff.

31 Adamowa-Sljosberg, Olga, *Put* [Der Weg], Moskau 1993, S. 16.

32 Kuusinen, Aino, *Der Gott stürzt seine Engel,* hrsg. von Wolfgang Leonhard, Wien u. a. 1972, S. 187.

33 Werth, »Ein Staat gegen sein Volk«, S. 215f.

34 Gorbatov, Alexander, »Verlorene Jahre«, in: Nikulin, Lev, *Geköpfte Armee,* Berlin 1965, S. 134.

35 Lew Finkelstein, Gespräch mit der Verfasserin, London, 28. Juni 1997.

36 Petrow, N., und Roginski, A., »Polskaja Operazia NKWD, 1937–38 gg.« [Die Polen-Operation des NKWD 1937–38], in: Gurjanow, Alexander (Hrsg.), *Repressii protiw poljakow i polskich graschdan* [Die Repressalien gegen Polen und polnische Bürger], Moskau 1997, S. 37f.; Petrow, N., »Polska Operacja NKWD«, in: *Karta* 11 (1993), S. 24–43.

37 Vgl. Petrow und Roginski, »Polskaja Operazia«, S. 24f.

38 Petrow, »Polska Operacja NKWD«, S. 27ff.

39 Conquest, *Der Große Terror,* S. 156f.

40 Tchernavin, Vladimir, *I Speak for the Silent,* Boston und New York 1935, S. 156–163.

41 Vgl. Narinski, A. S., *Wospominania glawnogo buchgaltera Gulaga* [Erinnerungen des Hauptbuchhalters des Gulags], St. Petersburg 1997, S. 60.

42 Jansen, Marc, und Petrov, Nikita, »Stalin's Loyal Executioner: People's Commissar Nikolai Yezhov«, Stanford, CA, 2000.

43 Vgl. Gnedin, Jewgenij, *Das Labyrinth. Hafterinnerungen eines führenden Sowjetdiplomaten,* Freiburg i. B. 1987, S. 63.

44 Schentalinski, Witali, *Das auferstandene Wort. Verfolgte russische Schriftsteller in ihren letzten Briefen, Gedichten und Aufzeichnungen*, Bergisch-Gladbach 1996, S. 48f.

45 Ginsburg, *Marschroute*, S. 88.

46 Hoover, Polish Ministry of Information Collection, Box 114, Folder 2.

47 Dolgun, *American*, S. 37f., S. 193 und S. 202.

## Gefängnis

1 Vgl. GARF, 9401/1a/14.

2 Vgl. Sobolew, S. A., u. a., *Lubjanka*, Moskau 1999, S. 66.

3 Vgl. Garassewa, A. M., *Ja schila w samoi bestschelowetschnoi strane* [Ich habe im unmenschlichsten Land gelebt], Moskau 1997, S. 96–101. Zur Geschichte des Lubjanka-Gebäudes siehe Sobolew, *Lubjanka*, S. 11–79.

4 Panin, Dmitri, *The Notebooks of Sologdin*, New York 1973, S. 24.

5 Vgl. Gnedin, *Labyrinth*, S. 62–65.

6 Garassewa, *Ja schila*, S. 96–101.

7 Vgl. Tschetwerikow, Boris, *Wsego bywalo na weku* [Das Leben hielt von allem etwas bereit], Leningrad 1991, S. 35.

8 Ginsburg, *Marschroute*, S. 175.

9 Lew Finkelstein, Gespräch mit der Verfasserin.

10 GARF, 9413/1/17; 9412/1/25 und 9413/1/6.

11 GARF, 8131/37/360.

12 GARF, 8131/37/796, 1250 und 1251.

13 Zabolozki, N. A., »Istoria mojego sakljutschenia« [Die Geschichte meiner Haft], in: *Minuwscheje* [Das Vergangene] 2 (1986), S. 310–331.

14 Vgl. GARF, 9401/1a/14.

15 Buber-Neumann, Margarete, *Als Gefangene bei Stalin und Hitler. Eine Welt im Dunkel*, Stuttgart 1958, S. 34.

16 Trubezkoi, Andrej, *Puti neispowedimy* [Die Wege sind unerforschlich], Moskau 1997, S. 261.

17 Grankina, Nadezhda, »Notes by Your Contemporary«, in: Vilensky, *Till My Tale is Told*, S. 119.

18 Dolgun, *American*, S. 15.

19 Vgl. zum Beispiel Gorbatov, *Years*, S. 111; Zarod, Kazimierz, *Inside Stalin's Gulag*, Lewes, Sussex, 1990, S. 45. Jakow Efrussi nannte seine Erinnerungen aus dem Gefängnis *Kto na »E«?* [Wer beginnt mit J?], Moskau 1996.

20 Wesjolaja, Sajara, *7-35 wospominania* [Erinnerungen der Gefangenen Nr. 7-35], Moskau 1990, S. 30–33.

21 Berschadskaja, *Rastoptannyje schisni*, S. 37ff.

22 Wesjolaja, *Wospominania*, S. 30–33.

23 Buber-Neumann, *Als Gefangene*, S. 39 f.

24 Adamowa-Sljosberg, *Put*, S. 17 und S. 8.

25 Shalamov, *Kolyma Tales*, S. 200–216.

26 Vgl. Schichejewa-Gaister, *Semejnaja chronika*, S. 99–104.

27 Vgl. Bystroletow, Dmitri, *Puteschestwie na krai notschi* [Reise zum Ende der Nacht], Moskau 1996, S. 115.

28 Vgl. GARF, 9489/2/31.

29 Weißberg-Cybulski, Alexander, *Hexensabbat. Rußland im Schmelztiegel der Säuberungen*, Frankfurt a. M. 1951, S. 501.

30 Lipper, *Elf Jahre*, S. 11.

31 Shalamov, *Kolyma Tales*, S. 215.

32 Olizkaja, *Moi wospominania*, S. 180–189.

33 Vgl. Ginsburg, *Marschroute*, S. 67.

34 Dolgun, *American*, S. 95.

35 Shalamov, *Kolyma Tales*, S. 200–216.

36 Ebenda, S. 213 und S. 216.

## Transport, Ankunft, Selektion

1 Sutherland, *Die Prinzessin von Sibirien*, S. 140.

2 Sgovio, Thomas, *Dear America*, Kenmore, NY, 1979, S. 129–135.

3 Ginsburg, *Marschroute*, S. 93.

4 Gespräch mit einem Unbekannten in Vilnius im September 1991; siehe dazu auch Fidelgolz, Juri, *Kolyma*, Moskau 1997.

5 Vgl. Głowacki, *Sowieci Wobec Polaków*, S. 320–405.

6 Bardach, Janusz (mit Kathleen Gleeson), *Man is Wolf to Man: Surviving Stalin's Gulag*, London 1998, S. 156.

7 Lew Finkelstein im Gespräch mit der Verfasserin.

8 Buca, Edward, *Vorkuta*, London 1976, S. 26.

9 Gliksman, *Tell the West*, S. 230f.

10 Noble, John, *I was a Slave in Russia*, New York 1960, S. 71.

11 Vgl. Tiif, O., »Is wospominanij i sametok, 1939–1969« [Aus Erinnerungen und Notizen, 1939-1969], in: *Minuwscheje* [Vergangenes] 7 (1992), S. 125.

12 Vgl. Karta, Kazimierz Zamorski Collection, Folder 1, Files 1253 und 6294.

13 Sabolozki, »Istoria mojego sakljutschenia«, S. XX.

14 Ginzburg, Evgeniya, *Journey into the Whirlwind*, New York 1967, S. 229.

15 Gagen-Torn, *Memoria*, S. 69–72.

16 Armonas, Barbara, *Laß die Tränen in Moskau, 1939–1960. Meine zwanzig Jahre in Rußland*, München 1966, S. 44f.

17 Vgl. Sandrazkaja, Maria, unveröffentlichte Erinnerungen im Archiv der Gesellschaft Memorial, 2/105/1.

18 Vgl. Stephan, *Russian Far East*, S. 225–232.

19 Twardowski, I. I., *Rodina i tschuschbina* [Heimat und Fremde], Smolensk 1996, S. 249ff.

20 Sgovio, *Dear America*, S. 135–144.

21 Vgl. Conquest, *Kolyma*, S. 20.

22 Vgl. Karta, a. a. O., Folder 1, File 1253.

23 Vgl. Nerler, P., »S gurboi i gurom: Chronika poslednego goda schisni O. J. Mandelstama« [In der Menge: Das letzte Lebensjahr Ossip Mandelstams], in: *Minuwscheje* 8 (1992), S. 360–379.

24 Karta, a. a. O., File 15 876.

25 Hoover, Polish Ministry of Information Collection, Box 113, Folder 9.

26 Sgovio, *Dear America*, S. 140.

27 Vgl. Conquest, *Kolyma*, S. 25.

28 Ebenda, S. 25ff.; siehe auch Golowanow, Jaroslaw, »Katastrofa« [Die Katastrophe], in: *Snamja* [Das Banner] 1 (1990), S. 107–150, und 2 (1990), S. 104–149.

29 Vgl. Nordlander, »Capital of the Gulag«, S. 290f.; Conquest, *Kolyma*, S. 25.

30 Ginsburg, *Marschroute*, S. 318f.

31 Sgovio, *Dear America*, S. 143.

32 Lipper, *Elf Jahre*, S. 87.

33 Karta, a.a.O., Folder 1, File 1722.

34 Glink, Jelena, »Kolyma-Tram«, in: Wilenski, Simeon (Hrsg.), *Oswenzim bes petschej* [Auschwitz ohne Öfen], Moskau 1996, S. 10–16.

35 Bardach, *Wolf*, S. 191ff.

36 Karta, a. a. O., Folder 1, File 1253.

37 GARF, 9401/1/614.

38 GARF, 9401/1a/61.

39 GARF, 9401/1a/64.

40 GARF, 9401/2/171 und 199.

41 GARF, 8131/37/2041.

42 Gagen-Torn, *Memoria*, S. 69–72.

43 Ekart, Antoni, *Vanished without Trace: Seven Years in Soviet Russia*, London 1954, S. 44.

44 Jakowenko, M. M., *Agnessa*, Moskau 1997, S. 176–179.

45 Solschenizyn, *Archipel Gulag*, Bd. 1, Teil 2, S. 468.

46 Schenow, *Sanotschki*, S. 74.

47 Armonas, *Laß die Tränen in Moskau*, S. 136.

48 Gurski, K. P., Archiv der Gesellschaft Memorial, 2/1/14-17.

49 Tschirkow, *A bylo wsjo tak*, S. 22.

50 Colonna-Czosnowski, Karol, *Beyond the Taiga: Memoirs of a Survivor*, Hove, Sussex, 1998, S. 53.

51 GARF, 9414/1/2743.

52 Adamowa-Sljosberg, *Put*, S. 47.

53 Anna Andrejewa, Gespräch mit der Verfasserin am 28. Mai 1999 in Moskau.

54 Hoover, Polish Ministry of Information Collection, Box 114, Folder 2.

55 Uljanowskaja, Nadeschda und Maja, *Istoria odnoi semi* [Geschichte einer Familie], New York 1982, S. 356–365.

56 Schalamow, Warlam, *Geschichten aus Kolyma*, Frankfurt a. M. und Berlin 1983, S. 161f.

57 Vgl. zum Beispiel GARF, 9489/2/25.

58 Weissberg, Alexander, *Conspiracy of Silence*, London 1952, S. 92.

59 Ginsburg, *Marschroute*, S. 326, S. 330.

60 GARF, 5446/1/54.

61 GARF, 9401/12/316.

62 Gliksman, *Tell the West*, S. 218–221.

63 Gagen-Torn, *Memoria*, S. 149.

64 Herling-Grudzinski, *Welt ohne Erbarmen*, S. 43.

65 Gliksman, *Tell the West*, S. 246ff.

## Leben in den Lagern

1 Nachgedruckt mit Erlaubnis des Autors.

2 Ochotin und Roginski, *Sprawotschnik*, S. 137–525.

3 Okunewskaja, *Tatjanin den*, S. 391.

4 Vgl. GARF, 5446/1/54 und 9401/12/316.

5 Vgl. GARF, 9489/2/20.

6 GARF, 9401/12/316.

7 Vgl. GARF, 9414/6/24.

8 Rossi, *Gulag Handbook*, S. 137.

9 Vgl. GARF, 9401/12/316.

10 Vgl. GARF, 9489, die Archive über Dmitlag (zum Beispiel 9489/2/31).

11 GARF, 9401/12/316.

12 GARF, 8131/37/361.

13 GARF, 8131/37/542.

14 Gubermann, Igor, *Schtrichi i portrety* [Striche und Porträts], Moskau 1994, S. 33.

15 Adamowa-Sljosberg, *Put*, S. 48.

16 Zarod, *Inside Stalin's Gulag*, S. 103.

17 Kuz, W., *Pojedinok s sudboi* [Zweikampf mit dem Schicksal], Moskau 1999, S. 165.

18 Lwow, J. M., Unveröffentlichte Erinnerungen, in: Memorial, 2/1/84.

19 Herling-Grudzinski, *Welt ohne Erbarmen*, S. 46.

20 Ich lehne mich hierbei an Wolfgang Sofsky an, der in *Die Ordnung des Terrors: das Konzentrationslager*, Frankfurt a. M. 1993, die Bewegung der Gefangenen in Raum und Zeit thematisiert.

21 Vgl. GARF, 9401/12/316.

22 Zarod, *Inside Stalin's Gulag*, S. 99f.

23 Ebenda, S. 102.

24 Vgl. GARF, 9401/2/316; Zarod, ebenda.

25 Rossi, *Gulag Handbook*, S. 370.

26 Vgl. Nordlander, »Capital of the Gulag«, S. 158; Mitin, W. A., »Waigatschskaja expedizia, 1930–1936« [Die Waigatsch-Expedition 1930–1936], in: *Gulag na sewere i ego posledstwia* [Der Gulag im Norden und seine Folgen], Archangelskaja oblastnaja organisazia »Sowest« [Organisation »Gewissen« im Gebiet Archangelsk] 1992.

27 Vgl. Olizkaja, *Moi wospominania*, Bd. 1, S. 234–244; Nordlander, »Capital of the Gulag« S. 159.

28 Vgl. Olizkaja, ebenda.

29 GARF, im Besitz der Verfasserin.

30 GARF, 9401/1a/127.

31 Vgl. GARF, 9401/1a/128; Berdinskich, Wiktor, *Wjatlag*, Kirow 1998, S. 24 bis 43.

32 Vgl. Bondarewski, Sergej, *Tak bylo* [So war es], Moskau 1995, S. 44.

33 Vgl. Galizki, Pawel, »Etogo sabyt nelsja« [Das darf man nicht vergessen], in: *Uroki gnewa i ljubwi: Sbornik wospominanij o godax repressij* [Lehren des Zorns und der Liebe: Erinnerungen an die Jahre der Repressalien], St. Petersburg 1993, S. 83ff.

34 Hoover, Polish Ministry of Information Collection, Box 114, Folder 2.

35 Vgl. GARF, 9414/1/2741.

36 Herling-Grudzinski, *Welt ohne Erbarmen*, S. 145.

37 Lipper, *Elf Jahre*, S. 189; Zarod, *Inside Stalin's Gulag*, S. 104f.

38 GARF, 9489/2/11.

39 Vgl. Sieminski, Janusz, *Moja Kołyma* [Meine Kolyma], Warschau 1995, S. 45.

40 Vgl. GARF, 9414/1/496, eine Weisung vom Juni 1951, ein Lager »nach den Bestimmungen des Gulags« zu errichten.

41 Jewstonitschew, A. P., *Nakasanie bes prestuplenia* [Strafe ohne Verbrechen], Syktywkar 1990, S. 88.

42 Vgl. Sulimow, Iwan, *Echo proschitych let* [Das Echo gelebter Jahre], Odessa 1997, S. 53.

43 GARF, 8131/37/4547.

44 Vgl. GARF, 9401/1a/274.

45 Vgl. Andrejewa, Gespräch mit der Verfasserin.

46 GARF, 9401/1a/141.

47 Lipper, *Elf Jahre*, S. 117.

48 Petschora, Susanna, Gespräch mit der Verfasserin am 24. Mai 1998 in Moskau; Petrus, K., *Usniki kommunisma* [Gefangene des Kommunismus], Moskau 1996, S. 58–65.

49 Rosina, Anna, *U pamjati w gostjach* [Zu Gast bei der Erinnerung], St. Petersburg 1992, S. 67–75.

50 Wardi, Alexander, *Podkonwoiny mir* [Bewachte Welt], Berlin 1971, S. 93 bis 150.

51 Vgl. GARF, 9414/6/24 und 25.

52 Solschenizyn, *Archipel Gulag*, Bd. 2, S. 257.

53 Vogelfanger, Isaac, *Red Tempest: The Life of a Surgeon in the Gulag*, Montreal 1996, S. 67.

54 Petrus, *Usniki kommunisma*, S. 58–65.

55 Vgl. GARF, 5446/1/54; Rossi, *Gulag Handbook*, S. 14.

56 Vgl. GARF, 9401/1/713.

57 Schalamow, *Kolyma*, S. 163.

58 GARF, 8131/37/357.

59 Vgl. GARF, 8131/37.

60 GARF, 9401/1a/16.

61 Vgl. GARF, 9489/2/20/64.

62 Vgl. Petschora, Gespräch mit der Verfasserin.

63 GARF, 9414/3/9.

64 Schalamow, *Kolyma*, S. 159–161.

65 Ebenda, S. 162.

66 Vgl. Rosina, *U pamjati w gostjach*, S. 67–75.

67 Schalamow, *Kolyma*, S. 158.

68 Lewinson, Galina (Hrsg.), *Wsja nascha schisn* [Unser ganzes Leben], Moskau 1996, S. 39f.

69 Armonas, *Laß die Tränen in Moskau*, S. 122.

70 Sulimow, *Echo*, S. 43.

71 GARF, 9489/2/15.

72 GARF, 9401/1/713.

73 GARF, 9401/1a/128.

74 GARF, 9401/1a/140.

75 GARF, 9401/1a/189; 9401/1/713; 9401/1a/141 und 119.

76 Im Besitz der Verfasserin.

77 Narinski, *Buchgaltera*, S. 138.

78 Ebenda, S. 136f.

79 Vgl. Gliksman, *Tell the West*, S. 301.

80 Vgl. GARF, 9401/1a/189.

81 Vgl. Gorochowa, W., »Raport wratscha« [Bericht eines Arztes], in: *Uroki*, S. 103ff.

82 Petrov, *It Happens in Russia*, S. 178.

83 Jakowenko, *Agnessa*, S. 180f.

84 Vgl. Samsonow, W.A., *Schisn prodolschaetsja* [Das Leben geht weiter], Petrosawodsk 1990, S. 70f.

85 Vgl. GARF, 9414/1/25.

86 GARF, 8131/37/809, 797 und 1251.

87 Im Besitz der Verfasserin.

88 GARF, 8131/37/361.

89 Ginsburg, *Marschroute*, S. 349–351.

90 Ginsburg, *Gratwanderung*, S. 92f.

91 GARF, 8181/37/4544.

92 Petrov, *It Happens in Russia*, S. 99.

93 Sgovio, *Dear America*, S. 161.

94 Panin, *Notebooks*, S. 74 und S. 162.

95 Petschora, Gespräch mit der Verfasserin.

## Arbeit in den Lagern

1 Zitiert nach Cohen, *End to Silence*, S. 96f.

2 Vgl. GARF, 9414/6 (Fotoalben).

3 Ochotin und Roginski, *Sprawotschnik*, S. 137–476.

4 Vgl. GARF, 9414/6/8.

5 Vgl. Ginsburg, *Marschroute* und *Gratwanderung*.

6 GARF, 9489/2/9.

7 Prjadilow, Alexej, *Sapiski kontrrewoljuzionera* [Aufzeichnungen eines Konterrevolutionärs], Moskau 1999, S. 113f.

8 Weissberg, *Conspiracy of Silence*, S. 96.

9 Vgl. Kress, Vernon, »Nowy pioner ili Kolymskaja selekzia« [Der neue Pionier oder die Selektion an der Kolyma], in: Wilenski, *Oswenzim bes petschej*, S. 62–70.

10 Mindlin, M.B., *Anfas i profil* [Von vorn und im Profil], Moskau 1999, S. 52–57.

11 Petschora, Gespräch mit der Verfasserin.

12 Siehe dazu Fotos im Archiv der Gesellschaft Memorial.

13 Rossi, *Gulag Handbook*, S. 255.

14 Ginsburg, *Marschroute*, S. 366ff.

15 Uljanowskaja, *Istoria odnoi semi*, S. 356–365.

16 Bardach, *Wolf*, S. 233f.

17 Filschtinski, Isaak, *My schagajem pod konwojem: rasskasy is lagernoi schisni* [Wir marschieren unter Bewachung: Berichte aus dem Lagerleben], Moskau 1997, S. 38.

18 Bystroletow, *Puteschestwie*, S. 162.

19 Bardach, *Wolf*, S. 232f.

20 GARF, 9401/1a/141.

21 GARF, 8131/37/4547.

22 Siehe zum Beispiel Schenow, *Sanotschki*, S. 69.

23 GARF, 9401/1/713.

24 Petrov, *It Happens in Russia*, S. 208.

25 Olizkaja, *Moi wospominania*, S. 234–244.

26 Weissberg, *Conspiracy of Silence*.

27 Dolgun, *American*, S. 185.

28 Dieses Dokument des GARF befindet sich im Besitz der Verfasserin.

29 Razgon, Lev, *True Stories*, S. 155. Beispiele für primitive Sägen sind im Heimatgeschichtlichen Museum von Medweschegorsk ausgestellt.

30 Hoover, Polish Ministry of Information Collection, Box 114, Folder 2.

31 Ebenda.

32 GARF, 9414/4/3.

33 Nordlander, »Capital of the Gulag«, S. 182.

34 Vgl. Dobrowolski, Alexander, »Mjortwaja doroga« [Todesstrecke], in: *Otetschestwo* [Vaterland] 5 (1994), S. 193–210; Ochotin und Roginski, *Sprawotschnik*, S. 220f. und S. 341ff.

35 Vgl. GARF, 9414/6/23.

36 Vgl. Tschuchin, *Kanaloarmejzy*, S. 127–131.

37 Sgovio, *Dear America*, S. 184.

38 Vgl. GARF, 9401/1a/68.

39 Feldgun, Georgi, unveröffentlichte Erinnerungen, Sammlung der Gesellschaft Memorial, Nowosibirsk.

40 GARF, 9401/1/567.

41 Herling-Grudzinski, *Welt ohne Erbarmen*, S. 201.

42 GARF, 9401/1/2443.

43 GARF, 9401/1/567.

44 GARF, 9414/1/1442.

45 Filschtinski, *My schagajem*, S. 163–169.

46 GARF, 9414/1/1441.

47 GARF, 9414/1/1440.

48 GARF, 9414/4/145.

49 Andrejewa, Gespräch mit der Verfasserin.

50 Leonid Trus, Gespräch mit der Verfasserin, Nowosibirsk, 28. Februar 1999.

51 Ekart, *Vanished without Trace*, S. 82.

52 Herling-Grudzinski, *Welt ohne Erbarmen*, S. 198.

53 GARF, 9414/1/1461; Ochotin und Roginski, *Sprawotschnik*, S. 195.

54 GARF, ebenda.

55 Wladimir Bukowski, Gespräch mit der Verfasserin, März 2002.

## Strafe und Belohnung

1 Zitiert nach Rossi, *Gulag Handbook*, S. 460.

2 Herling-Grudzinski, *Welt ohne Erbarmen*, S. 252.

3 GARF, 9401/12/316.

4 Kuusinen, *Der Gott stürzt seine Engel*, S. 284.

5 Razgon, *True Stories*, S. 140f.

6 Bardach, *Wolf*, S. 213ff.

7 Herling-Grudzinski, *Welt ohne Erbarmen*, S. 253.

8 Ebenda.

9 Vgl. Nordlander, »Capital of the Gulag«, S. 230f.

10 Swetlana Doinissina, Direktorin des Heimatgeschichtlichen Museums in Iskitim, im Gespräch mit der Verfasserin am 1. März 1999.

11 Samachowa, I., »Lagernaja pyl« [Lagerstaub], in: *Woswraschtschenie pamjati*, hrsg. von Memorial Nowosibirsk, Bd. 1, Nowosibirsk 1991, S. 38–42.

12 Vgl. GARF, 5446/1/54.

13 GARF, 9401/12/316.

14 Vgl. ebenda.

15 Vgl. zum Beispiel Tschirkow, *A bylo wsjo tak*, S. 54f.; Maximowitsch, M., *Newolnye srawnenia* [Unfreiwillige Vergleiche], London 1982, S. 82–90.

16 GARF, 8131/37/542.

17 GARF, 9489/2/20.

18 Bystroletow, *Puteschestwie*, S. 377f.

19 Rosina, *U pamjati w gostjach*, S. 65.

20 Gorbatow, »Verlorene Jahre«, in: Nikulin, Lev, *Geköpfte Armee*, Berlin 1965, S. 138f.

21 Bystroletow, *Puteschestwie*, S. 385f.

22 Morosow, Alexander, *Dewjat stupenej w nebytie* [Neun Stufen ins Nichts], Saratow 1991, S. 101ff.

23 Ein Muster aus der Dokumentensammlung von Kedrowy Schor ist im Besitz der Autorin.

24 Vgl. GARF, 9401/12/316.

25 Bystroletow, *Puteschestwie*, S. 169.

26 Uljanowskaja, *Istoria odnoi semi*, S. 403.

27 Schenow, *Sanotschki*, S. 104ff.

28 GARF, 9489/2/5.

29 Herling-Grudzinski, *Welt ohne Erbarmen*, S. 122.

30 Jasny, W. K., *God roschdenia – dewjatsot semnadzaty* [Geboren im Jahre 1917], Moskau 1997, S. 52f.

31 Bystroletow, *Puteschestwie*, S. 391.

32 Herling-Grudzinski, *Welt ohne Erbarmen*, S. 120f.

33 Ebenda, S. 125.

34 Masus, Israil, *Gde ty byl?* [Wo warst du?], Moskau 1992, S. 34–37.

35 Herling-Grudzinski, *Welt ohne Erbarmen*, S. 124ff.

Die Wachen

1 RGASPI, 119/7/96.

2 In GARF, 9414/4/29, findet sich eine Liste von Mitarbeitern des Weißmeer-Kanal-Projekts, die unter anderem deshalb aus der Partei ausgeschlossen wurden, weil sie Sex mit Gefangenen hatten.

3 NARK, 865/1/(10/52).

4 Kuperman, Jakow M., unveröffentlichte Erinnerungen, Archiv der Gesellschaft Memorial, 2/1/77.

5 Vgl. Ivanova, *Der Gulag im totalitären System*, S. 160.

6 Vgl. zum Beispiel GARF, 9414/4/10.

7 Vgl. GARF, 9401/1a/61 und 9401/1/743.

8 Kusmina, Marina, *Ja pomnju tot waninski port* [Ich erinnere mich an den Hafen Wanino], Komsomolsk am Amur 2001, S. 93-99.

9 GARF, 9414/3/40.

10 Rasgon, *Wahrheit*, S. 210–224.

11 Vgl. Petrov, Nikita, »Cekisti e il secondino: due diversi destini«, in: *Nazismo, Fascismo e Comunismo*, Mailand 1998, S. 145–164 (die Verfasserin hat das Manuskript auf Russisch gelesen).

12 Ebenda. Es gab Ausnahmen, etwa die Laufbahn von Viktor Abakumow. Er begann im Gulag, arbeitete sich ständig nach oben und war schließlich in der Kriegszeit Chef der Abwehr-Organisation SMERSCH. Siehe Ivanova, *Der Gulag im totalitären System*, S. 147ff.

13 Ebenda, S. 152.

14 Melgunow, S.P., *Der rote Terror in Rußland 1918–1923*, Berlin 1924, S. 317. Siehe auch Petrov, »Cekisti«.

15 Ivanova, *Der Gulag im totalitären System*, S. 147.

16 GARF, 9401/1/743.

17 Galina Smirnowa, Gespräch mit der Verfasserin, Moskau, 30. Mai 1998.

18 Vgl. Kokurin und Petrow, *Gulag, 1917–1960*, S. 798–857.

19 Vgl. RGASPI, 119/3/1,6,12 und 206; 119/4/66.

20 GARF, 9414/4/3.

21 GARF, 9401/1/4240.

22 Siehe zum Beispiel GARF, 9414/3/40 und 9401/1/743.

23 Ivanova, *Der Gulag im totalitären System*, S. 147 und S. 167.

24 Vgl. GARF, 9489/2/16.

25 GARF, 9414/3/40.

26 GARF, 8131/37/357.

27 Olga Wassiljewa, Gespräch mit der Verfasserin, Moskau, 17. November 1998.

28 GARF, 9401/1a/1.

29 Vgl. GARF, 9401/1a/10; 9489/2/5 und 9401/1a/5.

30 Vgl. GARF, 9401/1a/6.

31 Petschora, Gespräch mit der Verfasserin.

32 Kutschin, S. P., *Poljanski ITL* [Das Poljansker Besserungsarbeitslager], Schelesnogorsk (Krasnojarsk 26), Museums- und Ausstellungszentrum der Stadt Schelesnogorsk 1999, S. 10–16.

33 Ivanova, *Der Gulag im totalitären System*, S. 165.

34 Ebenda.

35 Stajner, Karlo, *7000 Tage in Sibirien*, Wien 1975, S. 310.

36 Ivanova, *Der Gulag im totalitären System*, S. 166.

37 MacQueen, Angus, »Survivors«, in: *Granta* 64 (1998), S. 38–53.

38 Vgl. GARF, 8131/37/2063 und 9401/12/316.

39 Sgovio, *Dear America*, S. 247f.

40 Nordlander, »Capital of the Gulag«.

41 Vgl. Rotfort, M. S., *Kolyma – krugi ada* [Die Kolyma – Kreise der Hölle], Jekaterinburg 1991, S. 78ff.

42 Vogelfanger, *Red Tempest*, S. 147 und S. 178.

43 Kopelew, Lew, *Aufbewahren für alle Zeit!*, München 1979, S. 344.

44 Rasgon, *Wahrheit*, S. 252.

45 Starostin, *Futbol skwos gody*, S. 83–88.

46 Dieses Dokument aus dem GARF ist im Besitz der Verfasserin.

47 Ebenda.

48 Vgl. Goldhagen, Daniel Jonah, *Hitlers willige Vollstrecker. Ganz gewöhnliche Deutsche und der Holocaust*, Berlin 1996.

49 Andrejewa, Gespräch mit der Verfasserin.

50 Irina Arginskaja, Gespräch mit der Verfasserin, Moskau, 24. Mai 1998.

51 Vgl. GARF, 8131/37/100.

52 Medwedew, Roy, *Das Urteil der Geschichte: Stalin und Stalinismus*, Bd. 2, Berlin 1992, S. 203.

53 Vgl. Gortschakow, Genrich, *L-1-105: Wospominania* [Erinnerungen des Häftlings L-1-105], Jerusalem 1995, S. 156f.

54 Lewinson, *Wsja nascha schisn*, S. 40.

55 Schigulin, Anatoli, *Tschornye kamni* [Schwarze Steine], Moskau 1996, S. 154.

56 Vgl. Sandrazkaja, Memorial, 2/105/1, S. 51.

57 Gnedin, *Wychod is labirinta*, S. 117.

58 Berdinskich, *Wjatlag*, S. 22.

59 Vgl. GARF, 9489/2/20 und 9401/1a/61.

60 Viktor Bulgakow, Gespräch mit der Verfasserin, Moskau, 25. Mai 1998.

61 Schigulin, *Tschornye kamni*, S. 157.

62 Vgl. Berdinskich, *Wjatlag*, S. 22.

63 Vgl. Djakow, Boris, »Powest o pereschitom« [Bericht über Erlebtes], in: *Oktjabr* [Oktober] 7 (1964), S. 49–142.

64 Ivanova, *Der Gulag im totalitären System*, S. 155f.

65 Uljanowskaja, *Istoria odnoi semi*, S. 316.

66 Weiner, »Nature, Nurture and Memory«.

67 Vgl. Schigulin, *Tschornye kamni*, S. 157.

68 Buber-Neumann, *Als Gefangene*, S. 131.

69 Schreider, *NKWD isnutri*, S. 193.

70 MacQueen, »Survivors«.

71 Ebenda.

72 Berdinskich, *Wjatlag*, S. 28.

73 Zarod, *Inside Stalin's Gulag*, S. 94.

74 Vgl. GARF, 8131/37.

## Die Gefangenen

1 Dostoyevsky, Fyodor, *The House of the Dead*, London 1985, S. 29.

2 Ginsburg, *Marschroute*, S. 320.

3 Rasgon, *Wahrheit*, S. 185.

4 Colonna-Czosnowski, *Beyond the Taiga*, S. 109.

5 Vgl. Varese, Frederico, *The Russian Mafia*, Oxford 2001, S. 162ff.

6 Vgl. Abramkin, W. F., und Tschesnokowa, W. F., *Ugolownaja Rossia: tjurmy i lagerja* [Das kriminelle Russland: Gefängnisse und Lager], Bd. 1, Moskau 1993, S. 7–22.

7 Vgl. ebenda.

8 Dostojewski, Fjodor, *Aufzeichnungen aus einem Totenhaus*, Berlin 1963, S. 44.

9 Vgl. Abramkin und Tschesnokowa, *Ugolownaja Rossia*, S. 10.

10 Rasgon, *Wahrheit*, S. 186.

11 Marlen Korallow, Gespräch mit der Verfasserin, Moskau, 13. November 1998.

12 Abramkin und Tschesnokowa, *Ugolownaja Rossia*, S. 9.

13 Korallow, Gespräch mit der Verfasserin.

14 Varese, *The Russian Mafia*, S. 146–150.

15 Medwedew, Nikolai, *Usnik Gulaga [Im Gulag gefangen]*, St. Petersburg 1991, S. 14ff.

16 Ebenda.

17 Shalamov, *Kolyma Tales*, S. 411.

18 Schigulin, *Tschornye kamni*, S. 136.

19 Vgl. Berdinskich, *Wjatlag*, S. 291–315.

20 Hoover, Polish Ministry of Information Collection, Box 114, Folder 2.

21 GARF, 9489/2/15.

22 Shalamov, *Kolyma Tales*, S. 7.

23 Feldgun, unveröffentlichte Erinnerungen.

24 Vgl. Berdinskich, *Wjatlag*, S. 132.

25 Solschenizyn, *Archipel Gulag*, Bd. 2, S. 423.

26 Vgl. GARF, 8131/37/1261.

27 Hoover, Polish Ministry of Information Collection, Box 113, Folder 2.

28 Gorbatov, *Years*, S. 140f.

29 Vgl. Varese, *The Russian Mafia*, S. 159.

30 Lew Finkelstein, Gespräch mit der Verfasserin, London, 28. Juni 1997.

31 Semskow, »Sakljutschonnyje«, S. 68.

32 Dugin, Alexander, »Gulag glasami istorika« [Der Gulag aus der Sicht des Historikers], in: *Sojus* vom 9. Februar 1990, S. 16; Semskow, ebenda, S. 65.

33 Adamowa-Sljosberg, Olga, »My Journey«, in: Vilensky, *Till My Tale is Told*, S. 2.

34 Vgl. Elletson, Howard, *The General against the Kremlin: Alexander Lebed, Power and Illusion*, London 1998, S. 2.

35 Vgl. Kutschin, *Poljanski ITL*, S. 37f.

36 Vgl. Ginsburg, *Marschroute*, S. 302f.; Razgon, *True Stories*, S. 93.

37 Razgon, ebenda.

38 Warwick, Walter, unveröffentlichte Erinnerungen in der Sammlung von Reuben Rajala.

39 Vgl. Federolf, Ada, *Rjadom s Alej* [An Aljas Seite], Moskau 1996, S. 123.

40 Gagen-Torn, *Memoria*, S. 77.

41 Leipman, Flora, *The Long Journey Home*, London 1987, S. 69.

42 Noble, *Slave in Russia*, S. 121.

43 Leipman, *Long Journey*, S. 89.

44 Herling-Grudzinski, *Welt ohne Erbarmen*, S. 40f.

45 Vgl. Kuznetsov, S. I., »The Situation of Japanese Prisoners of War in Soviet Camps (1945–1956)«, in: *Journal of Slavic Military Studies* 8,3, S. 613 bis 618.

46 MacQueen, »Survivors«.

47 Panin, *Notebooks*, S. 187.

48 Stajner, *7000 Tage*, S. 267.

49 Solschenizyn, *Archipel Gulag*, Bd. 3, S. 403f.

50 Wat, *Mein Jahrhundert*, S. 298.

51 Buca, *Vorkuta*, S. 122.

52 Korallow, Gespräch mit der Verfasserin.

53 Vgl. GARF, 9414/1/206 (statistische Aufstellung der Nationalitäten für das Jahr 1954).

54 Federolf, *Rjadom s Alej*, S. 234.

55 Gagen-Torn, *Memoria*, S. 205.

56 Andrejewa, Gespräch mit der Verfasserin.

57 Petschora, Gespräch mit der Verfasserin.

58 Solschenizyn, *Archipel Gulag*, Bd. 2, S. 317.

59 Andrejewa, Gespräch mit der Verfasserin.

60 Gagen-Torn, *Memoria*, S. 208.

61 Solschenizyn, *Archipel Gulag*, Bd. 2, S. 62f.

62 Arginskaja, Gespräch mit der Verfasserin.

Frauen und Kinder

1 Zitiert nach Vilensky, *Till My Tale is Told*, S. 53f.

2 Vgl. Simeon Wilenski, Gespräch mit der Verfasserin, Moskau, 6. März 1999.

3 Herling-Grudzinski, *Welt ohne Erbarmen*, S. 173f.

4 Lewinson, *Wsja nascha schisn*, S. 72–75.

5 GARF, 9401/1a/107.

6 Vgl. Alin, D. E., *Malo slow, a gorja retschenka* [Wenig Worte, aber ein Fluss voller Kummer], Tomsk 1997, S. 157–160; Jewstonitschew, *Nakasanie*, S. 19f.

7 Diese Zahlen stammen aus mehreren Dokumenten des GARF. Mein Dank dafür gilt Alexander Kokurin.

8 Shalamov, *Kolyma Tales*, S. 415–431.

9 Sgovio, *Dear America*, S. 173f.

10 Vgl. Abramkin und Tschesnokowa, *Ugolownaja Rossia*, S. 18; Marchenko, Anatoly, *To Live Like Everyone*, London 1989, S. 16.

11 Jakir, Peter, *Kindheit in Gefangenschaft*, Frankfurt a. M. 1972, S. 35.

12 Vgl. Uljanowskaja, *Istoria odnoi semi*, S. 388–391; Lwow, unveröffentlichte Erinnerungen.

13 Uljanowskaja, ebenda.

14 Frid, Waleri, *58-1-2: Sapiski lagernogo pridurka* [58-1-2: Notizen eines Lagerangestellten], Moskau 1996, S. 186f.

15 Lwow, unveröffentlichte Erinnerungen.

16 Hoover, Polish Ministry of Information Collection, Box 114, Folder 2.

17 Petschora, Gespräch mit der Verfasserin.

18 Solschenizyn, *Archipel Gulag*, Bd. 2, S. 221.

19 Volovich, Hava, »My Past«, in: Vilensky, *Till My Tale is Told*, S. 260.

20 Buca, *Vorkuta*, S. 134f.

21 Solschenizyn, *Archipel Gulag*, Bd. 2, S. 221f.

22 Vgl. Frid, *Sapiski*, S. 187.

23 Ebenda, S. 187f.

24 Schigulin, *Tschornye kamni*, S. 128–133.

25 Vgl. Vogelfanger, *Red Tempest*.

26 Vgl. Leonid Sitko, Gespräch mit der Verfasserin, Moskau, 31. Mai 1998.

27 Vgl. Solschenizyn, *Archipel Gulag*, Bd. 2, S. 236.

28 Ebenda.

29 Vgl. Zaporozhets, Natalya, in: Vilensky, *Till My Tale is Told*, S. 532–539.

30 Vgl. Wilenski, Simeon, u. a., *Deti gulaga: 1918-1956* [Die Kinder des Gulags: 1918–1956], Moskau 2002, S. 428.

31 Hoover, Polish Ministry of Information Collection, Box 114, Folder 2.

32 Die Amnestie für Frauen mit Kindern von 1945 galt ausdrücklich nicht für politische Gefangene, ebensowenig die von 1948. Vgl. GARF, 8131/37/4554; 9401/1a/191 und 9401/1/743.

33 Ljudmila Chatschaturjan, Gespräch mit der Verfasserin, Moskau, 23. Mai 1998.

34 Joffe, Nadeschda A., *Rückblende. Mein Leben, mein Schicksal, meine Epoche*, Essen 1997, S. 157f.

35 Vgl. Frid, *Sapiski*, S. 184; GARF, 9414/1/2741.

36 Andrejewa, Gespräch mit der Verfasserin.

37 Jakowenko, *Agnessa*, S. 196.

38 Volovich, in: Vilensky, *Till My Tale is Told*, S. 260–264.

39 GARF, 9414/6/44 und 45.

40 GARF, 9401/2/234.

41 GARF, 8313/37/4554 und 1261.

42 Wilenski, *Deti gulaga*, S. 150.

43 Joffe, *Rückblende*, S. 161.

44 Gespräch der Verfasserin mit der ehemaligen Leiterin einer Kinderstation, die anonym bleiben wollte, Moskau, 24. Juli 2001.

45 Vgl. GARF, 8313/37/4554.

46 Ginsburg, *Gratwanderung*, S. 23–32.

47 Die namenlos gebliebene Leiterin einer Kinderstation bestreitet das zwar ganz entschieden, aber in sehr vielen Memoiren ist davon die Rede, dass Frauen von ihren Kindern getrennt wurden. Susanna Petschora erklärt, in den Sonderlagern sei das die Regel gewesen.

48 Armonas, *Laß die Tränen in Moskau*, S. 159.

49 Wilenski, *Deti gulaga*, S. 320.

50 Basarow, Alexander, *Durelom ili Gospoda kolchosniki* [Windbruch oder Meine Herren Kolchosbauern], Kurgan 1988, S. 362.

51 Wilenski, *Deti gulaga*, S. 144.

52 Vgl. GARF, 9401/1a/20.

53 Wilenski, *Deti gulaga*, S. 248.

54 Ebenda, S. 247.

55 Vgl. GARF, 9401/1a/20.

56 Jakir, *Kindheit in Gefangenschaft*, S. 15.

57 Vgl. Anonymus, *Echo is nebytia* [Echo aus dem Nichts], Nowgorod 1992, S. 289–292.

58 Hochschild, Adam, *The Unquiet Ghost: Russians Remember Stalin*, New York 1994, S. 87.

59 Vgl. Petschora, Gespräch mit der Verfasserin.

60 Lahti, Suoma Laine, unveröffentlichte Erinnerungen in der Sammlung von Reuben Rajala.

61 GARF, 9414/1/27.

62 Serge, Victor, *Russia Twenty Years After*, New Jersey 1996, S. 28.

63 Vgl. Basarow, *Durelom*, S. 383.

64 Vgl. GARF, 9414/1/42 und 9401/1a/7; Solschenizyn, *Archipel Gulag*, Bd. 2, S. 428–432.

65 Vgl. GARF, 9414/1/42; Basarow, *Durelom*, S. 385–393.

66 Rasgon, *Wahrheit*, S. 152.

67 GARF, 9412/1/58.

68 GARF, 9401/1a/62 und 7.

69 Vgl. GARF, 9401/1a/57.

70 Jakir, *Kindheit in Gefangenschaft*, S. 19 und S. 54.

71 Vgl. Conquest, *Der Große Terror*, S. 317.

72 Vgl. GARF, 8131/37/2063.

73 Vgl. GARF, 9414/1/27.

74 GARF, 9401/1a/81.

75 Vgl. GARF, 8131/37/2063.

76 Dokumente aus dem GARF im Besitz der Verfasserin.

77 GARF, 9414/4/1; siehe auch die Zeitung *Perekowka* [Umerziehung] vom 1. Juni 1934.

78 Vgl. GARF, 9401/1a/107.

79 GARF, 9401/1a/7/84.

80 GARF, 8131/37/4547.

81 Rasgon, *Wahrheit*, S. 151ff.

82 Ebenda.

83 Wigmans, Johan, *Ten Years in Russia and Siberia*, London 1964, S. 90.

84 Klein, Alexander, *Ulybki newoli* [Das Lächeln der Gefangenschaft], Syktywkar 1997, S. 20–25.

85 Zu Auszügen aus den genannten Erinnerungen siehe Wilenski, *Deti gulaga.*

## Die Sterbenden

1 Gagen-Torn, *Memoria*, S. 244.

2 Rossi, *Gulag Handbook*, S. 107f. und S. 476.

3 Vgl. GARF, 9414/3/40.

4 Herling-Grudzinski, *Welt ohne Erbarmen*, S. 72.

5 Sgovio, *Dear America*, S. 177.

6 Tamara Petkevich, »Just One Fate«, in: Vilensky, *Till My Tale is Told*, S. 223f.

7 Schalamow, Warlam, erschienen im Samisdat, dem Selbstverlag der Dissidenten.

8 Sgovio, *Dear America*, S. 160ff.

9 Herling-Grudzinski, *Welt ohne Erbarmen*, S. 176.

10 Gilboa, Yehoshua, *Confess! Confess!*, Boston und Toronto 1968, S. 53f.

11 Bardach, *Wolf*, S. 235.

12 Vgl. GARF, 8131/37/797.

13 Vgl. Mandelstam Nadeszhda, *Hope Against Hope*, New York 1999, S. 263.

14 Gnedin, *Wychod is labirinta*, S. 80–86.

15 Merridale, Catherine, *Steinerne Nächte. Leiden und Sterben in Russland*, München 2001, S. 280.

16 Todorov, Tzvetan, *Angesichts des Äußersten*, München 1993, S. 43.

17 Vgl. Rotfort, *Kolyma*, S. 40f.

18 Ejzenberger, Andrei, *Wenn ich nicht schreie, ersticke ich*, Berlin 1997, S. 60.

19 Mindlin, *Anfas i profil*, S. 60.

20 Ginsburg, *Gratwanderung*, S. 122.

21 Todorov, *Angesichts des Äußersten*, S. 71.

22 Vgl. GARF, 8131/37/809.

23 Vgl. Buca, *Vorkuta*, S. 150; Berdinskich, *Wjatlag*, S. 28.

24 Vogelfanger, *Red Tempest*, S. 80.

25 Vgl. GARF, 8131/37/809.

26 GARF, 8131/37/542.

27 Merridale, *Steinerne Nächte*, S. 283.

28 Shalamov, *Kolyma Tales*, S. 281.

29 Vgl. GARF, 9414/1/2809.

30 GARF, 9414/1/2771.

31 Herling-Grudzinski, *Welt ohne Erbarmen*, S. 191f.

## Überlebensstrategien

1 Schalamow, Warlam, *Neskolko moich schisnjej* [Meine mehreren Leben], Moskau 1996, S. 391

2 Vogelfanger, *Red Tempest*, S. 206.

3 Zitiert nach Todorov, *Angesichts des Äußersten*, S. 38.

4 Buca, *Vorkuta*, S. 79.

5 Galina Uschakowa, Gespräch mit der Verfasserin, Moskau, 23. Mai 1998.

6 Herling-Grudzinski, *Welt ohne Erbarmen*, S. 93f.

7 Colonna-Czosnowski, *Beyond the Taiga*, S. 118.

8 Shalamov, *Kolyma Tales*, S. 405–414.

9 Über die *Tufta* in der UdSSR ist viel geschrieben worden. Siehe Fitzpatrick, Sheila, *Everyday Stalinism*, New York 1999; Berliner, Joseph, *Factory and Manager in the Soviet Union*, Cambridge 1957; Ledeneva, Alena, *Russia's Economy of Favors: Blat, Networking and Informal Exchange*, Cambridge 1998; und Andreev-Khomiakov, Gennady, *Bitter Waters: Life and Work in Stalin's Russia*, Boulder, CO, 1997.

10 Solschenizyn, Alexander, *Ein Tag im Leben des Iwan Denissowitsch*, München und Zürich 1963, S. 75, S. 60, S. 120.

11 Djakow, »Powest o pereschitom«, S. 54.

12 Gespräch einer anonymen Lagerangestellten mit der Verfasserin.

13 Cohen, *End to Silence*, S. 140–147.

14 Jasny, *God roschdenia*, S. 51.

15 Borin, Alexander, *Prestuplenia bes nakasania: Wospominania usnika GULAGa* [Verbrechen ohne Strafe: Erinnerungen eines Gefangenen im Gulag], Moskau 2000, S. 234ff.

16 Alla Schister, Gespräch mit der Verfasserin, Moskau, 14. November 1998.

17 Petrov, *It Happens in Russia*, S. 179.

18 Herling-Grudzinski, *Welt ohne Erbarmen*, S. 54f.

19 Sinaida Ussowa, unveröffentlichte Erinnerungen, Memorial Archiv, 2/1/118.

20 Karta, Kazimierz Zamorski Collection, Teczka 1, File 6107 (Halina Storozuk).

21 Frid, *Sapiski*, S. 134ff.

22 Ginsburg, *Marschroute*, S. 371f.

23 Vgl. Samsonow, *Schisn prodolschajetsja*, S. 70f.

24 Juri Sorin, Gespräch mit der Verfasserin, Archangelsk, 13. September 1998.

25 Finkelstein, Gespräch mit der Verfasserin.

26 Adamowa-Sljosberg, *Put*, S. 50f.

27 Vgl. Rossi, *Gulag Handbook*, S. 247 und S. 255.

28 Klein, *Ulybki newoli*, S. 60f. und S. 73.

29 GARF, 9414/1/28.

30 Filschtinski, *My schagajem*, S. 15–22.

31 Sofsky, *Die Ordnung des Terrors*, S. 152.

32 Solschenizyn, *Archipel Gulag*, Bd. 2, S. 240.

33 Vgl. GARF, 9489/2/19.

34 Razgon, *True Stories*, S. 154.

35 GARF, 9401/12/316.

36 GARF, 8131/37/356.

37 Vgl. Filschtinski, *My schagajem*, S. 120f.

38 Berdinskich, *Wjatlag*, S. 113.

39 Solschenizyn, *Archipel Gulag*, Bd. 2, S. 347–352.

40 Ebenda, Bd. 2, S. 248f.

41 Razgon, *True Stories*, S. 153.

42 Ebenda, S. 156.

43 Kopelew, *Aufbewahren für alle Zeit*, S. 336–344.

44 Ginsburg, *Gratwanderung*, S. 141.

45 Ejzenberger, *Wenn ich nicht schreie*, S. 106f.

46 Alexandrowitsch, Wadim, *Sapiski lagernogo wratscha* [Aufzeichnungen eines Lagerarztes], Moskau 1996, S. 11.

47 Rozsas, Janos, »Is knigi ›Sestra Dussja‹« [Aus dem Buch »Schwester Dussja«], in: *Wolja* 2-3 (1994), S. 282. Ich bin Janos Rozsas dankbar, dass er mir dieses Material geschickt hat.

48 Solschenizyn, *Archipel Gulag*, Bd. 1, S. 279; Resetovskaja, Natalja, *Lieber Alexander: Mein Leben mit Solschenizyn*, München 1975, S. 130ff.

49 Vgl. GARF, 9414/1/2736.

50 GARF, 9489/2/25.

51 Herling-Grudzinski, *Welt ohne Erbarmen*, S. 132.

52 GARF, 8131/37/356 und 809.

53 Papkow, »Lagernaja sistema«, S. 57.

54 Vgl. GARF, 9489/2/25.

55 GARF, 8131/37/4547.

56 Vgl. GARF, 9489/2/25.

57 Colonna-Czosnowski, *Beyond the Taiga*, S. 102–107.

58 Finkelstein, Gespräch mit der Verfasserin.

59 Okunewskaja, *Tatjanin den*, S. 336.

60 Vogelfanger, *Red Tempest*, S. 71f.

61 Buca, *Vorkuta*, S. 150.

62 GARF, 8131/37/809.

63 Trus, Gespräch mit der Verfasserin.

64 Vgl. GARF, 9414/1/2739.

65 Vgl. zum Beispiel GARF, 9489/2/18.

66 Ginsburg, *Gratwanderung*, S. 28.

67 Dolgun, *American*, S. 239.

68 Bardach, *Wolf*, S. 259.

69 Vgl. Vogelfanger, *Red Tempest*, S. 68 und S. 162.

70 GARF, 9414/1/2771.

71 Vgl. GARF, 9489/2/5/474.

72 Schigulin, *Tschornye kamni*, S. 153.

73 Kudrjawzew, F. F., *Primetschania k ankete* [Anmerkungen zu einem Fragebogen], Moskau 1990, S. 288.

74 Vgl. Dolgun, *American*, S. 273; Lipper, *Elf Jahre*, S. 226f.

75 Vgl. Herling-Grudzinski, *Welt ohne Erbarmen*, S. 108f.

76 Vgl. Schigulin, *Tschornye kamni*, S. 151.

77 Bardach, *Wolf*, S. 332f.

78 Vgl. Lipper, *Elf Jahre*, S. 228.

79 Dolgun, *American*, S. 176–179.

80 Vgl. Todorov, *Angesichts des Äußersten*, S. 51–131.

81 Federolf, *Rjadom s Aljej*, S. 224.

82 Martschenko, Soja, unveröffentlichte Memoiren. Ich danke Soja Martschenko für die Überlassung ihrer Unterlagen.

83 Bardach, *Wolf*, S. 207f.

84 Adamowa-Sljosberg, *Put*, S. 8f.

85 Bardach, *Wolf*, S. 122–139.

86 Schalamow, Warlam, aus einer Samisdat-Publikation.

87 Scammell, *Solzhenitsyn*, S. 284.

88 Vgl. Paschnin, Jewgeni, »Wentschannye sa koljutschej prowolokoi« [Hochzeit hinter Stacheldraht], in: *Wybor*, 3 (1988), S. 103–117.

89 Tscherchanow, P. D., unveröffentlichte Erinnerungen, Memorial Archiv, 2/1/127.

90 Sorin, Gespräch mit der Verfasserin.

91 Zarod, *Inside Stalin's Gulag*, S. 118.

92 Andrejewa, Gespräch mit der Verfasserin.

93 Vgl. Twardowski, *Rodina*, S. 272–275.

94 Klein, *Ulybki newoli*, S. 70f.

95 Vgl. GARF, 9489/2/20.

96 Feldgun, unveröffentlichte Erinnerungen.

97 Panin, *Notebooks*, S. 79.

98 Tschirkow, *A bylo wsjo tak*, S. 96f.

99 Herling-Grudzinski, *Welt ohne Erbarmen*, S. 199f.

100 Vgl. Okunewskaja, *Tatjanin den*, S. 352.

101 Starostin, *Futbol skwos gody*, S. 88–92.

102 Finkelstein, Gespräch mit der Verfasserin.

103 Ginsburg, *Marschroute*, S. 266.

104 Vgl. Wat, *Mein Jahrhundert*, S. 288.

105 Vgl. Dolgun, *American*, S. 141–147.

106 Bardach, *Wolf*, S. 190.

107 Colonna-Czosnowski, *Beyond the Taiga*, S. 120f.

108 Alexej Smirnow, Gespräch mit der Verfasserin, Februar 2001.

109 Arginskaja, Gespräch mit der Verfasserin.

110 Uljanowskaja, *Istoria odnoi semi*, S. 356–365.

Rebellion und Flucht

1 Rawicz, Slavomir, *Der Lange Weg. Meine Flucht aus dem* Gulag, Berlin 1999, S. 129.

2 Solschenizyn, *Archipel Gulag*, Bd. 3, S. 99.

3 Shalamov, *Kolyma Tales*, S. 343–379.

4 Zitiert nach MacQueen, »Survivors«.

5 Herling-Grudzinski, *Welt ohne Erbarmen*, S. 160–165.

6 Vgl. Solschenizyn, *Archipel Gulag*, Bd. 3, S. 198.

7 Morosow, *Dewjat stupenej*, S. 187.

8 Vgl. Solschenizyn, *Archipel Gulag*, Bd. 3 S. 199f.

9 Kusurgaschew, G. D., *Prisraki Kolymskogo solota* [Die Gespenster des Kolyma-Goldes], Woronesch 1995, S. 34ff.; Rossi, *Gulag Handbook*, S. 204f.

10 GARF, 9401/1a/552 und 64.

11 Stajner, *7000 Tage*, S. 107.

12 Schigulin, *Tschornye kamni*, S. 191–212.

13 Vgl. Rossi, *Gulag Handbook*, S. 406.

14 GARF, 9401/1a/185.

15 GARF, 9401/1a/7.

16 Malsagov, *Island Hell.*

17 Vgl. GARF, 9414/1/8.

18 Tchernavin, *I Speak for the Silent*, S. 357; Tschernawin, Tatjana, *Mit Mann und Kind der GPU entflohen!*, Berlin 1934.

19 Vgl. Tschuchin, *Kanaloarmejzy*, S. 188–192.

20 GARF, 9401/1a/5.

21 Makurow, *Gulag w Karelii*, S. 6.

22 Rossi, *Gulag Handbook*, S. 310f.

23 Koslow, »Sewwostlag«, S. 81.

24 GARF, 9401/1a/128; Kutschin, *Poljanski ITL*, S. 148.

25 GARF, 9414/1/2632; Kutschin, ebenda.

26 Shalamov, *Kolyma Tales*, S. 345; Rossi, *Gulag Handbook*, S. 342.

27 Vgl. Rossi, ebenda, S. 310.

28 Lwow, unveröffentlichte Erinnerungen.

29 Tchernavin, *I Speak for the Silent*, S. 319.

30 GARF, 9401/1/2244.

31 Buca, *Vorkuta*, S. 33.

32 Vgl. GARF, 9401/1a/64.

33 GARF, 9414/4/10.

34 Vgl. GARF, 9401/12/319.

35 Shalamov, *Kolyma Tales*, S. 80–85.

36 Vgl. GARF, 9401/1a/552.

37 VGl. GARF, 9401/1a/64, 9401/12/319 und andere.

38 Buca, *Vorkuta*, S. 123–127.

39 Wilenski, Gespräch mit der Verfasserin.

40 Einer der bekanntesten russischen Gulag-Forscher, Wenjamin Joffe, Direktor von Memorial St. Petersburg, suchte vergebens nach Rawicz' Akte. Ein Briefwechsel mit dem betagten Verfasser war für ihn nicht überzeugend und hat ihn in seinen Zweifeln eher bestärkt.

41 Herling-Grudzinski, *Welt ohne Erbarmen*, S. 159f.

42 Ivanova, *Der Gulag im totalitären System*, S. 56.

43 Petrus, *Usniki kommunisma*, S. 61.

44 Ratuschinskaja, Irina, *Grau ist die Farbe der Hoffnung. Bericht aus einem Frauenlager*, München und Hamburg 1988, S. 21.

45 Petrus, *Usniki kommunisma*, S. 63.

46 Vgl. Ossipowa, Irina, *Chotelos by wsjech poimenno naswat* [Jeder soll beim Namen genannt werden], Moskau 1993, S. 87–109; Serge, *Russia*, S. 71.

47 Poleschtschikow, W. M., unveröffentlichte Monografie im Besitz der Verfasserin; Joffe, *Rückblende*, S. 142f.; Rossi, *Gulag Handbook*, S. 120.

48 Ossipowa, *Chotelos by*, S. 109–134; Baitalski, M., »Trotzkisty na Kolyme« [Die Trotzkisten an der Kolyma], in: *Minuwscheje* 2 (1990), S. 346–357.

49 Der folgende Bericht stützt sich vor allem auf Michail Rogatschow, »Bunt nad Usa«, in: *Karta* 17 (1995), S. 97–105, und auf Gespräche mit Rogatschow im Juli 2001. Zu einigen Einzelheiten siehe Poleschtschikow, W. M., *Sa semju petschatjami* [Unter sieben Siegeln], Syktywkar 1995, S. 37–65; Ivanova, *Der Gulag im totalitären System*, S. 56f.; Ossipowa, *Chotelos by*, S. 167–182.

50 Ivanova, *Der Gulag im totalitären System*, S. 56.

AUFSTIEG UND FALL DES LAGER-INDUSTRIE-KOMPLEXES 1940–1986

Der Krieg beginnt

1 Sitko, Leonid, Gedicht ohne Titel, in: *Tjaschest sweta* [Die Last der Welt], Moskau 1996, S. 11.

2 Stajner, *7000 Tage*, S. 135.

3 Ginsburg, *Gratwanderung*, S. 48–53.

4 Warwick, unveröffentlichte Erinnerungen.

5 GARF, 9414/1/68; *Imet silu pomnit* [Imet erinnert sich an die Gewalt], Moskau 1991, S. 166.

6 Ginsburg, *Gratwanderung*, S. 50.

7 Gogua, I. K., Unveröffentlichte Erinnerungen, Memorial Archiv, 1/3/18.

8 Hoover, Polish Ministry of Information Collection, Box 114, Folder 2.

9 GARF, 9401/1a/107.

10 Herling-Grudzinski, *Welt ohne Erbarmen*, S. 250.

11 Kokurin, Alexander, und Morukow, Juri, »Gulag: Struktura i kadry«; in: *Swobodnaja mysl*, Nr. 7; Kokurin und Petrow, *Gulag, 1917–1960*, S. 441.

12 Bacon, *Gulag at War*, S. 149.

13 Ebenda, S. 148.

14 Ivanova, *Der Gulag im totalitären System*, S. 102.

15 GARF, 7523/4/37, 39 und 38.

16 Ginzburg, *Blockade Diary*, S. 14; Overy, *Russia's War*, S. 104–108.

17 Overy, ebenda, S. 77.

18 Vgl. Brodsky, *Solovki*, S. 285.

19 Das erzählten mir auf den Inseln drei verschiedene Personen, darunter die Direktorin des örtlichen Museums.

20 Vgl. Makurow, *Gulag w Karelii*, S. 195.

21 Gurjanow, Alexander, Kokurin, Alexander, und Popinski, Krzyztof (Hrsg.), *Drogi smierci* [Wege des Todes], Warschau 1995, S. 8–10. Vom Karta-Institut veröffentlicht, versammelt *Drogi smierci* Dokumente aus sowjetischen Archiven und weitgehend unveröffentlichte Erinnerungen aus dem Archiwum Wschodnie (Ostarchiv) der Gesellschaft Karta über das Schicksal von Gefangenen in Ostpolen in den ersten Kriegstagen.

22 Bacon, *Gulag at War*, S. 91; Gurjanow, Kokurin und Popinski, *Drogi smierci*, S. 10–26.

23 GARF, 9414/1/68.

24 Vgl. Sabbo, *Voimatu*, S. 1128–1132.

25 Vgl. Bacon, *Gulag at War*, S. 88f.

26 Steinberg, M., »Etap wo wremja woiny« [Gefangenentransport während des Krieges], in: *Pamjat*, 1978, S. 167.

27 Vgl. Gurjanow, Kokurin und Popinski, *Drogi smierci*, S. 90.

28 Steinberg, »Etap«, S. 167–171.

29 GARF, 9414/1/68.

30 Bacon, *Gulag at War*, S. 91.

## Die Fremden

1 Zitiert nach Taylor-Terlecka, Nina (Hrsg.), *Gulag polskich poetów: od Komi do Kołymy* [Der Gulag polnischer Dichter: Vom Komi-Gebiet bis zur Kolyma], London 2001, S. 56f.

2 Razgon, *True Stories*, S. 137.

3 Ebenda.

4 Vgl. Głowacki, *Sowieci Wobec Polaków*, S. 273.

5 Sword, Keith, *Deportation and Exile: Poles in the Soviet Union, 1939–1948*, New York 1994, S. 13.

6 Gurjanow, *Repressii*, S. 4-9.

7 Martin, »Stalinist Forced Relocation Policies«, S. 305-339.

8 Lieven, Anatol, *The Baltic Revolution*, New Haven und London 1993, S. 82.

9 Vgl. Głowacki, *Sowieci Wobec Polaków*, S. 331.

10 Vgl. Russisches Staatliches Militärarchiv (RGWA), Moskau, 40/1/71/323.

11 Gross, Jan Tomasz, und Grudzinska-Gross, Irena (Hrsg.), *War through Children's Eyes*, Stanford, CA, 1981, S. 77.

12 Ebenda, S. 146.

13 Ebenda, S. 80f.

14 Conquest, Robert, *The Soviet Deportation of Nationalities*, London 1960, S. 49f.

15 Vgl. Martin, »Stalinist Forced Relocation Policies«.

16 Conquest, *Deportation*, S. 3ff.

17 Vgl. Naimark, Norman, *Fires of Hatred: Ethnic Cleansing in Twentieth-Century Europe*, Cambridge und London 2001, S. 98–101.

18 Martin, »Stalinist Forced Relocation Policies«.

19 Pohl, J. Otto, »The Deportation and Fate of the Crimean Tartars«, Vortrag auf der Fifth Annual World Convention for the Association for the Study of Nationalities, veröffentlicht im Internet unter www.iccrimea.org/jopohl.html, S. 11–17.

20 Lieven, Anatol, *Chechnya: Tombstone of Russian Power*, New Haven und London 1998, S. 319; Naimark, *Fires of Hatred*, S. 97.

21 Lieven, *Chechnya*, S. 320.

22 Pohl, »Deportation and Fate«, S. 17ff.; Lieven, *Chechnya*, S. 319ff.

23 Vgl. Lieven, *Chechnya*, S. 318–330; Naimark, *Fires of Hatred*, S. 83–107.

24 Sagorulko, M. M. (Hrsg.), *Wojennoplennye w SSSR: 1939–1956* [Kriegsgefangene in der UdSSR: 1939–1956], Moskau 2000. Diese umfangreiche Dokumentensammlung aus verschiedenen Archiven, veröffentlicht unter der Schirmherrschaft des Archivdienstes der Russischen Föderation (GARF), des Zentrums für die Aufbewahrung historischer Dokumentensammlungen in Moskau (ZCHIDK) und der Wolgograder Universität, wurde von der Soros-Stiftung finanziert.

25 Overy, *Russia's War*, S. 52.

26 Sword, *Deportation and Exile*, S. 5.

27 Pichoja, R. G., u. a. (Hrsg.), *Katyn: Dokumenty* [Katyn: Dokumente], Moskau 1999, S. 36.

28 Zu den Bemühungen der polnischen Exilregierung, die Offiziere zu finden, siehe Czapski, Jozef, *The Inhuman Land*, London 1987.

29 Vgl. Sword, *Deportation and Exile*, S. 2–5.

30 Vgl. Beevor, Antony, *Stalingrad*, München 2001, S. 469.

31 Sagorulko, *Wojennoplennye w SSSR*, S. 31 und S. 333.

32 Ebenda, S. 25–33.

33 Diese Zahlen stammen von Overy, *Russia's War*, S. 297, der ein sowjetisches Dokument von 1956 zitiert. Ein weiteres sowjetisches Dokument aus dem Jahr 1949, das bei Sagorulko, *Wojennoplennye w SSSR*, S. 331ff., abgedruckt ist, enthält ähnliche Zahlen: 2,079 Millionen Deutsche, 1,22 Millionen weitere Europäer, 590 000 Japaner und 570 000 Tote.

34 Gustav Menczer, Vorsitzender der Gesellschaft der Gulag-Überlebenden Ungarns, Gespräch mit der Verfasserin vom Februar 2002.

35 Vgl. Bien, George, unveröffentlichte Erinnerungen, Hoover Institution.

36 Knight, Amy, »The Truth about Wallenberg«, in: *New York Review of Books*, Bd. 48, Nr. 14 vom 20. September 2001, S. 47–50.

37 Vgl. Sagorulko, *Wojennoplennye w SSSR*, S. 131.

38 Vgl. ebenda, S. 333. Das betrifft etwa 20 000 Personen.

39 Vgl. ebenda, S. 1042 und S. 604–609.

40 Vgl. ebenda, S. 667f.

41 Ebenda, S. 38.

42 Vgl. Naimark, *Die Russen in Deutschland*, S. 58.

43 Sagorulko, *Wojennoplennye w SSSR*, S. 40 und S. 54–58.

44 *Wostotschnaja Jewropa w dokumentach rossiskich archiwow, 1944–1953* [Osteuropa in den Dokumenten russischer Archive, 1944–1953], Dokumentensammlung, hrsg. vom Institut für slawische und Balkanstudien, Bd. 1: *1944–1948*, Moskau und Nowosibirsk 1997, S. 370 und S. 419 bis S. 422.

45 Vgl. Sagorulko, *Wojennoplennye w SSSR*, S. 40 und S. 54–58. Die meisten Kriegsgefangenen wurden Anfang der fünfziger Jahre entlassen.

46 Sitko, *Tjaschest sweta*, S. 10.

47 Bethell, Nicholas, *Das letzte Geheimnis. Die Auslieferung russischer Flüchtlinge an die Sowjets durch die Alliierten 1944–1947*, Frankfurt a. M. [u. a.] 1975, S. 39.

48 Vgl. ebenda, S. 243–248.

49 Vgl. ebenda, S. 159–242.

50 Vgl. Ivanova, *Der Gulag im totalitären System*, S. 54.

51 GARF, 7523/4/164.

52 Vgl. GARF, 9401/1a/135.

53 Vgl. GARF, 9401/1a/135; 9401/1/76 und 9401/1a/136.

54 Ivanova, *Der Gulag im totalitären System*, S. 54.

55 Kruglow, A. K., *Kak sosdawalas atomnaja promyschlennost w SSSR* [Wie die Atomindustrie der UdSSR entstand], Moskau 1995, S. 66, S. 256 und S. 265.

56 Wilenski, Gespräch mit der Verfasserin.

57 Vgl. Ivanova, *Der Gulag im totalitären System*, S. 54.

58 Klein, *Ulybki newoli*, S. 396–403.

59 Hava Volovich, »My past« in: Vilensky, *Till My Tale is Told*, S. 259.

60 Wallace, Henry A., *Sondermission in Sowjet-Asien und China*, Zürich 1947, S. 119.

61 Ebenda, S. 30f.

62 GARF, 9401/2/65; Sgovio, *Dear America,* S. 251; Wallace, *Sondermission,* S. 30f.

63 Wallace, *Sondermission,* S. 32; Sgovio, ebenda.

64 Wallace, ebenda, S. 111.

65 Ebenda, S. 180.

## Amnestie und danach

1 Zitiert nach Taylor-Terlecka, *Gulag polskich poetów,* S. 144.

2 Vgl. GARF, 9414/1/68; Semskow, W. N., »Sudba kulazkoi ssylki: 1934–1954 gg.« [Das Schicksal der verbannten Kulaken: 1934–1954], in: *Otetschestwennaja istoria* 1 (1994), S. 129–142; Martin, »Stalinist Forced Relocation Policies«.

3 Die Zahl der Häftlinge in den Holzfällerlagern ging von 338 850 im Jahr 1941 auf 122 960 im Jahr 1944 zurück. Vgl. Ochotin und Roginski, *Sprawotschnik,* S. 112.

4 Vgl. Sgovio, *Dear America,* S. 242.

5 Gorbatov, *Years,* S. 150f.

6 Committee on the Judiciary, Hearings before the Subcommittee to investigate the Administration of the Internal Security Act and other Internal Security Laws of the Committee on the Judiciary, US Senate, Ninety-Third Congress, First Session, February 1, 1973 (Aussage von Avraham Shifrin).

7 Gorbatov, *Years,* S. 169 und S. 174f.

8 GARF, 7523/64/687 und 8–15.

9 Vgl. Overy, *Russia's War,* S. 79f.

10 Ginsburg, *Gratwanderung,* S. 53.

11 GARF, 9414/1/1146.

12 Mindlin, *Anfas i profil,* S. 61.

13 Vgl. Bacon, *Gulag at War,* S. 135ff., S. 140f. und S. 144.

14 GARF, 9414/1/68.

15 Vgl. Sword, *Deportation and Exile,* S. 30–36.

16 Ebenda, S. 48.

17 Vgl. Karta, Anders Army Collection, V/AC/127.

18 Karta, Zamorski Collection, Folder 1, Files 15885 und 15882.

19 Vgl. Sword, *Deportation and Exile*, S. 60–87.

20 *Slave Labor in Russia*, American Federation of Labor, excerpts from the report of the International Labor Relations Committee of the 66th Convention of the American Federation of Labor, San Francisco, CA, October 6–16, 1947, S. 31.

21 Djilas, Milovan, *Gespräche mit Stalin*, Frankfurt a. M. 1962, S. 146.

22 Kotek und Rigoulot, *Das Jahrhundert der Lager*, S. 476f.

23 Ebenda, S. 495.

24 Ebenda, S. 496–499; Paczkowski, Andrzej, »Polen, der ›Erbfeind‹«, in: Courtois, *Schwarzbuch des Kommunismus*, S. 411–421.

25 Kotek und Rigoulot, *Das Jahrhundert der Lager*, S. 508–515.

26 Naimark, *Die Russen in Deutschland*, S. 473–499.

27 Vgl. Todorov, *Voices from the Gulag*, University Park, CA, 1999, S. 124.

28 Vgl. Saunders, Kate, *Eighteen Layers of Hell*, New York 1966, S. 1–11; Kotek und Rigoulot, *Das Jahrhundert der Lager*, S. 561–590.

29 Ogawa, Haruhisa, und Yoon, Benjamin H., *Voices from the North Korean Gulag*, Seoul 1998, S. 3.

30 Startseva, Alla, und Korchagina, Valerya, »Pyongyang Pays Russia with Free Labor«, in: *Moscow Times* vom 6. August 2001, S. 1.

## Der Lager-Industrie-Komplex auf dem Zenit

1 Zitiert nach *Sred drugich imjon* [Unter vielen Namen], Anthologie, Moskau 1991, S. 64.

2 Ginsburg, *Gratwanderung*, S. 331.

3 Vgl. Zubkova, Elena, *Russia after the War: Hopes, Illusions and Disappointments, 1945–1957*, Armonk, NY, 1998.

4 GARF, 9401/1/743 und 9401/2/104.

5 Kokurin und Petrow, *Gulag, 1917–1960*, S. 540.

6 Service, Robert A., *A History of Twentieth-Century Russia*, London 1997, S. 299; Iwanowa, Galina M., »Poslewojennye repressii i Gulag« [Die Repressalien der Nachkriegszeit und der Gulag], in: *Stalin i cholodnaja woina* [Stalin und der Kalte Krieg], Moskau 1998, S. 245–273.

7 Vgl. Gordiewsky, Oleg, und Andrew, Christopher, *KGB. Die Geschichte seiner Auslandsoperationen von Lenin bis Gorbatschow,* München 1990, S. 437.

8 Vgl. Iwanowa, »Poslewojennye repressii«, S. 256.

9 Ivanova, *Der Gulag im totalitären System,* S. 59–63.

10 Bacon, *Gulag at War,* S. 24.

11 Vgl. Werth, »Ein Staat gegen sein Volk«, in: Courtois, *Schwarzbuch des Kommunismus,* S. 260–264.

12 Vgl. Ivanova, *Der Gulag im totalitären System,* S. 66.

13 Vgl. Ginsburg, *Gratwanderung,* S. 335.

14 Ebenda, S. 343.

15 Ebenda, S. 344.

16 Adamowa-Sljosberg, *Put,* S. 71.

17 Vgl. Ivanova, *Der Gulag im totalitären System,* S. 65f.

18 Vgl. ebenda.

19 Kokurin und Morukow, »Gulag: struktura i kadry«, Teil 14, in: *Swobodnaja mysl* 11 (2000).

20 Kuz, *Pojedinok s sudboi,* S. 195.

21 Bulgakow, Gespräch mit der Verfasserin.

22 Vgl. Kokurin und Petrow, *Gulag, 1917–1960,* S. 555ff.; Kokurin, Alexander, »Wosstanie w Steplage« [Aufstand in Steplag], in: *Otetschestwennye archiwy* 4 (1994), S. 33–82.

23 Vgl. Kokurin, ebenda; Ivanova, *Der Gulag im totalitären System,* S. 65f.

24 Vgl. Abramkin und Tschesnokowa, *Ugolownaja Rossia,* S. 10.

25 GARF, 9401/1a/270.

26 Vgl. Abramkin und Tschesnokowa, *Ugolownaja Rossia,* S. 10f.

27 Schigulin, *Tschornye kamni,* S. 135ff.

28 Feldgun, unveröffentlichte Erinnerungen.

29 Schigulin, *Tschornye kamni,* S. 133ff.

30 GARF, 9401/1/4240.

31 Siehe zum Beispiel Ilja Golz, »Workuta«, in: *Minuwschee* 7 (1992), S. 317 bis S. 355.

32 Craveri, Marta, und Chlewnjuk, Oleg, »Krisis ekonomiki MWD (Konez 1940–1950 gody)« [Die Wirtschaft des Innenministeriums in der Krise (von den späten Vierzigern bis zu den fünfziger Jahren)], in: *Cahiers du Monde Russe,* 36,1-2 (1995), S. 179–190.

33 Iwanowa, »Poslewojennye repressii«.

34 Vgl. Kokurin, Alexander, und Morukow, Juri, »Tonnel pod Tatarskim proliwom: neosuschtschestwljonny projekt« [Tunnel unter dem Tatarensund: Ein Projekt, das nie verwirklicht wurde], in: *Istoritscheski Archiw* 6 (2001), S. 41–78.

35 Craveri und Chlewnjuk, »Krisis ekonomiki MWD«, S. 186.

36 Ivanova, *Der Gulag im totalitären System*, S. 131.

37 Craveri und Chlewnjuk, »Krisis ekonomiki MWD«, S. 183.

38 Vgl. Craveri, Marta, »Krisis Gulaga: Kengirskoje wosstanie 1954 goda w dokumentach MWD« [Die Krise des Gulags: Der Kengir-Aufstand von 1954 in den Dokumenten des Innenministeriums], in: *Cahiers du Monde Russe* 36,3 (1995), S. 319–344.

39 Werth, »Ein Staat gegen sein Volk«, in: Courtois, *Schwarzbuch des Kommunismus*, S. 265.

40 Craveri und Chlewnjuk, »Krisis ekonomiki MWD«, S. 183.

41 Ivanova, *Der Gulag im totalitären System*, S. 131.

42 Siehe zum Beispiel Klein, *Ulybki newoli*, S. 61.

43 Vgl. Berdinskich, *Wjatlag*, S. 56.

44 Vgl. Craveri und Chlewjnuk, »Krisis ekonomiki MWD«, S. 185.

45 Vgl. ebenda, S. 186.

46 Vgl. Knight, *Beria*, S. 160–169.

47 Naumov, V., und Rubinstein, Joshua (Hrsg.), *Stalin's Secret Pogrom*, New Haven und London 2001, S. 61f.

48 Vgl. ebenda, S. 62.

## Stalins Tod

1 Zitiert nach Conquest, Robert, *Stalin. Der totale Wille zur Macht*, Frankfurt a. M. und Berlin 1993, S. 394.

2 Alexandrowitsch, *Sapiski lagernogo wratscha*, S. 57.

3 Uljanowskaja, *Istoria odnoi semi*, S. 280.

4 Andrejewa, Gespräch mit der Verfasserin.

5 Ginsburg, *Gratwanderung*, S. 417.

6 Stajner, *7000 Tage*, S. 455.

7 Berdinskich, *Wjatlag*, S. 204.

8 Adamowa-Sljosberg, *Put,* S. 80.

9 Roeder, Bernhard, *Der Katorgan: Traktat über die moderne Sklaverei,* Köln und Berlin 1956, S. 183f.

10 Wassiljewa, Gespräch mit der Verfasserin.

11 Talbott, Strobe (Hrsg.), *Chruschtschow erinnert sich,* Reinbek 1992, S. 300.

12 Vgl. Knight, *Beria,* S. 185.

13 Archiv des Präsidenten der Russischen Föderation (APRF), Moskau, 3/52/100, zitiert nach Naumow, W., und Sigatschow, J. (Hrsg.), *Lawrenti Beria, 1953: Dokumenty* [Lawrenti Beria 1953: Dokumente], Moskau 1999, S. 19ff.

14 Knight, *Beria,* S. 185.

15 Ebenda.

16 Vgl. GARF, 9401/1/1299, zitiert nach Naumow und Sigatschow, *Lawrenti Beria,* S. 28f.

17 Vgl. Knight, *Beria,* S. 188–194.

18 Ivanova, *Der Gulag im totalitären System,* S. 131.

19 Vgl. Knight, Beria, S. 194–224.

20 Vgl. Dolgun, *American,* S. 261.

21 Alexandrowitsch, *Sapiski lagernogo wratscha,* S. 57.

22 Isaak Filschtinski, Gespräch mit der Verfasserin, Peredelkino, 30. Mai 1998.

23 Armonas, *Laß die Tränen in Moskau,* S. 153.

24 Petschora, Gespräch mit der Verfasserin.

25 Trus, Gespräch mit der Verfasserin.

26 Uschakowa, Gespräch mit der Verfasserin.

27 Vgl. Chatschaturjan, Gespräch mit der Verfasserin.

28 Vgl. Bulgakow, Gespräch mit der Verfasserin; Golz, »Workuta«, S. 334.

## Die Revolution der *Seks*

1 Zitiert nach Vilensky, *Till My Tale is Told,* S. 216.

2 Siehe zum Beispiel Ginsburg, *Gratwanderung,* S. 418–425; Dolgun, *American,* S. 261f.; Hoover, Adam Galinski Collection.

3 Golz, »Workuta«, S. 334.

4 Sitko, Leonid, *Gde moi weter?* [Wo ist mein Wind?], Bd. 8, Moskau 1996, S. 181–190.

5 Vgl. Craveri, »Krisis gulaga«, S. 323.

6 Vgl. GARF, 9413/1/159.

7 Vgl. Morosow, N. A., *Osobye lagerja MWD SSSR w Komi ASSR (1948–1954 g.)* [Die Sonderlager des Innenministeriums der UdSSR in der ASSR der Komi: 1948–1954], Syktywkar 1998, S. 23f.

8 Ebenda, S. 24f.; Noble, *Slave in Russia*, S. 143.

9 Noble, ebenda.

10 Vgl. GARF, 9413/1/160.

11 GARF, 9413/1/160; Morosow, *Osobye lagerja*, S. 27.

12 Noble, *Slave in Russia*, S. 144.

13 GARF, 9413/1/160.

14 Kosyk, Volodymyr, *Concentration Camps in the USSR*, London 1962, S. 61 und S. 56–65.

15 Wilenski, Gespräch mit der Verfasserin.

16 GARF, 9413/1/160.

17 Ebenda.

18 Hoover, Adam Galinski Collection.

19 Buca, *Vorkuta*, S. 271f.

20 Vgl. Berdinskich, *Wjatlag*, s. 239f.

21 Vgl. »Materialy soweschtschania rukowodjaschtschich rabotnikow ITL i kolonij MWD SSSR, 27.9.–1.10.1954« [Materialien einer Beratung führender Mitarbeiter der ITL und Kolonien des MWD der UdSSR, 27.9.–1.10.1954] in der Sammlung von Memorial.

22 Vgl. Morosow, N. A., und Rogatschow, M. B., »Gulag w Komi ASSR« [Der Gulag in der Autonomen Sowjetrepublik der Komi], in: *Otetschestwennye archivy* 2 (1995), S. 182–187.

23 Meine Darstellung des Aufstandes von Kengir beruht auf dem Vergleich und der Zusammenfassung mehrerer Quellen. Alexander Kokurin gab unter dem Titel »Wosstanie w Steplage« [Der Aufstand in Steplag] eine kommentierte Sammlung von Archivdokumenten über diesen Aufstand heraus. Die italienische Historikerin Marta Craveri hat bislang den wohl zuverlässigsten Bericht darüber verfasst. Dabei hat sie die genannten Dokumente und Gespräche mit Teilnehmern genutzt (vgl. Craveri, »Krisis gulaga«, S. 324). Ein nicht in allen Teilen schlüssiger Bericht über den Aufstand findet sich in Volodymyr Kosyks Arbeit *Concentration Camps in the USSR*, die sich auf Quellen der ukrainischen

Opposition stützt. Ich habe des Weiteren mehrere schriftliche Berichte über dieses Ereignis benutzt, vor allem Ljubow Berschadskajas *Rastoptannye schisni*, S. 86–97, und N. L. Kekuschews *Sweriada*, Moskau 1991, S. 130–143, außerdem die Dokumente und Erinnerungen, die in der Zeitschrift *Wolja* 2-3 (1994), S. 307–370, erschienen sind. Ich habe mit Irina Arginskaja gesprochen, die während des Aufstandes in Steplag einsaß. Solschenizyns Bericht, der ebenfalls auf Gesprächen mit Beteiligten beruht, siehe *Archipel Gulag*, Bd. 3, S. 286–332. Wenn nicht anders angegeben, stammen alle Schilderungen aus diesen Quellen. Den Ablauf der Ereignisse habe ich von Craveri übernommen.

24 Dies ist Marta Craveris Beobachtung.

25 *Wolja* 2-3 (1994), S. 309.

26 Berschadskaja, *Rastoptannye schisni*, S. 87.

27 Ebenda, S. 95ff.

## Tauwetter und Freilassung

1 Zitiert nach Cohen, *End to Silence*, S. 184.

2 Vgl. Craveri und Chlewnjuk, »Krisis ekonomiki MWD«, S. 187.

3 »Materialy soweschtschania rukowodjaschtschich rabotnikow ITL i kolonij MWD SSSR, 27.9.–1.10.1954« [Materialien einer Beratung führender Mitarbeiter der ITL und Kolonien des MWD der UdSSR, 27.9. bis 1.10.1954] in der Sammlung von Memorial; Ivanova, *Der Gulag im totalitären System*, S. 76; Ochotin und Roginski, *Sprawotschnik*, S. 58f.; Kowaltschuk-Kowal, I. K., *Swidanie s pamjatju* [Wiedersehen mit dem Gedächtnis], Moskau 1996, S. 299; Filschtinski, Gespräch mit der Verfasserin.

4 GARF, 9401/2/450.

5 Vgl. ebenda.

6 Talbott, *Chruschtschow erinnert sich*, S. 489.

7 Ebenda, S. 514. Den Wortlaut der Rede siehe S. 489–546.

8 Vgl. Smith, Kathleen, *Remember Stalin's Victims*, Ithaca, NY, 1996, S. 131 bis 174.

9 GARF, 9401/2/479.

10 Vgl. ebenda; Craveri, »Krisis Gulaga«, S. 337; Ivanova, *Der Gulag im totalitären System*, S. 77.

11 Ivanova, ebenda; Craveri und Chlewnjuk, »Krisis ekonomiki MWD«, S. 189.

12 Ivanova, ebenda, S. 77f.; Craveri und Chlewnjuk, ebenda, S. 188f.

13 Andreev-Khomiakov, *Bitter Waters*, S. 3f.

14 Kusurgaschew, *Prisraki*, S. 70.

15 Vera Kornejewa, zitiert nach Solschenizyn, *Archipel Gulag*, Bd. 3, S. 458.

16 Sorin, Gespräch mit der Verfasserin.

17 Korol, M. M., *Odisseja raswedtschika* [Die Odyssee eines Aufklärers], Moskau 1999, S. 189.

18 GARF, 9489/2/20.

19 Efron, Ariadna, *Mirojedicha* [Die Ausbeuterin], Moskau 1996, S. 127f.

20 Vgl. Morosow, *Dewjat stupenej*, S. 381f.

21 Vgl. Hoover, Fond 89, 18/38.

22 Vgl. Bulgakow, Gespräch mit der Verfasserin.

23 Vgl. Smith, *Remember Stalin's Victims*, S. 133.

24 Zitiert nach Cohen, *End to Silence*, S. 36.

25 Smith, *Remember Stalin's Victims*, S. 135; Hochschild, *The Unquiet Ghost*, S. 222f.

26 Smith, ebenda, S. 138.

27 Adamowa-Sljosberg, *Put*, S. 84ff.

28 Solschenizyn, Alexander, *Krebsstation*, Frankfurt a. M., Wien und Zürich 1973, S. 269.

29 Zitiert nach Cohen, *End to Silence*, S. 115.

30 Vgl. Antonow-Owssejenko, Anton, *Stalin. Porträt einer Tyrannei*, Frankfurt a. M. und Berlin 1986, S. 396.

31 Zitiert nach Cohen, *End to Silence*, S. 26.

32 Ebenda, S. 135.

33 Razgon, *True Stories*, S. 50.

34 Solschenizyn, *Archipel Gulag*, Bd. 3, S. 459.

35 Natascha Koroljowa, Gespräch mit der Verfasserin, Moskau, 25. Juli 2001.

36 Aksyonov, Vasily, *Generations of Winter*, New York 1995, S. 382.

37 Zitiert nach Adler, Nanci, *The Gulag Survivor*, New Brunswick, NJ, 2002, S. 141.

38 Wilenski, *Deti Gulaga*, S. 460.

39 Adamowa-Sljozberg, Olga, »My Journey«, in: Vilensky, *Till My Tale is Told*, S. 70.

40 Adler, *The Gulag Survivor*, S. XX.

41 Zitiert nach Cohen, *End to Silence*, S. 38.

42 Siehe Rothberg, Abraham, *The Heirs of Stalin: Dissidence and the Soviet Regime, 1953–1970*, Ithaca, NY, und London 1972, S. 12–40.

43 Das umfassendste Material zu Solschenizyns Leben bietet die von Michael Scammell verfasste Biografie. Wenn nicht anders vermerkt, sind alle biografischen Angaben dieser Quelle entnommen.

44 Scammell, *Solzhenitsyn*, S. 415.

45 Ebenda, S. 448f.

46 Ebenda, S. 485.

47 Sitko, *Gde moi weter?*, S. 318.

48 Rothberg, *The Heirs of Stalin*, S. 62.

## Die Ära der Dissidenten

1 Zitiert nach Cohen, *End to Silence*, S. 183.

2 Vgl. *Politische Gefangene in der UdSSR: Ihre Behandlung und ihre Haftbedingungen*, hrsg. von Amnesty International, Wien 1975, S. 49–55.

3 Vgl. Committee on the Judiciary (Aussage von Avraham Shifrin).

4 Vgl. ebenda.

5 Vgl. Medwedew, *Das Urteil der Geschichte*, Bd. 1, Klappentext und S. 7.

6 Vgl. *Sobranie dokumentow samisdata* [Sammlung von Samisdat-Dokumenten], Radio Liberty, München, AS 143. (Diese Sammlung hat Radio Free Europe – Radio Liberty seit den sechziger Jahren zusammengestellt. Die Dokumente erschienen nicht in gedruckter Form, sondern wurden lediglich kopiert, geheftet, nummeriert und in dieser Form großen Bibliotheken zur Verfügung gestellt.)

7 Vgl. *Politische Gefangene in der UdSSR*, S. 19–25.

8 Vgl. ebenda.

9 Vgl. Reddaway, Peter, *Uncensored Russia: Protest and Dissent in the Soviet Union*, New York 1972, S. 11.

10 Brodsky, Joseph, *Erinnerungen an Leningrad*, hrsg. von Michael Krüger, München und Wien 1987, S. 38.

11 Hoover, Josef Brodsky Collection, Mitschrift von Brodskis Prozess.

12 Ebenda.

13 Browne, Michael, *Ferment in the Ukraine*, Woodhaven, NY, 1971, S. 3.

14 Vgl. Cohen, *End of Silence*, S. 42; Reddaway, *Uncensored Russia*, S. 19.

15 Hopkins, Mark, *Russia's Underground Press*, New York 1983, S. 1–14.

16 Vgl. *Politische Gefangene in der UdSSR*, S. 23.

17 Vgl. Browne, *Ferment in the Ukraine*, S. 9.

18 Vgl. Litvinov, Pavel, *The Trial of the Four: The Case of Galanskov, Ginzburg, Dobrovolsky and Lashkova*, New York 1972, S. 5–11.

19 Browne, *Ferment in the Ukraine*, S. 13.

20 Dreißig Jahre später wurde Tschornowil, der nun führend in der ukrainischen Unabhängigkeitsbewegung tätig war, der erste Botschafter der selbstständigen Ukraine in Kanada. Bevor er seinen Posten antrat, sprach ich 1990 in Lwow mit ihm.

21 Vgl. Reddaway, *Uncensored Russia*, S. 95–111.

22 Vgl. ebenda, S. 19.

23 Info-Russ, Wladimir Bukowskis Dokumentensammlung, #0044. Hier postierte er die von ihm beschafften Dokumente, als er für den Prozess gegen die Kommunistische Partei recherchierte, von dem noch die Rede sein wird. Die Dokumente wurden später zu seinem Buch *Moskowski prozess* [Der Moskauer Prozess] verarbeitet, das 1996 auf Französisch und Russisch in Paris erschienen ist. Einige der Dokumente finden sich auch bei Hoover, Fond 89.

24 Bundeszentrale für Politische Bildung (Hrsg.), *Menschenrechte, Dokumente und Deklarationen*, Bonn 1995, S. 41.

25 Vgl. Reddaway, *Uncensored Russia*, S. 1–47; siehe auch *Chronicle of Current Events*, Amnesty International Publications.

26 Marchenko, Anatolij, *Meine Aussagen. Bericht eines sowjetischen Häftlings 1960–1966*, Frankfurt a. M. 1969, S. 7 und S. 21.

27 Ebenda, S. 222.

28 Ebenda, S. 341.

29 Schenja Fjodorow, Gespräch mit der Verfasserin, Elektrostal, 29. Mai 1999.

30 Ebenda.

31 Kusnezow, Eduard, *Lagertagebuch. Aufzeichnungen aus dem Archipel des Grauens*, München 1974, S. 207f.

32 Vgl. *Chronicle of Current Events*, Nr. 32 vom 17. Juli 1974.

33 Bukowskij, Vladimir, *Wind vor dem Eisgang*, Berlin 1978, S. 37.

34 Marchenko, *Meine Aussagen*, S. 72.

35 Sharansky, Natan, *Fear No Evil*, London 1988, S. 236.

36 Marchenko, *Meine Aussagen*, S. 114; Tokes, Rudolf, *Dissent in the USSR*, Baltimore 1975, S. 84.

37 *Sobranie dokumentow Samisdata*, AS 2598.

38 Daniel, Julij, *Berichte aus dem sozialistischen Lager*, Gedichte, Hamburg 1972, S. 9.

39 Marchenko, *Meine Aussagen*, S. 67–71.

40 *Chronicle of Current Events*, Nr. 32 vom 17. Juli 1974.

41 Vgl. Litvinov, *The Trial of the Four*, S. 17.

42 Reddaway, Peter, und Bloch, Sidney, *Psychiatric Terror: How Soviet Psychiatry Is Used to Suppress Dissent*, New York 1977, S. 305; Jakir, *Kindheit in Gefangenschaft*.

43 Vgl. *Chronicle of Current Events*, Nr. 28, Dezember 1972.

44 Vgl. Commission on Security and Cooperation in Europe, One Hundredth Congress, First session, 15. May 1987, (Aussagen von Aleksandr Shatravka und Dr. Anatoly Koryagin).

45 Vgl. *Chronicle of Current Events*, Nr. 33 vom Dezember 1974.

46 Viktor Schmirow, Gespräch mit der Verfasserin vom 31. März 1998.

47 *Sobranie dokumentow Samisdata*, AS 3115.

48 Bukowski hat darüber 1998 auf einer Pressekonferenz in Warschau berichtet. Sein Text ist auf der Website des Info-Russ [http://psi-ece.jhu.edu/~kaplan/IRUSS/BUK/GBARC/buk.html] nachzulesen.

49 Bukowski, *Moskowski prozess*, S. 144–161.

50 Reddaway und Bloch, *Psychiatric Terror*, S. 48f.; Seton-Watson, Hugh, *The Russian Empire, 1801–1917*, Oxford 1990, S. 257f.

51 Bukowskij, *Wind vor dem Eisgang*, S. 279.

52 Reddaway und Bloch, *Psychiatric Terror*, S. 175, S. 140 und S. 107.

53 Info-Russ, #0202.

54 Vgl. Reddaway und Bloch, *Psychiatric Terror*, S. 226.

55 Nekipelov, Viktor, *Institute of Fools*, London 1980, S. 132.

56 Reddaway und Bloch, *Psychiatric Terror*, S. 220f.; Nekipelov, ebenda.

57 Vgl. Reddaway und Bloch, ebenda, S. 214.

58 Vgl. *Politische Gefangene in der UdSSR*, S. 132.

59 »Three Voices of Dissent«, in: *Survey*, Nr. 77 (Herbst 1970).

60 Vgl. Nekipelov, *Institute of Fools*, S. 115.

61 Reddaway und Bloch, *Psychiatric Terror*, S. 348.

62 Ebenda, S. 79-96.

63 Vgl. ebenda, S. 178ff.

64 Info-Russ, #0204.

## Die achtziger Jahre: stürzende Denkmäler

1 Zitiert nach Reavey, George (Hrsg. und Übersetzer), *The New Russian Poets, 1953–1968*, London und Boston 1981, S. 8f.

2 Vgl. Beichmann, Arnold, und Bernstam, Michail, *Andropov: New Challenge to the West*, New York 1983.

3 Vgl. *Politische Gefangene in der UdSSR*; Alexejewa, Ljudmila, *Istoria inakomyslia w SSSR* [Die Geschichte der Andersdenkenden in der UdSSR], Moskau (online unter www.memo.ru/history/diss/books).

4 Vgl. Beichmann und Bernstam, *Andropov*, S. 182.

5 Vgl. Reagan, Ronald, *Erinnerungen: Ein amerikanisches Leben*, Berlin 1990, S. 716–722.

6 David Berdsenischwili, Gespräch mit der Verfasserin, Moskau, 2. März 1999.

7 Vgl. ebenda.

8 Bukowskij, *Wind vor dem Eisgang*, S. 315.

9 Vgl. ebenda.

10 Vgl. Berdsenischwili, Gespräch mit der Verfasserin.

11 Ratuschinskaja, *Grau ist die Farbe der Hoffnung*, S. 288f.

12 Vgl. Walker, Martin, *The Waking Giant: The Soviet Union under Gorbachev*, London 1986, S. 142.

13 Reddaway, Peter, »Dissent in the Soviet Union«, in: *Problems of Communism*, 32,6 (1983), S. 1–15.

14 Gorbatschow, Michail, *Erinnerungen*, Berlin 1995, S. 45f.

15 Gorbatschow, M. S., *Isbrannye retschi i stati* [Ausgewählte Reden und Artikel], 6 Bde., Bd. 5, Moskau 1988, S. 401.

16 Vgl. Remnick, David, *Lenin's Tomb*, New York 1994, S. 264–268.

17 Smith, *Remember Stalin's Victims*, S. 131–174; Remnick, *Lenin's Tomb*, S. 68.

18 Vgl. Remnick, ebenda, S. 101–119; Smith, ebenda, S. 131–174.

19 Vgl. *USSR: Human Rights in a Time of Change,* Amnesty International Publications, Oktober 1989.

20 Vgl. »Lata Dissidentow«, in: *Karta,* 16 (1995).

21 »On the Death of Prisoner of Conscience Anatoly Marchenko«, Amnesty International Press Release, Mai 1987, Marylebone Library (ML), Amnesty International Documents Collection, London.

22 Ebenda.

23 So findet die Schließung der Lager zum Beispiel keine Erwähnung in Walkers *The Waking Giant,* in John Matlocks *Autopsy on an Empire,* New York 1995, in Archie Browns *Der Gorbatschow-Faktor,* Frankfurt a. M. und Leipzig 2000, oder in Robert Kaisers *Why Gorbachev Happened,* New York 1991. Eine wichtige Ausnahme ist Remnicks Buch *Lenin's Tomb,* das ein Kapitel über die letzten Gefangenen von Perm 35 enthält.

24 Paul Hofheinz, Gespräch mit der Verfasserin vom 13. Februar 2002.

25 Vgl. Matlock, *Autopsy on an Empire,* S. 275.

26 Vgl. Remnick, *Lenin's Tomb,* S. 270.

27 Info-Russ, #0128.

28 Vgl. ebenda, #0130.

29 Vgl. *USSR: Human Rights in a Time of Change.*

30 *The Recent Release of Prisoners in the USSR,* Amnesty International Press Release, April 1987, ML.

31 Vgl. ebenda.

32 Vgl. Berdsenischwili, Gespräch mit der Verfasserin.

33 Vgl. Amnesty International Newsletter, Juni 1988, Bd. 18, Nr. 6, ML.

34 Vgl. Matlock, *Autopsy on an Empire,* S. 287.

35 Vgl. »Russian Federation: Overview of Recent Legal Changes«, Amnesty International Press Release, September 1993, ML.

36 Zitiert nach Cohen, *End to Silence,* S. 186.

## Epilog: Erinnerung

1 Razgon, *True Stories,* S. 27.

2 Vgl. Smith, *Remember Stalin's Victims,* S. 153–159.

3 Alexander Jakowlew, Vorsitzender der Kommission des russischen Präsidenten zur Rehabilitierung der Opfer politischer Repressalien, Gespräch mit der Verfasserin vom 25. Februar 2002.

4 Merridale, *Steinerne Nächte*, S. 435.

5 Gessen, Masha, »My grandmother, the Censor«, in: *Granta 64*, London, Januar 1998.

6 Jakowlew, Gespräch mit der Verfasserin.

7 Dieses Ereignis habe ich beschrieben in »Secret Agent Man«, in: *The Weekly Standard* vom 10. April 2000.

8 Im Juli 2002 wurden beispielsweise im Keller eines Klosters in der Westukraine 130 Skelette entdeckt. Vgl. *Moscow Times* vom 18. Juli 2002.

9 Vgl. »Secret Agent Man«, in: *The Weekly Standard* vom 10. April 2000.

10 Alexander, Andrew, »The Soviet Threat was Bogus«, in: *The Spectator* vom 20. April 2002.

## Anhang: Wie viele?

1 Vgl. Bacon, *Gulag at War*, S. 8f.

2 Conquest, *Der Große Terror*, S. 550.

3 Getty, J. Arch, *Origins of the Great Purges*, Cambridge 1985, S. 8.

4 Semskow, »Archipelag Gulag«, S. 6f.; Getty, J. Arch, Ritterspoon, Gabor T., und Zemskov, Viktor, »Victims of the Soviet Penal System in the Pre-war years«, in: *American Historical Review*, Oktober 1993, Anhänge A und B, S. 1048f.

5 Vgl. Getty, Ritterspoon und Zemskov, »Victims«, S. 1047.

6 Bacon, *Gulag at War*, S. 112.

7 Pohl, J. Otto, *The Stalinist Penal System*, Jefferson, NC, und London 1997, S. 17.

8 Pohl, ebenda, S. 15; Semskow, »Archipelag Gulag«, S. 17.

9 Die bislang beste Zusammenfassung der Debatte über die seit 1991 bekannt gewordenen Zahlen findet sich bei Bacon, *Gulag at War*, S. 6–41 und S. 101–122. Die achtzehn Millionen, die er nennt, beruhen auf Fluktuationsberechnungen und zugänglichen Statistiken. Der Vollständigkeit halber sei erwähnt, dass Dugin behauptet, von 1930 bis 1953 seien 11,8 Millionen Menschen verhaftet worden. Für mich lässt

sich das kaum mit der Zahl von acht Millionen Festnahmen vereinbaren, die bereits bis 1940 erfolgten, vor allem, wenn man die große Zahl derer bedenkt, die während des Zweiten Weltkrieges verhaftet und wieder entlassen wurden. Vgl. Dugin, Alexander, »Stalinism, legendy i fakty« [Stalinismus – Legenden und Fakten], in: *Slowo* 7 (1990), S. 40.

10 Overy, *Russia's War*, S. 297; Sagorulko, *Wojennoplennye w SSSR*, S. 331ff.

11 Pohl, *The Stalinist Penal System*, S. 50ff.; Semskow, »Archipelag Gulag«, S. 4ff.

12 Poljan, Pawel, *Nje po swojej wolje: Istoria i geografia prinuditelnych migrazij w SSSR* [Nicht aus freiem Willen: Geschichte und Geografie der Zwangsmigrationen in der UdSSR], Moskau 2001, S. 239.

13 Pohl, *The Stalinist Penal System*, S. 5.

14 Ebenda, S. 133.

15 Einige wenige wurden veröffentlicht, siehe Getty, Ritterspoon und Zemskov, »Victims«, S. 1048f.

16 GARF, 9414/1/OURZ. Diese Zahlen wurden von Alexander Kokurin zusammengestellt.

17 Vgl. Berdinskich, *Wjatlag*, S. 28.

18 Pohl, *The Stalinist Penal System*, S. 131.

19 Getty, Ritterspoon und Zemskov, »Victims«, S. 1024.

20 Courtois, *Schwarzbuch des Kommunismus*, S. 16.

21 Razgon, *True Stories*, S. 290f.

# Bibliographie

## Memoiren und literarische Werke


Achmatowa, Anna, *Requiem*, Berlin 1981.

Adamowa-Sljosberg, Olga, *Put* [Der Weg], Moskau 1993.

Aksyonov, Vasily, *Generations of Winter*, New York 1995.

Alexandrowitsch, Wadim, *Sapiski lagernogo wratscha* [Aufzeichnungen eines Lagerarztes], Moskau 1996.

Alin, D. E., *Malo slow, a gorja retschenka* [Wenig Worte, aber ein Fluss voller Kummer], Tomsk 1997.

Andreev-Khomiakov, Gennady, *Bitter Waters: Life and Work in Stalin's Russia*, Boulder, CO, 1997.

Anonymus, *Echo is nebytia* [Echo aus dem Nichts], Nowgorod 1992.

Anziferow, Nikolai, »Tri glawy is wospominanij« [Drei Kapitel Erinnerungen], in: *Pamjat* [Gedächtnis] 4, S. 75f.

Armonas, Barbara, *Laß die Tränen in Moskau, 1939 - 1960. Meine zwanzig Jahre in Rußland*, München 1966.

Bardach, Janusz (mit Kathleen Gleeson), *Man is Wolf to Man: Surviving Stalin's Gulag*, London 1998.

Berschadskaja, Ljubow, *Rastoptannye schisni* [Zertretenes Leben], Paris 1975.

Bondarewski, Sergej, *Tak bylo* [So war es], Moskau 1995.

Borin, Alexander, *Prestuplenia bes nakasania: Wospominania usnika GULAGa* [Verbrechen ohne Strafe: Erinnerungen eines Gefangenen im Gulag], Moskau 2000.

Brodsky, Joseph, *Erinnerungen an Leningrad*, hrsg. von Michael Krüger, München und Wien 1987.

Buber-Neumann, Margarete, *Als Gefangene bei Stalin und Hitler*, München 1949.

Buca, Edward, *Vorkuta*, London 1976.

Bukowskij, Vladimir, *Wind vor dem Eisgang*, Berlin 1978.

Bystroletow, Dmitri, *Puteschestwie na krai notschi* [Reise zum Ende der Nacht], Moskau 1996.

Colonna-Czosnowski, Karol, *Beyond the Taiga: Memoirs of a Survivor*, Hove, Sussex, 1998.

Czapski, Jozef, *The Inhuman Land*, London 1987.

Daniel, Julij, *Berichte aus dem sozialistischen Lager. Gedichte*, Hamburg 1972.

Djakow, Boris, »Powest o pereschitom« [Bericht über Erlebtes], in: *Oktjabr* [Oktober] 7 (1964), S. 49–142.

Djilas, Milovan, *Gespräche mit Stalin*, Frankfurt a. M. 1962.

Dolgun, Alexander, *Alexander Dolgun's story: An American in the Gulag*, New York 1975.

Dostojewski, Fjodor, *Aufzeichnungen aus einem Totenhaus*, Berlin 1963.

ders., *The House of the Dead*, London 1985.

Efron, Ariadna, *Mirojedicha* [Die Ausbeuterin], Moskau 1996.

Ejzenberger, Andrei, *Wenn ich nicht schreie, ersticke ich*, Berlin 1997.

Ekart, Antoni, *Vanished without Trace: Seven Years in Soviet Russia*, London 1954.

Federolf, Ada, *Rjadom s Alej* [An Aljas Seite], Moskau 1996.

Fidelgolz, Juri, *Kolyma*, Moskau 1997.

Filschtinski, Isaak, *My schagajem pod konwojem: rasskasy is lagernoi schisni* [Wir marschieren unter Bewachung: Berichte aus dem Lagerleben], Moskau 1997.

Florenski, Sw. Pawel, *Sotschinenia* [Werke], Bd. 4, Moskau 1998.

Frid, Waleri, *58-1-2: Sapiski lagernogo pridurka* [58-1-2: Notizen eines Lagerangestellten], Moskau 1996.

Gagen-Torn, Nina, *Memoria*, Moskau 1994.

Garassewa, A. M., *Ja schila w samoi bestschelowetschnoi strane* [Ich habe im unmenschlichsten Land gelebt], Moskau 1997.

Gessen, Masha, »My Grandmother, the Censor«, in: *Granta 64*, London, Januar 1998.

Gilboa, Yehoshua, *Confess! Confess!*, Boston und Toronto 1968.

Ginsburg, Jewgenia, *Marschroute eines Lebens*, Reinbek 1967.

dies., *Gratwanderung*, München 1980.

Ginzburg, Evgeniya, *Journey into the Whirlwind*, New York 1967.

Ginzburg, Lidija, *Aufzeichnungen eines Blockademenschen*, Frankfurt a. M. 1997.

Gliksman, Jerzy, *Tell the West*, New York 1948.

Gnedin, Jewgenij, *Das Labyrinth. Hafterinnerungen eines führenden Sowjetdiplomaten*, Freiburg i. B. 1987.

ders., *Wychod is labirinta* [Der Ausgang aus dem Labyrinth], Moskau 1994.

Golz, Ilja, »Workuta«, in: *Minuwscheje* [Das Vergangene] 7 (1992).

Gorbatschow, Michail, *Erinnerungen*, Berlin 1995.

Gorbatov, Aleksandr, *Years Off My Life*, London 1964.

Gorbatow, Alexander, »Verlorene Jahre«, in: Nikulin, Lev, *Geköpfte Armee*, Berlin 1965.

Gorki, Maxim, *Gesammelte Werke*, 17 Bde., Berlin 1975.

Gortschakow, Genrich, *L-1-105: Wospominania* [Erinnerungen des Häftlings L-1-105], Jerusalem 1995.

Gross, Jan Tomasz, und Grudzinska-Gross, Irena (Hrsg.), *War through Children's Eyes*, Stanford, CA, 1981.

Guberman, Igor, *Schtrichi i portrety* [Striche und Porträts], Moskau 1994.

Herling-Grudzinski, Gustaw, *Welt ohne Erbarmen*, München und Wien 2000.

Hitler, Adolf, *Mein Kampf*, 2 Bde. in einem Bd., München 1933.

*Imet silu pomnit* [Imet erinnert sich an die Gewalt], Moskau 1991.

Jakir, Peter, *Kindheit in Gefangenschaft*, Frankfurt a. M. 1972.

Jakowenko, M. M., *Agnessa*, Moskau 1997.

Jasny, W. K., *God roschdenia – dewjatsot semnadzaty* [Geboren im Jahre 1917], Moskau 1997.

Jefrussi, Jakow, *Kto na »J«?* [Wer beginnt mit J?], Moskau 1996.

Jewstonitschew, A. P., *Nakasanie bes prestuplenia* [Strafe ohne Verbrechen], Syktywkar 1990.

Joffe, Nadeschda A., *Rückblende. Mein Leben, mein Schicksal, meine Epoche*, Essen 1997.

Kekuschew, N. L., *Sweriada* [Das Tier im Menschen], Moskau 1991.

Kitchin, George, *Das endlose Gefängnis. Erinnerungen des Finnländers G. K. aus den Kerkern der Sowjetunion*, Berlin und Leipzig 1936.

Klein, Alexander, *Ulybki newoli* [Das Lächeln der Gefangenschaft], Syktywkar 1997.

Klinger, A., »Solowezkaja katorga: Sapiski beschawschego« [Verbannt auf die Solowezki-Inseln: Notizen eines Entflohenen], in: *Archiw russkoi revoljuzii* [Archiv der Russischen Revolution], Bd. 19, Berlin 1929.

Kmiecik, Jerzy, *A Boy in the Gulag*, London 1983.

Kopelew, Lew, *Aufbewahren für alle Zeit!*, München 1979.

Korol, M. M., *Odisseja raswedtschika* [Die Odyssee eines Aufklärers], Moskau 1999.

Koschina, Jelena, *Durch die brennende Steppe*, Frankfurt a. M. 2000.

Kowaltschuk-Kowal, I. K., *Swidanie s pamjatju* [Wiedersehen mit dem Gedächtnis], Moskau 1996.

Kudrjawzew, F. F., *Primetschania k ankete* [Anmerkungen zu einem Fragebogen], Moskau 1990.

Kusnezow, Eduard, *Lagertagebuch: Aufzeichnungen aus dem Archipel des Grauens*, München 1974.

Kusurgaschew, G. D., *Prisraki Kolymskogo solota* [Die Gespenster des Kolyma-Goldes], Woronesch 1995.

Kuusinen, Aino, *Der Gott stürzt seine Engel*, hrsg. von Wolfgang Leonhard, Wien und München 1972.

Kuz, W., *Pojedinok s sudboi* [Zweikampf mit dem Schicksal], Moskau 1999.

Leipman, Flora, *The Long Journey Home*, London 1987.

Lewinson, Galina (Hrsg.), *Wsja nascha schisn* [Unser ganzes Leben], Moskau 1996.

Lichatschow, Dmitri, *Kniga bespokoistw* [Buch der Unruhe], Moskau 1991.

ders., *Wospominania* [Erinnerungen], St. Petersburg 1995.

Lipper, Elinor, *Elf Jahre in sowjetischen Gefängnissen und Lagern*, Zürich 1950.

Lockhart, R. Bruce, *Memoirs of a British Agent*, London und New York 1932.

Malsagov, S. A., *Island Hell: A Soviet Prison in the Far North*, London 1926.

Mandelstam, Nadezhda, *Hope Against Hope*, New York 1999.

Mandelstam, Ossip, *Mitternacht in Moskau. Die Moskauer Hefte. Gedichte 1930 - 1934*, Zürich 1986.

Marchenko, Anatolij, *Meine Aussagen. Bericht eines sowjetischen Häftlings 1960 - 1966*, Frankfurt a. M. 1969.

Marchenko, Anatoly, *To Live Like Everyone*, London 1989.

Masus, Israil, *Gde ty byl?* [Wo warst du?], Moskau 1992.

Matlock, Jack, *Autopsy on an Empire*, New York 1995.

Maximowitsch, M., *Newolnye srawnenia* [Unfreiwillige Vergleiche], London 1982.

Medwedew, Nikolai, *Usnik Gulaga [Im Gulag gefangen]*, St. Petersburg 1991.

Miljutina, T. P., *Ljudi mojei schisni* [Menschen aus meinem Leben], Tartu 1997.

Mindlin, M. B., *Anfas i profil* [Von vorn und im Profil], Moskau 1999.

Morosow, Alexander, *Dewjat stupenej w nebytie* [Neun Stufen ins Nichts], Saratow 1991.

Narinski, A. S., *Wremja tjaschkich potrjassenij* [Eine Zeit schwerer Erschütterungen], St. Petersburg 1993.

ders., *Wospominania glawnogo buchgaltera Gulaga* [Erinnerungen des Hauptbuchhalters des Gulags], St. Petersburg 1997.

Nekipelov, Viktor, *Institute of Fools*, London 1980.

Noble, John, *I was a Slave in Russia*, New York 1960.

Okunewskaja, Tatjana, *Tatjanin den* [Tatjanas Tag], Moskau 1998.

Olizkaja, Elinor, *Moi wospominania* [Meine Erinnerungen], 2 Bde., Frankfurt a. M. 1971.

Panin, Dmitri, *The Notebooks of Sologdin*, New York 1973.

Paschnin, Jewgeni, »Wentschannye sa koljutschej prowolokoi« [Hochzeit hinter Stacheldraht], in: *Wybor* [Die Wahl] 3 (1988).

Petrov, Vladimir, *It Happens in Russia*, London 1951.

Petrus, K., *Usniki kommunisma* [Gefangene des Kommunismus], Moskau 1996.

Pogodin, Nikolai, »Aristokraten«, in: Ruzicka, Christel (Hrsg.), *Sowjetische Dramen*, Berlin 1967.

Prjadilow, Alexej, *Sapiski kontrrewoljuzionera* [Aufzeichnungen eines Konterrevolutionärs], Moskau 1999.

Ratuschinskaja, Irina, *Grau ist die Farbe der Hoffnung. Bericht aus einem Frauenlager*, München und Hamburg 1988.

Rawicz, Slawomir, *Der lange Weg. Meine Flucht aus dem Gulag*, Berlin 1999.

Rasgon, Lew, *Nichts als die reine Wahrheit. Erinnerungen*, Berlin 1992.

Razgon, Lev, *True Stories*, Dana Point, CA, 1997.

Resetovskaja, Natalja, *Lieber Alexander: Mein Leben mit Solschenizyn*, München 1975.

Robinson, Robert, *Black on Red: My 44 Years Inside the Soviet Union*, Washington, D.C., 1988.

Roeder, Bernhard, *Der Katorgan: Traktat über die moderne Sklaverei*, Köln und Berlin 1956.

Rosina, Anna, *U pamjati w gostjach* [Zu Gast bei der Erinnerung], St. Petersburg 1992.

Rotfort, M. S., *Kolyma – krugi ada* [Die Kolyma – Kreise der Hölle], Jekaterinburg 1991.

Rozsas, Janos, »Is knigi ›Sestra Dussja‹« [Aus dem Buch »Schwester Dussja«], in: *Wolja* [Freiheit] 2–3 (1994).

Sabolozki, N. A. »Istoria mojego sakljutschenia« [Die Geschichte meiner Haft], in: *Minuwscheje* 2 (1986).

Samsonow, W.A., *Schisn prodolschaetsja* [Das Leben geht weiter], Pedrosawodsk 1990.

Schalamow, Warlam, *Geschichten aus Kolyma,* Frankfurt a.M. und Berlin 1983.

ders., *Neskolko moich* schisnjej [Meine mehreren Leben], Moskau 1996.

Shalamov, Varlam, *Kolyma Tales,* London 1994.

Schenow, Georgi, *Sanotschki* [Nachtschwärmer], Moskau 1997.

Schichejewa-Gaister, Inna, *Semejnaja chronika wremjon kulta litschnosti,* [Eine Familienchronik aus der Zeit des Personenkults], Moskau 1998.

Schigulin, Anatoli, *Tschornye kamni* [Schwarze Steine], Moskau 1996.

Schirjajew, Boris, *Neugassimaja lampada* [Die Ewige Lampe], Moskau 1991.

Schreider, Michail, *NKWD isnutri* [Das NKWD von innen gesehen], Moskau 1995.

Serebryakova, Galina, *Huragan,* Paris 1996.

Sgovio, Thomas, *Dear America,* Kenmore, NY, 1979.

Sharansky, Natan, *Fear No Evil,* London 1988.

Sieminski, Janusz, *Moja Kołyma* [Meine Kolyma], Warschau 1995.

Sitko, Leonid, *Gde moi weter?* [Wo ist mein Wind?], Bd. 8, Moskau 1996.

ders., *Tjaschest sweta* [Die Last der Welt], Moskau 1996.

Solschenizyn, Alexander, *Ein Tag im Leben des Iwan Denissowitsch,* München und Zürich 1963.

ders., *Krebsstation,* Frankfurt a. M., Wien und Zürich 1973.

ders., *Der Archipel Gulag,* 3 Bde., Bern 1974.

ders., *Im ersten Kreis,* Frankfurt a. M. 1985.

*Sred drugich imjon* [Unter vielen Namen], Gedichtsammlung, Moskau 1991.

Stajner, Karlo, *7000 Tage in Sibirien,* Wien 1975.

Starostin, Nikolai, *Futbol skwos gody* [Mein Leben für den Fußball], Moskau 1992.

Sulimow, Iwan, *Echo proschitych let* [Das Echo gelebter Jahre], Odessa 1997.

Talbott, Strobe (Hrsg.), *Chruschtschow erinnert sich,* Reinbek 1992.

Taylor-Terlecka, Nina (Hrsg.), *Gulag polskich poetów: od Komi do Kołymy* [Der Gulag polnischer Dichter: Vom Komigebiet bis zur Kolyma], Gedichtsammlung, London 2001.

Tchernavin, Vladimir, *I Speak for the Silent*, Boston und New York 1935.

Tiif, O., »Is wospominanij i sametok, 1939–1969« [Aus Erinnerungen und Notizen, 1939–1969], in: *Minuwscheje* 7 (1992).

Tolstoi, Leo, *Anna Karenina*, Berlin, Darmstadt und Wien 1966.

Trubezkoi, Andrej, *Puti neispowedimy* [Die Wege sind unerforschlich], Moskau 1997.

Tschernawin, Tatjana, *Mit Mann und Kind der GPU entflohen!*, Berlin 1934.

Tschetwerikow, Boris, *Wsego bywalo na weku* [Das Leben hielt von allem etwas bereit], Leningrad 1991.

Tschirkow, Juri, *A bylo wsjo tak* [So ist es gewesen], Moskau 1991.

Twardowski, I. I., *Rodina i tschuschbina* [Heimat und Fremde], Smolensk 1996.

Uljanowskaja, Nadeschda und Maja, *Istoria odnoi semi* [Geschichte einer Familie], New York 1982.

*Uroki gnewa i ljubwi: Sbornik wospominanij o godax repressij* [Lehren des Zorns und der Liebe: Erinnerungen an die Jahre der Repressalien], St. Petersburg 1993.

Vilensky, Simeon (Hrsg.), *Till My Tale is Told*, Bloomington und Indianapolis, IN, 1999.

Vogelfanger, Isaac, *Red Tempest: The Life of a Surgeon in the Gulag*, Montreal 1996.

Wardi, Alexander, *Podkonwoiny mir* [Bewachte Welt], Berlin 1971.

Wat, Aleksander, *Jenseits von Wahrheit und Lüge: mein Jahrhundert. Gesprochene Erinnerungen, 1926-1945*, Frankfurt a. M. 2000.

Weissberg, Alexander, *Conspiracy of Silence*, London 1952.

Weissberg-Cybulski, Alexander, *Hexensabbat. Russland im Schmelztiegel der Säuberungen*, Frankfurt a. M. 1951.

Wesjolaja, Sajara, *7-35 wospominania* [Erinnerungen der Gefangenen Nr. 7-35], Moskau 1990.

Wigmans, Johan, *Einer von Millionen. Zehn Jahre Russland*, München 1960.

Wilenski, Simeon (Hrsg.), *Oswenzim bes petschej* [Auschwitz ohne Öfen], Moskau 1996.

ders. u. a., *Deti gulaga: 1918-1956* [Die Kinder des Gulags: 1918–1956], Moskau 2002.

Wolkow, Oleg, *Wek nadeschd i kruschenij* [Zeit der Hoffnung und Enttäuschung], Moskau 1990.

Zarod, Kazimierz, *Inside Stalin's Gulag*, Lewes, Sussex, 1990.

Zigankow, Anatoli (Hrsg.), *Ich naswali KR* [Man nannte sie KR], Petrosawodsk 1992.

## Unveröffentlichte Erinnerungen

Bien, George, Hoover Institution

Feldgun, Georgi, Memorial, Nowosibirsk

Gogua, I. K., Memorial, 1/3/18

Gurski, K. P., Memorial, 2/1/14-17

Kuperman, Jakow M., Memorial, 2/1/77

Lahti, Suoma Laine, Sammlung Reuben Rajala

Lwow, J. M., Memorial, 2/1/84

Martschenko, Soja, im Besitz der Verfasserin

Sandrazkaja, Maria, Memorial, 2/105/1

Tscherchanow, P. D., Memorial, 2/1/127

Ussowa, Sinaida, Memorial, 2/1/118

Warwick, Walter, Sammlung Reuben Rajala

## Sachbücher und Aufsätze

Abramkin, W. F., und Tschesnokowa, W. F., *Ugolownaja Rossia: tjurmy i lagerja* [Das kriminelle Russland: Gefängnisse und Lager], Bd. 1, Moskau 1993.

Adams, Bruce, *The Politics of Punishment: Prisoner Reform in Russia, 1863 - 1917*, DeKalb, IL, 1996.

Adler, Nanci, *The Gulag Survivor*, New Brunswick, NJ, 2002.

Agnew, Jeremy, und McDermott, Kevin, *The Comintern*, New York 1997.

Alexejewa, Ludmila, *Istoria inakomyslia w SSSR* [Die Geschichte der Andersdenkenden in der UdSSR], Moskau, www.memo.ru/history/diss/books.

Amis, Martin, *Koba the Dread: Laughter and the Twenty Million*, London 2002.

Anisimov, Evgenii, *The Reforms of Peter the Great: Progress through Coercion in Russia*, Armonk, NY, und London 1993.

Antonow-Owssejenko, Anton, *Stalin. Porträt einer Tyrannei*, Frankfurt a. M. und Berlin 1986.

Applebaum, Anne, »A History of Horror«, in: *The New York Review of Books* vom 18. Oktober 2001.

Arendt, Hannah, *Elemente und Ursprünge totaler Herrschaft*, München 1955.

Bacon, Edwin, *The Gulag at War*, London 1994.

Baitalski, M., »Trotzkisty na Kolyme« [Die Trotzkisten an der Kolyma], in: *Minuwscheje* 2 (1990), S. 346–357.

Baranow, Wadim, *Gorki bes grima* [Gorki ohne Schminke], Moskau 1996.

Baron, Nick, »Conflict and Complicity: The Expansion of the Karelian Gulag, 1923–1933«, in: *Cahiers du Monde Russe* 42,2-4 (2001), S. 61–648.

Basarow, Alexander, *Durelom ili Gospoda kolchosniki* [Windbruch oder Meine Herren Kolchosbauern], Kurgan 1988.

Beevor, Antony, *Stalingrad*, München 2001.

Beichmann, Arnold, und Bernstam, Michail, *Andropov: New Challenge to the West*, New York 1983.

Berdinskich, Wiktor, *Wjatlag*, Kirow 1998.

Berliner, Joseph, *Factory and Manager in the Soviet Union*, Cambridge 1957.

Bethell, Nicholas, *Das letzte Geheimnis. Die Auslieferung russischer Flüchtlinge an die Sowjets durch die Alliierten 1944-1947*, Frankfurt a. M. u. a. 1975.

Binner, Rolf, Junge, Marc, und Martin, Terry, »The Great Terror in the Provinces of the USSR: A Cooperative Bibliography«, in: *Cahiers du monde russe* 42,2-4 (2001).

Brodsky, Juri, *Solovki: Le Isole del Martirio*, Rom 1998.

Brown, Archie, *Der Gorbatschow-Faktor. Wandel einer Weltmacht*, Frankfurt a. M. und Leipzig 2000.

Browne, Michael, *Ferment in the Ukraine*, Woodhaven, NY, 1971.

Bukowski, Wladimir, *Moskowski prozess* [Der Moskauer Prozess], Paris 1996.

Bullock, Alan, *Hitler und Stalin. Parallele Leben*, Berlin 1991.

Bundeszentrale für Politische Bildung (Hrsg.), *Menschenrechte, Dokumente und Deklarationen*, Bonn 1995.

Bunyan, James, *The Origin of Forced Labour in the Soviet State*, Baltimore 1967.

Chlewnjuk, Oleg, »Prinuditelny trud w ekonomike SSSR: 1929–1941 gody« [Zwangsarbeit in der Wirtschaft der UdSSR: 1929–1941], in: *Swobodnaja mysl* [Der freie Gedanke] 13 (1992), S. 73–84.

ders., *1937: Stalin, NKWD i sowjetskoje obschtschestwo* [1937: Stalin, das NKWD und die Sowjetgesellschaft], Moskau 1992.

*Chronicle of Current Events,* Nr. 28–64 (1972–1982), Amnesty International Publications, LOC.

Cohen, Stephen (Hrsg.), *An End to Silence: Uncensored Opinion in the Soviet Union,* New York und London 1982.

Commission on Security and Cooperation in Europe, One Hundredth Congress, First session, May 15, 1987 (Aussagen von Aleksandr Shatravka und Dr. Anatoly Koryagin).

Committee on the Judiciary, Hearings before the Subcommittee to investigate the Administration of the Internal Security Act and other Internal Security Laws of the Committee on the Judiciary, US Senate, Ninety-Third Congress, First Session, February 1, 1973 (Aussage von Avraham Shifrin).

Conquest, Robert, *The Soviet Deportation of Nationalities,* London 1960.

ders., *Kolyma: The Arctic Death Camps,* New York 1978.

ders., *Ernte des Todes. Stalins Holocaust in der Ukraine, 1929-1933,* München 1988.

ders., *Der Große Terror. Sowjetunion 1934-1938,* München 1992.

ders., *Stalin. Der totale Wille zur Macht,* Frankfurt a. M. und Berlin 1993.

Courtois, Stephane, u.a. (Hrsg.), *Das Schwarzbuch des Kommunismus,* München und Zürich 1998.

Craveri, Marta, »Krisis Gulaga: Kengirskoje wosstanie 1954 goda w dokumentach MWD« [Die Krise des Gulags: Der Kengirsker Aufstand von 1954 in den Dokumenten des Innenministeriums], in: *Cahiers du Monde Russe* 36,3 (1995), S. 319–344.

dies. und Chlewnjuk, Oleg, »Krisis ekonomiki MWD (Konez 1940–1950 gody)« [Die Wirtschaft des Innenministeriums in der Krise (von den späten Vierzigern bis zu den fünfziger Jahren)], in: *Cahiers du Monde Russe* 36,1-2 (1995), S. 179–190.

Dallin, David, und Nicolaevsky, Boris, *Zwangsarbeit in Sowjetrussland,* Wien 1950.

*Dekrety sowjetskoi wlasti* [Dekrete der Sowjetmacht], Moskau 1957.

Dobrowolski, Alexander, »Mjortwaja doroga« [Strecke des Todes], in: *Otetschestwo* [Vaterland] 5 (1994), S. 193–210.

Doloi, Juri, *Krassny terror na sewere* [Der Rote Terror im Norden], Archangelsk 1993.

Drjachlizyn, Dmitri, »Perioditscheskaja pechat Archipelaga« [Die Periodika des Archipel], in: *Sewer* [Norden] 9 (1990).

Dugin, Alexander, »Gulag glasami istorika« [Der Gulag aus der Sicht des Historikers], in: *Sojus* [Die Union] vom 9. Februar 1990.

ders., »Stalinism, legendy i fakty« [Stalinismus, Legenden und Tatsachen], in: *Slowo* [Das Wort] 7 (1990).

Duguet, Raymond, *Un Bagne en Russie Rouge*, Paris 1927.

Elletson, Howard, *The General against the Kremlin: Alexander Lebed, Power and Illusion*, London 1998.

Figes, Orlando, *Die Tragödie eines Volkes. Die Epoche der russischen Revolution 1891 bis 1924*, Berlin 1998.

Fitzpatrick, Sheila, *Everyday Stalinism*, New York 1999.

Gelb, Michael, »Karelian Fever: The Finnish Immigrant Community During Stalin's Purges«, in: *Europe-Asia Studies* 45, 6 (1993), S. 1091–1116.

*Genrich Jagoda: Narkom Wnutrennich Del SSSR, Generalny Komissar Gosudarstwennoi Besopasnosti: Sbornik dokumentow* [Genrich Jagoda, Volkskommissar für innere Angelegenheiten der UdSSR, Generalkommissar für Staatssicherheit: Dokumentensammlung], Kasan 1997.

Getty, J. Arch, *Origins of the Great Purges*, Cambridge 1985.

ders. und Naumov, Oleg (Hrsg.), *The Road to Terror: Stalin and the Self-Destruction of the Bolsheviks, 1932-1939*, New Haven und London 1999.

ders., Ritterspoon, Gabor T., und Zemskov, Viktor, »Victims of the Soviet Penal System in the Pre-war Years«, in: *American Historical Review*, Oktober 1993.

Głowacki, Albin, *Sowieci Wobec Polaków: Na Ziemach Wschodnich II Rzeczpospolitej, 1939-1941*, Lódz 1998.

Goldhagen, Daniel Jonah, *Hitlers willige Vollstrecker. Ganz gewöhnliche Deutsche und der Holocaust*, Berlin 1996.

Golowanow, Jaroslaw, »Katastrofa« [Die Katastrophe], in: *Snamja* [Das Banner] 1 (1990), S. 107–150, und 2 (1990), S. 104–149.

Gorbatschow, M. S., *Isbrannye retschi i stati* [Ausgewählte Reden und Artikel], 6 Bde., Bd. 5, Moskau 1988.

Gordiewsky, Oleg, und Andrew, Christopher, *KGB. Die Geschichte seiner Auslandsoperationen von Lenin bis Gorbatschow*, München 1990.

Gorki, Maxim (Hrsg.), *Belomor [Kanal imeni Stalina]* [Der Weißmeer-Kanal »J. W. Stalin«], New York 1935.

Gurjanow, Alexander (Hrsg.), *Repressii protiw poljakow i polskich graschdan* [Die Repressalien gegen Polen und polnische Bürger], Moskau 1997.

ders., Kokurin, Alexander, und PopiÒski, Krzyztof (Hrsg.), *Drogi smierci* [Wege des Todes], Warschau 1995.

Harris, James R., »Growth of the Gulag: Forced Labour in the Urals Region, 1929–1931«, in: *The Russian Review* 56 (1997), S. 265–280.

Heller, Michael, *Stacheldraht der Revolution. Die Welt der Konzentrationslager in der sowjetischen Literatur*, Stuttgart 1975.

Hochschild, Adam, *The Unquiet Ghost: Russians Remember Stalin*, New York 1994.

Hopkins, Mark, *Russia's Underground Press*, New York 1983.

*Istoria otetschestwa w dokumentach* [Geschichte des Vaterlandes in Dokumenten], Bd. 2: *1921-1939*, Moskau 1994.

Ivanova, Galina, *Der Gulag im totalitären System der Sowjetunion*, Berlin 2001.

Iwanowa, G. M., »Poslewojennye repressii i Gulag« [Die Repressalien der Nachkriegszeit und der Gulag], in: *Stalin i cholodnaja woina* [Stalin und der Kalte Krieg], Moskau 1998, S. 245–273.

Iwnizki, N. A., *Kollektiwisazia i raskulatschiwanie, natschalo tridzatych gg.* [Kollektivierung und Enteignung der Kulaken Anfang der dreißiger Jahre], Moskau 1996.

Jakobson, Michael, *Origins of the Gulag: The Soviet Prison Camp System, 1917-1934*, Lexington, KY, 1993.

Jansen, Marc, und Petrov, Nikita, »Stalin's Loyal Executioner: People's Commissar Nikolai Yezhov«, Stanford, CA, 2000.

Jelanzewa, O. P., »Kto i kak stroil BAM w tridzatyje gody« [Wie und von wem die BAM in den dreißiger Jahren gebaut wurde], in: *Otetschestwennyje archiwy* [Archive des Inlands] 5 (1992), S. 71–81.

Johnson, Paul, *The Intellectuals*, London 1988.

Jurassowa, D., »Reabilitazionnoje opredelenie po delu rabotnikow Gulaga« [Rehabilitierungsbeschluss in der Sache der Mitarbeiter des Gulag], in: *Swenja* [Kettenglieder] 1 (1991), S. 389–399.

Kaczyńska, Elżbieta, *Das größte Gefängnis der Welt. Sibirien als Strafkolonie zur Zarenzeit*, Frankfurt a. M. 1994.

Kaiser, Robert, *Why Gorbachev Happened*, New York 1991.

Kanewa, A. N., »Uchtpetschlag, 1929–1938«, in: *Swenja* 1 (1991), S. 331–354.

Kennan, George, *Sibirien und das Verbannungssystem*, Leipzig und Wien 1891.

Kjetsaa, Geir, *Maxim Gorki. Eine Biographie*, Hildesheim 1996.

Klehr, Harvey, Haynes, John Earl, und Anderson, Kyrill (Hrsg.), *The Soviet World of American Communism*, New Haven und London 1998.

Klehr, Harvey, Haynes, John Earl, und Firsov, Fridrikh, *The Secret World of American Communism*, New Haven und London 1995.

Knight, Amy, *Beria: Stalin's First Lieutenant*, Princeton 1993.

dies., »The Truth about Wallenberg«, in: *New York Review of Books*, Bd. 48, Nr. 14, 20. September 2001, S. 47–50.

Kokurin, Alexander, »Wosstanie w Steplage« [Aufstand in Steplag], in: *Otetschestwennye archiwy* 4 (1994), S. 33–82.

ders., »Gulag: struktura i kadry« [Der Gulag: Struktur und Kader], eine Artikelserie, die von 1997 bis 2002 in *Swobodnaja mysl* erschien. Von 1997 (Artikel 1) an, war Nikita Petrow Kokurins Ko-Autor, von 2000 (Artikel 10) an Juri Morukow.

ders., »Osoboje technitscheskoje bjuro NKWD SSSR« [Das Sonderkonstruktionsbüro des NKWD der UDSSR] in: *Istoritscheski Archiw* [Historisches Archiv] 1 (1999), S. 85–99.

ders. und Morukow, Juri, »Tonnel pod Tatarskim proliwom: neosuschtschestwljonny projekt« [Tunnel unter dem Tatarensund: Ein Projekt, das nie verwirklicht wurde], in: *Istoritscheski Archiw* 6 (2001), S. 41–78.

ders. und Petrow, Nikita, *Lubjanka: Sprawotschnik* [Die Lubjanka: Handbuch], Moskau 1997.

dies., *Gulag, 1917–1960: Dokumenty* [Der Gulag, 1917–1960: Dokumente], Moskau 2000.

*Korni trawy: sbornik statej molodych istorikow* [Graswurzeln: Sammelband mit Artikeln junger Historiker], Moskau 1996.

Koslow, A. G., »Sewwostlag NKWD SSSR: 1937–1941« [Sewwostlag/Nordostlager des NKWD der UdSSR: 1937–1941], in: *Istoritscheskie issledowania na sewere Dalnego Wostoka* [Historische Forschungen im Norden des Fernen Ostens], Magadan 2000.

Kosyk, Volodymyr, *Concentration Camps in the USSR*, London 1962.

Kotek, Joel, und Rigoulot, Pierre, *Das Jahrhundert der Lager. Gefangenschaft, Zwangsarbeit, Vernichtung*, Berlin 2001.

Kotkin, Stephen, *Magnetic Mountain*, Berkeley, CA, 1995.

Krassikow, N., »Solowki«, in: *Iswestija* vom 15. Oktober 1924.

Krassilnikow, S. A., »Roschdenie Gulaga: Diskussii w werchnych eschelonach wlasti« [Die Entstehung des Gulag: Diskussionen in den obersten Etagen der Macht], in: *Istoritscheski archiw* 4 (1997), S. 142–156.

ders. u. a. (Hrsg.), *Spezpereselenzy w sapadnoi Sibiri, wesna 1931 g.–natschalo 1933 g.* [Die Sonderumsiedler in Westsibirien, Frühjahr 1931–Anfang 1933], Nowosibirsk 1993.

dies., *Spezpereselenzy w sapadnoi Sibiri, 1933 - 1938* [Die Sonderumsiedler in Westsibirien 1933–1938], Nowosibirsk 1996.

Kruglow, A. K., *Kak sosdawalas atomnaja promyschlennost w SSSR* [Wie die Atomindustrie der UdSSR entstand], Moskau 1995.

Kusmina, Marina, *Ja pomnju tot waninski port* [Ich erinnere mich an den Hafen Wanino], Komsomolsk am Amur 2001.

Kutschin, S. P., *Poljanski ITL* [Das Poljansker Besserungsarbeitslager], Schelesnogorsk (Krasnojarsk 26), Museums- und Ausstellungszentrum der Stadt Schelesnogorsk 1999.

Kuznetsov, S. I., »The Situation of Japanese Prisoners of War in Soviet Camps (1945–1956)«, in: *Journal of Slavic Military Studies* 8,3, S. 613–618.

Ledeneva, Alena, *Russia's Economy of Favors: Blat, Networking and Informal Exchange*, Cambridge 1998.

Leggett, George, *The Cheka: Lenin's Political Police*, Oxford 1981.

*Letters from Russian Prisons*, hrsg. vom International Committee for Political Prisoners, New York 1925.

Lieven, Anatol, *The Baltic Revolution*, New Haven und London 1993.

ders., *Chechnya: Tombstone of Russian Power*, New Haven und London 1998.

Lin, George, »Fighting in Vain: NKWD RSFSR in the 1920s«, Ph. D. dissertation, Stanford University 1997.

Litvinov, Pavel, *The Trial of the Four: The Case of Galanskov, Ginzburg, Dobrovolsky and Lashkova*, New York 1972.

MacQueen, Angus, »Survivors«, in: *Granta* 64 (1998), S. 38–53.

Makurow, W. G., *Gulag w Karelii: Sbornik dokumentow i materialow, 1930 - 1941* [Der Gulag in Karelien: Eine Sammlung von Dokumenten und Materialien, 1930–1941], Petrosawodsk 1992.

Malia, Martin, »Judging Nazism and Communism«, in: *The National Interest* 64 (2002), S. 63–78.

Martin, Terry, »Un'interpretazione contestuale alla luce delle nuove richerche«, in: *Storica* 18 (2000), S. 22–37.

ders., *The Affirmative Action Empire: Nations and Nationalism in the USSR*, Ithaka, NY, 2001.

ders., »Stalinist Forced Relocation Policies: Patterns, Causes and Consequences«, in: Weiner, Myron und Russell, Sharon (Hrsg.), *Demography and National Security*, New York 2001.

Medwedew, Roy, *Das Urteil der Geschichte. Stalin und Stalinismus,* 2 Bde., Berlin 1992.

Melgunow, S. P., *Der rote Terror in Rußland, 1918 - 1923,* Berlin 1924.

Melnik, A., Soschina, A., Resnikowa, I., und Resnikow, A., »Materialy k istoriko-geografitscheskomu atlasu Solowkow« [Materialien zum historisch-geografischen Atlas der Solowezki-Inseln], in: *Swenja* 1 (1991), S. 303–330.

*Memorialnoje kladbischtsche Sandormoch: 1937, 27 oktjabrja – 4 nojabrja (Solowezki etap)* [Gedenkfriedhof Sandormoch: 27. Oktober bis 4. November 1937 (Solowezker Etappe)], St. Petersburg 1997.

Merridale, Catherine, *Steinerne Nächte. Leiden und Sterben in Russland,* München 2001.

*Minuwscheje* [Das Vergangene] – eine Reihe historischer Anthologien aus den späten achtziger und den neunziger Jahren, die zunächst in Paris und danach in Moskau erschienen.

Mitin, W. A., »Waigatschskaja expedizia, 1930–1936« [Die Waigatsch-Expedition, 1930–1936], in: *Gulag na sewere i ego posledstwia* [Der Gulag im Norden und seine Folgen], Archangelskaja oblastnaja organisazia »Sowest« [Organisation »Gewissen« im Gebiet Archangelsk] 1992.

Morosow, N. A., *Gulag w Komi kraje, 1929 - 1956* [Der Gulag in der Komi-Region, 1929–1956], Syktywkar 1997.

ders., *Osobye lagerja MWD SSSR w Komi ASSR (1948 - 1954 g.)* [Die Sonderlager des Innenministeriums der UdSSR in der Autonomen Sowjetrepublik der Komi: 1948–1954], Syktywkar 1998.

ders. und Rogatschow, N. W., »Gulag w Komi ASSR« [Der Gulag in der ASSR der Komi], in: *Otetschestwennye archiwy* 2 (1995), S. 182–187.

Moskoff, William, *The Bread of Affliction: The Food Supply in the USSR during World War II,* Cambridge 1990.

Naimark, Norman, *Die Russen in Deutschland. Die sowjetische Besatzungszone 1945 - 1949,* Berlin 1997.

ders., *Fires of Hatred: Ethnic Cleansing in Twentieth-Century Europe,* Cambridge und London 2001.

Naumov, V., und Rubinstein, Joshua (Hrsg.), *Stalin's Secret Pogrom,* New Haven und London 2001.

Naumow, W., und Sigatschow, J. (Hrsg.), *Lawrenti Beria 1953: Dokumenty* [Lawrenti Beria 1953: Dokumente], Moskau 1999.

Nerler, P., »S Gurboi I gurom: Chronika poslednego goda schisni O. Mandelstama« [In der Menge: Das letzte Lebensjahr Ossip Mandelstams], in: *Minuwscheje* 8 (1992), S. 360–379.

Nordlander, David, »Capital of the Gulag: Magadan in the Early Stalin Era, 1929–1941«, Ph.D. dissertation, UNC Chapel Hill 1997.

ders., »Origins of a Gulag Capital: Magadan and Stalinist Control in the Early 1930s«, in: *Slavic Review* 57,4 (1998), S. 791–812.

Ochotin, N. G., und Roginski, A. B. (Hrsg.), *Sistema isprawitelno-trudowych lagerej w SSSR, 1923 - 1960 – Sprawotschnik* [Das System der Besserungsarbeitslager in der UdSSR, 1923–1960: Handbuch], Moskau 1998.

Ogawa, Haruhisa, und Yoon, Benjamin H., *Voices from the North Korean Gulag*, Seoul 1998.

Ossipowa, Irina, *Chotelos by wsjech poimenno naswat* [Jeder soll beim Namen genannt werden], Moskau 1993.

Overy, Richard, *Russia's War*, London 1997.

*Pamjat*, Serie historischer Anthologien, erschienen seit Ende der siebziger Jahre in den USA und in Paris.

Papkow, S. A., »Lagernaja sistema i prinuditelny trud w Sibiri i na Dalnem wostoke w 1929-1941 gg.« [Lagersystem und Zwangsarbeit in Sibirien und im Fernen Osten 1929–1941], in: *Woswraschtschenie pamjati* [Die Rückkehr des Gedächtnisses] 3, S. 40–57.

Petrov, Nikita, »Cekisti e il secondino: due diversi destini«, in: *Nazismo, Fascismo e Comunismo*, Mailand 1998, S. 145–164.

Petrow, N., »Polska Operacja NKWD«, in: *Karta* 11 (1993), S. 24–43.

Pichoja, R. G., u. a. (Hrsg.), *Katyn: Dokumenty* [Katyn: Dokumente], Moskau 1999.

Pipes, Richard, *Die Russische Revolution*, 3 Bde., Reinbek 1992–1993.

Pohl, J. Otto, »The Deportation and Fate of the Crimean Tartars«, Vortrag auf der Fifth Annual World Convention for the Association for the Study of Nationalities, veröffentlicht im Internet unter www.iccrimea.org/jopohl.html.

ders., *The Stalinist Penal System*, Jefferson, NC, und London 1997.

Poleschtschikow, W. M., *Sa semju petschatjami* [Unter sieben Siegeln], Syktywkar 1995.

*Politische Gefangene in der UdSSR: Ihre Behandlung und ihre Haftbedingungen*, hrsg. von Amnesty International, Wien 1975.

Poljan, Pawel, *Nje po swojej wolje: istoria i geografia prinuditelnych migrazij w SSSR* [Nicht aus freiem Willen: Geschichte und Geografie der Zwangsmigrationen in der UdSSR], Moskau 2001.

Popow, W. P., »Neiswestnaja iniziatiwa Chruschtschowa (o podgotowke ukasa 1948 g. o wyselenii krestjan)« [Eine unbekannte Initiative Chruschtschows: Zur Vorbereitung des Erlasses von 1948 über die Aussiedlung der Bauern], in: *Otetschestwennyje archiwy* 2 (1993), S. 31–38.

Reagan, Ronald, *Erinnerungen. Ein amerikanisches Leben*, Berlin 1990.

Reavey, George (Hrsg. und Übersetzer), *The New Russian Poets, 1953-1968*, London und Boston 1981.

Reddaway, Peter, *Uncensored Russia: Protest and Dissent in the Soviet Union*, New York 1972.

ders., »Dissent in the Soviet Union«, in: *Problems of Communism* 32,6 (1983), S. 1–15.

ders. und Bloch, Sidney, *Psychiatric Terror: How Soviet Psychiatry is Used to Suppress Dissent*, New York 1977.

Remnick, David, *Lenin's Tomb*, New York 1994.

Resnikowa, Irina, *Prawoslawie na Solowkach* [Die orthodoxe Religion auf den Solowezki-Inseln], St. Petersburg 1994.

Revel, Jean François, *Die totalitäre Versuchung*, Frankfurt a. M. und Berlin 1977.

Rigoulot, Pierre, *Les paupières lourdes*, Paris 1991.

Rosanow, Michail, *Solowezki konzlager w monastyre* [Das Konzentrationslager im Kloster auf den Solowezki-Inseln], Moskau 1979.

Rossi, Jacques, *The Gulag Handbook*, New York 1989.

Rothberg, Abraham, *The Heirs of Stalin: Dissidence and the Soviet Regime, 1953-1970*, Ithaca, NY, und London 1972.

Sabbo, Hilda (Hrsg.), *Voimatu vaikida* [Schweigen ist unmöglich], Tallinn 1996.

Sagorulko, M. M. (Hrsg.), *Wojennoplennye w SSSR: 1939-1956* [Die Kriegsgefangenen in der UdSSR: 1939–1956], Moskau 2000.

Saunders, Kate, *Eighteen Layers of Hell*, New York 1966.

*Sbornik sakonodatelnych i normatiwnych aktow o repressiach i reabilitazii schertw polititscheskich repressij* [Sammlung von Gesetzen und Normativakten über Repressalien und die Rehabilitierung der Opfer politischer Unterdrückung], hrsg. vom Obersten Sowjet der Russischen Föderation, Moskau 1993.

Scammell, Michael, *Solzhenitsyn: A Biography*, New York und London 1984.

Schentalinski, Witali, *Das auferstandene Wort. Verfolgte russische Schriftsteller in ihren letzten Briefen, Gedichten und Aufzeichnungen*, Bergisch-Gladbach 1996.

Schmirow, Viktor, »Lager kak model realnosti«, Vortrag auf der Konferenz »Sudba Rossii w kontexte mirowoi istorii dwadzatogo weka« [Russlands Schicksal in der Weltgeschichte des zwanzigsten Jahrhunderts], Moskau, 17. Oktober 1999.

Schreider, Michail, *NKWD isnutri* [Das NKWD von innen gesehen], Moskau 1995.

Semskow, W. N., »Archipelag Gulag: glasami pissatelja i statistika« [Der Archipel Gulag aus Sicht des Schriftstellers und Statistikers], in: *Argumenty i fakty* [Argumente und Fakten] 45 (1989).

ders., »Spezposelenzy (po dokumentam NKWD-MWD SSSR)« [Die Zwangsumsiedler – nach Dokumenten des NKWD-MWD der UdSSR], in: *Soziologitscheskie issledowania* [Soziologische Forschungen] 11 (1990), S. 3–17.

ders., »Sudba kulazkoi ssylki: 1934–1954 gg.« [Das Schicksal der verbannten Kulaken: 1934–1954], in: *Otetschestwennaja istoria* 1 (1994).

ders., »Sakljutschonnyje w 1930-je gody: sozialno-demografitscheskie problemy« [Die Gefangenen in den dreißiger Jahren: Sozial-demografische Probleme], in: *Otetschestwennaja istoria* [Geschichte des Vaterlandes] 4 (1997).

Sereny, Gitta, *Am Abgrund. Gespräche mit dem Henker. Franz Stangl und die Morde von Treblinka*, München 1995.

Serge, Victor, *Russia Twenty Years After*, New Jersey 1996.

Service, Robert, *A History of Twentieth–Century Russia*, London 1997.

Seton-Watson, Hugh, *The Russian Empire, 1801 - 1917*, Oxford 1990.

Silvester, Christopher (Hrsg.), *The Penguin Book of Interviews*, London 1993.

*Slave Labor in Russia*, American Federation of Labor, excerpts from the report of the International Labor Relations Committee of the 66th Convention of the American Federation of Labor, San Francisco, CA, October 6-16, 1947.

Smith, Kathleen, *Remember Stalin's Victims*, Ithaca, NY, 1996.

Sobolew, S. A., u. a., *Lubjanka*, Moskau 1999.

*Sobranie dokumentow samisdata* [Sammlung von Samisdat-Dokumenten], Radio Liberty Committee, München, LOC.

Sofsky, Wolfgang, *Die Ordnung des Terrors: das Konzentrationslager*, Frankfurt a. M. 1993.

Solomon, Peter, *Soviet Criminal Justice Under Stalin*, Cambridge 1996.

»Solowezkaja monastyrskaja tjurma« [Das Solowezker Klostergefängnis], Solowezkoje Obschtschestwo Krajewedenia [Solowezker Gesellschaft für Heimatgeschichte], Bd. 7, 1925, Solowezker Museum für Heimatgeschichte (SKM).

Stephan, John, *The Russian Far East: A History*, Stanford 1994.

Sutherland, Christine, *Die Prinzessin von Sibirien. Maria Wolkonskaja und ihre Zeit*, Frankfurt a. M. 1989.

*Swenja* [Kettenglieder] (historische Anthologie), Bd. 1, Moskau 1991.

Sword, Keith, *Deportation and Exile: Poles in the Soviet Union, 1939 - 1948*, New York 1994.

Thomas, Donald M., *Solschenizyn. Die Biographie*, Berlin 1998.

Thurston, Robert, *Life and Terror in Stalin's Russia, 1934 - 1941*, New Haven und London 1996.

Todorov, Tzvetan, *Angesichts des Äußersten*, München 1993.

ders., *Voices from the Gulag*, University Park, CA, 1999.

Tokes, Rudolf, *Dissent in the USSR*, Baltimore 1975.

Tolczyk, Dariusz, *See No Evil: Literary Cover-Ups and Discoveries of the Soviet Camp Experience*, New Haven und London 1999.

Tolstoi, Nikolai, *Stalin's Secret War*, New York 1981.

Tschechow, Anton, *Die Insel Sachalin*, Berlin 1982.

Tschuchin, Iwan, *Kanaloarmejzy* [Die Kanal-Armisten], Petrosawodsk 1990.

ders., »Dwa dokumenta kommissii A. M. Schanina na Solowkach« [Zwei Dokumente der A. M. Schanin-Kommission auf den Solowezki-Inseln], in: *Swenja* 1 (1991), S. 319–344.

Tucker, Robert, *Stalin in Power: The Revolution from Above*, New York 1990.

*USSR: Human Rights in a Time of Change*, Amnesty International Publications, Oktober 1989.

Varese, Frederico, *The Russian Mafia*, Oxford 2001.

Viola, Lynne, »The Role of the OGPU in Dekulakizations, Mass Deportations, and Special Resettlement in 1930«, in: *Carl Beck Papers in Russian and East European Studies*, No. 1406, 2000.

Walker, Martin, *The Waking Giant: The Soviet Union under Gorbachev*, London 1986.

Wallace, Henry A., *Sondermission in Sowjet-Asien und China*, Zürich 1947.

Webb, Sidney und Beatrice, *Soviet Communism: A New Civilisation?*, London 1936.

Weiner, Amir, »Nature, Nurture and Memory in a Socialist Utopia: Delineating the Soviet Socio-Ethnic Body in the Age of Socialism«, in: *The American Historical Review* 104,4 (1999), S. 1121–1136.

*Wlast i obschtschestwo w SSSR: politika repressij (20-40je gg.)* [Macht und Gesellschaft in der UdSSR: die Politik der Repressalien (20er bis 40er Jahre)], Moskau 1999.

Wolkogonow, Dmitri, *Stalin. Triumph und Tragödie*, Düsseldorf 1989.

ders., *Trotzki. Das Janusgesicht der Revolution*, Düsseldorf 1992.

ders., *Lenin. Utopie und Terror*, Düsseldorf 1994.

*Wostotschnaja Jewropa w dokumentach rossiskich archiwow, 1944-1953* [Osteuropa in den Dokumenten russischer Archive, 1944–1953], Dokumentensammlung, hrsg. vom Institut für slawische und Balkanstudien, Bd. 1: *1944-1948*, Moskau und Nowosibirsk 1997.

*Woswraschtschenie pamjati* [Die Rückkehr des Gedächtnisses], 3 Bde., Nowosibirsk 1991, 1994, 1997.

Zubkova, Elena, *Russia after the War: Hopes, Illusions and Disappointments, 1945-1957*, Armonk, NY, 1998.

## Archive

| | |
|---|---|
| AKB | Heimatgeschichtliche Bibliothek Archangelsk |
| APRF | Archiv des Präsidenten der Russischen Föderation, Moskau |
| GAOPDFRK | Staatsarchiv gesellschaftspolitischer Bewegungen und der Gründung der Republik Karelien (ehemaliges Parteiarchiv), Petrosawodsk |
| GARF | Staatsarchiv der Russischen Föderation |
| Hoover | Hoover Institution on War, Revolution and Peace, Stanford, CA |
| IKM | Heimatgeschichtliches Museum Iskitim |
| Info-Russ | Wladimir Bukowskis Dokumentensammlung [http://psi.ece.jhu.edu/~kaplan/IRUSS/BUK/GBARC/buk.html] |
| Karta | Archiv der Gesellschaft Karta, Warschau |
| Kedrowy schor | Archiv des Lagpunkts Kedrowy Schor im Lagerkomplex Intlag, im Besitz der Verfasserin |
| Komi Memorial | Memorial-Archiv der Republik der Komi, Syktywkar |
| LOC | Bibliothek des Kongresses, Washington, DC |
| Memorial | Archiv der Gesellschaft Memorial, Moskau |
| ML | Marylebone Library, Amnesty International Documents Collection, London |
| NARK | Nationalarchiv der Republik Karelien, Petrosawodsk |
| RGASPI | Russisches Staatsarchiv für Sozial- und Politikgeschichte, Moskau |
| RGWA | Russisches Staatliches Militärarchiv, Moskau |
| SKM | Solowezker Museum für Heimatgeschichte, Solowezki-Inseln |
| ZChIDK | Zentrum für die Aufbewahrung historischer Dokumentensammlungen, Moskau |
| WKM | Heimatgeschichtliches Museum Workuta |

## Gespräche

Andrejewa, Anna, Moskau, 28. Mai 1999.

Anonyme ehemalige Direktorin einer Lager-Kinderstation, Moskau, 24. Juli 2001.

Arginskaja, Irina, Moskau, 24. Mai 1998.

Berdsenischwili, David, Moskau, 2. März 1999.

Bulgakow, Viktor, Moskau, 25. Mai 1998.

Chatschaturjan, Ljudmila, Moskau, 23. Mai 1998.

Filschtinski, Isaak, Peredelkino, 30. Mai 1998.

Finkelstein, Lew, London, 28. Juni 1997.

Fjodorow, Schenja, Elektrostal, 29. Mai 1999.

Korallow, Marlen, Moskau, 13. November 1998.

Koroljowa, Natascha, Moskau, 25. Juli 2001.

Petschora, Susanna, Moskau, 24. Mai 1998.

Schister, Alla, Moskau, 14. November 1998.

Sitko, Leonid, Moskau, 31. Mai 1998.

Smirnowa, Galina, Moskau, 30. Mai 1998.

Sorin, Juri, Archangelsk, 13. September 1998.

Trus, Leonid, Nowosibirsk, 28. Februar 1999.

Uschakowa, Galina, Moskau, 23. Mai 1998.

Wassiljewa, Olga, Moskau, 17. November 1998.

Wilenski, Simeon, Moskau, 6. März 1999.

# Register

*Die kursiven Ziffern verweisen auf Bildlegenden.*


Abakumow, Nikolai 417
Abakumow, Viktor 158, 160, 412, 498
Abtreibung 343
Achmatowa, Anna 7, 130, 154f., 157, 543, 555, 559, 587
Adamowa-Sljosberg, Olga 165, 183, 203, 216, 320, 332, 385, 407, 488, 502, 541, 545, 607
Adler, Nanci 545
Adlige 10, 27, 29, 58, 61, 271, 527
Afghanen 157
Alexander II., Zar 28
Alexandrowa, Sofja 162
Alexandrowitsch, Wadim 397
Alexandrowski (Zentralgefängnis) 164
Alliierte 17, 37, 461f., 477f.
Allilujewa, Nadeschda 159
Allilujewa, Swetlana 500
Ältester *siehe Starosta*
American Federation of Labor 98, 478
Amerikaner/USA 172, 190, 193, 322ff., 406, 426, 438, 454, 462, 466, 478, 498, 515, 595
Amis, Martin 13
Amnestie 37, 68, 91, 319, 340, 342, 346, 358, 404, 451, 471f., 475f., 485, 489, 504–507, 514f., 518, 521, 531, 589ff., 614f.
Amnesty International 556, 566, 582, 588
Anarchisten 44, 52, 59, 178, 429
Anders, Wladyslaw 476f.
Andrejew, Leonid und Daniil 204
Andrejewa, Anna 204, 225, 264, 298, 329, 343, 410
Andrejew-Chomjakow, Gennadi 538
Andrej-Sacharow-Museum 597
Andropow, Juri 561, 579, 581f., 584f., 603
Anser (Lager) 58
Antonow-Owsejenko, Anton 557
Arbeit, allgemeine 22, 207ff., 244f., 247, 464, 536f.
Arbeit, leichtere 207, 261, 263, 336, 358
Arbeitskräfte, freie 50, 98, 124, 126, 147, 214, 234, 238f., 248, 256, 259, 293f., 302, 336, 378, 425, 431, 467, 472, 496, 498, 517, 538
Arbeitstag 64, 67, 104, 117, 126, 220ff., 290

Archangelsk (Zentralgefängnis) 21, 54, 57, 75, 128, 180, 207, 251, 388, 560, 595, 606
Arendt, Hannah 34, 610
Arginskaja, Irina 299, 329, 414, 528
Armenier/Armenien 269, 327, 583, 590f., 609
Armonas, Barbara 193, 202, 232, 506
Armutskomitees 187
Artikel 58 139, 319, 321, 391, 557
Ärzte 141, 182, 206, 208f., 227, 235, 296, 325, 340, 368f., 379, 390f., 395–406, 412, 450, 480, 498f., 501, 507, 513, 530, 568, 576ff., 585, 588
Ärzteverschwörung 498f., 504ff.
Ausländer 97, 99, 146, 156ff., 265, 282, 303, 318, 322ff., 340f., 447, 456, 458, 466, 479, 482, 487, 595, 602
Awerbach, Leopold 137
Awruzki (Offizier) 305
Axjonow, Wassili 544

Babilow 520
Babina, Berta 54
Bad 119, 180, 200, 203ff., 207, 228–232, 278, 281, 383, 390, 396, 431, 527
Balchanow (Häftling) 584
Balkaren 452, 455
Balten/Baltikum 22f., 34, 131, 156f., 160, 190, 198, 227, 326, 392, 406, 447, 451, 454, 456, 459, 465, 479, 489, 511, 516, 520, 522, 527, 559, 590, 616
Bamlag (Lagerkomplex) 113, 286
Barabanow, W. A. 137
Baracken 104, 112, 115, 117, 119, 142, 195, 212, 214, 216, 218, 222–228, 229ff., 245, 262, 264, 271, 277, 281, 288, 290, 299, 305, 309, 312, 322, 324, 327f., 341, 344, 349, 357, 370, 379, 401, 409, 411, 423, 426, 437, 451, 459, 462, 464, 479, 490, 493f., 510, 513, 520, 525, 527, 529, 531, 567f., 598
Bardach, Janusz 160, 191, 199, 252f., 272, 365, 373, 403, 405, 407, 413
Barkowa, Anna 510
Behandlung, medizinische 62, 76f., 120, 141, 195, 201, 390, 398, 401, 403, 457, 491, 499, 527
Belarus 597
Belbaltlag (Lagerkomplex) 101, 104, 141, 146, 286, 441
Belgier 458
Belomorsk 474
Belorussen 447, 476
Berdinskich, Viktor 392
Berdsenischwili, David 182, 583f.
Beria, Lawrenti 139, 147–150, 158, 171, 177ff., 207, 211f., 215, 258, 260, 297, 355, 391, 398, 467, 476, 498f., 503ff., 507, 511, 515, 521
Berlin 471f.
Berman, Matwej 134f.
Berschadskaja, Ljubow 165, 528ff.
Bersin, Eduard 122–126, 135f., 254, 295

Berufsverbrecher 270, 311, 312, 318, 320, 336, 422, 428f., 472, 489f., 493 *siehe auch* Kriminelle
»Besserungsarbeitslager« 98, 119
Bessonow, Juri 420
Bestechung 20, 25, 45, 66f., 106, 198, 213, 239, 246ff., 293, 384ff., 404, 491f., 495, 600f.
Besuch 49, 53, 77, 177, 270, 274, 279–282, 421, 518, 524, 528, 569, 573, 577
Bien, George 458
Birlag (Lager) 237
Bljumkin, Jakow 85
Bloch, Sidney 578
Bobrinski, Graf 527
Bogoras, Larissa 557, 588f.
Bogoslowlag (Lager) 258
Bograsdino (Lager) 115
Boki, Gleb 77, 81, 162, 621
Bolschewiken 27, 30f., 34, 43f., 46f., 52, 78, 80f., 85, 107, 132, 351, 434, 535, 540, 557, 587, 616
Bolschewo (Lager) 108
Bondarewski, Sergej 220
Borin, Alexander 381
Botschkow, W. M. 524
Brecht, Bertolt 15
Breschnew, Leonid 12, 14, 551, 555, 559, 561, 592
Brigade 23, 208, 220, 245ff., 253, 262, 266, 293, 318, 327, 339, 357, 381f., 384–388, 397, 399, 474, 482, 531
Brigadier 245, 246f., 249, 322, 336, 339, 379, 381, 383–386, 396, 413, 474, 494
Briten 156, 447, 462
Brodski, Jossif 553, 558–561, 586
Brygidka (Gefängnis) 441
Buber-Neumann, Margarete 181, 183, 303
Buca, Edward 191, 327, 339, 375, 423, 425
Bucharin, Nikolai 132, 540, 587
Budapest 397, 458f., 480, 581
Bukowski, Wladimir 267, 565, 569, 574ff., 578, 583, 605
Bulgakow, Viktor 301, 490, 511ff., 605
Bulgaren/Bulgarien 156, 459, 480
Burenkrieg 32
Bürgerkrieg in Russland 23, 44, 48, 50f., 84, 295, 310, 353, 620
Burjaten 34
Butyrka (Gefängnis) 54f., 59, 116, 165, 179, 181, 183, 187
Bystroletow, Dmitri 184, 252, 275ff., 280

Camus, Albert 13
Chabarow (Kommandant) 201
Chabarowsk 297
Chaos 46f., 50, 66, 69, 72, 75, 101, 105, 125ff., 147, 224, 275, 280, 440, 601, 620
Charkow (Gefängnis) 292, 352, 473
Chatschaturjan, Ljudmila 158, 342
China/Chinesen 116, 157, 326, 432, 482, 598
Cholmogory (Lager) 59
Christopol (Gefängnis) 588

Chruschtschow, Nikita 27, 303, 502–505, 511, 516, 518, 534f., 537f., 540ff., 546ff., 550, 555, 561, 569, 586, 588, 592, 615
Churchill, Winston 17, 461f., 468
Colonna-Czosnowski, Karol 203, 310, 377, 400, 413
Conquest, Robert 169, 613
Czortkow (Gefängnis) 443

Dallag (Lager) 128
Dalstroi *siehe* Kolyma
Daniel, Juli 561f., 565, 572
Daniljuk 293
Dauria 28
Dekabristen 27ff., 185, 189
Deportation *siehe* Verbannung
Deutsche/Deutschland 22, 25, 116, 131, 156f., 298, 324, 418, 431, 433, 437f., 441ff., 457, 459ff., 463f., 474, 480f., 489, 526, 552, 597f. *siehe auch* Wolgadeutsche
Diebstahl im Lager 238f., 286, 288, 293, 301, 309, 311–314, 323, 334, 356, 490, 540
Dimitroff, Georgi 156
Dissidenten 11, 15, 21f., 267, 299, 320, 428, 472, 512, 547, 553, 555–579, 581–585, 588–591, 605
Djakow, Boris 301, 379f.
Djilas, Milovan 479
Dmitlag (Lager) 21, 128, 137, 222, 230, 232, 245, 299, 301, 398, 411
Dmitrow 109
Dobrowolski, Alexej 573
Dolgich, Iwan 496, 528
Dolgun, Alexander 165, 172f., 181, 186, 255, 403, 405f., 413, 505
Donau-Schwarzmeer-Kanal 481
Dostojewski, Fjodor 26, 28, 308, 311
Drochobycz 442
Dscheskasgan (Lager) 173
Dschukauskas (Häftling) 583f.
Dubrawlag (Lager) 491, 551, 566
Dudina, Galina 606f.
Dudorow, N. P. 536f.
Duguet, Raymond 97
Dzierzynski, Feliks 46, 48f., 54, 58, 68f., 84

Eden, Anthony 17
Efron, Ariadna 323, 328, 406, 539
»Eheschließung« 340, 341, 527, 533
Eichmann, Fjodor 73, 135
Einzelhaft 164f., 172, 179f., 270, 272, 506 *siehe auch* Strafzelle (Isolator)
Eisenbahnbau 111ff., 116, 120f., 127, 135, 151, 243, 256f., 286, 459, 475, 495
Eisenstein 363f.
Ekart, Antoni 201, 265
Engels, Friedrich 15
Erdhütten 115, 142, 224
Erfrieren 39, 253
Ermittlungen 166–169, 177, 504ff., 573, 607

Esten 322
Exekutionen 26, 52, 63, 85, 132, 134, 136, 143–146, 150, 156, 203, 274, 298, 306, 335, 373, 382, 418f., 424, 429ff., 433, 439f., 442f., 455, 457, 459, 462, 498f., 505, 507, 520f., 534f., 597f., 619f.

Fadejew, Alexander 542f.
Federolf, Ada 323, 406
Feldgun, Georgi 315, 411
Feldscher 248, 403, 405
Fergana-Kanal 253
Figes, Orlando 81
Figner, Vera 53, 185
Filschtinski, Isaak 251, 261, 373, 388ff., 392
Filtrationslager 294, 463, 615f.
Finkelstein, Lew 167, 180, 191, 317, 384, 400, 412f.
Finnen/Finnland 98, 156f., 166, 322f., 438, 441, 452f., 463
Fischer, Eugen 33
Fjodorow, Schenja 567
Flucht 20, 30f., 39, 49, 51, 63, 97, 116f., 134, 159f., 202, 215, 219, 270, 301, 368, 417–427, 431, 481, 513f.
Folter 36, 62f., 66, 97, 132, 166, 169–173, 179, 191, 217, 328, 382, 394, 433, 436, 492, 504, 542, 571, 574, 577f., 609
Franzosen 156, 447, 458
Frauenlager 9, 58, 329, 336, 341, 514, 528, 584
Frenkel, Naftali Aronowitsch 69–72, 74f., 93, 97, 101, 147, 285
Frid, Waleri 338, 383, 340
Frolowski, Michail 484
Fushun (Lager) 482
Fuster, Julian 530

Gagen, Jewgeni 208
Gagen-Torn, Nina 160, 193, 201, 207f., 324, 328f., 360
Galanskow, Juri 573
Galitsch, Alexander 564
Garassewa, A. M. 178f.
Gedenken 370, 587f., 596–603
Gefängnis 17, 23ff., 30, 46f., 50f., 53f., 58f., 67ff., 75, 78, 82, 84, 88, 90f., 101, 114, 131f., 136, 139, 143, 148, 155, 162, 164f., 173, 176–187, 201ff., 205, 216f., 270, 279, 342, 350, 353f., 356, 376, 385, 413, 420, 436, 441ff., 451, 464, 476, 506, 534, 536f., 544, 555, 563, 570, 577, 581ff., 585, 588, 618
Geheimpolizei 22, 38, 59, 72, 106, 111, 128, 166–169, 185, 312, 448, 458, 479, 487, 503f., 544, 555, 559, 565, 585, 597, 602, 604, 606f., 620 *siehe auch* GPU/KGB/MWD/NKWD/OGPU/Tscheka
Geistliche 47, 58, 65f., 150, 320, 323, 341, 409f., 448, 457
Geld 66, 71, 78, 81, 102, 147, 182, 186f., 196, 238, 274f., 292, 294, 301, 311, 314, 316f., 329, 357, 386f., 397, 399, 413, 424, 486, 490, 497, 502, 518, 524, 527, 539, 541, 543, 569

Gemeinschaftszelle 164ff., 180, 183, 185, 270, 506
Georgier 246, 327f., 582f., 591, 598
Gessen, Masha 602
Geständnisse 132, 168ff., 172f., 177, 355, 525, 531, 573
Getty, J. Arch 613
Gilboa, Yehoshua 365
Ginsburg, Alexander 562, 573
Ginsburg, Isaak 135
Ginsburg, Jewgenia 127, 162, 172, 179, 185, 193, 197, 206, 238, 244, 248f., 309, 318, 321, 348f., 367, 373, 383, 394, 397, 403, 413, 438, 474, 484, 487f., 501, 544, 564f., 587, 607
Ginsburg, Lidia 24
*Glasnost* 14, 109, 318, 586, 592
Glebow, Wladimir 351
Gliksman, Jerzy 108, 207f.
Glink, Jelena 198f.
Gluschko, Valentin 149
Glusman (Häftling) 584
Gnedin, Jewgeni 171, 300, 366
Gogol, Nikolai W. 265, 306
Goldminen 10, 37, 39, 94, 121, 125f., 128, 136, 141, 146, 243, 254, 293, 304, 313, 369, 378, 467, 472, 474f.
Goldstein, Samuel 263
Gorbanewskaja, Natalja 576
Gorbatow, Alexander 167, 173, 276, 317, 472f., 475,
Gorbatschow, Michail 11f., 18, 318, 373, 456, 552, 582, 585f., 588f., 592, 599
Göring, Heinrich 33
Göring, Hermann 33
Gorki (Lager) 584
Gorki, Maxim 53, 81–85, 88, 101, 105–108, 122, 137f., 495, 549
Gorlag (Lager) 491, 514, 516ff., 522
Gortschakow, Genrich 299
Goskin, Michail 135
GPU 51, 69, 94 *siehe auch* KGB/ MWD/ NKWD/OGPU/ Tscheka
Gridassowa 296f., 468
Griechen 157
Grigorenko, Pjotr 576
Grosny 604
Großer Terror (1937–38) 131–152, 169, 212, 303, 319
Gurjanow, Alexander 449

Haftentlassung 11, 19, 37, 68, 93, 105, 135, 150, 299, 346, 382, 399, 414, 438f., 460, 476, 481, 503ff., 507, 533–553, 561, 588, 620
Haftgründe 45, 50, 155–159, 168
Häftlingskategorien 22, 32, 37, 46, 59, 75f., 86, 116, 234, 311, 321, 471, 507, 556, 614ff., 619
Haftroutine 162ff., 178f., 181f.
Harbin 157, 167
Harris, James 90
Haus der Begegnungen 279–282
Heidegger, Martin 13
Helsinki, Schlussakte von 441, 564f., 581, 590
Herling-Grudzinski, Gustaw 208, 217, 221, 262, 265, 273, 279–282, 325, 333ff., 361, 364, 369, 373, 376, 381, 398, 405, 417, 426f., 439

Hitler, Adolf 13f., 16f., 31, 35, 156, 263, 303, 412, 437, 448, 461ff., 499, 605, 620
Hochschild, Adam 351
Holländer 357f.
Holzwirtschaft 10, 39, 64, 72, 74ff., 92, 98f., 120, 125, 128, 141, 147, 178, 207, 242ff., 247f., 251, 272, 278, 293, 310, 322, 325, 341, 357, 378, 383f., 388, 431, 438, 471, 482f.
Homosexualität 34, 316, 336–339, 474
Hook, Sidney 15
Hunger 22, 24f., 38f., 46, 49, 113f., 125, 143, 177, 196, 200, 232, 234–237, 239f., 246, 262, 265, 267, 273, 278, 281, 292, 325, 350, 353, 356, 360ff., 363–366, 368, 373, 375ff., 396, 411, 413, 417, 427, 440, 457, 479, 489, 512f., 535
Hungersnöte 14, 24, 87, 128, 131, 375, 460, 486, 602, 619f.
Hungerstreik 52, 59, 78, 193, 357, 429f., 434, 521, 570, 573f., 588
Hygiene 62, 203, 225, 228–231, 290, 364, 381, 407, 577, 607

Ihnatowitcz 521
Iljitschow, Leonid 551
Industrialisierung 10, 85f., 108, 112, 116, 128, 473
Informanten 172, 183ff., 245, 356, 374, 379, 392ff., 430, 494, 501, 506, 512, 516, 522, 526, 530, 548
Inguschen 452, 455
Inspektionen 20, 54, 93, 109, 125, 213, 225, 229f., 236–239, 253, 255, 257, 267, 290, 306f., 346, 356, 368, 391, 399, 401, 496, 619
Inta (Lager) 21, 116, 120, 234, 490f., 497, 511
Invaliden 11, 34, 58, 75, 150, 200, 207, 218, 220, 374, 398ff., 402, 404, 507
Invalidenlager 299, 404, 491
Iraner 157
Irkutsk 30, 202
Iskitim (Strafkolonie) 273f.
Israiljew, Alexander 135
Issajew (Leutnant) 538
Italiener 156, 458, 463
Iwanowa, Galina 464
Iwdel 223, 245

Jachymov 480
Jagoda, Genrich 72, 88f., 93f., 102, 105, 119. 134f., 137f., 146, 150, 177, 180, 356, 505
Jakir, Iona 337, 557
Jakir, Pjotr 337, 350, 354, 357, 573
Jakobson, Michael 99
Jakowlew, Alexander 602f.
Jakutsk 424
Jalta, Konferenz von 17, 461
Janson-Kommission 88, 98, 122
Japaner 22, 458, 489
Jaroslawl (Gefängnis) 179
Jaruzelski, Wojciech 14
Jaschenko (Lagerkommandant) 74
Jaschkin, Afanassi 431, 433
Jasny, W. K. 380

Jegorow, Sergej 528f.
Jelzin, Boris 457, 574
Jeremenko, Soja 292
Jeschow, Nikolai 7, 143f., 146f., 168, 391, 505
Jewstonitschew, A. P. 224
Joffe, Nadeschda 342, 346
Juden 34f., 37f., 70, 131, 156, 160, 167, 247, 263, 288, 299, 303, 323, 328, 365, 438, 448, 464f., 476, 480, 486, 498f., 506, 555, 562, 571, 582, 598, 602
Jugendliche 313, 337, 339, 351, 353–358, 373, 503f., 511, 567, 607
Jugoslawen 156, 158, 293
Jurilkin (Häftling) 317
Jur-Schor 515
Juschnew (Funktionär) 73

Kaganowitsch, Lasar 72, 546
Kalmücken 452f.
Kälte 22, 26, 39, 46, 62, 89, 104, 111, 113, 121, 126f., 148, 172, 190, 200f., 230f., 234f., 250–255, 257, 272f., 325, 344, 355, 360, 363, 365, 390, 396, 399, 401, 404f., 407, 417, 572, 584, 620
Kalter Krieg 11, 13, 18, 478, 486, 608f., 613
Kamenew, Lew 132, 351, 540
Kanalbauten 21, 93f., 108, 128, 137, 325, 481, 495 *siehe auch* Weißmeer-Kanal
Kanen, W. E. 82
Kannibalismus 113, 425
Kap Kamenny 256f.
Kapralowa, Nadeschda 545
Karaganda 246, 337, 502, 514ff., 548
Karatschaier 452, 455
Karelien 68, 70, 72f., 75, 157, 224, 421, 452
Kargopollag (Lager) 208, 217, 251, 289f., 388, 392, 521, 606
Karlag (Lager) 128, 438, 530
Karro, Arnold 519
Karta (Gesellschaft) 19
Kasachstan 9, 11, 23, 69, 87, 89, 127, 141, 279, 418, 449f., 454, 477, 488, 513, 604, 616
Kasakow (Häftling) 318
Kasan 162, 181
Kasatschkow, W. A. 65
Katharina II. 452f.
Katorga 28f., 463–466, 480, 490f.
Katyn, Massaker von 22, 457, 599, 620
Kaukasier 453, 559, 616
Kedrowy Schor (Lager) 21, 234, 237, 276
Keller, Hersch 525f., 530f.
Kem (Transitlager) 57, 72, 73, 77, 286
Kengir (Lager) 341, 522, 524f., 528f., 533
Kennan, George 27
Kerenski, Alexander 43
Kersnowskaja, Jefrossinja 342
KGB 46, 51, 178, 486, 535, 537, 555ff., 561–564, 566, 575f., 579, 581, 584, 590ff., 596, 599, 603, 620 *siehe auch* GPU/MWD/NKWD/OGPU/Tscheka

Kiew 441, 561f., 597
Kinder 11, 24, 35, 37, 58, 94, 119, 136, 139, 190, 193f., 234, 244, 282, 300, 337, 340ff., 344–358, 421, 438, 450f., 454f., 462, 477, 485, 487, 503f., 507, 541, 545, 616
Kinderheim 345, 348ff., 353f., 503
Kinderlager/Jugendlager 9, 352–356
Kirgisen 34
Kirow, Sergej 132, 158, 616
Kirowograd (Gefängnis) 443
Kislowodsk 291
Kitchin, Georg 98
Kleidung 30, 36, 60, 62, 66, 82, 102, 109, 116f., 119, 126, 162ff., 166, 179, 182, 184, 191, 196, 198, 200, 203–208, 212, 225, 228, 231, 252ff., 262, 267, 272f., 281, 292, 299, 306, 312, 314–318, 325, 333–336, 338, 348, 350, 362f., 365, 377, 381f., 388f., 393, 432, 444, 450f., 481, 485f., 490, 498, 506, 521, 527, 533, 540, 571
Klein, Alexander 357, 386, 411, 465f.
Klinger, Offizier 63
Kmiecik, Jerzy 358
Knopmus, Juri 525f., 530
Kogan, Lasar 135, 222, 232, 245, 314
Kogtewa, Swetlana 350
Kohlebergbau 10, 39, 94, 118–121, 126, 135, 178, 207, 243, 247, *250*, 255, 482, 497, 515ff., 537, 620
Kollaboration 184, 303, 378, 387, 389, 392ff., 406, 411, 427f., 451ff., 455, 463f., 492, 571, 602, 605
Kollektivierung 87, 90f., 108, 310, 349, 353, 453, 535, 616, 620
Kolyma (Dalstroi) 37, 39, 89, 94, 114, 121f. *123f.*, 125–128, 136, 143, 146, 149, 151, 188, 190, 195–200, 202, 220, 222f., 230, 235f., 239, 242f., 246, 250, 252, 254, 256, 273, 278f., 294, *295*, 317, 367, 373, 375, 381, 383, 385, 391, 397, 400, 418f., 421, 424, 430, 437, 463, 468, 472, 475, 487f., 491, 501, 505, 517, 531, 537, 542
Komi-Gebiet 114–119, *120*, 121, 127, 141, 147, 418, 598
Kommunikation 25, 52, 78, 181, 185f., 314f., 322
Kommunisten 15f., 156, 159, 293, 303, 323, 328ff., 363ff., 447, 479, 498, 512, 548, 557, 591f., 603, 608
Kommunistische Internationale (Komintern) 156
Komsomolsk 135, 201, 216
Kondratas 531
Konzentrationslager 9f., 13, 17, 23, 25, 31–34, 36–39, 47f., 66f., 88, 98f., 285, 298, 367, 389, 418, 443, 458, 461, 479, 577
Kopelew, Lew 296, 396, 544, 548, 550
Korabelnikow 287
Korallow, Marlen 312, 327
Koreaner 157, 325, 598
Koroljow, Sergej 149, 373, 544
Korruption *siehe* Bestechung

Kosaken 260, 462

Koschina, Jelena 24

Koschwa 432

Kossarew, Alexander 543

Kotlas (Lager) 207f., 538, 606

Krankenhaus 120, 201, 206, 208, 244, 291, 296, 334, 340, 378, 395ff., 399–405, 412, 451, 473, 527, 530, 569, 575

Krankheiten 24, 26, 46, 49, 60, 62, 75, 104, 117, 142, 146f., 149, 171, 178, 192–195, 200f., 205, 207f., 228ff., 236, 238, 278, 280, 290, 306, 324, 329, 333, 347ff., 352, 361, 363f., 366ff., 396, 398f., 401, 405, 439, 457, 471, 503, 567f., 573, 575, 577, 620

Krasnojarsk (Lager) 292, 321, 488, 539

Krassikow, N. 77

Kress, Vernon 246

Krestinski (Häftling) 282

Kriegsgefangene 22, 31f., 45, 47, 116, 168, 234, 456–460, 463f., 480, 489, 548, 615ff.

Kriegsgefangenenlager 31, 131, 459ff., 479f.

Kriminelle 9, 11, 21, 30, 44ff., 51, 61, 64, 76, 78, 88, 106f., 141, 143f., 167, 198, 204, 208f., 217, 227f., 239, 276, 293, 309–322, 327, 330, 336–340, 342, 346, 351f., 358, 366, 376f., 383, 388, 390–393, 400, 404, 411ff., 420, 422–425, 428f., 433, 442, 490–494, 496, 507, 522ff., 526, 531, 555, 567–570, 583, 617 *siehe auch* Berufsverbrecher

Kruglow, General 497f.

Kruglow, S. N. 424, 529

Kuibyschew 476f.

Kulaken 23, 47, 87, 90f., 98, 107, 119f., 131, 156, 167, 190, 319, 342, 386, 448f., 454, 471, 616

Kundusch, W. A. 299

Kunst 258, 260f., 264, 296f., 410–413, 436, 597

Kuperman, Jakow 285

Kusnezow, Edward 568f.

Kusnezow, Kapiton 525–528, 530f.

Kusnezow, Nikolai 511

Kuusinen, Aino 166, 271

Kuusinen, Otto 166

*KWT* 258–267

Labour Party (Großbritannien) 78, 98

Lagersystem 10, 12, 39, 58, 69, 84, 88ff., 107, 111, 116, 119, 128, 151f., 198, 212f., 291, 306, 379, 383, 389, 398, 406, 489, 497, 505, 547, 566, 589

Lagertheater 20, 64, 258ff., 266, 294, 296f., 411

Landwirtschaft 10, 68, 70f., 112, 120, 128, 207, 269, 271

Larina, Anna 587

Leonidowa, Sawelia 350

Lebed, Alexander 321, 617

Lefortowo (Gefängnis) 173, 179, 186

Leipman, Flora 324

Lend-Lease-Programm 454, 468

Lenin, Wladimir Iljitsch (Uljanow) 9, 12, 24, 35, 43f., 46ff., 52, 64, 81, 85, 139, 284, 364, 552, 588

Leningrad 7, 9, 24, 106, 125, 130, 132, 141, 190, 278, 319, 353, 440f., 467, 539, 559, 568, 587
Letten 406, 582f., 596
Levi, Primo 16
Lewin 299
Lewinson, Galina 232, 300
Lewtschuk, Andrej 465
Library of Congress 478
Lichatschow, Dmitri 42, 64, 82, 587
Liebe 20, 281, 337–341
Lieberman 323
Lipper, Elinor 159, 185, 198, 225, 405
Litauer/Ltauen 190, 193f., 409, 448, 531, 582f., 591, 596ff.
Litwinow, Pawel 565
Livingstone, Ken 14
Lockhart, Robert Bruce 46
Loginow (Funktionär) 263
Loginow, Alexej 304
Loktschimlag (Lager) 269
Lu Fa 432
Lubjanka (Gefängnis) 60, 149, 159f., 163f., 178f., 181f., 476, 541, 599, 603, 621
Lukaschenko, Alexander 597
Lunatscharski, Anatoli 64
Lunz, Daniel 576f.
Lwow 159, 441f.
Lyssenko, Trofim D. 543

Magadan 122, 126f., 135, 188, 200, 206, 216, 270, 273, 294, 313, 320, 342, 367, 400, 405, 466f., 487f.
Magnitogorsk (Lager) 100
Malenkow, Georgi 546
Malsagow, S. A. 97, 420
Mandelstam, Nadeschda 154, 157, 366
Mandelstam, Ossip 157f., 195, 586
Mao Zedong 620
Marmus (Häftling) 584
Martin, Terry 94
Martschenko, Anatoli 566f., 570f., 573, 588f
Martschenko, Soja 407
Marx, Karl 15, 64, 588
Maslennikow, I. I. 518, 520
Massenmorde 12, 22, 588, 600, 609, 620
Massenverhaftungen 10, 48, 88, 91, 94f., 131, 133, 137, 141, 159f., 167ff., 180, 320, 353, 535
Masus, Israil 281
McCarthy, Joseph 16
Medikamente 117, 194f., 397, 400f., 404, 527f., 568, 573, 577 *siehe auch* Behandlung, medizinische
Medwedjew, Nikolai 313
Medwedjew, Roy 299, 543, 556, 584
Medwedjew, Wadim 557
Medwedjew, Zhores 556f., 576, 579
Medwedkow (Häftling) 96
Melnikowa, Polina 367
Memoiren 19f., 39, 62f., 66, 70, 82, 101, 160, 164, 173, 179, 181, 185, 192, 206, 217, 232, 236, 251, 265, 286f., 300f., 306, 313, 318f., 323, 326, 336f., 339f., 343, 357f., 366, 374f., 377, 380ff., 388, 392, 394, 397, 406, 409, 412, 420, 422,

426f., 450, 467, 492f., 516, 527, 548, 564, 566, 585, 587, 607, 613, 619
Memorial (Gesellschaft) 18f., 236, 312, 358, 410, 587f., 597ff., 618
Mengele, Joseph 33
Menschenrechtsbewegung 11, 22, 562, 564ff., 573f., 582, 584, 588f.
Menschewiken 44, 52, 299, 429, 490, 616
Merekow, Alexej *374*
Merridale, Catherine 366, 601
Meyerhold, Wsewolod 171
Mikojan, Anastas 540
Miljutina, T. P. 164
Mindlin, M. B. 246f
Minlag (Lager) 328, 339f., 491, 511f., 514, 521
Mischakowa, Olga 543
Mischkina, Galina 513
Misshandlung 201, 286, 301, 577
Mkrtschjan, Benjamin *223, 245*
Moldauer 447
Mollison, Theodor 33
Molotow, Wjatscheslaw 99, 391, 511, 546
Mordowien (Lagerkomplex) 225, 329, 491, 501, 556, 566f., 570, 584, 590
Moros, Valentin 561
Moros, Wladimir 569
Moskau 9, 21, 30, 37, 59, 93, 99, 125, 133, 136, 144, 148f., 152, 156, 159, 173, 178f., 190, 265, 280, 319, 353, 363, 366, 391, 396, 400, 441, 467, 476, 538, 539, 541, 543, 548, 556, 562, 565f., 587, 589, 597, 602
Moskwa-Wolga-Kanal 21, 94, 108, 128, 137, 325
Motyljowa, Tamara Lasarewna 396
Mütter 194, 340ff., 344f., 347ff., 352, 354, 438, 544f.
MWD 293, 486, 495, 498, 517 *siehe auch* GPU/KGB/NKWD/OGPU/Tscheka

Nabokov, Vladimir 587
Nachodka-Bucht (Lager) 195
Nagy, Imre 481
Narinski, A. S. 234
Narym 112
Nasedkin, Viktor 263, 442f., 473, 475
Nasino 112f.
Nationalsozialismus 12ff., 16, 23, 31–38, 160f., 185, 298, 303, 321, 367, 389, 437, 443, 458, 461, 463, 473, 479, 499, 577, 600
Negretow, Pawel
Nekipelow, Viktor 576f.
Nelipowitsch (Hauptmann) 584
Nertschinsk 69
Neumann, Heinz 303
Nikischow, Iwan 295ff., 466ff.
Nikitin, Alexander 606
Nikolaus I. 28, 575
Nikolaus II. 43, 53, 84, 101
Nikomarow (Kommandant) 584
Nischne-Amursk (Lager) 261

NKWD 51, 114, 128, 132–139, 143f., *145*, 147–151, 157, 160ff., 167ff., 171, 174, 177ff., 190, 196, 203, 258, 260, 275, 284, 286–289, 291f., 297f., 302ff., 329, 335, 350, 352–356, 367, 376, 380, 400, 420, 430f., 433f., 441–444, 447ff., 454, 456–460, 462ff., 466, 471, 473, 475f., 479f., 486f., 534, 572, 613f., 616, 618 *siehe auch* GPU/KGB/MWD/OGPU/Tscheka
Noble, John 324, 515
Nogtew, A. P. *61*, *73*, *76*
Nordlander, David 123
Norilsk (Lagerkomplex) 143, 147, 151, 250, 253, 270, 279, 293f., 304, 355, 375, 384f., 417, 419, 437, 463, 491, 496, 501, 514, 516, 518, 520f., 537, 539
Normen 25, 75, 104f., 109, 141, 169, 178, 206, 212f., 221, 233f., 236f., 245, 247ff., 254f., 261f., 266, 274, 279, 300, 355, 378, 381 bis 387, 395, 429, 479, 482, 496
Nowosibirsk 112, 125, 193, 229, 488
Nürnberger Prozess 457, 600

Odessa 125, 411
OGPU 10, 51, 59, 70, 77, 82, 88–92, 98f., 101f., 111f., 116ff., 122, 128, 135, 291, 392, 403, 421, 534 *siehe auch* GPU/KGB/MWD/NKWD/Tscheka
Okudschawa, Bulat 544, 564
Okunewskaja, Tatjana 158, 211, 400, 412
Olizkaja, Elinor 59f., 185, 220, 254
Omsk 434, *476*
Ordschonikidse, Grigori (Sergo) 30
Orenburg 167
Organisation Ukrainischer Nationalisten (OUN) 465
Orlow, Juri 582, 605
Orlowa, Valentina *519*
Oserlag (Lager) 531
Österreich/Österreicher 156, 458, 459
Ostsee-Weißmeer-Kanal *siehe* Weißmeer-Kanal

Panin, Dmitri 179, 239f., 326, 411
Pantschenko, Michail 284
Pasternak, Boris 587
Pawlow, Major 135f.
Pawlow, Sergej 552
Pensa 47
*Perestroika* 13, 586
Perm (Lagerkomplex) 215, 379, 556, 570, 573, 583, 590f., 598
Peschkowa, Jekaterina 53, 60
Peter der Große 28f., 91
Petkewitsch, Tamara 362
Petrograd 46f., 50, 59, 81
Petrominsk (Lager) 54, 59, 76
Petropalowsk 191
Petrosawodsk 21, 597, 598
Petrow, Wladimir 236, 239, 254, 381
Petschora *siehe* Uchtpetschlag
Petschora, Susanna 240, 247, 292, 328, 339, 506, 605
Pinsk 442

Pipes, Richard 24
Pjatakow, Georgi 68f.
Pliner, Israil 135, 288
Pogodin, Nikolai 107f.
Pohl, Otto 617
Pokrowski 474
Polen 22f., 25, 27, 34, 37, 131, 156f., 159ff., 167ff., 172, 190, 195, 198, 201, 203, 208, 217, 227, 265, 271, 288, 305, 310, 323f., 326f., 333, 342, 365, 406, 409, 413, 426f., 438, 447, 450f., 454, 456f., 459, 465, 475–480, 516, 522, 527, 564, 597ff., 604, 616, 620
Polisonow, Alexander 135
Politische 9–12, 21, 27f., 30, 34, 44–47, 51–55, 58ff., 65f., 76ff., 84, 107, 138ff., 143f., 146ff., 162, 177f., 196, 206, 217, 299, 302f., 309–312, 314, 317–322, 330, 338–341, 344, 346, 351, 376f., 381, 385, 390ff., 412f., 420, 423, 429, 431, 433f., 437f., 441ff., 467, 472, 475, 479ff., 485, 487–492, 494, 496, 501, 503, 506, 522ff., 528, 534, 539, 547, 555f., 558, 566f., 569f., 573, 576f., 583, 588f., 591, 598, 600, 602 *siehe auch* Dissidenten/ »Volksfeinde«
Politisches Rotes Kreuz 53, 60, 76
Poljan, Pawel 617
Poljanski (Lager) 321
Post 53, 55, 60, 63, 76, 78, 138, 172, 177, 182, 186, 262, 270, 274–279, 311, 332, 340f., 370, 380, 430, 438, 473, 486, 490, 497, 507, 512, 518, 528, 533, 569, 577, 589
Potma (Lager) 271, 556
Powenez 109
Propaganda 17, 20, 35f., 38, 70, 78, 84, 86, 102, 105, 107f., 111, 123, 137, 139, 227, 258, 260f., 264–267, 299f., 302f., 356, 358, 391, 418f., 443, 460, 474, 481, 526, 531, 547, 557, 559, 561, 564, 577, 597
Prostitution 196, 285, 339ff., 353, 357
Psychiatrie 405, 543, 556, 575, 577ff.
Purischinskaja, Ada 373
Puschkin, Alexander 26, 563
Putin, Wladimir 603, 608

Rasgon, Jelena 544
Rasgon, Lew 158, 162, 271ff., 287, 296, 309, 311, 322, 357, 373, 391, 394f., 447, 543, 587, 594, 621
Rasgon, Oxana 544, 621f.
Ratuschinskaja, Irina 428, 584
Rawicz, Slawomir 416, 426
Reagan, Ronald 11, 582, 584
Reddaway, Peter 578, 584
Reformen nach Stalins Tod 503–507, 536f., 546, 557
Regime 30, 51, 54, 61, 74ff., 122, 125, 141, 147, 149f., 166, 177, 206, 212, 218–222, 244, 269f., 272ff., 279, 285, 299, 303, 336, 340, 353f., 382f., 389, 422, 430, 479, 492, 505f., 528, 533, 566, 571, 588
Rehabilitierung 10, 135, 534, 536, 539–543, 571, 587, 600, 602
Reichenberg, Sergej *320, 367*

Religion 27, 65, 270f., 324, 329f., 344, 409, 450, 527, 555, 565, 582, 592
Rentabilität 72f., 77, 92f., 147, 150, 475, 496ff., 504f., 533, 535f. *siehe auch* Wirtschaftsfaktor Lager
Repatriierung 17, 292f., 460ff., 477, 616
Retjunin, Mark 431ff.
Retschlag (Lager) 514ff., 518, 522
Revolten 11, 55, 144, 356, 427, 430–434, 453, 490, 496, 507, 511–531, 533, 605
Revolution, russische 9, 16, 21, 23f., 29f., 43–46, 48, 52ff., 66, 68, 84, 87, 97, 139, 187, 295, 310, 462, 620
Reykjavik 582
Rigoulot, Pierre 12
Ripezki (Häftling) 521
Rjasan 407, 543, 548
Robinson, Robert 156
Roeder, Bernhard 502
Roginski, Arseni 587f.
Roosevelt, Franklin D. 17, 461, 468
Rosina, Anna 275
Rossi, Jacques 214, 219, 247, 361
Rostow 125
Rote Armee 11, 37, 44f., 48, 50, 77, 131, 136, 160f., 292, 303, 354, 373, 407, 441f., 456–461, 463, 465, 467, 471ff., 475, 477, 479f., 489, 494, 525, 548, 576, 615
Roter Terror 9, 23, 42, 48, 620
Rozsas, Janos 397
Rumänen/Rumänien 157, 458, 459, 463, 480
Ruschnewiz, Tamara 334f., 340
Rytschkow 150

Sachalin 26, 29, 69, 495
Sacharow, Andrej 579, 584, 590, 605
Sacharowa, Anna 380
Sacharow-Institut 19
Sadownikow, W. N. 286
Samisdat 563ff., 566, 570, 587
Sandormoch 143, 598
Sandrazkaja, Maria 194, 300
Saporoschez, Natalja 342
Sartre, Jean-Paul 13
Satellitenstaaten 18, 379, 596, 603
Säuberungen 13, 22, 132ff., 136, 145f., 286, 295, 335, 454, 498, 587
Sawwatjewo (Lager) 59f., 76ff.
Sazlag (Lager) 110, 128
Scammell, Michael 409
Schalamow, Warlam 20, 126, 183, 185ff., 205, 228ff., 232, 306, 313, 315, 336, 362, 369, 372, 375, 377, 394, 408, 417, 424, 427, 564, 587
Scharaschka 148f., 220, 233
Schauprozesse 15, 86, 132, 499, 558
Schdanow (Häftling) 497
Schdanow, Andrej A. 543
Schenow, Georgi 162, 278
Scheweljowa, Lisa 206
Schichejewa-Gaister, Inna 163, 184
Schifrin, Awraham 472f., 556

Schigulin, Anatoli 300f., 313, 340, 373, 404f., 419, 493f., 587, 605
Schirjajew, Boris *61*, 71
Schister, Alla 381
Schlaf 62, 172, 178, 180, 182f., 185, 187, 189, 207, 218, 220, 226ff., 230, 274, 290, 363, 383, 389f., 425, 510, 529, 572
Schreider, Michail 303
Schukow, Georgi K. 511
Schurid, Wassili *519*
Schwangerschaft 233, 341ff., 346f., 356, 485, 503f., 615
Schweden 458f.
Sekirka *siehe* Solowezki
Selbstmord 26, 144, 180, 194, 228, 240, 282, 288, 293, 366ff., 450, 462, 510, 543, 573
Selbstverstümmelung 26, 404ff., 568f.
Selektion 38, 205–208
Serbski-Institut für Gerichtspsychiatrie 575f., 578
Serebrjakowa, Galina 159
Sereny, Gitta 36
Serge, Victor 353
Serow, Iwan A. 537
Sewscheldorlag (Lager) 120
Sewurallag (Lager) 296, 401, 403
Sewwostlag (Lager) 123, 151
Sgovio, Thomas *165*, 190, 196f., 239, 259, 294f., 336, 361, 363f.
Sharansky, Natan 571
Sibirien 9, 11, 23, 27–31, 39, 53, 87, 89, 121, 127f., 141, 237, 272, 351, 414, 418, 424, 426, 483, 499, 616
Siblag (Lager) 128, 141f., 230, 236, 252, 273, 299, 346, 399
Sidorkina, Jelena 137
Sieminski, Janusz 222
Sikorski-Maiski-Pakt 475
Sinjawski, Andrej 561f., 565f., 576
Sinowjew, Grigori 132, 540
Sitko, Leonid 341, 436, 461, 512f., 551
SLON (Lagerkomplex) *siehe auch* Solowezki 59, 62, 64, 67, 69, 72ff., 76, 92, 101, 135, 420f.
Slutschenkow, Gleb 525f., 530
Smirnow, Alexej 413
Smolensk 350
Sobolew, I. M. *286*
Sofsky, Wolfgang 36, 389
Solowezki (Lagerkomplex) 21, 55–67, 69–72, *73*, 74, 76f., 81–84, 88f., 92, 97, 101, 106f., 116, 127, 143f., 203, 247, 286, 288, 291, 302, 329, 379f., 409, 419ff., 429, 441, 595, 598f., 606
Solschenizyn, Alexander 14, 17, 58, 62, 69f., 72, 81, 148, 159, 163f., 178, 202, 227, 269, 306, 316, 326, 328f., 339, 341, 373, 389, 391, 393ff., 397, 409, 417, 427, 522, 528, 542, 547–553, 558, 564, 587
Sonderlager 47ff., 51f., 55, 89, 225, 340f., 479, 481, 490f., 503, 507, 511, 513f., 517, 521f., 533, 548
Sonderumsiedler 22, 27, 29, 119, 471, 487, 615–618 *siehe auch* Verbannung
Sorin, Juri 384, 409, 538
Sorokin 465

Soroklag (Lager) 474
Sotschi 291
Sozialdemokraten 429
Sozialisten 44, 52ff., 59, 76ff., 81, 85, 97, 429
»Sozialistischer Wettbewerb« 104, 260f.
Sozialrevolutionäre 44, 52, 54f., 59f., 185, 490, 616
Spanier 598
Spielberg, Steven 13
St. Petersburg 28, 30, 54, 64, 92, 115, 167, 189, 526, 575, 597
Stachanow, Alexej 104, 110
Stajner, Karlo 293, 326, 437
Stalin, Jossif 10–15, 16f., 20ff., 25, 29ff., 34f., 37, 42, 70, 72, 80, 85, 88–95, 99, 101, 104ff., 108f., 112, 116, 121ff., 125, 131f., 135ff., 139f., 144–148, 150, 152, 156, 158, 160, 168, 170, 211ff., 257, 260, 266, 286, 290, 292, 298, 304, 319ff., 328, 338, 340, 355, 358, 367, 391, 398, 418, 422, 430f., 449, 451–457, 460–463, 466, 468, 473, 478f., 481, 486, 488, 495, 497–508, 511, 514f., 518, 522, 535, 538, 540, 542f., 546f., 554–558, 561, 563–572, 581, 587f., 592, 598, 601, 604f., 608, 614, 619f.
Stalingrad 457, 495
Stangl, Franz 36
Stanislawow (Gefängnis) 180
*Starosta* 184f., 239, 317
Starostin, Nikolai 158, 297, 412
Steinberg, M. 443f.
Stephan, John 121
Steplag (Lager) 491, 502, 512f., 522f., 533
Sterberaten 23f., 122, 128, 131, 135, 142, 151, 211, 386
Stoßarbeiter (Stachanow-Arbeiter) 36, 104, 108, 110, 139ff., 226, 245, 258–261, 265, 352, 356, 381, 383
Strafen 36, 50f., 125f., 149, 199, 227, 269–282, 293, 300f., 316, 329, 404, 419ff., 428, 431, 449, 464, 474, 481, 501, 506f., 528, 531, 540, 571, 573, 578, 581, 616
Straflager 9, 275, 287, 411
Strafvollzug 10, 51, 67f., 74, 88f., 555, 606
Strafzelle (Isolator) 39, 57, 63, 82, 83, 149, 172, 214, 217, 262, 269–275, 341, 349, 380, 399, 423, 429, 521, 528, 556, 566, 571–574, 583 *siehe auch* Einzelhaft
Straßenbau 75, 111f., 116, 127f., 243f., 322, 459, 475, 537
Streik 144, 165, 428ff., 434, 496, 511, 514–518, 521–525, 528f., 533, 570
Stus, Wassil 573
Suchanowka (Gefängnis) 171, 179
Sunitschuk 531
Suster, Jula-Imar 337
Suworow, W. D. 286
Swerew (Kommandant) 496
Swirlag (Lager) 128
Sychanow, Iwan 235
Syktywkar 21, 114, 116, 433, 598

Taganskaja (Gefängnis) 46
Tataren 34, 452f., 455f., 616
Taylor, Frederick W. 30
Temirtau 235
Temlag (Lager) 230f., 382f.
Temnikowski (Lager) 207
Ter-Petrossjan, Lewon 590
Tichonowitsch, N. 116
Tito, Josip Broz 479f.
Tobolsk 78
Todesstrafe 28, 45, 49, 54, 87, 135, 150, 170, 178, 439, 466, 530
Todorow, Zwetan 366f., 406
Tolstoi, Leo 33
Tomsk (Gefängnis) 113, 597
Transitgefängnisse 77, 193ff., 200, 203, 317, 409
Transitlager 9, 49, 57, 115, 195f., 207f., 286, 324, 377, 411, 430
Transport 9, 113, 122, 143, 152, 174, 179, 181, 184, 187, 189–202, 205, 217, 248, 276, 289, 309, 335, 342, 354, 356, 380, 388, 406f., 409, 423f., 427f., 430, 442, 449, 454, 462, 515, 574, 618, 620
Troikas 144, 167, 536, 558
Trotzki, Leo 30, 32, 44f., 47, 85, 132, 139, 320, 429, 430
Trotzkisten 78, 134, 136, 138f., 144, 166f., 172, 319, 429f., 434, 490, 557
Trus, Leonid 264, 384f., 392, 401f., 507
Tschaadajew, Pjotr 575
Tschebrikow, Viktor 590f.
Tscheburkin, Andrej 294
Tschechen/Tschechoslowakei 47, 324, 459, 480
Tschechow, Anton 26, 29, 64, 261
Tscheka 46ff., 51, 53ff., 59, 81, 92, 162, 260, 284, 291, 506, 561, 603, 620 *siehe auch* GPU/KGB/MWD/NKWD/OGPU
Tschernjawin, Wladimir 170, 420f., 423f.
Tschernyschew, Wassili 288, 439
Tschetschenen 22f., 34, 227, 326f., 452–456, 604, 608
Tschetschenien-Kriege 604, 608
Tschetwerikow, Boris 179
Tschirkow, Juri 203
Tschitschibabin, Boris 554
Tschornowil, Wjatscheslaw 562
Tschuchin, Iwan 91
Tschuktschen 34
Tschurbanow 588
Tuchatschewski, Michail 136
Tucker, Robert 91
*Tufta* 25, 378f., 382–387
Tungusen 34
Tupolew 149
Turuchansk 328
Twardowski, Alexander 8, 548ff., 552, 580, 592
Tyszkiewicz, Graf 271f.

Uchta-Expedition 114, 116–119, 220
Uchtischemlag (Lager) 120, 208, 296f., 411

Uchtpetschlag (Lagerkomplex) 72f., 116–121, 125ff., 135, 146, 151, 216, 269, 294, 497
Ukraine/Ukrainer 14, 22f., 131, 227, 303, 322, 326f., 392, 406, 423, 441, 443, 447, 459, 465, 476, 480, 489, 511, 516f., 520, 522–527, 531, 541, 550, 559, 561f., 571, 573, 582, 590f.
Uljanowskaja, Maja 501
Uljanowskaja, Nadeschda 414
Umerziehung, 48–51, 74, 84, 108, 122f., 137f., 258f., 262–266, 311, 353, 482
Unfälle 104, 128, 248, 254f., 291, 306
Ungarn 397, 458f., 463, 480, 596, 604
UNO (Vereinte Nationen) 478, 599
Unschlag (Lager) 296
Uranabbau 369, 464, 480
Uschakowa, Galina 375
Ussowa, Sinaida 382f.
Ust-Ussa, Aufstand von 430–434
Ustwymlag (Lager) 120, 287, 399

Verbannung 9, 11, 15, 22f., 25–31, 42, 53, 76, 85, 87, 90, 98, 102, 112f., 115, 117, 119, 121, 131, 151, 161f., 189, 286, 326, 328, 351f., 366, 406, 436, 440, 447, 449–455, 467, 476, 479, 482, 486ff., 499, 502, 528, 534, 536, 538f., 542, 584, 590, 603f., 616–620
Vergewaltigung 161, 172, 198f., 217f., 301, 339, 341, 350, 524, 527, 567
Verhaftung 9, 35, 45, 52, 94, 131, 135ff., 152, 154–174, 177, 190, 280, 304, 320, 341, 349f., 354ff., 382, 444, 448ff., 454, 472, 488, 498, 504, 511, 530, 543, 547f., 556, 558ff., 562f., 565, 574ff., 581, 584f., 613, 617, 621
Verhör 9, 36, 136, 152, 155, 159, 165f., 168, 170–173, 177–182, 185f., 190, 202, 292, 303, 354ff., 392, 433, 459, 463, 465f., 507, 557, 620
Verhungern 29, 53, 149, 329, 361f., 451, 621
Verpflegung passim
Vertrauensleute 244, 387, 389–395, 512, 527
Vilnius 442, 596
Violaro, »Graf« 66
Vogelfanger, Isaac 227, 296, 340, 368, 374, 401, 403
»Volksfeinde« 10, 34f., 37, 132, 139, *140*, 141, 143, 148, 163, 170, 181, 194, 202, 258, 279, 300, 303, 382 *siehe auch* Politische

Wachajew 531
Wachpersonal passim
Waigatsch-Expedition 220
Waisenhäuser 349, 351f., 358, 477, 620
Wallace, Henry 466ff.
Wallenberg, Raul 458ff.
Wandzeitungen 108, *259*, 260, 266, 526 *siehe auch* Zeitungen
Wanino (Lager) 188, 195, 286, 411
Warwick, Walter 322
Wassiljewa, Olga 290, 502

Wat, Aleksander 159, 327, 413, 446
Wawilow 528
Webb, Sidney und Beatrice 15
Wedów, Janusz 470
Weißberg-Cybulski, Alexander 184f., 206, 246, 254
Weißmeer-Kanal 16, 93, 97–109, 111, 113, 122, 128, 258f., 286, 325, 441, 481 *siehe auch* Kanalbauten
Werchneuralsk 78
Wesjolaja, Sajara 181ff.
Wiederverhaftungen 131, 487f., 581
Wiesel, Eli 16
Wigmans, Johan 357
Wilenski, Simeon 210, 464, 516f.
Wirtschaftsfaktor Lager 10f., 21, 59, 69f., 72–75, 88f., 111, 114, 121, 123, 125, 128, 141, 146–152, 177, 212f., 243, 254, 270, 291, 304, 355, 387, 399, 430, 439, 474, 491, 494–499, 505, 555 *siehe auch* Rentabilität
Wischlag (Lager) 122
Wjatlag (Lager) 220, 238, 301, 305, 392, 502, 521
Wladimir (Gefängnis) 570, 572
Wladimirowa, Jelena 242
Wladiwostok 122, 136, 324, 413, 430
Wlassow, Andrej 303, 461
Wlodzimierz-Wolynski 160
Wolgadeutsche 23, 366, 452f., 456, 616
Wolgostroi (Lager) 236
Wolkogonow, Dmitri 30, 139
Wolkonskaja, Fürstin Maria 29, 189
Wolkonski, Sergej 29, 189
Wolkow, Oleg 61, 81
Wologda 30
Wolotschajewka 135
Wolowitsch, Chawa 339, 344ff., 466
Workuta (Lagerkomplex Workutlag) 9, 21, 116, 118f., 120f., 142, 143f., 151, 165, 214, 224, 243, 250, 253, 255ff., 270, 279, 294, 324, 375, 414, 418, 429, 431, 434, 463, 490f., 497, 502, 513–516, 518, 521, 597, 621
Woroschilow, Kliment 547
Wosnessenski, Andrej 532
Wosturallag (Lager) 266
Woswraschtschenie (Verlag) 19
Wtoraja Retschka (Gefängnis) 195
Wyschinski, Andrej 150
Wyssozki, Wladimir 564

Zählappell 203, 218f., 251
Zarenzeit 9, 26–30, 43, 45ff., 52f., 58, 66, 84, 89, 100f., 106, 112, 157, 166f., 185, 191, 310, 418, 453, 463f., 467, 570, 575

Zarod, Kazimierz 217ff., 305f., 409

Zeitungen 18, 53f., 59, 64f., 77, 108, 110, 259, 356, 438, 512, 613 *siehe auch* Wandzeitungen

Zelle 55, 165f., 178, 180, 183ff., 187, 210, 354, 432, 507, 567, 570f., 606f.

Zone 25, 208, 214–218, 224, 270, 349, 520

Zwetajewa, Marina 323, 406

# Abbildungen

David King Collection: 145, 253
GARF: 142, 226, 229, 250, 271, 302, 315, 343, 402
Hoover Institution: 165, 351
Karta Gesellschaft: 115, 123, 249, 251, 453, 455
Memorial Gesellschaft: 103 (o), 103 (u), 105, 223, 235, 237, 245, 259, 320, 337, 367, 374
Sammlung Juri Brodski: 61, 67, 73, 83
Ullstein Bild: Auftaktbild

Slawomir Rawicz
"Der lange Weg"

Der Gulag in der Zeit seiner größten Ausdehnung 1939–1953